한 권으로 배우는 수사학

CLASSICAL

RHETORIC

FOR THE

말과 글로 살아가는 모든 이를 위한 **고전 수사학 특강**

한 권으로 배우는 수사학

MODERN

STUDENT

에드워드 P. J. 코벳 · 로버트 J. 코너스 지음   홍병룡 옮김

꿈을 이루는
사람들

추천의 글

'학문의 어머니'라고 불리는 수사학(Rhetoric)은, 고대로부터 현재까지 수많은 현자와 석학들이 연구해온 설득과 소통의 기초와도 같은 학문입니다. 동양과 서양, 과거와 현재를 막론하고 수사학은 인류가 사회를 형성하고 공동체를 구성하는데 정치 · 사회 · 문화적으로 중요한 역할을 감당해왔습니다. 특히 수사학이 매체를 통한 인간의 사고와 표현의 과정을 연구하는 학문으로 자리 잡은 서구의 학자들은, 인문학과 사회과학, 심지어 자연과학까지 넘나들며 수사학이 우리의 삶에 미치는 역할을 연구하고 있습니다.

그러나 안타깝게도 동아시아에서 수사학은 체계적 학문 단위로 주목받지 못하고 있습니다. 거의 모든 서구 학문의 전공분야를 도입해서 고등교육의 주요 교과과정으로 편성하고 있는 우리나라에서조차, 수사학은 학문의 단위는커녕 교과과정으로도 도입되어 있지 않은 실정입니다.

제가 소속된 한국수사학회는 말과 글의 정치 · 사회 · 문화적 기능과 역할을 교육하고 연구하기 위해 모인 학술단체입니다. 짧지 않은 시간 동안 한국수사학회는 수사학에 대한 사회적 인식이 거의 없는 우리나라에 수사학의 학문적 씨앗을 심고 뿌리를 내리기 위해 심혈을 기울여왔습니다. 하지만 이제 저희는 한국에서 수사학의 저변 확대와, 나아가 건강하고 효과적인 소통문화 발전의 기초를 다질 최적의 도구를 얻게 되었습니다. 그것이 바로 이 책, 《한 권으로 배우는 수사학》입니다.

이 책은 고전 수사학의 요소들과 적용에 대한 기초 교육, 논증의 전략과 전술, 담론의 효과적인 제시와 구성, 말과 글에서 드러나는 힘과 품위, 적절한 표현들을 발전시키는 것, 그리고 수사학 이론의 역사라는 다섯 부분으로 나눠 서양 고전 수사학을 설명합니다. 또한 호머와 소크라테스, 헨리 데이비드 소로, 마틴 루터 킹, J. F. 케네디 등의 작품과 서신, 강연 같은 고전과 현대 수사학의 사례를 자세한 분석과 함께 인용하여, 고대와 근현대의 수사학적 유산들이 21세기에도 변함없이 설득 과정의 성공적인 길잡이로 작동한다는 것을 보여주고 있습니다. 또한 저자들은 현대에서 수사학을 활용한 가장 대표적 사례인 잡지 광고를 통해, 수사학이 언어 행위를 넘어 삶의 다른 영역에서 어떻게 기능하고 있는지 폭넓게 탐구하는 신선한(!) 시도도 서슴지 않습니다. 말과 글을 통해 자기 논지를 주장하고 관철시키고자 하는 모든 사람에게 필요한—능숙하게 글을 쓰고 다양한 콘텍스트를 가진 텍스트를 명민하게 읽고 해석하는—기술들을 종합적으로 제시하고 있는 이 책은, 여러 분야에서 말하기와 글쓰기의 '교과서'로 사용하기에 손색이 없습니다.

사회 전반에 걸쳐 스피치와 글쓰기, 리터러시가 주목 받고 관련 콘텐츠와 프로그램이 쏟아져 나오고 있지만, 수사학에 대해서는 별로 달라진 것이 없는 상황입니다. 그런데도 이 책을 기꺼이 출판하신 도서출판 꿈을이루는사람들 관계자 여러분에게 진심으로 감사의 말씀을 전합니다. 귀한 분들의 도전과 수고 덕분에 현대 수사학계의 뛰어난 '사부님들'의 명강의를 지면으로 만나보게 되었습니다. 난이도나 분량 면에서 쉽게 읽을 책은 아니지만, 이 내용을 붙잡고 고민하며 씨름한 시간들은 반드시 여러분의 글과 말에 고스란히 나타나며, 장차 꿈꾸는 바를 이루는 데 큰 유익이 될 것입니다. 수사학을 사랑하는 사람들의 모임인 한국수사학회를 대표해서 말하기와 글쓰기에 관심을 가진 모든 분에게 기쁘게 추천합니다.

이상철 교수
한국수사학회 회장, 성균관대 학부대학

사람이 사는 세상은 수많은 담론으로 채워져 있고, 무언가를 말하고 행동하는 것을 통해 마음을 전하고 얻는 행위는 중요한 요소로 작용해 왔습니다. 그래서 가장 오래된 학문 가운데 하나인 수사학은 과거에도 그랬던 것처럼, 오늘날에도 여전히 중요한 학문으로 자리매김 하고 있습니다. 본서는 21세기를 사는 이들을 위해 서양 고전 수사학의 이론을 이해하기 쉽게 정리한 책입니다. 벌써 1960년대 초에 첫 판이 발간되어 2, 3판이 발간되었는데, 한 사람이 저자로 더 참여하여 개정판으로 네 번째 나온 책입니다. 처음 출간된 지 50년이 지났지만 변함없이 수사학 연구에 많은 도움을 주며 현대 독자들을 위해 깊고 풍성한 통찰력을 제공해주고 있습니다.

약 2400여 년 전 인물인 아리스토텔레스의 《수사학》과 당시의 문헌들이 현대에도 수사학 연구에 중요한 자료로 속한다는 점을 고려하면 오래된 것이 아니라고 할 수 있을 정도로, 그동안 인류는 수사학이라는 학문에 매료되었습니다. 사람과 사람이 살아가면서 정보를 주고받고, 영향을 미치고 설득하는 일이 여전히 중요한 영역이기 때문일 것입니다. 이것은 예배와 설교를 감당하는 한국 교회의 목회자와 신학생들에게도 동일하게 해당되는 이야기입니다. 읽기에 만만한 내용은 아니지만, 현대에서도 여전히 중요한 수사학의 숲을 거닐어 보는 것은 복음의 메시지를 온전히 전달하고 변화와 성장을 도모하는데 매우 유익한 여정이 될 것입니다. 예배와 설교, 그리고 다양한 활동과 매체를 통해 메시지를 전달하고 개인과 공동체를 새롭게 하기 원하는 모든 이에게 권합니다.

김운용 교수
장로회신학대학교 예배·설교학, 신학대학원장

인간은 산업혁명의 동굴에서 자본주의를 캐내었습니다. '물질의 개벽'을 통하여 물신화(物神化)에 성공하며 인류는 아직도 성공적인 진화의 스토리를 이어가고 있습니다. 하지만 바로 엊그제 들은 것처럼 생소하고 괴물 같은 '인공지능'(AI)이라는 단어를 대면하면서, 인간은 낯선 귀퉁이에서 초라한 긴장의 끈을 매고 있습니다. 이 같은 적대적 공존의 시대에 생뚱맞게 수사학을 들먹거리는 이유는 무엇일까요? 이에 대하여 본서의 저자들은 서문에서 "그리스와 라틴 수사학자들과 철학자들이 우리에게 전수한 가장 유익한 교훈 중 하나는, 우리가 인간을 지성과 의지와 감정과 신체로 이뤄진 복합체로 간주하지 않으면, 사회에 필요한 잘 통합된 시민을 배출하지 못한다는 점이다"라고 답합니다. 이것은 지금도 여전히 화려하게 공명하며, 모든 학문과 교육의 본질을 총체적으로 요약하는 매우 중요한 담론입니다.

수사학은 현대 박물관에 보존되어 있는 낡고 헐벗은 토판의 글자가 아닙니다. 그것은 인간 정신의 충만한 재현입니다. 수사학은 인간적 신뢰도와 사고의 논리성, 감정의 미학을 설득 수단으로 삼아, 인간사회를 생산적으로 구성하는 예술이라고 할 수 있습니다. 특히 그리스의 수사학자 이소크라테스는 수사학의 교육적(paideia) 필요성에 대하여 역설하였습니다. 그에 의하면, 수사학은 로고스(logos)와 관계하는 한에서 이성(ratio)인 동시에 말(oratio)이며, 문화의 창조자이자 유지자입니다. 이것은 인간을 사상과 언어, 정서를 한 몸체로 이해하는 점에서, 가장 이상적인 교육의 지표를 제시합니다. 서양 중세 르네상스 운동이 당시 2000년 전 그리스-로마 고전으로 돌아가자고 목이 터지라고 외쳤던 이유가 이해됩니다. 그러므로 수사학은 인간과 인간의 삶을 상보적으로 묶어주는 매개와 근거가 되는 최상의 기술적 설득수단입니다.

수사학은 고대인들이 가지고 놀던 낡은 파편적 사고체계가 아닙니다. 존재감은 적지만 그리스 신화에 등장하는 여신 헤스티아와 같습니다. 그녀는 화로의 불씨가 꺼지지 않게 지키는 일을 맡고 있었습니다. 수사학은 매일 낯설어가는 당신의 삶에 존재의 의미를 묻습니다. 수사학의 섬세한 선율을 웅장하게 연주하는 교향곡 같은 본서는, 독자들에게 단연 빛나는 감동을 전해 줄 것입니다.

김성규 교수

웨스트민스터신학대학원대학교 신약성서학

한국수사학회 회원

KLAS, SICA 고전연구소 소장

우리의 아내와 아이들에게 기꺼이 이 책을 바친다.

이 책을 집필하는 내내 그들이 봤던 것은,

등을 구부린 채 컴퓨터 자판을 두드리는 남자의 뒷모습뿐이었다.

서문

/

이 책의 첫 세 판(版)은 1965년과 1971년, 1990년에 각각 출판되었다. 1999년에 출간된 제4판은 로버트 코너스가 공저자로 참여한 작품이다. 이 책이 처음 출간된 지 33년이란 세월이 흘렀건만, 고전 수사학의 몇몇 원리와 행습은 21세기에 접어드는 우리 사회에서 여전히 효과가 있다는 증거가 적지 않다. 그리스와 라틴 수사학자들과 철학자들이 우리에게 전수한 가장 유익한 교훈 중 하나는, 우리가 인간을 지성과 의지와 감정과 신체로 이뤄진 복합체로 간주하지 않으면, 사회에 필요한 잘 통합된 시민을 배출하지 못한다는 점이다.

수사학은 언제나 우리와 함께할 것이다. 수사의 훈련은 인간 피조물에게 숨을 쉬는 것만큼 자연스럽고 또 필요하다. 그리스인들은 최초로 수사의 기술을 만들 때 이런 통찰이 있었다. 후대의 사람들은 그 시대의 필요와 흐름에 맞춰 그 기술을 확대하고 또 연마했다. 물론 장차 21세기를 위한 '새로운' 수사학이 분명히 등장할 것이다. 예컨대, 이제껏 고안된 어떤 것보다 더 포괄적인 사이버공간의 수사학, 많은 나라와 문화에 속한 사람들에게 적합한 국제적인 수사학 같은 것들이다. 그러나 그 새로운 수사학에는 고전 수사학의 현저한 잔유물이 포함될 것이다. 그래서 이 책의 초판이 나온 지 33년이 흐른 뒤에도 주저하지 않고 또 하나의 판을 내놓는 것이다.

본서의 구조는 앞의 세 판과 다름이 없다. 1장은 과거 2천 년에 걸쳐 서양의 학교들에서 꽃을 피웠던 수사학 훈련에 대해 간략하게 설명한다. 다음 세 장은 수사학의 세 요소를 전개한다. 그래서 2장은 '논증의 발견', 3장은 '자료의 배열', 4장은 '양식'이라는 제목을 각각 붙였다. 예비 훈련에 관한 5장―그리스 학생들이 연습했던 산문 작성의 순서

—은 새로 덧붙인 로버트 코너스의 저술이며, '수사학 개관'(6장)에 담긴 수사학 역사의 확대판도 그의 손을 거친 것이다. 에드워드 코벳은 개정된 1장에서 3판에서 논의했던 흑백 광고 대신에 컬러 잡지 광고의 수사학적 특징을 분석하고 있다.

　우리가 4판을 준비하면서 손질한 내용이 선생들과 학생들에게 더 유용하고 또 호소력이 있기를 바라는 마음이다. 지난 세월 우리가 동료들과 학생들에게 빚진 통찰과 제안은 제대로 감사를 표명할 수 없을 정도로 많다. 그리고 옥스퍼드 대학 출판부의 편집진에게는 현명한 조언을 제공하고 이 책에 대한 믿음을 변함없이 보여준 데 대해 심심한 감사를 표하고 싶다.

1998년 6월

에드워드 코벳, 로버트 코너

차례

추천의 글   4

서문   10

1. 서론

잡지 광고에 대한 수사학적 분석   17

호머: 〈사절단이 아킬레스에게 호소하다〉   22

〈사절단이 아킬레스에게 호소하다〉에 대한 분석   28

고전 수사학에 대한 간략한 설명   36

수사학의 다섯 단계   39

세 종류의 설득용 담론   46

우리 시대에도 수사학은 적실하고 또 중요한가?   47

2. 논증의 발견 Discovery of Arguments

논지의 구성   51

설득의 세 가지 방식   57

이성에의 호소   58 ㅣ 윤리적 호소   113 ㅣ 감정적 호소   121

토픽   131

일반적인 토픽들   134 ㅣ 관계   154 ㅣ 환경   163 ㅣ 증언   170 ㅣ 특수한 토픽들   180

마누엘 빌스키, 맥크리어 해즐럿, 로버트 E. 스트리터,

그리고 리터드 M. 위버: 논증 찾기   194

속   198 ㅣ 결과   199 ㅣ 유사점과 차이점   200 ㅣ 증언과 권위   201

리처드 라슨: 수사학적 착상의 교육 계획   203

착상을 돕는 외부의 도우미들   209

읽을거리   211

레이첼 카슨: 〈인내할 의무〉   212

　레이첼 카슨의 〈인내할 의무〉에 대한 토픽별 분석   220

소크라테스의《변명》   225

　소크라테스의《변명》에 대한 토픽별 분석   241

캐서린 서전트 화이트의 사망 기사   248

　캐서린 서전트 화이트의 사망 기사에 대한 토픽별 분석   251

제임스 매디슨: 〈연방주의자 논문 제 10호〉   254

　마크 아신: 매디슨의 〈연방주의자 논문 제 10호〉의 논증   263

에드먼드 버크:《각하에게 보내는 편지》   276

토마스 헨리 헉슬리: 〈과학과 문화〉   286

매튜 아놀드: 〈문학과 과학〉   297

3. 재료의 배열 Arrangement of Material

담론의 여러 부분   316

　서론   317 | 사실의 진술   331 | 확증   339 | 논박   341 | 결론   348

배열에 대한 결론적인 진술   360

토마스 생턴: 〈올해의 행성〉   360

　토마스 생턴의 〈올해의 행성〉에 나타난 배열의 분석   368

마르틴 루터 킹: 〈버밍햄 감옥에서 보낸 편지〉   393

　〈버밍햄 감옥에서 보낸 편지〉의 배열에 대한 분석   393

헨리 데이비드 소로:《시민 불복종》   400

4. 양식 Style

문법의 실력   429

어법의 선택   432

   적합한 어휘   432

문장의 구성   444

양식 연구   451

   어법의 종류   453 | 문장의 길이   453 | 문장의 종류   454

   문장 패턴의 다양성   455 | 문장의 음조   455

   문장의 표현   455 | 비유적 표현   458 | 단락짓기   459

   양식 공부에 관한 어느 학생의 보고   462

비유적 표현   474

수법   478

   단어의 수법   478 | 구성의 수법   479

전의   503

   은유와 직유   503

비유적 표현에 대한 결론   522

   수법들   522 | 전의   523

모방   524

   모방의 가치에 관한 증언   526

   롤로 월터 브라운 :《프랑스 소년은 글 쓰는 법을 어떻게 배우는가?》   534

   모방 연습   541 | 문장 패턴의 모방   543

존 F. 케네디: 취임 연설   545

   〈뉴요커〉의 편집진: 존 F. 케네디의 취임 연설   549

존 F. 케네디 취임 연설의 양식에 대한 분석   552

〈버밍햄 감옥에서 보낸 편지〉에 나타난 설득으로서의 양식에 대한 분석-리처드 펄커슨   563

5. 수사학 연습

과제의 순서   573

내러티브   573 | 논박 또는 확증   574 | 상투어   575 | 찬사 또는 비난   575

비교   576 | 묘사   577 | 논증   578 | 입법   578

6. 수사학 개관

고전 수사학   581

중세의 수사학   591

대륙의 수사학자들   593

16세기의 토착 영어 수사학   597

17세기 영국의 수사학   602

18세기 영국의 수사학   610

19세기와 20세기의 수사학   618

주요 개념 찾아보기   652

1. 서론

수사학이란 한 사람이든 여럿이든 청중에게 정보를 주거나 청중을 설득하거나 동기 유발을 위해 말 또는 글로 된 담론의 사용을 다루는 기술 내지는 학문이다. 이렇게 폭넓은 정의를 내리면 수사학은 사람들이 관여하는 온갖 언어 표현을 다 포괄하는 듯이 보일 것이다. 그러나 수사학자들은 관례상 그 영역에서 '가벼운 얘기', 농담, 인사("만나서 반가워"), 감탄사("멋진 날일세!"), 뒷공론, 단순한 설명("저 소형 계산기는 건전지로 움직이지"), 지시("다음 교차로에서 왼쪽으로 돌아 세 블록쯤 가서 첫째 신호등을 만나면…") 등은 배제해왔다. 물론 가다가 쉬곤 하는 대화와 주고받는 식의 대화에서도 정보제공, 지시, 또는 설득의 목적이 실현될 수 있지만, 수사학은 전통적으로 한 사람이 청중에게 영향력을 행사하려는 공식적인, 미리 생각한, 지속적인 독백의 경우와 관련이 있었다. '청중에게 미치는 영향'이란 개념은 수사적 담론의 본질에 해당하는 것으로서 다음과 같은 인물들이 내린 여러 정의에도 함축되어 있다: '듣는 자나 읽는 자에게 영향을 주려고 담론을 정돈하는 수단'[마리 호크무스 니콜스(Marie Hochmuth Nichols)], '본성상 상징에 반응하는 존재들에게서 협력을 유도하는 상징적 수단으로서의 언어 사용'[케네스 버크(Kenneth Burke)], '아이디어를 사람들에게, 사람들을 아이디어에 적응시키는 기능'[도날드 브라이언트(Donald

Bryant)]. 고전 수사학자들은 수사적 담론의 영향력을 설득으로 좁힌 것처럼 보인다. 예컨대, 아리스토텔레스(Aristotle)는 수사학을 '주어진 상황에서 설득의 수단으로 쓸 만한 모든 것을 발견하는 기능'이라고 정의했다. 그런데 설득을 뜻하는 그리스어 단어가 '믿다'는 그리스어 동사에서 유래한 것을 감안하면, 아리스토텔레스의 정의는 '논쟁적인' 양식의 담론뿐만 아니라 정보나 설명을 수용하게 만들려는 '설명식' 담론도 포함할 수 있다는 생각이 든다.

그러나 18세기 스코틀랜드 수사학자 조지 캠벨(George Campbell)이 표현하듯이 우리가 '이해력을 일깨우고, 상상력을 만족시키고, 열정을 움직이고 의지에 영향을 미치는 등' 어느 것을 추구하든 간에 우리의 목적을 가장 잘 이룰 전략을 채택해야 한다. 전략(strategy)이 좋은 수사학적 단어인 것은 어떤 목적을 이루기 위해 가용한 자원을 선택한다는 뜻이기 때문이다. 전략이 군대를 연상시키는 이유는 그 뿌리에 해당하는 그리스어 단어가 '군대'(army)이기 때문이다. 마치 장군이 전투에서 적을 무찌를 가능성이 가장 높은 그런 자원과 전술을 채택하듯이, 언어의 원수도 청중을 '설득하기' 위해 최고의 논증과 최고의 양식을 찾아서 사용할 것이다.

이제 우리 사회에서 청중에 영향을 미치려고 고안된 가장 흔한 형태의 담론 중 하나인 잡지 광고를 고찰해보자. 광고에 이어서 그 담론의 수사학에 대한 분석이 있을 것이다.

잡지 광고에 대한 수사학적 분석

우리 사회에서 설득력 있는 담론 중에 가장 흔하고 가장 눈에 띄는 형태는 아마 광고일 것이다. 가시적인 매체이든 음성 매체이든 광고는 도무지 피할 수 없다. 광고는 신문, 잡지, 카탈로그, 전단지, 게시판, 라디오, TV 등 도처에 등장한다. 광고란 독자나 청중으로 하여금 어떤 제품이나 서비스를 구매하게 만들려는 청각적 또는 시각적 담론의 형태들(또는 TV 상업광고처럼 양자의 조합)을 말한다. 우리 사회에서는 이런 광고를 준비해서 유포하기 위해 대규모 산업이 발달했다. 이른바 '매디슨 가'가 이 산업을 지칭하는 비유적 표현이다[양식에 관한 장에서는 '매디슨 가'라는 용어가 대변하는 비유적 표현이 바로 환칭(antonomasia)임을 알게 될 것이다]. 광고 카피라이터는 우리 사회에게 가장 노련한 수사학자들에 속한다. 그들이 고전 수사학을 공부한 적이 없을지 몰라도 그 광고에 노출된 이들의 태도와 행동에 영향을 주기 위해 그 옛 기술의 많은 전략을 이용한다. 이어지는 분석은 광고 카피라이터가 휴렛패커드 잡지 광고에 사용한 수사학적 전략의 일부를 지적하게 될 것이다(표지 앞날개에 실린 광고 이미지를 참고하라—편집자 주).

소위 '의사소통 삼각형'은 수사적 행위의 요소들을 시각적으로 표현하는 방법으로 자주 사용된다.

전문적인 글쓰기가 그렇듯이, 대다수의 광고에서도 가장 눈에 안 띄는 요소는 화자/필자이다. 이 광고에서 우리에게 말하는 사람은 누구인가? 대다수 광고는 회사나 제조업체가 고용한 광고업체의 직원이 작성한다. 광고에서의 화자나 필자는—강연이나 에세이에서의 화자나 필자와 달리—특정한 인물이 아니라 보통은 광고업체가 만든 집합적 등장인물이다. 전면 광고에도 '나'란 대명사나 '우리'란 대명사가 단 하나도 없고 잡지의 다음 페이지에 있는 단일 칼럼 안에 머리에 노란 쓰레기통 뚜껑을 쓴 여성의 프린트를 복사한 네 개의 복사물이 재생되어 있고, 그 아래편에 실린 단락은 다음과 같은 문장으로 시작된다. "지금 전화하거나 www.hp.com/info/1133으로 우리에게 연락한다면, 우리는 당신에게 이 놀라운 HP 제품의 컬러복사를 입증하는 프린트 샘플을 보내주겠습니다." 여기에 '우리'라는 일인칭 복수 대명사가 두 차례 사용된 것을 주목하라.

이 대명사는 집합적인 광고 목소리를 대변한다. 그러나 이 문장과 이후의 세 문장으로부터 안심시키는 성격이 나타난다. 그래서 이 전면 광고가 우리로 하여금 이 프린터-복사기에 투자할 것을 생각하게 할 만큼 흥미를 불러일으킨다면, 다음 페이지에 나오는 단일 칼럼의 네 문장에서 나타나는 안심시키는 성격이 우리로 이 제품에 관해 더 문의하도록 자극할 수 있다.

의사소통 삼각형에서 분명히 나타나지 않는 또 하나의 요소는 청취자/독자이다. 이 광고는 누구에게 말하고 있는가? 가장 뻔한 일반적인 대답은 "그것은 광고의 독자에게 말하고 있다"는 것이며, 이는 다음 페이지의 단일 칼럼 단락에 나오는 이인칭 대명사 '당신'으로 언급되는 존재이다. 그런데 그 '당신'은 도대체 누구인가? 우선 그 당신은 단수인가 복수인가? 달리 말하면, '당신'은 개인이나 한 그룹 중 어느 편을 나타내는가?

대명사 '당신'의 선행사로 가능한 하나의 후보는 직원들을 위해 타이프라이터나 컴퓨터나 프린터와 같은 장비를 구입할 책임을 맡은 회사의 행정담당자이다. 이 경우에는 '당신'이 한 개인을 나타낸다. 다른 한편, '당신'은 컬러프린터를 사러 시장에 나가 있는 일단의 사람들을 나타낼 수도 있다. 이처럼 대다수 광고의 청중은, 예컨대, 전국 정치대회에서 후보 수락 연설의 청중처럼 쉽게 파악할 수 없는 것이다. 우리는, 광고 작성자가 무언가를 사도록 설득하고픈 누군가—이왕이면 수천 명—가 저기에 있다고 감지할 따름이다.

광고에서 가장 눈에 띄는 수사적 요소는 주제와 그 주제에 관해 말하는 텍스트이다. 이 경우에는 주제가 HP 컬러프린터-복사기이다. 광고의 셋째 줄에 따르면 그 제품은 최초의 컬러프린터-복사기이다. 지난 5~6년 동안 일어난 가장 중요한 변화는 다음 두 가지다. (1) 잡지에 전면 광고가 컬러로 실리는 것. (2) 그림, 즉 아이콘이 제품을 판매하는데 글보다 더 효과적이라는 것이다. 예를 들어, 새로운 차의 광고는 대부분 큰 컬러판 자동차 사진이 어딘가에 주차된 모습이나 고속도로를 달리는 모습으로 나온다. 그 차에 관해 얘기하는 글은 몇 마디밖에 되지 않는다. 그리고 가장 두드러진 글귀는 그 자동차의 이름이다.

HP 광고의 위쪽 절반은 이상한 옷차림을 한 여성의 컬러프린트와 동일 여성의 컬러복사물 열다섯 장에 할애했다. 광고의 아래쪽 절반을 보면 왼편 구석에 프린터–복사기의 흑백사진이 나오고 여러 크기로 된 검정색 프린트의 스무 줄이 등장한다. 프린트된 큰 사진 아래에는 '프린트용'(It prints)이란 글과 열다섯 장의 복사물 아래에는 '복사용'(It copies)이란 글귀가 적혀있다. 이 두 글귀 아래편에는 "아뿔싸, 이는 취향 감시용은 아님"이란 문장이 괄호 속에 쓰여 있다. 여기서 It이 무엇을 가리키는지 잘 모르겠다. 그런데 It으로 시작하는 세 번째 문장은 위 절반에 나오는 모든 사진에 등장하는 여성의 나쁜 취향에 대해 논평한다. 그러나 우리의 주의를 사로잡아 인쇄된 텍스트를 읽게 하는 것은 그 사진들이다. 이 사진들의 놀라운 특징은 컬러판 복사물의 훌륭한 품질, 매력적인 여성의 정장과 너무 큰 선글라스, 여성의 머리 위에 놓인 밝은 노란색의 쓰레기통 뚜껑으로 이뤄진 충격적인 부조화에 있다.

광고 작성자의 천재성은 바로 이 충격적인 부조화로 드러나는데, 이 부조화야말로 우리로 하여금 사진 아래편의 텍스트를 읽게 만들기 때문이다. 비록 우리가 당장은 컬러프린터–복사기의 구입에 관심이 없다 할지라도 아래편에 나오는 프린트를 읽고 싶은 마음이 든다. 반면에 컬러프린터–복사기를 사는데 관심이 있다면, 그 놀라운 컬러복사물을 만든 기계에 관한 정보를 더 얻기 위해 필요한 전화번호와 이메일 주소가 다음 페이지에 실려 있다.

이 광고의 사진 부분을 분석한 만큼 이제는 언어 텍스트의 수사학을 분석할 차례이다. 언어 텍스트에 대해 맨 먼저 주목할 점은 사진 부분에 비해 여기저기 흩어져 있다는 것이다. 이는 최근에 잡지 광고에서 사진이 글보다 더 많은 공간을 차지한다는 앞선 언급과 부합한다. 이런 변화는 우리가 TV 상업광고에 더 많이 노출되는 탓에 생긴 듯하다. 물론 TV 상업광고에도 인쇄된 글과 말이 있긴 하지만 우리의 주목을 가장 많이 끄는 것은 사진들이다. 광고에 나오는 글귀는 사진으로 금방 알아챌 수 없는 정보를 제공해준다. HP 광고의 경우, 다양한 크기의 인쇄된 글은 그 제품이 인쇄용인 동시에 복사용이란 사실, 최초의 컬러프린터–복사기란 것, (가장 큰 서체로) 가격이 2,495달러밖에 안 된다는 것을 알려준다. 다음 페이지에는 우리가 그 기계에 관한 정보를 더 얻기 위해

HP에 접촉하는 방법에 관한 글이 적혀있다. 그리고 광고의 마지막 문장—"당신이 무슨 옷을 입든지 멋지게 보일 것이다"—은 이 기계가 생산한 뚜렷하고 밝은 색채를 보는 사람들이 당신의 프린트물과 복사물의 '흠잡을 데 없는 재생'에 큰 감명을 받을 것임을 확신시켜준다.

　이 광고의 마지막 단락의 수사학을 더 자세히 고찰해보자. 이 단락의 첫 세 문장을 주목하라. 세 개의 명령문이다. "생생한 색채를 보라. 흠잡을 데 없는 복사물을 보라. 모자는 보지 말라." 앞서 말했듯이, 수사적 삼각형에서 네 가지 요소 중 하나는 청취자/독자, 즉 청중이다. 이 단락의 뒷부분을 보면 이 광고의 청중이 '당신'이란 대명사로 여러 차례 언급된 것을 알 수 있다. '당신'은 바로 이 광고의 독자를 가리킨다. 당신이 학교에서 배운 문법을 기억한다면, 여기에 나온 '당신'은 단수이든 복수이든 첫 세 개의 명령문의 주어임을 알게 된다. 이 광고의 나머지 부분에서는 필자가 광고의 독자인 '당신'에게 직접 말하고 있는 셈이다. 광고 작성자는 독자에게 2,495달러로 HP 카피젯(CopyJet)를 구입하도록, 또는 보스나 동료 직원들에게 HP 카피젯 M에 3,199달러를 투자하라고 유도하도록 설득하고 싶어 한다. 이 광고의 독자가 이 매력적인 광고를 일터에 가져와서 보스나 동료 직원들에게 보여주는 모습은 쉽게 상상할 수 있다. 설득이야말로 수사학의 모든 것이다.

　당신이 비록 지금은 컬러프린터-복사기를 구입할 상황이 아닐지라도 그 다채로운 프린트에 매혹되어 광고문을 읽고 싶은 마음이 들 것이다. 그런데 이 여성은 도대체 왜 머리에 샛노란 쓰레기통 뚜껑을 얹고 있는 것일까? 이 광고가 답변을 주진 않지만 그 모자를 쓰고 있는 여성의 나쁜 취향에 의문을 제기하고, 당신으로 하여금 그 페이지의 아래쪽에 나오는 글을 읽도록 유인했다. 당신이 설사 이 프린터-복사기를 사지 않거나 누군가에게 그것을 사도록 설득하지 않을지라도, 광고 작성자는 잠시 당신의 주의를 사로잡았고, 어쩌면 당신이 미소를 짓게 했고 사이버공간에 나타난 신제품을 알아채게 했을 것이다. 고전 수사학자들은 이 잡지 광고의 작성자(들)의 기술에 감탄을 금할 수 없었을 것이다.

그러나 우리가 이 의도적인 수사학의 실례를 오늘과 같은 기술 시대의 찬란한 산물로 생각할까 봐 염려가 된다. 그래서 이와 같은 설득의 또 다른 예를 살펴볼까 한다. 이 예는 수사학의 기술이 정립되기 오래전에 집필된 세계적인 걸작의 하나에서 발췌한 것이다. 이는 호머(Homer)의 《일리아드》(*Iliad*) 제9권에 나오는 유명한 장면으로서 오디세우스와 포이닉스와 아얏스가 아킬레스의 캠프에 와서 전투로 복귀하도록 설득하는 모습이다. 아킬레스는 제1권 이후 계속 자기 텐트에 틀어박혀 있었는데, 트로이를 포위하고 있던 그리스군 총사령관인 아가멤논이 아킬레스의 전리품의 하나인 브리세이스란 여인을 취해서 그를 모욕했기 때문이었다. 아킬레스가 그의 군대를 최전선에서 후퇴시킨 후 전세는 그리스 군대에 더욱 불리해졌다. 아가멤논의 군대는 이제 절박한 상황에 빠졌다. 사절단은 아킬레스가 전투로 복귀하도록 설득하는 일을 성공시켜야 한다.

　　우리는 이 장면 중에 첫 두 발언만 살펴볼 것이다. 오디세우스가 아킬레스에게 호소하는 모습과 아킬레스의 답변이다.

호머: 〈사절단이 아킬레스에게 호소하다〉

1. "아킬레스, 그대를 위해 축배를! 이 모든 맛있는 음식과 함께 우리는 나의 주군 아가멤논의 막사에서나 여기 그대의 막사에서 우리의 식량에 대해 불평할 수 없소. 그러나 이 순간에는 식탁의 즐거움이 우리의 생각에서 멀어져 있소. 우리는 그 규모가 어마어마한 재난을 앞두고 있소, 전하. 그대가 일어나 싸우러 나오지 않으면, 우리는 우리의 훌륭한 배들을 구할 기회가 없고 그것들이 파괴되는 것만 볼 뿐이오. 거만한 트로이인들과 그 유명한 동맹들이 그 배들과 성벽 가까이 야영하고 있소. 그들의 진영은 온통 불로 환하게 밝소. 그들은 지금 우리의 검은 배들을 급습하지 못하게 막을 것은 하나도 남지 않았다고 확신하오. 크로노스의 아들 제우스가 오른편에서 번개로 그들을 격려했소. 헥토르는 미친 듯이 설치고 승리의 개가를 부르며 막강한 모습이오. 그는 제우스를 신뢰하고 심히 격앙되어 사람

과 신을 모두 두려워하지 않소. 그의 유일한 기도는 은혜로운 새벽(Dawn)이 빨리 도래하는 것이오. 그는 우리 배의 고물에서 꼭대기를 잘라버리고, 배들을 불길에 휩싸이게 하고, 연기를 피어 우리를 찾아내서 선체로 우리를 살해하고 싶어 안달하기 때문이오. 그리고 신들이 그로 하여금 그 위협을 실행하도록 허락할까 봐 나는 정말로 매우 두렵소. 어쩌면 말들이 풀을 뜯는 아르고스에서 멀리 떨어진 이곳에서 망하는 것이 우리의 운명일지도 모른다오. 이 늦은 시간에나마 그대가 지친 부대를 트로이인의 분노에서 구출하기 원한다면 그것은 그대에게 달려 있소. 그대가 만일 거절한다면 훗날 크게 후회할 것이오. 일단 모든 것이 손상되면 그것을 고칠 방법이 없을 것이기 때문이오. 그런 단계에 이르기 전에 그대가 분발해서 다난족을 재앙에서 건지소서."

2. "나의 좋은 친구여, 그대의 아버지 펠레우스가 그대를 프티아에서 아가멤논과 합류하도록 보냈을 때 이런 말로 그대를 훈계하지 않았소? '내 아들아, 아테네와 이곳이 네가 잘되길 바란다면 너를 강하게 만들 것이다. 네가 해야 할 일은 네 교만한 정신을 억제하는 것이다. 친절한 마음이 교만보다 낫기 때문이다. 말다툼은 치명적이다. 당장 화해해라. 그러면 젊은이와 늙은이 등 모든 아르기브 사람이 너를 더 우러러보지 않겠니?' 그것은 노인의 교훈이었는데 그대가 잊어버렸소. 하지만 지금도 그대가 굴복하기에 너무 늦지 않았소. 이 쓰디쓴 적대감을 포기하오. 그대가 돌이키는 순간 아가멤논은 넉넉한 보상을 할 준비가 되어 있소. 그대가 경청한다면 그가 그의 막사에서 그대를 위해 준비한 선물들을 내가 열거하겠소. 불길로 변색되지 않는 삼각대 일곱 개, 황금 십 달란트, 번쩍이는 구리로 만든 큰 솥 스무 개, 입상 경력이 있는 막강한 경주마 열두 필. 그 말들이 탄 상급들만 있다면 누구라도 고귀한 황금에 못 미치지 않을 것이라고 그가 말했소. 이에 덧붙여, 그대가 레스보스를 점령할 때는 공예술에 뛰어난 일곱 여인, 그가 약탈품의 일부로서 훌륭한 미모 때문에 선택한 레즈비언들을 그대에게 줄 것이오. 그대는 이런 것들을 그로부터 받을 테고, 그것들과 함께 그가 그대로부터 취한 여인, 브리세우스의 딸도 얻을 것이오. 게다가, 전하, 남자가 여인과 함께 하듯이 그가 그녀의 침대에서

그녀와 동침한 적이 없다는 준엄한 맹세를 그대에게 할 것이오. 이 모든 선물이 단번에 그대의 손에 넘겨질 것이오. 훗날 신들이 우리에게 큰 도시 프리암을 강탈하도록 허락한다면, 우리가 약탈품을 나눌 때 그대가 우리와 함께 들어와서 그대의 배에 만족스러울 만큼 황금과 청동을 싣고 그대를 위해 트로이 여인 스무 명을 골라내되 아르기브의 헬렌 다음으로 가장 사랑스러운 자를 찾게 될 것이오. 그리고 적절한 때에 우리가 모든 땅 중에 가장 부유한 아르키안 아르고스로 되돌아가게 된다면, 그대는 그의 사위가 될 수 있고, 그는 그가 사랑하는 아들, 사치스러운 환경에서 성장한 오레스테스에게 하듯이 그대를 대우할 것이오. 그의 궁전에는 세 딸, 크리소테미스와 라오디게와 이피아나사가 있소. 그들 중에 당신이 가장 좋아하는 딸을 그대의 것으로 삼고 통상적인 선물이 없이 펠레우스의 집으로 데려갈 수 있소. 실은 그가 그대에게 혼인 지참금을 지불할 터인데, 그것은 이제껏 누구든 자기 딸과 함께 준 어떤 것보다 더 큰 관대한 지참금일 것이오. 그뿐만 아니라, 그는 그대에게 일곱 개의 좋은 도시를 하사할 것이오. 카르다밀, 이노페, 풀이 무성한 하이레, 거룩한 페라에와 목장이 즐비한 안테아, 아름다운 애페아, 포도나무가 풍성한 페다수스 등. 그 도시들은 모두 바다 근처에 있고 모래투성이인 필로스에서 멀리 떨어진 곳들이오. 그 시민들은 양떼와 가축을 많이 갖고 있소. 그들은 그대를 신처럼 받들고 공물을 바치며 그대의 홀을 인정하고 그대의 가부장적 통치 아래서 번성할 것이오. 그대가 돌이키기만 한다면 이 모든 것을 그대에게 베풀 것이오. 그러나 아트레우스 집안과 선물과 모두에 대한 그대의 미움이 다른 모든 고려사항을 능가한다면, 자기 진영에서 빈둥거리는 연합된 아케아 사람들의 나머지 인구들에게 연민을 베풀어주오. 그들은 그대를 신처럼 존경할 것이오. 사실 지금은 그대가 헥토르를 취할 수 있는 때인즉 그들이 보기에 그대가 스스로를 영화롭게 할 수 있소. 그는 배들이 여기로 데려온 그 모든 다난 사람들 가운데 적수가 없다고 생각하고, 그는 잔인한 격분에 휩싸여 감히 그대 가까이 올지도 모르오."

3. 위대한 경주자 아킬레스는 이렇게 대답했다. "라에르테스의 왕자, 재치가 뛰어

난 오디세우스여, 그대가 거기에 앉아서 나를 달래는 것을 면하게 하려고 내가 어떻게 느끼고 또 무엇을 할 것인지를 단도직입적으로 말하는 편이 좋겠소. 나는 생각과 말이 다른 이중적인 사람을 지옥의 문처럼 몹시 싫어하오. 그래서 내 결정을 그대들에게 알려주는 바이오. 그대들이 그것을 취해서 나의 주군 아가멤논과 나머지 다난 사람들이 나를 설득하지 못하게 하시오. 왜냐하면 남자는 날이면 날마다 적과 싸우는 것으로는 감사를 얻지 못하는 듯 보이기 때문이오. 그 사람은 집에 앉아 있든지 최선을 다해 싸우든지 그의 몫은 동일하오. 겁쟁이와 용감한 사람이 똑같이 존경을 받고, 아무것도 이루지 못한 사람과 열심히 고생한 사람에게 똑같이 죽음이 찾아온다오. 내가 전투에서 늘 내 목숨을 걸고 고통을 받았건만 나머지 사람들보다 나아진 것이 없소. 나는 마치 아무리 힘들어도 자기가 주운 모든 먹이를 미숙한 새끼에게 갖다주는 새와 같았소. 나는 잠 못 이루는 밤을 많이 보냈고 피비린내 나는 날을 많이 겪었으며, 그 대적은 우리처럼 자기네 여인들을 위해 싸우는 남자들이었소. 나는 트로이의 심토 지역에 있는 도시 열한 개를 취했을 뿐 아니라 바다로부터 열두 개의 도시를 빼앗기도 했소. 각 도시로부터 나는 많은 약탈품을 취했고, 그 모두를 매번 갖고 와서 나의 주군, 아트레우스의 아들 아가멤논에게 바쳤으며, 그는 후방에서 배들 곁에 머물렀다 내가 넘겨준 것을 받고는 조금씩 나눠주고 가장 큰 몫은 자기가 차지했소. 군주들과 왕들에게 그들의 계급을 인정해서 준 것은 안전하게 그들의 소유가 되었으나, 나는 그에게 빼앗긴 유일한 인물이오. 이는 그에게 마치 아내가 없는 것과 같지 않소. 그는 스스로 선택한 아내가 있소. 그에게 그녀와 동침하고 만족하라고 하시오."

4. "그 문제에 관한 한, 무엇 때문에 아르기브 사람들이 트로이와 전쟁을 시작했소? 아트레우스 집안이 군대를 일으켜 여기에 오게 된 것은 아름다운 머리칼의 헬렌 때문이 아니면 무엇 때문이오? 그리고 아트레우스 후손은 자기네 아내를 사랑하는 유일한 남자들이오? 제정신을 가진 괜찮은 남자라면 누구나 자기 아내를 사랑하고 흠모하지 않소? 비록 내 창의 포로이긴 해도 내가 온 마음을 다해 그 여자를 사랑했던 것처럼 말이오. 그런데 지금은 그가 내 팔에서 그녀를 빼앗고 나를 속였

으니 다시는 나에게 속임수를 쓰지 못하게 하시오. 나는 그를 너무나 잘 알고 있소. 그는 성공하지 못할 것이오."

5. "아니오, 오디세우스, 그가 배들이 불길에 휩싸이지 않게 하려면 그대와 다른 왕들을 바라봐야 하오. 그는 이미 내가 없이도 놀라운 일을 해냈소. 나도 보다시피, 그는 성벽을 쌓고 성벽을 따라 멋진 넓은 참호를 팠으며 방책으로 끝냈소. 그래도 그는 잔인한 헥토르를 방비할 수 없소! 왜냐하면 내가 아케아 사람들과 함께 들판을 취했던 시절에는 아무것도 헥토르를 유인해서 그 도시 성벽 근처로 그의 부하들을 투입시킬 수 없었기 때문이오. 그는 스케안 문과 상수리나무보다 더 멀리 오지 못했고, 거기서 홀로 나와 겨루었다가 무사히 집에 돌아간 것은 운명이었소. 그러나 상황이 바뀌었고, 지금은 내가 나의 주군 헥토르와 싸울 생각이 없소. 그래서 내일 나는 제우스와 모든 신에게 제물을 바친 후 배에 짐을 싣고 떠날 것이오. 그대에게 호기심이 있다면, 아침에 맨 먼저 보게 될 광경은 물고기가 뛰노는 헬레스폰트를 향해 배들이 나아가는 모습과 내 부하들이 열심히 노를 젓는 모습일 것이오. 그리고 위대한 바다 신(神)이 항해를 도와주신다면, 사흘 만에 나는 프티아의 깊은 땅에 발을 들여놓게 될 것이오. 나는 불행하게도 여기에 오는 바람에 부유한 고향을 떠났지만, 지금은 내가 도로 가져가는 모든 것, 황금과 적동, 띠를 띤 여인들, 운명으로 얻은 회색 철 등으로 고향을 더욱 부유하게 할 것이오. 단, 아트레우스의 아들, 아가멤논 왕, 바로 그 사람이 나에게 주었다가 모욕스럽게도 철회한 영광의 상만 빼고 다 있소."

6. "내 말을 전부 그에게 일러주되 공개적으로 일러줘서 그가 비양심적인 음모가인 다난의 한 군주를 속이기 위해 더욱 노력하는 모습에 나머지 사람들이 눈살을 찌푸리게 하오. 그가 비록 뻔뻔스러워도 감히 나를 똑바로 쳐다보지는 않을 것이오. 아니오, 나는 충고로 또는 전쟁터에서 그를 돕지 않을 것이오. 그는 나의 믿음을 깨뜨렸고 나를 속였소. 그래서 다시는 그의 말에 속지 않을 것이오. 그에 대해서는 이만큼 말하겠소. 그가 조용히 지옥에 떨어지게 하시오. 제우스가 지혜롭게 이미 그의 머리를 혼란스럽게 했소."

7. "그의 선물에 대해 말하자면, 나는 그 사람 자체를 별로 좋아하지 않는 만큼 그 선물들도 좋아하지 않소. 설사 그가 나에게 그의 소유의 열 배나 스무 배를 제공하거나, 오르코메누스 또는 이집트의 테베—모든 집이 보물로 가득하고 백 개의 성문 중에 각 성문마다 이백 명의 전사들이 전차와 말로 출격하는 곳—의 모든 세입을 다른 데서 거둘 수 있다 해도, 그리고 설사 그의 선물이 모래알이나 티끌만큼 많다 해도, 아가멤논은 나를 설득하지 못할 것이오. 먼저 그는 내가 겪은 쓰라린 모욕과 동일한 것을 내게 갚아야 하오."

8. "다시 말하건대, 나는 아트레우스의 아들 아가멤논의 어떤 딸도 아내로 맞을 생각이 없소. 그녀가 금발의 아프로디테처럼, 아름답고 반짝이는 눈을 가진 아테네처럼 능숙해도 나는 그녀와 결혼하지 않을 것이오. 그는 나보다 더 충성스럽고 그 자신과 같은 수준의 다른 아케아 사람을 선택해도 좋소. 만일 신들이 내가 무사히 집으로 돌아가게 허락한다면 펠레우스는 나를 위해 아내를 찾는데 도움이 필요 없을 것이오. 헬라스와 프티아에는 많은 아케아 여자들, 요새를 지휘하는 귀족의 딸들이 있소. 나는 그저 한 명을 선택해서 나의 것으로 삼으면 되오. 내가 고향에 있을 때는 나의 처지에 적합한 여자와 결혼해서 늙은 아버지 펠레우스께서 쌓은 재산을 즐기는 것보다 더 높은 야망이 없었던 적이 종종 있었소. 내가 보기에는, 인생을 아케아 사람들이 오기 전 평화로운 시절의 찬란한 일리움의 전설적인 재산과 대조시킬 필요가 없고, 궁수—왕 아폴로의 대리석 문지방 배후의 로키 피토에 쌓아놓은 모든 보물과 대조할 필요도 없소. 소 떼와 튼튼한 양 떼는 손으로 잡기만 하면 되고, 삼각대와 말은 살 수 있소. 그러나 숨이 한 남자의 입술을 떠난 뒤에는 그대가 그의 목숨을 훔치거나 도로 살 수 없소. 나의 여신 실버 피트의 테티스는 운명의 신(Destiny)이 내가 무덤으로 가는 여정에 두 경로를 열어놓았다고 하오. 만일 여기에 머물면서 트로이를 포위 공격하는데 내 몫을 다한다면, 불멸의 명성은 얻겠지만 귀향은 없을 것이오. 반면에 내가 고국으로 돌아간다면, 명성은 잃겠지만 이른 죽음을 모면하고 장수할 것이오."

9. "하나만 더 말하겠소. 나는 그대들도 집으로 항해하라고 권하는 바이오. 일리움

의 가파른 길에서는 그대들의 목표를 결코 이루지 못할 것이기 때문이오. 만물을 꿰뚫어보는 제우스가 그 도시 위로 사랑의 손길을 뻗쳐서 그 백성은 자신감을 얻었소. 그런즉 이제 나를 떠나서, 그대 선임자들의 권한에 따라 공개 회의에서 아케아 군주들에게 보고하시오. 이제 나에게 한 이런 제안들이 완전히 거부당한 만큼 그들은 그들 곁에 있는 배들과 모든 군대를 구할 더 나은 방법을 고안해야 하오. 그런데 포이닉스는 여기에 머물며 우리와 하룻밤을 지내도 괜찮소. 이후 그는 아침에 나와 함께 집을 향해 출항할 수 있소. 만일 그가 원한다면 말이오. 강요하는 일은 없을 것이오."

〈사절단이 아킬레스에게 호소하다〉에 대한 분석

《일리아드》에 나오는 이 장면으로 극화된 상황은 우리가 오늘날 우리의 삶에서, 특히 공적인 삶에서 자주 보게 되는 것이다. 한 사람 또는 일단의 사람들이 누군가에게 무언가를 행하거나 동의하도록 설득하는 모습이다. 예컨대, 한 젊은 여성이 토요일 밤 데이트를 위해 차를 사용하도록 허락해달라고 아버지에게 호소하는 모습, 또는 정당의 대표단이 꺼리는 후보에게 고위 관직에 출마하도록 권유하는 모습이 그런 경우다. 이처럼 흔한 상황은 흔치 않은 수사적 능력을 필요로 한다.

내러티브의 관점에서 보면, 이는 호머가 그의 서사시 제9권에 배치한 매우 극적인 장면이다. 수사학의 관점에서 보면, 이는 이 중요한 사명을 위해 파송된 사람들의 모든 자원을 요구할 그런 상황이다. 아가멤논은 그의 사절단을 영리하게 선택했다. '어쩔 줄 모른 적이 전혀 없는 남자'인 오디세우스, 아킬레스 다음으로 가장 막강한 그리스 전사로 명성이 높은 아약스, 아킬레스가 사랑하는 옛 가정교사 포이닉스였다. 각 사람은 그 나름의 방식으로, 상처받고 불만이 많은 아킬레스를 설득하려고 노력할 것이다.

호머의 영웅들은 무기를 다루는 기술만큼 언어를 다루는 기술에도 자부심이 강했다. 포이닉스가 아킬레스에게 호소할 때는 옛 학생에게 어떻게 '언어의 화자와 행동의 실행자'가 되도록 교육했는지를 상기시켜주었다. 그리고 《일리아드》에서 시종일관 아킬레스는 자신의 연설 기술을 자랑하고 그의 동반자들도 그것을 인정한다. 오디세우스는 그 자신이 아킬레스만한 위대한 전사는 아니지만 수사적 솜씨는 아킬레스보다 낫다는 점을 의식하고 있다. 《일리아드》의 제3권에는 오디세우스가 헬렌의 복귀를 협상하기 위해 트로이 궁전에 왔을 때의 모습을 안테노르가 이렇게 묘사하는 장면이 나온다. "그러나 그가 가슴에서 나오는 큰 목소리로 겨울의 눈송이처럼 말을 흩뿌렸을 때, 그 어떤 사람도 오디세우스와 겨룰 수 없었다." 그리고 제2권에서 그리스인들이 배로 몰려가서 집을 향해 항해하지 않도록 수사적 능력으로 그들을 제지한 인물도 바로 오디세우스였음을 기억하라. 포이닉스 역시 이 장면에서 매우 분발하고 있다. 그래서 퀸틸리안(Quintilian, 로마의 수사학자, 연설가)이 이렇게 말한 것이다. "선생은 그러므로 그의 좋은 성품에 못지않게 연설 기술에도 뛰어나야 하며, 《일리아드》에 나오는 포이닉스처럼 그의 학생에게 행동하는 법과 말하는 법을 모두 가르칠 수 있어야 한다"[《변론법 수업》(*Institutio Oratoria*), II, iii, 12].

수사학자들이 호머를 인용과 예증을 캐내는 풍부한 광산으로 여기는 것은 놀랄 일이 아니다. 《일리아드》와 《오디세이》(*Odyssey*)가 거의 모든 종류의 연설 모델들로 가득하기 때문이다. 퀸틸리안은 제1권, 제2권, 제9권에 나오는 훌륭한 연설들은 "법정용 내지는 심의용 연설에서 따를 모든 수사적 규칙을 보여준다"고 말했다(《변론법 수업》, X, I, 47). 오늘 우리가 보기에는, 《일리아드》의 일부 장면에 나오듯 전사들이 치열한 전투의 와중에 잠시 멈추고 서로에게 긴 연설을 퍼붓는 모습은 우습기 짝이 없다. 그러나 연설의 전통은 호머의 시대에─아직 잘 공식화되지는 않았지만─이미 잘 정립되어 있었고, 이 전통은 잘 살아남아 아테네의 황금기 내내 더 강하게 성장했다. 그래서 우리는 이 장면에 나오는 연설을 당시의 참여자들만큼 진지하게 여겨야 하고, 그들이 이 말싸움에서 탐닉했던 그 맛을 즐길 필요가 있다.

이 말싸움에 참여한 자들은 고전 수사학자들이 심의용 담론이라 불렀던 것에 참여하고 있는 것이 분명하다. 아리스토텔레스는 연설을 세 종류로 분류하면서 심의용 연설은 미래 시제와 관련이 있고, 여기서 사용되는 수단은 권면과 만류이며, 이런 담론에서 가장 두드러진 주제는 가치 있는 것과 무가치한 것, 또는 유리한 것과 불리한 것이다. 달리 말하면, 우리가 누군가에게 무언가를 하도록 설득하려 할 때, 우리가 권하는 행동방침이 본질적으로 선하거나(그래서 그 자체로 추구할 만하다) 상대방에게 유익한 것임을 보여주려고 애쓴다. 사절단은 아킬레스에게 그 자신과 그리스인에게 유리한 행동을 장차(원한다면 내일) 취하도록 권면하려고 애쓴다. 아킬레스는 그 권면에 반박하고 있다.

우리가 선정한 대목은 아킬레스에 대한 오디세우스의 호소와 오디세우스에 대한 아킬레스의 답변뿐이다. 이 두 발언에 나오는 논증 전략을 살펴보도록 하자.

오디세우스가 그리스인들 가운데 가장 뛰어난 연사로 명성이 높았다는 사실은 이미 언급했다. 여기에 나오는 그의 연설은 실로 잘 정돈된 연설의 모델 내지는 축소판이다. 이는 서론, 서술, 증거, 결론을 갖고 있다. 이 가운데 어느 부분도 완숙한 심의용 연설이 될 만큼 발전되지는 않지만, 이 연설은 수사학 선생들이 설정한 표준적인 배열(dispositio)을 따르고 있다.

오디세우스는 아킬레스에게 축배를 건네며 연설을 시작한다. 여기서 그는 담론의 서두에 종종 등장하는 행동을 취하고 있다. 즉 청중의 비위를 맞추려고, 무관심하거나 꺼리거나 적대적인(그 순간 아킬레스의 기분을 가장 묘사하는 말이 무엇이든지) 청중의 환심을 사려고 애쓰는 중이다. 모든 수사학자는 청중에게 수용적인 마음 상태를 갖게 하는 일이 중요하다고 강조한다. 특히 청중이 의심을 품거나 적대적인 경우에 그렇다. 청중을 유리한 입장에 둘 필요가 있기 때문에 너무도 많은 연사들이 농담이나 익살스러운 일화로 얘기를 시작하는 것이다.

오디세우스는 이어서 서술 부분 또는 그 순간의 사태에 대한 설명으로 넘어간다(둘째와 셋째 단락). 그는 아킬레스에게 그리스인들이 현재 처한 절박한 상황을 묘사한다. 그 서술에 에나르게이아(enargeia)라는 책략을 사용한다. 이는 퀸틸리안에 따르면 '실제 장면을 서술하기보다는 보여주는 한편, 우리가 그 현장에 있을 때 못지않게 우리의 감정을 자극하는' 일이다(《변론법 수업》, VI, ii, 32). 그래서 오디세우스는 아킬레스에게 그리스 진영 밖에 있는 트로이 야영지에서 타오르는 수많은 횃불의 모습을 그리고 있다. 그것은 제우스의 번개가 제공한 호의적인 징조이자 배들을 삼키려고 위협하는 '맹렬한 불길'이다. 그리스 심성에는 불이 분노의 감정과 밀접한 관계가 있기 때문에 이 모든 불의 이미지는 아킬레스의 분노를 불러일으키려고 교묘히 계산된 것이다. 그리고 오디세우스는 헥토르를 미친 듯이 거만하게 승리에 들떠 배들을 공격하는 모습으로 그림으로써 아킬레스의 자존심과 질투심을 건드리려고 한다. 그는 아킬레스를 자극하고 있는 것이다. 헥토르가 장차 우리의 기장을 잘라버리고 우리의 배들을 불과 연기에 휩싸이게 할 것이라고 자랑하는 모습을 당신이 그냥 내버려둘 것인가? 만일 이런 호소가 아킬레스의 자존심을 건드리지 못한다면 어쩌면 그의 충성심과 애국심이라도 건드릴지 모른다.

오디세우스는 이어서 라틴 수사학자들이 콘피르마티오(confirmatio)라고 부른 부분에 진입한다. 이는 자기 입장을 증명하는 단계이다. 이 대목에서 연사는 자기가 제기하는 명분을 지지하기 위해 '가능한 모든 설득 수단'을 총동원한다.

오디세우스는 먼저 아킬레스에게 그의 아버지 펠레우스의 경고, 즉 그는 교만한 성질을 억제하고 말다툼을 피해야 한다는 경고를 상기시킴으로써 그에게 영향을 주려고 애쓴다. 성질의 억제는 그 자체가 선할 뿐 아니라 더 효과적으로 싸우도록 해주고, 우리의 운명을 좌우하는 신들이 우리의 명분을 호의적으로 보게 한다. 오디세우스는 여기서 효도에 호소하는 중이다. 아킬레스가 훗날 서사시의 영웅 아에네아스만큼 효성이 지극한 인물은 아니라도, 옛 그리스와 같은 가부장적 사회에서는 아들이 아버지의 충고를 완전히 무시하지는 못한다. 이처럼 잊힌 경고를 상기시켜줘도 아킬레스를 설득하지 못한다면, 그것은 아킬레스가 자신의 분노를 정당화시킬 더 큰 이유가 있다고 느끼기 때문이다.

그 다음에는 오디세우스가, 아킬레스가 전투로 복귀하면 아가멤논이 그에게 주려고 준비한 모든 선물을 열거한다. 아리스토텔레스는 《수사학》(Rhetoric)에서 권면과 만류가 궁극적으로 행복의 고려, 또는 보다 일반적으로 선(善)에 대한 고려를 그 중심주제로 삼는다고 지적한다. 우리가 누군가에게 무언가를 행하도록 설득할 때는 언제나 그 행동이 초래하는 유익을 보여주려고 애쓴다. 대다수 사람이 행복에 기여한다고 생각하는 것은 존경받는 가족, 충실한 친구, 재물, 명성, 명예와 같은 외적 재화, 그리고 건강, 아름다움, 힘과 같은 개인적 장점 등이다. 이 모든 것 중에서 오디세우스는 재물에 가장 큰 비중을 둔다. 그는 아가멤논이 아킬레스에게 하사할 모든 황금, 말들, 하녀들, 재산 등을 열거하며 그를 유인한다. 애초에 아가멤논과 다투게 된 계기인 브리세이스를 도로 얻을 뿐만 아니라 아가멤논의 한 딸을 신부로 얻는 영예도 누리게 될 것이다.

오디세우스는 여기서 아킬레스의 자기 이익에 분명히 호소하는 중이다. 아킬레스가 왕의 관대한 선물에 유혹을 받지 않을 수 없는 것은, 귀족 사회에서 영웅에게 가장 명예로운 표시 중 하나가 풍부한 소유물이기 때문이다. 그뿐만 아니라, 이런 관대한 제안은 아가멤논이 아킬레스에게 항복한다는 치욕스런 표시일 것이다. 우리가 아킬레스의 항변을 들어보면 그가 그런 유혹에 저항할 수 있었던 이유를 알 수 있다.

오디세우스는 물론 이런 호소를 꾸며낼 필요가 없었다. 제9권의 서두에 나오는 내용, 즉 아가멤논이 사절단을 보내기 전에 개최된 회의 앞에 내놓은 기부를 있는 그대로 반복할 따름이다. 오디세우스는 가능한 설득 수단을 이용하고 있지만 스스로 이런 수단을 찾을 필요는 없었던 것이다.

하지만 아가멤논의 제안을 그대로 옮기는 일에 대해 언급할 사항이 하나 있다. 영리한 오디세우스가 아가멤논이 위원회에서 한 발언 중 한 대목을 빠뜨렸다는 사실이다. 마지막에 아가멤논은 이렇게 말했었다. "내가 이 모든 것을 이루어 그의 분노를 그치게 하겠다. 그가 굴복하게 하라. 나는 하데스(음부)를 완화시키거나 이겨야 한다고 생각하지 않는 만큼 그는 모든 신 중에 죽을 인간들이 가장 싫어하는 신인 것이다. 그렇다, 내가 더 충성스럽고 나이도 더 많은 만큼 그가 나의 통치를 받게 하라." 오디세우스는 만일 이 말을 되풀이하면 아킬레스의 분노를 키울 뿐이란 점을 알고 있었다. 이 말은 아가멤논의 항복이 그저 마지못해서 하는 것임을 보여주기 때문이다. 그리고 그 자신이 여전히 우월한 사람이라는 왕의 고집은 아킬레스의 환심보다 반감을 샀을 것이다.

오디세우스는 말투를 살짝 바꾸면서 그의 호소를 마무리한다. 만일 아킬레스가 아가멤논에 대한 증오를 극복할 수 없다면, 아킬레스가 헥토르를 무찔러 그리스인을 구출함으로써 스스로 얻을 영광을 생각하게 하자. 이것은 자기 이익에 대한 또 하나의 호소이지만, 이는 앞서 나온 물질적 보상보다 더 높은 차원의 자기 이익이다. 호머의 영웅들에게는 개인적 영광이 최고의 선이었다. 오디세우스는 그의 논증의 클라이맥스를 위해 가장 강한 호소를 유보했던 것이다.

아킬레스는 즉각적이고 충동적인 응답을 한다. 논증의 무게를 달아볼 성찰의 시간이 없다. 아킬레스가 오디세우스의 호소를 절반만 들었고 발언의 기회를 얻기 위해 오디세우스가 멈추길 조급하게 기다렸다는 인상을 받게 된다. 따라서 아킬레스의 발언에 감정이 잔뜩 실려 있어 혼란스러운 것은 별로 놀랍지 않다.

아킬레스는 오디세우스에게 대답하기보다는 아가멤논의 제안을 조롱하고 싸우지 않겠다는 결단을 단호히 또 반복해서 선언하는 듯하다. 처음에는 그 자신이 오디세우스의 말을 전혀 듣지 않은 것처럼 얘기한다. 그가 싸우지 않겠다는 이유는 그의 목숨을 걸어도 감사나 보상을 받지 못하기 때문이라고 말한다. 그런데 오디세우스는 방금 그에게 전투로 복귀하면 감사와 보상을 받을 것이라고 얘기했다. 그는 말다툼 이전에 소유했던 것을 얻을 뿐만 아니라 과다한 보상까지 추가로 얻을 것이다.

하지만 아킬레스가 말을 억수같이 쏟아내자 오디세우스의 말을 들었다는 사실이 분명해진다. 아킬레스는 아가멤논의 모든 제안을 낱낱이 알고 있음을 보여준다. 그러나 그런 제안을 걷어찬다. 그는 더 높은 값을 단호히 요구하는 것이 아니다. 결코 그렇지 않다. 설사 그보다 무한히 더 큰 제안을 할지라도 그는 단연코 거부할 것이다. 다른 몇 가지 고려사항이 지금 아킬레스에게 영향을 미치고 있다.

아킬레스가 자신의 막사에서 생각에 잠겨 있는 동안 그에게 무슨 일이 일어났다. 그는 일반적인 전쟁의 근본적 이유와 특히 이 전쟁의 이유에 대해 평가해봤다. 어째서 십년 동안 여기서 싸운 것인가? 헬렌을 구하기 위해서? 그러나 그것은 무의미한 명분이다. 왕의 형제가 자기 아내를 되찾기 위해 어째서 수백 명의 아내가 과부가 되어야 할까? 전쟁의 순전한 어리석음과 아가멤논이 그런 전쟁을 치르도록 그토록 많은 귀족 전사를 배치한 그 터무니없는 교만이 아킬레스가 당한 모욕을 더욱 부각시킨다. 아가멤논은 이 모든 것에 대해 그 하찮은 선물로 보상할 수 있다고 정말로 생각하는 것일까?

아킬레스가 개인적인 명예 때문에 오디세우스의 호소에 귀를 막은 것도 아니었다. 우리가 지적했듯이, 개인적 영광을 얻을 만한 전망이 그리스 영웅들에게 큰 매력을 발산했다. 그러나 아킬레스는 이 전쟁을 올바른 관점에서 조망한 후에는 더 이상 개인적인 명예에 예전처럼 강하게 끌리지 않았다. 지금은 그에게 명예와 재물보다 더 귀중한 것이 있다. 바로 인생이다. 아킬레스는 이렇게 말한다. "내가 보기에는, 인생을 아케아 사람들이 오기 전 평화로운 시절의 찬란한 일리움의 전설적인 재산과 대조시킬 필요가 없고, 궁수─왕 아폴로의 대리석 문지방 배후의 로키 피토에 쌓아놓은 모든 보물과 대조시킬 필요도 없소." 그리고 조금 뒤에는 이런 말을 한다. "반면에 내가 고국으로 돌아간다면 명성은 잃겠지만 이른 죽음을 모면하고 장수할 것이오." 아킬레스는 이 시점에 목숨이 명성이나 부보다 더 높은 선이라고 판단했던 것이다.

아킬레스는 이런 판단을 내릴 때 아리스토텔레스의 흔한 주제 중 하나를 사용했다. 바로 정도(degree)라는 주제이다. 사람들이 행동 경로에 대해 숙고할 때 그 선택이 항상 선과 악의 문제는 아니다. 때로는 두 가지 이상의 선 사이에서 선택을 내려야 한다. 여러 선 사이에서 선택을 내릴 때는 정도에 근거해 결정을 내리곤 한다. 이 가운데 어느 것이 더 큰 선 또는 가장 큰 선인가? 그리고 그것이 아킬레스가 여기서 의지하는 주제이다. 《일리아드》의 독자들은 알고 있듯이, 아킬레스는 훗날 그의 마음을 바꾸어 명예를 목숨보다 우위에 둔다. 그러나 이 순간 오디세우스의 설득력 있는 호소에 답변할 때는 재물과 명예보다 목숨을 선호한다고 선언한다.

이것이 아킬레스의 반박에 대해 알 수 있는 모든 논증이다. 그의 발언은 대부분 정열적이고 유창한 호언이다. 하지만 그 발언의 끝부분에 분명한 것이 하나 있다. 그는 싸우지 않겠다는 것. 그래서 그 유명한 연설가, 어쩔 줄 모른 적이 전혀 없는 오디세우스가 아킬레스를 움직이는 데 완전히 실패한 것 같다. 이제는 포이닉스의 차례가 되었고, 이후에는 아약스의 차례이다. 그런데 우리가 이 두 명의 발언은 여기에 포함하지 않았다.

이 에피소드에 대한 공부에서 우리는 수사학에 관해 무슨 교훈을 배울 수 있는가? 서사시에 나오는 극적인 장면이되 연설적 논쟁의 형식으로 제시된 이 에피소드에서? 먼저, 우리 사회와 호머의 사회를 나누는 수많은 세월에도 불구하고 당시의 사람들도 오늘날과 거의 똑같은 방식으로 행동하고 반응했다는 점을 배운다. 사람들은 여전히 자존심이나 존엄성에 대한 진짜(또는 가상의) 모욕 때문에 부루퉁해지고, 다른 이들은 그 모욕의 상처를 달래려고 노력한다. 사회의 지배적 가치들은 시간의 흐름에 따라 변할지 몰라도 —예컨대, 오늘날은 개인적 명예에만 기여하는 행동보다 공동의 복지에 기여하는 행동을 더 중요시한다—기본적인 인간의 열정과 동기유발은 오늘날과 호머의 시대가 똑같다고 할 수 있다.

이 에피소드는 사람들이 오늘날의 우리와 똑같은 방식으로 논쟁하는 모습을 보여준다. 우리가 누군가의 태도를 바꾸거나 누군가로 무언가를 하게 하려면 어떻게 하는가? 오디세우스와 포이닉스와 아약스처럼 우리도 다양한 호소에 의지해서 그 가운데 하나 또는 몇 가지가 상대방으로 마음을 바꾸거나 어떤 식으로 행동하도록 설득하게 될 것을 바란다. 우리는 그 사람에게 제안된 행동 경로가 본질적으로 선하거나 상당한 개인적 유익을 초래할 것임을 보여주려고 애쓴다. 우리가 제안하는 물질적 보상은 멋진 삼각대와 빠른 경주용 말은 아닐지 몰라도 돈이나 값비싼 자동차나 롤렉스 시계와 같이 그와 비슷한 유혹물일 것이다. 또는 상대방에게 얼마나 많은 명예나 권력이나 명성을 얻게 될지 보여주려고 노력할 것이다. 아니면 그렇게 행동하지 않는 것이 얼마나 어리석은지 또는 얼마나 위험한지 보여주려고 할 것이다.

개인적 이익에 호소해도 그 사람을 움직이지 못할 경우에는 다른 접근을 시도할 것이다. 우리는 분노, 두려움, 동정심, 수치심, 질투, 경멸과 같은 감정을 끌어낼 수 있다. 의지가 사람의 행동 여부를 좌우하고 또 감정에 대한 호소가 의지를 움직이는 가장 강력한 수단인 만큼, 우리는 어떤 상황에선 감정적 호소가 가장 효과적인 전술임을 알게 된다. 우리는 또한 꺼리는 사람에게 영향을 주기 위해 윤리적 호소에 의존하기도 한다. 누군가 우리의 설득 노력으로부터 우리가 지성과 좋은 성품과 좋은 의지를 갖춘 인물임을 인지한다면, 그 사람은 우리의 말을 경청하고 우리의 논리적이고 감정적인 호소에 반응을 보일 것이다.

요컨대, 이 에피소드에 나오는 수사 기술에서 배우는 교훈은 비슷한 상황에 처하면 우리도 사절단과 똑같은 전략을 사용한다는 점이다. 우리는 '주어진 경우에 가능한 모든 설득 수단'을 활용하게 된다. 우리가 더 많은 또는 다른 논리를 사용할 수 있고, 그런 논리들을 다른 방식으로 배열할 수 있고, 우리의 논증을 전달할 더 적당한 양식이나 더 화려한 양식을 사용할 수 있지만, 근본적으로 우리의 전략은 사절단이 사용했던 전략과 같을 것이다. 이 글의 관심사는 특정한 목적을 위해 특정한 청중을 겨냥한 담론의 전략이다.

고전 수사학에 대한 간략한 설명

우리는 설득용 담론의 두 가지 본보기만 살펴봤다. 이 둘을 분석하면서 별로 친숙하지 않은 용어들을 도입했다. 이런 용어들이 낯선 것은 오래 전에 만들어진 기술에 속해 있고 19세기 언젠가부터 학교에서 중요한 과목의 지위를 잃어버렸기 때문이다. 오늘날의 학생들은 종종 수사학(rhetoric)이란 용어를 들어봤겠지만 무슨 뜻인지는 잘 모를 것이다. 이는 충분히 이해할 수 있는데, 그 단어가 많은 뜻을 획득했기 때문이다. 수사학은 작문과 주제에 관한 글쓰기, 또는 양식—비유적 표현, 화려한 어법, 다양한 문장 패턴과 운율—또는 공허한 과장된 언어의 개념—"수사에 불과하다"란 말처럼—등을 연상시킨다. 어쩌면 그들의 머릿속 한쪽에는 설득을 위한 언어의 사용이란 개념이 들어있을지도 모른다.

이 모든 개념의 공통점은 수사학이 언어의 사용 내지는 조작을 의미한다는 것이다. 사실 수사학이란 단어의 어원을 살펴보면 이 용어가 '말' 내지는 '언어'의 개념에 뿌리박고 있다는 것을 알게 된다. 그리스어 단어 rhēma(말)와 rhētor(연설 선생)는 유사어로서 그리스어 동사 eiró(나는 말한다)에서 나왔다. 영어 명사 rhetoric은 그리스어 여성 형용사인 rhetorikē, 즉 rhetorikē technē(수사학자 또는 연설가의 기술)의 생략어에서 유래한다. 이 영어 단어는 프랑스어 rhétorique에서 곧바로 넘어온 것이다.

이 용어의 어원을 조사해보면 수사학의 원초적 뜻에 더 가까워진다. 말하기, 연설하기와 연결된 그 무엇이란 뜻. 이 용어가 처음 발생한 주전 5세기 그리스로부터 꽃을 피운 로마 시대와 최고봉에 오른 중세의 삼학과(문법, 논리학, 수사학)에 이르기까지 수사학은 주로 연설의 기술과 관련되어 있었다. 중세 동안에 고전 수사학의 교훈들이 편지쓰기에 적용되기 시작했으나, 르네상스—15세기의 인쇄술의 발명 이후—에 이르러서야 말하는 기술을 지배하는 교훈들이 대규모로 문어 담론에 적용되기 시작했다.

고전 수사학은 주로 설득용 담론과 관련이 있었다. 그 목적은 청중을 특정한 방식으로 생각하거나 특정한 방식으로 행동하도록 설득하는 것이었다. 훗날 수사학 원리들이 정보용이나 설명용 담론에 확대 적용되었으나 처음에는 거의 오로지 설득용 담론에만 적용되었었다.

설득용 담론으로서의 수사학은 여전히 우리 가운데 많이 사용되고 있지만 현대의 학생들은 공식적으로 설득의 기술을 배울 가능성이 별로 없다. 이 훈련 중에 학교에 남은 유일한 요소는 네 가지 형태의 담론 연구—논증, 설명, 묘사, 서술—에 속하는 논증뿐이다. 그런데 이 논증 연구는 보통 논리학의 속성 과정인 것으로 드러난다. 고전 수사학자들에게 논리학은 부수적인 과목이되 별도의 과목이었다. 예컨대, 아리스토텔레스는 수사학을 논리학(dialectics이라고도 불렀다)의 '분파' 내지는 '상대역'이라고 말했다. 연설가는 청중을 설득하기 위해 논리를 사용해도 좋지만 논리는 많은 '가능한 설득 수단들' 가운데 하나에 불과했다. 그래서 오늘날 교실에서 논증을 공부하는 학생들은 옛 학생들이 설득 기술을 배울 때 따랐던 고도로 체계화된 훈련에 노출되지 않는다.

고전 수사학이 우리의 학교들에서는 대체로 사라졌지만 생생하게 살아있었던 적이 있다. 이천 년 역사 가운데 상당한 기간 동안 수사학 공부는 교과과정에서 핵심 과목이었다. 수사학이 최고의 지위를 누린 것은 그런 기간 동안 연설 기술이나 글쓰기 기술이 법정과 포럼과 교회에서 승진을 가능케 하는 열쇠였기 때문이다. 수사학 공부—수사의 행습은 아니라도—가 우리 시대에 쇠퇴한 한 가지 이유는 오늘과 같은 산업 기술 사회에서는 의사소통 기술 이외에도 성공에 이르는 다른 통로들이 있기 때문이다. 미국의 민간 전승 중 하나는 1870년에서 1910년 사이에 학식이 거의 없는 사람들이 백만장자가 되었다는 것이다. 그들 중 일부는 아이러니하게도 훗날 많은 도서관을 설립하고 여러 대학교에 기금을 기부했다.

수사학 역사를 연구해보면 보통은 사회적, 정치적 격변기에 수사학이 부흥한다는 사실을 알 수 있다. 옛 질서가 물러가고 새 질서가 진입할 때마다 말이나 글을 노련하게 사용하는 사람을 찾는 소리가 높아진다. 예컨대, 이탈리아의 르네상스, 잉글랜드의 종교개혁, 미국의 혁명과 같은 역사적 사건들만 봐도 변동이나 위기의 시기에 설득 기술을 가진 사람들의 재능에 절박하게 의존하는 모습을 분명히 볼 수 있다. 제이콥 버크하르트(Jacob Burckhardt)는 《이탈리아에서의 르네상스 문명》(*The Civilization of the Renaissance in Italy*)에서 연설가와 수사학 선생이 중세 교회의 속박을 벗어던지는 15세기 인문주의 운동에서 두드러진 역할을 했다고 지적했다.

헨리 8세가 로마와 결별한 후 잉글랜드의 튜더 법정은 수백 명의 변호사들이 압류된 수도원 자산들을 둘러싼 소송에서 서로 싸우는 논쟁 소리로 가득 찼다. 미국 혁명의 경우에는 톰 페인(Tom Paine)의 선동적인 팸플릿, 패트릭 헨리(Patrick Henry)의 감동적인 연설, 토마스 제퍼슨(Thomas Jefferson)의 대담한 독립선언문, 그리고 《연방주의자 논집》(*Federalist Papers*)에서 입헌 민주주의를 팔려고 했던 해밀턴(Hamilton)과 매디슨(Madison)의 노력을 상기하기만 해도 변동이나 격변의 시기에는 설득력이 뛰어난 말이나 글을 구사하는 인물들에게 크게 의존하게 된다는 것을 알 수 있다. 이와 같은 수사적 활동은 오늘날 아프리카와 아시아의 여러 국가에서 독립운동을 하는 민족주의자들 사이에 활발히 일어나고 있다. 최근 미국에서는 낙태 반대와 찬성을 둘러싼 논쟁에서 격렬한 수사적 활동이 말과 시위의 형태로 표현되는 것을 목격할 수 있다.

수사학의 긴 역사를 공부하고 싶은 사람은 이 책의 6장 수사학 개관을 읽기 바란다. 그런데 다음 장에서 수사학 공부에 진입하기에 앞서 고전 수사학 시스템과 용어에 관한 전반적인 지식을 다루는 것이 좋겠다. 키케로(Cicero)가 수사학에 관한 글을 쓸 때에 이르면 수사학 공부가 교육적 편의상 다섯 부분으로 나눠져 있었다: 착상(inventio), 배열(dispositio), 표현(elocutio), 기억(memoria), 발표(pronuntiatio). 이 책은 고전 수사학을 각색한 것인 만큼 이런 핵심 용어들을 설명해서 독자가 다음 세 장에 나오는 수사학을 이해하는 데 도움을 주고자 한다.

수사학의 다섯 단계

착상(inventio)은 '발명'이나 '발견'을 뜻하는 라틴어 용어(그리스어는 heuresis)이다. 이론적으로는 연설가가 어떤 주제로든 얘기할 수 있는데, 수사학 자체는 고유한 주제가 없었기 때문이다. 하지만 실제로는 연설가들이 떠맡은 각 연설이 독특한 도전을 제기했다. 그들은 그들이 지지하는 입장이나 관점을 뒷받침할 만한 논증을 찾아야 했다. 키케로에 따르면, 화자는 적절한 논증을 찾는데 타고난 재능, 방법이나 기술, 또는 근면함에 크게 의존했다. 물론 적합한 논증을 찾는데 타고난 직관적인 감각이 있는 사람은 대단히 유리한 입장에 있었다. 반면에 그런 재능이 없는 사람은 끈질긴 근면함이나 특정 시스템에 의지할 수 있었다. 착상은 논증을 찾는데 필요한 시스템이나 방법과 관련이 있다.

아리스토텔레스는 화자가 쓸 수 있는 논증이나 설득 수단은 두 종류가 있다고 지적한 바 있다. 첫째, 기술과 관계없는 설득 수단이 있었다(그리스어로는 atechnoi pisteis). 이런 설득 방식은 사실상 수사학적 기술의 일부가 아니었다. 그런 방식은 수사학적 기술 밖에서 온 것이다. 연설가들은 이런 수단을 발명할 필요가 없었다. 그냥 사용하기만 했다. 아리스토텔레스는 기술과 무관한 증명의 다섯 종류를 이렇게 불렀다. 법률, 증언, 계약, 고문, 맹세. 물론 법정에서 어떤 사건을 변호하는 변호사가 이런 증거를 가장 많이 사용했지만, 정치인이나 찬사를 쓰는 사람도 그런 것을 사용할 수 있었다. 예컨대, 오늘날 시민들에게 판매세를 채택하도록 설득하려는 대변인들은 그들의 입장을 뒷받침하려고 통계자료, 법적인 계약, 기존의 법률, 역사적 문헌, 전문가의 증언 등을 인용한다. 그들은 이처럼 뒷받침해주는 논증을 굳이 창안할 필요가 없었다. 이미 존재하기 때문이다. 물론 어느 의미에선 그들이 그런 논증을 찾아야 한다. 그런 것이 존재한다는 사실을 알아야 하고, 그런 것을 발견하려면 어떤 부서나 기록에 다가가야 한다는 것을 알 필요가 있다. 그러나 대변인들은 이런 논증을 상상하고 생각해낼 필요가 없다. 고전적인 의미에서 발명할 필요가 없다는 말이다.

아리스토텔레스가 거론한 두 번째 설득 방식은 기술적 증명을 포함했다. 여기서 '기술적'(artistic)이란 말은 수사학적 기술의 영역 안에 들어간다는 뜻이다. 이성적 호소

(logos), 감성적 호소(pathos), 윤리적 호소(ethos) 등이다. 이성적 호소를 행사한다는 것은 화자가 청중의 이성이나 이해력에 호소한다는 뜻이다. 달리 말해, 화자가 '논증하고' 있는 것이다. 우리가 논증할 때는 연역적으로나 귀납적으로 추론한다. 즉, 우리는 긍정적 또는 부정적 진술로부터 결론을 끌어내거나(예시—아무도 이생에서 완전한 행복에 이를 수 없다; 존은 사람이다; 그러므로 존은 이생에서 완전한 행복에 이를 수 없다), 여러 유사한 사실들을 관찰한 후 일반화를 한다(예시—내가 깨문 푸른 사과는 모두 신 맛이 난다; 모든 푸른 사과는 신 맛임에 틀림없다). 논리학에서 연역적 논증 방식은 보통 아리스토텔레스가 사용한 용어인 삼단논법(syllogism)이라고 불린다. 수사학에서는, 삼단논법에 상당하는 것이 생략삼단논법(enthymeme)이다. 논리학에 나오는 완전한 귀납(full induction)에 상당하는 것은 수사학이 말하는 예(example)이다. 다음 장에서 삼단논법, 생략삼단논법, 귀납, 예 등을 자세히 설명할 예정이므로 여기서는 이 정도로 끝내겠다.

설득의 두 번째 방식은 감성적 호소이다. 사람은 본래 이성적 동물인즉 사적인 삶과 공적인 삶에 대해 오직 이성의 빛으로 결정을 내릴 수 있어야 한다. 그러나 그들은 또한 자유의지의 능력을 부여받은즉 그들의 의지가 이성보다 열정이나 감정에 더 많이 좌우되곤 한다. 아리스토텔레스는 수사학이 오로지 이성적 호소만 다룰 수 있기를 바란다고 말했지만, 그는 사람이 종종 자기감정에 의해 어떤 것을 행하거나 받아들인다는 사실을 인정할 만큼 현실주의자였다. 그리고 아리스토텔레스가 정의했듯이, 수사학이 '가능한 모든 설득 수단'을 발견하는 기술이라면, 그는 《수사학》에서 감정을 건드리는 수단에 대한 조사를 다뤄야 했던 것이다. 따라서 그는 《수사학》 2권의 주요 부분을 일반적인 인간 감정에 대한 분석에 할애했다. 이것이 인간 심리에 관한 학문의 시초였다. 연설가가 만일 사람의 감정을 이용하려면 그런 감정이 무엇인지, 그리고 어떻게 감정을 유발하거나 압도할 수 있는지를 알아야 한다.

세 번째 설득 방식은 윤리적 호소이다. 이 호소는 화자의 성품에서 나왔다. 특히 성품은 발언으로 분명히 나타나기 때문이었다. 화자는 청중의 환심을 사서 그들의 신뢰와 동경을 얻었다. 만일 화자가 지성과 자비와 성실을 갖춘 사람이란 인상을 줄 수 있었다면 말이다. 아리스토텔레스는 윤리적 호소가 세 가지 방식 중에 가장 강력할 수 있다고 인정했다. 연설가가 청중의 지성을 설득하고 의지를 움직이는 모든 기술을 갖고 있어도 청중이 화자를 존경하지 않고 신뢰할 수 없다면 모두 수포로 돌아갈 것이다. 이 때문에 공직에 선출되려는 정치인들은 투표자들의 눈에 좋은 이미지를 각인시키려고 그토록 신경을 쓰는 것이다. 그리고 이런 이유로 키케로와 퀸틸리안도 화자가 고도의 도덕적 성품을 지닐 필요가 있다고 강조한 것이다. 퀸틸리안은 이상적인 연설가를 '말솜씨가 뛰어난 훌륭한 사람'으로 정의했다. 아리스토텔레스는 《니코마코스 윤리학》(*Nichomachean Ethics*)에서 개개인에게 적합한 에토스에 관해, 《정치학》(*Politics*)에서는 사회에서 다 함께 살아가는 개개인에게 적합한 에토스에 관해 탐구했다.

화자가 호소의 세 가지 방식을 위한 제재를 발견하는 일을 돕기 위해 고전 수사학자들이 고안한 방법은 바로 토픽(topics)이었다. 토픽은 그리스어 단어 topoi와 라틴어 단어 loci를 번역한 것이다. 문자적으로, topos 내지는 locus는 '장소' 내지는 '지역'이란 뜻이다. 수사학에서 토픽이란 우리가 주어진 주제에 관해 할 말을 찾기 위해 의지할 장소 또는 창고 또는 지식의 보고를 말한다. 좀 더 구체적으로 말하면, 토픽은 증명의 출처인 자료를 제안했던 일반적인 논증의 표제 또는 노선이었다. 달리 표현하면, 토픽은 어떤 주제(subject)를 전개시킬 가능한 방식을 찾기 위해 그 주제를 탐구하는 방법을 구성했다. 아리스토텔레스는 두 종류의 토픽을 구별했다. (1) 특수한 토픽(idioi topoi 또는 eidê)과 (2) 일반적인 토픽(koinoi topoi). 특수한 토픽은 특정한 종류의 담론에 적절한 그런 부류의 논증이었다. 달리 말해, 오로지 법정에서만 사용된 논증, 공적 포럼에만 국한된 논증, 의식용 연설에서만 나타난 논증이 각각 있었다. 다른 한편, 일반적 토픽은 어떤 경우에나 어떤 유형의 발언에나 사용될 수 있었던, 그 양이 제한된 논증이었다. 아리스토텔레스는 네 가지 일반적 토픽을 열거했다. (1) 많음과 적음(정도의 토픽), (2) 가능성과 불가능성, (3) 과거의 사실과 미래의 사실, (4) 큼과 작음(정도의 토픽과 구별되는 규모의 토픽). 우리는 텍스트에서 그 토픽들이 어떻게 사용되는지 보게 될 것이다.

지난 두세 페이지에서 살펴본 모든 고려사항은 착상의 영역에 속한다. '논증의 발견'이란 제목이 붙은 2장은 수사학의 이 측면과 관련이 있다. 주어진 주제에 관해 할 말을 '발견하는' 법이다. 이는 대다수 필자에게 중요한 문제이다. 필자들이 어떤 주제에 관해 불명료한 주된 이유는 그들의 아이디어를 비축할 수 있는 경험이나 독서의 부족이다. 또 어떤 경우에는 그들이 그 주제에 관해 이미 알고 있는 것을 발견하기 위해 그 주제를 들여다보는 능력이 없기 때문이다. 착상은 어떤 주제에 관해 아이디어를 찾아내는 체계화된 방법인 만큼 필자들은 이런 수사학적 접근에서 유익을 얻을 것이다.

수사학의 두 번째 부분은 배열(dispositio, 그리스어 taxis)이다. 이는 '배치', '정돈', '조직'으로 번역될 수도 있다. 이는 글이나 말로 된 담론의 여러 부분을 효과적이고 질서 있게 정돈하는 것과 관련된 수사학의 일부였다. 일단 아이디어나 논증을 발견하면 담론의 결과를 초래하기 위해 그것들을 선정하고 정리하고 조직하는 문제가 남는다.

매우 단순하게 표현하면, 담론은 시작과 중간과 끝이 필요하다고 말할 수 있다. 그런데 이런 구분은 너무 자명해서 도움이 되지 않는다. 수사학자들은 담론의 구분을 더욱 구체적으로 또 기능적으로 설명했다. 아리스토텔레스는 연설의 필수적인 부분은 두 가지밖에 없다고 주장했다. 사건의 진술과 증명이다. 그러나 실제로는 연설가들이 두 부분을 더했다고 양보할 준비가 되어 있었다. 서론과 결론이다. 《헤레니우스를 위한 수사학》(Ad Hernnium)의 저자와 같은 라틴 수사학자들은 이런 구분을 더욱 세분화해서 여섯 부분을 거론했다. (1) 서론(exordium), (2) 토론하는 사건에 대한 진술 또는 설명(narratio), (3) 논증에서 논점이나 단계들의 개관(divisio), (4) 입장의 정당함에 대한 증명(confirmatio), (5) 반론에 대한 논박(confutatio), (6) 결론(peroratio).

이런 구분은 필자들에게 자의적이고 기계적이며 경직된 것으로 보일지 모른다. 이 전통적인 패턴을 변호하기 위해 두 가지 사항을 말할 필요가 있다. 그것은 명료한 조직 원리들을 제시했는데, 미숙한 필자들에게는 자료를 정돈하는데 단순하고 명확한 원리들만큼 필요한 것은 없기 때문이다. 그리고 수사학자들은 이 구도에서 약간의 조정도 허용한다. 그들은 아리스토텔레스가 말한 '가능한 설득 수단'의 개념을 수용하면서 어떤 경우에는 어떤 부분들을 생략하는 것이 편리했고[예컨대, 반론을 무너뜨리기 어려우면 네 번째 단계(confirmatio)를 생략해도 좋다], 어떤 부분들을 재정리하는 것도 편리했다(예컨대,

자신의 논리를 전개하기 전에 반론을 논박하는 것이 더 효과적일 수 있다)는 것을 인정한다.

착상과 배열은 밀접한 상호관계가 있어서 많은 수사학 책에서는 이 두 부분이 동일한 표제 아래서 다뤄졌다. 배열이 착상의 또 다른 측면으로 간주된 것이다. 즉, 착상을 원초적 측면으로, 배열은 조직의 측면으로 여긴 것이다. 부록에 나오는 수사학 역사에서 배울 수 있듯이, 피터 라무스와 그의 추종자들[예컨대, 프랜시스 베이컨(Francis Bacon)]은 착상과 배열을 논리학의 영역으로 이관하고 수사학을 양식, 기억, 전달에 대한 고찰로 국한시키길 원했다. '정돈'이란 제목이 붙은 3장이 이 측면을 다루게 될 것이다.

수사학의 세 번째 부분은 표현(elocutio, 그리스어는 lexis or hermēneia or phrasis)이다. 웅변(elocution)이란 단어는 고전 수사학자와 우리에게 전혀 다른 뜻을 지닌다. 우리는 그 단어를 말하는 행위(따라서 웅변대회)와 연관시킨다. 말하기의 개념은 물론 이 단어의 어원인 라틴어 동사 loqui(말하다, 그리스어 legein)에 함축되어 있다. 이 라틴어 동사에서 나온 영어 단어가 여럿 있다: loquacious, colloquial, eloquence, interlocutor 등. 18세기 후반 전달에 대한 관심이 부흥한 이후에야 elocution이란 단어가 현재의 뜻을 지니기 시작했다. 그러나 고전 수사학자에게 elocutio는 '양식'을 의미했다.

양식(style)은 다른 개념이다. 우리는 양식이 무엇인지 알고 있다고 느낀다. 유명한 양식의 정의를 몇 가지 소개하면 이렇다. 뷔퐁(Buffon): "양식은 사람이다." 스위프트(Swift): "적절한 장소의 적절한 글." 뉴먼(Newman): "양식은 언어로 생각하는 것." 블레어(Blair): "사람이 자기 개념을 표현하는 특이한 방식." 그런데 이런 정의들은 생각하기 어렵게 만들 만큼 모호하고 그저 일반적인 느낌만 줄 뿐 명확한 정의를 제공하진 않는다. 대표적인 수사학자들 가운데 양식의 정의를 분명히 내리려는 사람은 없었으나, 대다수는 양식에 관해 많은 말을 했다. 사실 르네상스 수사학의 일부는 오로지 양식을 다루는 일에만 몰두했다.

많은 토론을 불러일으킨 사안 중 하나는 양식의 분류였다. 양식의 종류에 이름을 붙이기 위해 다양한 용어가 사용되었으나, 세 가지 수준이 있다는 점에는 모두 동의했다. 낮은 또는 평이한 양식(attenuata, subtile), 중간 또는 힘찬 양식(mediocris, robusta), 그리고 높은 또는 화려한 양식(gravis, florida). 퀸틸리안은 각 양식이 그가 수사학에 부여한 세 가지 기능 중 하나와 잘 어울린다고 주장했다. 평이한 양식은 가르치는 일(docendi)에, 중간 양식은 감동시키는 일(movendi)에, 높은 양식은 매력을 풍기는 일(delectandi)에 각각 적합하다.

양식에 대한 모든 고려는 단어의 선택에 대한 논의를 포함했는데, 보통은 정확성, 순수성(예컨대, 외국어보다 토착어의 선택), 단순성, 명료성, 적절성, 화려함 등과 같은 표제 아래서 다뤄졌다.

고려할 또 다른 주제는 구나 절(수사학적 용어로는 periods)에 담긴 작문 내지는 단어들의 정돈이었다. 여기에 포함된 것은 정확한 구문이나 단어들의 배열, 문장의 패턴들(예컨대, 병행, 대구), 문장 내에서와 문장들 사이에서 접속사 및 서로 관련된 장치들의 적절한 사용, 유쾌한 모음과 자음 조합의 교묘한 병렬을 통해, 그리고 적절한 리드미컬한 패턴의 사용을 통해 확보된 기분 좋은 문장들 등에 관한 논의였다.

물론 전의(tropes)와 비유(figures, 그리스어로는 schēmata, 영어로는 figure 대신에 자주 사용되는 schemes)에 굉장한 관심을 기울였다. 전의와 비유의 개념은 매우 복잡하므로 이 용어들의 정의와 예화는 적절한 대목으로 미루는 게 낫겠다.

양식에 대한 고려에 포함된 것은 또한 다음 네 가지에 관한 주장이었다: (1) 양식의 기능적 성격 대 꾸미는 성격, (2) 동방주의 대 그리스주의, (3) 글의 양식 대 말의 양식, (4) 단어의 경제성 대 단어의 복사 가능성 등에 관한 주장. 이런 사안들은 변두리 문제인데도 수사학자들이 그런 논쟁에 엄청난 시간과 에너지를 할애한 것은 참으로 놀랍다. 이 책의 4장이 양식의 문제를 다룰 것이다.

수사학의 네 번째 부분은 기억(memoria, 그리스어로는 mnēmē)으로서 연설을 기억하는 것과 관련이 있다. 수사학의 다섯 부분 가운데 기억은 수사학 책에서 가장 적은 관심을 받은 분야였다. 이 측면을 소홀히 한 이유는 아마 이론적으로 기억 과정에 대해 할 말이 별로 없기 때문이었을 것이다. 그리고 수사학이 주로 문어(文語) 담론을 다루게 된 후에는 암기에 대해 얘기할 필요가 더욱더 없었다. 하지만 소피스트들이 세운 수사학 학교에서는 약간의 관심을 기울였다. 연설가의 기억력은 끊임없는 연습으로 훈련되었으나(프로 배우들이 대본 암기를 통해 놀라운 재능을 획득하듯이), 수사학자들은 연설의 암기를 촉진하는 다양한 기억 장치들을 제안했다. 우리가 때때로 신문이나 잡지에서 접하는 광고—'30일 만에 개발하는 놀라운 기억력'—가 현대판 기억의 분야라고 할 수 있다. 이 책에서는 이에 대해 다루지 않을 것이다.

수사학의 다섯 번째 부분은 발표(pronuntiatio, 그리스어로는 hypokrisis) 내지는 전달이다. 기억과 마찬가지로 전달 이론 역시 18세기 중엽에 낭독 운동이 시작되기까지는 수사학 교재에서 명백히 무시되었다. 그리스 연설가 중 가장 위대한 데모스테네스(Demosthenes)가 수사학의 가장 중요한 부분이 무엇이냐는 질문을 받자 "전달, 전달, 전달"이라고 대답했다. 수사학 책들은 전달을 무시했음에도 불구하고 그리스와 로마의 수사학 학교들은 이 측면에 굉장한 관심을 기울였다. 전달의 기술을 가장 잘 획득할 수 있는 방법은 물론 이론적 논의를 듣는 게 아니라 실질적인 연습과 타인의 전달을 분석하는 일이다. 기억은 물론 전달에 대한 논의도 인쇄술의 발명 이후에는 더욱더 무시되었는데, 그때는 대다수의 수사학 훈련이 문어 담론을 지향했기 때문이다. 이는 충분히 이해할 만한 현상이다.

전달에 대한 논의는 또한 목소리의 관리와 몸짓(actio)도 포함했다. 적당한 음조, 볼륨, 강조를 위한 목소리의 조절, 그리고 멈춤과 진술에 대한 교훈이 설정되었다. 행동에 관해서는 연설가들이 몸짓, 몸의 적당한 자세, 시선과 얼굴 표정의 관리 등의 훈련을 받았다. 이 모두는 한 마디로 연기의 기술을 훈련받는 것이며, 역사상 위대한 연설가들이 모두 위대한 '삼류 배우'였다는 것은 의미심장한 사실이다.

한 사람이 스스로 세운 목표를 초래하는데 전달이 중요하다는 점은 부인할 수 없다. 연설과 설교를 아무리 잘 준비하고 멋지게 썼다고 해도 엉성한 전달 때문에 수포로 돌아갈 수 있다. 필자는 화자가 청중과의 직접적인 대면과 음성 전달로 누리는 이점을 누릴 수 없다. 필자가 이 불리함을 보상할 수 있는 유일한 방법은 그의 뛰어난 양식을 활용하는 것이다.

세 종류의 설득용 담론

　모든 수사학자는 연설을 세 종류로 구별했고, 이 분류는 거의 모든 것을 망라한다. 첫째는 심의용 연설인데, 정치용, 권유용, 권고용 연설로도 알려진 것이다. 이는 공적인 사안들, 그리스에서 '정치'라 부른 것과 관련된 모든 것에 대해 심의했던 연설이다. 여기에는 전쟁에 나갈지 여부, 세금을 부과할지 여부, 외국과 동맹을 맺을지 여부, 다리나 저장소나 신전을 건설할지 여부 등이 포함되었다. 하지만 일반적으로, 심의용 연설은 우리가 누군가에게 어떤 것을 하도록 설득하기 위한, 또는 이번 장의 서두에 나온 두 편의 글처럼 우리의 관점을 수용하도록 설득하기 위한 연설이다. 아리스토텔레스에 따르면, 정치용 연설은 언제나 미래와 관련이 있었다(쟁점은 우리가 장차 행하거나 행하지 않을 어떤 것이다). 그 특수한 토픽은 편리함과 불편함이었고, 그 수단은 권유와 만류였다.

　둘째는 법정 연설인데, 때로는 법적인 또는 사법적 연설로 불리기도 한다. 이것은 법정에서 설파된 변호사의 연설이었으나, 누군가의 행동을 변호하거나 정죄하려는 사람이 내놓는 모든 종류의 담론을 포괄할 수 있다[리처드 닉슨(Richard Nixon)이 전국의 TV 청중 앞에서 행한 유명한 '체커스'(Checkers)연설도 법정 연설의 실례로 간주될 수 있다. 뉴먼의《그의 생애를 위한 변호》(Apologia Pro Vita Sua)역시 또 다른 예이다]. 아리스토텔레스에 따르면, 법정 연설은 과거와 관련이 있다(법정 심리는 항상 과거에 일어난 행동이나 범죄와 관련이 있다). 그 특수한 토픽은 정의와 불의였고, 그 수단은 고발과 변호였다.

　셋째는 과시용 연설이었다. 이는 증명용, 열변용, 칭찬용, 의식용 연설과 같은 다양한 호칭을 갖고 있었다. 이는 과시하는 연설이며, 〈게티즈버그 연설〉(Gettysburg Address)과 구식의 '7월 4일' 연설들에서 볼 수 있는 그런 연설이다. 이런 담론은 청중을 설득하기보다는 기쁘게 하거나 감화시키는 일에 관심이 있다. 의식용 담론―우리가 이 텍스트에서 사용하는 용어―이 세 종류의 담론 중에 가장 '문학적'이고 보통은 가장 화려하다. 아리스토텔레스는 이 유형의 연설에 억지로 적절한 시간대를 맞추려고 했는데, 말끔하게 처리하려고 의식용 연설은 주로 현재와 관련이 있다고 설명했다. 그 특수한 토픽은 명예와 불명예였고, 그 수단은 찬양과 비난이었다. 고대인들은 그들의 수사학에서 설교는 취급하지 않았다. 훗날 기독교 문화에서 수사학을 공부할 때는 설교의 기술이 보통 과시용 연설에 속하는 것으로 여겨졌다. 설교자들은 사람들의 과거와 미래의 행동에도 관심이 있지만 말이다.

우리 시대에도 수사학은
적실하고 또 중요한가?

이처럼 복잡하고 공식화된 수사학 시스템이 오늘날 사회의 관심사나 필요와는 동떨어진 듯하다. 사실 그리스와 로마 학교에서 학생들이 익힌 어떤 훈련은 없어도 전혀 상관이 없다. 행습과 원리는 단지 유서가 깊다고 해서 보존할 필요는 없다. 오히려 적실하고 유용한 것으로 입증될 때에만 보존해야 한다.

무엇보다 먼저, 수사는 우리의 삶에서 불가피한 활동이라고 할 수 있다. 날마다 우리는 수사를 사용하거나 수사에 노출되어 있다. 다른 이들과 함께 공동체에서 사는 사람은 누구나 어쩔 수 없이 웅변가이다. 부모는 끊임없이 자녀에게, 선생은 학생들에게, 세일즈맨은 고객에게, 감독자는 일꾼들에게 수사를 사용한다. 우리가 TV 앞에서 보내는 30분마다 누군가 우리에게 무언가를 사도록 설득하는 광고를 서너 번 접한다. 선거철이 되면 우리의 표를 얻으려는 후보들의 호소 공세를 받는다. 자동차로 길거리와 고속도로를 달릴 때에도 우리의 눈은 거대한 광고판의 공략 대상이 된다.

광고야말로 아리스토텔레스가 설파한 활동을 보여주는 가장 편재하는 예인 듯하다. 그러나 현대 생활의 다른 많은 분야도 수사에 의존하고 있다. 외교관은 포트폴리오를 지니고 움직이는 수사학자이다. 홍보 담당자는 의식용 수사를 실행하는 사람이고, 이는 한 사람이나 기관에 대한 신용을 반영하려고 하는 그런 수사이다. 법은 오늘날 다면적인 전문분야라서 많은 변호사는 법정에서 법정 연설을 실행할 기회조차 얻지 못한다. 그러나 그 주기능이 유명한 변호사를 위해 소송 사건 적요서를 준비하는 변호사들도 수사학의 착상과 배열에 관여하고 있다고 말할 수 있다. 보험회사 직원과 다양한 세일즈맨은 날마다 의도적인 수사를 매우 효과적으로 구사한다. 설교자, 보도 담당자, 상원의원, 대변인, 상담사, 노조 지도자, 기업의 임원, 로비스트 등은 오늘도 변함없이 수사 기술을 적극적으로 발휘하고 있다.

오늘날 실행하는 수사 중에는 의심의 눈초리를 받고 심지어 경멸까지 받는 형태들도 있다. 그중에 하나가 선전이다. 선전(propaganda)이라는 용어는 한때 진실의 유포를 뜻하는 중립적인 용어였다. 그런데 일부 사람이 악랄한 목적을 위해 사용했기 때문에 매우 부정적인 뜻을 덧입고 말았다. 이와 가까운 동맹은 바로 선동(demagoguery)이다. 가장 성공적인 20세기 선동가의 이름들은 우리 뇌리에 깊이 박혀 있어 굳이 열거할 필요가 없다. 이들은 그럴듯한 논리와 반쪽 진실을 이용하고 공공복지를 증진하기보다 개인적 이익을 얻기 위해 감정적 호소를 활용하는 자들이다. 또 다른 위험한 수사는 세뇌(brainstorming)이다. 이 사악한 기술에 대한 명확한 분석은 앞날의 과제로 남아있으나 그 시초는 이미 조지 오웰(George Orwell)의 소설 《1984》의 무서운 마지막 장에서 찾아볼 수 있다. 또 하나의 위험한 수사는 오웰의 소설에서 따온 용어인 속임수(doublespeak)이다. 이는 청중이나 독자를 속이거나 혼동시키는 방식으로 언어를 사용하는 고의적인 방법이다. 여기서 수사학을 열심히 공부해야 한다는 논리를 끌어낼 수 있다. 수사학을 배우면 시민이 이런 악한 설득 수단의 공격을 충분히 경계할 수 있다는 주장이다.

'수사'가 이처럼 현대 사회에 널리 퍼져있다면, 우리는 옛 기술의 기본 전략과 원리를 알 필요가 있다. 이 기술을 알면 적어도 말과 글의 형태를 띤 타인의 수사적 노력에 비판적으로 반응하는 게 가능하다. 수사학은 본래 주로 종합하는 기술이었다. 즉, 무언가를 '세우는' 기술이자 '구성하는' 기술이었다. 그러나 수사학은 또한 분석의 기술로 이용될 수도 있다. 구성된 것을 '분해하는' 기술이란 말이다. 따라서 우리를 더 나은 독자로 만들 수 있다. 말콤 카울리(Malcolm Cowley)가 한때 지적했듯이, 클린스 브룩스(Cleanth Brooks)와 로버트 팬 워렌(Robert Penn Warren)과 같은 작가들의 신비평(New Criticism)은 수사적 원리를 시(詩) 텍스트에 대한 자세한 읽기에 적용한 것이었다. 모티머 애들러(Mortimer Adler)의 《독서의 기술》(How to Read a Book)은 설명과 논쟁이 담긴 산문을 읽는 데 필요한 수사적 기술을 제시했다. 웨인 부스(Wayne C. Booth)는 《소설의 수사학》(The

Rhetoric of Fiction)에서 단편과 소설 같은 내러티브 형태에 나타난 수사의 교묘한 작동을 보여주었다. 그리고 수사에 대한 지식은 일반적인 광고, 상업광고, 정치 메시지, 풍자, 아이러니, 온갖 속임수에 비판적으로 또 올바르게 반응하도록 도와준다.

수사학은 또한 우리가 더 효과적인 필자가 되도록 도울 수 있다. 수사학—우리의 자료를 모으고 선정하고 정리하고 표현하는 시스템으로서—의 주된 가치의 하나는 글쓰기의 문제점에 대한 긍정적인 접근을 표명한다는 것이다. 학생들은 작문에 대한 부정적 접근 때문에 글쓰기에 주눅이 들 때가 많았다. 이것을 하지 말라, 저것을 주의하라는 식의 접근이다. 고전 수사학 역시 부정적인 규정을 갖고 있었지만, 대개는 필자들이 특별한 목적으로 특정한 청중을 겨냥한 구체적인 담론을 작성하는 일을 돕기 위해 긍정적 충고를 제공했다. 수사학은 물론 우리에게 어떤 상황에서 무엇을 해야 하는지 일러줄 수는 없다. 그 어떤 기술도 그런 충고는 제공할 수 없다. 그러나 수사학은 필자들이 특정한 상황에서 사용할 수 있는 일반적인 원리들을 제시할 수는 있다. 적어도 필자들이 작문 과정에서 전략적 결정을 내리도록 그들을 안내할 수 있는 일련의 절차들과 기준들을 제공할 수 있다.

학생들은 작문에 대한 체계화된 접근이 글쓰기를 촉진하기보다 방해할 것으로 우려할지 모른다. 물론 판에 박힌 방식이 창작의 재능과 창의력을 방해할 수 있고 또 방해했다는 것은 부인할 수 없다. 그러나 판에 박힌 방식이 필자를 방해할 수 있음을 인정한다고 해서 항상 그렇다고 시인하는 것은 아니다. 르네상스에서 적어도 18세기에 이르는 대표적인 영어권 작가들—초서(Chaucer), 존슨(Jonson), 셰익스피어(Shakespeare), 밀턴(Milton), 드라이든(Dryden), 포프, 스위프트, 버크 등—은 거의 예외 없이 문법 학교나 대학교에서 수사학 과정을 밟은 사람들이었다. 우리는 수사학 공부가 그들을 위대한 작가로 만들었다고 주장할 순 없어도, 수사학 공부가 그들이 위대한 작가가 되는 걸 방해하지 않았다고, 어쩌면 재능에만 의존했을 때보다 더 나은 작가로 만들어주었을 수도 있다고 감히 말할 수 있다.

하지만 잘못된 희망을 불어넣지 않기 위해 분명히 짚고 넘어갈 점이 있다. 고전 수사학에 익숙해진다고 해서 글쓰기에 성공하는 마술적 공식이 생기는 것은 아니라는 사실이다. 학생들은 이 책에 나오는 교훈들로부터 유익을 얻기 위해 열심히 노력해야 할 터인데, 그것들은 이해하기가 그리 쉽지 않고 또 배운 것을 적용해야 하기 때문이다.

유창함에 이르는 길은 험하고 외로운 길이며, 그 여정이 나약한 사람에게는 맞지 않다. 그러나 생각과 느낌을 전달하려고 언어를 사용하는 능력이 인간 특유의 재능이라면, 인생에서 언어를 섭렵했을 때 느끼는 자부심에 견줄 만한 만족감은 거의 없을 것이다. 그래서 퀸틸리안은 이렇게 말했다. "그러므로 우리는 하나님이 사람에게 주신 최고의 선물, 그 표현의 장엄함을 전심으로 추구하자. 그것이 없으면 모든 것이 말문이 막히고 현재의 영광과 후손의 불멸의 갈채를 모두 빼앗길 것이기 때문이다. 그리고 최상의 것을 향해 열심히 달려가자. 그렇게 하면 우리가 정상에 올라가든지 적어도 많은 이들보다 앞설 것이기 때문이다."

2. 논증의 발견
Discovery of Arguments

논지의 구성

　모든 담론의 출발점은 어떤 토픽, 질문, 문제, 이슈이다. 이 토픽이나 질문이나 문제나 이슈는 담론의 주제(subject)라고 말할 수 있다. 주제는 라틴 수사학자들이 얘기했던 res-verba 조합의 res(사물)에 해당한다. res(말해진 것)의 발견은 '착상'을 다루는 부분의 소관이 되었다. verba(말해진 방식)는 다른 두 부분인 '양식'과 '전달'의 관심사였다. 당연히 우리가 주제를 분명히 규정하기 전에는 담론의 표현 부분에 관해 현명한 결정을 내릴 수 없다.

　우리는 주제를 부여받는 경우가 많다. 선생이 교실에서 이렇게 말한다. "다음 금요일까지 학교 신문의 편집자에게 보낼 오백 자짜리 편지에 등록금 인상안에 대한 자신의 견해를 피력하라." 또는 어느 잡지의 편집자가 우리 지역에 핵발전소를 세우는 것에 반대하는 시위에 관해 삼백 자짜리 기사를 써달라고 요청한다. 또는 회사의 회장이 우리에게 최근 광고 캠페인의 성공에 관한 회의를 위해 리포트를 준비하도록 요구한다. 이따금 우리가 주제를 선택하기도 하지만, 중요한 글쓰기 프로젝트에 참여할 때는 주어진 주제를 다루는 경우가 더 흔하다.

그런데 주제의 선택이나 지정은 시작에 불과하다. 사실 그 주제를 규정하기 위해 더 작업하지 않으면 그것은 막다른 골목이 될 수 있다. 우리가 '민주주의'에 관한 글을 쓰기로 결정하는 것으로 충분치 않다. '민주주의'를 담론의 주제로 삼기 전에 그에 관한 무언가를 서술해야 한다. 주제를 하나의 논지로 바꿔야 한다. 주제는, 논리학의 용어를 사용하자면, 명제(proposition)—그 주제에 관한 어떤 것을 주장하거나 부인하는 완전한 문장—의 형태로 진술되어야 한다. 그래서 '민주주의'란 모호한 주제가 예컨대 이런 문장으로 바뀌어야 한다. "민주주의는 시민들이 인간으로서 그들의 잠재력을 가장 잘 실현하도록 허용하는 정부 형태이다." 또는 "시민들이 문맹이라면 민주주의는 효과적으로 작동할 수 없다." 이제 우리는 글의 주제 내지는 논지를 갖고 있다. '민주주의'란 주제에 관해 무슨 말을 할지에 대한 정확한 개념이 있다는 뜻이다.

존 헨리 뉴먼(John Henry Newman)은 《대학의 이념》(*The Idea of a University*)에 나오는 '초보적인 공부'(*Elementary Studies*)에서 한 주제를 명제의 형태로 진술하는 것이 중요하다고 지적한다. 허구의 인물인 블랙 씨는 로버트란 소년의 작문에 관해 이렇게 논평한다.

블랙 씨가 이렇게 말한다. "이제 여기를 봐라. 주제는 '운명은 용감한 자의 편이다'이고, 이것은 하나의 명제다. 그것은 어떤 일반 원리를 진술하고, 이는 평범한 소년이 분명히 놓치는 것이고 로버트도 그것을 놓친다. 그는 당장 '운명'이란 단어로 향한다. '운명'이 그의 주제는 아니었다. 그 논지는 그의 유익을 위해 그를 안내하도록 되어 있었다. 그는 주도적인 끈에 들어가기를 거부한다. 그는 거기서 벗어나 그 나름의 방식으로 넓은 들판으로 달려가 그를 지지해주었을 명확한 주제로 마감하는 대신 정신없이 '운명'을 좇는다.

소년에게 '운명'에 관한 글을 쓰라고 말했다면 그것은 무척 잔인했을 것이다. 그것은 마치 그에게 '일반적인 사물에 관한' 그의 의견을 묻는 것과 같았을 것이다. 운명은 '좋고', '나쁘고', '변덕스럽고', '뜻밖이고', 동시에 일만 가지일 수 있고(그 모든 것은 운율사전에 있다), 그중에 하나는 다른 것만큼 많다. 그 단어에 대해 만 가지를 말할 수 있다. 그중에 하나를 내게 주라. 그러면 그것에 관해 글을 쓰겠다. 나는 한 가지 이상에 관해 쓸 수 없는데, 로버트는 모든 것에 관해 쓰고 싶어 한다."

로버트 같은 수많은 학생이 해마다 작문 과목에서 실패하는 것은 그들의 주제를 규정하려 하지 않거나 규정할 수 없기 때문이다. 라틴 수사학자들은 재판에서 쟁점을 결정하기 위해 한 공식(status or stasis)을 사용했는데, 이 공식이 학생들의 논지 결정에 도움이 될 것 같다. 그 공식은 토론 주제에 관해 묻는 세 가지 질문으로 이뤄져 있다.

어떤 것이 존재하는지 여부(An sit) : 사실에 관한 질문
그것은 무엇인가?(Quid sit) : 정의에 관한 질문
그것은 무슨 종류인가?(Quale sit) : 속성에 관한 질문

예컨대, 살인 재판의 경우 기소와 변호의 입장은 세 가지 이슈 중 하나를 중심으로 삼을 수 있다.

1. 브루투스는 혐의대로 시저를 죽였는가? (어떤 것이 존재하는지 여부)
2. 만일 브루투스가 시저를 죽인 것이 인정된다면, 그 행위는 살인이었는가, 아니면 자기방어였는가? (그것은 무엇인가?)
3. 만일 그것이 살인이었다면, 브루투스가 시저를 살인한 것이 정당화되는가? (그것은 무슨 종류인가?)

이 공식을 적용하면 재판의 이슈가 정해지고, 거꾸로 변호사들이 그들의 입장을 주장할 때 의지하는 토픽을 볼 수 있다.

이 공식을 사용한다고 담론의 주제가 정해지는 것은 아니지만 학생들로 하여금 그 주제의 어떤 측면을 다룰지 결정하도록 도와주고, 그러면 그들은 특정한 논지를 만들 수 있는 입장에 서게 된다. 이를테면, 선생이 학생들에게 등록금 인상에 관해 편집자에게

편지를 쓰도록 요청했다고 가정해보자. 무엇보다 먼저, 학생들은 그 주제의 어떤 측면에 대해 얘기할지 결정해야 한다. 실제로 다음 학기에 등록금이 인상될 것인가, 아니면 인상안이 제안되기만 했는가? 일부 학생들은 이사회에서 등록금 인상을 고려해왔으나 아직은 그 제안에 대해 공식적으로 투표하지 않았다는 사실을 알고 있을 수 있다. 그렇다면 학생들이 쓸 편지는 이런 내용이 될 것이다. "이 대학교의 학생들은 아직 사실로 확정되지 않은 것을 놓고 법석을 떨어왔다. 그들이 사실 여부를 판단하려고 수고했더라면 그들에게 아직 불평할 올바른 명분이 없다는 것을 알게 될 것이다."

하지만 학점당 수강료 인상에 대한 보도가 사실로 확인되었다고 가정하자. 그러면 어떤 측면을 논의할 수 있을까? 학생들은 정의(定義)의 문제에 주목할 수 있다. 학점당 48달러에서 52달러로 바뀐 것이 정말로 등록금 인상인가? 만일 이사회가 학생들이 한 학기에 수강할 수 있는 학점을 줄이기로 투표했다는 사실을 고려한다면 그렇지 않다. 그래서 학점당 수강료는 올라가겠지만 학기당 등록금 전체는 똑같은 수준을 유지할 것이다. 이 경우에는 인상의 정의에 대한 논의가 말에 대한 사소한 트집이 될 수 있으나, '민주주의' 또는 '사회화된 의료'와 같은 주제들의 경우에는 핵심 용어의 정의를 실질적으로 다룰 기회가 될 것이다.

이와 달리 등록금의 변동이 승인되었고 그 변동이 등록금의 상당한 인상을 초래한다고 가정해보자. 이제는 세 번째 질문(quale sit)이 논의의 초점을 드러낼 수 있다. 그 인상이 과연 필요했는가? 그것이 정당화될 수 있는가? 전반적인 생활비 증가와 비교하면 등록금 인상은 최소한으로 판명되는가? 등록금 인상이 교육의 질 유지 내지는 개선을 보장할 것인가? 아니면 그 인상이 많은 학생으로 하여금 계속 교육받지 못하게 방해할 것인가? 세 번째 질문을 적용하면 이처럼 많은 토론 영역이 나타나게 된다.

현재 상황이나 청중과 관련하여 주제를 고려하면 세 질문 중 어느 것을 가장 잘 적용할 수 있는지 밝혀진다. 어쨌든 그 공식에 따른 질문을 적용하면 토론할 주제의 측면을 결정하는데 도움이 된다. 일단 그 측면이 정해지면 학생들은 주제문(thesis sentence)을 만들 준비를 갖춰야 한다. 일단 주제를 좁힌 뒤에는 각 학생은 그 주제에 관해 무엇을 말하고 싶은가?

가장 중요한 원리는 그 논지를 단 하나의 서술문으로 진술하는 것이다.

논지를 한 문장으로 만드는 일이 중요하다. 논지를 진술하기 위해 또 하나의 문장을 활용하는 것은 생소하거나 부차적인 문제를 도입할 가능성이 많아서 그 논지의 통일성을 침해할 수 있다. 그 논지를 서술적 문장으로 만드는 일도 똑같이 중요하다. "우리 민주주의의 온전함을 보존하기 위해 싸우자"와 같은 권고형 문장과 "민주주의는 실행 가능한 정부 형태인가?"와 같은 의문형 문장은 주제를 모호하게 내버려둔다. 이런 종류의 문장은 잠정적인 또는 불확실한 분위기를 갖고 있다. 술어가 주제에 관한 어떤 것을 주장하거나 부인하는 경우에 그 논지가 명료하고 확고하게 진술될 것이다. "우리 민주주의의 온전함은 우리가 그것을 유지하려고 싸울 때에만 보존될 수 있다.""민주주의는 실행 가능한 정치 형태이다(그런 형태가 아니다)."

주제문이 작문 과정에서 좋은 출발점인 것은 그 문장이 필자로 하여금 그 주제에 관해 무엇을 말하고 싶은지 처음에 정하도록 해주기 때문이다. 더 나아가, 통일성과 일관성이 있는 담론을 위한 토대를 놓아준다. 그리고 종종 그 주제를 전개하는데 사용될 수 있는 몇몇 토픽을 암시하기도 한다.

예컨대, 당신이 정치학 과목의 리포트용으로 "민주주의는 남아프리카의 신생국들에게 실행 가능한 정부 형태이다"라는 논지를 정했다고 가정하자. 이 진술은 당신이 리포트에서 주장하고 싶은 명제를 정확하게 규정해준다. 즉, 민주적인 정부 형태가 남아프리카에서 가능하다는 것. 당신이 그 목적을 계속 염두에 둔다면 당신의 리포트는 통일성을 이룰 가능성이 많다. 그런데 그 논지를 말로 표현하기만 해도 논의의 전개 노선이 어느 정도 드러난다. 예컨대, 당신의 글 서두에서 적어도 주제문의 두 단어—민주주의와 실행 가능한—를 정의해야 하지 않을까? 그리고 당신이 남아프리카의 어떤 나라들을 염두에 두고 있는지도 밝히는 것이 좋지 않을까? 혹시 남아프리카의 어떤 나라들이 처한 상황을 민주주의가 성공적으로 정착된 다른 나라들의 상황과 비교함으로써 그 나라들에서의 민주적 정부의 실행 가능성에 대한 당신의 주장을 강화할 수 있지 않을까? 당신이 보다시피, 그 논지의 진술은 이미 정의와 비교란 토픽들이 논의 전개의 노선일 수 있음을 암시했고, 이와 더불어 일관성을 도모할 만한 구성도 암시했다.

논지를 하나의 서술문으로 작성하는 일은 그 주제를 제한된 단어 이내로 제대로 다룰 수 있는지 여부를 판단하는데도 도움이 된다. '민주주의'라는 주제는 너무 폭넓어서 당신이 그 주제를 제대로 다루는데 얼마만큼의 전개가 필요할지 예측할 수 없다. "민주주의는 최상의 정부 형태이다"와 같은 명제는 다소 폭넓고 모호하지만 적어도 그 주제에 한계를 설정해준다. 그런 주제를 오백 단어로 제한하는 것은 공정하지 않을 것이고, 천오백에서 이천 단어라면 만족스럽게 다룰 수 있을 것이다. 다른 한편, "대표 민주주의는 각 시민으로 정부의 행위에 약간의 목소리를 낼 수 있게 한다"와 같은 명제는 오백 단어로도 제대로 다룰 수 있을 것이다.

원리는 간단하지만, 어떤 사람들은 자기네 논지를 단 하나의 서술문으로 만드는 것을 어려워한다. 부분적인 이유는 그들이 앉아서 주제문을 작성하기 전에 자신들의 아이디어를 확고히 파악하지 못했기 때문이다. 사유와 언어는 서로 상호작용을 한다. 18세기 스코틀랜드 수사학자 휴 블레어(Hugh Blair)가 이렇게 말한 적이 있다. "우리가 우리 자신을 엉성하게 표현할 때마다 언어의 잘못된 취급 이외에도 대체로 그 주제에 대한 우리의 착상에 약간의 실수가 있다. 당혹스럽고 모호하고 허약한 문장은—항상 그렇진 않더라도—일반적으로 당혹스럽고 모호하고 허약한 생각이 낳은 결과이다."

논지를 뚜렷하게 묘사하는 능력을 습득하려면 상당한 연습이 필요하다. 하지만 공식적인 산문을 읽을 때 주제문을 만드는 습관을 들인다면 이 능력을 잘 개발할 수 있다. 때로는 그들이 읽는 산문의 작가가 그 글 어딘가에 논지를 진술함으로써 그들을 도울 것이고, 그 경우에는 그들이 그 주제문을 찾는 일이 필요하다. 하지만 어떤 경우에는 그 에세이의 중심 아이디어가 어디에도 명시적으로 진술되어 있지 않아서 독자들이 글 전체에서 중심 아이디어를 추출할 수 있어야 한다. 이런 식으로 일반화하는 능력은 종종 우리가 읽는 법을 배울 때 마지막으로 습득하는 능력이다. 우리가 읽는 글에서 논지를 추출할 수 없다면 우리 자신의 주제문을 만드는 일에도 성공할 가능성이 없을 것이다.

우리가 산문을 통해 타인들과 분명히 또 일관성 있게 소통하길 원한다면 이 능력을 반드시 습득해야 한다. 본인의 주제를 뚜렷이 규정하지 못하는 것이 통일성이 없는 담론을 낳은 주된 원인이다. 모호한 시작은 혼란스러운 끝을 초래한다. 글이든 말이든 담론의 청중은 필자나 화자보다 논지를 더 확고히 파악할 수 없다. 사실상 우리가 전달 과정에서 어쩔 수 없이 잃을 것을 감안한다면 청중이 파악하는 정도는 언제나 필자나 화자보다 적을 수밖에 없다.

그래서 우리는 이번 장의 앞부분에서 말한 것으로 되돌아간다. 일관성과 통일성이 있는 글쓰기의 시작은 뚜렷하게 규정된 논지이다. 그런데 이 일반 원리를 얘기하자마자 약간의 조건을 달 필요가 있다. 누군가 이렇게 말했다. "나는 어떤 것을 말하기까지는 무엇을 말하고 싶은지 잘 모른다." 물론 우리가 우리의 논지에 대해 분명한 아이디어를 갖기 전에 글을 쓰기 시작하는 것이 유리할 때도 있을 수 있다. 그런 경우에는 미처 정리되지 않은 생각을 글로 쓰는 행위가 착상 과정의 일부가 될 수 있고, 우리가 다루는 주제에 관해 마침내 하고 싶은 말을 발견하는 것으로 이어질 수 있다. 우리 논지에 대한 명료한 표현은 일단 우리가 대략적 초안을 작성한 뒤에야 올 것이다. 하지만 이런 경우라도 그 논지에 대한 명료한 표현이 최종 산물을 쓰는데 필요한 출발점이자 촉매제이자 핵심 장치라고 여전히 말할 수 있다.

설득의 세 가지 방식

우리가 만드는 논지는 작성하려는 담론의 목적에 해당한다. 이는 우리가 다른 이들에게 '이해시키고' 싶은 아이디어를 명시해준다. 논쟁적인 담론의 경우 논지는 우리가 청중이 수용하거나 그에 따라 행동하기 원하는 진실이나 제안을 가리킨다. 그런데 우리는 어떻게 다른 이들이 우리의 관점을 수용하게 하는가? 우리는 어떻게 타인들이, 케네스 버크의 말대로, 우리와 '동일시되게' 하는가?

아리스토텔레스는 우리가 세 가지 수단으로 타인을 설득한다고 말했다. (1) 그들의 이성에 호소하는 것(로고스), (2) 그들의 감정에 호소하는 것(파토스), (3) 우리의 인격이나 성품에 호소하는 것(에토스) 등이다. 우리는 이 가운데 하나를 배타적으로 또는 현저하게 사용할 수 있거나, 셋 모두를 사용할 수도 있다. 이 가운데 어느 것을 사용하는가는 부분적으로 우리가 주장하는 논지의 성격에 의해, 부분적으로 현재의 상황에 의해, 부분적으로(어쩌면 주로) 우리의 대상인 청중의 종류에 의해 결정될 것이다. 누구나 주제와 상황과 청중에 알맞은 수단을 채택하는 본능을 개발하지만, 일부 사람은 경험과 교육으로 그 본능을 잘 정련해서 타인들을 다룰 때 단순한 요령보다 기술로 성공에 이를 수 있다. 그리고 설득 행위가 기술의 상태에 근접할 때는 수사학의 영역에 속한다고 말할 수 있다.

우리가 토픽—고전 수사학자들이 필자나 화자가 주어진 주제에 대해 할 말을 찾도록 돕기 위해 고안한 시스템—에 대해 논의하기 전에 세 가지 호소 방식의 전략에 관해 생각해보자.

이성에의 호소

합리성은 인간의 본질적인 특징이다. 이는 사람을 인간으로 만들고 다른 동물들로부터 구별시켜주는 것이다. 이상적으로는 이성이 사람들의 생각과 행동을 모두 지배해야 하지만, 실제로는 종종 열정과 편견과 관습의 영향을 받곤 한다. 사람들이 종종 비합리적인 동기에 반응한다고 말하는 것은 그들이 결코 이성의 목소리를 듣지 않는다는 뜻이 아니다. 우리는 사람들이 이성의 명령에 따라 삶을 정돈할 능력이 있을 뿐 아니라 대체로 그런 경향이 있다고 믿어야 한다. 수사학자들은 사람들에 대한 그런 믿음이 있었기 때문에 수사학을 논리학—인간 추론에 관한 학문—의 분파로 생각했던 것이다. "수사학은 변증(dialectics)과 대응 관계에 있다." 아리스토텔레스가 《수사학》에서 말한 첫 문장이다. 아리스토텔레스는 《오르가논》(Organon)이라 불리는 여섯 편의 글에서 엄밀한 논리학을 다루었고, 그 가운데 두 글—《분석론 전서》(Prior Analytics)와 《분석론 후서》(Posterior Analytics)—에서는 주로 연역적 추론과 귀납적 추론을 다루었다. 변증은 '분석학'이나 논리학의 대중적인 형태였고, 이와 마찬가지로 수사학은 학문들에서 일어나는 엄밀한 증명의 대중적 형태였다. 플라톤(Plato)의 《대화편》(Dialogues)은 질문과 대답을 주고받는 형식으로서 사람들이 서로 논리적으로 언쟁하는 비공식적 방식의 좋은 예들이다. 이와 비숫하게, 수사학은 많고 이질적이며 어쩌면 교육받지 못한 청중을 설득하는 모든 수단을 다루는 법을 가르쳐주는 실제적인 기술이다. 연설가가 사용할 수 있는 이성에의 호소는 엄밀한 논리학의 원리를 위반하지 않는다. 그것은 논리학의 변형일 뿐이다. 그래서 삼단 논법과 귀납은 추론이 논리학에서 취하는 형태들인데 비해, 생략삼단논법과 예(例)는 추론이 수사학에서 취하는 형태들이다.

공식적인 연역적 또는 귀납적 논리가 '가능한 설득 수단'인 경우에는 언제나 그것을 활용해야 한다. 문학 저널과 과학 저널을 읽어보면, 필자들이 그들의 동료들에게 그들의 실험이나 논지의 정당성을 설득시키기 위해 수많은 증거를 제시하거나 훌륭한 연역적 추론을 이용하는 것을 종종 발견하게 된다. 심지어는 우리가 훌륭한 논리적 증명을 기대하지 않는, 추상적 주제에 관한 대중적인 글에서도 필자들은 그들의 평판을 의식해 논리적 추론의 원리를 위반하지 않으려고 조심할 것이다.

이제 이성에의 호소에 관한 논의의 토대로서 논리학의 몇 가지 원리를 살펴볼까 한다. 첫째로 정의의 문제를 생각해보자.

정의(定義)의 원리들

설명과 논쟁은 종종 정의를 중심으로 삼는다. 설명은 사실 일종의 정의이다. 우리가 어떤 것을 설명하려면 그것이 무엇인지 말하거나, 그것을 묘사하거나, 그 부분들을 열거하거나, 그것의 작동을 증명해야 한다. 사전은 설명 작업이다. 사물을 정의하지 않고 사물을 나타내는 단어를 정의하는 작업이다. '방법'에 관한 책은 모두 주로 설명하는 책이다. 왜냐하면 어떤 것이 어떻게 작동하는지 보여줌으로써 그 사물을 설명하거나 정의하는 책이기 때문이다. 사물을 분석하거나 분류하는 담론들 역시 설명적 정의의 예들이다.

아리스토텔레스는 논리학을 다룬 《토피카》(*Topica*)에서 흔히 '본질적 정의'(essential definition)라 불리는 것을 지배하는 원리들을 설정한다. 본질적 정의란 어떤 사물을 바로 그 무엇으로 만들고 그것을 다른 모든 사물로부터 구별시키는 것을 가리키는 것을 말한다. 달리 말하면, 어떤 사물의 근본적인 본성을 명확히 설명하는 것이다. 예컨대,

널리 수용되는, 사람의 본질적인 정의는 다음과 같다. "사람은 이성적 동물이다." 서술어인 '이성적 동물'은 사람의 본질을 가리키고 다른 어떤 피조물에도 사용할 수 없는 것이다.

우리가 과연 본질적 정의에 이르렀는지 여부를 판단하는 한 가지 테스트는 그 명제를 전환할 수 있는지 여부를 살펴보는 것이다. 즉, 주어와 서술어를 교환해도 그 명제의 진실성이 그대로 남는지 보라는 뜻이다. "사람은 이성적 동물이다"란 명제는 "이성적 동물은 사람이다"로 전환할 수 있다. 이 명제의 경우 두 번째 형태가 첫 번째 형태와 똑같이 진실이다. 이 테스트를 또 다른 정의—"사람은 두 발을 가진 동물이다"—에도 적용해보자. 우리가 이 명제를 "두 발을 가진 동물은 사람이다"로 전환하면 그 '진실성'이 뒤집히는 것을 쉽게 볼 수 있다. 모든 사람이 두 발을 가진 동물임은 진실이지만, 모든 두 발 가진 동물이 사람이란 것은 진실이 아니기 때문이다. '두 발을 가짐'은 사람의 한 가지 특징이되 사람의 본질을 가리키지는 않는다. '합리성'은 사람의 본질을 분명히 가리킨다. 그것이 사람의 특징일 뿐 아니라 오로지 사람에게만 '속하기' 때문이다.

본질적 정의에서는 주어와 술어가 동등한 용어들이다. 느슨한 의미에서, 본질적 정의는 동등함을 수립한다. 사람은 이성적 동물과 같고, 이성적 동물은 사람과 같다. 다른 비유를 들자면, 본질적 정의에서 주어는 술어만큼 '무게'가 나가야 한다. 우리가 주어와 술어를 교환해서 저울에 무게를 재더라도 저울이 여전히 균형을 유지해야 한다. 그러나 사람이란 용어와 두 발 가진 동물이란 용어는 똑같은 '무게'가 나가지 않는다.

바로 아리스토텔레스가 분류에 대한 생물학자의 열정을 품고 본질적 정의를 만드는 법을 보여준 인물이다. 우리는 '정의될 사물'(the definiendum)을 일반적인 속(屬, genus)에 넣고 이것을 그 동일한 부류에 속한 다른 모든 것과 구별시키는 구체적인 차별성(differentiae)을 부여한다. 우리가 사용한 본질적 정의에서는 '동물'이 일반적 부류이고, '이성적'은 동물로 분류할 수 있는 다른 모든 피조물과 사람을 구별되게 하는 차별성이다.

그렇다고 해서 차별성이란 것이 사람의 정의에서처럼 항상 단 하나의 단어로 주어질 것으로 생각하면 안 된다. 때때로 우리는 그 사물을 동일한 부류에 속한 다른 사물들로부터 구별시키기 위해 여러 차별성을 가리켜야 한다. 예컨대, 다음 정의를 생각해보

라. "자동차는 네 바퀴로 달리는 수송 수단이다." 우리는 부류(수송 수단)와 차별성(네 바퀴로 달린다)을 갖고 있으나, 이 차별성은 분명히 자동차를 네 바퀴로 달리는 다른 수송 수단들과 구별시키기에 충분치 않다. 이 단어의 어원이 자동차를 구별하게 해주는 또 다른 차별성을 제시한다. 바로 auto(스스로)와 mobilis(움직일 수 있는)이다. 그래서 이 네 바퀴 달린 수송 수단은 내부 엔진에 의해 추진된다고 덧붙이는 것이 좋겠다. 만일 이것도 자동차를 구별시키기에 충분치 않다면, 그것을 추진하는 엔진의 종류, 그 수송 수단을 구성하는 재료, 그 모양, 사용 목적과 같은 차별성을 더할 수 있다.

정의에 담긴 차별성은 한 사물의 네 가지 원인 중 하나 또는 그 이상을 명시하곤 한다. 재료(material), 형상(formal), 동력(efficient), 목적(final)의 원인들이다. 예를 들어, 누군가 테이블을 설명한다면 이렇게 말할 것이다. 테이블은 한 편의 가구(일반적 부류)로서, 목수(동력인)가 나무(재료인)로 넓고 평평한 위편을 네 다리로 지탱하는 모양(형상인)으로 만들어 종종 식사용 접시를 두는 것(목적인, 그 사물의 목적)이다. 물론 다양한 종류의 테이블을 정의하려 할 때는 그 차별성이 바뀔 것이다. 어떤 테이블은 금속공이나 석공이 금속이나 돌로 만들고, 또 어떤 테이블은 다리가 셋이고, 어떤 것들은 여섯이다. 그리고 사람은 테이블을 다양한 목적으로 사용한다. 글을 쓰거나 그림을 그리거나 천을 자르는 동안 앉거나 서 있을 목적으로.

사전을 임의로 펴서 그 페이지에 나온 명사들의 정의를 고찰하면 대다수 명사의 정의들이 아리스토텔레스의 패턴을 좇고 있음을 발견할 수 있을 것이다. 즉 그 실체에 일반적 부류를 부여한 후 이런저런 방식으로 차별화하는 것이다. 그들은 또한 사전이 종종 본질적 정의에 도달하지 않거나 그러려고 애쓰지 않는다는 것을 발견할 것이다. 실제적인 목적을 위해서 정확한 본질적 정의가 반드시 필요한 것은 아니기 때문이다. 그뿐 아니라, 우리가 본질적 정의에 도달했는지, 또는 언제 도달했는지 아는 것은 지극히 어렵다. 우리는 타자기의 본질을 명시하는 것이 보통 힘든 일이 아님을 발견할 테고(우리가 여러 인공물 가운데 타자기를 고를 수 있을지언정), 본질적 정의가 절박하게 필요하지 않다면 우리는 굳이 그것을 얻으려고 수고하지 않을 것이다. 우리는 쓸 만한 타자기의 정의로 만족할 것이다. 다른 한편, 철학자들은 사람의 본질적 정의를 추구했는데, 그것이 사람의 본질이 무엇인지 판단하는데 중요하게 보였기 때문이다.

물론 모든 정의는 정의를 내리는 자의 관점과 분류의 근거에 따라 다양할 것이다. 지식의 여러 분파를 구별하는 한 가지 방식은 각 학문이 사용한 정의의 방법과 근거에 주목하는 것이다. 예컨대, 생물학자는 사람을 '몸의 형태가 비교적 분화되지 않은 직립의, 네 발 가진, 거대한 포유동물'로 정의할 것이다.

행동 과학자는 사람을 '사회적 동물'이나 '도구를 만드는 피조물'이나 '불로 음식을 준비하는 피조물'로 정의할 것이다. 신학자는 사람을 '하나님이 입양한 아들'로 정의할 것이다. 각각은 그 나름대로 진실이고, 각 정의는 우리에게 사람에 관한 유용한 지식을 전달한다. 어떤 목적을 위해서는 생물학자의 정의가 논리학자의 정의보다 더 유용할 수 있다[베르코르(Vercors)의 멋진 소설, 《너는 그들을 알 것이다》(*You Shall Know Them*)를 읽어보면, 한 과학자가 정글에서 발견해 문명세계로 데려온 이상한 피조물들이 인간으로 분류될 수 있는지 여부를 둘러싸고 살인 재판이 진행된다. 오늘과 같은 우주 시대에도 우리가 다른 행성에서 영장류 생명을 발견한다면 그와 비슷한 문제에 직면할 수 있다]. 수사학자는 단어들에 여러 타당한 정의가 있을 수 있다는 사실에 특히 관심이 있다.

정의를 내리는 다른 방법들

동의어   단어들을 정의하는 방법은 아리스토텔레스의 방법 외에도 다른 것들이 있다. 흔한 방법 중 하나는 동의어들을 언급하는 것이다. 형용사, 명사, 동사의 경우에 이 방법을 자주 사용한다. 그래서 '강직한'의 뜻을 전달하고 싶으면 '완강한, 달래기 어려운, 고집 센, 딱딱한, 굽지 않는' 등 동의어들을 언급할 수 있다. '추론하다'의 뜻을 분명히 하고 싶으면 '연역하다, 결론짓다, 판단하다, 모으다'와 같은 동의어들을 제공할 수 있다. 아리스토텔레스는 이 방법에 의문을 제기했다. 그는 진정한 정의는 어구로만 옮겨질 수 있다고 주장했기 때문이다. 아마 아리스토텔레스가 옳을 것이다. 동의어가 이상한 단어의 뜻을 조명할 수는 있지만, 그것이 그 단어의 존재 양식에 대해 알려주지는 않기 때문이다. 그럼에도 동의어들은 아이디어나 느낌을 전달할 때 사용되는 단어들을 명료하게 하는 데 유용하다.

어원　동의어로 정의하는 방법과 밀접한 관계에 있는 것은 어원을 언급하는 방법이다. 예컨대, '강직한'(inflexible)이란 단어의 뜻을 설명할 때, 이 단어가 라틴어 전치사 in(이 경우에는 '않다'는 뜻)과 라틴어 동사 flectere('굽다'는 뜻)와 접미사 −ible('될 수 있다'는 뜻)에서 유래해서 '굽혀질 수 없는'이라는 뜻이라고 지적할 수 있다. 어원 공부는 단어의 뜻에 빛을 비출 수 있고, 뜻의 미묘한 그림자를 보여줄 수 있고, 기억을 돕는 역할을 할 수 있다. 특히 조어(祖語, parent languages)에 대한 약간의 지식이 있는 사람들에게 그러하다. 그런데 단어의 뜻을 알기 위해 어원에 의존할 때 주의할 점이 있다. 단어의 뜻은 종종 어원적 뿌리에서 멀어진다는 사실이다. 예를 들면, police(경찰)란 영어 단어는 그 뿌리에 해당하는 그리스어 단어 polites('시민'이란 뜻)에서 상당히 멀어졌다. 만일 민주주의(democracy)의 어원을 언급하면 문제를 해결하기보다 논쟁을 유발할 가능성이 많다.

묘사　복잡한 조직이나 매커니즘의 개념을 전달하기 위해 자주 사용하는 또 다른 방법은 자세한 묘사이다. 이런 묘사는 종종 그 사물의 부류와 여러 성질 및 속성을 언급하지만, 그 정의는 사전이 사용하는 엄격한 단일의 문구보다는 논설적인 산문으로 표현된다. 비교, 유추, 은유, 직유 등이 이런 정의를 촉진하기 위해 자주 사용된다.

예　추상적인 단어를 정의하는데 특히 유용한 방법은 예를 드는 것이다. "정직은 … 할 때이다"란 모호한 구문은 우리가 이 방법으로 정의를 내릴 수 있는 경우다. 예를 사용하면 이런 식이 될 것이다.

당신은 내게 정직이 무엇이냐고 묻는다. 내가 말해주겠다. 어느 날 밤 열 시 삼십 분경 한 노인이 일을 마친 후 지하철로 걸어가다가 배수로에 떨어진 까만 지갑을 발견했다. 어느 여성이 택시를 타거나 내리다가 떨어뜨린 것이 틀림없었다. 그는 주변을 둘러보았다. 거리에는 아무도 없었다. 지갑을 줍고 열어보니, 그 속에는 고무줄로 묶인 십 달러짜리 지폐 한 뭉치가 있었다. 대충 넘겨보니 백오십 달러에서 이백 달러 정도 되는 것 같았다. 유일한 단서는 봉투에 적힌 한 변호사의 이름과 주소였다. 그는 어떻게 해야 할까? 그가 지갑을 줍는 것을 본 사람은 없었다. 지갑을 떨어뜨린 여성은 그 사람만큼 절박하게 그 돈이 필요하지 않은 것이 분명했다. 그 돈이면 집안의 많은 재정 문제를 해결할 수 있다. 그는 유혹을 받았다. 그러나 지갑을 집에 가져간다면 밤잠을 설칠 것임을 알았다. 그래서 그는 가던 길에서 두 블록이나 떨어진 경찰서로 가서 지갑을 제출했다. 당신은 내게 정직이 무엇이냐고 묻는다. 그것이 바로 정직이다.

예를 들어 정의를 내리는 것은 설교자와 연설가와 교사들이 오랫동안 좋아했던 방법이다. 도덕이 담긴 일화(exemplum)는 한때 문학에서 두드러진 역할을 했다. 이솝(Aesop)의《우화》(Fables)와 초서의《면죄부 파는 사람 이야기》(Pardoner's Tale)는 이 장르에 속하는 두 가지 실례일 따름이다. 결론적으로, 우리가 용어를 정의할 때 따라야 할 규칙은 다음 세 가지이다.

1. 정의에 사용되는 용어들이 정의될 용어보다 더 명료하고 친숙해야 한다.

이 원칙은 너무도 자명해서 설명할 필요가 없지만 약간의 조건을 진술할 필요는 있다. 존슨이 네트워크(network)에 대해 내린 악명 높은 정의—'교차점에 틈이 있고, 일정한 간격으로 열십자로 교차되는 그물 모양의 구조'—는 네트워크의 개념이 없는 사람에게 가르쳐주는 점이 별로 없다. 많이 조롱받는 이 정의가 놀랍도록 정확한 것은 사실이지만 말이다. 오늘날의 사전들은 더욱 친숙한 단어들을 사용해서 더 명료한 네트워크 개념을 전달하는데 성공한다. 이 첫째 규칙을 지키기가 정말 어려울 때는 비교적 단순한 일상적인 대상을 정의해야 할 경우이다. 예컨대, 달걀을 어떻게 정의하는가? 정의에 사용되는 용어들이 정의될 용어보다 반드시 '더 쉬운' 단어들이어야 하는 걸까?

2. 정의는 정의되는 용어를 반복하거나 유사한 용어 또는 파생된 용어를 사용하면 안된다.

앞에서 말했듯이, 동의어는 진정 정의를 내리는 것이 아니다. 동의어는 비슷할 뿐이고 어쩌면 더 친숙한 단어일지 모르고, 미지의 단어의 뜻을 조명해줄 수 있다. 동일한 단어의 반복은 물론 굴절된 파생어의 반복 역시 정의될 용어의 뜻을 밝히는 데 도움이 되지 않는다. 그래서 우리는 이런 정의를 피해야 한다. "정의(正義)는 한 사람이 다른 사람을 정의롭게 다루도록 촉구하는 미덕이다." "사람은 인간 본성을 소유한 피조물이다." 셰익스피어 역사극 《헨리 4세》(Henry IV) 2부 3막 2장에 나오는 바르돌프의 정의도 그런 예이다. "적응되다: 즉 한 사람이, 그들이 말하듯이, 적응되다; 또는 한 사람이 어떻게 해서 적응된 것으로 간주될 때, 이는 훌륭한 것이다."

3. 정의는 가능하면 부정적이 아니라 긍정적으로 진술되어야 한다.

여기에 '가능하면'이란 문구가 삽입되어야 하는 이유는 때때로 개념이 너무 모호해서 그것을 긍정적으로 정의하기 어렵기 때문이다. 그런 경우에는 그 개념이 무엇이 아닌지만 알아도 약간의 유익이 있다. 그 자체가 부정적인 개념들은 물론 긍정적으로 정의하기가 어렵다. 그래서 어둠 같은 개념은 '빛의 부재'로 부정적으로 정의되어야 한다. 부정적인 정의를 사용하면 수사적 이점이 있을 수도 있다. 예컨대, 어떤 사물이 무엇이 아닌지를 열거한 다음 드디어 그 사물이 무엇인지를 진술할 수 있다. 셋째 규칙이 피하라고 권고하는 정의는 이런 것이다. "민주주의는 그 시민들에게서 시민의 자유를 박탈하지 않는 그런 형태의 정부이다." 만일 이것이 민주주의의 유일한 정의라면 아무도 민주주의가 무엇인지 그 개념을 모를 것이다.

삼단논법(syllogism)

삼단논법은 아리스토텔레스가 연역적 추론을 분석하고 시험하기 위해 창안한 도식적 장치이다. 사람들이 실생활에서 엄밀한 삼단논법으로 주장하는 경우는 드물지만, 삼단논법은 사람들이 연역적으로 추론할 때 지키는 방법이나 형식을 분석하는데 유용한 장치이다. 우리가 여기서 논리학 전반을 얘기할 수는 없으나 이 형태의 연역적 추론을 지배하는 몇 가지 기본 원칙은 설정할 수 있다.

삼단논법은 진술이나 명제에 근거해 추론한다. 이런 명제는 전제(premise)라고 불린다. 추론은 이 과정을 밟는다. 만일 a가 참이라면, b는 참이고, 따라서 c는 참임에 틀림없다. 삼단논법에 대해 생각하기에 앞서 정언적 삼단논법에 나오는 명제의 종류에 대해 말할 필요가 있다. 먼저 대당사각형(square of opposition)으로 시작하자. 이는 논리학자들이 주로 기억력을 증진시키려고 만든 장치이다(다음 도표를 보라).

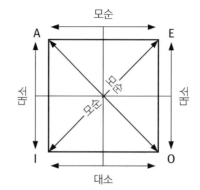

모든 사람은 죽을 존재들이다 — 모순 — **반대** 아무도 죽을 존재가 아니다

A ··· E

죽음 ··· 모순 ··· 죽음

일부 사람은 죽을 존재들이다 — 대소 — **소반대** 일부 사람은 죽을 존재들이 아니다

I ··· O

대당사각형은 도식적으로 네 종류의 정언 명제를 묘사한다. 이는 어떤 것을 주장하거나 부인하되 조건이 없이 또는 대안을 제시하지 않고 그렇게 하는 명제들이다.

A 명제(모든 사람은 죽을 존재들이다)는 보편적 긍정이다.
E 명제(아무도 죽을 존재가 아니다)는 보편적 부정이다.
I 명제(일부 사람은 죽을 존재들이다)는 특수한 긍정이다.
O 명제(일부 사람은 죽을 존재들이 아니다)는 특수한 부정이다.

이런 명제들에 붙인 철자들은 어쩌다가 영어 알파벳의 첫 네 모음으로 되어 있는데, 실은 이와 관련된 라틴어 동사 두 개의 첫 두 모음에서 따온 것이다.

AFFIRMO(나는 긍정한다)— 그래서 A와 I가 긍정적 명제들에 붙여진 것이다.
NEGO(나는 부정한다)— 그래서 E와 O가 부정적 명제들에 붙여진 것이다.

논증에서는 명제들을 그 양과 질에 따라 분류하는 능력이 필요하다. 우리가 어떤 명제의 양에 관해 물을 때는 그 명제가 보편적인지 또는 특수한지를 판단하려는 것이다. 즉, 어떤 진술이 한 부류 전체에 관한 것인지 또는 한 부류의 일부에 관한 것인지 알고자 한다. 어떤 명제의 질에 관해 묻는 것은 그 명제가 긍정적인지 또는 부정적인지를 판단하려는 것이다. 즉, 술부가 그 주제에 관한 어떤 것을 주장하는지, 또는 그 주제에 관한 어떤 것을 부인하는지 알고자 한다. 도표에서 위편에 나오는 좌우의 두 명제는 보편적 명제들이다. 아래편의 두 명제는 특수한 명제들이다. 왼편의 두 명제는 긍정적 명제들이고, 오른편의 두 명제는 부정적 명제들이다.

각 언어는 명제의 양과 질을 가리키기 위해 그 자체의 사전적이고 문법적인 장치를 갖고 있다. 영어에서 보편적 명제를 가리키는 단어들은 주어 앞에 붙는 every, all, no 등이다. 특수한 명제들은 some, most, many, a few, the majority와 같은 단어들이 표시한다. 술부에 not이란 부사가 있으면 그 명제는 부정적이다. 그런데 주어에 no, none, none of the, not all, not any of the와 같은 단어가 있어도 그 명제는 부정적인 것으로 간주된다.

명제들을 분류할 때 어떤 명제가 긍정적인지 또는 부정적인지를 판단하는 일은 전혀 어렵지 않다. 하지만 어떤 명제의 양을 판단할 때는 가끔 어려운 경우가 있다. 예를 들어, 고유 명사를 주어로 하는 명제(예시, 존 스미스는 죽을 운명이다)의 양은 무엇인가? 우리가 특정한 사람에 관한 어떤 것을 주장하고 있는 만큼 그 명제가 특수한 것처럼 보인다. 그러나 대다수 논리학자들은 이 명제를 보편적 긍정문으로 분류할 것이다. 왜냐하면 죽을 운명은 "모든 사람은 죽는다"라는 명제처럼 모든 주어에 대해 서술하는 것인즉 죽을 운명이 사람의 부류 전체에 해당하는 것이기 때문이다. 이와 똑같이 추론하면 "존 스미스는 죽을 운명이 아니다"라는 명제는 보편적 부정문으로 분류될 것이다.

그러면 "남자는 여자보다 정서적으로 더 안정되어 있다"와 같은 명제의 양은 어떻게 분류하겠는가? 만일 우리가 어떤 사람과 얼굴을 맞대고 논쟁하고 있다면 그의 말을 중단시킨 채 그의 진술의 양을 분명히 밝히라고 요구할 수 있다.

"잠깐, 당신은 방금 남자가 여자보다 정서적으로 더 안정되어 있다고 말했소. 모든 남자가 그렇다는 말이오, 아니면 일부 남자가 그렇다는 말이오?"

"일부 남자가 그렇다는 말이오⋯. 아니, 대다수의 남자가 그렇다고 말하겠소."

"좋소. 계속 말하시오. 그러나 당신의 용어를 어디까지 확장했는지를 기억하시오."

우리가 우리 앞에 있는 누군가와 토론이나 논쟁을 벌일 때마다 상대방의 말을 중단시키고 진술을 분명히 해달라고 요청하는 경우가 잦다. 반면에 글로 표현된 정언적 진술을 볼 때는 필자에게 그런 요청을 할 수 없다. 그런 상황에서는 보통 우리 나름대로 추정한다. 특히 그 주장이 일반적 진술의 형태를 지닌 경우에는—예시, "퀘이커교도는 열정적이고 성실한 평화주의자이다." "새는 날개가 달린 피조물이다."—필자가 그 진술을 보편적인 명제로 표현했을 것으로 추정하게 된다. 분석을 위해 그 주장을 재구성한다면 주어 앞에 '모든'이란 단어를 넣어도 좋을 것이다. "모든 사람이 죽을 운명은 아니다"와 같은 명제는 어떻게 분류할 것인가? 이는 분명히 부정적 명제이지만, 주어 앞에 '모든'이 붙었음에도 불구하고 E명제(아무도 죽을 존재가 아니다)와 똑같은 뜻을 갖고 있지 않다. "모든 사람이 죽을 운명은 아니다"는 "모든 사람이 죽을 존재들이다"와 모순되는 형태이다. 대당사각형에서 서로 모순되는 명제들은 대각선으로 배치되어 있다. 그래서 "모든 사람이 죽을 운명이 아니다"는 것은 O명제에 해당해서 "일부 사람은 죽을 존재들이 아니다"와 동일한 뜻을 갖고 있다. 그 진술이 "모든 사람이 죽을 운명인 것은 아니다"라는 형태를 지니더라도 마찬가지다. 최종적인 테스트는 항상 진술의 형태가 아니라 뜻이어야 한다. 정언적 진술은 다음과 같은 형태로 표현하는 것이 보통이다.

(양을 가리키는 단어)	(실명사)	(실명사)	(동사)
예: 모든	사람은	죽을 존재들	이다

이런 형태의 진술은 종종 관용구가 아니라 어색하다. "모든 사람은 죽을 운명이다"가 확실히 "모든 사람은 죽을 존재들이다"보다 더 관용적이다. 그리고 무엇을 주장하는

문장은 타동사나 자동사를 동반하는 경우가 많다. 예컨대, "남자는 여자보다 더 빨리 달린다"와 "대대수 남자는 대다수 여자보다 골프공을 더 멀리 칠 수 있다"와 같은 경우다. 그런 정언적 진술들을 지정된 형식으로 표현하면 종종 매우 어색한 어법을 낳게 된다.

남자는 여자보다 더 빨리 달린다. 〉 모든 남자는 여자보다 더 빠른 경주자이다.
대대수 남자는 대다수 여자보다 골프공을 더 멀리 칠 수 있다. 〉 일부 남자는 대다수 여자보다 골프공을 더 멀리 칠 수 있는 운동선수이다.

이렇게 지정된 형식으로 표현하는 이유는 이런 진술들이 삼단논법에 나오면 초보자가 용어를 골라내기가 더 쉽기 때문이다. 우리가 살펴볼 것처럼, 타당한 삼단논법의 규칙들 중에는 용어들의 주연(周延)도 포함되어 있다. 그래서 우리가 용어를 알아보는 것이 중요하다. 여러 수식어를 지닌 실명사는 서술 형용사나 행위 동사에 숨겨진 용어보다 더 골라내기 쉽다. 학생들이 논증 분석을 연습한 뒤에는 이런 전환과정이 없이 자연스러운 형식의 진술을 바로 다룰 수 있다.

우리가 대당사각형에서 명제들의 관계를 공부하면 연역적 추론 과정에 관해 많이 배울 수 있다. 다음은 다양한 명제들로부터 끌어낼 수 있는 타당한 연역이다.

1. 만일 A명제가 참이라면, I명제도 틀림없이 참이다. 이처럼 만일 E명제가 참이라면, O명제도 틀림없이 참이다.

   만일 모든 사람이 죽는다는 명제가 참이라면, 일부 사람은 죽는다는 명제가 논리적으로 따라온다. 그리고 아무도 죽지 않는다는 명제가 참이라면, 일부 사람은 죽지 않는다는 명제도 똑같이 참이다.

2. 만일 I명제가 참이라면, 이로부터 A명제를 끌어낼 수 없다. 이처럼, 만일 O

명제가 참이라면, 이로부터 E명제를 끌어낼 수 없다.

만일 우리가 일부 사람은 죽는다고 확정한다면, 우리는 그 사실로부터 모든 사람이 죽는다고 추론할 수 없다. 달리 말하면, 특수한 명제로부터 보편적 명제의 진실성을 추론할 수 없는 것이다. 오히려 보편적 명제의 진실성을 증명해야 한다.

3. 만일 A명제가 참이라면, E명제는 거짓이다. 이처럼 만일 E명제가 참이라면, A명제는 거짓이다.

만일 한 쌍의 모순된 명제들 중에 하나가 참이라면, 다른 하나는 반드시 거짓임을 우리는 선험적으로 알고 있다. 만일 모든 사람이 죽는다면, 이와 모순되는 명제 "아무도 죽지 않는다"가 거짓임이 틀림없음을 상식이 가르쳐준다.

4. 만일 A명제가 거짓이라면, 이로부터 E명제를 끌어낼 수 없다. 이처럼 만일 E명제가 참이라면, 이로부터 A명제를 끌어낼 수 없다.

우리가 (3)에서 보았듯이, 서로 모순되는 명제들이 모두 참일 수는 없지만, 둘 다 거짓일 수는 있다. 그래서 "아무도 죽지 않는다"란 명제가 거짓일지라도 우리는 모든 사람이 죽는다고 결론을 내리면 안 된다.

5. 서로 모순되는 명제들의 경우(A와 O, E와 I)에는 그중에 하나는 반드시 참이고 다른 하나는 반드시 거짓이다. 따라서 대당사각형에서 대각선으로 상반되는 명제들에 대해 다음과 같은 타당한 추론을 끌어낼 수 있다.

a. 만일 A가 참이라면, O는 틀림없이 거짓이다.

b. 만일 A가 거짓이라면, O는 틀림없이 참이다.

c. 만일 O가 참이라면, A는 틀림없이 거짓이다.

d. 만일 O가 거짓이라면, A는 틀림없이 참이다.

e. 만일 E가 참이라면, I는 틀림없이 거짓이다.

f. 만일 E가 거짓이라면, I는 틀림없이 참이다.

g. 만일 I가 참이라면, E는 틀림없이 거짓이다.

h. 만일 I가 거짓이라면, E는 틀림없이 참이다.

모순의 법칙은 한 사물이 존재하는 동시에 부재할 수 없다는 원칙에 기초해 있다. 이 법칙은 설득용 담론에서 논리적 증명의 수단으로 중요한 역할을 한다.

6. 만일 I명제가 참이라면, 이로부터 O명제를 끌어낼 수 없다. 이처럼 만일 O명제가 참이라면, 이로부터 I명제를 이끌어낼 수 없다.

만일 I명제가 거짓이라면, O명제는 참이다. 이처럼 만일 O명제가 거짓이라면, I명제는 참이다.

소반대의 경우에는(아래편에서 수평적으로 상반되는 명제들) 둘 다 참일 수는 있으나 둘 다 거짓일 수는 없다(이를 서로 반대되는 명제들 간의 관계와 비교해보라). 만일 우리가 "일부 사람은 공화주의자이다"와 "일부 사람은 공화주의자가 아니다"란 명제들을 생각해보면 소반대 둘 다 참일 수 있다는 것을 쉽게 알 수 있다. 그러나 어느 하나의 진실성을 다른 하나의 진실성에서 끌어낼 수는 없다. 하지만 어느 하나의 진실성을 다른 하나의 거짓됨에서 추론할 수는 있다.

이제 우리는 삼단논법을 고찰할 준비가 되었다. 다음 삼단논법은 거의 모든 논리학 입문서에서 첫 번째 증명으로 자리 잡은 것이다.

모든 사람은 죽을 존재들이다.

소크라테스는 사람이다.

그러므로 소크라테스는 죽을 존재이다.

이 삼단논법은 이와 같은 진술에 내재되어 있는 추론의 전 과정을 보여준다. "소크라테스 역시 죽을 수밖에 없는데, 왜냐하면 그도 나머지 사람들처럼 인간이기 때문이다." 삼단논법은 세 개의 정언 명제들로 이뤄져 있는데, 앞의 두 개는 전제라고 부르고 마지막 하나는 전제들에서 끌어낸 결론이라 부른다. 정언 삼단논법은 세 가지 명사에 기초해 있다. 대명사(major term)와 중명사(middle term)와 소명사(minor term)이다. 다음은 이런 명사들을 골라내는 기준이다.

대명사는 결론을 서술하는 명사(名辭)이다(죽을 존재).

소명사는 결론의 주어이다(소크라테스).

중명사는 두 전제에 다 나타나되 결론에는 나오지 않는 명사이다('사람들'과 단수형인 '사람').

삼단논법은 세 개의 명제로 이뤄져 있다. 대전제와 소전제, 그리고 결론이다. 대전제는 대명사를 담고 있는 명제이다(모든 사람은 죽을 존재들이다). 소전제는 소명사를 담고 있는 명제이다(소크라테스는 사람이다). 우리가 삼단논법을 만들 때는 보통 대전제를 맨 처음에 둔다. 물론 실제로 연역적 추론을 할 때는 대전제가 어느 순서로든 나올 수 있고, 실은 전혀 표현될 필요가 없기도 하지만 말이다(생략삼단논법에 대한 논의를 참고하라).

결론을 정의하기는 그리 쉽지 않다. 결론은 두 전제들로부터 추론된 명제라고 또는 결론은 대명사와 소명사를 포함하되 중명사는 포함하지 않는 명제라고 말할 수 있다. 그러나 이런 정의는 순환 논증에 불과하다. 우리는 대명사와 소명사를 알지 못하면 대전제와 소전제를 확정할 수 없고, 우리가 어느 명제가 결론인지 알지 못하면 대명사와 소명사를 확정할 수 없다. 만일 우리가 앞의 삼단논법에서 셋째 명제로부터 '그러므로'란 단어를 없애버린다면, 그리고 우리가 명제들의 순서를 뒤섞어버린다면, 그 명제들 중에 어느 것이 결론인지 말하기가 불가능할 것이다. 그 명제들 중에 어느 것이라도 결론의 역할을 할 수 있지만, 단 하나의 조합만이—앞에 나온 순서—타당한 삼단논법을 만들 수 있을 것이다.

주안점은, 만일 우리가 결론을 골라내지 못한다면, 우리가 논쟁적 담론에서 결론을 찾을 수 있듯이 연역적 추론으로부터 삼단논법을 재구성할 수 없다는 것이다. 생략삼단논법의 경우에는—"소크라테스 역시 죽을 수밖에 없는데, 왜냐하면 그도 나머지 사람들처럼 인간이기 때문이다"—첫째 문구가 분명히 결론이다. '왜냐하면'이란 단어가 결론에 대한 이유 내지는 전제 중 하나를 나타내기 때문이다. 논쟁적 담론에서 결론을 나타내는 단어는 '그러므로, 그래서, 그런즉, 따라서, 그리하여' 등이다. 논증의 문맥 또한 결론을 가리키는 역할을 할 수 있다.

삼단논법의 형식에 대해서는 이만큼 얘기하자. 타당한 삼단논법을 위해 규칙을 정하기 전에 두 가지 중요한 사항을 정립할 필요가 있다. 첫째는 참과 타당성 간의 구별이다. 참은 삼단논법의 내용과 관계가 있고, 타당성은 삼단논법의 형식과 관련이 있다. 우리가 어느 삼단논법의 진실성에 관해 물어볼 때는 어느 명제가 참인지 거짓인지를 묻는 것이다. "모든 사람은 죽을 존재들이다." 이것은 참된 진술인가? 당신은 동의하는가? 우리가 어느 삼단논법의 타당성에 관해 물어볼 때는 그 명제들이 참인지 여부에 대해서는 관심이 없고, 단지 그 추론이 정당화될 수 있는지, 그 전제들로부터 이 결론을 논리적으로 끌어낼 수 있는지 여부에 관심이 있다. 삼단논법의 모든 규칙은 삼단논법의 형식, 즉 타당성과 관련이 있다.

학생들이 이 구별을 염두에 두는 것은 지극히 중요하다. 만일 그들이 결론에 대한 동의를 보류한다면, 그들이 그 전제의 진실성에 반대하는 것인지, 아니면 그 추론의 타당성에 반대하는 것인지를 알아야 한다. 만일 그들이 빈약한 논증을 간파한다면, 그들이 상대방의 논증을 철저히 무너뜨리는 것은 시간문제이다. 만일 그들이 어느 명제의 진실성에 반대한다면, 그들은 더 어려운 과제를 갖게 된다. 상대방의 진술이 거짓임을 증명하는 데는 많은 시간이 걸릴지 모르기 때문이다. 우리가 결론에 동의하려면 그 전제들의 진실성과 추론의 타당성 둘 다에 대해 만족해야 한다. 그런데 삼단논법을 이용한 논증의 특별한 힘은 여기에 있다. 만일 우리가 그 전제의 진실성에 동의한다면, 그리고 만일 우리가 그 추론이 타당하다고 동의한다면, 우리는 그 결론을 승인해야 한다. 이런 조건 아래서는 합리적인 사람들이 그 결론에 저항할 수 없다.

우리가 정립할 필요가 있는 두 번째 사항은 주연(distribution)이란 용어의 뜻이다. 논리학에서 주연은 그 외연이 표시된 부류에 속한 모든 물체나 개체를 포괄하는 한 용어의 완전한 외연을 의미한다. '모든 사람'이란 문구에서 '사람'이란 용어는, '모든'이 사람의 부류에 속한 개개인 전부를 지칭하기 때문에, 주연되어 있다고 말한다. '일부 사람들'이란 문구에서는 '사람'이, '일부'가 그 부류에 속한 개개인 전부보다 적은 그 무엇을 지칭하기 때문에, 주연되어 있지 않다. 때때로 우리는 주연되어 있는 용어를 보편적 용어라고, 주연되지 않은 용어를 특수한 용어라고 말한다.

삼단논법에서 명제의 주어가 주연되어 있는지 여부를 판단하는 것은 어렵지 않다. 왜냐하면 양을 나타내는 단어들(모든, 각, 아무도, 일부, 대다수)이 우리에게 일러주기 때문이다. 우리가 지적했듯이, 대다수 논리학자들은 고유명사를 가진 명제를 보편적 명제를 이루는 주부로 간주하는 만큼(소크라테스는 이성적 동물이다), 고유명사는 주연된 용어로 간주될 수 있다(서술어는 주부 전체에 해당된다).

서술어가 주연되어 있는지 여부를 판단하는 일─또는 적어도 인식하는 일─은 조금 더 어렵다. 초보자는 다음과 같은 간단한 공식을 이용하는 게 좋겠다.

1. 모든 긍정적 명제들(모든 A 또는 I 명제들)의 서술어는 주연되어 있지 않다.
2. 모든 부정적 명제들(모든 E 또는 O 명제들)의 서술어는 주연되어 있다.

왜 그런지 살펴보자. 우리가 "모든 사람은 죽을 존재들이다"라고 주장할 때는 '죽을 존재'가 사람의 부류에 속한 모든 구성원에 대해 서술하는 것이 분명하다. 하지만 그와 동시에 우리는 "모든 사람은 현존하는 모든 죽을 존재들이다"라고 말하고 있지 않다. 이 점은 원의 시스템으로 분명히 할 수 있을 것 같다. 한 원이 사람의 모든 부류를 나타내고 다른 원이 죽을 존재의 모든 부류를 나타내도록 그려보자. "모든 사람은 죽을 존재들이다"란 명제를 그림으로 표현하면 이렇다.

이 명제는 사람의 모든 부류가 죽을 존재의 부류에 '속해' 있다고 주장하지만, 이 원들이 분명히 보여주듯이, 사람의 부류가 죽을 존재의 부류만큼 넓은 외연을 갖고 있지 않고 후자만큼 넓은 영역을 포함하지 않는다. 사람이 아닌 다른 죽을 존재들(새, 짐승, 물고기)도 있다. 그렇다면 우리는 사람의 부류 전체에 관한 주장을 한 것이지 죽을 존재의 부류 전체에 관한 주장을 한 것이 아니다. 그러므로 '사람들'이란 용어는 주연되어 있으나 '죽을 존재들'이란 용어는 주연되어 있지 않은 것이다.

이제 "아무도 죽을 존재가 아니다"라는 명제를 그림으로 그려보자.

우리는 사람의 부류에 속한 어느 누구도 죽을 존재의 부류에 '속하지' 않는다고 주장했다. 달리 말하면, 사람의 부류 전체는 죽을 존재의 부류 전체에서 배제되어 있다. 두 용어 모두 최대한 넓은 외연으로 사용되고 있으므로 E명제의 주어와 술어 모두 주연되어 있다고 할 수 있다.

원의 구조는 또한 I명제와 O명제에 나오는 술어의 주연을 보여줄 수 있다.

I명제:
일부 사람은 죽을 존재들이다

O명제:
일부 사람은 죽을 존재들이 아니다

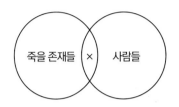

I명제의 경우, '사람들'을 나타내는 원의 일부(×표 부분)는 '죽을 존재들'을 나타내는 원의 일부와 겹치므로 주어와 술어 모두 주연되어 있지 않다는 것이 분명하다. O명제의 경우에는 '사람들'을 나타내는 원의 일부(×표 부분)가 '죽을 존재들'을 나타내는 원 바깥에 있다. 주어인 '사람들'은 주연되어 있지 않지만(사람의 부류 전체보다 적은 그 무엇에 대해 서술되어 있다), '죽을 존재들'이란 술어는 주연되어 있다(×표에 해당하는 '일부 사람'은 죽을 존재들의 부류 전체에서 벗어나 있다).

술어의 주연은 파악하기 쉬운 개념이 아니다. 원의 도표를 봐도 이 개념을 분명히 이해하기 어려운 학생들은 당분간 간단한 공식을 의지하는 편이 좋을 것이다. 즉, 모든 긍정적 명제들의 서술어는 주연되어 있지 않고 모든 부정적 명제들의 서술어는 주연되어 있다는 것. 이 주연의 개념이 중요한 이유가 있다. 타당한 삼단논법의 규칙들 중 두 개는 용어의 주연을 내포하고 있기 때문이고, 연역적 추론의 오류 중에 다수가 주연되지 않은 용어에서 도출한 추론의 결과이기 때문이다.

이제는 타당한 삼단논법의 규칙을 고찰할 준비가 되었다. 이 규칙들은 명제들의 진실성이 아니라 논증의 형식이나 논리와 관계가 있다는 점을 명심하라.

1. 세 개의 명사(名辭)와 오직 세 개의 명사만 있어야 한다.

2. 중명사는 적어도 한 번 주연되어야 한다.

3. 만일 그것이 전제에 주연되어 있지 않으면, 어떤 명사도 결론에서 주연될 수 없다.

가장 빈약한 삼단논법은 이 세 가지 규칙의 적용으로 간파할 수 있다. 하지만 이따금 어떤 삼단논법이 이 세 가지 규칙의 시험을 통과할지라도 타당한 삼단논법이 되진 못할 것이다. 그래서 세 가지 규칙을 더해야 한다.

4. 두 개의 특수한(보편적인 것과 상반되는) 전제들로부터는 어떤 결론도 도출할 수 없다.
5. 두 개의 부정적 전제들로부터는 어떤 결론도 도출할 수 없다.
6. 만일 전제들 중에 하나가 부정적이라면, 결론은 틀림없이 부정적이다.

이 여섯 가지 규칙을 앞에서 든 예에 적용해보고 그 추론이 타당한지 살펴보자. 그 삼단논법을 다시 반복하면 이렇다.

모든 사람은 죽을 존재들이다.
소크라테스는 사람이다.
그러므로 소크라테스는 죽을 존재이다.

첫째 규칙은 세 개의 명사와 오직 세 개의 명사만 있어야 한다는 것이다. 초보 단계에서는 학생들이 실제로 명사를 셀 필요가 있다. 일단 그들이 세 명사를 센 다음에는 거기서 멈추지 말고 이어서 오직 세 명사만 있는지 확인해야 한다. 첫째 명제에는 두 개의 명사, '사람'과 '죽을 존재들'이 있다. 그 다음 명제에는 두 개의 명사, '소크라테스'와 '사람'이 있다. '소크라테스'는 첫째 명제의 '사람'과 '죽을 존재들'과 분명히 구별되는 명사이므로 우리는 이 삼단논법에 세 개의 명사가 있다고 확정했다. 그런데 우리는 이어서 이 삼단논법이 오직 세 개의 명사만 갖고 있는지 점검해야 한다. 둘째 명제에 나오는 '사람'은 어떤가? 그것은 넷째 명사가 아닌가? 그것은 첫째 명제에 나오는 '사람'과 다르지 않은가? 첫째 명제의 '사람'은 문법적으로는 둘째 명제의 '사람'과 다른 복수형이지만, 둘 다 똑같은 지시 대상을 갖고 있으므로 사전적으로는 두 명사가 다르지 않다. 만일 명사들의 지시 대상이 동일하다면, 명사들은 '동일하다.' 논리학자의 용어를 사용하자면, 동의어(univocal)이다. 예컨대, 우리가 결론에 나오는 '소크라테스'를 '그'로 대치한다고 해도 이 삼단논법에 넷째 명사를 도입하는 것이 아니다. 왜냐하면 '그'의 지시 대상 내지는 전건(前件)은 '소크라테스'로 추정되기 때문이다(만일 이 대명사의 전건이 소크라테스가 아니라면, 우리는 또 하나의 명사를 도입하는 셈일 것이다). 우리가 다른 사람과 논쟁하는 경우에 때로는 대명사의 지시 대상을 분명히 하라고 요청한다. "그들은 누구인가?"하고 상대방에게 지시 대상을 바꾸지 않았음을 확인하라고 요구한다. 이와 비슷하게, 우리는 새로운 명사를 도입하지 않으면서 동의어나 완곡어를 사용할 수 있다. 우리가 설사 결론에서 '장차 죽을 사람'을 '죽을 존재'로 바꾸더라도 또 하나의 명사를 도입하는 것은 아닐 터이다. 그런 경우에는 물론 동의어나 완곡어가 그것이 대치하는 명사와 똑같은 뜻을 갖고 있어야 한다.

우리가 특히 조심해야 하는 것은 다른 뜻을 지닌 동일한 명사를 사용하는 경우이다. 이렇게 하는 것은 논리학자들이 다의성(equivocation)이라 부르는 잘못을 저지르는 것이다. 그런 예를 하나 들어보자.

모든 사람은 가슴(hearts)을 갖고 있다.
모든 셀러리는 하트(hearts)를 갖고 있다.

영어를 모국어로 쓰는 사람은 여기서 하트의 뜻이 바뀌고 있음을 알아챌 것이다. 두 번째 하트는 분명히 새로운 명사이다. 지시 대상을 미묘하게 바꾸면 우리가 올무에 빠질 수 있다. 우리는 다음과 같은 미묘한 전환을 포착할 만큼 깨어 있어야 한다.

All draftsmen are designing men(모든 제도공은 디자인하는 사람들이다).
All politicians are designing men(모든 정치인은 사람들을 디자인한다).

논리학자의 관점에서는 지시 대상의 전환이 그릇된 추론을 낳을 것이란 논점을 펼 수 있으나, 수사학자의 관점에서는 지시 대상의 전환이, 청중이 두 가지 뜻을 알고 있는 경우에는, 어떤 양식상의 효과를 위해 사용될 수 있다고 주장할 수 있다. 수사학자들이 익살(paronomasia)이라 부르는 비유적인 표현인 '동음이의의 장난'은 이런 종류의 한 예이다. 이런 익살의 유명한 예는 그리스도께서 수제자에게 한 약속이다. "그대는 베드로(그리스어, petra, 반석)이고, 이 반석 위에 내가 내 교회를 세우리라"(신약성경 마태복음 16장 18절 중에서). 수사학적 효과는 단어의 뜻의 전환으로도 이룰 수 있다. 이에 대해서는 양식을 다루는 장에서 더 논의할 예정이다.

이제 삼단논법에서 명사를 세는 것으로 다시 돌아가자. 우리는 두 전제들을 살펴보고 거기에 세 개의 명사들이 있음을 발견했고, 둘째 전제에 나오는 '사람'은 넷째 명사가 아니라고 판정했다. 결론에 나오는 '소크라테스'는 소전제에 나오는 명사의 반복이고, '죽을 존재'는 대전제에 나오는 명사의 단수형인즉 이것도 반복이다. 그러므로 우리가 예로 든 삼단논법은 첫째 시험을 통과한다. 즉, 세 개의 명사와 오직 세 개의 명사만 있어야 한다는 것.

이제는 그 삼단논법을 둘째 규칙―중명사는 적어도 한 번 주연되어야 한다―으로 테스트할 차례이다. 중명사란 두 전제에는 나오지만 결론에 나오지 않는 명사를 말한다. 여기서 중명사는 '사람'(사람들)이다. 우리는 이 중명사가 주연되어 있는지, 적어도 한 번은 그 부류 전체를 포함하고 있는지 확인해야 한다. "모든 사람은 죽을 존재들이다"가 우리의 대전제이다. 여기서 중명사 '사람'은 주연되어 있다. '모든'이란 단어로 그것이 주연되어 있다고 말할 수 있다. 그러면 소전제―"소크라테스는 사람이다"―에서 중명사가 주연되어 있는가? 아니다. 여기서는 긍정적 명제의 서술 명사이다. 이런 명제는 절대로 주연되지 않는다고 말한 바 있다. 그러나 중명사가 한 번은 주연되어 있으므로 이 삼단논법은 둘째 규칙의 시험을 통과한다. 나중에 우리는 주연되지 않은 중명사의 오류를 보여주는 예들을 살펴볼 것이다. 이는 연역적 추론에서 범하는 가장 흔한 오류 중 하나이다.

타당한 삼단논법에 필요한 세 번째 규칙에 따르면, 만일 그것이 전제에 주연되어 있지 않으면, 어떤 명사도 결론에서 주연될 수 없다. 이 삼단논법의 결론은 "그러므로 소크라테스는 죽을 존재이다"이다. 만일 고유명사를 주어로 삼는 명제들이 보편적 명제들로 간주된다면, '소크라테스'는 주연된 명사이다. 그래서 이 명사가 전제에서 주연되어 있는지 여부를 알아봐야 한다. '소크라테스'는 소전제에서 동일한 종류의 명제의 주어인 만큼 주연된 명사임을 알게 된다. '소크라테스'가 결론에서 주연되어 있는데 전제에서도 주연되어 있다. 따라서 세 번째 규칙을 충족시킨다. 결론의 서술어(죽을 존재)는 주연되어 있지 않다(긍정적 명제의 서술어는 주연되어 있지 않다는 점을 기억하라). 만일 결론에 나오는 어떤 명사도 주연되어 있지 않으면, 우리는 거기서 멈출 수 있다. 굳이 그 명사가 전제에서 주연되어 있는지 여부를 조사할 필요가 없는 것이다.

우리가 예로 든 삼단논법은 처음 세 가지 규칙의 시험을 모두 통과했고, 이는 대체로 그 추론이 타당하다는 것을 가리킨다. 그러나 확실히 하기 위해 네 번째부터 여섯 번째 규칙까지 적용해야 한다. 서둘러 그렇게 할 수 있다. 네 번째 규칙은 두 개의 특수한(보편적인 것과 상반되는) 전제들로부터는 어떤 결론도 도출할 수 없다는 것이다. 이 삼단논법에 나오는 두 전제는 모두 보편적이다. 다섯 번째와 여섯 번째 규칙은 적용되지 않는데, 거기에 부정적인 전제가 없기 때문이다.

그러므로 이 삼단논법에 사용된 추론은 틀림없이 타당하다. 우리는 논증의 형식에 만족한다. 우리가 결론에 동의하기 전에 먼저 논증의 내용에 대해 만족해야 한다. 이는 전제들의 진실성의 문제이다. 모든 사람이 죽을 운명이라는 것은 진실인가? 소크라테스는 사람이란 것, 소크라테스는 인류의 하나이란 명제에 우리가 동의하는가? 이 질문들에 대해 우리가 긍정적인 대답을 한다면, 우리는 그 결론을 인정해야 한다.

다른 한편, 만일 우리가 두 전제 중 하나의 진실성을 부인한다면, 우리는 그 전제가 거짓임을 증명하거나 그 전제가 참이라는 상대방의 주장을 경청해야 할 것이다. 전제의 진실성에 대한 논쟁은 오랫동안 이어질 수 있고 때로는 종결되지 않을 수 있다. 보통 계속 이어지는 논쟁은 명제의 참이나 거짓에 관한 논쟁이다. 용어의 정의에 관해 동의하지 못해 교착상태에 빠지는 논쟁들도 논증의 형식이 아니라 내용에 관한 논쟁들이다. 만일 논증의 형식이 비논리적이란 것을 입증할 수 있다면 논쟁은 금방 종결될 수 있다. 타당한 삼단논법의 규칙들은 인간 정신이 추론하는 방식에 대한 연구에서 귀납적으로 도출된 것이고, 아무도 이 규칙들의 타당성에 도전해서 성공한 적이 없다. 논리학과 그 전문 용어에 대해 공식 교육을 받지 않은 사람에게도 그의 추론이—만일 타당하지 않다면— 타당하지 않다는 것을 금방 보여줄 수 있다.

일단 삼단논법의 형식과 용어와 규칙에 대해 배우고 나면 연역적 추론에 나타나는 오류를 간파하는 일은 연습만 하면 가능하다. 이 부분이 끝나면 여러 삼단논법이 연습문제로 주어져 있다. 초보 단계에서는 학생들이 규칙을 하나씩 적용해야 할 것이다. 하지만 어느 정도 연습을 한 뒤에는 그 삼단논법이 타당한지 여부를 한눈에 말할 수 있을 것이다. 예컨대, 그들은 삼단논법이 다음 형식을 갖고 있으면 그것이 주연되지 않은 중명사의 오류를 안고 있음을 간파할 것이다.

모든 A는 B이다.
모든 C는 B이다.
∴ 모든 C는 A이다.

중명사(B)가 두 개의 긍정적 전제들의 서술어인 경우에는 언제나 주연되지 않을 터인즉 그런 전제들로부터 어떤 결론도 논리적으로 따라올 수 없다.

전건과 후건의 토픽에 기초한 논증은 종종 가설적 또는 조건적 명제의 형식을 취하므로, 우리는 가설적 삼단논법에서 추론의 타당성을 지배하는 원리들을 생각해야 한다. 우리가 가설적 명제의 형식으로 논증할 때는 전건('만약에' 절)의 진실성이 후건(주절)의 진실성을 포함하고 있다고 주장하는 것이다. 그래서 우리는 "만일 그가 백혈병을 앓고 있다면, 그는 죽을 것이다"라고 말한다. 하지만 후건의 진실성이 반드시 전건의 진실성을 포함하는 것은 아니다. 즉, "만일 그가 죽는다면, 그는 백혈병을 앓고 있다"는 것이 반드시 참은 아니다.

만일 우리가 가설적 명제로부터 연역적 논증을 만든다면, 우리는 또 다른 각도에서 전건의 진실성이 후건의 진실성으로부터 따라오지 않는다는 것을 간파할 수 있다. 첫째, 타당한 연역적 논증을 고찰해보자.

1. 만일 그가 백혈병을 앓고 있다면, 그는 죽을 것이다.

   그는 백혈병을 앓고 있다.

   그러므로, 그는 죽을 것이다. (타당함)

여기서 둘째 전제는 전건이 참이란 것을 긍정한다. 만일 어떤 사람이 백혈병을 앓고 있다는 것이 확인된다면, 그리고 만일 백혈병을 앓는 사람은 누구나 죽는다면, 그 사람이 죽을 것임이 논리적으로 따라온다.

이번에는 둘째 전제가 후건을 긍정할 때는 논증에 타당성이 어떻게 되는지 살펴보자.

2. 만일 그가 백혈병을 앓고 있다면, 그는 죽을 것이다.

   그는 죽을 것이다.

   그러므로, 그는 백혈병을 앓고 있다. (타당하지 않음)

우리가 이런 논증을 접하면 "어쩐지 그 결론이 전제에 따라오지 않는 것 같다"고 말할 것이다. 결론에 대한 이런 느낌은 옳을 것이다. 논리학자는 이런 논증에 "후건을 긍정하는 오류"란 딱지를 붙인다. 우리는 상식적으로 이렇게 생각한다. 명제들의 순서를 볼 때, 우리는 그 사람이 죽을 것임을 긍정하는 것으로부터 그 사람이 백혈병을 앓고 있다는 것을 타당하게 추론할 수 없다고 생각하게 되는 것이다.

만일 후건이 부인된다면, 타당한 결론이 도출될 수 있다. 우리는 이런 형식의 논증을 보여주기 위해 똑같은 종류의 명제들을 사용할 수 있다.

3. 만일 그가 백혈병을 앓고 있다면, 그는 죽을 것이다.

   그는 죽지 않을 것이다.

   그러므로, 그는 백혈병을 앓고 있지 않다. (타당함)

이 결론의 타당성이 금방 분명해지지 않을지 몰라도, 전제가 말하는 바를 생각해보면 그 결론에 동의하지 않을 수 없다. 만일 백혈병에 걸린 사람은 반드시 죽는다면, 그리고 만일 의사가 이 사람은 죽을 위험이 없다고 인정한다면, 우리가 명백히 주장할 수 있는 한 가지는 이 사람이 현재 백혈병을 앓고 있지 않다는 점이다.

이번에는 '전건을 부인하는 오류'의 예를 살펴보자.

4. 만일 그가 백혈병을 앓고 있다면, 그는 죽을 것이다.

그는 백혈병을 앓고 있지 않다.

그러므로, 그는 죽지 않을 것이다. (타당하지 않음)

상식적으로 생각해보면, 설사 두 전제가 모두 참이라도 그 결론이 따라오지 않는다. 왜냐하면 사람은 백혈병이 아닌 다른 것으로 인해 죽을 수도 있기 때문이다.

가설적 삼단논법의 타당성을 시험하는 기준을 정리하면 이렇다.

만일 소전제(즉, 둘째 전제)가

  (1) 전건을 긍정하면—결론은 타당하다(위의 삼단논법 1을 보라)

  (2) 후건을 긍정하면—결론은 타당하지 않다(위의 삼단논법 2를 보라)

  (3) 후건을 부인하면—결론은 타당하다(삼단논법 3을 보라)

  (4) 전건을 부인하면—결론은 타당하지 않다(삼단논법 4를 보라)

모순의 토픽에 기초한 논증들이 때로는 '양자택일'의 또는 이접적(disjunctive) 명제들의 형식을 취하므로, 이런 종류의 연역적 추론을 지배하는 몇몇 원리들을 살펴보는 것이 좋겠다.

논증의 쟁점은 이런 형태를 취할 수 있다. "그는 살인을 범했거나, 아니면 살인을 범하지 않았다." 우리는 이것들이 유일한 두 가지 가능성임을 안다. 그러므로 어느 하나가 반증된다면 다른 하나가 참임에 틀림없다. 법정 드라마를 본 사람은 누구나 알다시피, 우리의 샘플에 제기된 대안들 중 하나를 증명하거나 반증하려면 때때로 오랜 재판이 필요하다. 그러나 일단 우리가 어느 하나가 진실임을 증명한다면 자동적으로 다른 하나가 거짓임을 입증하는 셈이다.

그런데 우리가 양자택일의 명제를 설정할 때는 상호배타적인 대안들을 설정하도록 노력해야 한다. "그녀는 학생이거나 선생이다"란 명제는 양자택일 명제의 형태를 갖고 있으나 그 대안들은 상호배타적이지 않다. 왜냐하면 그녀는 어느 기간에 선생인 동시에 학생일 수 있기 때문이다. 그러나 우리가 "그녀는 선생이거나 선생이 아니다"라고 말한다면, 우리는 상호배타적인 대안들을 설정하는 셈이다. 선생인 것과 선생이 아닌 것은 이 경우에 유일한 두 가지 가능성이기 때문이다.

연습문제

다음 삼단논법의 타당성을 시험해보라. 필요한 경우에는 명제들을 연결 동사 양편에 있는 실명사의 형태로 바꾸라. 양을 나타내는 단어가 없는 경우에는 명제가 긍정적이면 '모든'이 주어 앞에, 명제가 부정적이면 '아무도'(No)가 주어 앞에 있는 것으로 추정하라(예시, 남자들은 행복하지 않다 〉아무 남자도 행복하지 않다). 우리가 삼단논법의 타당성을 시험할 때는 명제의 진실성에 대해서는 관심이 없으므로 명제에 이따금 넌센스 단어나 상징을 사용할 것이다.

1. 다른 주(州)의 학생들은 아무도 납세자가 아니다.

   일부 신입생들은 다른 주의 학생들이다.

   ∴ 일부 신입생들은 납세자들이다.

2. 모든 가톨릭교도는 프로테스탄트들이다.

   모든 프로테스탄트는 침례교도들이다.

   ∴ 모든 가톨릭교도는 침례교도들이다.

3. 모든 태풍은 파괴적인 폭풍들이다.

모든 사이클론은 파괴적인 폭풍들이다.

∴ 모든 사이클론은 태풍들이다.

4. 모든 대학 졸업생은 잠재적인 임금 노동자들이다.

고등학교 졸업생들은 아무도 대학 졸업생들이 아니다.

∴ 고등학교 졸업생들은 아무도 잠재적 임금 노동자들이 아니다.

5. 러시아인은 아무도 민주적이지 않다.

모든 미국인은 민주적이다.

∴ 모든 미국인은 러시아인들이다.

6. 공동모금회에 기부하는 모든 사람은 자비롭다.

존 스미스는 공동모금회에 기부하지 않는다.

∴ 존 스미스는 자비롭지 않다.

7. 모든 경마 내기는 도박이다.

일부 도박은 불법이다.

∴ 일부 경마는 불법이다.

8. 일부 해병들은 수훈 십자 훈장을 받아왔다.

시민은 아무도 수훈 십자 훈장을 받은 적이 없다.

∴ 일부 시민들은 해병들이 아니다.

9. 좋은 성적을 받는 이들은 부지런히 공부한다.

모든 학생은 좋은 성적으로 받고 싶어 한다.

∴ 모든 학생은 부지런히 공부한다.

10. 모든 종달새는 앵무새들이다.

어떤 앵무새도 참새가 아니다.

∴ 어떤 참새도 종달새가 아니다.

11. 어떤 행성도 해가 아니다.

어떤 행성도 위성이 아니다.

∴ 어떤 위성도 해가 아니다.

12. 모든 우주 비행사는 고도의 훈련을 받은 사람들이다.

일부 비행 시험 조종사는 고도의 훈련을 받은 사람들이 아니다.

∴ 일부 우주 비행사들은 비행 시험 조종사들이 아니다.

13. 모든 A는 B이다.

일부 B는 C이다.

∴ 일부 C는 A이다.

14. 일부 A는 B이다.

모든 B는 C이다.

∴ 일부 C는 A이다.

15. 내가 소유한 것은 무엇이든 내 것이다.

나는 당신의 펜을 소유한다.

∴ 당신의 펜은 내 것이다.

16. 모든 계약은 두 당사자 간의 합의에 기초해 있다.

UN은 여러 국가들 간의 합의에 기초해 있다.

그러므로 UN 또한 하나의 계약으로 분류될 수 있다.

17. 대다수 미국인은 부지런하고 그들 모두는 자유를 사랑하기 때문에, 대다수의 부지런한 사람들은 자유를 사랑한다.

18. 까치들은 두 다리를 가진 피조물들이고 모든 새가 두 다리를 가진 피조물들인즉, 모든 까치는 새들이다.

19. 오직 과격분자들만 한 나라의 정당하게 세워진 정부를 전복시키기 원하므로, 이 남자는 그 나라의 정부를 보존하길 원하기 때문에 과격분자일 수 없다.

20. A는 분명히 B가 아니다. 왜냐하면 C는 B라는 것과 A는 C라는 것을 내가 알기 때문이다.

생략삼단논법(enthymeme)

우리는 여태껏 정언적, 가설적, 이접적 삼단논법을 대충 살펴봤지만 모든 기본원리는 다룬 셈이다. 이런 기본원리들은 공식 논리의 법칙들에 따라서 연역적 추론의 구성이나 분석에 필요한 충분한 지침을 제공한다. 우리는 아리스토텔레스의 논리학이나 스콜라주의 논리학의 모든 국면과 복잡성을 다 다룬 것도 아니고, 유명한 수학자들[예시, 고트로브 프레게(Gottlob Frege), 알프레드 노스 화이트헤드(Alfred North Whitehead), 버트란드 러셀(Bertrand Russell)]의 연구와 유명한 구문학자들[예시, C. K. 오그덴(C. K. Ogden), I. A. 리처즈(I. A. Richards), 알프레드 코르지브스키(Alfred Korzibsky)]의 연구로부터 개발된 상징적 논리를 취급한 것도 아니다. 그러나 우리의 주관심사는 수사학이고, 우리는 유용한 기본원리들을 모을 동안만 논리학의 영역에 머무를 수 있을 뿐이다.

우리는 이제 생략삼단논법을 생각할 차례이다. 이는 수사학의 삼단논법에 상당하는 것이다. 현대에는 생략삼단논법이 말 그대로 생략된 삼단논법으로 간주되고 있다. 즉,

결론과 한 전제를 담고 있는 논쟁적 진술로서 다른 전제가 함축되어 있는 경우이다. 다음과 같은 진술이 한 예이다. "그는 소득누진세를 선호하기 때문에 사회주의자임에 틀림없다." 여기서 결론(그는 사회주의자이다)은 표현된 전제(그는 소득누진세를 선호한다)와 함축된 전제[(a) 소득누진세를 선호하는 사람은 누구나 사회주의자이다, 또는 (b) 사회주의자는 누진소득세를 선호하는 사람이다]에서 연역되었다. 그런데 삼단논법의 타당성을 분석하는 기술을 조금 개발한 학생은, 만일 함축된 전제가 (b)라면 결론(그는 사회주의자이다)이 타당성 없이 도출된 것임을 간파할 것이다. 왜냐하면 중명사(누진소득세를 선호하는 사람)가 완전히 재구성된 삼단논법의 두 전제 모두에서 주연되고 있지 않기 때문이다.

생략삼단논법을 끝이 잘린 삼단논법으로 보는 현대적 개념이 아리스토텔레스의 다음 진술에 함축되어 있는 듯하다. "생략삼단논법은 소수의 명제들, 정상적인 삼단논법을 구성하는 명제들보다 적은 명제들로 이뤄져야 한다"(《수사학》, I, 2). 그러나 아리스토텔레스가 《분석론 후서》(Bk. II, Ch. 27)에서 말한 바에 따르면, 본질적인 차이는 삼단논법은 보편적으로 참된 전제들로부터 필연적 결론으로 이어지는 데 반해, 생략삼단논법은 개연적인 전제들로부터 잠정적 결론으로 이어지는 데 있다. 우리가 가변적인 인간사를 다룰 때는 무엇이 진실인지를 항상 발견하거나 확증할 수는 없다. 피고가 혐의를 받은 그 범죄에 대해 유죄임을 증명하는 것이 얼마나 어려운지 생각해보라. 그런데 장래의 어떤 행동방침의 이점이나 지혜를 증명하는 것은 얼마나 더 어렵겠는가! 예컨대, 감세를 하면 나라가 전반적으로 번영할 것이라는 제안이다. 그러나 우리는 종종 인생살이를 계속하기 위해 불확실성이나 개연성에 기초해서 결정을 내려야만 한다. 수사학의 역할은 청중을 확신시킬 수 없는 경우에 그들을 설득하는 것이다. 그리고 진실을 쉽게 확인할 수 없는 문제를 다룰 때, 수사학은 개연적인 것에 기초해 어떤 관점이나 행동지침을 채택하도록 청중을 설득할 수 있다. 말하자면, 통상적으로 발생하는 일이나 사람들이 발생할 수 있다고 믿는 일에 기초해 그들을 설득하는 것이다.

우리는 예를 통해 삼단논법과 생략삼단논법의 차이점을 살펴볼 수 있다. 우리가 든 모델 삼단논법은 불가항력의 결론으로 이끌 수 있는 연역적 추론을 보여주는 좋은 본보기다. 그 삼단논법의 대전제—"모든 사람은 죽을 존재이다"—는 보편적 진실을 진술한다. 역사와 우리의 의식 모두 모든 사람이 죽을 수밖에 없다고 얘기한다. 소전제—"소크라테스는 사람이다"—는 틀림없이 검증될 수 있는 진실이다. 이 두 '진실들'로부터 우리는 소크라테스 역시 죽을 것이란 절대로 확실한 결론에 도달할 수 있다.

그런데 누군가 이런 식으로 주장한다고 가정해보라. "존은 공부하지 않았기 때문에 시험에 낙제할 것이다." 이는 두 가지 의미에서 생략삼단논법이다. 하나는 끝이 잘린 삼단논법이란 의미에서 그렇고, 다른 하나는 개연적 전제들에 기초한 연역적 논증이란 의미에서 그렇다. 소전제—"존은 공부하지 않았다"—의 진실성은 확인할 수 있다. 개연적 전제는 표현되지 않은 명제—"공부하지 않는 사람은 누구나 시험에 낙제할 것이다"—에 있다. 우리는 후자의 명제가 보편적 진실이 아니라는 것을 안다. 하지만 공부하지 않는 사람들이 대체로 시험에 낙제한다는 것도 알고 있다. 달리 말하면, 공부하지 않는 이들은 낙제할 개연성이 있다는 것이다. 실제로, 그 개연성은 다음 주에 존의 이름을 낙제자 명단에서 보게 되리라고 우리를 설득하기에 충분하다.

아리스토텔레스는 통찰력이 있었다. 그래서 우리가 설득용 논증을 통상적으로 일어나는 것뿐 아니라 사람들이 참이라고 믿는 것에도 기반을 둔다는 사실을 알아챘다. 이 때문에 어떤 청중을 설득하려는 사람들은 그 집단의 일반적인 의견을 파악할 수 있어야 한다. 예컨대, 어떤 그룹이 불의 신이 비를 내리게 한다고 믿는다는 것을 안다면, 우리는 그 견해를 이용해 우리 청중에게 그들이 불의 신을 달래지 못해서 기나긴 가뭄이 계속되고 있다고 설득할 수 있다. 각 문명은 그들의 행사에 영향을 미치는 일단의 용인된 견해들이 있다. 그것은 결코 증명된 적은 없으나 사람들이 믿고 있고, 거의 자명한 것으로 받아들이는 그런 '진리들'이다.

따라서 생략삼단논법—아리스토텔레스가 '일종의 삼단논법'이라 부르는 것—은 수사학 기술 특유의 연역적 추론의 도구이다. 이 삼단논법은 종종 논증의 사슬에 달린 몇몇 고리를 삭제한다. 왜냐하면 청중이 공식 논리와 연관된, 치밀한 추론을 지닌 완전한 논증을 참지 못하거나 주목할 수 없기 때문이다. 그리고 청중은 개연적인 결론에 만족할 수 있는데, 그것은 수사학이 다루는 가변적인 사태를 인정하기 때문이다.

생략삼단논법은 삼단논법의 성격을 갖고 있는 만큼 그 추론 방식이 삼단논법의 그것과 비슷하다. 전제들 중에 하나가 분실될 수 있지만 그 분실된 전제는 생략된 문법구조의 분실된 부분만큼 쉽게 공급될 수 있다. 우리가 남의 생략삼단논법을 논박하려고 할 때는 그 분실된 전제를 공격해야 할지 모른다. 왜냐하면 그 함축된 명제가 그 사람의 논증에서 취약한 지점일 수 있기 때문이다.

다음 생략삼단논법을 예로 들어보자. "그 사람은 소수 집단들의 민권을 옹호하므로 공산주의자임에 틀림없다." 우리가 함축된 전제를 고찰하기 전에는 그 결론(그 사람은 공산주의자임에 틀림없다)의 타당성을 판단할 수 없다. 우리는 그 결론이 근거가 없는 것처럼 느낄 수 있으나, 그 함축된 전제를 노출시키기까지는 그 결론이 근거가 없다는 것을 증명할 수 없다. 달리 말하면, 그 결론을 표현된 전제 및 함축된 전제와 연관시켜 공부하기 전에는 그 결론이 논리적으로 따라오는 것인지 여부를 판단할 수 없다는 것이다.

이 경우에 함축된 전제는 무엇인가? 삼단논법을 논의할 때, 만일 연역적 논증에서 어느 명제가 결론인지를 판단할 수 있다면 완전한 삼단논법을 재구성할 수 있다고 말했다. 소명사가 결론의 주어이고, 대명사가 결론의 술어라는 것을 배웠다. '그 사람'이 결론의 주어이므로 표현된 전제(그 사람은 소수 집단들의 민권을 옹호하므로)가 완전한 삼단논법의 소전제임을 알 수 있다. 우리는 또한 완전한 삼단논법의 대전제가 결론의 술어(공산주의자)를 포함할 것임을 안다. 그런데 우리는 함축된 전제가 이 명사를 포함할 것임은 알지만, 이 대명사가 대전제의 주어인지, 아니면 대전제의 술어인지는 확실히 모른다. 함축된 전제는 다음 둘 중에 한 형태를 취할 수 있다.

모든 공산주의자는 소수 집단들의 민권을 옹호하는 자들이다.
소수 집단들의 민권을 옹호하는 모든 사람은 공산주의자들이다.

함축된 전제가 어느 형태를 취하는지를 판단하는 일은 중요하다. 왜냐하면 그것을 판단하기 전에는 그 논증이 취약한지 여부와 어느 지점이 취약한지를 판단할 수 없기 때문이다. 만일 그 생략삼단논법을 내놓은 사람이 "모든 공산주의자는 소수 집단들의 민권을 옹호한다"는 뜻으로 말했다면, 우리는 그 명제가 참인지 여부를 논의하는데 시간을 쓸 필요가 없을 것이다. 왜냐하면 이 논증이 타당성이 없는 것은 중명사(민권의 옹호자들)가 두 개의 긍정적 명제들의 술어로서 주연되어 있지 않다고 금방 지적할 수 있기 때문이다. 만일 상대방이 어떤 명사가 "주연되어 있지 않다"는 말이 무슨 뜻인지를 모른다면, 우리는 그의 논증이 오직 공산주의자들만 소수 집단들의 민권을 옹호한다는 명제를 입증하지 않았다고 지적할 수 있다. 사실 이것은 연좌제를 주장하는 모든 입장의 배후에 있는 오류이다.

다른 한편, 함축된 전제가 만일 "소수 집단들의 민권을 옹호하는 모든 사람은 공산주의자들이다"라면, 중명사가 주연되어 있기 때문에(모든 사람은) 그 추론은 타당한 것이 되리라. 그래서 우리는 함축된 명제의 진실성만 반박할 수 있을 뿐이다. 민권을 옹호하는 사람은 누구나 공산주의자라는 것이 참인가? 우리가 이 명제를 필연적으로 참이라는 관점(엄밀한 논리학의 영역)에 판단했든지, 개연적으로 참이라는 관점(수사학의 영역)에서 판단했든지 간에, 우리는 이 명제가 참이란 것을 부인해야 할 것이다. 그런즉 이 사례에서 논증은 타당할지라도, 우리가 그 결론을 승인하지 않는 것은 함축된 전제가 명백히 거짓이기 때문이다.

아리스토텔레스는 생략삼단논법의 자료들은 개연성과 징표(sign)라고 말했다. 우리는 이미 개연적인 명제에 관해 다루었는데, 이는 생략삼단논법의 전제들을 구성하고, 아리스토텔레스의 눈에는 생략삼단논법과 삼단논법의 본질적 차이에 해당하는 것이다. 징표는 다른 어떤 것을 가리키는 지표이거나 그것을 수반하는 것이다. 징표는 다른 어떤 것보다 먼저 발생하거나 후자와 동시에 발생한다. 예컨대, 연기는 불의 징표이다. 번개는 천둥이 치려고 한다는 징표이다. 천둥은 번개가 이미 번쩍였다는 징표이다. 징표는 다른 어떤 것의 원인이나 이유가 아니다. 단지 어떤 것이 이미 발생했거나 발생하고 있거나 발생할 것이라는 지표일 뿐이다. 징표는 개연성처럼 생략삼단논법의 전제를 구성할 수 있다.

아리스토텔레스는 생략삼단논법에 나오는 징표를 두 종류로 구별했다. 틀림없는(infallible) 징표와 틀릴 수 있는(fallible) 징표이다. 틀림없는 징표는 다른 어떤 것에 반드시 수반되는 징표이다. 예컨대, 연기는 반드시 불에 수반된다고들 말한다. 따라서 우리가 연기를 보거나 연기 냄새를 맡을 때는 언제나 어딘가에 불이 있다고 결론짓는다. 그리고 우리가 본 것이나 냄새 맡은 것이 정말로 연기라면, 물론 어딘가에 불이 있을 것이다. 이런 종류의 징표에서 끌어온 결론을 틀림없는 것으로 만드는 것은 연기가 반드시 불에 수반된다는 사실과 더불어 연기는 오직 불에만 수반된다는 사실이다. 만일 우리가 연기로 알고 있는 것이 때로는 불이 아닌 다른 것에 수반된다면, 우리는 연기의 존재가 불의 존재의 징표라고 틀림없이 결론지을 수 없다.

만일 어떤 징표가 다른 어떤 것에 반드시 또 유일하게 수반되지 않는다면, 그것은 틀릴 수 있는 징표이다. 말하자면, 이런 징표에서 도출된 결론은 언제나 논박을 받을 수 있다는 뜻이다. 예컨대, 가쁜 숨쉬기는 종종 열병에 걸렸다는 징표이다. 그러나 가쁜 숨쉬기가 항상 열병에 수반되는 것은 아니고, 가쁜 숨쉬기가 때로는 다른 신체 상태에 수반되기 때문에, 우리는 어떤 사람이 가쁘게 숨을 쉰다고 해서 열병에 걸렸다고 확정할 수 없다. 가쁜 숨을 쉬는 상태를 보고 그 사람이 아마 열병에 걸린 것 같다고 결론을 내릴 수는 있지만 그 이상은 아니다. 그 사람이 열병에 걸렸을 개연성은 물론, 만일 가쁜 숨쉬기에 열병의 다른 증상―높은 체온, 붉어진 얼굴―이 수반된다면, 높아지게 된다.

법정 재판에서의 정황 증거는 보통 일련의 틀릴 수 있는 징표들에 근거를 둔다. 검사는 배심원에게 여러 의심스러운 정황을 상기시켜준다: 피고인이 그의 외투에 피가 묻은 채 발견되었다, 그의 얼굴이 심하게 긁혀있었다, 그의 셔츠가 찢어졌다, 그의 피부에 흉한 보라색 상처가 있었다 등. "이런 것은 치열한 몸싸움의 징표가 아닌가?"하고 검사가 배심원에게 묻는다. 검사는 배심원이 이 수사적 질문에 정신적으로 "그렇다"고 대답하길 바란다. 정황 증거는 그 사람이 유죄라는 것을 절대로 증명할 수는 없기 때문에, 미국의 여러 주(州)에서는 이 증거만으로 피고인에게 사형을 선고하는 것을 허용하지 않을 것이다. 그러나 정황 증거가 유죄임을 나타내는 많은 항목으로부터 점차 힘을 얻게 되면 배심원에게 큰 설득력을 지닐 수 있다.

그래서 수사학자들은 틀림없는 징표들이 가용하면 언제나 그들의 생략삼단논법에 그런 징표들을 이용할 것이다. 그러나 틀릴 수 있는 징표들도 이용할 터인데, 이런 것들 역시 설득력을 지닐 수 있기 때문이다. 하지만 틀릴 수 있는 징표들에 근거를 둔 논증은 언제나 도전을 받을 수 있다는 점을 알고 있을 것이다. 틀릴 수 있는 징표들은 유추와 비슷하다. 그런 징표들은 결코 증명할 수는 없지만 설득은 할 수 있다.

수사학적 생략삼단논법의 사용과 관련해 두 가지 사항을 다시 강조하고 싶다.

(1) 생략삼단논법의 함축된 전제를 간파하는 것이 중요한 이유는 그 전제 또는 가정이 그 논증의 취약점일 수 있기 때문이다. (2) 수사학적 생략삼단논법에 사용된 개연적인 명제들과 틀릴 수 있는 징표들은 반드시 참된 결론으로 이끌지는 못해도 설득력은 발휘할 수 있다.

그러면 학생들은 일반적인 담론에서 어떻게 생략삼단논법을 인식할 수 있을까? 다행히, 생략삼단논법은 제한된 수의 기능 단어들을 수반하는 흔한 구문론적 패턴을 가정하고 있다. 생략삼단논법은 종종 중문의 형태를 취하되 두 절(節)을 묶어주는 접속사 '왜냐하면' 또는 '그래서'를 갖고 있거나, '그러므로', '그런즉', '따라서'와 같은 접속부사로 논리적으로 연결된다. 또는 중문의 형태를 취하되 절들이 '그러므로' 또는 ' 때문에'와 같은 종속 접속사로 연결되어 있다.

이제 두 명제를 취해 그것들을 문법적으로 다양한 방식으로 연결해서 하나의 생략삼단논법을 만들어보자. 두 명제는 이것이다.

마리아 곤잘레스는 좋은 주지사가 되지 않을 것이다. 그녀는 공산주의자의 성향이 있다.

이 두 개의 독립된 절들을 나란히 놓으면 생략삼단논법을 만들 수 있다. 이 두 문장이 속한 맥락은 청중이나 독자에게 두 진술 간의 논리적 관계를 암시할 수 있다. 둘째 진술은 첫째 진술에 대해 근거를 제공한다. 세련된 청중은 이 두 진술 간의 연관성을 쉽게 간파할 것이다. 하지만 대다수 화자나 필자는 함축된 관계에 의존하기보다는 두 진술을 명시적으로 묶어놓을 것이다. 두 절을 연결할 수 있는 다양한 방식에 주목하라.

마리아 곤잘레스는 좋은 주지사가 되지 않을 것인데,

왜냐하면(for, because, since) 그녀는

공산주의자의 성향이 있기 때문이다.

마리아 곤잘레스는 공산주의자의 성향이 있어서 좋은 주지사가 되지 않을 것이다.

마리아 곤잘레스는 공산주의자의 성향이 있다;

그러므로 그녀는 좋은 주지사가 되지 않을 것이다.

따라서 그녀는 좋은 주지사가 되지 않을 것이다.

그래서 그녀는 좋은 주지사가 되지 않을 것이다.

그러나 '왜냐하면'과 '그러므로'와 같은 접속사를 사용하는 모든 문장이 생략삼단논법을 형성하는 것은 아니다. 다음 진술을 예로 들어보자. "그는 어젯밤 강의에 가지 않았는데, 왜냐하면 두통을 앓았기 때문이다." 여기서 '왜냐하면'의 절은 그가 강의에 가지 않은 이유를 제공할 뿐이다. 그것은 그로부터 결론이 도출된 전제가 아니다. 하지만 우리가 첫째 진술을 다른 진술과 연결시키면 생략삼단논법을 만들 수 있다. "그는 어젯밤 강의에 가지 않았는데, 그런즉 그는 초빙 강사와 다른 이데올로기를 갖고 있음이 틀림없다." 이제 첫째 진술은 둘째 절에 진술된 추론에 대한 근거 또는 전제가 된다.

때로는 절들 간의 관계가 모호한 경우도 있다. 예컨대, 이 진술을 보라. "그가 그의 어머니를 죽이지 않은 것은 (왜냐하면) 그녀를 사랑했기 때문이다." 이 진술의 의미는 무엇인가? 이 진술은 단지 살인에 대해 제안된 이유를 부인하는 것일까? 이와 같은 의미를 갖고 있을지 모른다. "그가 그의 어머니를 죽이지 않은 것은 그녀를 사랑했기 때문이고 불치병으로 인한 더 이상의 고통을 덜어주기 원했기 때문이다. 아니다. 그가 그녀를 죽인 것은 그녀의 보험금을 타내기 원했기 때문이다." 또는 이런 뜻일지 모른다. "그는 그의 어머니를 사랑했다; 그러므로 그가 그녀를 죽였다고 주장하는 것은 터무니없다." 만일 이 진술이 후자를 의미한다면, 우리는 진정한 생략삼단논법을 갖고 있는 셈이다. 진술의 의미는 '때문에'의 절이 한정적인가, 비(非)한정적인가에 달려있다. 만일 그 절이

한정적이라면, 우리는 범죄의 이유로 추정된 것을 부인하고 있는 것이다. 만일 그 절이 비한정적이라면, 우리는 우리의 결론, 곧 그가 그의 어머니를 살해하지 않았다는 결론의 근거로 삼은 전제를 진술하고 있는 것이다. 만일 우리가 이 문장을 말로 표현한다면, 우리는 그 절이 한정적인지 비한정적인지를 억양으로 가리킬 것이다. 만일 우리가 이 문장을 글로 쓴다면, 우리는 다음 둘 중 하나로 그 뜻을 밝힐 것이다. (1) 그 문장을 개조해서 모호함을 제거하거나 (2) 그 절이 비한정적이라면 '왜냐하면' 앞에 쉼표를 찍고, 한정적이라면 쉼표를 생략할 것이다. 우리가 일부러 이 진술을 모호하게 만들길 원치 않았다면, 아마 이 문장을 고쳐 써서 그 뜻을 분명히 하는 편이 나을 것이다.

화자와 필자는 때때로 이런 진술을 일부러 모호하게 내버려둘 것이다. 그들은 때때로 빈정거림으로 누군가의 명예를 훼손하려고 한다. 만일 두 진술 간의 관계를 모호하게 둔다면, 그들은 청중을 사실적 근거가 없는 함의를 수용하도록 함정에 빠뜨릴 수 있다. 우리는 정신을 차리고 그런 책략을 간파하고 우리 자신이 그런 속임수를 이용하지 않도록 주의해야 한다. 그렇다고 해서 모호함이 효과적이고 정당한 문화적 장치가 될 수 있음을 부인하는 것은 아니다. 예컨대, 시(詩)에서 그런 표현을 사용할 수 있다.

연습문제

실제 담론에서 연역적 추론은 대체로 다음 연습문제에 나오는 진술들의 형태를 취할 것이다. 이는 생략삼단논법의 형태를 말한다. 추론의 진실성과 타당성을 시험하려면 이 진술들에 분실된 함축된 전제를 공급해서 완전한 삼단논법으로 바꿔라. 때로는 함축된 전제가 두 가지 형태를 취할 수 있는데, 그런 경우에는 그 두 가지를 모두 고려해야 할 것이다. 예컨대, "그것은 신 사과임에 틀림없는데, 왜냐하면 단단하고 푸르기 때문이다"라는 생략삼단논법에서 함축된 전제는 다음 둘 중 하나일 것이다. (a) 모든 단단하고 푸른 사과는 시다, 또는 (b) 모든 신 사과들은 단단하고 푸르다. 만일 함축된 전제가 (b)라면, 그 추론이 타당하지 않기 때문에(중명사 '단단하고 푸른'이 두 전제 모두에서 주연되지 않았다) 당신은 그 결론을 배격할 것이다. 만일 함축된 전제가 (a)라면, 모든 단단하고 푸른 사과가 시다는 데 당신이 동의하지 않기 때문에 그 결론을 배격해도 무방하다. 완전한 삼단논법을 재구성할 때 당신이 때로는 명제들을 바꾸어 말해야 할지 모르는데, 그럴 경우에는 최초의 진술의 뜻을 확실히 보존해야 한다. 예를 들어, "만일 우리에게 자유 기업의 오랜 전통이 없다면 오늘날 우리나라는 어디에 있을까?"라는 생략삼단논법은 이런 방식으로 개조될 수 있다.

> 번영을 증진하는 것은 무엇이든 좋다.
> 자유 기업 체계는 번영을 증진하는 것이다.
> 그러므로, 자유 기업 체계는 좋다.

1. 그는 행복함에 틀림없다. 왜냐하면 그가 언제나 미소를 짓고 있기 때문이다.

2. 핵무기는 불가피하다. 왜냐하면 우리의 철천지원수인 공산주의 중국이 이제 수소폭탄을 갖고 있기 때문이다.

3. 그는 왕관을 취하지 않을 것이다. 그러므로 그는 야망이 없었던 것이 확실하다. _ 셰익스피어, 《줄리어스 시저》(*Julius Caesar*), III, ii, 118.

4. 터버의 문장들의 29.8퍼센트는 단순한 문장들이기 때문에, 우리는 그의 에세이의 상당 부분은 이해하기 쉽다고 말할 수 있다.

5. 당신은 그 모임에서 나에 대한 변호를 표명하지 않았으므로, 당신은 나머지 사람들만큼 나를 반대하는 것임에 틀림없다.

6. 존은 분명히 어젯밤에 자동차로 집에 오지 않았다. 그는 자동차를 차고 오른편에 주차한 적이 한 번도 없다.

7. 아니, 퓨즈가 끊어진 것이 아니다. 그 전구가 나쁘다. 당신이 스위치를 올리면 방 안의 다른 모든 전구가 켜지지 않는가?

8. 당신은 우리의 행동들이 평화롭지만 정죄를 받아야 한다고 주장한다. 왜냐하면 그것들이 폭력을 초래하기 때문이라는 것이다. _마르틴 루터 킹, 〈버밍햄 감옥에서 보낸 편지〉(*Letter from Birmingham Jail*)

9. 탄알이 분명히 그의 등을 관통했으므로, 우리는 자살을 배제해야 한다. 확실히

그는 살해되었다.

10. 우리는 그 사람이 자연산 금발이 아니라는 결론을 내려야 한다. 여러분은 그의 욕실에서 그레시안 포뮬라 나인을 보지 않았는가?

11. 심령이 가난한 자는 복이 있나니 그들이 하나님을 볼 것이요.

12. 흡연이 폐암을 유발한다는 것을 보여주는 가장 설득력 있는 증거는 비흡연자들 가운데 폐암으로 죽는 경우가 너무 적어서 무시해도 좋다는 사실이다.

13. 대화의 문명은 온 세계가 하나가 될 수 있는 유일한 문명이고 그럴 만한 가치가 있는 유일한 문명이다. 그러므로 그것은 우리가 바랄 수 있는 유일한 문명인데, 왜냐하면 세계가 하나로 연합해야 하기 때문이고, 그렇지 않으면 산산조각이 나기 때문이다. _로버트 허친스(Rober M. Hutchins), 《도덕, 종교, 그리고 고등교육》(*Morals, Religion, and Higher Education*).

14. 너는 찬장에서 초콜릿 캔디를 하나도 갖고 가지 않았다고 부인한다. 그런데 네 손을 봐라.

15. 내 여자 친구는 더 이상 나를 사랑하지 않는다. 내가 그녀에게 데이트하자고 세 번이나 전화했는데도 그녀는 집에서 숙제를 해야 한다고 말했다.

16. 차라리 죽는 게 낫다. 왜냐하면 죽음이 폭정보다 더 너그럽기 때문이다. _아이스킬로스(Aeschylus), 《아가멤논》(*Agamemnon*) 1450~1451행

17. 그녀는 자동차 열쇠를 계산대와 주차장 사이 어딘가에서 잃어버렸음에 틀림없다. 왜냐하면 그녀가 돈을 지불할 때 지갑에서 열쇠들을 꺼내 계산대 위에 올려놓은 것을 기억하기 때문이다.

18. 너는 그 사람이 굉장한 타자라고 말한다. 허풍이야! 굉장한 타자는 한 시즌에 113번 스트라이크 아웃을 당하지 않아.

19. 지성의 개발은 그 자체를 위해 추구할 만한 가치가 있으므로, 아무런 결과가 없어도 바람직한 지식이 있는 셈이다. _존 헨리 뉴먼, 《대학의 이념》

20. '침묵하는 대다수'가 정말로 대다수란 것을 내가 어떻게 아느냐고? 글쎄, 그들이 보수적인 대통령을 선출하지 않았는가?

예(example)

모든 지식은 연역이나 귀납으로 얻어지고 모든 증명도 마찬가지다. 삼단논법은 아리스토텔레스가 연역적 추론을 분석하고 체계화하려고 만든 형식적 장치이다. 우리가 방금 살펴본 생략삼단논법은 일종의 불완전한 삼단논법으로써 과학과 논리학에서 얻는 결정적인 증명이 아니라 신념 내지는 설득을 낳는다.

연역적 추론에 상당하는 것이 수사학의 생략삼단논법이듯이, 귀납적 추론에 상당하는 것은 수사학의 예(例)이다. 귀납에서는 특수한 것에서 일반적인 것으로 움직인다. 그래서 과학적 증명이나 논리학에서 우리는 일련의 특수한 것들을 관찰함으로써 일반화에 귀납적으로 도달한다. 일반화의 타당성과 진실성은 특수한 사항들의 수에 직접 비례할 것이다. "여성이 남성보다 더 신중한 운전자이다"라는 일반론은 백만 명의 남자와 여자의 운전 습관에 대한 연구에 기초할 때가 십만 명의 남자와 여자의 운전 습관에 대한 연구에 기초할 때보다 '더 참되고' 더 타당성이 높을 것이다. 물론 동일한 평가기준이 두 연구 모두에 사용되었다고 가정하면 그렇다.

많은 사례에 기초한 일반화가 더 신빙성이 있는 이유는 '귀납적 도약'이 더 적기 때문이다. 연역과 귀납은 모두 추론을 활용한다. 차이점은 연역이 진술들로부터 추론하는 데 비해, 귀납은 검증 가능한 현상들로부터 추론한다는 데 있다. 귀납은 알려진 관찰된 사실들로부터 미지의 미관찰된 사례들의 영역을 넘어서 일반화로 도약한다. 사실이나 사례를 더 많이 관찰할수록, 도약되어야 할 미지의 것의 간격이 더 좁아지고, 따라서 일반화가 더 신빙성을 갖게 될 것이다.

아리스토텔레스는, 청중에게 말하는 연설가가 어떤 일반화를 입증하기 위해 일련의 특수한 사례들을 다 제시할 수 없다는 것을 알았다. 물론 과학자들은 그들의 일반화의 타당성을 동료들에게 설득하려면 수백 번의, 심지어 수천 번의 실험의 증거를 제공해야만 한다. 그러나 청중에게 그들의 입장을 전달하는데 연설가는 시간이 제한되어 있고, 필자는 지면이 제한되어 있어서 모든 증거를 총망라해서 청중을 지루하게 만들 수 없다. 보통은 그들의 일반화를 지원하기 위해 한두 개의 적절한 예만 제공할 것이다.

이제 우리가 이웃 나라에 전쟁을 선포하지 않도록 상원에 속한 우리의 동료들을 설득하려고 사용할 만한 논증을 상상하면서 수사학의 예에 대해 생각해보자. 우리가 개진하고픈 논점, 우리가 세우려는 일반화는 이웃에게 전쟁을 일으키는 짓은 전쟁을 발발하는 나라에 재난이 될 것으로 입증되리라는 것이다. 만일 시간이 있다면, 우리는 세계 역사로부터 이웃에게 일으킨 전쟁이 어떻게 그것을 발발한 나라에게 불이익을 주었는지를 보여주는 수십 개의 실례를 열거할 수 있다. 그 대신 우리는 현 상황과 유사한 단 하나의 예, 미국 역사에 나오는 비교적 최근의 예를 드는 바이다. 예컨대, 스페인과 미국의 전쟁이나 멕시코 전쟁 같은 것이다. 이런 식으로 말할 것이다.

> 보십시오. 우리가 이번 전쟁을 이긴 것은 사실이지만 이웃 나라에 전쟁을 일으켜서 지불한 값을 생각해보시오. 침략에 든 재정만 해도 수백만 달러라서 우리 경제에 큰 손해를 입혔소. 국내 노동시장이 매우 열악한 시기에 일만 명의 젊은이들을 일찍 희생시켰소. 수백만 달러어치의 미국 자산이 손상을 입거나 파괴되었소. 그뿐만 아니라, 우리는 유럽 열강들의 선의를 외면했소. 그리고 남쪽 국경에 피해를 입지 않은 완충 국가를 유지하는 대신 우리 문지방에 적대국을, 그것도 기회만 있으면 우리를 침략하려 했던 어떤 강대국과도 기꺼이 연맹을 맺을 그런 적대국을 두게 되었소. 우리가 전쟁에 지불한 값은 우리가 거둔 혜택을 훨씬 초과했소. 신사 여러분, 내가 분명히 말하건대, 지금 우리가 이웃 나라에 일으키는 전쟁은 똑같은 재난을 초래할 것이오.

이웃을 상대로 한 전쟁을 옹호하는 상원위원들이 택할 전략 중 하나는 이웃에게 일으킨 전쟁들 중에 침략자에게 재난을 초래하지 않은 예들을 제공하는 것일 테다. 많은 고려사항들이 서로 상충되는 예들 중에 어느 것이 청중에게 더 큰 믿음을 줄지 결정하겠지만, 한 가지 고려사항은 과거의 상황과 현재의 상황이 어느 정도 유사한지의 문제일 것이다.

예를 이용한 주장은 사실 아무것도 증명하지 않는다. 수사학의 생략삼단논법처럼 예는 대체로 개연성으로 이끌기 때문이다. 그러나 개연성은 통상적으로 일어나는 일이거나 일어난다고 믿는 일이기 때문에 예는 설득의 가치를 갖고 있다. 예는 물론 언제나 도전과 논박에 노출되어 있다. 반대파는, 엄밀한 논리에 근거해 단 하나의 예는 아무것도 증명하지 않는다는 것을 상기시키면서 반격할 수 있다. 제비 한 마리가 왔다고 해서 여름이 온 것이 아니라는 식으로. 반대파가 예의 설득력에 대처하는 또 하나의 방법은 인용된 예와 정반대의 결과를 낳은 또 다른 비슷한 예를 드는 것이다. 그런 경우에는 그 쟁점이 복합적인 고려사항들에 의해 결정될 것이다. (1) 상충된 예들이 지닌 감명의 정도와 적절성, (2) 반론을 지지하는 논증들의 설득력, (3) 담론들의 양식이 지닌 설득력, (4) 예들을 내놓는 두 사람의 '윤리적 호소력', (5) '감정적 호소'의 힘, (6) 당시의 감정적 분위기 등(pp. 194~197에 나오는 예에 관한 논의를 보라).

오류

논리적 호소에 관한 부분을 끝내기 전에 연역적 추론과 귀납적 추론에서 범하는 흔한 오류에 대해 짧게나마 생각할 필요가 있다. 이런 오류를 알면 우리가 견지하는 입장에 반대하는 논증을 논박할 때 도움이 되고, 우리의 담론에서 그럴듯한 추론에 빠지는 일을 피할 수 있다.

일반적으로 오류(fallacy)란 단어에는 두 가지 뜻이 있다: (1) 거짓된 진술, 진실이 아님, (2) 타당성이 없는, 허울만 그럴듯한, 또는 기만적인 추론. 첫 번째 의미는 논증의 내용(matter)과 관계가 있고, 두 번째 의미는 논증의 형식 내지는 방식과 관련이 있다. 형식 논리는 주로 (오로지는 아니지만) 논증의 형식과 관계가 있지만, 오류란 단어가 대다수의 사람에게는 '거짓 진술'을 가리키기 때문에 오류가 있는 내용에 대해 몇 마디 하는 게 필요하다.

내용의 오류　거짓 진술은 우리가 진실이 무엇인지를 알면 쉽게 간파하고 또 논박할 수 있는 것이다. 지구가 우리 태양계의 중심이란 주장은 코페르니쿠스(Copernicus)가 그것을 바로잡는 사실—태양이 우주의 중심이다—을 발견하기까지는 거짓으로 간파되지 않았다. 우리가 어떤 진술을 의심할 수는 있지만—코페르니쿠스가 프톨레마이오스(Ptolemaic)의 우주관을 틀림없이 의심했던 것처럼—사실을 발견하기까지는 그 진술을 반증할 수 없다. 논증의 주요 원리 중 하나는 증명의 짐이 기존의 정설에 도전하는 사람에게 지워진다는 것이다. 대다수 천문학자는 인간 생명이 우리 태양계의 다른 행성들에는 존재하지 않는다는 입장을 견지하기—달리 말해, 전문가들의 증언이 일치하기—때문에 다른 행성들에도 생명이 존재한다는 것을 증명할 짐은 반대주장을 펴는 사람들에게 지워진다. 우주 공간을 탐구하면 일반론을 확증하거나 바로잡을 수 있는 '사실'이 드러날 것이다.

오직 진실만이 거짓을 교정할 수 있는 만큼 우리 모두 경험이나 교육을 통해 어떻게, 그리고 어디서 사실을 얻는지 배우는 것은 지극히 중요하다. 우리 세계에 관한 많은 사실은 우리가 목적을 갖고 효과적으로 살아가는 데 꼭 필요하기 때문이다. 열등한 지식이나 부적절한 지식을 가진 사람은 언제나 다른 사람들을 다룰 때 불리한 입장에 처할 것이다. 우리는 어떤 논쟁을 할 때 "나는 현재 사실을 모르기 때문에 당신의 주장이 틀렸음을 증명할 수 없다"고 시인하는 경우가 얼마나 많은지 모른다. 만일 경제성장률에 관한 논쟁을 하는 중에 누군가 적어도 국내 가정 3분의 1의 연소득이 2천 달러도 안 된다는 논점을 개진한다면, 우리는 그저 "그렇지 않다"고 말하는 것으로 그 주장이 틀렸음을 증명할 수 없다. 우리는 그 정보의 출처를 요구하고 또 도전할 수 있지만, 그 주장을 가장 효과적으로 무너뜨리려면 그것이 거짓이라는 증거를 제시해야 한다. 그다음으로 중요한 것은 논적의 진술의 신빙성을 떨어뜨릴 사실을 어디서 찾을지 아는 것이다.

여기서 한 가지 사항을 매우 강조할 필요가 있다. 어느 편이든지 주장만 한다고 증명이 되는 것은 아니라는 점이다. 그런데 논쟁이 주장과 반대주장만으로 진행되는 경우가 얼마나 많은지 모른다. 이런 식의 논쟁은 마치 두 소년이 서로 맞서서 이렇게 외치는 것과 같다. "우리 아빠가 네 아빠를 이길 수 있어." "아니야, 그럴 수 없어." "맞아, 그럴 수 있어." "애해!" 이런 논쟁은 아무런 도움이 안 되는데도 놀랄 만큼 많은 사람이 도움이 되는 것처럼 생각한다.

그렇다고 해서 우리가 정언 진술을 할 때마다 진술의 증거를 내놓아야 한다는 말은 아니다. 어떤 진술들은 사람들이 자명한 것으로 간주한다. 예컨대, 전체는 부분들의 합과 같다는 진술이다. 독립선언문의 작성자들은 그 문서의 서두에 그들이 자명한 것으로 여긴 진술들을 표명했다. "모든 사람은 평등하게 창조되었다." "그들은 창조주로부터 특정한 양도 불가능한 권리들을 부여받았다." 자명한 명제란 모든 또는 대다수 사람이 그 진술의 용어를 이해하기만 하면 금방 동의할 진술을 일컫는다. 그런 진술은 자명한 만큼 증명될 필요가 없다.

증명할 필요가 없는 또 다른 종류의 진술은 '당연히 참으로' 간주되는 진술이다. "2 더하기 2는 4이다." "민주주의는 국민에 의한, 국민을 위한, 국민의 정부이다." "대다수 는 총수의 50퍼센트가 넘는 복수이다." 그런 진술들은 여론이 그것들을 규정했다는 의 미에서 "참"이다. 언젠가는 여론이 대다수가 총수의 60퍼센트에 해당한다고 규정할 수 도 있다. 예컨대, 대다수의 법과 법령은 '당연히 참으로' 간주될 수 있다.

증명이 필요 없는 세 번째 종류의 진술은 최소한의 정보만 있는 사람들도 아는 사항 에 관한 진술이다. "미국에는 50개의 주가 있다." "미국에서 임금을 받는 모든 성인은 일 년에 한 번 소득세 보고서를 제출해야 한다." "광대한 물이 북아메리카와 유럽을 갈라놓 는다." 주제의 성격과 청중의 구성이 대체로 어떤 진술이 입증될 필요가 있는지를 결정 할 것이다. 물리학에 관한 많은 진술은, 일반인 청중을 위해서는 입증될 필요가 있어도 물리학자 청중에게는 입증될 필요가 없다.

아울러 우리는 상황이 요구하는 것보다 더 자세하고 정확한 진술을 요구할 필요도 없다. 우리의 논적이 "15만 명의 주택 소유주들이 작년에 대부금을 지불하지 않았다" 고 주장할 때, "정부 통계청에 따르면 단지 14만 6,987명의 주택 소유주들이 작년에 대 부금을 지불하지 않았다"고 대응한다면 우리 자신을 어리석게 만들 뿐이다. 이런 진술 은 미세한 점을 지적할 뿐 우리 자신의 주장을 개진하거나 논적의 주장을 약화하는데 아무 소용이 없다. 물론 정확성을 주장해야 할 경우도 있다. 누군가 어떤 주장을 개진 하려고 성공한 대통령 후보가 대다수의 표를 얻었다고 주장한다고 하자. 성공한 후보 가 단지 34만 5,330표를 더 얻었을 뿐이고 이는 총투표수의 0.1퍼센트에 불과하며, 따 라서 그는 국민의 압도적인 지지를 받지 못했다고 지적하는 것은 무척 유용할 것이다.

그리고 논쟁에서 무척 사악하면서도 놀랄 만큼 효과적인 전술인 반쪽 진실의 오류 도 경계하라. 반쪽 진실의 경우, 말한 내용은 모두 진실이다. 즉, 사실로 검증이 가능 하다. 그러나 말을 충분히 하지 않았기 때문에 전체 그림은 왜곡되어 있다. 세부사항을 생략하는 것은 어떤 상황의 맥락을 감추거나 왜곡하게 된다. 누군가 다음과 같은 말로 어떤 핵 과학자의 충성심을 공격한다고 상상해보라. "수년 동안 X교수는 고위급 소련 과학자들과 열심히 교신했다. 그녀는 적어도 여섯 가지 러시아 과학 저널을 구독했다. 1956년에는 뉴욕의 한 음식점에서 네 명의 소련 과학자들과 점심을 먹는 장면이 포착되었다. 1958년에는 그녀가 모스크바로 여행을 갔다. 이는 소련 이데올로기 친화적인 모습을 보여주는 이상한 패턴이 아니고 무엇이겠는가?" X교수는 실제로 그랬고, 그녀는 여기서 말한 모든 내용을 시인할 것이다. 반면에 이런 사실로부터 끌어낸 함의는 인정하지 않을 것이다. 그녀가 그런 함의를 인정하지 않는 이유는 그녀와 소련 과학자들의 관계를 올바른 관점에서 조명하게 할 여러 사실이 생략되었기 때문이다. 그녀가 소련 과학자들과 교신한 것은 사실이나 그 모든 편지는 국무부의 심의를 거친 것이었다. 그녀가 여섯 가지 러시아 저널을 구독한 것은 사실이나 과학적 발전을 따라잡기 원하는 학자는 누구나 다른 국가들의 정기 간행물을 읽지 않으면 안 되었다. 그녀가 네 명의 러시아 과학자들과 점심을 먹은 것은 사실이지만 거기에는 애국자로 알려진 Y교수를 비롯한 네 명의 다른 미국 물리학자들도 있었다. 1958년에 모스크바로 간 여행은 그녀가 FBI의 집중적인 조사를 받은 후 핵에너지 위원회가 후원한 것이었다.

이것은 반쪽 진실의 오류를 보여주는 빤한 예이지만, 이 빤한 경우는 좀 더 미묘한 예들이 어떻게 작동하는지를 잘 보여준다. 이는 말하지 않은 내용이 어떻게 전체 그림을 왜곡할 수 있는지를 보여준다. 이 때문에 법정에 서는 증인은 '모든 진실과 오직 진실만'을 말할 것이라고 선서하는 것이다.

모든 정언 진술이 제각기 독특하기 때문에, 우리는 여기서 내용의 오류와 관련해 일반적 주의사항과 원리들을 제시할 수 있을 뿐이다. 이른바 사실에 관한 모든 진술은 그 자체의 용어와 그 자체의 맥락에 비추어 검토되어야 한다. 어떤 진술의 오류성—만일 그 진술이 거짓이라면—은 본인에게 사실에 대한 지식이 있을 때에만 간파되고 노출될 수 있다. 주장만 한다고 증명이 되는 것은 아니다. 그리고 모든 진술이 입증될 필요는 없다. 아울러 정확성이 상관이 없거나 중요하지 않은 경우에는 미세한 정확성을 주장할 필요도 없다. 그런데 우리는 반쪽 진리에 빠짐으로써 역설적이게도 '오직 진실만을' 말함으로써 거짓말을 할 수 있다는 것을 명심해야 한다.

추론의 오류 귀납적 추론과 연역적 추론을 막론하고 모든 추론의 오류는 불합리한 추론—즉, 전제로부터 '따라오지 않는' 결론이나 일반화—으로 분류될 수 있다. 논리적 오류는 기본적으로 비정합성의 경우에 해당한다. 추론의 사슬이 다 함께 연결되지 않는 경우이다. 이미 귀납적 및 연역적인 불합리한 추론에 대해 상세히 다루었으므로 여기서는 최소한의 코멘트를 하고 관련 부분을 언급하면서 여러 오류를 열거하기만 할까 한다.

A. 연역적 추론의 오류들

1. 애매모호함: 이것은 동일한 용어를 두 가지 이상의 뜻으로 사용하는 오류이다. 삼단논법의 추론에서는 애매모호함이 네 번째 명사(名辭)를 그 과정에 도입한다. 네 개의 명사를 가진 전제들로부터는 어떤 결론도 타당하게 도출할 수 없다. 애매 모호함은 귀납적 추론도 무효로 만들 수 있다. 만일 특수한 것을 명시하려고 사용 한 용어가 지시하는 대상을 계속 바꾼다면, 일련의 특수한 것들에 관해 어떤 타당 한 일반화도 만들 수 없는 법이다(삼단논법, pp. 76~79를 보라).

2. 주연되지 않은 중명사: 이 흔한 오류는 기본적으로 논증의 사슬에 한 고리를 공 급하지 못하는 실패, 대명사와 소명사가 부합한다는 것을 입증하지 못하는 실패 에서 초래된다. 이 오류의 한 형태를 보여주는 다음 도표가 잃어버린 고리를 보여 줄 것이다.

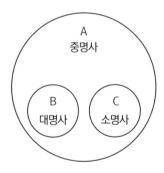

이 원들은 다음과 같은 논증을 도표로 나타낸 것이다.

모든 공산주의자는 사람들이다.
모든 미국인은 사람들이다.
그러므로, 모든 미국인은 공산주의자들이다.

B원과 C원이 A원 안에 포함된 것으로 보이지만, C원은 B원 안에 속하지 않고 심지어는 B원과 겹치지도 않는다. 달리 말하면, 두 전제는 B원과 C원 사이에 약간의 관계가 있다는 것도 입증하지 않는다. 관계를 입증하지 못한 것이 이런 종류의 논증에서 잃어버린 고리이고, 그 고리가 공급되기까지는 어떤 결론에도 도달할 수 없다(삼단논법, pp. 78~79를 보라).

3. 불법적인 과정: 이것은 결론에 나오는 한 명사가 전제들에 나올 때보다 더 넓은 외연을 가진 경우의 오류이다. 달리 표현하면, 한 명사가 결론에서는 주연되어 있거나 보편적이지만, 전제에서는 주연되지 않았거나 특수한 성격을 지닌 경우이다. 만일 전제에서 우리가 사람들에 관해서만 얘기했다면 사람들에 관해 어떤 결론도 도출할 수 없다는 것이 합리적이다. 그런 결론은 한 마디로 '따라오지 않는다'(삼단논법, pp. 79~80를 보라).

4. 두 개의 부정적 전제들에서 도출된 결론: 두 개의 부정적 전제들은 삼단논법의 추론 사슬에서 세 가지 명사들 사이의 어떤 관계도 정립할 수 없기 때문에, 긍정적이든 부정적이든 어떤 결론도 도출될 수 없다. 부정적 전제들은 관계를 배제시킨다. 전제들 중에 하나가 긍정적이라서 관계를 포함할 수 있지 않는 한, 우리는 어떤 결론에도 타당하게 도달할 수 없다(삼단논법, pp. 76~78을 보라).

5. 부정적 전제에서 나온 긍정적 결론: 부정적인 전제는 삼단논법에서 두 명사 간의

관계를 배제시키므로, 논리적으로 도달할 수 있는 유일한 결론은 두 명사 중의 하나와 세 번째 명사 간의 어떤 관계도 배제시키는 명제이다.

이것은 다음 두 전제를 도표로 표시한 것이며, ×표시는 두 번째 전제가 명시한 영역을 가리킨다.

어느 러시아인도 자유인이 아니다.
일부 러시아인은 무신론자이다.

이 도표를 보면 어떤 긍정적 술부에서도 '자유인'이란 용어와 '무신론자'란 용어를 함께 묶는 것이 논리적으로 불가능하다는 점이 명백하다. '자유인'과 '무신론자' 사이에 긍정적 관계는 있을 수 있다(예컨대, '러시아인'의 원 바깥에 있는 '무신론자'의 원의 영역이 '자유인'의 원 안에 올 수 있다). 그런데 그 관계는 증명되어야 하는 것이고, 이 전제들로부터 추론될 수는 없는 것이다. 이 전제들로부터 논리적으로 연역할 수 있는 결론은 하나밖에 없다. 일부 무신론자는 자유인이 아니라는 것(×영역이 '러시아인'의 원 안쪽에 있고 '러시아인'의 원의 어느 부분도 '자유인'의 원 안에 있지 않기 때문에 ×영역이 '자유인'의 원 안에 있을 수 없다는 것이 합리적이다). 여기서 얻을 수 있는 교훈은 아무도 부정적 명제로부터 긍정적 결론을 끌어내서는 안 된다는 것이다(삼단논법 pp. 76~78을 보라).

6. '양자택일'의 오류: 이것은 삶을 다중가치 시스템이 아니라 이중가치 시스템으로 판단하는 사람들이 범하는 오류이다. 심리학자들은 이런 경향을 '흑백 증후군'이라고 부른다. 물론 우리가 그런 식으로 타당한 추론을 끌어낼 수 있는 양자택일

의 상황이 있다. 그 조건은 두 가지 대안이 모든 것을 망라해야 한다는 것이다. 만일 "그들은 그 후보를 찍어주었거나, 또는 찍어주지 않았다"라는 전제로부터 시작하면, 우리는 정당하게 한 대안을 다른 대안의 증거나 반증으로부터 추론할 수 있다. 우리가 타당하게 이 추론을 할 수 있는 이유는 둘 중 어느 하나가 반드시 존재해야 하기 때문이다. 그 전제가 진술된 방식을 보면 다른 어떤 상황도 있을 수 없다. 반면에 만일 "그들은 그 후보를 찍어주었거나, 또는 그 후보의 정적을 찍어주었다"라는 전제로부터 시작한다면, 우리는 모든 가능한 행위를 고려하는 대안들을 제기하지 않았다. 이 후보나 저 후보를 찍어주는 것이 유일한 가능성이 아니다. 사람들은 아예 투표를 하지 않았을 수도 있고, 세 번째 후보를 찍었을 수도 있다. 그런즉 우리가 설사 그들이 그 후보를 찍지 않았음을 증명한다고 해도, 우리는 그들이 그 후보의 정적을 찍었음에 틀림없다고 추론하면 안 된다. 한 걸음 더나아가, 그들이 그 후보의 정적을 찍어주었다는 것을 증명해야 한다(이접적 삼단논법, pp. 82~84를 보라).

7. 후건을 긍정하는 것의 오류: 이것은 가설적 명제로 시작하는 연역적 추론에서 일어나는 오류이다. 예를 들어보자.

만일 그 사람이 러시아 대사에게 양보한다면, 미국의 위신이 떨어질 것이다.

후건이 긍정된다면 그것은 "미국의 위신이 떨어졌다"이다. 여기서 오류는 후건의 긍정에서 도출된 결론이다. "그 사람은 러시아 대사에게 양보했음에 틀림없다." 이 결론은 분명히 불합리한 추론이다(가설적 삼단논법, pp. 81~84를 보라).

8. 전건을 부인하는 것의 오류: 이것은 가설적 명제들로부터 추론할 때 발생할 수 있는 또 다른 오류이다. 예를 들어보자.

만일 그녀가 미결정된 표들을 획득한다면, 그녀는 선거를 이길 것이다.

전건이 부인된다면 그것은 "그녀가 미결정된 표들을 획득하지 못했다"이다. 여기서 오류는 이 부인에서 도출된 결론이다. "그녀는 선거를 이기지 못했다." 만일 선거를 이길 수 있는 유일한 방법이 미결정된 표들을 획득하는 것임이 입증되었다면, 이 결론이 따라올 것이다. 우리는 다음 전제와 함께 시작하고 또 거기에 동의해야만 할 것이다. "그녀가 미결정된 표들을 획득하는 경우에만 그녀는 선거를 이길 것이다"(가설적 삼단논법, pp. 81~84를 보라).

B. 귀납적 추론에서의 오류

1. **그릇된 일반화**: 부적합한 증거로부터 '성급하게 결론을 내리면' 이 오류에 빠지기 쉽다. 증거는 여러 방식으로 부적합할 수 있다. (1) 특수한 사항들이 적실하지 않다. (2) 특수한 사항들이 대표성이 없다. (3) 특수한 사항들이 결론을 정당화할 만큼 많지 않다. 이 모든 부적합성은 관찰이나 연구로 수집한 모든 증거와 관련이 있다. 때때로 우리의 일반화는 권위로부터 나온 증거에 기초를 두고 있다. 권위에서 나온 증거에 기초한 일반화는 그 인용된 권위가 (1) 편향되어 있거나 (2) 무능하거나 (3) 구식인 경우에 그릇될 수 있다. 그 권위가 비록 객관적이고 유능하고 믿을 만할지라도, 이 권위가 제공하는 증거에 기초한 일반화는 만일 그 권위가 (1) 부정확하게 인용되거나 (2) 잘못 해석되거나 (3) 문맥을 무시하고 인용되는 경우에는 그릇될 수 있다.

2. **그릇된 인과관계의 일반화**: 이것은 모든 '원인과 결과'의 추론이 빠질 수 있는 오류이다. 이런 오류는 (1) 결과로부터 원인에 이르는 논증을 하거나 (2) 원인으로부터 결과에 이르는 논증을 할 때 발생할 수 있다. 첫째, (1) 어떤 결과를 부적절한 원인의 탓으로 돌릴 때, (2) 동일한 결과에 대해 한 가지 이상의 원인이 있을 수 있다는 것을 고려하지 못할 때 그런 오류를 범한다. 둘째, (1) 어떤 결과의 잠

재적 원인이 특정한 상황에서 작동할 수 있고 또 작동했다는 것을 입증하지 못할 때, (2) 동일한 원인이 다양한 결과들을 낳을 수 있다는 점을 고려하지 못할 때 그런 오류를 범한다. 그릇된 인과관계의 일반화를 보여주는 가장 흔한 경우의 하나는 보통 '이 다음에, 그러므로 이 때문에'(post hoc, ergo propter hoc)라고 불리는 오류이다. 이 오류는 사건들 사이에 시간의 전후관계가 있다고(어떤 일이 다른 일 이후에 발생했다고) 해서 인과관계도 있는 것으로 가정하는 바람에 초래된다. 예를 들면, "우리가 광고 캠페인에 징글벨을 사용하기 시작한 후에 매출이 25퍼센트나 올랐다." 징글벨의 사용이 매출 증가의 한 원인이었을지 모른다. 그러나 우리는 그것이 원인이었다고 단언하면 안 된다. 그렇게 단언하려면 그것을 증명해야 한다.

3. 그릇된 유추: 유추에 의한 논증은 항상 모든 논증 방식 중에 가장 취약하다. 이 논증은 언제나 "그 유추는 타당하지 않다"는 공격을 받을 수 있다. 하지만 어떤 유추들은 다른 유추들보다 더 취약하다. 그 유추가 두 상황 간의 부적절하고 하찮은 유사점에 집중하고 또 적절하고 중요한 차이점을 간과할 때 특별히 취약성을 지니게 된다. "연기가 있는 곳에는 불이 있다"는 유추적 논증은 보통 누군가의 성품이나 행동에 의심의 눈초리를 보낼 때 사용되는데, 이는 유사점이 주는 설득력이 차이점에 의해 약화된다는 반론에 직면하곤 한다. 물론 유추에 의한 논증이 항상 위태로운 기반을 갖고 있는 것은 사실이지만, 어떤 사람이 모든 유추에 너무 짜증을 부리는 바람에 작은 일에 구애되어 큰일을 소홀히 할 가능성이 있다. 이런 잘못을 피하는 방법은 유추는 아무것도 증명할 수 없다는 점을 명심하는 것이다. 기껏해야 유추는 개연성의 근거로 누군가를 설득할 수 있을 뿐이다. 여기서 도전받을 수 있는 것은 개연성의 정도이다.

C. 잡다한 오류들

많은 오류를 '잡다한' 오류의 집단으로 분류할 수 있는 것은 귀납적 추론이나 연역적 추론 중 어느 하나에만 속하지 않고, 또 내용의 오류와 형식의 오류와 감정의 오류 등이

섞여있기 때문이다.

1. 선결문제 요구의 오류: 이 오류(스콜라주의 논리학자들이 petitio principii라고 부르는 것)는 귀납적 추론보다 연역적 추론에서 더 자주 발견된다. 기본적으로, 이것은 순환적 추론의 오류이다. 예컨대, 삼단논법의 추론에서 우리가 증명하려는 결론을 전제에서 가정하는 경우에 발생한다. 한 변호사가 만일 배심원 앞에서 "내 의뢰인은 정직한 사람이기 때문에 훔치지 않을 것이다"라고 호소한다면, 그는 '선결문제 요구의 오류'를 범하는 셈이다. 그 변호사의 생략삼단논법으로부터 추론의 완전한 사슬을 재구성해보면 그 오류를 쉽게 간파할 수 있다.

정직한 사람은 누구나 훔치지 않을 것이다.
내 의뢰인은 정직하다.
그러므로, 내 의뢰인은 훔치지 않을 것이다.

두 번째 전제와 결론은 똑같은 것을 다른 말로 표현하고 있다. 왜냐하면 첫 번째 전제에 이미 동어반복의 정의가 정립되었기 때문이다. 이 논증은 순환하고 있어서 어디에도 이르지 못한다. 이런 순환적 논증은 다음과 같은 순서로 진행되는 논증에서도 볼 수 있다. "하나님은 존재한다." "당신은 하나님이 존재한다는 것을 어떻게 아는가?" "성경이 그렇게 말한다." "내가 왜 성경이 말하는 바를 믿어야 하는가?" "그것은 영감 받은 하나님의 말씀이기 때문이다." 하나님은 이보다 더 설득력 있는 논증의 대상이 될 만한 분이다.

이 오류의 가장 흔하고도 교묘한 형태는 다음과 같은 별칭을 사용하는 경우들이다. "이 살인자는 평생 감옥에 쳐넣어야 한다." "우리는 이 주(州)에 물의를 일으키는 인물을 일체 강사로 세우고 싶지 않다." "이 잠행적 사회주의가 미국 국민을 우롱하지 못할 것이다." 어떤 관용적 표현을 보면 선결문제 요구의 오류가 그 속에 숨어있는 경우일 수 있음을 알아야 한다. 예컨대, '자명하게', '물론', '누구나 알다시피', '정말로', '의문의 여지가 없이' 등과 같은 표현을 접할 때마다 경계심을 품어야 한다(당신이 이 책에서 이런 표현을 볼 때마다 그 문장을 다시 한 번 직시하면서 필자가 말한 것이 정말로 자명한지, 의문의 여지가 없는지 살펴보길 바란다).

2. '그 사람에게'(Ad Hominem)의 논증: 이것은 일종의 감정적 논증으로서, 쟁점에 관한 논의를 성격에 관한 논의로 바꾸는 오류이다. 우리가 만일 누군가의 논증을 반박할 수 없다는 것을 알게 되면, 우리는 그 사람의 성품을 공격할 수 있다. "내 정적의 논증은 매우 인상적이지만, 이 사람은 첫 번째 정치적 승리를 거둔 후에 그의 충실한 아내와 가족을 버렸다는 사실을 명심하라." 이런 오류가 역사상 만연되어 있었다는 사실로 보건대, 상대방의 대의나 주장을 그 자체로 평가하기보다는 논쟁을 불러일으킨 상대방의 성품을 깎아내리는 성향은 무척 자연스러워 보인다. 때로는 이런 것이 문학 비평에 나온다. 주의를 문학 작품 자체로부터 필자의 악한 성품에 대한 논의로 돌려버리는 경우이다. 필자가 악명 높은 난봉꾼이기 때문에 그 작품도 추잡하다고 생각하는 것이다. 알렉산더 포프(Alexander Pope)는 이렇게 말했다.

어떤 이들은 필자의 작품이 아닌 이름에 대해 평가하고, 이어서
저술은 칭찬도 비난도 하지 않고, 사람에 대해서만 그렇게 한다.
_《비평에 관한 에세이》(An Essay on Criticism), II, 412~13.

물론 한 사람의 성품이 어떤 주장과 약간의 관련성이 있을 수 있지만—예컨대, 누군가의 증언의 신빙성을 평가하거나 누군가 어떤 일을 했을 가능성을 평가하려고 하는 경우—, 그런 논의가 단지 현행 쟁점으로부터 주의를 돌리게 하려고 이용될 때는 당사자의 성품에 관한 논의는 상관없는 일이 되고 만다. '독을 탄 샘물' 전술을 조심하라.

3. '대중에게'(Ad Populum) 호소하는 논증: 이것은 '그 사람에게'의 논증과 비슷한 또

하나의 교활한 감정적 호소이다. 이는 청중들이 쟁점을 직면하지 못하게 하려고 불합리한 두려움과 편견에 호소하는 전술이다. 우호적인 감정적 분위기를 불러일으키기 위해 끔찍한 말—미국 중심주의, 애국심, 모성애, 거친 개인주의—을 이용하고, 적대적인 감정을 야기하기 위해 경멸적인 용어—사회주의, 불경건함, 급진적, 반동적—를 이용한다. 이런 용어들은 그 자체로 '좋다'거나 '나쁘다'고 할 수 없다. 이런 말은 어떤 논의의 감정적 분위기를 채색해서 사람들이 주장에 불과한 것을 입증된 것으로 받아들이게끔 할 때에 '모호한 말'이 된다. 물론 감정에 호소하는 일은 정당하지만—사실 수사학자들은 사람들의 감정을 건드리지 않으면 종종 그들을 행동하게 할 수 없다고 주장했다—감정에의 호소가 쟁점을 가릴 때, 사람들의 이성적 기능을 마취시킬 때, 사람들이 양심이나 이성이 작동하면 행하거나 수용하지 않을 일을 그들이 행하거나 수용하도록 만들 때에는 비열한 것이다.

4. '관심을 딴 데로 돌리기'(Red Herring): 이것은 주의를 다른 곳으로 돌리게 하는 또 하나의 전술이다. 이 용어는 사냥에서 채용한 것으로 사냥개를 먹이의 추적에서 벗어나 다른 곳으로 돌리기 위해 청어를 끌고 다니는 행습을 가리킨다. 이 오류를 가리키는 고전 용어는 논점 일탈(ignoratio elenchi, 반박의 무지)이다. 이것은 '그 사람에게'의 논증과 '대중에게 호소하는' 논증처럼 쟁점을 무시하거나 회피하는 또 다른 방법이다. 우리가 논쟁을 하다가 궁지에 몰리면 논의의 방향을 엉뚱한 주제로 돌리기 쉽다. "당신은 내가 소득세를 탈세하고 있다고 비난하고 있지만 실은 누구나 약간씩 탈세하지 않소?" "그래서 그 장군이 저 전투에서 진다면 어떻게 되겠소? 과거에 그가 거둔 모든 영광스러운 승리를 생각해보시오." 자기의 대적이 핵심 쟁점을 살짝 피하려고, '주제를 바꾸도록' 허용하는 논쟁자는 곧 논쟁에 지게 될 터인데, 그 대적이 자기 입지를 더 안전한 기반으로 바꾸었기 때문이다.

5. 복합적인 질문: 자주 인용되는 예는 "당신은 언제 아내 구타를 멈추었는가?"란 질문이다. 이는 스스로를 유죄에 빠뜨리지 않고는 간단한 대답을 할 수 없는 질문이다. 여기서 문제는 이런 질문이 두 부분을 갖고 있다는 점이다. 다음 두 질문을 합쳐놓은 것이다. "당신은 아내를 구타하는가?"와 "당신은 언제 그녀를 구타하는 것을 멈추었는가?"이다. 그것은 일종의 선결문제 요구의 오류이다. 마치 변호사가 검사의 질문—"당신은 왜 다이아몬드 반지를 훔쳤는가?"—에 곧바로 항의하듯이, 이처럼 두 가닥 질문을 받는 사람은 누구나 먼저 함축된 질문을 다뤄야 한다고 주장해야 한다. "잠깐만, 먼저 내가 아내를 구타하는지 여부를 판단합시다." 낯익은 입법 관행은 한 중요한 법안에 추가조항들을 첨부하는 것이다. 그 법안이 투표에 붙여지면 입법자들은 딜레마에 빠지게 된다. 그들이 핵심 법안은 찬성하지만 추가조항들은 반대할 수 있고, 거꾸로 될 수도 있다. 그러나 그들은 이제 한 뭉치 전체를 수용하든지 거부해야 할 상황에 놓이게 된다. 하지만 논쟁에서는 복합적인 질문을 한 부분씩 다루자고 주장할 수 있다.

윤리적 호소

앞에서 우리는 논리적 설득, 즉 이성에 호소하는 증명 또는 설득의 재료와 방법에 대해 다루었다. 이상적으로는, 사람들이 오로지 이성의 차원에서 토론이나 논쟁을 할 수 있어야 한다. 그러나 수사학자들은 무척 현실적이라서 사람이 지성뿐만 아니라 감정과 의지도 가진 피조물임을 인식한다. 우리는 사람들을 있는 그대로 다뤄야지 당위적인 모습으로 다루면 안 된다. 수사학을 가능한 모든 설득 수단을 발견하는 기술로 생각한다면, 눈에 띄는 효과적인(바라건대, 합법적인) 수단이면 무엇이든 활용하게 될 것이다. 앞에서 지적했듯이, 아리스토텔레스는 윤리적 호소에서 또 하나의 수단을 찾았다. 이는 화자나 필자의 성품이 지닌 설득의 가치를 말한다.

윤리적 호소는 가장 효과적인 호소가 될 수 있다. 설사 이성에의 호소가 매우 영리하게 또 건전하게 수행되었다 해도, 만일 청중이 화자의 성품에 대해 거슬리는 반응을 보인다면 그것은 아무 소용이 없을 것이다. 윤리적 호소는 수사적 담론에서 특히 중요하다. 왜냐하면 여기서는 우리가 절대적 확실성이 불가능해서 의견이 분분한 문제를 다루기 때문이다. 퀸틸리안은 세 종류의 수사적 담론 중에 심의용 연설이 윤리적 호소(그가 auctoritas라고 부른 것)가 가장 필요한 것이라고 생각했다. "왜냐하면 유리하고 명예로운 것에 대한 그의 판단을 모든 사람이 신뢰하길 원하는 사람은 진정한 지혜와 훌륭한 성품을 지녀야 하고 또 지닌 것으로 간주되어야 하기 때문이다."《변론법 수업》, III, viii, 13.

아리스토텔레스에 따르면, 연설을 통해 연설가가 건전한 의식(phronēsis)과 높은 도덕적 성품(aretē)과 자비심(eunoia)을 가진 사람으로 청중에게 각인된다면, 윤리적 호소가 발휘된 것이다. 여기서 연설 자체가 이런 인상을 심어야 한다는 점을 주목하라. 그런즉 청중에게 전혀 알려지지 않은 사람이 그의 말로만 이런 신뢰를 불러일으킬 수 있는 것이다(우리가 어떤 연설을 듣거나 잡지의 글을 읽을 때 종종 이런 일이 일어난다). 물론 어떤 사람들은 이미 청중에게 낯익은 평판을 갖고 있고, 그것이 좋은 평판이라면 그들이 한 마디도 하기 전에 청중에게 좋은 선입견을 안겨줄 것이다. 하지만 결국 윤리적 호소를 행사해야 하는 것은 담론 그 자체이다. 특정한 담론에서 한 사람이 말하는 내용은 예전의 평판을 약화시키거나 무너뜨릴 수 있기 때문이다.

그러면 본인이 건전한 의식과 높은 도덕적 성품과 자비심을 가진 사람이란 인상을 담론으로 어떻게 심어주게 되는가? 이는 중요한 질문이다. 하지만 아쉽게도 그 대답은 일반적인 말로 표현되어야 한다. 자명한 대답은 그 사람이 진실로 이런 자질을 갖고 있어야 한다는 것. 라틴 격언이 말하듯이 "아무도 자기가 갖고 있지 않은 것은 주지 못한다." 그런데 그런 성품을 형성하는 것은 수사학의 영역이 아니다. 어쩌면 간접적으로는 가능할지 모른다. 물론 어떤 의사소통용 담론이든 전인(全人)이 관여하는 것은 사실이지만, 수사학은 아이디어의 발견과 배열과 표현과 관련된 기능들만 훈련시킬 수 있을 뿐이다.

타인에 대해 선량한 의식과 선한 도덕적 성품과 선한 의지를 지닌 사람이 강한 윤리적 호소력을 발휘할 방식으로 담론을 진행할 것임을 인정한다면, 우리는 다른 어떤 긍정적 원칙을 제정할 수 있는가? 물론이다. 그러나 방금 제시한 것보다 더 구체적인 것은 없다. 어떤 담론이 그 사람의 선량한 의식을 보여주려면, 다음과 같은 점들을 보여줘야 한다. 화자나 필자가 전문적인 지식은 없더라도 대화의 주제를 잘 이해하고 있다는 것, 타당한 추론의 원리들을 알고 또 지키고 있다는 것, 어떤 상황을 올바른 관점에서 볼 능력이 있다는 것, 폭넓은 독서를 했다는 것, 좋은 취향과 분별력이 있다는 것 등이다. 만일 어떤 담론이 그 사람의 도덕적 성품을 반영하려면, 그것은 부도덕한 전술과 허울 좋은 추론에 대한 혐오감, 공통된 미덕에 대한 존경, 정직한 모습을 보여줘야 한다. 그 담론이 본인의 선한 의지를 나타내려면, 그것은 청중의 유익에 대한 진실한 관심, 그리고 타인의 유익과 충돌하는 자기 확대는 희생하려는 자세를 보여줘야 한다.

만일 담론이 그 사람의 인간 심리에 대한 건전한 지식과 적절한 양식에 대한 감각을 보여줄 수 있다면, 이것도 도움이 될 것이다. 화자나 필자는 아리스토텔레스가 《수사학》 제2권, 12~17장에서 말하는 그런 류의 에토스(ēthos)에 대해 알고 있어야 한다. 이는 다양한 형태의 정부의 성격, 인생의 다양한 단계(청년, 중년, 노년)의 특성, 다양한 삶의 조건(부, 가난, 교육, 문맹, 건강, 질병)의 특성 등을 말한다. 화자나 필자가 다양한 연령과 다양한 삶의 조건을 가진 사람들의 성향을 알고 있으면 그의 어조와 정서를 청중에게 맞출 수 있을 것이다. 예컨대, 노인들은 청년들과 같은 방식으로 생각하고 행동하고 사물을 보지 않는다. 젊은이는 대체로 성급하고 변덕스럽고 충동적이고 이상주의적이다. 반면에 늙은이는 침착하고 보수적이고 신중하고 실용적이다. 여성은 어떤 것에 남성과 다르게 반응한다. 부유한 사람과 가난한 사람은 사물을 다르게 본다. 민주적인 생활방식에 익숙한 사람들은 독재 치하에서 자란 사람들과는 다른 방식으로 특정 정서와 논리에 반응한다.

담론 전체가 화자나 필자가 세우려는 '이미지'를 유지해야만 한다. 달리 말하면, 윤리적 호소는 담론 전체에 널리 퍼져있어야 한다. 윤리적 호소의 효과는 선량한 의식, 선한 의지, 또는 도덕적 인격에서 한 번만 벗어나도 쉽게 사라질 수 있다. 투정 부리는 어조, 악의의 색채, 나쁜 취향의 과시, 갑작스러운 부정확성이나 비논리의 노출 등은 모든 설득 노력을 위태롭게 할 수 있다.

그러나 윤리적 호소는 담론 전체에 의해 유지되어야 하지만, 담론에는 필자가 청중의 신용을 얻거나 청중에 영합하려고 명시적으로 시도하는 대목이 있을 수 있다. 담론에서 필자들이 흔히 그런 명시적 제의를 하는 두 대목은 서론과 결론이다. 필자가 청중에게 깊은 인상을 주거나 환심을 사려고 한다는 사실을 노골적으로 밝히진 않지만 그런 노력은 명백하고 또 계산된 것이다. 벤자민 프랭클린의 한 연설에 나오는 첫 대목은 그런 노골적인 시도를 잘 보여준다.

> 나는 억지로 그 계획의 한 조항에 대해 반대를 표명하는 바인데, 우리가 우리 앞에 그것을 내놓은 존경스러운 신사에게 너무나 많은 빚을 졌기 때문입니다. 그 계획을 처음 읽었을 때 나는 선의를 품었고, 대체로 그것이 성공하길 바랐습니다. 특히 임원진에게 주는 봉급에 대해서는 내가 달리 생각합니다. 내 의견이 생경하고 터무니없어 보일지 몰라도, 그것이 옳다는 확신에서 나왔고 의무감에서 비롯되었으며 위험을 무릅쓰고 그것을 내놓는 바입니다. 위원회가 내 이유를 들으면 그에 대해 판단할 것이고, 그들의 판단이 내 판단을 바꿔놓을 수도 있습니다. 나는 그런 봉급 책정을 불편하게 느끼는 편입니다. 하지만 그것을 거부하는 것은 전혀 불편하지 않고 오히려 크게 유익하다고 생각합니다.

> _급여를 주제로 열린 헌법 제정 회의에서 한 연설 중에서
> (*Speech in the Constitutional Convention on the Subject of Salaries*), 1787. 6. 2.

프랭클린은 헌법 제정 회의에 제출된 한 안건에 반대하는 입장을 표명하려 하는데, 그는 그의 청중에게 그의 반대 논리를 경청할 마음을 불러일으켜야 한다. 그래서 그는 그 안건을 제출한 사람에게 악의를 품고 있지 않다는 것을 보여주려고 애쓴다(우리가 우리 앞에 그것을 내놓은 존경스러운 신사에게 너무나 많은 빚을 졌기 때문입니다, 내가 선의를 품었고). 그리고 그가 반대하는 동기는 파당적인 생각이 아니라 원칙에 입각한 것임을 보여주려고 한다(그것이 옳다는 확신에서 나왔고 의무감에서 비롯되었으며). 아울러 그 자신의 견해를 절대로 확신해서 수정할 수 없는 것이 아님을 보여주려고 노력한다(그들의 판단이 내 판단을 바꿔놓을 수도 있습니다). 이 서론이 풍기는 전반적인 인상은 겸손하고 관대하고 열

린 마음을 가진 신사의 그것이다. 회의에 참석한 그의 대적들조차 그의 반대논리를 경청할 마음이 생길 것이다.

다음의 예는 한 담론의 마지막 단락에서 윤리적 호소를 발휘하려고 하는 본보기다.

이 작품에서 많은 것이 생략되었음을 발견할 때는 그에 못지않게 많은 것이 수행되었음을 잊지 말길 바란다. 어느 책도 필자에 대한 동정심 때문에 비판을 모면한 적이 없고, 세상은 자기가 비난하는 잘못이 어디서 왔는지를 알고 싶어 하지 않는다. 그러나 이 '영어 사전'이 박식한 자의 도움을 거의 받지 않은 채, 위인의 후견이 없이, 은둔한 상태에서나 학문의 보호막 아래서가 아니라 불편하고 산만한 중에, 병들고 슬픈 와중에 집필되었다는 것을 알려주면 호기심을 만족시킬지 모르겠다. 만일 우리의 언어가 여기서 완전하게 펼쳐지지 않았다면, 나는 그 어떤 인간의 힘도 이제까지 완성하지 못한 시도에 실패했을 뿐이라고 말하면서 악의 있는 비판의 승리를 억누를지 모르겠다. 고대 언어들의 사전들이 설사 이제는 완전히 고정되어 몇 권에 담겨 있더라도, 여러 세대에 걸친 노고에도 아직 부족하고 결함이 있다. 만일 이탈리아 학자들이 지식을 집적하고 부지런히 협력했음에도 베니(Beni)의 혹평을 모면하지 못했다면, 만일 프랑스어의 비평가들이 그들의 작업에 오십 년을 투자했음에도 그 경제를 변경하고 재판(再版)에 또 다른 형태를 입히지 않을 수 없었다면, 나는 완전하다는 칭송이 없어도 만족할 것이고, 설사 내가 이 외로운 상태에서 그 칭송을 얻는다 해도 그것이 무슨 소용이 있겠는가? 나는 내가 기쁘게 하고 싶었던 사람들 대다수가 무덤에 내려갈 때까지 이 작업을 연장했고, 성공과 유산(流産)은 한갓 헛된 말이다. 그러므로 나는 혹평이나 칭송을 두려워하지 않은 채 냉담한 평정심으로 그것을 떨쳐 버리는 바이다.

_사무엘 존슨(Samual Johnson), 《영어 사전》(*English Dictionary*) 서문, 1755.

이것은 양식으로 윤리적 호소를 많이 발휘한 사례이다. 참으로 훌륭한 영어 산문의 한 편이다. 그런데 존슨 박사는 청중이 그에 관해 호의적인 견해를 갖게 하려고 그 자신과 그의 작품에 대한 것들을 말하기 위해 일부러 노력하고 있다. 이 단락 앞에 나오는 긴 담론에서 존슨은 이 '사전'에서 무엇을 하려고 했는지, 그의 목적을 수행하다가 어떤 어려움에 직면했는지, 그가 어떤 성공과 어떤 실패를 맛보았는지에 대해 설명했었다. 그 정교한 설명 자체가 지성적이고 자기희생적이며 고상한 학자의 인상을 심어주었다. 이 마지막 단락에서도 그는 자신에 대한 인상을 강화시키려고 명시적 노력을 기울인다. 청중에게 와 닿는 것은 겸손함과 자신감, 유감과 자화자찬, 반감과 용서가 적절하게 융합된 모습이다.

오늘날의 연설과 글과 편지에서 필자에 대한 호의적 인상을 심어주지 못한 실례를 찾는 일은 쉬울 것이다. 그런데 산 자와 죽은 자를 막론하고 부도덕하고 어리석고 악의가 있는, 또는 대체로 호감을 못 주는 사람을 공공연하게 노출시키는 것은 바람직하지 않기 때문에, 우리는 한 허구적인 인물을 예로 들까 한다. 다음은 《오만과 편견》(*Pride and Prejudice*)에서 콜린스 씨가 엘리자베스 베넷에게 청혼하는 장면이다.

> "내가 결혼하는 이유는 첫째, 나는 (나처럼) 편안한 환경에 몸담은 모든 성직자가 그의 교구에서 결혼의 본보기를 보이는 것이 옳은 일이라고 생각하기 때문이오. 둘째, 나는 결혼이 나의 행복에 큰 보탬이 되리라고 확신하오. 그리고 셋째―어쩌면 이것은 내가 먼저 언급했어야 했을지 모르지만―. 결혼은 내가 영예롭게도 후원자로 부르는 귀부인이 주신 특별한 충고이자 권면이오. 그녀는 몸을 낮추어 두 번씩이나 (묻지도 않았는데!) 이 주제에 관한 그녀의 의견을 주었소. 내가 헌스포드를 떠나기 전 토요일 밤 우리 물웅덩이 사이에서 카드놀이를 할 때, 젠킨슨 부인이 드 부르 양의 발판을 정리하고 있는 동안 그녀가 이렇게 말했소. '콜린스 씨, 당신은 결혼해야 하오. 당신 같은 성직자는 결혼해야 한다오. 나를 위해 올바르게 숙녀를 선택하시오. 그리고 당신을 위해 그녀가 활발하고 쓸모 있는 사람이 되게 하고, 높은 소득이 아니라 작은 소득을 벌 수 있게 하시오. 이것이 내가 주는 충고라오. 최대한 빨리 그런 여성을 찾아서 헌스포드로 데려오시오. 그러면 내가 그녀를 만나러 갈 것이오. 그런데 친애하는 조카여, 나는 캐서린 드 부르 부인의 주목과 친절을 내가 제공할 수 있는 가장 작은 유익도 받을 만한 것으로 간주하지 않소. 그녀는 내가 도무지 묘사할 수 없는 매너를 갖고 있다는 것

을 당신이 알게 될 것이오. 당신의 위트와 쾌활함은 그녀의 마음에 들 것임에 틀림없고, 특히 그녀의 신분이 분명히 불러일으킬 침묵과 존경심으로 진정되기만 하면 그렇소. 이제까지는 내가 결혼을 선호한다는 뜻을 밝힌 것이오. 이어서 내 생각이 우리 동네, 호감을 주는 젊은 여성이 많다고 확실히 말할 수 있는 그 동네 대신에 롱번으로 향하고 있는 이유를 말해야겠소. 그런데 사실 나는 당신의 부친이 돌아가신 후에(아직 한참 더 살지도 모르지만) 이 사유지를 물려받을 사람인즉, 나는 그의 딸들 가운데서 아내를 선택하기로 결심하지 않으면 만족할 수 없고, 그 우울한 사건이 발생할 때 그들에게 최소한의 손실이 생기도록 해야 하오. 하지만 내가 이미 말했듯이, 그 사건이 일어나려면 여러 해가 걸릴지 모르오. 친애하는 조카여, 이것이 나의 동기였고, 그것이 나에 대한 당신의 존경심을 떨어뜨리지 않을 것이라고 자신하오. 그리고 이제 내 애정을 담아 가장 활기찬 말로 당신을 확신시키는 일밖에 남지 않았소. 재산에 대해 나는 완전히 무관심하고, 당신의 부친에게 그런 요구는 하지 않을 것이오. 그런 요구는 승낙받을 수 없다는 것을 잘 알기 때문이오. 그리고 4퍼센트 이자의 일천 파운드가 당신이 받을 권리가 있는 전부인데, 그것도 당신의 모친이 돌아가신 후에야 당신의 것이 될 것이오. 그러므로 그 문제에 대해 나는 일체 입을 다물겠소. 당신은 우리가 결혼할 때까지 내 입에서 인색한 질책이 결코 나오지 않을 것으로 확신해도 좋소."

_제인 오스틴(Jane Austin), 《오만과 편견》, 19장

19세기 초의 소설에 나오는 이 장면에 수사학적 상황이 설정된 것이 확실하다. 한 남자가 젊은 여자를 결혼으로 유도하려고 하는 장면이다. 이런 때에 이성에의 호소가 거의 무시될 수 없지만, 감정이 두 사람을 그런 결정에 이르게 하는데 더 중요한 역할을 할 것이다. 그리고 남자의 윤리적 호소가 강력해야 할 때가 있다면 그것은 바로 청혼하는 순간이다. 추정컨대, 둘이 관계를 맺은 이래 줄곧 윤리적 호소를 발휘해왔을 테지만, 실제로 청혼하는 순간에 이르면 그에 대한 그녀의 호감을 깨뜨릴 만한 말은 하고 싶지 않을 것이다.

이 담화는 한 남자가 그에 대한 좋은 인상을 전달하려고 했으나 오히려 그의 말과

말하는 태도로 스스로를 깎아내리는 결과를 낳은 고전적인 예를 제공한다. 콜린스의 담화는 두 청중을 갖고 있다. 엘리자베스와 독자이다. 제인 오스틴은 콜린스 씨를 거만하고 독선적이고 자기중심적인 기회주의자로 분명히 드러내고 싶어 하지만, 우리는 엘리자베스가 콜린스 씨의 담화에 우리와 똑같은 반응을 보일 것으로 추정할 수 없다. 우리는 당시의 풍습을 어느 정도 감안해야 하고 엘리자베스가 어떤 사람인지도 참작해야 한다. 당시의 젊은 여자는 남자가 콜린스 씨가 사용하는 매우 공식적인 말로 청혼할 것을 기대했을 터이고, 그녀는 콜린스 씨의 금전적인 고려사항에 대해 우리처럼 불쾌하게 생각하지 않았을 수도 있다.

그러나 두 청중의 반응이 다를 수 있다는 점을 감안하더라도, 콜린스 씨가 그의 동기를 노출한 후에 엘리자베스가 그를 '선량한 의식, 선한 의지, 높은 도덕적 성품'을 가진 사람으로 간주할 수 있었다고 믿을 수 없다. 그녀는 이 순간 이전에도 그 남자에게 반감을 품고 있었고, 이 수사적 발언은 그런 감정을 굳혀줄 뿐이었다. 그래서 그녀가 단호하게 콜린스 씨를 거부한 것은 전혀 놀랄 일이 아니다. "나는 무척 진지하게 거부하는 바이오. 당신은 나를 행복하게 만들 수 없고, 나는 당신을 결코 행복하게 만들 수 없는 사람임을 확신하오." 만일 우리가 독자의 입장에서 그에 대한 불쾌한 인상을 더 확인하고 싶으면, 콜린스 씨가 루디아의 가출에 대해 베넷 가족에게 보내는 밉살스러운 위로의 편지(48장)를 읽으면 된다.

윤리적 호소가 설득하는 과정에서 일정한 역할을 담당하는 것은 부인할 수 없다. 어느 의미에서 윤리적 호소는 '숨은 설득자'이다. 우리 세계에서는 홍보 활동, 동기 심리학, 시장조사, 광고 같은 것들이 효과적인 자극제를 찾고 올바른 '이미지'를 창조하는 일에 관여하고 있다. 이 모든 활동을 위한 토대는 2천 년 전에 아리스토텔레스가 놓았다.

아리스토텔레스가 윤리적 호소를 논의한 것은 그것이 설득작업에 얼마나 중요한지를 알았기 때문일 뿐 아니라 소크라테스 같은 수사학적 대적에게 응답하기 위해서였다. 후자는 수사학자들이 설득의 목적을 얻기 위해 온갖 얕은 지식, 소피스트적인 추론, 악랄한 전술을 전개한다고 불평했던 인물이다. 만일 설득이 윤리적 호소에 크게 의존한다면, 설득하는 사람은 담론에 의해 자기가 피상적이거나 부도덕하거나 악의가 있다는 인상을 창조할 수 없는 노릇이다. 키케로와 퀸틸리안은 '선한 사람의 발언'을 주장한 만큼 아리스토텔레스보다 윤리적 이미지의 중요성을 더 강조했을지 모르지만, 그들은 아리스토텔레스가 완전히 무시했던 한 특징을 제공하지는 않았다.

감정적 호소

아리스토텔레스와 훗날의 모든 수사학자가 인정한 세 번째 설득 방식은 청중의 감정에 호소하는 것이다. 사람들은 그들의 의견이 그들의 감정에 영향을 받을 수 있음을 인정하기를 꺼려한다. 그들은 감정이 자극을 받아 행동하는 것은 품위가 없다고 생각한다. 사실 어떤 경우에는, 이성적인 피조물에게 그 격정이 자극받아 행동하는 것은 품위가 없는 짓일 수 있다. 우리 모두는 이따금 강한 감정이 솟구쳐서 저지른 행동을 부끄러워한 적이 있다. 수치심의 근원은 우리가 감정에 따라 행동했다는 사실보다는 무언가 후회스러운 행동을 했다는 점에 있다. 그러나 우리는 화가 나서 꽃병을 벽에 던진 것을 부끄러워한다. 여기서 차이점은 감정적 스트레스의 결과에 있다. 사랑에 빠지는 일은 '선하기' 때문에 후회하지 않는다. 반면에 꽃병을 부수는 일은 '악하기' 때문에 그 충동적 행동을 부끄러워하는 것이다.

감정에 따라 행동하는 것이 반드시 혐오스러운 것은 아니다. 실은 완전히 정상적이다. 궁극적으로 우리를 행동하게 하는 것은 우리의 의지이므로, 그리고 감정이 의지에 큰 영향을 미치기 때문에, 우리의 많은 행동은 감정이 자극을 받아 촉발되는 것이다. 우리의 의지를 불러일으키는 것이 순전한 감정이 아닐 경우에는 이성과 감정의 조합이다. 이 사실은 수사학의 전략과 큰 관련이 있다. 18세기 스코틀랜드 수사학자였던 조지 캠벨(George Campbell)은 설득하는 과정에서 감정이 담당하는 중요한 역할을 매우 강조했다. "그러므로 열정을 움직이는 것이 불공평한 설득 방법이기는커녕 열정을 움직이지 않으면 설득도 없다."_《수사학 철학》(*Philosophy of Rhetoric*), Book I, ch. VII.

19세기 잉글랜드 수사학자 리처드 훼틀리(Richard Whately)는 설득 과정을 이렇게 분석했다. "의지에 영향을 주려면 두 가지가 반드시 필요하다. (1) 제안된 목적이 바람직스럽게 보여야 한다. (2) 그 수단이 목적 달성에 도움이 된다는 것이 입증되어야 한다."_《수사학의 요소들》(*Elements of Rhetoric*), Part II, Ch. 1. 그 수단이 목적 달성에 도움이 된다는 확신을 낳는 것은 논증(이성에 대한 호소)이다. 그리고 그 목적을 바람직하게 보이게 하는 것은 감정에의 호소이다. 사람들을 전쟁을 원하는 분위기로 몰고 가려면 두 가지 행동을 해야 할 것이다. (1) 사람들에게 한 국가의 자유와 안보가 바람직한 목적임을 상기시키는 것. (2) 그들에게 전쟁을 벌이는 것이 이 목적을 이루는 최상의 수단임을 확신시키는 것. 이 두 가지 행동의 순서는 변할 수 있다. 때로는 먼저 욕망을 자극한 다음 그 행동과 목적 간에 연관성이 있다는 것을 보여주는 편이 낫다. 어떤 때에는 먼저 이성적으로 확신시킨 다음 감정을 자극하는 편이 더 편리할 것이다.

어떤 사람들은 부도덕한 목적을 위해 다른 이들의 감정을 갖고 놀지 않는가? 물론 그렇다. 우리는 기억을 짜내지 않고도 대여섯 개의 역사적 사례를 열거할 수 있다. 어떤 이들이 부도덕한 목적을 위해 감정을 이용한다는 사실은 감정적 호소의 사용에 대한 경고일 수는 있으나, 감정적 호소 자체를 비난하는 것은 아니다. 어떤 이들은 소피스트적인 논증을 사용하지만, 그렇다고 우리가 확신을 일으키는 수단인 모든 논증을 비난하지는 않는다.

수사학과 관련해 고려할 중요한 사항은 우리의 감정이 의지의 직접 통제를 받지 않는다는 점이다. 우리는 의지를 발동해서 누군가에 대해 화를 낼 수는 없다. 다른 한편, 우리의 지적 기능들, 곧 이성과 기억은 우리 의지의 직접 통제 아래 있다. 우리는 의지적인 행동으로 스스로 역사적 사실을 회상할 수 있고, 계산에 참여할 수 있고, 전체를 분석하거나 부분들을 종합할 수 있다.

우리의 의지가 우리 감정의 직접 통제를 받지 않는다는 사실로부터 두 가지 결과가 따라온다. 첫째 결과는 우리가 청중에게 감정을 갖고 놀겠다고 발표하는 것은 위험천만한 일이라는 것이다. 우리가 청중에게 그런 의도를 알리는 즉시 감정적 호소의 효과를 완전히 무너뜨리진 않더라도 위태롭게 한다. 이성에 호소하는 경우는 그렇지 않다. 우리가 청중에게 추론 과정을 시작하려 한다고 알려주는 것은 오히려 유리할 때가 많다. 따라서 우리는 주저 없이 우리가 세우고 싶은 결론에 주목하라고, 우리의 논점을 증명할 때 취할 단계들을 눈여겨보라고, 또는 우리의 논증 방법에 주목하라고 요청할 수 있다.

둘째 결과는 우리가 간접적으로 감정에 도달해야 한다는 것이다. 감정에 대해 생각한다고 우리 자신이나 타인의 감정을 일으킬 수는 없다. 우리는 감정을 자극하는 사물을 생각함으로써 감정을 일으킨다. 그래서 청중의 분노를 일으키려고 한다면, 청중을 화나게 만들 사람이나 상황을 묘사해야 한다. 그 묘사가 무척 냉정할 때에도 분노가 야기될 수 있다. 호레이스의 교훈—당신이 내가 어떤 감정을 느끼기 원한다면, 당신이 그 감정을 먼저 느껴야 한다—은 기본적으로 건전하지만, 감정을 과도하게 나타내지 않고도 그것을 느끼는 것이 가능하다. 사실, 감정을 도발하는 묘사가 더 냉정할수록 야기되는 감정이 더 강렬한 경우도 때로는 있을 것이다.

여기에 어떤 장면을 묘사해서 청중의 감정적 반응을 자극하는 법을 보여주는 좋은 실례가 있다. 매콜리(18세기 영국 문호, 정치인)는 영국인 청중의 애국심에 호소하여 거만하고 잔인하고 전제적인 시라주다울라(Surajah Dowlah, 인도 벵갈의 지방관)에 대한 의로운 분노를 불러일으키길 원한다. 그리하여 클리브 경(Lord Clive)이 인도 식민지를 징벌하러 가는 원정을 정당화하려고 한다. 그는 똑같은 장면을 묘사해서 식민지 부대의 용감성에 대한 영국인의 자부심을 불러일으킬 수도 있었다. 그러나 여기서는 원주민 부대와 그 사령관에 대한 청중의 분노를 일으키는 방식으로 그 장면을 묘사한다. 악명 높은 캘커타의 블랙 홀 에피소드에 대한 매콜리의 기술은 다음과 같다.

그때 큰 범죄가 저질러졌는데, 그 유례없는 잔학행위 때문에도 그렇고 이후의 엄청난 보복 때문에 잊을 수 없는 사건이었다. 영국인 포로들은 간수들의 거친 손에 넘겨졌고, 간수들은 그날 밤 그들을 수비대의 감옥, 블랙 홀(Black Hole)이란 무서운 이름으로 알려진 감방에 가두기로 결정했다. 단 한 명의 유럽인 죄수에게도 그 토굴 감방은 그런 기후에서 너무 가깝고 좁았을 것이다. 공간은 5.6평에 불과했다. 공기구멍은 작고 차단되어 있었다. 당시는 하지(夏至)였다. 높은 홀과 선풍기에 익숙한 영국인들이 도무지 견딜 수 없는 벵갈의 무더위가 절정에 이른 계절이었다. 죄수는 무려 146명이나 되었다. 그들은 감방에 들어가라는 명령을 받자 그 말을 농담으로 생각했다. 그들은 목숨을 살려주겠다는 나봅(통치자)의 약속을 듣고 들뜬 나머지 그 부조리한 말을 듣고

웃으며 익살을 부렸다. 그런데 곧 잘못 생각했다는 것을 알았다. 그들은 간언하고 청원했으나 모두 수포로 돌아갔다. 간수들은 주저하는 자들을 모두 죽이겠다고 위협했다. 포로들은 칼로 협박을 받으며 감방으로 들어갔고 곧 문이 닫히고 자물쇠가 채워졌다.

역사나 소설에 나오는 어떤 것도, 심지어 우골리노가 그의 피 묻은 입술을 살인자의 머리가죽으로 닦은 후 영원한 얼음 바다에서 들려주는 이야기에 나오는 그 무엇도 그날 밤 소수의 생존자가 이야기한 그 공포에는 견줄 수 없다. 그들은 자비를 베풀어달라고 부르짖었다. 그들은 문을 부수려고 애썼다. 홀웰은 그 극한 상황에서도 어느 정도 평정심을 유지하고 간수들에게 많은 뇌물을 주었다. 그런데 돌아온 대답은 나봅의 명령 없이는 아무것도 할 수 없고, 나봅은 잠자고 있고, 누구든 그를 깨우면 화를 낼 것이라는 말뿐이었다. 그러자 죄수들은 절망에 빠져 미쳐버렸다. 그들은 서로를 짓밟았고, 창문 곁의 자리를 차지하려 싸웠고, 살인자들의 잔인한 자비가 그들의 고뇌를 조롱하려고 준 약간의 물을 가지려고 싸웠고, 절규했고, 기도했고, 신성모독을 했고, 간수들에게 총을 쏴달라고 애원했다. 그동안 간수들은 철창을 통해 빛을 비추며 그 희생자들이 미친 듯이 싸우는 모습을 보고 웃음을 터뜨렸다. 마침내 야단법석이 잦아들어 헐떡이고 신음하는 소리만 작게 들렸다. 아침이 밝았다. 나봅은 잠을 잔 뒤에 취기에서 깨어나서 문을 열도록 허락했다. 그런데 한동안 군인들이 시체 더미를 한쪽으로 쌓은 후에야 생존자들을 위해 통로를 만들 수 있었고, 무더운 기후에 벌써 역겨운 냄새가 나기 시작했다. 마침내 통로가 만들어지자 ―친 엄마도 알아보지 못할 정도로― 유령 같은 23명이 시체 안치소에서 한 명씩 비틀거리며 나왔다. 금방 웅덩이가 파졌다. 123명이나 되는 시체들이 거기에 던져져 매장되었다.

_토마스 매콜리(Thomas Barbington Macaulay),
《클라이브 경에 관한 에세이》(*Essay on Lord Clive*), 1843.

청중의 감정을 자극하려고 하는 묘사는 상상력에 호소해야 하고, 상상력은 이처럼 감각적이고 구체적인 세부사항을 묘사하는 글에 사로잡힐 수 있다. 매콜리는 그 장면을 묘사할 때 감각적인 세부사항을 많이 사용하고, 그 특유의 방식대로 감정적 효과를 키우기 위해 그 장면을 극화시킨다. 그런데 유감스럽게도 그는 그 장면에 대한 생생한 보도가 원하는 감정적 효과에 만족하지 않는다. 그 장면에 개인적 견해를 넣고(역사나 소설에 나오는 어떤 것도…), 과장되고 도발적인 표현(큰 범죄, 유례없는 잔학행위, 역겨운 냄새)을 사용함으로써 감정을 더욱더 자극하려고 한다. 이와 반대로, 시저의 암살이 청중의 분노를 일으킨 후 마크 앤토니가 말하는 방식을 주목해보라.

여러분 모두 이 망토를 알고 있소.

나는 시저가 그 망토를 처음 입은 때를 기억하오.

때는 어느 여름날 저녁 그의 텐트에서였소.

그날 그는 네르비족을 이겼소.

보시오, 바로 이곳에서 카시우스의 단도가 관통했소.

질투심 강한 카스카가 어떻게 갈라놓았는지 보시오.

매우 사랑받는 브루투스가 이곳으로 찔렀고,

그의 저주받은 강철을 잡아당겼을 때,

시저의 피가 어떻게 그것을 따라 나왔는지 주목하시오.

문밖으로 뛰쳐나올 때 브루투스는 그토록 매정하게

넘어뜨릴지 말지를 결정해야 했소.

여러분도 알다시피, 브루투스는 시저의 천사였소.

아, 너희 신들아, 시저가 얼마나 끔찍이 그를 사랑했는지 판단하라!

이는 가장 매정한 일격이었소.

고귀한 시저가 자기를 찌르는 그를 보았을 때,

배신자의 무기보다 더 강한 배은망덕함이

그를 정복하고 말았기 때문이오. 그때 그의 튼튼한 가슴이 터져버렸고,

그의 망토가 그의 얼굴을 감싸고 말았소.

폼페이의 동상 밑에서도

그동안 피가 흘렀고, 위대한 시저가 쓰러졌소.

_윌리엄 세익스피어, 《줄리어스 시저》(*Julius Caesar*), III, ii.

마크 안토니는 군중에게 "로마의 시민들이여, 분노하라!"고 부추기지 않는다. 또한 암살자들을 '악당'과 '배신자'로 불러서 군중의 분노를 일으키려고 하지도 않는다. 오히려 사람들로 하여금 시저가 암살되는 날에 입었던, 단도로 찢긴 망토를 생각하도록 해준다. 정작 사람들을 원한에 찬 분노에 빠지게 하는 것은 극적으로 묘사된 그 장면, 안토니가 애처로운 진술로 불러일으킨 그 의미심장함, 그리고 죽은 자에게 저지른 잔인함과 배은망덕에 대한 안토니의 선동적인 말이다.

우리는 방금 어떤 장면에 대한 생생한 묘사로 청중의 감정적 반응을 불러일으키는 두 가지 예를 살펴보았다. 그런데 화자와 필자가 감정을 자극하려고 사용하는 또 다른 방법이 있는데, 이는 우리가 묘사한 방법만큼 믿을만한 것은 아니다. 이 방법은 감정적 반응을 '얻어내기'보다는 '간청하는' 것이다. 이것은 그 효과를 주로 감정이 실린 언어의 사용에 의존하는 방법이다. 필자는 청중의 마음을 움직일 경어나 경멸어, 호의적이거나 거슬리는 뜻이 내포된 언어를 활용한다. 다음은 에드먼드 버크가 1789년 프랑스 혁명 초기에 베르사유의 왕궁에 몰아닥쳐 왕비 마리 앙투아네트를 붙잡은 혁명 폭도에 대해 독자가 분노하도록 자극하려고 애쓰는 글이다.

내가 베르사유에서 프랑스의 왕비, 즉 당시의 왕세자비를 본 것이 이제 16년 내지는 17년 전의 일이다. 그리고 그녀가 거의 닿지 않은 듯 보였던 이 천체에서 그보다 더 기쁜 모습을 밝힌 적은 분명히 없었다. 나는 수평선 바로 위에 있는 그녀를 보았는데, 그녀가 막 들어오기 시작했던 그 높은 영역을 장식하고 응원하며 생명과 광채와 기쁨이 충만한 새벽별처럼 빛나는 모습이었다. 아! 혁명이 무엇인가! 그 상승과 그 추락을 감정 없이 생각하려면 내가 무슨 가슴을 가져야 할까! 그녀가 경의의 호칭들에다 열정적이고 냉담하고 존경스러운 사랑의 호칭들을 더했을 때, 그녀가 그 가슴에 숨긴 불명예에 대한 날카로운 해독제를 운반할 책임이 있으리라곤 내가 꿈에도 생각하지 못했다.

내가 살아서 용감한 남자들의 나라, 명예와 기사도 정신을 가진 남자들의 나라에서 그녀에게 닥친 그 재난을 보게 되리라곤 꿈에도 생각하지 못했다. 그녀를 모욕하겠다고 위협한 눈빛조차 보복하기 위해 만 개의 칼이 칼집에서 뽑혔을 것이라고 나는 생각했다. 그러나 기사도의 시대는 지나갔고, 소피스트와 경제학자와 계산하는 자들의 시대가 도래했다. 유럽의 영광은 영원히 소멸되었다. 이제 우리는 신분과 성에 대한 관대한 충성, 자부심 있는 순응, 위엄 있는 순종, 마음의 복종 등 노예 상태에서도 살아 있던 드높은 자유의 정신을 더 이상 영원히 보지 못할 것이다. 값없는 생명의 은혜, 값싼 국가의 방어, 남성적 정서를 가진 보모와 영웅적인 기업은 모두 사라져버렸다! 절조에 대한 감수성, 명예의 순결함, 상처처럼 오점으로 느꼈던 것, 잔인성을 완화시키며 용기를 북돋웠던 것, 닿는 모든 것을 고상하게 했던 것, 그 아래서는 악이 그 모든 야비함을 잃어버려 그 사악성을 반쯤 상실한 것이 모두 사라지고 말았다.

_에드먼드 버크, Edmund Burke,

《프랑스 혁명에 관한 고찰》(*Reflections on the Revolution in France*), 1790.

에드먼드 버크가 왕비를 묘사하기 시작한 것은 청중이 그녀를 생각하고 그와 똑같은 감정을 느끼게 하기 위해서다. 그러나 그녀의 그림은 결코 버크의 번쩍이는 '수사'를 통해 나타나지 않는다. 그녀는 '새벽별처럼' 수평선 위에서 빛나지만, 우리는 결코 그녀를 보지 못한다. 그 대신, 버크는 그의 산문의 과장된 운율과 경어로 된 탄원으로 우리의 감정을 붙잡아 자극한다(경의의 호칭들, 명예와 기사도 정신을 가진 남자들, 기사도의 시대, 관대한 충성, 자부심 있는 순응, 위엄 있는 순종, 명예의 순결함 등). 이 보라색 조각을 그 문맥에서 떼어내는 것은 불공평하다. 왜냐하면 그 조각을 버크의 긴 팸플릿에 비춰 보면, 그것이 따로 떨어져 있을 때보다 그토록 감상적으로 와 닿지 않기 때문이다. 그러나 이 단락은 어휘의 선택과 조작에 능숙한 사람이 청중의 감정에 어떤 영향을 줄 수 있는지 잘 보여준다.

아리스토텔레스는 《수사학》 제2권 2~17장에서 감정에 대해 생각하면서 청중의 감정에의 호소에 대한 토픽들을 제공하려고 한다. 흔한 감정들을 서로 상반되는 쌍으로 묶고—예, 분노와 온유함, 사랑과 미움, 두려움과 담대함, 수치심과 뻔뻔스러움—이런 감정들을 세 가지 각도에서 분석한다. (1) 그 성격, (2) 그 대상—우리가 누구를 향해 그 감정을 품게 되는지, (3) 그 원인 등이다. 아리스토텔레스의 주장인즉 우리가 타인에게 어떤 감정을 불러일으키려면 그 감정에 관한 세 가지 사항을 모두 알아야 한다는 것.

이 분석은 심리학을 개척한 최초의 시도 중 하나이다. 물론 아리스토텔레스의 심리학은 원시적이고 초보적이다. 존 로크와 18세기의 스코틀랜드 철학자들—데이비드 흄(David Hume), 토마스 리드(Thomas Reid), 프랜시스 허치슨(Francis Hutcheson), 로드 케임즈 경(Lord Kames)등—은 아리스토텔레스의 원시적 심리학을 크게 발전시켰다. 그리고 근대에 큰 발전을 이루기 시작한 인물은 물론 지그문트 프로이트(Sigmund Freud)였다. 그러나 아리스토텔레스의 감정 분석은 전문적인 심리학 훈련을 받지 않은 학생에게 귀중한 것일 수 있다. 왜냐하면 그의 분석이 어느 정도는 건전하고 아마추어도 가능한 상식적인 관찰에 기초해 있기 때문이다. 우리는 우리 자신의 감정적 매커니즘을 알고 또 타인의 감정적 반응을 관찰할 수 있는 고로 설득의 목적으로 흔한 감정을 조종할 수 있을만큼 그런 감정에 익숙한 편이다.

학생은 아리스토텔레스의《수사학》제2권에 나오는 감정의 분석을 읽을 필요가 있다. 여기서 우리가 할 수 있는 일은 분노의 분석에서 일부 내용을 발췌하여 인간 감정에 대한 아리스토텔레스의 비전문적인 관찰이 지닌 초보적 수준과 기민함을 보여주는 것이다. 학생들은 이 발췌문을 읽을 때 이따금 멈추고 이런 관찰이 그들 자신의 관찰과 얼마나 잘 일치하는지 물어볼 필요가 있다.

분노란 본인이나 본인의 친구와 관련된 일을 향해 정당한 이유 없이 퍼부어진 명백한 경멸에 대해 명백한 복수를 하고픈, 고통이 수반된 충동으로 정의될 수 있다. 이것이 분노의 적절한 정의라면, 분노는 언제나 특정한 개인(예시, 클레온)에게 느끼는 감정이지 그저 일반적인 '사람'에게 느끼는 것이 아니다…. 분노는 항상 어떤 즐거움을 수반하는데, 이는 복수할 수 있을 것이란 기대감에서 생기는 것이다. 아무도 자기가 달성할 수 없다고 생각하는 것을 목표로 삼지 않는 만큼, 분노하는 사람은 자기가 달성할 수 있는 것을 목표로 삼는다. 그리고 당신이 당신의 목표를 달성할 것이라고 믿으면 즐거움이 생긴다…. 분노에 또한 어떤 즐거움이 수반되는 것은 온통 복수의 행위에 대해서만 곰곰이 생각하기 때문이고, 그때 떠오르는 이미지는 꿈속에서 떠오르는 이미지처럼 즐거움을 낳는다.

[분노를 일으키는 것은 경멸이므로 경멸에 대한 논의가 따라온다.] 경멸은 중요하지 않은 어떤 것에 대해 능동적으로 품는 의견이다…. 경멸은 세 종류가 있다. 멸시, 심술, 오만이다. (1) 멸시는 일종의 경멸이다. 당신은 중요하지 않다고 생각하는 것을 멸시하게 된다. 바로 그런 것을 당신이 멸시하는 것이다. (2) 심술은 또 다른 종류의 경멸이다. 이는 다른 사람의 바람을 좌절시키는데, 당신이 어떤 것을 얻기 위해서가 아니라 그 사람이 그것을 얻지 못하게 방해하기 위해서다…. (3) 오만 역시 일종의 경멸이다. 이는 피해자에게 수치심을 일으키는 행동이나 말에 있는데, 그것은 당신 자신에게 어떤 것이 일어나게 하기 위해서나 당신 자신에게 어떤 것이 일어났기 때문이 아니라, 단지 즐거움이 내포되어 있기 때문이다…. 오만한 사람이 즐거움을 느끼는 것은 그 자신이 타인들을 학대할 때 스스로 크게 우월하다고 생각하기 때문이다…. 사람은 출신과 능력과 미덕의 면에서, 그리고 일반적으로 어떤 면에서든지, 자기보다 열등한 사람에게 존경받기를 기대한다. 이를테면, 돈과 관련해서는 부자가 가난한 사람에게, 말과 관련해서는 웅변에 소질 있는 사람이 말할 줄 모르는 사람에게 존경을 받고 싶어 한다. 통치자는 통치 받는 사람의 존경을 요구하고, 자기가 통치자가 되어야 마땅하다고 생각하는 사람은 자기가 마땅히 다스려야 한다고 생각하는 사람의 존경을 요구한다….

…우리가 분노를 품는 사람들은 우리를 비웃고 조롱하거나 놀리는 이들이다. 그런 행위는 오만하기 때문이다. 그리고 우리에게 상처를 주는 자들인데, 상처는 오만의 표시이다…. 그리고 우리가 가장 신경 쓰는 것과 관련해 우리를 나쁘게 말하고 멸시하는 사람들이다. 그래서 철학자로서 명성을 얻고 싶은 자들은 그들의 철학을 멸시하는 자들에게 화를 내고, 외모에 자부심을 품는 사람들은 그들의 외모를 멸시하는 자들에게 화를 내고, 이런 식으로 계속 이어진다…. 다시 말하건대, 우리는 타인보다 친구들에게 더 화를 내는데, 우리 친구들은 우리를 잘 대우해야 마땅하다고 느끼기 때문이다. 보통 우리를 존경심으로 대하던 사람들이 어떤 변화가 생겨서 우리를 다르게 대하면

우리는 화를 낸다. 왜냐하면 그들이 우리에게 경멸감을 느낀다고 우리가 생각하기 때문이다. 그렇지 않으면 그들이 예전처럼 행동할 것이기 때문이다…. 더 나아가, 다음 다섯 부류의 사람들 앞에서 우리는 우리를 멸시하는 자들에게 화를 낸다. (1) 우리의 경쟁자들, (2) 우리가 흠모하는 사람들, (3) 우리를 흠모하기를 우리가 바라는 사람들, (4) 우리가 경외심을 품는 사람들, (5) 우리에게 경외심을 품는 사람들. 누구든지 그런 사람들 앞에서 우리를 멸시하면, 우리는 특히 분노를 느끼게 된다….

이제까지 우리가 분노를 느끼게 되는 사람들, 우리가 분노를 느끼게 되는 마음 상태, 우리가 분노를 느끼는 이유를 모두 다루었다. 분명히 연설가는 청중이 분노를 느낄 수 있는 마음 상태를 품도록, 그리고 그의 논적이 그런 비난을 받도록 연설하고, 또 그런 속성을 가진 인물로 묘사해야 할 것이다.

_《수사학》 2권, 2장[W. 리스 로버츠(W. Rhys Roberts) 옮김,
《아리스토텔레스의 저작들》(*The Works of Aristotle*) 중에서

아리스토텔레스의 감정 분석—또는 그 어떤 감정 분석이든지—에 대해 말하고 싶은 사항은 학생들이 그 분석을 읽은 뒤에는 그것에 대해 '잊어버려야' 한다는 것이다. 이는 마치 타격의 '방법'에 관한 책을 읽은 사람이 실제로 손에 야구방망이를 들고 공을 치기 시작할 때는 자기가 읽은 내용을 잊어버려야 하는 것과 같다. 하지만 학생들이 자기가 읽은 내용을 정말로 잊지는 않을 것이다. 오히려 그들이 감정에 관해 배운 바를 무의식적으로 그들의 호소에 통합할 것이다. 이는 그들에게 "자연스러워지라"고 권면하는 또 다른 방법일 뿐이다. 정도의 차이는 있지만, 우리는 모두 계속해서 타인의 감정에 호소한다. 우리가 타인을 다뤄보고 또 우리 자신의 감정적 반응을 경험하다 보면 우리는 감정에 대해 어떤 본능을 개발하게 된다. 우리가 감정에 호소할 때는 그런 본능을 이용한다.

이런 식의 본능은 사람에 따라 발달한 정도가 다르다. 우리가 어떤 사람을 '상당한 지식'을 갖고 있다든가 '언변이 좋은 사람'이라고 말하는 것은 아마 그 사람이 적시에 적절한 감정적 반응을 불러일으키는 (타고난 또는 개발된) 재능을 갖고 있다고 칭찬하는 것

이리라. 우리가 감정을 의식하고 누군가의 감정에 호소하고 있다는 것을 인식한다고 해서 반드시 이런 호소에 더 숙련되는 것은 아니다. 그러나 어떤 기술이든 잘 알고 있으면 그 기술을 노련하게 실행할 가능성은 더 많아진다. 귀로 피아노 치는 법을 배운 사람은 음악 공부에 상처를 받지 않을 것이다. 그러나 그 사람이 도움을 받으면 더 잘 칠 수 있을 것이다.

　이제껏 감정적 호소에 관해 다룬 내용을 요약해보자. 감정적 호소가 설득 과정에서 중요한 역할을 한다는 점을 알라. 지적인 설득은 사람들의 의지를 움직이기에 종종 충분하지 않다. 타인으로부터 오는 감정적 호소에 대해 깨어 있으라. 당신의 마음이, 당신의 이성이나 양심이 훗날 후회할 만한 일을 하도록 당신을 자극하도록 허용하지 말라. 자연스러워지라. 주제의 성격, 당시의 상황, 또는 청중이 적절한 종류와 올바른 양의 감정적 호소를 이끌어내게 하라. 당신이 스스로나 타인에게 감정을 느끼도록 명령할 수 없다는 점을 기억하라. 당신은 사람들 속에 일으키고 싶은 감정을 사람들이 경험하도록 그런 장면이나 상황이나 사람을 그려내야 하는 것이다. 사람들이 이성에의 호소에 귀 기울이게 하려면 때로는 그 이전에 그들에게 적절한 정서적 분위기를 조성해야 한다는 것을 알라 (이는 배열을 다룬 장에서 다시 지적할 것이다). 또 어떤 경우에는 이성에의 호소로 시작한 뒤에 열변으로 청중에게 적당한 감정을 불러일으키는 편이 낫다.

토픽(Topics)

　일단 학생들이 주제를 정하고 그것을 명확한 논지로 전환한 뒤에는 그 주제를 전개하는 과제를 안게 된다. 만일 그들이 설득용 담론에 참여하고 있다면 그들의 주제를 전개할 '논증'을 찾아야 한다. 앞에서 우리는 타인을 설득하려는 사람은 세 가지 설득 방법 중에 하나 이상을 활용해야 한다는 것을 살펴보았다. 세 가지란 이성에 대한 호소, 감정에 대한 호소, 성품에 대한 호소를 말한다. 만일 본인이 이성에의 호소를 활용하기로 한다면 그 논증을 귀납적으로나 연역적으로 전개할 것이다. 만일 본인이 연역적인 논증에 동의한다면 삼단논법이나 생략삼단논법에 의지할 것이다. 만일 본인이 귀납적인 논증에 동의한다면 완전한 귀납이나 예에 의지할 것이다. 그런데 이런 호소 방법 중에 어느 것이든, 그것이 논리적 방법이든 감정적 방법이든 윤리적 방법이든, 본인이 말할 것을 갖고 있거나 말할 것을 찾아야 한다.

때로는 경험이나 교육이나 독서에 근거해 이미 할 말을 갖고 있을 것이다. 대학에서 학생들에게 여러 주제에 관해 글을 쓰라고 하면 그들은 500~800자 정도는 쉽게 쓸 수 있다. 그런 주제들에 관해 '즉석에서' 쓸 수 있을 만큼 충분한 아이디어를 갖고 있기 때문이다. 그들이 아주 강하게 느끼는 주제에 대해서는 할 말이 무척 많을 것이다. 그럴 경우에는 아이디어가 저절로 떠오르기 때문이다.

하지만 이번 장의 관심사는 필자가 주어진 주제에 대해 할 말이 없는, 또는 할 말이 없다고 생각하는 문제이다. 필자가 '할 말이 없다'고 말하는 경우는 다음 세 가지다. (1) 어떤 주제에 관해 아이디어가 전혀 없다, (2) 약간의 아이디어만 있거나 주제를 제대로 전개할 만큼의 아이디어가 없다, (3) 모호하거나 혼잡하거나 부정확한 아이디어, 또는 옹호될 수 없는 아이디어만 있다. 이런 필자들은 그들의 재료를 찾거나, 수사학적 용어로 말하면, 착상해야(invent) 한다. 네 가지 형태의 담론 모두—설명, 논증, 묘사, 서술—에 어느 정도의 착상이 포함될 것이다. 그러나 착상은 설명용 담론과 논증용 담론에 더욱 뚜렷이 나타날 터인데, 묘사나 서술의 경우에는 필자가 재료를 '착상하기'보다는 '창조할' 일이 더 많기 때문이다.

필자들이 그들의 재료를 찾아야 한다면 그들의 자원은 무엇인가? 그들의 주된 자원은 항상 그들의 교육, 그들의 독서, 그들의 관찰, 그들의 성찰이 낳은 열매일 것이다. 키케로와 퀸틸리안은 연설가의 가장 귀중한 배경이 교양 교육이라고 주장했다. 왜냐하면 그처럼 폭넓은 교육이야말로 다양한 주제들에 관한 논증을 착상할 필요가 있는 사람을 가장 잘 돕는 도우미임을 알았기 때문이다.

그런데 폭넓고 다양한 경험, 성찰, 교육, 그리고 독서는 상당한 시간과 노력을 요구한다. 그러면 경험과 공부의 유익을 아직 거두지 못한 사람들은 어떻게 되는가? 그들은 어눌한 상태를 결코 벗어날 수 없는가? 그들의 부족한 자원을 보충할 수 있는 시스템이 있는가? 수사학자들은 그런 시스템이 토픽(topics) 안에 있다고 생각했다.

1장에서 핵심 용어들의 정의를 다룰 때 살펴보았듯이, 토픽은 그 아래서 특정한 주제나 상황을 위한 논증들을 분류했던 일반적인 표제들이었다. 토픽은 어떤 논증 범주들이 주재하는 '영역', '소굴', '장소'이다. 17세기에 피터 라무스(Peter Ramus)와 그의 추종자들이 토픽을 논리의 영역에 소속시킨 것은 일리가 있다. 왜냐하면 토픽의 시스템은 인간 지성이 생각하는 방식을 연구한 결과이기 때문이다. 인간의 지성은 물론 구체적인 사물에 관해 생각하지만 끊임없이 구체적인 것을 넘어 추상화하고, 일반화하고, 분류하고, 분석하고, 종합하려는 경향이 있다. 토픽은 바로 고전 수학자들이 이런 인간 지성의 성향에 기초해 만든 시스템이었다.

예컨대, 수사학자들은 인간 지성의 성향 중 하나가 사물의 본질을 찾는 것임을 알았다. 그래서 그들은 정의(定義)란 토픽을 만들었다. 또 하나의 성향은 사물들을 비교하는 것이고, 사물들을 비교할 때는 유사점이나 차이점을 발견하게 된다. 그리고 차이점은 종류나 정도에 있을 것이다. 누군가에게 어떤 주제를 제시하면, 그는 그의 구체적인 목적을 위해 그 주제가 정의나 비교의 기회를 제공하는지 여부를 알려고 그것을 고찰한다.

필자들이 토픽의 기능에 대해 더 명확한 개념을 갖고 싶으면 토픽을 어떤 주제에 관한 아이디어들의 '제안자'나 '대사를 알려주는 자'나 '창시자'로, 즉 '점검표'로 생각하면 될 것이다. 토픽들은 일반적인 표제들 또는 범주들인 만큼 "펌프에 마중물을 붓는다." 그리고 일반적인 개진 전략을 제안해서 타성을 극복하도록 돕는다. 자동차의 시동장치는 압축 장치가 물려받을 때까지 모터를 돌리듯이, 토픽이 사고노선을 개시하면 이후 그 자체의 동력으로 전진하게 된다.

토픽의 기능을 명료하게 하려고 앞서 사용한 용어 중에 하나는 '점검표'이다. 이는 필자가 토픽의 목록을 하나씩 살피면서 이 특정한 토픽이 그 주제의 개진에 어떤 재료를 나타내줄지 자문하는 것을 뜻한다. 초기 단계에서는 필자가 이렇게 하는 것이 좋다. 하지만 필자는 마침내 일부 토픽들은 어떤 상황에 적합하지 않다는 것을 발견하게 되리라. 예컨대, 축구 감독은 교체 선수가 필요할 때 무차별적으로 벤치에 가지 않는다. 그가 벤치에서 부르는 선수는 특정한 위치를 위해 훈련을 받아왔고 축구장에서 개진된 특정한 상황에 가장 잘 맞는 선수이다. 퀸틸리아는 이렇게 말했다. "나는 또한 연설을 공부하는 학생들에게 다음 사항을 고려하게 할 것이다. 내가 방금 설명한 모든 형태의 논증이 각 경우마다 발견될 수는 없다는 것, 우리가 연설할 주제가 제의되었을 때는 논증의 유형을 각각 고려하면서 우리의 논점을 입증하는 데 유용할지를 알기 위해 모든 유형의 문을 두드릴 필요가 없다는 것이다. 단, 우리가 학습자의 입장에 있을 동안은 예외이다."《변론법 수업》, V, x, 122. 퀸틸리안은 앞날, 곧 학생들이 공부하고 연습한 결과 '타고난 침투력'과 '재빠른 예지력'을 습득해 그들의 특정한 사례에 적합한 논증들로 곧바로 갈 수 있을 날을 내다보았다. 결국 그들은 논증들이 '저절로 사유에 따라오는' 그런 행복한 상태에 도달할 것이다.

이번 장의 남은 부분에서는 세 가지 표제 아래 착상의 도우미에 관해 생각하려고 한다: (1) 일반적인 토픽들, (2) 특수한 토픽들, (3) 착상의 외적 도우미. 일반적인 토픽들은 학생들에게 모든 주제의 전개에 사용될 수 있는 일반적인 논증 노선들을 제공할 것이다. 특수한 토픽들은 학생들이 관여하는 특정한 종류의 설득용 담론과 특별한 관계가 있는 논증 노선을 그들에게 제공할 것이다. 그것은 심의용 담론이거나 법정용 담론이거나 의식용 담론이다. 착상의 외적 도우미는 학생들에게 표준참고서들을 가리킬 것이고, 이 참고서들은 자신의 논증을 입증하거나 반론을 논박하는데 필요한 사실과 도식을 제공할 것이다. 착상을 위한 이런 도우미들은 전문화의 정도에 따라 배열된다. 일반적 토픽들은 사실상 모든 주제에 관한 논증을 산출한다. 특수한 토픽들은 특정한 종류의 담론을 위한 논증을 산출한다. 착상의 외적 도우미들은 어떤 구체적인 경우를 위한 자료를 산출한다. 아리스토텔레스가 지적했듯이, 일반적인 토픽들은 수사학에 가장 고유하게 속하는 도우미들이다. 우리가 위로 올라가면서 우리의 논증을 위해 더욱 전문화된 지식에 의존함에 따라 우리는 수사학의 영역에서 벗어나고 다른 분야들—법, 역사, 윤리, 정치학, 과학 등—의 영역에 침범하게 된다.

일반적인 토픽들

이제 일반적인 토픽들을 자세히 숙고하기 전에 일반적인 토픽들과 그 하부 토픽들을 대충 살펴보려고 한다.

정의(定義)
  A. 속(屬)
  B. 분과

비교
  A. 유사점
  B. 차이점
  C. 정도

관계
  A. 원인과 결과
  B. 전건과 후건
  C. 반대 명사
  D. 모순 명제

환경
  A. 가능한 것과 불가능한 것
  B. 과거의 사실과 미래의 사실

증언
  A. 권위
  B. 보증의 말
  C. 통계
  D. 금언

E. 법

F. 전건(예)

정의(定義)

우리는 앞에서 논리학의 기본 원리들을 살펴보면서 이미 정의에 대해 어느 정도 논의했다. 그래서 여기서는 논의를 수사학자들이 그 토픽을 활용하는 방법에 국한시키겠다. 정의는 검토되는 주제 속에 싸인 것을 펼치는 한 방식이다. 수사학이 이 토픽을 활용하는 한 가지 방법은 논의될 구체적인 이슈를 확실히 하는 것이다. 논적들이 쟁점이 무엇인지를 분명히 하지 않으면 서로 엇갈린 주장을 내세울 수 있다. 그러므로 우리가 우리의 논지를 만든 후에 주제적 명제 안에 나오는 핵심 용어들을 정의해서 청중이 우리가 논의한 바를 명확히 이해하게 하는 것이 필요하다.

재판에서도 쟁점을 명확히 하는 일이 종종 필요하다. 예컨대, 1960년 10월에 D. H 로렌스(D. H. Lawrence)의 《채털리 부인의 연인》(*Lady Chatterly's Lover*)을 출판한 펭귄 출판사(Penguin Books Ltd.)를 상대로 런던의 올드 베일리에서 열린 재판에서 기소 측과 변호인 측 모두 처음부터 쟁점이 무엇인지 정하는 일이 굉장히 중요했다. 펭귄 출판사는 1959년의 외설 출판법의 규정을 위반했다고 기소당한 것인가? 그렇다면 펭귄 출판사가 구체적으로 어떻게 이 법률을 위반한 것인가? 외설적인 책을 출판해서 위반했던 것인가? 그렇다면 이 재판에서 사용된 '외설적인 책'의 정의는 무엇이었는가? 만일 외설적인 책이 '그것을 읽는 이들을 타락시키거나 오염시키는' 경향이 있는 책이라면, '타락하다'와 '오염시키다'란 용어들의 뜻은 무엇인가? 그리고 누가 타락하거나 오염될 가능성이 많은지에 대해 어느 정도 판단해야 하지 않을까? 그리고 《채털리 부인의 연인》은 그 법률의 제4부의 규정, 즉 '과학, 문학, 예술, 또는 지식'의 이익을 위한 것으로 판단되는 책은 외설 혐의에서 면제된다는 규정에 해당하지 않았는가?[이 흥미로운 재판의 전문은 다음 책을 참고하라.《채털리 부인의 재판: 레지나 대 펭귄 출판사》(*The Trial of Lady Chatterly: Regina v. Penguin Books Limited*), 1961]

정의에 관한 이 모든 질문은 그 재판에서 중요했기에 처음에 제기되고 또 해결되어야 했다. 이 질문들을 해결하기 위해 얼마나 많은 말이 필요했는지는 충분히 상상할 수 있다. 학생들은 이 실례로부터 어떤 주제를 전개하는 문제에 직면했을 때 정의의 토픽이 얼마나 유용할 수 있는지 배울 수 있다. 학생들이 그들의 주제를 사전에 나온 정의로("웹스터 사전에 나온 대로…") 자주 시작하는 것을 보건대, 그들은 본능적으로 정의를 주제 전개의 출발점으로 여기는 듯하다. 그러나 "웹스터 사전에 나온 대로"로 시작하는 방법의 문제점은 그것이 유용한 역할을 하지 못한다는 것이다. 정의를 서론에 두는 것은 학생이 어떻게 주제에 진입해야 할지 모르기 때문이다. 그것은 제대로 발동이 걸리기까지 학생이 이용하는 지연 전술에 불과하다.

정의가 매우 유용한 역할을 하는 예는 매튜 아놀드(Matthew Arnold)가 토마스 헨리 헉슬리(Thomas Henry Huxley)의 〈과학과 문화〉(*Science and Culture*)를 논박하는 글에서 볼 수 있다(이 에세이는 이번 장 끝에 실려 있다).

우리가 사용하는 용어들의 뜻에 대해 동의하도록 하자. 나는 이제껏 세상에서 생각되고 말해진 최상의 것을 아는 문제에 관해 얘기하고 있다. 헉슬리 교수는 이것이 문학을 아는 것을 뜻한다고 말한다. 문학은 큰 단어이다. 철자로 쓴 모든 것 또는 책에 인쇄된 모든 것을 뜻할 수 있다. 따라서 유클리드(Euclid)의 《원론》(*Elements*)과 뉴턴(Newton)의 《프린키피아》(*Principia*)도 문학이다. 책을 통해 우리에게 오는 모든 지식이 문학이다. 그러나 헉슬리 교수가 말하는 문학은 순수문학(belles lettres)이다. 그가 말하는 바는, 현대 국가들이 이제껏 생각하고 말한 최상의 것을 아는 일은 곧 그들의 순수문학을 아는 것뿐이라는 뜻이다. 그리고 이것은 현대 생활의 비판을 위한 충분한 자질이 아니라고 그는 주장한다. 그러나 내가 고대 로마를 안다고 할 때는 단지 라틴 순수문학을 다소 알고 로마의 군사적, 정치적, 법적, 행정적 업적을 고려하지 않는다는 뜻이 아니다. 그리고 고대 그리스를 안다는 것은 그리스를 그리스 예술의 제공자로, 이성의 자유롭고 올바른 사용과 과학적 방법의 안내자로, 그리고 우리 수학과 물리학, 천문학과 생물학의 창설자로 아는 것으로 이해하는 만큼 현대 국가에 관한 지식도 마찬가지다. 즉 그것은 단지 어떤 그리스 시, 역사, 글, 연설을 아는 데 그치지 않고 이 모든 것을 아는 것으로 나는 이해한다.

우리가 어떤 논의에 나오는 중요한 용어들을 분명히 하려고 할 때 물론 사전에서 정의를 인용할 수 있다. 그러나 사전의 정의는 우리의 개념과 일치할 때에만 우리의 목적에 부합할 것이다. 하지만 때로는 우리가 우리 나름의 정의를 고안해야 한다. 용인된 정의가 너무 모호하거나 그 정의가 오류가 있거나 부적합하다고 생각되는 경우가 그렇다. 그런 경우에는 우리가 특정한 용어에 부착시킬 그 뜻을 규정하게 된다. 콜리지는 시(詩)에 대한 기존의 정의들이 그의 개념과 일치하지 않아서 그가 정확하다고 생각한 정의를 만들었다.

> 따라서 최종적인 정의는 이렇게 표현될 수 있다. 시는 진리가 아니라 그 즉각적인 대상의 즐거움을 꾀한다는 점에서 과학 작품과 상반되는 그런 작문의 종(種)이다. 그리고 시를 (그것과 이 대상을 공유하는) 다른 모든 종(種)과 차별시키는 것은 각 요소로부터 얻는 독특한 만족과 양립되는 한 전체로부터 그런 기쁨을 꾀한다는 점이다.
>
> _사무엘 테일러 콜리지(Samuel Taylor Coleridge),
>
> 《전기 문학 평전》(*Biographia Literaria*), Chapter XIV, 1817.

속(Genus)　정의란 토픽은 쟁점을 분명히 하는 일뿐만 아니라 논증의 노선을 시사하는 일에도 사용될 수 있다. 소크라테스는 《변명》(*Apology*)에서 무신론자라는 혐의에 대해 그 자신을 변호하기 위해 정의의 토픽을 사용한다(이 글은 이번 장 끝에 실려 있다). 소크라테스는 '신'(divine)이란 단어가 무슨 뜻인지를 물은 후에 그것은 신들(gods) 또는 신들의 사역이나 매체를 언급하는 것이 틀림없다고 주장했다. 이어서 이 정의에 기초해 그는 무신론자로 간주될 수 없다고 주장한다.

> 그러나 당신들은 기소장에 내가 신적 매체나 영적 매체(새 것과 옛 것을 막론하고)를 가르치고 또 믿는다고 맹세했소. 어쨌든 나는 영적인 매체를 믿소. 이는 당신들이 진술

서에서 맹세한 것과 같소. 만일 내가 신적인 것을 믿는다면, 내가 어떻게 영들이나 반신반인적 존재들을 믿지 않을 수 있겠소? 확실히 믿어야만 하오. 그러므로 나는 당신들의 침묵이 곧 동의하는 것이라고 생각하오. 그러면 영이나 반신반의적 존재는 무엇이오? 그들은 신들이거나 신들의 아들들이 아니오?

소크라테스는 마지막 문장에서 정의에 속한 첫째 하부 토픽에 기초한 논증에 의지한다. 그것은 속(屬)이라는 하부 토픽이다. 명제의 서술어가 주어를 어떤 일반적인 부류에 넣을 때마다—"미국인은 자유를 사랑하는 사람들이다." "자살은 사회에 반하는 범죄이다."—주어는 어느 의미에서 정의되고 있는 중이다. 왜냐하면 그 용어에 한계를 설정하는 것이기 때문이다. 그런데 그런 명제들은 또한 어떤 논증을 제기할 수 있다. 속(屬)이란 토픽이 지닌 수사학적 힘은 그 유에 참인 것(또는 거짓인 것)이 그 종에도 참인 것(또는 거짓인 것)이 틀림없다는 원리에서 나온다. 만일 모든 사람이 죽는다면, 존 스미스가 사람이라면, 그 역시 틀림없이 죽는다. 키케로는 《토피카》에서 유에 기초한 논증의 예를 제공한다. 만일 한 남자가 아내에게 그가 소유한 모든 은을 남겨주었다면, 변호사는 그 남자가 아내에게 은으로 만든 모든 쟁반과 상(像)과 촛대뿐만 아니라 금고에 있는 모든 동전도 남겨줄 의도였다고 주장할 수 있다. 왜냐하면 동전은 쟁반과 상과 촛대만큼 은의 종(種)에 속하기 때문이다.

하지만 어떤 주어의 유를 서술하는 내용이 '증명'을 이루는 경우는 청중이 그 분류의 진실성을 인정할 때에 한한다. 강단에서 "살인은 중대한 죄이다"라고 선언하는 설교자는 그의 회중이 그에게 동의할 것임을 추정할 수 있다. 화자나 필자가 그런 동의를 추정할 수 없을 때는 언제나 당연히 그들의 분류를 정당화해야 한다.

논증에서 정의를 가장 흔하게 사용하는 용법은 차후의 논증을 위한 전제로 사용하는 것이다. 한 가지 형태는 정의를 하나의 규범으로 제시한 다음 다른 어떤 것이 이 기준에 맞는지 또는 맞지 않는지를 증명하는 일이다. 이것의 또 다른 형태는 이번 장 끝에 실려 있는 〈연방주의자 논문 제 10호〉(*Federalist, No. 10*)에서 볼 수 있다. 이 담론의 열세 번째 단락에서 제임스 매디슨(James Madison)은 '순수한 민주주의'를 '직접 정부를 구성하고 운영하는 소수의 사람들로 구성된 사회'로 정의한다. 그 단락의 남은 부분에서는 그런 정부 시스템의 단점을 지적한 후 그 다음 두 단락에서 그의 논증이 그 담론의 나머지 부분에서 취할 방향을 가리킨다.

> 공화제—대표의 구조가 자리 잡는 정부를 말한다—는 다른 전망을 열어주고 우리가 찾고 있는 치료책을 약속한다. 먼저 공화제가 순수한 민주주의와 다른 점을 조사하자. 그러면 우리는 공화제가 연합정부에서 끌어내게 되는 치료책과 효능의 성격을 모두 이해하게 될 것이다.
> 민주주의와 공화제의 큰 차이점은 다음 두 가지다. 첫째, 후자에서는 정부가 시민들이 선출한 소수의 시민에게 위임된다. 둘째, 후자는 더 많은 시민과 더 많은 영역으로 확장될 수 있다.

매디슨은 공화제의 성격과 순수한 민주주의의 성격 간의 차이점을, 연합정부가 파당을 통제하는 최선의 방법이라는 그의 논지를 증명하는 수단으로 이용할 예정이다.

분과(division)　우리가 어떤 것을 구성하는 부분들을 열거할 때, 그리고 어떤 속의 종을 지명할 때는 사실상 그것을 정의하고 있는 것이다. 소크라테스가 《국가》(*The Republic*)의 초창기 책들에서 그랬듯이, 우리가 국가를 움직이게 만드는데 필요한 여러 직업들을 지명한다면, 국가의 성격을 조명하는 셈일 것이다. 이와 마찬가지로, 정부를 여러 종들—군주제, 민주제, 과두제, 전제 등—로 분석하는 일은 정부의 개념을 조명하는 것이다.

분과라는 토픽을 수사적으로 이용하는 한 가지 방법은 설명이나 논증의 조직을 펼쳐주는 것이다. 이런 예는 '마음의 우상들'(The Idols of the Mind)에 관한 프랜시스 베이컨의 담론의 화두에 나온다.

> 현재 인간의 오성을 사로잡고 그 속에 깊이 뿌리내린 우상들과 거짓 관념들은 사람의 마음을 포위해서 진리가 거의 들어올 수 없게 할 뿐 아니라, 진리가 들어왔다고 해도,

만일 사전에 그 위험을 경고 받은 사람들이 그것들의 공격에 충분히 대비하지 않는다면, 그것들은 과학의 부흥을 통해 다시 우리를 만나고 또 우리를 괴롭힐 것이다.

사람의 마음을 포위하는 우상들은 네 부류가 있다. 이 우상들을 구별하기 위해 나는 이런 이름들을 붙였다. 첫째 부류는 부족의 우상, 둘째 부류는 동굴의 우상, 셋째 부류는 시장의 우상, 넷째 부류는 극장의 우상이다.

_프랜시스 베이컨, 《신기관》(*Novum Organum*), 1630.

베이컨은 이 우상들을 차례로 취해서 그것이 무엇인지 설명하고 그것이 어떻게 명료한 사유작용을 방해하는지 보여준다. 이런 분과의 또 다른 예는 마르틴 루터 킹이 쓴 〈버밍햄 감옥에서 보낸 편지〉의 여섯째 단락에 나오는 비폭력 캠페인의 네 가지 기본 단계들이다. 이후의 단락들은 그 기본 단계들을 하나씩 차례로 설명한다.

이처럼 분과를 하나의 조직 원리로 이용할 수 있을 뿐만 아니라 논증의 근거를 세우는 일에도 이용할 수 있다. 이런 용법을 보여주는 예는 이번 장의 끝에 실린 매튜 아놀드의 에세이의 열세 번째 단락에 나온다.

그는 그 사실들을 몽땅 부인할 수 없다고 나는 생각한다. 우리가 인간 생활을 형성하는 힘들을 열거하려고 할 때, 그것들은 행동의 힘, 지성과 지식의 힘, 아름다움의 힘, 사회생활과 매너의 힘이라고 말한다는 것을 그는 거의 부인할 수 없다. 이 도식은 대충 명백한 선을 따라 끌어와서 과학적 정밀성이 있는 체하지 않지만 그 문제를 꽤 잘 표현하고 있다. 인간의 본성은 이런 힘으로 형성된다. 우리에게는 그 모두가 필요하다. 우리가 그 모두의 요구에 제대로 대처하고 적응했다면, 우리는 지혜와 더불어 맨 정신과 의로움을 얻는 길에 놓이게 될 것이다. 이것은 무척 분명하고, 자연과학의 친구들은 그것을 인정할 것이다.

_매튜 아놀드, 〈문학과 과학〉(*Literature and Science*)

이후 아놀드는 네 가지 '힘'으로 나눈 이 분과를 이용해서 인문학 교육이 오로지 과학 교육만 하는 것보다 우월하다고 주장한다. 왜냐하면 인문학은 이 네 가지 힘을 모두 개발시킬 수 있지만, 자연과학 교육은 홀로 그럴 수 없기 때문이라고 한다.

분과는 또한 배제에 의한 논증을 세우는 일에도 이용될 수 있다. 우리는 대안들을 마련하고—"사람은 출생에 의한 시민이든지 귀화에 의한 시민이다."—이어서 한 대안을 입증함으로써(또는 반증함으로써) 다른 대안을 반증할(또는 입증할) 수 있다. 또는 일련의 가능성들을 열거하고 나서 하나씩 제거할 수 있다. 예컨대, 피고측 변호사는 이렇게 주장할 수 있을 것이다.

이런 상황에 처한 사람은 다음 이유들 중에 하나로 훔칠 수 있다: (A)…, (B)…, (C)…, (D)…. 이제 우리는 A와 B가 내 의뢰인의 동기일 수는 없다는 것을 확고히 입증했다. 더욱이 기소 측조차 이 재판에서 C와 D가 내 의뢰인의 동기일 수 있다고 주장하지 않았다. 그러므로 이런 동기들 중 어느 것도 이 사례에 적용될 수 없는 만큼 내 의뢰인은 도둑질의 혐의에 대해 무죄하다는 것이 분명하다.

만일 피고측 변호사가 이 범죄의 가능한 동기들을 모두 신중하게 고려했다면, 배심원은 이것을 설득력 있는 논증으로 생각할 것이다. 우리는 이제까지 분과가 조직의 원리로 유용할 수 있고 또 논증의 근거로 유용할 수 있다는 것을 보여주었다. 결론적으로, 설명은 때때로 전체를 그 부분들로 분석함으로써 가능하기 때문에 분과는 논쟁적 담론에서 설명용 글에 유용할 수 있다는 점을 지적하고 싶다.

비교

두 번째로 흔한 토픽은 비교이다. 배움, 설명, 또는 논증의 목적으로, 우리는 두 가지 이상을 다 함께 가져와서 유사점, 차이점, 우월함 또는 열등함을 찾으려고 공부하는 전략에 자주 의지한다. 사물을 비교하는 성향은 사물을 정의하는 성향만큼 자연스럽다. 가장 원시적 상태에 있는 사람들은 일찍이 그들 주변의 당혹스런 세계를 헤아리고 가치 척도를 세우기 위해 비교작업을 향했을 것임이 틀림없다. 그들은 낯익은 것이 종종 낯선 것을 이해하도록 돕는다는 것을 발견했고, 어느 하나를 다른 것에 견줌으로써 '더 많은 것'과 '더 적은 것'을 구별할 수 있다는 것을 배웠다. 여기서는 우리가 주어진 주제에 관해 할 말을 찾기 위해 비교의 토픽을 이용할 방법들을 조사할 것이다.

유사점　사물을 비교해서 얻는 한 가지 결과는 둘 이상의 사물의 유사점을 간파하는 것이다. 유사점은 모든 귀납적 논증과 유추 배후에 있는 기본 원리이다. 귀납은 여러 사례들 가운데 있는 유사점에 주목해 관찰되지 않은 또는 확증되지 않은 사례에 대해 추론하는 것이다. 유추는, 만일 두 개의 사물이 한두 가지 특징이 비슷하다면 아마 또 다른 특징도 비슷할 것이라고 주장한다. 귀납의 수사학적 형태는 예이다. 이는 단 하나의 유사점 사례로부터 개연성 있는 결론을 끌어내는 것이다. 유추와 예에 의한 귀납은 이렇게 구별할 수 있다. 유추는 닮지 않은 것들의 유사점으로 논증하는 것인 반면, 예는 닮은 것들의 유사점으로 논증하는 것이다.

다음은 유사점에 근거한 가장 단순하고 가장 흔한 논증 형태이다. "만일 자기절제가 미덕이라면 금욕도 그렇다." 여기서는 자기절제와 금욕 간의 종류상의 유사점에 주목하고 미덕을 자기절제의 속성으로 볼 수 있다고 진술한 후, 금욕 역시 미덕임에 틀림없다고 추론하는 것이다. 평범한 사람은 날마다 이런 논증에 의지한다. "시험에서 옆 사람의 답변을 베끼는 학생과 옆 사람이 자기의 것을 베끼도록 허락하거나 격려하는 학생은 똑같이 비난받을 만하다. 두 가지 행동 모두 일종의 부정행위이다." "지난 번 우리가 술 판매를 금지했을 때 온갖 남용이 난무했다. 만일 마취제의 판매를 금지하자는 현안이 통과된다면, 우리는 그와 똑같은 종류의 법적 및 도덕적 혼란을 경험할 것이다."

학생은 이 책에 실린 글들 가운데 유사점에 기초한 논증을 많이 볼 수 있을 것이다. 여기서는 단 한 가지 예만 살펴볼까 한다. 이는 마르틴 루터 킹의 〈버밍햄 감옥에서 보낸 편지〉의 스물다섯 번째 단락에 나오는 것으로서 킹 박사가 그의 단체의 시위는 폭력을 권장하기에 금지되어야 한다는 고소에 대답하는 내용이다.

당신의 진술에서 당신은 우리의 행동이 평화로울지라도 폭력을 조장하기 때문에 정죄되어야 한다고 주장하오. 그런데 이것은 논리적 주장이오? 이것은 마치 강도당한 사람이 돈을 소유했기 때문에 강도질이란 악한 행동을 조장했다고 그를 정죄하는 것과 같지 않소? 이것은 마치 소크라테스가 진리와 그의 철학적 탐구에 헌신한 것이 오도된 민중이 그에게 독약을 마시게 했던 그 행동을 조장했다는 이유로 그를 비난하는 것과 같지 않소? 이것은 마치 예수가 독특한 하나님-의식을 갖고 끊임없이 하나님의 뜻에 헌신해서 십자가 처형이란 악한 행동을 조장했다고 그를 정죄하는 것과 같지 않소? 우리는 다음 사실을 알아야 하오. 연방 법원이 일관되게 인정해온 것처럼, 한 개인이 그의 기본적인 헌법적 권리를 추구하는 일이 폭력을 조장할 수 있다고 해서 그런 권리를 얻기 위한 노력을 중단하도록 그에게 촉구하는 것은 잘못이라는 사실이오. 사회는 강도당한 사람은 보호하고 강도를 처벌해야 한다오.

여기서 일련의 수사적 질문들을 통해 킹 박사는 똑같은 존재 질서에 속하는 비교되는 상황들 안에 있는 유사점에 기초해 논증하고 있다. 하지만 우리가 다른 존재 질서에 속하는 유사한 것들 간의 비교를 끌어낸다면—예컨대, 한 사회의 구조를 벌집의 조직에 비유한다면—우리는 또 다른 형태의 유사점의 토픽의 영역으로 넘어가고 있는 것이다. 이는 유추라고 불린다. 우리가 유추를 논리의 기본 원리들과 나란히 취급해왔을지 모르지만, 유추는 대다수 수사학적 논증처럼 오직 개연성 있는 증명만 낳을 뿐이다. 그래서 여기서 유추를 지배하는 몇 가지 원리를 제공할 생각이다. 유추는, 여러 면에서 서로 닮은 두 개의 사물들은 또 하나의 확증될 수 없는 면에서도 닮는다는 원리를 중심으로 삼는다. 이 원리를 도표로 표현하면 다음과 같다.

A 1 2 3 4 → 5
B 1 2 3 4 → (5)

두 개의 사물인 A와 B는 확증 가능한 네 가지 측면에서 서로 닮았다. 이로부터 우리는 B가 다섯째 측면에서도 A를 닮았다고 주장한다(다섯 번째는 A의 경우에는 확증될 수 있으

나 B의 경우에는 그렇지 않다). 귀납적 논증에서와 같이 거기에는 알려진 것에서 미지의 것
으로의 도약이 있다. 이 귀납적 도약 때문에 유추는 확실성보다는 개연성을 획득한다.

유추에 의한 논증의 예를 살펴보자.

> 새로 얻은 자유가 낳는 해악들에 대한 유일한 치료책이 있다. 그 치료책은 자유이다.
> 죄수가 처음 그의 감방을 떠날 때는 대낮의 햇빛을 견딜 수 없다. 색채를 구별하거나
> 얼굴을 인식할 능력이 없다. 그러나 치료책은 그를 지하 감방으로 돌려보내는 것이 아
> 니라 그를 햇빛에 익숙해지게 하는 것이다. 진리와 자유의 광휘가 처음에는 속박의 집
> 에서 반쯤 눈이 먼 나라들을 눈부시게 하고 어리둥절케 할지 모른다. 그러나 그들이
> 응시하게 해주면 곧 그것을 견딜 수 있게 될 것이다. 몇 년만 지나면 사람들은 추론하
> 는 법을 배운다. 의견을 짓밟는 일은 진정된다. 적대적 이론들은 서로를 교정한다. 진
> 리의 파편들은 싸우기를 그치고 합쳐지기 시작한다. 그리고 마침내 정의와 질서의 시
> 스템이 혼란에서 추출된다.
>
> _토마스 바빙턴 매콜리, 《밀턴에 관한 에세이》(*Essay on Milton*), 1825.

매콜리는 그의 논지를 첫 문장에서 진술한다. 새로 얻은 해방에 수반되는 해악들의
치료책은 자유라는 주장이다. 그는 독립을 얻은 나라의 상태와 감방에서 막 풀려난 사람
의 상태의 유사점에 주목하면서 그의 주장을 지지하기 위해 그 유사점을 설명한다.

이미 지적했듯이, 유추는 아무것도 증명하지 않고 다만 설득의 가치를 지닐 수 있을
뿐이다. 때로는 청중의 성격이 유추에 의한 논증이 얼마나 효과적일지를 결정할 것이다.
하지만 대다수의 경우, 유추의 설득력은 대체로 다음 두 가지 원리를 준수하는지에 달려
있을 것이다.

1. 두 사물 간의 유사점은 두 사물의 유관하고 중요한 측면들과 관련이 있어야
   한다.
2. 유추는 비교되는 두 사물 간의 차이점을 무시하면 안 된다.

예컨대, 한 인류학자가 태평양의 어떤 섬이 한때는 사람이 거주한 적이 있다는 것을 증명하려고 그 섬을 사람이 거주한 적이 있다고 알려진 다른 섬과 비교한다고 가정하자. 그녀는 두 섬 모두 야자수, 모래 해변, 잔잔한 석호, 온건한 기후, 강한 바람을 피하는 피난처를 갖고 있었다고 지적할 것이다. 그런데 그 미심쩍은 섬이 매우 낮은 연간 강우량을 갖고 있었다는 사실과 그 섬이 육지나 다른 섬에서 너무 멀어서 범선이나 카누로 도달할 수 없었다는 사실을 무시함으로써 그녀는 그 이슈에 중요한 요인들—즉, 사람들이 그 섬에 도달할 수 있었을지, 그리고 일단 도달했더라도 생존할 수 있었을지 여부—을 무시할 수 있다. 우리가 "당신의 유추는 성립하지 않는다"라고 말할 때는 대체로 중요한 차이점을 고려하지 않았음을 폭로하는 경우이다. 예를 들어, 위에서 인용한 예에서 매콜리는 풀려난 죄수의 상황과 해방된 나라의 상황 간의 여러 유사점을 지적했다. 그러나 그 두 가지 상황 사이에는 약간의 차이점도 있지 않은가? 국민들로 이뤄진 나라와 한 사람 사이에는 중요한 차이점이 있지 않은가? 이 차이점은 치료책의 차이를 정당화시킬 수도 있지 않은가?

유추는 종종 설명의 목적으로 이용되기도 한다. 우리는 낯선 것과 낯익은 것을 비교해서 설명을 촉진시킬 수 있다. 다음은 로버트 오펜하이머(J. Robert Oppenheimer) 박사의 글인데, 여기서 그는 지식이 가지를 치는 모습을 보여주려고 나무의 유추를 사용하고 있다.

그러면 그것은 어떻게 진행되는가? 자연의 다른 부분들을 연구해보면 다른 도구들로 탐구하고 다른 대상들을 탐구하며, 한때는 공동의 담론, 공동의 지식이었던 것이 가지를 친 것을 얻게 된다. 각 브랜드는 자연세계의 그 부분을 묘사하는데 적합한 새로운 도구들, 개념들, 단어들을 개발한다. 나무와 같은 이 구조, 모두 사람의 공통된 원초적 경험이란 공통된 줄기에서 자란 구조는 더 이상 동일한 질문과 연관되지 않고, 공통된 말과 테크닉과도 연관되지 않은 가지들을 갖고 있다. 과학의 통일성은, 모두 사람의 평범한 생활에 공통된 기원이 있다는 사실과는 별개로, 한 부분을 또 다른 부분에서 끌어온다는 통일성이 아니고, 어느 정도 연관성이 있는 두 가지 불가능한 예들을 들자면, 한 부분과 또 다른 부분—예컨대, 유전학과 위상 수학—간의 동일성을 발견한다는 통일성도 아니다.

_로버트 오펜하이머, 〈과학과 문화에 관해〉(*On Science and Culture*)

에드먼드 버크의 글 《각하에게 보내는 편지》(*A Letter to a Noble Lord*)—이것도 이번 장 끝에 실려 있다—의 열아홉 번째 단락에는 유추를 활용하는 또 다른 예가 나온다. 버크는 그의 현 상황을 넘어진 오크 나무의 상황과 비교함으로써 청중의 감정을 자극하려고 한다.

> 그러나 우리가 그 힘에 거의 저항할 수 없고 또 그 지혜와 전혀 다툴 수 없는 감독자가 또 다른 방식으로 그것을 정했고(흠을 잡는 내 약점이 무엇을 암시하든지), 그것이 훨씬 더 낫습니다. 폭풍우가 나를 지나갔습니다. 나는 최근의 허리케인이 내 주변에 흩어놓은 그 오랜 오크 나무들의 하나와 같습니다. 나는 모든 영예를 빼앗겼고, 뿌리까지 뽑혀 땅에 엎어졌습니다! 거기서, 엎어진 상태에서 나는 가장 꾸밈없이 신의 정의를 인정하고 그 정의에 어느 정도 순복합니다.

차이점　두 개 이상의 사물을 비교할 때 얻을 수 있는 또 다른 결과는 차이점의 간파이다. 학생들은 공부하는 동안 "비교하고 대조하라"는 형식으로 시작되는 에세이 질문에 대답해야 했을 경우가 분명히 있었을 것이다. "비교하라"는 부분은 사물들 간의 유사점을 제시하라는 질문이다. "대조하라"는 부분은 사물들 간의 차이점을 쓰라는 질문이다. 18세기에 존 로크(John Locke)의 지식 심리학의 영향을 받은 비평가들은 보통 위트(wit)를 상상의 기능으로, 즉 사물들 간의 닮은 점을 보는 기능으로 정의하고, 판단(judgment)을 이성적 기능으로, 즉 사물들 간의 차이점을 보는 기능으로 정의했다. 달리 말해, 위트는 종합적 기능인 반면, 판단은 분석적 기능이다. 이제 판단과 위트를 개발하는 것이 좋겠다.

수사학자들은 확증이나 논박을 위한 주장을 모으기 위해 차이점이란 토픽을 활용했다. 이번 장의 끝에 나오는 에드먼드 버크의 글 《각하에게 보내는 편지》는 차이점의 토픽이 작동하는 법을 잘 보여주는 예로 공부하기에 좋다. 이 '변명서'에서 버크는 그의 변호 대부분의 기반을 차이점에 두고 있다. 예컨대, 그는 그 자신이 정부로부터 받은 연금과 베드퍼드 가문의 공작이 수년 전에 받은 연금을 대조시키는데 대단히 많은 시간을 쓴다. 그 에세이의 세 번째 단락에 나오는, 차이점에 기초한 논증의 예를 들어보자.

나는 각하의 공적인 공로, 즉 그분이 받는 하사금을 정당화시켜주는 그 공로와 나의 이런 공헌, 즉 각하께서 그토록 부정하지만 내가 얻은 유리한 업적 사이에 어떤 유사점이든 끌어내게 되어 어쩔 줄 모르겠습니다. 사적인 삶에서는 내가 고귀한 공작과 친해질 영예를 전혀 누리지 못합니다. 그러나 나는 그분이 그분과 함께 사는 모든 사람의 존경과 사랑을 풍성하게 받을 자격이 있다고 생각해야 마땅하고, 그렇게 하는 데는 아무런 비용도 들지 않습니다. 그러나 공적인 기여에 대해서는, 그분의 공헌과 내가 조국에 쓸모 있게 되려는 노력을 나란히 놓는 것보다 나 자신을 계급, 재산, 훌륭한 가문, 젊음, 힘, 또는 외모의 면에서 베드퍼드의 공작과 비교하는 것이 더 우습지 않을 이유가 있겠습니까. 그분이 광대한 땅을 연금으로 받게 한 업적의 개념을 살리기 위해 그분의 어떤 공적인 공로라도 언급하는 것은 지나친 찬사가 아니라 무례한 아이러니일 것입니다. 나의 공로들은 무엇이든 모두 독창적이고 개인적인 것들인 반면 그분의 공로는 파생된 것입니다. 그분의 무진장한 공로금을 쌓은 것은 최초의 연금수령자인 그의 조상이고, 이 공로금은 각하를 국왕의 연금을 받는 다른 모든 수령자들의 공로에 비해 너무도 미묘하고 예외적인 존재로 만드는 것입니다. 그분이 나로 하여금 침묵하도록 허용하셨을지라도, 나는 '이것이 그분의 토지이고 그것으로 충분하다'라고 말해야 했을 것입니다. 그것은 법적으로 그분의 것입니다. 내가 그것이나 그것의 내력과 무슨 관계가 있습니까? 그분은 그의 편에서 '이것이 이 사람의 재산이다'라고 자연스럽게 말했을 것입니다. 그분은 현재 내 조상이 이백오십 년 전에 그랬던 것만큼 선합니다. 나는 매우 오랜 연금을 받는 젊은이고, 그분은 매우 새로운 연금을 받는 늙은이입니다. 이것이 전부입니다.

당신은 이번 장의 끝에 나오는 글들을 통해 차이점의 토픽을 공부할 수 있다. 예컨대, 제임스 매디슨은 〈연방주의자 논문 제 10호〉의 열다섯 번 째 단락에서 '순수한 민주주의'라는 용어와 '공화제'라는 용어를 정의한 다음 이 두 가지 형태의 정부의 효율성을 대조한다. 매튜 아놀드는 〈문학과 과학〉에서 차이점의 토픽을 자주 활용한다. 예를 하나 들자면, 열한 번째 단락에서 자연과학(사물에 관한 지식)과 인문학(언어에 관한 지식)의 차이점에 주목한다. 킹 박사는 〈버밍햄 감옥에서 보낸 편지〉의 열여섯 번 째 단락에서 정의로운 법과 불의한 법의 중요한 차이점을 지적한다. 이런 예들을 보면 차이점이란 토픽이 담론에서 얼마나 흔한지, 그리고 이 토픽이 설명용이나 설득용으로 얼마나 유용한지를 충분히 납득할 수 있다.

정도(degree) 다소의 문제—우리가 '정도'라는 딱지를 붙인 토픽—는 아리스토텔레스가 《수사학》에서 논의한 네 가지 흔한 토픽 중의 하나였다. 아리스토텔레스는 사물을 비교할 때 우리가 때로는 종류의 차이가 아니라 정도의 차이를 발견하게 된다는 것을 알았다. 한 사물이 다른 사물보다 더 낫거나 더 못할 것이다. 수사학에서 이 사실이 적실한 이유는, 우리가 타인들에게 어떤 것을 행하거나 수용하도록 설득하려 할 때 때로는 우리의 청중에게 선과 악 가운데 하나를 선택하는 것이 아니라 더 큰 선과 더 작은 선—또는 더 큰 악과 더 작은 악—가운데 하나를 선택해야 한다는 것을 보여줘야 하기 때문이다.

정도의 문제를 해결하기가 쉽지 않은 것은 그런 차이점에 대한 판단이 보통은 상대적이고 주관적이기 때문이다. 아리스토텔레스는 연설가들이 정도의 문제를 판단하기 위한 논증을 찾도록 돕기 위해 《수사학》 7장에서 일련의 평가 기준을 제공했다. 몇 가지 평가 기준을 들면 다음과 같다.

1. 더 큰 수의 사물이 더 작은 수의 동일한 사물보다 더 바람직한 것으로 간주될 수 있다.

정도의 문제를 수적인 우위로 판단할 때는 몇 가지를 주의할 필요가 있다. 무엇보다 먼저, 수적인 우위는 동일한 종의 사물과 관련해 평가되어야 한다. 1달러짜리 열 장은 분명히 1달러짜리 다섯 장보다 더 큰 선이다. 그러나 1달러짜리 열 장은 10달러짜리 다섯 장보다 더 큰 선이 아니다. 그리고 수적 우위는 다른 모든 것이 동일할 경우에만 정도를 판단하는 유익한 요인이 된다. 국회의 한 입법자가 40억 달러의 세입을 가져올 세금 법안이 30억 달러의 세입을 가져올 법안보다 더 낫다고 주장할 수 있다. 그러나 그 입법자의 주장은 다른 여러 고려사항이 동일한 경우에만 동료들을 설득할 것이다. 예컨대, 두 법안 모두 똑같이 공정할 때, 두 법안 모두 집행이 가능할 때, 그리고 두 법안 모두 비교적 동일한 비용으로 집행될 경우이다. 수적 우위는 또한 관련된 사물의 질을 조건으로 한다. 예를 들어, 선수 스무 명을 충원한 축구 감독이 열다섯 명을 충원한 감독보다 더 나은 일을 했다고 주장될 수 있다. 그러나 열다섯 명만 충원한 감독이 실제로는 더 큰 수의 우월한 선수들을 스카우트했거나 다른 감독이 고용한 스무 명보다 팀에 더 도움이 되는 두세 명의 선수들을 충원했을 수도 있다.

2. 목적에 해당하는 것이 수단에 불과한 것보다 더 큰 선이다.

이 평가 기준의 저변에 있는 원리는 수단은 다른 어떤 것을 위해서만 바람직하지만, 목적은 그 자체를 위해 바람직하다는 것이다. 예컨대, 건강이 운동보다 더 큰 선인 것은 우리가 건강을 얻거나 유지하기 위해 운동을 하기 때문이다. 운동은 그 자체 바깥의 선을 위한 수단이다. 반면에 운동과 관련해, 건강은 그 자체를 위해 바람직한 하나의 목적이다.

3. 희소한 것이 풍부한 것보다 더 큰 가치가 있다.

이 원리는 대다수 금융 시스템의 기초이다. 은전이 동전보다 더 큰 가치가 있는 것은 은이 구리보다 더 희소하기 때문이다. 금이 은보다 더 가치가 있는 것도 똑같은 이유에서다. 그러나 어떤 환경에서는 이와 상반되는 원리가 우월한 가치의 평가 기준으로 사용될 수 있음을 알아야 한다. 우리는 풍부한 것이 희소한 것보다 더 큰 가치가 있다고 주장할 수 있다. 왜냐하면 풍부한 것이 더 유용하기 때문이다. 그런즉 물이 금보다 더 풍부하지만, 어떤 환경에서는 물이 더 유용하기 때문에 더 큰 가치가 있다고 평가될 수 있다.

4. 실질적 지혜를 가진 사람이 선택하는 것이 무지한 사람이 선택하는 것보다 더 큰 선이다.

'하나'와 '다수'에 관한 플라톤의 많은 주장이 이 평가 기준을 적용한 좋은 예들이다. 이와 관련된 것은 권위의 인상적인 면이다. 실질적으로 우리는 전문가의 판단에 의지한다. 가치에 관한 판단들이 충돌을 일으키는 경우에는 전문가의 판단이 아마추어의 판단보다 더 믿을 만하다는 것을 전제로 한다. 나중에 우리는 증언이나 정보에 근거한 의견이 설명과 논증에서 담당하는 역할을 길게 논의할 예정이다.

5. 다수파가 선택하는 것이 소수파가 선택하는 것보다 더 낫다.

앞의 평가 기준과 정반대인 이 기준은 가치 판단에서 인원수 계산법의 냄새를 풍긴다. "당신이 현재 가장 가치 있는 소설을 알고 싶다면 베스트셀러 목록을 참고하라." "더 나은 후보는 사람들이 선출하는 사람이다." 이 평가 기준은 아리스토텔레스가 말하는바 그 자체로 바람직하다는 선(善)에 대해 생각하는 이들에게 설득력이 있다. 우리는 모든 사람 또는 대다수 사람이 원하는 것이 도덕적 또는 미적인 의미에서 항상 좋은 것은 아님을 알고 있다. 그러나 어떤 논의에서 사람들이 바람직한 것의 견지에서 선을 생각한다면, 다수파의 선호가 설득력이 있을 것이다.

광고업자들은 이 기준을 많이 활용한다. "펩시콜라를 마시는 사람이 다른 콜라를 마시는 사람보다 많다." 물론 때로는 모든 사람 또는 대다수 사람이 선택하는 것이 가장 가치 있는 것이다. 대다수 사람이 구입하는 상품이 가장 좋은 상품이라고 추정할 만한 근거가 있다. 이와 다른 요인들도 물론 특정 상품의 인기에 영향을 미친다. 가격, 지위상의 가치, 광고 등. 그러나 "당신이 모든 사람을 언제나 속일 수는 없다"는 금언에 약간의 타당성이라도 있다면, 고도의 매출을 유지하는 것은 바로 상품의 품질이라고 믿을 만하다.

6. 사람들이 정말 갖고 싶어 하는 것이 단지 소유한 듯한 인상을 주고 싶어 하는 것보다 더 큰 가치가 있다.

마키아벨리(Machiavelli)는 《군주론》(The Prince)에서 미덕의 평판은 통치자가 창조하고픈 이미지에 너무 중요해서 그가 정말로 덕스러운 사람이 아닐지라도 적어도 덕스러운 사람처럼 보이게 해야만 한다고 말했다. 마키아벨리의 견해는 권력이 미덕보다 더 큰 선이라고 주장하면서, 그 이유는 권력이야말로 통치자가 정말로 원하는 것이고 권력을 갖기 위해 미덕의 가면을 쓸 준비가 되어 있기 때문이라고 한다. 아리스토텔레스도 비슷한 예를 사용한다. 우리는 건강이 정의보다 더 큰 선이라고 주장할 수 있다. 왜냐하면 사람들은 정의롭다는 평판에 만족할 수 있지만, 건강해 보인다는 것보다는 실제로 건강한 것을 선호하기 때문이다.

7. 어떤 사물이 존재할 가능성이 더 많은 곳에 존재하지 않는다면 존재할 가능성이 더 적은 곳에는 존재하지 않을 것이다.

이것은 논리학자들이 보통 라틴어 '아포르티오리'(a fortiori, 더욱더)라고 부르는 논증의 노선이다. 존 던은 죽음의 힘과 두려움을 깎아내리는 소네트에서 그의 논지를 전개하기 위해 이 논리를 이용했다. 여기에 첫 여섯 행이 있다.

죽음아, 결코 자만하지 말라. 어떤 이들이 그대를 막강하고 두려운 존재라 부르나
그대는 그렇지 않기 때문이라.

그대가 무너뜨린다고 생각하는 이들을 위해서는

가련한 죽음아, 죽지 말라. 그대는 아직 나를 죽일 수도 없도다.

휴식과 잠으로부터 그대의 그림이 나오는 만큼

그대로부터 훨씬 많은 즐거움이 흘러나와야 하리.

5행과 6행에서 생략된 구문을 풀어보면 여기에 내재된 아포르티오리 논증이 분명해질 것이다. 던은 5행에서 휴식과 잠이 죽음과 비슷하다고, 즉 죽음의 '모조품'이라고 말한다. 우리는 휴식과 잠으로부터 큰 즐거움을 끌어낸다는 것을 알고 있다. 그러므로 우리는 양자가 모방하는 것, 곧 죽음으로부터 더 많은 즐거움을 끌어내야 한다는 것이다. 만일 더 작은 것으로부터 많은 즐거움이 나온다면, 더 큰 것으로부터는 얼마나 더 많은 즐거움이 나오겠는가. 그러므로 죽음은 우리가 이제까지 믿었던 것만큼 두려운 것일 수 없다.

아포르티오리 논증은 두 방향으로 작동할 수 있다. (1) 더 큰 것에서 더 작은 것으로. 또는 (2) 더 작은 것에서 더 큰 것으로. 존 던(John Donne)은 더 작은 것에 대한 고려로 시작해서 더 큰 것에 관해 추론한다. 그리고 이와 다른 방향으로 작동하는 아포르티오리 논증은 이런 형태를 띠게 될 것이다. "만일 어떤 사람이 친구의 것을 훔친다면, 그는 낯선 자의 것도 훔칠 것이다."

아포르티오리 논증은 두 가지 가능성을 설정하는데, 그중에 하나가 다른 것보다 개연성이 더 많을 것이다. 개연성이 적은 것에 대해 긍정할 수 있는 것은 무엇이든 개연성이 많은 것에 대해 더 큰 힘으로 긍정할 수 있다. 아포르티오리 논증은 대다수의 수사학적 논증과 마찬가지로 확실성으로 이끌지는 못한다. 단지 더 강한 개연성이나 덜 강한 개연성으로 이끌 뿐이다.

정도의 토픽에 근거한 여러 논증은 이번 장과 다음 장에 나오는 에세이들을 분석하면서 지적한 바 있다. 분석되지 않은 글에서 정도에 근거한 논증으로 이끄는 두 개의 글을 소개하면 다음과 같다.

나는 유감스러운 결론에 거의 도달했다. 그것은 니그로가 자유를 향한 파업을 할 때 크나큰 걸림돌은 백인 평의회원이나 KKK단이 아니라 백인 온건주의자라는 결론이다. 이 사람은 정의보다 '질서'에 더 헌신하고, 정의가 있는 적극적인 평화보다 긴장이 없는 소극적인 평화를 선호하고, "나는 당신이 추구하는 목표에는 동의하지만 직접 행동이란 당신의 방법에는 동의할 수 없다"고 늘 말하고, 온정주의적으로 자기가 다른 사람의 자유를 위한 시간표를 짤 수 있다고 믿고, 신비적인 시간 개념에 의거해 살고 늘 니그로에게 '더 편리한 계절'을 기다리라고 충고하는 사람이다. 선의를 품은 사람들의 피상적인 이해가 악의를 품은 사람들의 철저한 오해보다 더 많은 좌절감을 낳는다. 미지근한 용납이 노골적인 반대보다 훨씬 더 당황스럽다.

_마르틴 루터 킹, 〈버밍햄 감옥에서 보낸 편지〉 스물세 번째 단락에서

따라서 한편의 인문학과 다른 한편의 자연과학이 분리되고 선택을 내려야 한다면, 인류의 대다수, 즉 자연의 연구에 대한 특별하고 압도적인 적성이 없는 모든 사람은 자연과학보다 인문학을 공부하는 편을 선택하리라고 생각하지 않을 수 없다. 인문학이 그들 존재의 더 많은 점을 불러내고 그들로 더 많이 살게 할 것이다.

_매튜 아놀드, 〈문학과 과학〉 마지막 단락에서

관계(relationship)
원인과 결과

관계라는 전반적인 표제 아래 우리가 생각할 첫 번째 하부토픽은 원인과 결과이다. 사람들은 언제나 사물의 본질을 알고 싶은 욕구와 유사점과 차이점에 대한 호기심을 보여준 것처럼 늘 어떤 것의 '이유'를 발견하고픈 충동을 느꼈다. 아이는 주변 세계에 관한 '무엇'을 묻는 단계에서 '왜'를 묻는 단계로 움직일 때 첫 번째 합리성의 빛을 드러낸다. "저게 뭐야, 아빠?" "그건 비란다. 저 어둔 구름에서 떨어지는 물이야." "왜 그렇게 되는 거야?" 아이는 결과에 주목한 후 그 원인에 관한 질문을 던지기 시작한다.

사람들은 전통적으로 모든 결과는 원인이 있어야 한다는 원리를 하나의 공리로 받

아들였다. 예컨대, 하나님의 존재에 대한 많은 논증은 이 원리에 기초해 있다. 사람들은 놀랄 만큼 광대하고 조화롭게 복잡한 우주를 관찰한 후, 이 세계는 하나님, 제1동자, 원인이 없는 원인에 기원을 두고 있다고 가정했다.

인과관계는 가장 풍성한 논증의 원천 중 하나를 구성한다. 그런데 원인과 결과에 대한 수사학적 용도를 탐구하기 전에 이런 추론을 지배하는 몇 가지 원리를 살펴봐야 한다.

첫째, 결과는 여러 원인이 있을 수 있다는 점을 인식해야 한다. 예컨대, 깨어진 창문의 경우, 여러 가지가 그 깨어진 창문을 설명할 수 있다는 것을 알고 있다. 누군가 돌을 창문에 던졌을 수 있다. 바람이 창문을 깼을 수도 있다. 지진이 창문을 깼을 수도 있다. 지나가는 제트기의 충격 음파가 창문을 깼을 수도 있다. 이처럼 여러 가능한 원인이 있지만 그 가운데 단 하나만 이 깨어진 창문의 원인일 것이다. 문제는 어느 원인인지 결정하는 일이다. 대다수 탐정 이야기는 살인과 함께 시작한다. 탐정은 그 모든 가능한 또는 개연성 있는 원인들로부터 이 특정한 살인의 유일한 원인을 찾아내야 한다. 살인자를 밝혀내야 하는 것이다.

둘째, 우리가 지적하는 원인은 그 결과를 낳을 능력이 있어야 한다. 달리 말하면, 그것은 적합한 원인이어야 한다는 뜻이다. 만일 어떤 탐정이 튼튼한 남자가 목이 졸려 죽은 것을 발견한다면, 그는 즉시 늙은 숙모, 열두 살 된 조카, 체중 50킬로그램인 가정부는 배제시킨다. 그들이 힘센 남자를 교살해서 도서관의 카펫에 큰 대자로 눕힐 수는 없었을 것이다. 그런데 희생자의 딸에게 아부하던 유도 선수가 있다….

셋째, 일단 우리가 어떤 것에 대한 개연성 있고 적합한 원인을 갖고 있다면 다른 적합한 원인들도 있는지 생각해야 한다. 그렇다, 거기에는 유도 선수가 있었으나 갱처럼 생긴 큰 주류 관리자와 강인하고 성마른 정원사도 있었다. 그들 역시 남자의 목을 졸랐을 가능성이 있다.

넷째, 우리는 당시의 조건이나 환경이 잠재적 원인으로 작동할 수 있었는지 여부를 생각해야 한다. 통제된 실험—화학자가 실험실에서 수행하는 것 같은—에서는 가설적 원인이 진짜 원인인지 시험하기 위해 시간, 온도, 습도, 비율과 같은 조건들을 안정화시키거나 변화시킬 수 있다. 인간이 효율적 원인으로 작동하는 경우에는 기회와 동기 같은 조건들을 고려해야 한다.

끝으로, 우리는 또한 가설적 원인이 항상 어떤 결과를 낳는지 여부와 그것이 변함없이 똑같은 결과를 낳는지 여부도 고려해야 한다. 요컨대, 우리는 추정상의 원인이 특정한 결과를 낳을 수 있다는 것뿐만 아니라 그 결과를 낳을 것이라는 점도 입증해야 한다.

인과 중심의 추론이 빠지는 가장 흔한 오류 중 하나는 보통 '이것 이후에, 그러므로 이것 때문에'라고 불리는 오류이다. 이것은 두 사건 간에 시간적인 관계가 있다면 원인과 결과의 관계도 있다고 추정하는 잘못이다. 여러 미신은 이 오류에 기초를 두고 있다. 존 스미스가 5번가와 중앙로의 교차로에서 자동차에 치인 것은 5분 전에 페인트공의 사다리 밑으로 걸어갔기 때문이다. 한 사건이 연대적으로 다른 사건에 따라오면 전자가 후자에 의해 유발되었다고 사람들이 추정하는 이유는 이해할 만하다. 그러나 우리는 인과관계를 증명해야만 한다. 그 관계를 추정만 할 수는 없다. 존 스미스가 사다리 밑으로 걸어간 것이 자동차에 치인 결과를 낳았다는 것을 증명해보라. 겉으로 보면 그 행동이 그 결과의 적합한 원인으로 보이지 않는다. 그 사람이 사다리 밑으로 걸었다는 사실은 일반적인 부주의함을 가리킬 수 있고, 그 부주의함에 입각해 그가 번잡한 교차로를 건너갈 때 치인 이유를 설명할 수는 있다. 그러나 두 사건 간에 직접적인 관계는 없었다.

우리가 인과관계와 관련해 살펴본 원리들은 보통 논리학 과목에서 논의되는 것이다. 그럼에도 불구하고, 양심적인 수사학자 역시 이런 원리들을 알아야 하고 논증을 제시할 때 그것들을 지켜야 한다. 그는 엉성한 인과적 추론을 받아들이지 않을 세련된 청중에게 말할 때는 이런 원리를 지키도록 특별히 주의해야 한다.

설득용 담론에서 인과관계에 기초한 논증은 두 가지 방향으로 움직인다. 우리는 결과에서 시작해서 원인으로 거슬러 올라가는 논증을 할 수 있고, 또는 원인으로 시작해서 그것이 특정한 결과를 낳을 것임을 논증할 수도 있다. 원인에서 결과로 이동하는 논증의 예는 조나단 스위프트(Jonathan Swift)의 《겸손한 제안》(*A Modest Proposal*)에 나온다. 그는 아일랜드의 가난한 이들은 식탁비로 어린 영아들을 부유한 사람들에게 팔아야 한다는 '온건한 제안'을 한 후, 그의 제안을 실행하면 이런 결과를 얻을 것이라고 지적한다.

너무 오랫동안 옆길로 빗나갔기에 이제 내 주제로 돌아갈 것이다. 내가 내놓은 제안에 따른 이점은 가장 중요할뿐더러 명백하고 또 많다고 생각한다.

첫째, 내가 이미 말했듯이 그 제안은 가톨릭교도의 수를 크게 줄일 터인데, 이들은 우리의 가장 위험한 적일 뿐 아니라 국가의 일등 번식자들이며 해마다 우리를 추월하고 있다….

둘째, 더 가난한 소작인들은 스스로 귀중한 어떤 것을 갖게 될 것이며, 이는 법적으로 압류물이 될 수 있고 지주들에게 소작료를 지불하도록 도울 수 있고, 옥수수와 소가 압수되고, 미지의 것인 돈이 될 수도 있다.

셋째, 두 살 이상의 어린이 일만 명을 유지하려면 해마다 일인당 10실링 이하로는 감당할 수 없는 만큼, 국가의 주식이 따라서 해마다 5만 파운드씩 증가하고, 아울러 세련된 입맛을 가진 모든 부유한 신사들의 테이블에 도입될 새로운 접시의 이익도 있을 것이고, 돈이 우리 가운데 유통되고 재화는 전적으로 우리가 재배하고 제조한 것이 될 것이다.

스위프트는 그의 제안에 따르는 넷째, 다섯째, 여섯째 결과를 거론하지만, 우리의 논점을 보여주는 데는 이것으로 충분하다. 이 유명한 아이러니한 에세이를 읽은 학생은 알고 있듯이, 스위프트는 정부가 그 제안을 채택할 것을 기대하며 진지하게 내놓은 것이 아니고, 논점은 그 자신이 바로 18세기의 현실적인 중상주의자들이 "사람들이 한 국가의 부를 대변한다"는 것을 설득하려고 사용했을 법한 용어와 논증을 사용하고 있었다는 것이다. 이 경우처럼, 만일 그 원인이 제안된 결과들을 낳을 것이 꽤 자명하다면, 그리고 제안된 결과들이 청중에게 바람직하게 보인다면, 그 결과들을 얘기하기만 해도 설득력이 있을 터이다.

다른 한편, 만일 제안된 결과들이 특정한 원인에 따라올 것이 자명하지 않다면, 그는 본인의 주장을 증명해야만 한다. 예컨대, 조나스 소크(Jonas Salk) 박사는 그의 백신을 시장에 내놓기 위해 미국 보건복지부의 승인을 얻기 전에 그의 주장대로 백신이 소아마비를 예방한다는 명백한 증거를 제시해야만 했다. 백신처럼 중요한 것인 경우에는 그 효과에 대해 사실상의 확실성을 창출할 만큼 충분한 증거를 제시해야 할 것이다. 그러나 많은 사안—예컨대, 직업세를 줄이면 공동체에 수십 개의 새로운 산업을 유치할 것이란 제안—의 경우에는 입법자가 그의 동료들을 설득하기 위해 높은 개연성만 내놓으면 될 것이다.

인과적으로 논증하는 다른 방법은 결과에서 거꾸로 원인으로 움직이는 것이다. 제임스 매디슨은 〈연방주의자 논문 제 10호〉의 일곱 번째 단락에서 결과로부터 원인에 이르는 논증을 하고 있다.

> 그러나 가장 흔하고 항구적인 파당의 원인은 다양하고 불평등한 자산의 분배였다. 자산을 가진 자들과 자산이 없는 자들은 항상 사회에 대한 관심이 달랐다. 채권자들과 채무자들도 그와 비슷한 차별성이 있다. 땅에 대한 관심, 제조에 대한 관심, 중상주의적 관심, 돈에 대한 관심 등은 그보다 적은 여러 관심사와 함께 문명화된 국가들에서 필연적으로 자라났고, 그들을 서로 다른 정서와 견해에 따라 서로 다른 계급으로 나누게 된다. 이런 다양하고 상충되는 이해관계에 대한 규제가 현대 입법부의 주된 과업이고 필연적이고 일반적인 정부의 작동에 파당 정신을 내포하게 된다.

다시금 지적하고 싶은 점은 인간사에서는, 우리가 논리나 과학에서 기대하는 만큼 엄밀한 확실성으로, 특정한 결과가 어느 특정 원인으로만 초래되었음을 항상 반드시 증명할 필요는 없다는 사실이다. 보통은 고도의 개연성을 산출하는 것으로 충분하다.

전건과 후건(antecedent and consequence)

원인과 결과란 토픽과 긴밀하게 연결된 것은 전건과 후건이라는 토픽이다. 사실 후자는 논리학에서 사용되는 인과 논증의 느슨한 형태로 간주되어도 무방하다. 후건(consequence, 라틴어 동사 sequi는 '따르다'란 뜻)이라는 용어의 어원은 수사학이 이 토픽을 사용한 방식을 이해하는 열쇠이다. 설득하는 사람은 이런 논리를 좇는다. 이 상황(전건)이 주어지면 이로부터 무엇(후건)이 따라오는가? 만일 그 사람이 전건과 후건 간의 인과관계를 간파할 수 있다면, 그의 입장을 강화하는데 그 관계를 이용할 것이다. 하지만 그는 그보다 덜 설득력 있는 결과도 활용할 것이다. 예컨대, 제인 스미스는 존 스미스가 죽을 때 그의 합법적 아내가 아니었기 때문에, 그는 그녀가 존의 소유를 차지할 자격이 없다고 주장할 수 있다. 여기에는 원인과 결과의 관계가 없지만 기존 상황으로부터 모종의 판단이 따라온다.

우리는 일상사(事)에서 이런 종류의 전건-후건의 논증을 자주 사용한다. "만일 여성들이 대학교에 정규 학생으로 입학 허가를 받는다면, 그들은 남학생과 똑같은 권리와 특권을 부여받아야 한다." "만일 이 학생들이 학교가 주관하는 집회에서 음주에 관한 규정을 위반했다면, 그들은 정학 처벌을 받아야 한다." "만일 이 여성이 타고난 시민이라면, 그녀는 투표할 권리를 갖고 있다." 때로는 후건이 전건의 용어의 정의로부터 따라온다. 예를 들어, "만일 이 모양이 정사각형이라면, 그것은 네 개의 직각을 갖고 있다." "만일 이 피조물이 사람이라면, 그는 이성적인 동물이다."

논증이 이런 형태를 취할 때는 언제나 함축된 전제가 있다는 것을 주목해야 한다. 우리가 "만일 여성들이 대학교에 정규 학생으로 입학 허가를 받는다면, 그들은 남학생과 똑같은 권리와 특권을 부여받아야 한다"라고 말할 때는 모든 정규 학생은 똑같은 권리와 특권을 갖고 있다는 전제가 함축되어 있다. 종종 이런 표현되지 않은 전제, 이런 가정이 논증에서 취약점이 되곤 한다. 그래서 우리가 그런 논증을 반박할 구멍을 찾고 있다면 그 가정을 살펴보는 것이 좋다.

이번 장의 앞부분을 상기하면 알겠지만, 전건-후건의 명제는 종종 가설적 삼단논법의 주요 전제의 역할을 했다('만일 이 사람이 타고난 시민이라면, 그녀는 투표할 권리를 갖고 있다', '이 사람은 타고난 시민이다. 그러므로 그녀는 투표할 권리를 갖고 있다'). 당신은 그런 연역적 추론의 타당성을 지배하는 규칙을 검토해야 한다. 그러면 당신은 스스로의 전건-후건의 논증을 만들 수 있고 또 타인이 제시하는 논증에서 오류를 간파할 수 있다.

여기에 전건과 후건으로부터 논증을 펴는 두 가지 예를 들어보겠다.

그리스인들이 자연현상에 관해 어떻게 생각했는지를 알지 못하면 그들의 최고의 사상과 말을 전혀 알 수 없다. 그들의 인생 비판이 과학적 개념들로부터 얼마나 영향을 받았는지 알지 못하면 그 비판을 완전히 이해할 수 없다. 그들 중 최고의 지성들처럼 과학적 방법에 부합해 이성을 자유롭게 사용하는 것이 진리에 이르는 유일한 방법임을 당당하게 믿지 않는다면, 우리는 그 문화의 후계자인 체 할 수 없다.

_토마스 헨리 헉슬리, 〈과학과 문화〉 서른 번째 단락에서

반대 명사(contraries)

얼른 보면 반대 명사(名辭)란 토픽은 차이점의 토픽과 매우 비슷한 듯하다. 그러나 이 두 토픽 사이에는 미묘한 차이가 있다. 차이점은 닮지 않은 것들, 종류가 다른 것들과 관계가 있고, 반대 명사는 정반대의 것이나 양립 불가능한 것들과 관련이 있다. 차이점은 사물들을 비교할 때 분명해진다. 반대 명사는 사물들을 서로 관련시킬 때 분명해진다. 자유와 방종은 차이점의 예이고, 자유와 노예 상태는 반대 명사의 예이다.

반대 명사의 수사학적 용도에 대해 논하기 전에 반대 명사를 지배하는 논리적 원리들에 대해 잠깐 생각할까 한다. 반대 용어들은 똑같은 질서나 유에 속한 서로 반대되는 용어들이다. '추운'과 '시끄러운'은 서로 다른 용어들이되 상반되는 용어들은 아니다. '추운'은 온도의 질서와, '시끄러운'은 소리의 질서와 관련이 있기 때문이다. '추운'과 '더운', '시끄러운'과 '조용한'이 반대 명사들에 해당한다. 그래서 누군가 "이 책은 나쁘다"라고 말하고 다른 사람이 "이 책은 좋다"라고 말한다면, 우리는 두 명제가 서로 반대된다고 말할 것이다.

이것은 우리가 알고 있는 선험적인 반대 명제이다. 즉, 검토나 분석 이전의 반대 명제란 뜻이다. (1) 둘 중 한 명제가 참이라면, 다른 명제는 거짓이다. 달리 말해, 반대 명제들은 양립이 불가능하다. (2) 둘 중 한 명제가 거짓이라면, 다른 명제가 반드시 참인 것은 아니다. 달리 말해, 두 명제 모두 거짓일 수 있다(논리를 다루는 부분에 나오는 '대당사각형'을 보라).

그런즉 어떤 논쟁에서 동일한 주제에 대해 반대 주장들이 제기되었다고 합의했

면, 혹자는 본인의 주장이 옳다는 것을 증명함으로써 다른 주장의 신빙성을 없앨 수 있다. 그런 경우에는 굳이 다른 주장이 거짓임을 증명할 필요가 없다(만일 내가 그 책이 빨간색임을 증명한다면, 나는 그 책이 녹색이 아님을 증명할 필요가 없다). 다른 한편, 설사 혹자가 상대방의 명제가 거짓임을 증명할지라도 본인의 명제가 자동적으로 참이 되는 것은 아니다. 이어서 그는 자신의 명제가 참인 것을 증명해야 한다(설사 내가 그 책이 녹색이 아님을 증명할지라도, 나는 그 책이 빨간색임을 추정할 수 없다. 그 책이 파란색으로 드러날 수도 있기 때문이다).

수사학에서 반대 명사들을 내포하는 논증이 때로는 주어와 술어 모두 상반되는 형태를 취하기도 한다. 아리스토텔레스는 《수사학》 제2권 23장에서 반대 명사의 토픽에 기초한 논증의 예를 든다. "자기절제가 유익한 것은 방종이 해롭기 때문이다." 여기서 주어인 '자기절제'와 '방종'은 반대 명사들이고, 술어인 '유익한'과 '해로운' 역시 반대 명사들이다. 우리는 첫째 명제(자기절제는 유익하다)의 참됨을, '유익한'의 반대(즉, 해로운)가 '자기절제'의 반대(즉, 방종)의 속성임을 보여줌으로써 입증하게 된다. 만일 "전쟁이 우리 불행의 원인이라면, 평화는 우리 행복을 증진시키는 길이다"라고 주장하려 한다면, 그와 똑같은 논증을 개진하는 셈이다. 사실 "평화가 좋은 것임에 틀림없는 것은 전쟁이 악하기 때문이다"라고 말하는 것이기 때문이다.

다음 발췌문에서 헨리 데이비드 소로(Henry David Thoreau)는 반대 명제—부지런함(노력) 대 나태함(게으름), 순결함(정결함) 대 불결함(육욕성), 지혜 대 무지—에 기초해 논증하면서 나태함은 사람을 무지하고 불결하게 만드는 반면, 부지런함은 그를 지혜롭고 순결하게 만들 것이라고 주장한다.

> 모든 육욕성은 하나이지만 많은 형태를 취한다. 모든 순결함은 하나이다. 한 사람이 육욕적으로 먹든지 마시든지 동거하든지 잠자든지 다 똑같다. 그것들은 단 하나의 욕망이고, 어떤 사람이 큰 육욕주의자임을 알려면 그 가운데 하나를 행하는 것만 보면 된다. 불결한 사람은 순결함과 함께 설 수도, 앉을 수도 없다. 파충류는 굴의 한 입구로 공격을 받으면 또 다른 입구로 그 모습을 드러낸다. 정결하고 싶으면 절제를 해야

한다. 정결함이란 무엇인가? 남자는 자기가 정결하다는 것을 어떻게 알까? 그는 알지 못할 것이다. 우리는 이 미덕에 대해 들었으나 그것이 무엇인지 모른다. 우리는 우리가 들은 소문에 따라 말한다. 노력으로부터 지혜와 순결함이 생기고, 나태함으로부터 무지와 육욕성이 생긴다. 학생의 경우, 육욕성은 게으른 마음의 습관이다. 불결한 사람은 보편적으로 나태한 사람, 난로 곁에 앉은 사람, 즉 엎드린 상태로 햇빛이 비치는 사람, 피곤하지도 않은데 쉬는 사람이다. 만일 불결함과 모든 죄악을 피하고 싶다면 마구간을 청소하는 일일지언정 열심히 일해라.

《월든》(*Walden*), 〈보다 높은 법칙들〉(*Higher Laws*), 1854.

모순 명제

앞에서 우리는 "물이 뜨겁다"와 "물이 차갑다"와 같은 명제들은 반대 명제들임을 알았다. 모순 명제들은 이런 식으로 상반된다. "물이 뜨겁다"와 "물이 뜨겁지 않다"로. 우리는 대항사각형에 대해 공부하면서 A명제와 O명제가 서로 모순이라는 것을 알았다. "모든 아버지는 수컷 종의 구성원들이다"와 "일부 아버지들은 수컷 종의 구성원이 아니다." 그리고 E명제와 I명제도 서로 모순이라는 것도 알았다. "어떤 아버지도 수컷 종의 구성원이 아니다"와 "일부 아버지들은 수컷 종의 구성원이다." 모순은 어떤 사물이 동시에 그리고 동일한 면에서 존재하고 또 존재하지 않을 수 없다는 원리에 기초해 있다.

반대 명제의 경우처럼, 우리가 모순 명제에 관해 선험적으로 아는 것들이 있다. (1) 두 명 중 하나가 틀림없이 참이다. 그러면 다른 명제는 틀림없이 거짓이다. (2) 만일 두 명제 중 하나가 참이라면 다른 명제는 거짓이다. (3) 만일 두 명제 중 하나가 거짓이라면 다른 명제는 참이다. 그래서 어느 의료 전문가 집단이 담배가 폐암을 유발한다고 말하고 다른 집단은 그렇지 않다고 말한다면, 우리는 사실을 조사하기도 전에 두 집단 중 하나는 옳고 다른 하나는 틀리다는 것을 안다. 우리가 언론에 보도된 열띤 논쟁으로부터 알다시피 어느 집단도 그 주장이 옳다는 것을 결정적으로 증명하기가 어려웠다. 그래도 우리는 둘 중 하나가 옳다는 것을 알고 있고, 언젠가 과학자들과 의사들이 어느 집단이 옳은지를 의심 없이 증명할 수 있을 것이다. 그때까지는 사람들이 담배를 피울지 말지를 결정할 때 가장 설득력 있는 또는 가장 개연성 있는 주장을 제시하는 집단을 따를 것이다.

확증을 위해서나 논박을 위해 논증을 준비할 때, 두 명제 중 하나가 참이면 다른 하나가 거짓이란 방식으로 서로 관계 맺고 있음을 보게 되면 모순 명제가 유익한 토픽임을 알게 되리라. 그러므로 우리는 우리 담론의 한 부분을 이런 식으로 시작해도 좋겠다. "어떤 사람들은 헌법이 모든 시민의 투표할 권리를 보장한다고 주장한다. 반면에 다른 이들은 헌법이 그런 권리를 진술하지 않는다고 주장한다." 이 두 가지 모순 명제들로부터 우리는 어느 하나를 주장할 수 있다. 때로는 양자택일을 설정하는 것으로 시작할 것이다. "그는 기꺼이 충성 맹세를 하려고 하든지 하지 않으려고 한다." "우리가 확실히 아는 것은 호주에 사는 그녀의 신비에 싸인 조카가 남자 아니면 여자라는 점이다." 그리고 만일 이접적 명제에 속하는 두 대안이 상호배타적이라면, 우리가 둘 중 하나가 참이라는 것을 증명할 수 있다면 다른 하나가 반드시 거짓임을 증명하게 되는 셈임을 알고 있다. 때로는 서로 연관된 두 진술 간의 모순이 명시적이지 않고 암시적이고, 그럴 경우 우리의 논증 노선은 비일관성을 부각시키는 것이 되리라. 또는 '어불성설'임을 보여주면 된다. 그래서 이런 식으로 논박을 시작할 수 있다. "나의 대적은 자기가 열렬한 민주주의 옹호자라고 주장한다. 그러나 그는 순전히 피부색에 근거해 어떤 시민들에게는 투표권을 주지 않겠다는 것을 명명백백하게 밝히지 않았는가?" 두 명제들이 양립할 수 없다는 것을 보여줌으로써 실은 우리의 대적이 열렬한 민주주의 옹호자가 아님을 증명하고 있는 것이다.

환경
가능한 것과 불가능한 것

환경이란 일반적인 표제 아래서 생각할 첫 번째 하부토픽은 가능한 것과 불가능한 것이다. 타인들에게 어떤 일을 하도록 설득하려 할 때는 그 행동방침이 가능하다는 것을 보여줘야 한다. 마찬가지로, 타인들에게 어떤 일을 하지 말라고 만류할 때에도 그 행동방침이 불가능하다는 것을 보여주고 싶을 것이다. 사람들이 어떤 행동방침이 바람직하다는 것을 알 때에도 그것을 착수하길 주저하는 이유는 그것이 가능한지 의심하기 때문이다.

청중에게 그 제안된 행동방침의 실천 가능성에 대한 확신을 불어넣는 흔한 방법은 그와 비슷하거나 똑같은 일을 수행한 사람들의 예를 드는 것이다. 그런 예들은 행동과 환경의 유사성에 비례해서 설득력을 지닐 것이다.

우리는 또한 가능성에 대해 연역적으로 주장할 수 있다. 아리스토텔레스는《수사학》에서 가능성에 대한 몇 가지 논증 노선을 제안했다. 그는 불가능성에 대한 또 다른 논증 세트를 내놓지는 않았지만 가능성에 관한 행동의 끝부분에 이렇게 썼다. "불가능성에 대해서는 화자가 전술한 것과 정반대로 펼 만한 풍부한 논증을 분명히 갖고 있을 것이다." 누군가 가능한 것을 주장할 때는 종종 우리가 이미 논의한 다른 토픽들을 사용하곤 한다. 여기에 아리스토텔레스가 제시하는 몇 가지 논증 노선이 있다.

1. 한 쌍의 반대 명제들 중에 하나가 가능하다면, 다른 하나 역시 가능하다.

여기서 가정하는 바는 두 개의 반대 명제들은 그 무엇이든 그 본질에 비춰보면 가능하다는 것이다. 예컨대, 만일 당신이 건강을 회복할 수 있다면, 당신은 병에 걸릴 수 있다. 하지만 어떤 경우에는 한 쌍의 반대 명제가 똑같이 가능하진 않을 수도 있다는 것을 지적해야겠다. 예컨대, 어떤 경우에는 우리가 "만일 당신이 병에 걸릴 수 있다면 당신은 회복할 수 있다"고 주장할 수 없을 것이다. 왜냐하면 당신이 불치의 병으로 고통당할 수 있기 때문이다. 수사학이 늘 그런 것처럼, 당신은 특정한 사례에 쓸 수 있는 논증을 붙잡을 필요가 있다.

2. 한 쌍의 비슷한 것들 중에 하나가 가능하다면, 다른 것 역시 가능하다.

예컨대, 어떤 사람이 오르간을 치는 것이 가능하다면, 그 사람이 피아노를 치는 것도 가능하다. 사람들은 항상 어느 하나의 가능성을 주장할 때 그와 비슷한 것의 가능성을 가리키곤 한다. 이와 관련된 원리는 자명하다.

   3. 두 가지 중에 더 어려운 것이 가능하다면, 더 쉬운 것 역시 가능하다.

   예컨대, 미 항공우주국의 대변인은 언젠가 의회 앞에서, 단 한 명의 우주비행사를 화성에 보내는 일이 가능하다면 여러 우주비행사들을 달에 보내는 것도 가능하다고 주장할지 모른다. 학생은 여기서 앞에서 논의한 아포르티오리 논증을 알아챌 것이다.

   4. 어떤 일이 시작이 있을 수 있다면 끝도 있을 수 있다. 거꾸로 만일 어떤 일이 끝
     이 있을 수 있다면 시작도 있을 수 있다.

   이 논증의 기반이 되는 원리는 그 어떤 불가능성도 존재할 수 없다는 것이다. 아리스토텔레스가 말한 고전적인 불가능성의 예—시작이 없는 것은 끝도 있을 수 없다—는 원을 네모로 만드는 것이다. 아리스토텔레스는 시작이 있는 모든 것이 반드시 끝날 것이라고 말하는 게 아니다. 그가 말하는 바는 모든 시작은 끝을 함축하고, 모든 끝은 시작을 함축한다는 것이다. 어떤 제안을 승인받기 위해 이 토픽을 이용하는 사람은 그 계획의 단순한 가능성보다 실행 가능성을 주장하고 있는 것이다. 그 사람은 사실상 "시작이 반(半)이다"라고, 이미 시작된 일은 믿음과 끈기와 열심히 열매를 맺을 수 있다고 주장하는 것이다.

   5. 어떤 것의 부분들이 가능하다면 그 전체도 가능하다. 거꾸로, 전체가 가능하다면
     부분들도 가능하다.

   일단의 우주 과학자들이 사람을 궤도에 올려놓는 것이 가능하다고 의회 의원들을 설득하기 위해 이런 논증을 사용하는 것을 상상할 수 있다. 그들은 우주선의 모든 부품이 제조되었거나 제조될 수 있음을 보여줌으로써, 의회가 적절한 조치를 취한다면, 사람

을 우주에 올려놓을 로켓을 만들 수 있다고 주장할 수 있다. 〈연방주의자〉 논고의 필자들이, 여러 주의 연합이 가능한 것은 그런 연합의 구성요소들이 이미 존재하기 때문이라고 주장할 때 이런 논증을 이용했던 것이다. 이와 다른 방향으로 논증하는 것—전체에서 부분으로—은 자명한 설득력을 지니고 있다. 어떤 기능을 하는 단위가 존재한다면, 그 단위의 기능에 필요한 모든 부품도 반드시 존재해야 한다.

6. 어떤 것이 기술이나 준비 없이 생산될 수 있다면, 그것은 기술이나 기획의 도움을 받아 이뤄질 것이 확실하다.

이것은 일종의 아포르티오리 논증이지만, (3)에서 제시된 논증 노선과는 조금 다르다. 3번의 원리는 어떤 것이 과연 이뤄질 수 있는지와 관련이 있고, 6번의 원리는 어떤 것이 잘 이뤄질 수 있는지와 관련이 있다.

매튜 아놀드는 〈문학과 과학〉이란 에세이의 스물네 번째 단락에서 "그러면 인문학은 시와 웅변, 여기서 그것들에게 부여한 감정을 개입시키는 능력을 갖고 있는가?"라고 묻는다. 인문학이 감정을 개입시킬 수 있다는 그의 주장을 뒷받침하기 위해 사람들의 공통 경험을 가리킨다. 아놀드는 "경험에 호소하는 바이다. 경험에 따르면 인류 전반에게, 절대 다수의 사람들에게 인문학은 그 능력을 갖고 있다." 경험이나 역사적 사례에 대한 모든 호소의 배후에는 만일 어떤 것이 이뤄진 적이 있다면 다시 이뤄질 수 있다는 가정이 있다.

제임스 매디슨이 여러 주의 연합에 부여하는 이점의 하나는 자격 없는 개인이 정부의 통제권을 장악할 기회가 적다는 것이다. 그는 자격 없는 개인이 여러 주의 연합에서 권력을 장악하기가 불가능하다고 말하는 게 아니라 그런 사람들이 권력을 장악하기가 더 어렵다고 말한다. 〈연방주의자 논문 제 10호〉의 여덟 번째 단락에서 이렇게 표현한다.

다음으로, 각 대표자가 작은 공화국보다 큰 공화국에서 더 많은 시민에게 선출될 것인 즉 자격 없는 후보들이 흔히 선거에서 이용하는 악한 기술을 성공적으로 실행하기가 더 어려울 것이다. 그리고 사람들의 참정권이 더 자유로워져서 가장 매력적인 장점을 지니고 가장 널리 알려지고 인정받는 인물들에게 집중될 가능성이 더 많을 것이다.

학생들은 이 책의 뒤에 실린 글들에서 가능성과 불가능성에 기초한 논증의 예들을 많이 보게 될 것이다.

과거의 사실과 미래의 사실

과거의 사실이란 토픽은 어떤 일이 발생했는지 여부와 관련이 있다. 고대의 수사학에서 그것은 법정 연설에서 중요한 역할을 담당했는데, 재판에서 쟁점을 규정짓는데 어떤 행위가 발생했는지 여부를 판단하는 일이 중요했기 때문이다. 미래의 사실—또는 좀 더 정확하게는 미래의 개연성—은 어떤 일이 발생할지 여부와 관련이 있었다. 그래서 이 토픽은 심의용 연설에서 가장 자주 사용되었다.

어떤 일이 발생했다는 것을 증명하는데 사용될 수 있는 증거나 증언이 있는 경우에는 항상 그것이 과거의 사건에 대한 주장을 입증하기 위해 제시되어야 한다. 그러나 인간사에서는 어떤 사건의 발생을 확증할 증거나 증언을 찾기가 쉽지 않고 때로는 불가능한 경우도 종종 있다. 그런 경우에는 본인이 어떤 일이 발생했을 개연성을 주장하는 편을 택해야 한다. 반복해서 말했듯이, 개연성이야말로 수사학자들이 활동하는 주된 영역이다. 어쨌든 확실한 것에 대해서는 논쟁할 여지가 있을 수 없기 때문이다.

과거의 사실을 경험적으로 입증할 수 없는 경우에는 연역적 추론이 이어받아 개연성 있는 전제들에 근거해 다소 개연성 있는 결론을 끌어낸다. 여기에 우리가 어느 과거의 사실에 대해 타인을 설득하는 데 사용할 수 있는 몇 가지 논증 노선이 있다.

1. 두 사건 중에 개연성이 적은 사건이 발생했다면, 개연성이 많은 사건 역시 발생했을 가능성이 높다.

여기에 아포르티오리 논증이 다시 등장한다. 누구보다도 통계학자들이 과거 사건의 개연성을 입증하기 위해 이런 논증을 활용한다. 만일 세쌍둥이가 여럿 태어났다면, 그에 비례하는 만큼의 쌍둥이 역시 태어났다. 검사가 피고인의 유죄에 대해 배심원을 설득하기 위해 이런 논증을 사용하는 모습을 상상해보라. "이미 시인했듯이 이 남자가 아버지의 돈을 훔친 죄가 있었다면, 그가 고용주의 돈을 횡령할 수 있었다고 믿는 것이 너무 무리한 추정이라고 생각합니까?" 개연성의 정도는 물론 발생 빈도에 따라 증가할 것이다.

2. 만일 다른 어떤 것에 자연스레 따라오는 어떤 것이 발생했다면, 그 다른 어떤 것 역시 발생했다. 그리고 거꾸로 만일 전건이 존재한다면 그 자연스런 결과 역시 발생했다.

사람들은 본능적으로 이렇게 추론한다. 천둥소리를 듣는다면, 우리는 번개를 본 적이 없을지라도 번개가 쳤다고 추정한다. 또는 번개가 쳤다면 천둥이 따라온다. 만일 누군가 어떤 것을 잊어버렸다면, 우리는 그 사람이 한때는 그것을 알았다고 추정한다. 어떤 아이에게 열이 있으면, 우리는 그 아이가 모종의 병에 걸렸다고 추정한다. 어떤 남자가 멍든 눈과 부푼 입술을 갖고 나타났다면, 싸웠거나 문에 부딪혔을 것으로 자연스레 추정하게 된다.

3. 만일 누군가 어떤 일을 할 수 있는 힘과 욕망과 기회를 갖고 있었다면, 그 사람은 그것을 행했다.

이 개연성을 지지하는 원리는 이것이다. 사람들은 기회가 주어지면, 자기절제의 부족 때문이든 자신이 좋게 여기는 것에 대한 자연스런 욕구 때문이든, 자기 욕망을 충족할 것이라는 원리다. 검사들은 피고인이 유죄라는 것을 배심원에게 설득시키기 위해 이런 논증을 사용해왔다. 이런 논증은 물론 법적으로 기껏해야 강한 유죄의 의심만 불러일으킬 수 있지만, 다른 유죄의 증거와 결합되면 큰 설득력을 지닐 수 있다.

어떤 일이 발생했을 것이라는 개연성에 대한 반론은 앞의 논증 노선과 정반대로 제기될 수 있다.

과거의 사실을 입증하는 일보다 미래의 사건을 입증하기 위해 개연성의 논증에 의지하는 경우가 더 많을 수밖에 없다. 어떤 일이 발생한 경우에는 그것이 정말로 일어났음을 보여주는 증거를 발견할 기회가 항상 있지만, 미래의 사건에 대해서는 늘 불확실성의 특징이 있기 때문이다. 여기에 미래 사건의 발생 가능 정도에 대해 타인을 설득할 때 사용하는 몇 가지 논증 노선이 있다.

1. 만일 어떤 일을 행할 힘과 욕망이 존재한다면, 그 일은 이뤄질 것이다.

핵 군축을 지지하기 위해 개진된 강력한 논증의 하나는 원자탄을 보유하기만 해도 적에게 그것을 사용하고픈 유혹이 항상 생긴다는 것이다. 일부 평화주의자는 한 걸음 더 나아가 핵무기의 사용은 개연성이 있을 뿐 아니라 불가피하다고까지 주장한다.

2. 만일 어떤 일의 전건이 존재한다면, 그 자연스런 결과가 일어날 것이다.

"어둔 구름이 모였다면 비가 내릴 것이다"(기상학자라도 이것은 하나의 개연성일 뿐이라고 인정할 것이다). "격노하는 폭도들이 광장에 모였다면 폭력이 따라올 것이다." 어떤 결과는 물론 매우 규칙적으로 발생해서 높은 개연성이 사실상의 확실성에 근접한다. 꽉 닫힌 방이 가스로 가득 차 있을 때 누군가 그 방에서 성냥을 켜면 폭발이 일어날 것이 사실상 확실하다.

3. 만일 수단을 손에 넣을 수 있다면 목적이 이뤄질 것이다.

라스베가스의 도박꾼들은 분명히 서류상으로 더 강하게 보이는 야구팀을 월드 시리즈의 승자로 골라낼 것이다. 그러나 누구나 알다시피, '최상의 수단'을 가진 팀이 항상 월드 시리즈에서 우승하지는 않는다. 이런 논증 노선은 정치 논쟁에 흔히 나타나는 것이다. 이제 우리는 합리적인 가격에 믿을 만한 전기차를 제조하는 법을 알기 때문에 가까운 미래에 대기를 오염시키지 않을 자동차를 대규모로 제조할 수 있을 것으로 전망된다.

마르틴 루터 킹이 쓴 〈버밍햄 감옥에서 보낸 편지〉의 마흔네 번째 단락에는 자유와 평등을 향한 그의 싸움에서 결국 니그로가 승리할 것이란 주장을 지지하는, 미래의 사실과 과거의 사실을 노련하게 융합한 그의 솜씨가 나온다.

> 나는 교회 전체가 이 결정적인 시간의 도전에 잘 대처하기를 바란다. 그러나 설사 교회가 정의의 도우미로 등장하지 않을지라도, 나는 미래에 대해 절망하지 않는다. 비록 우리의 동기가 현재 오해받고 있을지라도, 나는 버밍햄에서의 싸움의 결과에 대해 우려하지 않는다. 우리가 버밍햄과 전국에서 자유의 목표를 달성할 것임은 미국의 목표가 바로 자유이기 때문이다. 학대와 조롱을 받을지언정 우리의 운명은 미국의 운명과 결부되어 있다. 순례자들이 플라이마우스에 상륙하기 전에 우리는 여기에 있었다. 제퍼슨의 펜이 역사의 페이지를 가로질러 장엄한 독립선언문을 작성하기 전에 우리는 여기에 있었다. 우리의 조상은 두 세기도 넘는 기간 동안 임금도 없이 이 나라에서 노동했다. 그들은 커튼 킹(목화 옷 제조업체)을 만들었다. 그들은 심한 불의와 부끄러운 치욕을 당하면서도 주인들의 집을 건축했다. 그럼에도 헤아릴 수 없는 생명력으로 계속 번성하고 또 발전했다. 만일 이루 표현할 수 없는 노예제의 잔인함이 우리를 멈추게 할 수 없었다면, 우리가 현재 직면하는 반대는 분명히 무너질 것이다. 우리가 자유를 얻게 될 것은 우리나라의 신성한 유산과 하나님의 영원한 뜻이 우리의 요구에 구현되어 있기 때문이다.

증언(testimony)

우리는 증언이란 일반적인 표제 아래 여섯 개의 하부토픽—권위, 증명서, 통계, 금언, 법, 전례—에 대해 생각하려고 한다. (그 재료를 문제의 성격에서 끌어오는) 다른 토픽들과는 달리 증언은 그 재료를 외부 출처에서 끌어온다. '착상의 외부 도우미들'이란 제목을 붙인 다음 부분에는 설명이나 논쟁을 위한 추가적인 지원 재료를 제공할 수 있는 표준서들이 소개되어 있다.

권위

증언의 토픽 아래서 고려할 첫 번째 하부토픽은 권위이다. 정보에 밝은 의견이나 권위가 오늘날은 과거보다 덜 중요시되는 것이 아마 사실일 것이다. 과학적 태도와 민주적인 정신을 특징으로 삼는 시대에는 사람들이 기질적으로 권위 있는 목소리와 '잘 알고 있는' 이들의 발표에 과거보다 덜 감명을 받고 덜 좌우되는 편이다. 사실들을 복구할 수 있는 상황—그리고 현대 테크놀로지가 경험의 영역을 크게 넓힌 상황—에서는 사람들이 의견보다 사실을 선호한다. 사람들은 더 이상 단지 누군가 어떤 것이 옳다고 말한다고 그것을 옳은 것으로 받아들이지 않는다. 그들에게 설득력이 있는 것은 바로 '사실'이다.

사람들이 비록 조부모만큼 권위를 잘 받아들이진 않지만 환경에 의해 권위에 의존하지 않을 수 없는 경우도 종종 있다. 정보에 밝은 의견은 여전히 인간사에서 두드러진 역할을 한다. 먼저, 지식이 우리 시대에는 너무도 다양화되고 전문화된 나머지 옛날 프랜시스 베이컨처럼 모든 지식을 자기 영역으로 섭렵했다고 주장할 사람이 하나도 없고, 일상적인 사회적 사안들이 모든 시민이 최근의 발견을 따라잡을 때까지 기다릴 수 없는 만큼, 사람들은 사실에 대해 전문가의 '발언'을 수용하지 않을 수 없게 된다. 둘째로, 사람들은 주로 불확실하고 예측 불가능한 문제들에 대해 논쟁을 벌이는 만큼, 그들은 쟁점을 해결하거나 의사결정을 내릴 때 현명한 의견에 귀를 기울이지 않을 수 없다.

현명한 의견이라고 오류가 없는 것은 아니지만 그것은 큰 설득력을 갖고 있다. 우리는 아마추어들의 증언보다 전문가들의 증언에 더 신빙성을 부여한다. 즉, 우리는 자기네 전문영역 밖에서 말하는 사람들의 의견보다 자기네 전문분야와 연관된 문제에 관해 발언하는 이들의 의견에 더 큰 신뢰를 둔다. 핵폭발로 인한 방사능 낙진의 잠재적 위험을 조사하는 의회의 위원회는 일반 시민보다—아무리 관심이 많고 많은 자료를 읽었다 해도— 저명한 물리학자의 견해에 더 많은 관심을 기울일 것이다. 물론 전문가가 틀리고 아마추어가 옳은 것으로 판명된 경우들도 있지만, 전문가가 옳을 개연성이 항상 더 큰 편이다. 때로는 복수의 전문가들이 상충되는 견해를 내놓기도 한다. 우리가 똑같이 유능한 전문가들이 내놓은 상충된 증언을 평가한다면, 어느 견해를 수용할지 결정할 때 다른 평가 기준들에 의존해야 한다. 그런 경우에는 이런 질문을 던진다.

1. 그 견해의 표현 자체에 일관성이 없거나 모순적이거나 비논리적인 것이 없는가?
2. 전문가들이 그 제안한 견해에 영향을 줄 만한 편견을 품고 있지는 않은가?
3. 전문가들 중에 딴 속셈을 품고 있는 사람은 없는가? 자기 이익을 챙기는 것? 원한을 갚는 것?
4. 어느 전문가의 견해가 다른 전문가보다 더 최근의, 더 믿을 만한 정보에 기초해 있는가?
5. 어느 전문가의 견해가 더 많은 전문가들에게 수용되고 있는가? 더 많은 권위 있는 전문가들에게?
6. 그 견해의 배후에 있는 기본 가정들은 무엇인가? 그 가정들 중에 취약한 것은 없는가? 이런 가정들을 드러내고 나니 전문가들 간의 갈등이 피상적인 것으로 밝혀지지는 않는가? 즉, 동일한 문제를 서로 다른 관점에서 보고 있기 때문은 아닌가?

이같은 질문들에 답변하다 보면 상충된 견해들 중에 어느 것이 특정한 상황과 청중에게 더 큰 설득력을 지닐지 판단할 수 있을 것이다.

보증의 말(testimonial)

권위의 토픽과 비슷한 것은 다양한 형태를 지닌 보증의 말의 전략이다. 추천서, 광고용 '칭찬', '선전 문구', 성품을 증언하는 평가, 여론조사, 베스트셀러 목록 등이다. 이 모든 것은 의견이나 행동이나 수용에 영향을 주려는 시도들이다. 보증의 말이 설득력을 지니기 위해 굳이 공평한 전문가에서 나와야 하는 것은 아니다. 때로는 설득력이 우리가 상대방에게 품은 존경심 또는 추천사를 내놓은 사람의 업적에서 나온다. "제시 루이스(Jesse Lewis)는 아디다스를 신는다." 이와 같은 광고 슬로건이 수천 명이 아디다스 신발을 사도록 영향을 줄 수 있는 것은 제시 루이스가 유명한 운동선수이기 때문이다. 이와 같은 슬로건이 노리는 바는 우리가 그 선수에게 품은 존경심을 추천되는 상품으로 옮기려는 것이다. 보증의 말이 수사학적 용어로는 '윤리적 호소력'을 갖고 있다. 아리스토텔레스는 이런 호소력이 이성에 대한 호소나 감정에 대한 호소보다 청중을 설득하는 데 더 효과적이라고 말한다. 사람들은 제시 루이스가 육상선수로서 뛰어난 자질을 갖고 있다고 해서 경기용 신발을 평가할 자격이 있는 것은 아니라는 점을 잊어버린다. 아울러 제시 루이스가 그런 추천 덕분에 광고료를 받는다는 것, 제시 루이스의 증언이 반드시 아디다스의 품질을 증명하는 것은 아니라는 것도 잊어버린다.

두 가지 일반적인 진술을 할까 한다. (1) 보증의 말이 어떤 상황에서, 그리고 어떤 청중에게는 놀랄 만큼 설득력을 지닐 수 있다. (2) 보증의 말은 놀랄 만큼 논박에 취약하다. 물론 모든 보증의 말을 부정직하고 불성실하며 무관한 것으로 깎아내리면 안 된다. 하지만 보증의 말을 무비판적으로 사용하거나 받아들여서는 안 된다는 것을 명심해야 한다.

통계

보증의 말과 비슷한 것은 통계의 인용이다. "5백만 명이 작년에 햄버그의 제품을 샀다." "새로운 집의 58퍼센트가 작년에 리크프루프 기구를 설치했다." 때때로 이 전략은 '편승 기법'이라 불린다. 누구나 그것을 하고 있으니 좋은 것이 틀림없다. 물론 어느 제품을 다른 제품보다 선호한다는 것은 전자가 후자보다 품질이 낮다는 것을 가리킬 수 있다. 대다수 사람은, 다른 모든 것이 똑같다면, 우월한 품질이 장기적으로 이류급을 이길 것으로 믿는다. 그러므로 통계는 많은 토론에서 유용하고 효과적인 토픽이 될 수 있다.

우리가 통계를 이용할 때 경계할 것은 근거가 없는 추론을 내리는 일이다. 통계는, 정확하고 또 합법적으로 모은 것이라면, 어떤 사실을 확증한다. 그러나 통계가 항상 그 사실로부터 끌어낸 추론을 지지하는 것은 아니다. 어떤 책이 열두 달이나 베스트셀러 목록의 정상에 있었다는 사실은 많은 사람이 그 책을 샀다는 사실을 지지해준다. 하지만 그 사실이 반드시 그 이상의 주장을 정당화하지는 않을 것이다. 이런 주장을 말한다.

"이 베스트셀러 소설은 작년에 출판된 최고의 소설이다" 또는 "당신도 이 거침없는 베스트셀러의 드라마에 전율을 느낄 것이다."

앞에서 우리는 비교 통계에 대해 생각해보았다. 더 많고 또 더 적은 것의 문제를 판단하도록 돕는 숫자와 비율의 쌍이나 집합들이다. 그러나 통계는 우월성을 판단하는 것 이외의 목적을 위한 논증에서도 이용될 수 있다. 예컨대, 상반되고 상충되는 주장들을 해결하는데 이용될 수 있다. 어떤 논쟁에서 한편이 "대다수 미국인은 집을 소유하고 있다"고 주장하는 반면, 다른 편은 "대다수 미국인은 집을 소유하고 있지 않다"고 주장한다고 가정하자. 만일 두 논쟁자들이 '소유하다'란 말의 뜻에 동의한다면, 이 두 진술은 정면으로 충돌한다. 모순에 대한 논의에서 살펴보았듯이, 이 진술들 중에 하나는 참이고 다른 하나는 거짓이다. 어느 주장이 참인지를 판단하는 명백한 방법은 통계를 인용하는 것이다. "1960년도 인구조사는 21세 이상의 미국인 _____ 명 또는 시민의 _____ 퍼센트가 현재 살고 있는 집에 대한 모기지를 완전히 지불했다고 밝힌다."

통계는 온갖 주장을 지지하거나 깎아내리기 위해 이용될 수 있다. 이 토픽의 사용과 관련해 주의해야 할 사항은 통계를 무비판적으로 수용하면 안 된다는 점이다. 통계는 항상 다음과 같은 도전을 받을 수 있다.

1. 이 통계의 출처는 무엇인가?
2. 이것은 자격이 있는 공평한 출처인가?
3. 이런 숫자는 어떻게 얻게 된 것인가?
4. 그 샘플은 믿을 만한 대표 조사였는가?
5. 이 숫자들은 어떻게 모은 것인가?
6. 이 숫자들은 다른 출처에서 나온 숫자들과 상충되거나 후자에 의해 대체되지 않는가?

여론조사를 비롯한 여러 조사는 오늘날 갈수록 그 역할이 더 두드러지고 있다. 양질의 여론조사 기관들은 표본 조사를 위한 과학적 공식을 고안해 놀라운 정확성을 성취했다. 전자식 컴퓨터 역시 통계에 기초한 해석과 예측의 신빙성을 크게 증가시켰다. 하지만 여론조사 기법들, 특히 개인적 인터뷰에 의존하는 기법들은 내장된 한계를 갖고 있다는 것을 알아야 한다. 거리에서 어떤 사람에게 던진 질문의 어구는 그 반응에 영향을 미친다. 모호한 질문을 던지면 그 반응도 한쪽으로 치우치기 마련이다. "당신은 지나친 세금의 폐지에 찬성하는가?"와 같은 질문에 대한 응답을 보고 대다수 사람이 세금의 폐지에 찬성한다는 뜻으로 해석할 수는 없다. 때때로 두 질문을 나란히 놓으면 편향된 반응을 얻을 수 있다. 만일 "전복적인 조직들은 미국에서 불법화되어야 하는가?"라는 질문에 이어 "공산주의 정당은 미국에서 불법화되어야 하는가?"라는 질문을 던지면, 둘째 질문에 대한 반응은 첫째 질문에 대한 반응에 의해 편향될 것이 틀림없다.

개인적 인터뷰에 내재된 또 다른 약점은 여론조사원들이 품은 두 가지 가정에서 나온다. (1) 사람들은 그들에게 주어진 질문에 대한 그들의 생각을 항상 안다는 것. (2) 사람들이 그들에게 주어진 질문에 대해 진실한 대답을 할 것이라는 가정. 거리의 사람들은 대통령 캠페인의 어느 단계에서 과연 어느 후보를 지지하는지 항상 아는 것일까? 만일 그들이 결정을 못 했거나 헷갈린다면 때로는 아무런 답변이라도 할 테인데, 이유인즉 그 순간에 어느 후보를 지지하는지 정말로 모른다는 사실을 여론 조사원에게 시인하기가 부끄럽기 때문이다. 질문이 더 복잡한 문제에 관한 것일 때는 인터뷰 대상이 자기 생각을 모를 가능성이 더 높아진다. 여론 조사원들은 인터뷰 대상에게 '결정하지 못함'이란 대답을 허용함으로써 불확실한 마음 상태에 대한 대책을 마련해주지만 때때로 그 자신이 결정하지 못했는지 여부조차 결정하지 못하기도 한다. 두 번째 가정에 대해 말하자면, 이런저런 이유로 어떤 사람들은 진실한 답변을 주지 않음으로써 고의적으로 질문하는 사람을 오도한다. 여론조사원들은 이 사실을 인식하고 모은 정보로부터 무언가를 추정할 때 할인계수를 포함한다.

통계의 설득력과 약점에 관한 이 모든 사항은 우리가 자신의 논리를 지지하기 위해 또는 반대파가 개진한 논리를 반박하기 위해 통계를 이용할 방법을 시사한다. 통계는 신중하게 사용하기만 하면 설명용 글쓰기와 논쟁적 글쓰기에서 귀중한 토픽이 될 수 있다.

금언(maxim)

우리는 금언이란 용어를 교훈, 잠언, 명언, 경구, 자명한 진리, 교훈적 일반화 등 사람들이 논증에 도입하는 온갖 카리스마적인 진술을 포함하는 말로 사용할 것이다. 아리스토텔레스는 《수사학》 제2권 21장에서 금언을 생략삼단논법에 관한 논의의 전주곡으로 다뤘는데, 이유인즉 금언이 종종 삼단논법적인 논증의 전제들 중 하나를 구성하기 때문이다. 예컨대, 어떤 논쟁자가 재정 문제에 관한 논증에서 이렇게 말하는 것을 상상할 수 있다. "어리석은 자와 그의 돈은 곧 헤어진다." 이 잠언이 시사하는 완전한 논리는 이렇게 움직일 것이다.

어리석은 자와 그의 돈은 곧 헤어진다.
존 스미스는 돈의 문제에 관한 한 틀림없이 어리석은 자이다.
존 스미스는 그의 투자액을 잃을 것이 확실하다.

금언은 특정한 사안이 아니라 보편적 사안에 대한 진술이다. 그래서 "욘 카시우스(Yon Cassius)는 야위고 배고픈 모습을 하고 있다"는 금언이 아니고, 만일 이 문장이 "우리는 야위고 배고픈 사람들을 조심해야 한다"로 바뀌면 금언의 뉘앙스를 갖게 될 것이다. 하지만 모든 일반적인 진술이 다 금언으로 간주될 수 있는 것은 아니다. "직선은 두 점 사이의 가장 짧은 거리다"는 금언이 아니다. 금언은 인간 행위에 관한 일반적 진술이고 인간 행위에서 선택하거나 피해야 할 것에 관한 일반적 진술이다.

아리스토텔레스에 따르면, 금언의 가치는 남을 설득할 때 매우 중요한 윤리적 호소와 더불어 어떤 담론에 '도덕적 특성'을 부여한다는 점에 있다. 금언은 인생에 관한 보편적 진리를 다루기 때문에 청중에게 쉽게 동의를 얻어내고, 백발의 지혜의 분위기로 인해 특이한 신성함을 부여받는다. 금언은 고대의 신성한 지혜라는 인상을 주기 때문에, 아리스토텔레스가 말했듯이, 경험이 풍부한 노인의 입술에서 나오면 더 적절하다. 금언은 노인이 말하든 젊은이가 말하든지 모두 진실이긴 하지만, 어떤 상황에서는 풋내기 젊은이가 말하는 금언은 잘난 체하는 소리로, 심지어 우스운 소리로 들릴 것이다. 알렉산더 포프는 지혜롭고 재치 있는 교훈의 모음집인 《비평론》(*The Essay on Criticism*)의 저자인데, 많은 독자는 그가 불과 스물한 살 때 썼다는 사실을 몰라서 참으로 다행이다.

금언은 잘 알려져 있다는 이유로 굳이 피할 필요가 없다. 그처럼 친숙한 것이 자산일 수 있다. 낯익은 것은 종종 자명해 보이고 이 때문에 무비판적으로 수용된다. 하지만 여기에 위험도 있다. 낯익은 인용, 슬로건, 상투어, 틀에 박힌 문구 등은 비판을 면제받기 쉽다. 이 때문에 우리는 우리의 목적이 수용받기를 바랄 때 신성시되는 자명한 이치에 의지하곤 한다. 우리는 승낙을 얻는 대신 그것을 매수하는 것이다. 그런 행습은 비윤리적이 될 위험이 있을 뿐 아니라 게으른 습관을 유발할 수 있다. 우리가 어떤 주장의 기반으로 삼은 금언이 도전을 받으면, 우리는 그 진리성을 미처 변호하지 못할 수도 있다. 때로는 우리가 어떤 주장에 잘못 수긍하는데, 이유인즉 겉으로 '진실한 듯' 보이는 전제에 의문을 제기하는 수고를 하지 않았기 때문이다.

이런 문제들은 금언의 토픽을 사용하지 말라고 만류하기 위해 제기한 것은 아니다. 이는 우리에게 '사람들이 종종 생각했던 것'을 무비판적으로 수용하지 말도록 일깨워주기 위해서다. 우리는 플라톤의 유익한 말—"검토되지 않은 삶은 살 만한 가치가 없다"—을 유념할 필요가 있다.

법(law)

법이란 토픽 아래에는 어떤 주장을 입증하거나 논박하기 위해 끌어올 수 있는 모든 법규, 계약, 유언, 기록, 문서가 포함될 것이다. 기록된 증거는 어떤 논쟁에서도 강한 설득력을 지닌다. 예컨대, 어떤 사람의 생일에 관한 논쟁은 출생증명서에 의해 금방 해결될 수 있다. 진정한 유언을 만들면 어떤 유산을 요구하는 경쟁자를 묵살시킬 수 있다. 비평가가 어떤 문학작품과 관련해 작가의 의도에 관한 일기나 편지로부터 한 진술을 제시할 때는 반드시 자기 해석을 확증하는 것은 아니라도 강화시키는 것은 확실하다.

사람들은 기록되거나 인쇄된 글을 매우 존중한다. 우리는 "그러나 그 책의 바로 여기서 그렇게 말하고 있다"는 진술을 얼마나 자주 들었는지 모른다. 기록된 언어에 대한 존중은 여러 면에서 좋은 것이다. 만일 사회가 '흑백으로' 쓴 글에 대한 존중을 유지하지 못했다면, 우리는 일상적인 일을 거의 수행할 수 없다. 증서와 계약서가 없다면 모든 재산권은 미약해질 것이다. 자동차 소유주와 상인 간의 구두 계약은 법정에서 유효하지 않을 것이다. 반면에 양편에서 서명한 보증서는 판사에게 소송 판결에 필요한 구체적이고 확정적인 것을 제공한다.

하지만 우리가 기억할 것은 서면상의 증거가 반드시 앞으로의 논쟁을 모두 배제시키는 것은 아니라는 점이다. 기록된 언어도 도전과 해석에 열려있기 때문이다. 예컨대, 우리는 증거로 제출된 문서가 진정한 문서가 아니라고 반대할 수 있다. 아울러 어떤 문서의 진정성을 시험하기 위해 다음과 같은 도전을 제기할 수도 있다.

1. 해당 문서가 실제로 추정된 작가의 손에서 나왔다는 증거가 없다.
2. 그 문서는 제대로 서명되지 않았다.
3. 이 문서는 소위 현존하는 원문의 사본일 뿐이다.
4. 전달하는 과정에서 문서의 글자가 바뀌었다.
5. 이 문서의 진정성을 입증할 수 있는 당국을 접촉할 수 없다.
6. 또 다른 문서나 후기의 문서는 이를 무효로 만든다.

그리고 문서의 글도 항상 해석하기 나름이다. 예컨대, 미국 헌법은 미국 정부의 기반이 되는 진정한 문서이다. 그러나 대법원의 주된 기능 중 하나는 이미 인증된 헌법 조문을 해석하는 일이다. 우리 시대에는 권리장전의 제1항에 나오는 교회와 국가의 분리 신조(의회는 국교와 관련된 법 또는 종교의 자유로운 행사를 금지하는 법을 만들 수 없다)를 둘러싸고, 그리고 권리장전의 제10항에 나오는 연합정부의 권리 신조(헌법에 의해 연합정부에 위임되지 않는 권력과, 헌법에 의해 연합정부에 금지되지 않은 권력은 각각 연합정부나 국민에게 유보된다)를 둘러싸고 뜨거운 논쟁이 전개되는 것을 목격했다. 성문법의 뜻 역시 법정에서 끊임없이 논쟁거리가 되고 있다.

전건(예)

증언이란 표제 아래 마지막으로 다룰 하부토픽은 전건 내지는 예이다. 어원적으로 보면, 전건(precedent)은 '앞서 가다'라는 뜻을 가진 라틴어 동사에서 나온다. 현대적인 뜻은 '앞서 발생한 그 무엇'이다. 이런 의미에서 전건은 법에서 사용되는 전문적인 용어로서, 훗날의 유사한 사례들에 관한 판결을 내리는데 하나의 기준으로 사용될 과거의 사법적 결정을 지칭한다. 판사들은 종종 이전의 결정들을 안내자로 삼기 때문에 변호사들은 어떤 사례에 대한 적요서를 준비할 때 다른 판사들이 비슷한 사례에서 내린 결정을 살펴볼 것이다. 변호사의 과업은 판사에게 고려 중인 사례가 이전의 사례와 정말로 비슷하다는 점을 설득시키는 일이다. 실제로는 변호사의 논리가 이렇게 진행된다.

> 재판장님, 나는 현재 고려 중인 사례가 1919년 10월 29일 메리 스노드그라스 판사 앞에서 심리된 제 2435번 뉴욕 대 존 스미스의 사례에 전건이 있다는 것을 보여주었습니다. 그 사례에서 스노드그라스 판사는 피고가 세금납부일 이전에 압류된 자산에 대한 세금을 원고에게 지불하지 않아도 된다는 판결로 답신했습니다. 판사는, 비록 존 스미스가 석 달 동안 그 자산을 계속 점유했지만 그가 압류 서류에 서명한 날에 그 자산의 소유주가 되길 멈췄고, 비록 그 사람이 합의에 의해 석 달 동안 그 자산을 집세 없이 점유했다 하더라도 그는 소유권을 양도한 만큼 더 이상 세금을 납부할 의무가 없다고 판결했습니다. 이 사례의 상황이 뉴욕 사례의 상황과 비슷하고, 이 주의 세법이 당시 뉴욕의 세법과 비슷하므로, 나는 이 사례에도 그와 비슷한 판결이 내려지기를 공손하게 제의하는 바입니다.

반대편 변호사는 물론 두 사례가 비슷하지 않다고, 또는 중요한 차이점이 간과되었다고, 또는 중요한 고려사항이 왜곡되었다는 것을 증명하려고 애쓸 것이다. 또는 가능하면 상당히 다른 판결로 답신했던 다른 전건들을 인용할 것이다. 상반되는 전건들이 제시될 때는 변호사들이 어느 하나가 다른 것을 대체해야 한다고 주장할 것이다. 각 변호사는 자신의 전건이 더 적실하다거나 더 논리적이라거나 더 최근의 사례라거나 더 믿을 만하다거나(좀 더 훌륭한 출처에서 나오기 때문에) 더 설득력이 있다는(이 종류가 다른 종류보다 더 많은 사례를 갖고 있기 때문에) 것을 보여주려고 애쓸 것이다.

이제까지 전건의 법적인 의미를 다루었다. 보다 넓은 의미에서, 전건 내지는 예는 현재의 사례와 과거의 비슷한 사례에서 판결된 것을 연관시키는 일이다. 아리스토텔레스는 (수사학에서의) 예를 논리학이나 과학적 증명에서의 완전한 귀납에 상당하는 것으로 간주했다. 왜냐하면 실질적 담론에서는 화자나 필자가 귀납적 과정을 통해 도달된 일반화를 확증하는 일련의 세부사항 전체를 제시할 여유가 없고 청중 역시 그것을 경청할 만한 인내심이 없기 때문이다. 하지만 한두 가지 예를 인용할 만한 시간과 들을 인내심은 있다. 예컨대, 다리 건설을 위한 재정을 조달하는 방법에 관한 논쟁이 있을 때, 각 진영은 다른 주들이 그런 프로젝트에 어떻게 재정을 조달했는지, 그리고 그 방법이 얼마나 성공적이었는지에 대한 몇 가지 예를 들 것이다. 설득하는 측에서 청중이 유사한 사례에서 끌어오길 바라는 추론은 그런 재정 조달 방법이 현재 고려 중인 사례에도 똑같이 성공할(또는 성공하지 못할) 것으로 보는 것이다. 그런 예들은 역사적인 것일 수도 있고(그래서 청중이 검증할 수 있거나 청중에게 낯익은 것), 예수 그리스도가 공적 사역 기간에 자주 창안했던 비유들과 같이 허구적일 수도 있다. 앞에서 논의한 착상의 외적 도우미들은, 만일 그런 예들을 금방 구하기 어려우면, 적절한 역사적 예들을 참고할 수 있는 자원이다.

우리가 증언이란 표제 아래 생각한 하부토픽들은 이번 장 끝에 나오는 자료에서 두드러지게 나타나진 않는다. 예컨대, 통계는 어느 글에서든지 쓸모가 없다. 이처럼 증언의 용도를 보여주는 예들은 많지는 않지만 전혀 없는 것은 아니다. 오늘날과 같은 테크놀로지 시대에는 지식이 점점 더 전문화되고 정보의 저장과 검색이 고도로 복잡해진 만큼 전문적 담론과 대중적 담론 모두에서 증언의 토픽에 갈수록 더 의지할 가능성이 많다.

특수한 토픽들

앞에서 지적한 것처럼 수사학자들은 보통 토픽을 두 종류로 나눈다. 일반적인 토픽과 특수한 토픽이다. 일반적 토픽들은 그 어떤 주제를 논의할 때든지 의지할 수 있는 일반적 논증의 창고였다. 다른 한편, 특수한 토픽들은 특정한 주제를 논의할 때 의지할 수 있는 보다 특별한 논증 노선이었다. 세 가지 대표적인 수사 활동—심의용, 사법용, 의식용—에서 우리는 일반적 토픽보다 더 특수한 토픽에, 하지만 전문화된 지식보다 더 일반적인 지식에 의지하는 경향이 있다. 예컨대, 어떤 법적 사례에서 수사학 선생이 학생들에게 그 사례 특유의 모든 법적 사항을 가르칠 것으로 기대할 수는 없다. 그러나 선생은 학생들에게 대다수 법적 사례가 제한된 수의 반복적인 토픽들을 중심으로 돌아간다고 지적할 수는 있다.

작문을 할 때 특수한 토픽은 다음과 같은 가치를 지닌다. 일단 필자들이 세 종류의 수사학적 담론 중에 어느 것을 쓰기로 결정하면 즉시 자신의 일반적 목적이 무엇인지를 알고, 그 목적을 달성하기 위해 추구할 특수한 논증도 어느 정도 안다. 그러므로 그들의 작문이 그 자체를 쓰는 것이 아니고, 그들이 특수한 토픽에서 바른 방향으로 나아갈 발판을 갖게 된다. 그리고 일단 그들이 일반적 방향을 정하고 나면 어떤 일반적 토픽과 어떤 전문화된 지식이 관련이 있고 따라서 특히 유용할지를 쉽게 간파할 것이다.

이제 세 종류의 설득용 담론 각각을 위한 특수한 토픽들을 살펴보도록 하자.

심의용 담론을 위한 특수한 토픽들

우리가 누군가에게 어떤 일을 하거나 하지 않도록, 특정한 관점을 수용하거나 거부하도록 권면할 때 사용하는 호소들 가운데 어떤 공통분모가 있을까? 그런 것이 분명히 있다. 우리가 사람들에게 어떤 일을 하도록 설득하려 할 때는 그들에게 그것이 선하거나 유리하다는 것을 보여주려고 애쓴다. 이런 담론에서 우리가 호소하는 것들은 두 가지 표제로 환원될 수 있다. (1) 가치 있는 것(dignitas) 또는 선한 것(bonum), (2) 유리한 것 또는 편리한 것 또는 유용한 것(utilitas). 전자는 '그 자체로 선한 것'(그래서 그 자체를 위해 추구할 만한 가치가 있다)으로, 후자는 '우리를 위해 좋은 것'(상대적으로 선한 것. 그것이 우리를 위해 할 수 있는 일 또는 우리가 그것으로 할 수 있는 일 때문에 추구하기에 유리한 것)으로 볼 수 있다. 존 헨리 뉴먼은 《대학의 이념》에서 '교양 지식'과 '유용한 지식' 간의 차이점을 보여줄 때 이와 똑같은 구별을 지었다. 어떤 분야들은 우리에게 주는 권력이나 유용성과 상관없이 그 자체를 위해 개발한다고 주장했다. 또 어떤 분야들은 주로 우리가 유용하게 쓸 것을 위해 개발한다고 했다.

누군가에게 시(詩)를 공부하도록 설득하려 한다면, 시를 배우는 일은 그 자체가 좋은 즉 그 자체를 위해 추구할 가치가 있다고, 그리고 시 공부가 실제적으로 아무 쓸모가 없다고 인정하더라도 이는 시의 가치를 깎아내리는 것이 아니라고 주장할 것이다. 다른 한편, 차원을 달리해서 시 공부가 실제적 결과를 낳을 수 있음을 보여줌으로써 호소할 수도 있다. 예컨대, 시 공부는 우리에게 진지한 독자가 되는 법, 꼼꼼한 필자가 되는 법, 주변 세상에 대한 예민한 관찰자가 되는 법을 가르칠 수 있다.

가치 있는 것이란 토픽 또는 유리한 것이란 토픽 중 어느 편에 더 기댈지 여부는 다음 두 가지 고려사항에 달려있다. (1) 우리 주제의 성격과 (2) 청중의 성격이다. 어떤 것들이 다른 것들보다 본질적으로 더 가치가 있음은 무척 자명하다. 예컨대, 시 공부가 그 자체로 좋은 것이란 점은 다리 건설이 그 자체로 좋은 것이란 점보다 증명하기가 더 쉽다. 후자의 경우는 유리함의 토픽을 이용하는 편이 더 현명하리라. 이것이 더 쉽고 또 더 설득력이 있기 때문이다. 누군가 일단의 납세자들에게 다리 건설을 위해 사채발행에 찬성하는 표를 던져야 한다고 설득하려 할 때, 그는 그 다리의 미적 가치를 보여주기보다 그 다리의 유용성을 증명함으로써 그들에게 영향을 미칠 가능성이 더 많다.

그리고 우리 청중의 성격 또한 특정한 심의용 담론에서 우리가 강조할 특수한 토픽에 관한 결정에 영향을 줄 것이다. 청중이야말로 주어진 목적을 달성하는 최상의 수단을 결정하게 하는 주된 요인이라서 우리는 적어도 청중의 기질, 관심, 사기, 교육 수준 등을 어느 정도 감지하고 있어야 한다. 만일 우리가 청중이 가치성의 토픽에 기반한 호소에 더 영향을 받을 것으로 생각한다면, 청중에 대한 우리의 지식이 약간 더 온전하고 정확할 필요가 있을 것이다. 왜냐하면 지금은 우리가 청중의 기질을 알 뿐만 아니라 이 청중이 어떤 것을 '좋은' 것으로 여기는지, 좋은 것들의 위계가 어떤지도 알고 있어야 하기 때문이다. 하지만 사람들의 현 상태로 보면, 키케로와 《헤렌니우스에게》(*Ad Herennium*)의 저자가 말했듯이, 아마도 유리함의 토픽이 가치의 토픽보다 더 많은 사람에게 더 자주 호소력을 지닐 것이다. 모든 심의용 담론은 우리가 선택해야 할 것 또는 피해야 할 것과 관련이 있다. 아리스토텔레스는 사람들이 선택하는 것과 피하는 것을 좌우하는 목적은 행복과 그 구성요소들이라고 말했다. 우리는 가치 있는 것과 유리한 것을 우리의 행복에 도움이 되기 때문에 추구하는 만큼, 행복이 심의용 담론에서 궁극적인 특수한 토픽으로 간주되어도 무방하다. 물론 사람들이 품고 있는 행복의 개념은 다양하다. 아리스토텔레스는 흔히 수용되는 몇 개의 정의를 제시했다.

> 우리는 행복을 이렇게 정의할 수 있다. 미덕과 결부된 번영, 또는 독립된 삶, 또는 최대한의 즐거움을 안전하게 누리는 것. 자산과 몸의 좋은 조건과 더불어 그 자산과 몸을 지키고 활용할 수 있는 힘. 행복이 이런 것들 중 하나 또는 그 이상임을 모두가 동의한다.
>
> _《수사학》 제1권 5장

오늘날에도 대다수 사람은 행복이 이런 조건들 중 하나 또는 이런 것들의 조합 내지는 변형이라고 말할 것이다.

그들은 아마 아리스토텔레스가 명시한 행복의 구성요소들에도 동의할 것이다. "양호한 출생, 많은 친구, 좋은 친구들, 부, 선한 자녀, 많은 자녀, 행복한 노년, 아울러 건강, 아름다움, 힘, 큰 키, 운동력과 같은 뛰어난 신체, 그리고 명성, 명예, 행운, 미덕 등." 공상 소설에 거듭 등장하는 주제는 착한 요정이 한 사람에게 세 가지 소원을 허락하는 상황이다. 그 기회를 얻은 사람은 자기를 가장 행복하게 만들어줄 세 가지를 선택한다. 보통은 아리스토텔레스의 목록에 나오는 것들이다. 자기에게 세 가지가 허락된다면 무엇을 열거할 것인지 자문해도 좋다. 그들의 선택은 그들이 생각하는 미덕의 등급에 대해 많은 것을 보여줄 뿐 아니라 행복의 구성요소에 대한 그들의 견해가 역사상 사람들이 취했던 견해들과 별로 다르지 않다는 것도 보여주리라.

요컨대, 우리가 어떤 심의용 담론에 참여하고 있든지, 누군가에게 어떤 행동 경로를 채택하도록 설득하려 하는 것은 그것이 행복에 도움이 되기 때문이고, 어떤 행동 경로를 피하도록 설득하는 것은 그것이 불행으로 이끌기 때문이라고 말할 수 있다. 행복이란 표제 아래 있는 두 가지 특수한 토픽은 가치 있는 것과 유리한 것이다. 우리는 이 특수한 토픽들을 전개하는 과정에서 때로는 일반적인 토픽들도 사용하게 될 것이다. 여기서 일반적 토픽이란 가능한 것과 불가능한 것(예컨대, 어떤 행동 경로의 이점을 권면할 때 우리가 옹호하는 경로가 실행 가능하다거나 쉽다는 것을 보여줘야 한다) 및 많음과 적음의 토픽(예컨대, 많은 선 가운데 선택하는 문제를 지도하려 할 때는 선의 정도를 차별하도록 돕는 평가 기준이 필요하다)이다. 우리는 또한 토론하는 주제와 관련된 전문적 지식도 필요할 것이다. 예컨대, 정부 형태에 관해 토론할 때는 정부의 종류, 한 국가의 법률과 헌법, 입법의 메커니즘에 관한 정확하고 구체적인 지식이 많이 필요하다. 이에 덧붙여, 우리의 주장을 뒷받침하기 위해 충분한 사실, 전건 또는 통계를 갖고 있거나 어디서 찾을지 알아야 한다. 이런 전문적 지식을 제공하는 것은 수사학의 영역이 아니지만, 이런 수사학 교재는 필자들에게 그런 정보의 출처를 가르쳐줄 수 있다.

심의용 담론에서의 일반적 토픽들뿐 아니라 특수한 토픽들에 대한 분석은 이번 장의 끝에 있는 "인내할 의무"에 대한 분석을 참고하라.

사법용 담론을 위한 특수한 토픽들

고전 수사학에 관한 글을 읽는 사람은 가장 큰 주목을 끈 수사학 부문이 바로 사법용 담론, 법정 연설이었음을 금방 알게 된다. 그리스와 로마에서 법정 소송은 평범한 자유 시민—보통은 가부장—에게도 지극히 흔한 경험인지라 어른으로 살면서 적어도 여섯 번 정도 법정에 가지 않은 시민이 드물었다. 더 나아가, 평범한 시민은 종종 판사나 배심원 앞에서 그 자신의 변호인 역할을 하게끔 되어 있었다. 평범한 시민은 전문 변호사가 가졌던 법률과 그 전문적 사항에 대한 포괄적 지식이 없었으나, 변호와 기소 전략에 관한 일반적 지식을 갖고 있으면 매우 유리했다. 그 결과, 수사학 학교들은 문외한에게 법정에서 자신을 변호하거나 범죄한 이웃을 기소하도록 훈련시키는 일로 성황을 이루었다. 아리스토텔레스는 수사학 기술의 유용성을 변호하면서 이렇게 말했다. "사람이 자기 손발로 스스로를 방어할 수 없는 것은 부끄러워해야 하지만 말과 이성으로 그 자신을 변호할 수 없는 것은 부끄러워하지 않아도 된다는 주장은 터무니없다. 이성적인 말의 사용이 손발의 사용보다 더 인간의 독특한 특징이기 때문이다."_《수사학》, 제1권, 1장.

우리 시대에는 절대다수의 시민들이―아마 교통위반을 제외하고― 법정에 나오는 일이 거의 없다. 설사 그들이 법정에 가야 하더라도 기술적으로는 그들 자신의 자문 역할을 할지 모르지만, 보통은 전문 변호사를 고용할 것이다. 이 텍스트를 읽는 학생들의 일부는 변호사가 될 것이고, 법학대학원을 졸업하기 전에 법에 관한 전문적 사항과 재판에 관해 집중 훈련을 받게 될 것이다. 하지만 오늘날 대다수의 사람은 법의 치밀함에 정통하거나 판사나 배심원 앞에서 명민하고 유창한 변호인이 될 필요가 없다.

하지만 이런 수사학 훈련이 완전히 불필요한 것은 아니다. 우리 모두는 이런 설득용 담론에 참여할 기회가 있다. 우리가 정식으로 법정에 서지 않을지 몰라도, 때로는 우리의 행동이나 견해를 변호하거나 타인의 행동을 공격하거나 온갖 텍스트의 표현과 해석과 적용을 논박해야 한다.

사법용 담론을 위한 특수한 토픽들은 어떤 사례의 지위를 규명하려는 노력 덕분에 발전했다. 우리가 앞에서 살펴보았듯이, 수사학자들은 논의될 이슈를 정확히 판단하기 위해 유용한 공식을 만들었다. 이슈나 논지를 꼭 집어낼 목적으로 전반적 주제에 관해 세 가지 질문을 던졌다. 어떤 것이 존재하는지 여부, 그것이 무엇인지, 그것이 어떤 종류인지 등.

일단 이슈가 정해지면―오직 그때에만― 피고측 변호인이든 원고측 변호인이든 그 사례의 전개와 관련된 특수한 토픽들을 결정할 수 있다. 모든 사법용 담론을 위한 궁극적인 특수한 토픽은 정의와 불의이다. 이를 옳은 것과 그른 것이란 용어로 대체해도 무방하다. 단 이를 도덕적 의미가 아닌 법적 의미로 사용한다면 그렇다.

정의와 불의라는 특수한 토픽을 전개하는데 사용될 수 있는 하부토픽들은 그 이슈를 설정하는 세 가지 질문에 따라 분류될 수 있다.

A. 어떤 일이 발생했는지 여부

여기서 주된 하부토픽은 증거이다.

이 토픽을 전개하기 위해 이런 질문을 던진다.

1. 증거가 무엇인가?

2. 어떻게, 언제, 어디서, 그리고 누구에 의해 그 증거가 수집되었는가?

3. 증거의 신빙성은 어떤가?

    a. 정확한가?

    b. 상관성이 있는가?

    c. 당연한 결과인가?

    d. 상황에 의한 것인가?

4. 증거를 제시한 증인들의 신빙성은 어떤가?

    a. 그들은 편견이 있는가?

    b. 그들은 믿을만한가?

    c. 그들은 유능한가?

    d. 그들은 일관성이 있는가?

5. 상충되는 증거는 어떤가?

B. 그 일은 무엇인가

여기서 주된 하부토픽은 정의(定義)이다.

이 토픽을 전개하기 위해 이런 질문을 던진다.

1. 구체적으로 어떤 혐의를 받고 있는가?

2. 추정된 불의의 법적 정의는 무엇인가?

3. 무슨 법이 위반된 것으로 추정되는가?

    a. 선포된 성문법인가?

    b. 불문의 자연법인가?

        (예시, 소포클레스의 연극에서 안티고네는 자기가 오빠 폴리니세스를 묻음으로써 공

        동체의 성문법을 위반했지만 그로써 더 높은 법에 순종했다고 호소한다)

4. 추정된 불의로 손해를 본 사람은 누구인가?

    a. 한 개인?

b. 공동체?

　5. 피해자는 자신의 뜻에 반해 손해를 본 것인가?

　6. 손해의 정도는 어땠는가?

C. 발생한 일의 특질

　여기서 주된 하부토픽은 행동의 동기 내지는 원인이다.

　이 토픽을 전개하기 위해 이런 질문을 던진다.

　1. 추정된 불의는 고의적으로 행한 것인가, 무심코 행한 것인가?

　2. 무심코 행한 것이라면, 그 행동의 원인은 무엇인가?

　　　a. 우연?

　　　b. 강박충동?

　　　c. 자연적 성향?

　3. 고의적으로 행한 것이라면, 그 행동의 원인은 무엇인가?

　　　a. 습관?

　　　b. 심의?

　　　c. 정념?

　　　d. 욕망?

　4. 고의적으로 행한 것이라면, 그 행악자의 동기는 무엇인가?

　　　a. 이익?

　　　b. 복수?

　　　c. 징벌?

　　　d. 쾌락?

　5. 그 행위자는 어떤 사람인가?

　6. 추정된 불의의 피해자는 어떤 사람인가?

　7. 정상을 참작할 만한 상황이 있었는가?

우리가 살펴본 토픽들은 자신의 무죄를 증명하거나 누군가를 고발하려고 할 때 반드시 논의하는 것들이다. 이 토픽들은 중죄와 기타 시민법 위반 등 법정 재판에서 매우 유용하다. 그런데 그것들은 또한 범죄보다 덜한 인간 행위의 정의와 불의에 대한 논의에서도 유용하다. 부정행위, 판단의 오류, 무능함, 의무의 소홀, 악의 등이다. 여기서 제시한 질문들은 이런 설득 행위에 참여할 때 우리의 논의가 취할 수 있는 방향의 '촉진제' 역할을 할 수 있다. 특수한 토픽들의 전개를 위해 일반적 토픽들은 다른 자원으로 그 모습을 드러낼 것이다. 고려 중인 사례의 성격에 따라 모든 경우에 어떤 특수한 토픽과 일반적 토픽이 상관성이 있는지가 좌우될 것이다.

사법용 담론에서의 일반적 토픽과 특수한 토픽의 분석에 대해서는 이번 장 끝에 실린 소크라테스의 《변명》의 분석을 참고하라.

의식용 담론을 위한 특수한 토픽들

의식용 담론의 성격은 그것과 다른 두 종류와의 차별성보다 더 파악하기 쉬울 것이다. 의식용 담론이 때로는 점점 심의용 담론으로 변해가고 때로는 사법용 담론으로 변해간다. 의식적 연설가들은 청중으로 어떤 행동 경로를 채택하도록 설득하는 일보다 유창한 연설로 깊은 인상을 주는 일에 더 몰두한다. 그러나 누군가를 칭송하는 일은 적어도 간접적으로 청중도 가서 그와 같이 할 것을 제안하는 것이다. 이처럼 어떤 행동 경로를 제안함으로써 심의용 담론의 영역으로 이동하고 있다고 할 수 있다. 마찬가지로, 그들이 누군가를 칭찬하거나 비난할 때는 사법용 담론으로 침입한 셈이다. 왜냐하면 법정에서 변호사가 하듯이, 그들도 누군가의 결백을 입증하거나 누군가를 치욕스럽게 하는 것처럼 보이기 때문이다.

이처럼 담론이 중복되긴 하지만 의식용 담론이나 과시용 담론은 독특한 유형이다. 이 담론은 그 일차적 목적이 타인에게 어떤 일을 하도록 또는 하지 않도록 설득하는 게 아니라 누군가를 칭찬하거나 비난하는 것이기 때문에 심의용 담론과는 다르다. 그리고 그 일차적인 목적이 범죄나 부정행위의 혐의를 받는 누군가의 유죄 내지는 무죄에 대해 판사나 배심원을 설득하는 것이 아니란 점에서 사법용 담론과 구별된다. 우리가 이 독특한 세 번째 범주를 인정하지 않는다면, 독립기념일 기념사, 장례식 조사, 전당대회에서의 후보지명 연설, 선거철의 캠페인 광고, 졸업식 연설, 사망 기사, 추천서, 인용문, 의식의 주최 측이 특별 강사를 소개하는 말과 같은 담론들은 배치할 곳이 없어진다. 우리는 그 일차적 목적이 한 개인, 한 그룹, 한 기관, 한 나라 등의 가치를 칭송하거나 깎아내리는 그런 담론을 위해 별도의 범주를 갖고 있어야 한다.

그러면 이 종류의 담론과 상관성이 있는 특수한 토픽들은 무엇인가? 모든 수사학자는 의식용 담론의 전반적 목적이 한 사람이나 한 집단을 칭찬하거나 비난하는 것이란 점에 동의했다. 이것이 목적인즉 명백한 특수학 토픽들은 (1) 미덕과 악덕, (2) 개인적 자산과 업적일 것이다. 누군가를 칭송할 때는 그의 좋은 자질과 눈에 띄는 업적을 강조하고, 누군가를 비난할 때는 그의 나쁜 자질과 중요한 업적의 부재를 강조한다. 누군가의 가치를 평가할 때는 그 사람의 인격과 활동을 측정한다. 어떤 속성들은 선천적인 것이고 다른 속성들은 습득된 습관이다. 물론 타고난 속성들(건강, 외모, 힘) 때문에 누군가를 칭찬하는 것은 불공평해 보일지 몰라도, 선천적인 자질과 습득된 습관 둘 다 보통은 칭찬받을 만한 것으로 간주된다.

우리는 비난의 담론보다 칭송의 담론을 접할 가능성이 더 많다. 인물의 명예훼손죄를 다스리는 법률 때문에 어떤 사람의 인격을 깎아내리는 담론이 활자화된 것은 보기 힘들다. 18세기까지만 해도 한 사람의 공적인 평판을 보호하는 법률이 무척 느슨해서 누군가를 비방하는 글이 종종 출판되어 유포되었다. 오늘날에는 존 드라이덴(John Dryden)이 아일랜드 시인 플렉노(Flecknoe)를 영리하게 그러나 잔인하게 헐뜯는 《맥플렉노》(*MacFlecknoe*)라는 글을 출판하는 것을 상상하기가 어렵다. 지금도 여전히 험담꾼 칼럼리스트들이 있지만, 그들은 대체로 그 치부가 드러나는 사람의 익명성을 보존하려고 조심하는 편이다.

우리는 칭송(또는 비난)의 담론들에 나타나는 일반적인 미덕(또는 악덕)과 일반적인 개인의 자산과 업적(또는 그 결여)을 몇 가지 살펴볼 것이다. 그런데 몇 개의 미덕과 자산과 업적은 보편적으로 인정받고 또 모든 시대의 모든 사람에게 존경을 받지만, 또 어떤 것들은 어떤 문명들이나 어떤 시기에 다른 문명들이나 다른 시기보다 더 존경을 받는다는 점을 지적해야겠다. 예컨대, 겸손은 호머가 《일리아드》와 《오디세이》에서 보여준 문명에서는 높이 평가된 미덕이 아니었던 것 같다. 반면에 대다수 기독교 문화에서는 겸손이 최고의 미덕 중 하나로 간주된다. 그런즉 다시 한 번 우리는 청중과 맥락이 설득용 담론에 나오는 내용을 결정하는 요인임을 상기하게 된다. 청중의 나이와 성(性), 경제적 및 교육적 수준, 정치적 및 종교적 성향, 관심사와 가치관 등 모든 것이 특정한 시기에 특정한 청중에게 강조하는 미덕과 자산과 업적의 유형에 큰 영향을 미친다. 남자의 온유함은 여성으로만 구성된 청중 앞에서는 강조할 만한 미덕이다. 남자의 용기는 남자 노동자들로 이뤄진 청중 앞에서는 강조할 만한 미덕이다.

다음은 사람들이 누군가를 칭송할 때 흔히 거론하는 미덕들이다(괄호 속에 나오는 것은 그에 상응하는 악덕들, 즉 사람들이 누군가를 깎아내릴 때 언급하는 도덕적 결함들이다).

1. 용기(겁): 용감함과 불굴의 정신(fortitude)은 흔히 이 미덕의 동의어로 사용되는데, 불굴의 정신은 좀 더 넓은 용어로서 위험한 상황뿐 아니라 온갖 어려운 상황에 직면해도 침착함을 잃지 않는 모습을 의미한다(예컨대, 어떤 사람이 만성적인 나쁜 건강을 견디는 것을 보면 불굴의 정신을 갖고 있다고 말한다.)

2. 절제(탐닉): 온갖 신체적인 쾌락—먹는 것, 마시는 것, 흡연, 섹스—과 연관된 미덕(과 악덕). 이런 욕구들을 만족시킬 때 발휘하는 절제는 대다수 문화에서 칭송받을 만한 것으로 간주된다.

3. 정의(불의): 이 용어들은 사법용 담론에서 특수한 토픽으로 사용될 때보다 좀 더 좁은 의미로 이해할 필요가 있다. 여기서 우리는 정의를 타인의 선천적 및 법적 권리를 존중하는 미덕으로 정의할 수 있다.

4. 관대함(이기심): 너그러움과 동의어로서 타인의 유익을 위해 시간이나 돈이나 에너지를 사용하게 하는 미덕. 이타심도 또 하나의 동의어이다.

5. 신중함(경솔함): 수단과 목적에 대해 현명한 결정을 내리게 해주는 지적인 미덕. 이 미덕은 상식 또는 실천적 지혜의 토대이다.

6. 온유함(잔인함): 오히려 친절함이 더 넓은 함의를 지니고 있어서 더 나은 용어인

지도 모른다.

7. **충성(불충함)**: 어떤 사람, 집단, 기관, 국가, 이념에 대한 충실함은 보편적으로 존경받는 자질이다.

이 목록이 모든 미덕(과 악덕)을 총망라하는 것은 물론 아니다. 이는 단지 대다수 문화와 시대의 사람들이 높이 평가하는 남자나 여자 속 성품의 자질들, 그것을 보유한 사람을 존경하게 하는 자질들을 열거할 뿐이다. 일반적으로, 타인에게 유익을 주는 미덕들이 보유한 사람에게 유익한 미덕들보다 더 높이 평가될 것이다. 그리스도께서 유명한 산상설교에서 언급한 팔복 중 다수가 사회적 미덕, 즉 타인에게 유익을 주는 미덕임은 주목할 만하다. 우리가 개인적인 성자다움을 보고 그 사람을 칭송하는 게 사실이나(그리고 개인적 성화는 각 사람의 일차적 목표임이 틀림없다), 타인에게 유익을 주는 미덕을 소유한 사람을 칭찬하기가 더 쉽다. 이 때문에 사도 바울은 무엇보다 사랑을 가장 큰 미덕으로 지명한 것이다. 그러나 다시금 강조할 점이 있다. 한 사람의 개인적 미덕이나 사회적 미덕 가운데 어느 것을 강조하는 편이 더 좋을지는 특정한 상황이나 특정한 청중에 좌우될 것이란 점이다.

미덕은 칭찬용 담론을 작성할 때 의지하는 특수한 토픽의 하나인 한편, 우리가 발견하려고 하는 다른 자산들과 업적들도 있다. 예컨대, 다음과 같은 것을 생각해보라.

1. **신체적 속성들**: 민첩함, 강인함, 좋은 외모, 건강, 스태미나.
2. **외부 환경**: 가족 배경, 교육, 경제적 지위, 정치적, 사회적, 종교적 관계, 친구(나에게 그 사람의 친구들이 누군지 말해다오. 그러면 그가 어떤 종류의 사람인지를 말해주마).
3. **업적**: 성취한 일, 제공한 서비스, 얻은 명예, 보유한 직책 등. 지혜로운 말, 그 사람에 관한 타인의 증언.

의식용 담론에서 사용하는 많은 자원은 소설가와 극작가와 단편 작가들이 그들의 작품에서 사람들을 묘사할 때 사용하는 장치들이다. 소설가는 그 이야기에 나오는 대화(한 사람이 말하는 내용과 그것을 말하는 방식), 행동(한 사람이 행하는 것과 그것을 행하는 방식), 외모에 대한 묘사, 다른 등장인물들의 증언, 그리고 독자들로 그 인물들을 상상할 수 있게 하는 직접적인 성격 묘사 등을 사용한다. 하지만 의식용 담론의 필자는 소설가보다 더 선택적이고 한 사람의 가장 두드러지고 호감이 가는 측면들에 초점을 맞춘다.

아리스토텔레스는 확대와 비하라는 토픽이 의식용 담론에서 두드러진 역할을 한다고 말했다. 왜냐하면 누군가를 칭송할 때는 자연스레 그 사람의 미덕을 확대시키고 그의 악덕은 최소화하려 하기 때문이다. 그리고 누군가를 비난할 때는 그와 정반대로 한다. 즉, 악덕을 확대시키고 미덕은 경시하는 경향이 있다. 아리스토텔레스는 칭송의 효과를 증폭시키는 몇 가지 유용한 방식을 지적한 바 있다.

1. 어떤 사람이 무슨 일을 하는 최초의 사람 또는 유일한 사람 또는 거의 유일한 사람임을 보여주라.
2. 어떤 사람이 무슨 일을 어느 누구보다도 더 잘했다는 것을 보여주라. 어떤 종류든 우월함은 탁월성을 보여주는 것으로 간주되기 때문이다.
3. 어떤 사람이 종종 똑같은 성공을 이루었다는 것을 보여주라. 그런 빈도는 성공이 우연히 이뤄진 게 아니라 그 사람의 능력으로 이뤄진 것임을 가리켜주기 때문이다.
4. 어떤 사람이 무슨 일을 성취한 당시의 환경을 보여주라. 그 사람이 예컨대 아주 불리한 환경에서 그런 일을 성취했다는 것을 보여줄 수 있다면 그 사람의 공로가 더욱 돋보일 것이기 때문이다.
5. 그 사람을 다른 유명한 사람들과 비교하라. 만일 이 사람이 다른 저명한 사람들과 동등하거나 그들을 능가했다는 것을 보여줄 수 있다면 그를 칭송하는 소리가 더 커질 것이기 때문이다.

이런 사항을 변형하면 어떤 사람을 평가 절하하는 데 이용할 수 있다. 예컨대, 우리가 많은 사람이 똑같은 일을 했다는 것을 보여줄 수 있다면, 우리는 그 사람의 업적을 깎아내릴 수 있다.

이 부문에서는 사람들이 청중에게 어떤 사람이나 집단이 위대하다거나 고상하다거나 덕스럽다거나 유능하다는 것(또는 정반대로 하찮거나 저급하거나 악하거나 무능하다는 것)을 설득하려 할 때 흔히 의지하는 특수한 토픽들을 살펴보았다. 이런 특수한 토픽들이 항상 칭찬용 담론(또는 비난용 담론)에 합병시킬 자료를 낳지는 않을 것이다. 만일 어떤 사람이 특정한 미덕을 갖고 있지 않거나 그것을 탁월한 정도로 갖고 있지 않다면, 우리는 당연히 그 사람의 그 미덕을 치켜세울 수 없다. 만일 특정한 미덕이 특정한 청중에게 호소력이 없다면, 그것을 길게 논하는 것은 현명하지 않다. 그리고 만일 특정한 미덕이 그 상황에 별로 적절하지 않다면, 그 속성을 상세히 설명한다고 그 사람이 칭송받기는 어려울 것이다.

페리클레스(Pericles)는 의식용 담론의 고전적 본보기의 하나인 〈조사(弔辭)〉(*Funeral Oration*)를 쓴 사람이다. 그 조사는 스파르타와 싸운 펠로폰네소스 전쟁의 1차 출정에서 아테네 군인들을 칭송하는 것으로 세 번째 단락에서 이런 유의 담론에 수반되는 특별한 어려움에 대해 얘기하고 있다.

> 그렇다면 어떤 사람의 청중이 그 사람이 말하는 내용의 진실성을 믿기 어려워할 때는 적절한 균형감각을 지닌 채 말하기가 쉽지 않다. 사실을 알고 또 죽은 자를 사랑하는 사람은 조사가 자기가 아는 것과 듣고 싶은 것보다 더 적게 말한다고 느낄 것이다. 그만큼 모르는 사람들은 죽은 자에게 질투심을 느끼고, 연설가가 그들의 역량을 뛰어넘는 공적을 거론하면 그가 과찬하고 있다고 생각한다. 다른 이들을 칭송하는 일은 어느 지점까지만, 즉 청중이 자기도 지금 듣고 있는 것의 일부를 할 수 있다고 믿는 지점까지만 용납될 수 있는 법이다. 당신이 일단 이 지점을 넘어가면 사람들이 질투하고 또 의심하는 모습을 보게 될 것이다.
>
> _투키디데스(Thycydides), 《펠로폰네소스 전쟁사》(*The Peloponnesian War*), Bk. II, Ch. 4.

칭찬용 담론을 작성하거나 누군가의 담론을 분석할 때는 이 현명한 글을 염두에 두는 것이 좋다. 칭송을 할 때 그것이 청중이나 독자에게 진실하고 믿을 만하고 용납할 만한 것으로 들리지 않는다면 그것은 소귀에 경 읽기와 다름이 없을 것이다.

마누엘 빌스키(Manuel Bilsky), 맥크리어 해즐럿(McCrea Hazlett), 로버트 E. 스트리터(Robert E. Streeter), 그리고 리처드 M. 위버(Richard M. Weaver): 논증 찾기

이제까지 우리는 이따금 토픽이 실제 담론에서 작동하는 것을 보여주는 간단한 예를 들면서 토픽에 대해 추상적으로 논의했다. 이번 장의 뒷부분에서는 한 담론에서 토픽이 작동하는 것을 분석할 예정이다. 그런 예들과 분석은 토픽이 이미 작성된 담론을 위한 제재를 낳는다는 증거를 제공해준다. 그러나 고대 수사학에서는 토픽이 아직 작성되지 않은 담론을 위한 제재를 창출하는 장치로 간주되었다. 다음 글에서, 저자들은 그들이 시카고 대학의 작문 과목에서 학생들로 하여금 주어진 주제들에 대해 할 말을 찾도록 돕기 위해 네 가지 토픽을 활용한 방법을 설명하고 있다.

1. 작문 과목은 논쟁에 대해 다뤄야 한다고들 널리 믿고 있다. 그리고 논쟁이 논리와 관계가 있다는 것을 의심하는 사람은 거의 없다. 많은 영문학 교수는 '명석한' 또는 '똑바른' 사유의 중요성을 강조하고 학생들에게 복잡한 삼단논법을 체계적으로 훈련시킴으로써 그런 신념을 이행한다. 이는 분명히 유용하다. 논리는 좋은 논증의 형식을 제공하기 때문에 철저하게 다룰 필요가 있다.

2. 그런데 논쟁에 대한 현대의 논의 대다수는 모든 문제가 논리로 해결될 수 있다고 생각한다. 만일 학생들이 논리의 원칙들을 배우고, 오류를 간파하는 법을 훈련받고, 정직하게 생각하라는 권면을 받는다면, 그들이 논증을 잘 할 수 있을 것으로 믿는다. 하지만 작문을 가르칠 때 그런 관점은 완전히 만족스럽지 못하다. 왜냐하면 논리학자들이 일부러 주제를 제외시키기 때문이다. 설사 이것이 그들의 꾸며낸 복잡한 비언어적 상징 세트를 가리킴으로써 충분히 증명되지 못할 지라도, 그

것은 난센스 삼단논법에 의해 분명히 입증될 수 있다.

> 만일 길버트(W. S. Gilbert)와 설리반(Arthur Sullivan)이 〈이올란테〉(*Iolanthe*)를 썼다
> 면, 나폴레옹의 몰락은 대체로 그의 러시아 침공에 의해 초래된 것이었다.
> 길버트와 설리반이 〈이올란테〉를 썼다.
> 그러므로, 나폴레옹의 몰락은 대체로 그의 러시아 침공에 의해 초래된 것이었다.

이것은 형식적으로는 타당한 가설적 삼단논법이다. 그러나 이것은 형식적인 의미에서만 나무랄 데 없다는 것을 강조해야 한다. 한 번만 읽어도 그 논증이 우습다는 것을 알게 된다. 따라서 작문을 가르치는 선생과 학생은 논리학자가 멈추는 곳에서 멈출 수 없다.

3. 우리의 주 관심사는 학생들이 글을 잘 쓰도록 가르치는 일이다. 물론 논리적 분석 기술을 개발하는 것도 이 목적을 이루는 소중한 수단이지만, 우리는 작문 과정을 도와줄 다른 테크닉과 도구도 필요하다. 우리는 학생들이 적실하고 효과적인 논증을 찾도록 도와줄 방법을 발견할 필요가 있다. 논리는 그 성격이 형식적이고 그 용도가 분석적인 만큼 논쟁 공부의 기본이긴 하지만 이 필요를 완전히 충족시킬 수 없다. 이 문제를 인식한 시카고 대학교의 영문학과 교수진은 최근에 구체적인 해결안을 탐구해왔다. 다음 내용은 이 실험의 이론과 실천을 요약한 것이다.

4. 먼저 논리학을 배운 학생은 수사학을 절반만 배운 셈이라는 우리의 말을 상기하는 게 좋겠다. 그는 논리적으로 쓰라는 말을 들었으나 삼단논법은 단지 논증의 틀에 불과하다. 학생들이 자주 보여주는 삼단논법에 대한 모호한 욕구불만은 '논증'은 하나의 형식에 불과하다는 사실로 설명할 수 있을 것이다. 논쟁 과정에서 여전히 부족한 것은 전통적 수사학자들이 착상(invention)이라 부르는 것이고, 이는 단지 내용—뒷받침해주는 적실한 자료—의 발견을 의미할 뿐이다.

5. 이 모든 것은 엄연한 진실, 곧 어떤 논증이 설득력을 지니려면 실제 세상에 관한 이해 가능한 어떤 것을 말해야 한다는 진실을 가리킨다. 진정한 논증은 그런 속성

들로 구성되어 있기 때문에, 우리는 논증에 필요한 자료를 우리 경험을 해석하고 분류해서 찾는다. 해석의 범주들 중에 가장 기본적인 것은 존재, 원인, 유사성 등이다. 이런 것을 부인하는 것은 곧 모든 논증의 가능성을 부인하는 것이다. 그러나 실제로는 아무도 그런 것들을 부인하지 않는다. 왜냐하면 세계에 관해 얘기하는 즉시 우리는 이러이러한 것이 이러이러한 계급의 일원으로 존재한다거나, 그것은 어떤 결과의 알려진 원인(또는 어떤 원인의 알려진 결과)이라거나, 그것은 다른 어떤 것과 유사성을 갖고 있다고 말하는 자신을 발견하기 때문이다. 이런 측면들은 고전적인 필자들이 '영역'이라 부른 것, 그리고 훗날 '토픽'으로 번역된 것의 예를 제공해준다.

6. 이렇게 불리는 이유는 그것들이 논증의 자료를 끌어낼 경험의 영역을 구성하기 때문이다. X는 일종의 사물이라거나, X는 알려진 분명한 결과를 갖고 있다거나, X는 그 자체보다 더 잘 이해되는 어떤 사물과 중요한 유사점이 있다는 말로 논증이 진술되는 것은 일상적인 관찰의 문제이다. '토픽'은 논증에서 나타날 수 있는 이런 종류의 속성들에 대한 분석에 불과하다. 예를 들어, 당신이 어느 날 밤 강도를 만나 권총으로 돈을 내놓으라는 위협을 받았다고 추정하자. 당신이 그에게 논리를 펼 수 있게 되었다고 가정하면 다음과 같은 '영역' 내지는 '가능성'을 갖게 될 것이다.

1. 당신은 그에게, 그가 노리는 것은 범죄라고 말할 수 있다. 이것은 속(genus)에 기초한논증일 것이다.

2. 당신은 그에게, 그의 행동은 그를 수년 동안 교도소에 갇히게 할 것이라고 말할 수 있다. 이것은 결과에 기초한 논증일 것이다.

3. 당신은 그에게, 이것은 그 자신이 피해자라면 싫어할 행동이라고 말할 수 있다. 이것은 유사성에 기초한 논증일 것이다.

4. 당신은 그에게, 이것은 성경이 금하는 행동이라고 말할 수 있다. 이것은 권위에 기초한 논증일 것이다.

당신은 우리가 그 가설적인 강도의 인내심을 과대평가했다고 생각할지 모르지만, 이 논증들은 제각기 추상적 삼단논법이 가질 수 없는, 어느 정도의 설득력을 갖고 있음을 인정해야 할 것이다. 그래서 우리는 지금 논증들을 착상했다고 말하는 것이다. 여기서 그 논증들을 끌어낼 수 있는 영역이 독특하게 나타나기 시작하는 만큼 우리는 한 '토픽'의 출발점을 갖고 있는 셈이다.

7. 우리는 이런 토픽들을 흔히 논증의 '출처'라고 불렀는데, 이는 그 성격을 가리키는 또 하나의 방법이다. 교실의 예를 다시 든다면, 지금 학생들이 표현의 자유 또는 민주주의 또는 세계 연방제에 관한 논증을 작성하라는 과제를 받았다고 가정해보자. 그에게 이런 출처들이 개관되면 그는 부류, 결과, 유사성 등과 같은 경험과 관찰의 영역을 참고함으로써 그의 입장을 개진하기 시작할 수 있다. 지금은 제한된 능력을 가진 학생이라도 처음 생각했던 것보다 그 주제에 관해 할 말이 더 많을 것이다.

Ⅱ

8. 자연스럽게, 대학교의 작문 과목에 토픽 중심의 접근을 도입하려면 몇 가지 실질적인 결정이 필요하다. 그 가운데 좀 더 중요한 결정은 구체적인 토픽들의 선택과 관련이 있다. 우리가 토픽을 시카고 대학의 작문 과목의 일부로 가르치게 되었을 때, 우리는 소수의 토픽만 다루되 그것들을 잘 선택해서, 때로는 명시적으로, 하지만 더 잦게는 암시적으로, 훨씬 더 긴 목록과 연결될 수 있게 하도록 결정했다. 이것은 선생에게 운신을 폭을 넓혀준다. 즉, 그는 어느 토픽의 이런저런 측면을 강조할 수 있게 되는 것이다. 다음으로, 우리는 토픽들이 작문을 가르치는 기술에 유용하게 되기를 바랐다. 그 결과 상당한 유연성과 함께 비교적 제한되지만 교육학적으로 유용한 목록이 도출되었다.

속(genus)

9. 속 또는 정의(定義)에 기초한 논증은 한 사물의 성격을 기초로 만든 모든 논증을 포함한다. 이 유형의 논증을 제시할 때, 우리는 심의하는 주제가 그 어떤 사실이나 개념이든 그 부류를 가리킬 뿐이다. 만일 우리 청중이 그 부류의 실제 존재에 대해 충분히 감명을 받는다면(즉, 다른 멤버들과 더불어 이 멤버를 포함하는 부류로서의 실재에 대해), 그들은 그 부류에 해당되는 것은 무엇이든 이 사실이나 개념에도 해당되리라고 인정할 것이다. 바로 이것이 우리가 우리의 논증으로 개진하려는 논점이다.

10. 예를 들어보자. 누군가 정부의 어떤 재정 정책이 바람직하지 못하다는 것을 논증하려 한다고 가정하자. 만일 그 사람이 유에 기초한 논증을 사용한다면, 그가 할 수 있는 일은 그 정책을 취해 그것을 '인플레이션'이란 부류에 넣는 것이다. 만일 그 사람이 그 일을 성공적으로 수행한다면, 그는 인플레이션의 중요성을 그가 공격하는 정부의 재정 정책으로 전이시키는 셈이다. 우리는 화자가 단지 "이것은 인플레이션이다"라고 말한다고 가정한다. 만일 그가 인플레이션의 결과로 진입한다면, 그는 유에 기초한 논증을 남겨두고 결과에 기초한 논증까지 나아가는 것이다. 이 분석은 "이것은 반역이다", "이것은 노동계급의 배신이다", "이것은 진정한 미국정신이다"와 같은 말에도 적용된다. 그리고 유를 구성하는 예측 가능한 것을 통해 그 동기를 찾으려는 논증이면 모두 적용된다. 여기서 속(屬)의 비판적이고 정확한 사용법에 대해 훈련을 받는 것이 무책임한 '욕설'을 방지하는 최상의 안전책임을 지적해도 좋겠다.

11. 토픽을 가르칠 때 어느 시점에 논증이 두 유형의 정의—이를 [1] 유와 [2] 정의로 구별할 수 있다—를 이용한다는 경험적 사실을 고려하는 것도 필요하겠다. 첫째 유형은 보편적으로 수용된 관습을 이용하는 만큼 화자가 군이 묘사, 분석, 또는 '증명'이 필요하다고 느끼지 않는다. 말하자면, 그것은 널리 공인된 범주의 하나이므로 그것을 명명하는 것으로 충분하다고 느낀다. 정통파 회중과 함께하는 목사에게는 '죄'가 그런 용어이다. 그러므로 목사가 이런저런 행동을 '죄'로

범주화할 때는 그의 입장을 개진한 것이다. 그 유는 너무도 잘 확립된 것이라서 그것을 뒷받침하는 일은 불필요하다.

12. 그러나 그 범위가 전혀 정해지지 않은 용어가 많이 있으므로 그런 것을 성공적으로 이용하려면 명시적 정의가 어느 정도 필요하다. 화자가 그런 용어들을 정의할 필요가 있는 것은 사람들이 그 정확한 정의를 모르기 때문이다. 좋은 예는 존 스튜어트 밀이 쓴 유명한 에세이의 이름과 같은 '자유'이다. 밀은 자유와 개인에 관한 어떤 명제들을 주장하려 하지만, 그 작업을 시작하기 전에 반드시 정의를 내리는 긴 과정을 거쳐야 한다. 이 과정을 완전히 거친 후에만 그는 '자유'를 유로 사용해 어떤 행동들을 승인하거나 불승인할 수 있다. 오늘날 '민주주의'에 관한 주장을 펴는 사람도 그와 똑같은 일을 해야 한다. '민주주의'란 용어는 너무나 애매모호해서 그런 작업을 수행하지 않으면 유사한 개념을 품을 것으로 기대할 수 없다. 말하자면, 지금은 민주주의가 공중의 마음에 분명한 속(屬)으로 자리잡지 못하고 있다는 뜻이다.

13. 물론 논증의 과정은 두 경우에 모두 동일하다. 차이점은 전자의 경우에는 유가 이미 만들어져 있는 반면, 후자의 경우에는 만들어야 한다는 것이다. 이 점을 주목할 필요가 있는 이유는 학생들이 접할 많은 논증이 대부분의 공간을 유를 설정하는데 할애할 것이기 때문이다. 이런 것이 정해지기 전에는 필자가 특별한 사건들과 관련해 명제를 만들 준비가 되어 있다고 할 수 없다.

결과

14. 결과에 기초한 논증에서는 필자가 경험들 사이에 있는 인과관계를 제시한다. 유와 정의에 기초한 논증과 같이, 이런 논증들도 자명하고 널리 수용된 인과관계를 이용할 수 있고, 그렇지 않으면 필자가 그보다 덜 인정받는 인과관계를 세우려고 애쓸 수 있다. 이런 논증은 대체로 원인에서 결과로, 또는 결과에서 원인으로 곧바로 움직인다. 이런 단순한 인과 논증의 좋은 예는 버크가 쓴 "미국 과세에 관한 연설"이다. 거기서 버크의 논증은 원인(미국 식민지들에 대한 불공평한 취급)

에서 결과(불만, 무질서, 불복종)로 움직인다. 결과에서 원인으로 움직이는 고전적 논증은 우주 질서의 존재로부터 하나님의 존재를 증명하는 것이다. 이 논증은 결과를 관찰한 다음 이 결과를 설명할 만한 원인을 가정하는 것으로 이뤄진다.

15. 좀 더 복잡한 논증은 때때로 '징표에 기초한 논증'이라 불린다. 많은 원인은 다양한 결과를 낳는다. 갑작스러운 추위는 연못에 얼음을 얼게 할 뿐만 아니라 사람들로 따뜻한 옷을 입게 할 것이다. 혹자가 어떤 결과들을 관찰하고 그로부터 원인으로, 그리고 거기서 또 다른 결과로 논증을 편다면, 그는 징표에 기초해 논증하고 있는 것이다. 얼음과 따뜻한 옷 입기는 추위란 원인의 결과들이다. 우리는 한 가지 결과를 관찰함으로써 그 원인을 추론하고 그로부터 또 다른 결과로 나아갈 수 있는 것이다.

16. 이 모든 논증은 우리의 문명에서 늘 사용되고 있다. 정치인은 자기가 선출된다면(원인) 더 나은 정부가 들어설(결과) 것이라고 주장한다. 현 정부의 부정부패(결과)는 타락한 행정부(원인)가 낳은 것임에 틀림없다고 주장한다. 그리고 그 자신의 행복한 가정, 성공적인 경력, 든든한 교회, 사회적 관계 등은 그가 공직을 현명하고 정직하게 수행할 것임을 보여주는 뚜렷한 징표라고 주장한다.

유사점과 차이점

17. 유사점과 차이점은 별개의 토픽들이다. 하지만 논증으로서의 구조가 비슷해서 함께 묶어도 상관이 없다. 유사점과 우리에게 익숙한 유추(analogy) 사이에는 중요한 차이점이 없다. 이와 마찬가지로, 차이점은 일부 논리학자들이 '부정적 유추'라 부르는 것에 상응한다. 우리가 기억할 중요한 점은 양자 모두 두 개의 사례에 의존한다는 것이다. 즉, 우리는 유사점이나 차이점을 이용할 때 한 사례로부터 다른 사례로 논증을 전개하는 것이다. 이는 귀납적 논증, 즉 많은 특수한 사례들로부터 일반적인 규칙이나 법으로 움직이는 방법과 다르다.

18. 때로는 유사점 내지는 유추의 두 가지 용도를 서로 구별한다. 예컨대, 수사학자 화틀리는 이 논증은 '해당 명제를 증명할 뿐만 아니라 그것을 더욱 명료하게 이

해될 수 있게' 하는 데도 사용될 수 있다고 말한다. 이어서 명료하게 하려고 사용되는 것을 논증으로 착각하면 안 된다고 말한다. 그런데 '유추'란 말이 때때로 '은유'와 동의어로 사용되는 것을 생각하면 문제는 더 복잡해진다. 하지만 우리의 목적상, 이런 구별은 무시해도 좋다. 사실 모든 비교는, 정도의 차이는 있지만, 논증으로 사용된다고 주장하는 것도 가능하다. 그런즉 우리가 그런 것을 논증으로 취급해도 그리 잘못되진 않을 것이다.

증언과 권위

19. 증언과 권위는 폭넓은 논증의 일차적 출처로 사용되는 경우가 거의 없다는 점에서 다른 토픽들과 다르다. 이는 그 힘이 담론의 직접적인 주제로부터 나오지 않고 증인의 능력과 인격에 대한 고려에서 나오기 때문에 논증의 '외부적' 출처에 해당한다. 만일 선량하고 지혜로운 사람들이 이것을 믿는다면, 이것은 옳은 것이 틀림없다는 식이다. 이 토픽은 일반적인 명제를 확증하거나 어떤 구체적 환경을 확증하는 방향으로 나갈 수 있다. 증언과 권위는 또한 필자가 증인으로서의 자신의 신빙성 또는 재판관으로서의 정직성을 입증하려는 시도와 관계가 있을 수 있다. 이와 반대로, 어떤 경우에는 그의 대적이 사실에 부주의하고 판단이 부실하다는 것을 보여주는데 사용될 수 있다. 끝으로, 존경받는 인물이나 아이디어나 기관과의 연줄을 시사하는 용어나 구문을 사용하는 스타일도 은근히 권위에 호소하는 것일 수 있다.

III

20. 이런 반론이 제기될 수 있다. 논증의 가르침에 대한 이런 접근이 이론적으로는 매력이 있으나 평범한 작문 작업과는 별로 상관이 없다는 반론이다. 어떤 이들은 이렇게 느낄 수도 있다. 토픽의 도입이 선생의 연구에 비춰볼 때 매우 그럴듯하게 보일지라도, 그것은 학생의 생각과 그의 주장 사이에 또 다른 용어상의

걸림돌을 세움으로써 교실에서 혼동을 야기할 뿐이라고. 그러나 경험에 비춰보면, 우리는 토픽이 학생이 자기주장을 글로 쓸 때 부딪히는 문제들과 긴밀한 관계가 있다는 것, 토픽은 학생이 글로 쓰기 원하는 아이디어를 명료하게 하는데 도움이 된다는 것, 무엇보다 토픽은 그 일차적 목적—적실하고 효과적인 논증을 발견하려는 학생의 능력을 자극하는 일—을 달성한다는 것을 확신하고 있다.

21. 이론과 실천 간의 상호작용의 성격을 알기 위해, 학생들이 토픽의 분석에 익숙해지도록 돕는 방법을 간단하게 얘기하는 게 좋겠다. 첫째, 토픽이 무엇인지를 분명히 하고 또 선택된 네 가지 토픽의 예를 들기 위해, 우리는 일련의 짧은 논쟁적 단락들을 제시하고 그것들을 각 단락에 주로 사용된 토픽에 따라 분류했다. 그래서 속(屬)이란 표제 아래, 톰 페인이 영국 정부가 근본적으로 비합법적이라는 그의 주장을 뒷받침하기 위해 '진정한' 헌법의 정의를 이용하고 있음을 보여준다. 학생들이 특정한 토픽들을 이해하는 능력을 보여주면, 즉시 우리는 그들에게 다양한 토픽 중심의 접근의 적절성을 실험할 일련의 간략한 주장을 써 보라고 요청한다. 주목할 점은, 학생들에게 어떤 특정한 토픽을 예증하는 주장을 만들라고 말하는 게 아니라, 어떤 명제들—그들의 관심사에 따라 논쟁을 불러일으킬 만한—을 지지하거나 공격하는 주장을 글로 써 보라고 말한다는 것이다.

22. 비교적 복잡한 논증에서는 노련한 필자일수록 다양한 토픽들을 끌어와서 그의 중요한 생각을 펼쳐가는 가운데 한 토픽에서 다른 토픽으로 쉽게 움직인다. 결과적으로, 우리는 범주로 나눈 짧은 발췌문들을 통해 토픽을 소개한 후 여러 중요한 논증들—그 가운데는 〈연방주의자 논문 제 10호〉, 링컨의 첫 취임사, 소로의 《시민 불복종》(*Civil Disobedience*), 스위프트의 《겸손한 제안》, 버트런드 러셀(Bertland Russell)의 《자유인의 숭배》(*A Free Man's Worship*), 뉴먼의 〈지식 그 고유한 목적〉(*Knowledge It's Own End*) 등이 있다—을 검토하게 되는데, 그 속에서 완전하고 풍부한 논쟁의 맥락에서 다양한 토픽 중심의 접근들을 관찰할 수 있다. 이런 텍스트들을 공부하는 것과 더불어 학생들은 두세 편의 긴 논증을 글로 쓰게 되

는데, 이를 통해 그들은 적실한 토픽들을 인식하는 능력을 훈련할 뿐만 아니라 다양한 토픽 중심의 논증을 체계적이고 설득력 있는 몸통에 합병시키는 기술도 연마하는 기회를 얻게 된다.

23. 위에서 개관한 프로그램을 실험한 뒤에 얻은 가장 중요한 결과는 학생들의 논증이 놀랄 만큼 풍부해졌다는 것이다. 토픽이 지침을 제공하자 우리의 필자들은 과거에 종종 그랬듯이 조심스럽게 변두리만 돌아다니지 않고 훨씬 겁내지 않고 논쟁적 상황의 중심으로 뛰어들곤 한다. 이 사실로 말미암아 우리는 논쟁에 관한 가르침이 작문 과목에서 중요한 역할을 한다는 확신을 품게 되었다. 젊은 필자가 수사학적 토픽들에 익숙해져서 자기가 옹호하는 사고 노선이나 행동 노선에 적절한 합리적 논증을 찾고 또 인식하는 능력이 향상되는 한, 우리가 묘사한 접근은 논쟁을 진지하게 다루는 것을 가능하게 해준다. 학생들이 논쟁하는 상황에 처하더라도 토픽을 이용하는 법을 알고 있으면 얼어붙거나 비지땀을 흘리지 않을 것이다. 논증의 위치를 정하고 또 논증을 평가하는 것을 돕는 테크닉만 주어진다면, 학생들은 논란이 많은 주제들에 대해 무언가 할 말이 있다는 것을 보여주었다.

리처드 라슨(Richard L. Larson): 수사학적 착상의 교육 계획

토픽들을 작문을 위한 장치를 창출하는 것으로 볼 때 생기는 문제점 중에 하나는, 특히 토픽들이 이번 장의 앞부분과 앞의 글에서처럼 범주나 표제로—정의, 유사점, 차이점과 같은—제시될 때, 그것들은 그냥 '거기에 앉아서' 아이디어를 창출하지 못하는 경향이 있다는 것이다. 그 결과, 학생들은 토픽들이 어떤 주제나 논지에 관한 아이디어를 생성하게 하는 법을 몰라서 헤맨다. 하지만 토픽들이 질문의 형태로 제기되면 장치를 창출하는 일을 더 잘 수행하는 듯하다. 아마 질문은 그 성격상 반응을 불러일으키기 때문인 것 같다. 저널리즘 학교에서 뉴스에 포함되어야 할 하나의 지침으로 종종 가르치는 질문의 형식—누가? 무엇을? 언제? 어디서? 어떻게?—은 이런 종류의 토픽 장치이다. 다음의 내용은 리처드 라슨이 일련의 토픽 질문으로 설정한 것으로서 어떤 주제나 명제에 관한 글을 써야 할 때 아이디어를 산출할 수 있는 것들이다. 이 질문 목록이 담긴 글의 첫 부분에서 라슨 교수는 이렇게 말한다. "그러므로 나는 '착상'에 대해 가르칠 때 우리가 끈질긴 노력으로 학생들이 다음과 같이 강권할 것을 제안한다. 즉, 그들이 최대한 사실들에 대해, 사실들 사이의 가능한 관계에 대해, 그들이 글로 쓸 경험들에 대해 친숙해지도록, 그리고 그들이 글로 쓸 것을 경험하도록, 그들이 중요하다고 생각하는 개념들의 저변에 깔린 사실들과 글로 쓰길 원하는 명제들의 내용을 검토하도록… 나는 학생들이 체계적인 질문의 과정을 통해 그들의 경험과 개념과 명제에 대한 철저한 지식에 이르도록 제안한다. 이 질문들은 선생이 그들을 위해 제기하는 게 아니라 대체로 그들 자신이 제기하는 것들이다…. 물론 모든 질문이 모든 주제에 대해 유용한 답변들을 불러오지는 않을 터이고, 학생은 어떤 질문들이 그 주제에 관해 귀중한 아이디어를 제공하고 또 어떤 질문들이 비교적 소득이 없는지를 배워야 한다."

_'질문을 통한 발견: 수사학적 착상의 교육 계획'(*Discovery Through Questioning: A Plan for Teaching Rhetorical Invention*), 〈대학 영어〉(*College English*, 1968. 11)

I. 코멘트를 초래하는 '토픽들'

A. (현재 상태의) 단일한 물품에 관한 글쓰기

그 물품의 물리적 특징들(모양, 측면, 성분 등)은 무엇인가?

그것은 그것과 닮은 것들과 어떻게 다른가?

그것이 '변형될 수 있는 범위'는 어떠한가? (우리가 그 사물을 계속 알아볼 수 있을 만큼 변화시킬 수 있는 정도는)

그것은 우리가 예전에 관찰한 적이 있는 다른 물체들을 상기시키는가?

그것은 어떤 관점에서 검사할 수 있는가?

그것은 어떤 구조를 갖고 있는가?

그것의 부품들은 어떻게 다 함께 작동하는가?

그 부품들은 어떻게 조립되는가?

그 부품들은 서로 어떻게 균형을 잡고 있는가?

그것은 어떤 구조(품목들의 부류 또는 순서)에 속해 있는가?

누가 또는 무엇이 그것을 이 형태로 만들었는가? 왜?

누구에게 그것이 필요한가?

누가 그것을 사용하는가? 무엇을 위해?

그것은 어떤 목적들에 기여할 수 있는가?

그것은 이런 목적들을 위해, 어떻게 평가될 수 있는가?

B. 완료된 단일 사건 또는 진행되는 과정의 일부에 관한 글쓰기(이 질문들은 소설과
드라마의 작품뿐만 아니라 장면과 그림에도 적용될 수 있다)

정확히 무슨 일이 발생했는가? (자세한 순서를 말하라: 누가? 무엇을? 언제? 어떻게?
왜? 누가 누구에게 무엇을 했는가? 왜? 무엇이 무엇에게 무엇을 했는가? 어떻게?)

그 사건이 발생한 당시의 환경은 어떠했는가? 그 환경이 그 사건의 발생에 기여
한 부분은 무엇인가?

그 사건은 비슷한 사건들과 어떤 점이 비슷하고 어떤 점이 다른가?

그 사건의 원인은 무엇인가?

그 사건의 결과는 무엇인가?

그 사건의 발생은 어떤 의미를 갖고 있는가? (만일 필요하다면) 어떤 행동이 필
요한가?

그 사건은 (간접적으로) 어떤 영향을 미쳤는가?

그 사건이 무엇을 드러내는가? 또는 전반적인 상태에 관해 무엇을 강조하는가?

그것은 어떤 그룹이나 계층에 맡길 수 있는가?

그것은 (전반적으로) 좋은가, 나쁜가? 어떤 기준으로? 우리는 그 기준에 어떻게
도달하는가?

우리는 그 사건에 대해 어떻게 알게 되었는가? 우리 정보의 출처는 어떤 권위가

있는가? 그 권위는 얼마나 믿을 만한가? 그 권위가 믿을 만하다는(또는 믿을 만하지 않다는) 것을 어떻게 아는가?

그 사건은 어떻게 바뀔 가능성이 있었는가? 또는 어떻게 피할 가능성이 있었는가?

그 사건은 다른 어떤 사건들과 연결되어 있었는가? 어떻게?

그 사건에는 어떤 종류의 구조를 부여할 수 있는가? 무슨 근거로?

C. 추상적 개념(예시, 종교, 사회주의)에 관한 글쓰기

당신의 경험이나 상상에 비춰보면, 그 단어는 어떤 구체적 항목들, 일단의 항목이나 사건들과 연결이 되는가?

어떤 항목이나 사건에 그 개념의 이름을 적용하려면 어떤 특징들을 지녀야 하는가?

그 개념이 가리키는 항목들은 비슷한 개념(예시, 민주주의와 사회주의)의 항목들과 어떻게 다른가?

이제껏 당신이 읽은 글의 저자들은 그 용어를 어떻게 사용했는가? 그들은 그 용어를 암묵적으로 어떻게 정의했는가?

그 단어는 '설득용' 가치를 갖고 있는가? 그 개념을 또 다른 개념과 연계시켜 사용하면 후자를 칭송하는가, 아니면 비난하는가?

당신의 그 개념에 내포된 모든 것에 대해 우호적인가? 왜 그런가? 또는 왜 그렇지 않은가?

D. (현재 상태의) 물품 집합체에 관한 글쓰기 [이 질문들은 단일한 물품에 관한 질문들에 덧붙여진 것이다. 후자는 그 집단에 속한 각 물품에 대해 사용될 수 있다]

그 물품들은 정확히 어떤 공통점이 있는가?

그것들이 공통된 특징을 갖고 있다면, 그것들의 차이점은 무엇인가?

그 물품들은 공통된 특징 이외에 서로 어떤 관계를 갖고 있는가? 그것들을 이런 식으로 분류하면 어떤 점이 드러나는가?

그 집단은 어떻게 나눌 수 있을까? 그런 분류의 근거는 무엇인가?

다양한 하부집단 사이에 어떤 상관관계를 찾을 수 있는가?

그 집단 전체는 어떤 부류에 넣을 수 있을까?

E. (과정을 포함하여) 완료된 사건들의 그룹에 관한 글쓰기 [이 질문들은 완료된 단일 사건에 관한 질문들에 덧붙여진 것이다. 후자는 이 그룹에 속한 각 사건에 대해 사용될 수 있다. 이 질문들은 또한 문학 작품, 특히 소설과 드라마에도 적용된다]

그 사건들의 공통점은 무엇인가?

그 사건들이 공통된 특징을 갖고 있다면, 그것들의 차이점은 무엇인가?

그 사건들이 (만일 연대기적 순서의 일부가 아니라면) 서로 어떤 관계를 갖고 있는가? 그것들을 이런 식으로 분류하면 어떤 점이 드러나는가?

그 사건들을 한 그룹으로 묶으면 어떤 점이 드러나는가?

그 그룹은 어떻게 나눌 수 있는가? 무슨 근거로?

여러 하부집단 사이에 어떤 상관관계를 발견할 수 있는가?

그 사건들을 한 그룹으로 묶으면 어떤 부류에 넣을 수 있는가?

그 그룹은 그보다 큰 비슷한 사건들의 그룹 이외에 다른 어떤 구조에 속할 수 있는가? ('그것은 좀 더 포용적인 연대기적 순서의 일부인가?' '역사에 관한 어떤 결론을 가리키는 증거의 또 다른 단편인가?' 등)

그 그룹은 어떤 전건들을 뒤돌아보는가? 그 전건들은 어디서 발견할 수 있는가?

그 그룹은 어떠한 함의를 갖고 있는가? 그 그룹은 어떤 행동의 필요성을 가리키는가?

II. 이미 '코멘트'가 붙여진 '토픽들'

  A. 명제(증명되거나 반증될 진술)에 관한 글쓰기

  독자들이 그것을 믿기 전에 그들에게 입증되어야 할 것은 무엇인가?

  그 명제는 어떤 하부 명제들로 나눠질 수 있는가? (그것은 어떤 더 작은 주장들을 포함하는가?)

그 명제 속에 있는 핵심 단어들의 뜻은 무엇인가?

그것은 어떤 추론을 거쳐 나온 결론인가?

우리는 그 명제를 다른 비슷한 명제들과 어떻게 대비시킬 수 있는가? (우리가 그 것을 변경하되 여전히 거의 똑같은 명제를 유지하게 하는 방법은 무엇인가?)

그것은 어떤 부류에 속해 있는가?

그것은 얼마나 포용적인가? (또는 얼마나 제한적인가?)

누군가 그 명제를 증명하려고 하면 어떤 쟁점이 생기는가?

그 명제는 어떻게 예증할 수 있는가?

그 명제는 어떻게 증명할 수 있는가? (어떤 종류의 증거로?)

그 명제와 상반되는 것은 무엇일까?

그 명제는 참인가, 거짓인가? 우리가 그것을 어떻게 아는가? (직접 관찰, 권위, 연역, 통계, 다른 출처?)

누군가 그 명제를 불신한다면 그 이유는 무엇일까?

그 명제는 무엇을 가정하는가? (그 명제는 다른 어떤 명제를 당연시하는가?)

그 명제가 함축하는 의미는 무엇인가? (그 명제로부터 따라오는 것은 무엇인가?) 그 명제는 어떤 행동을 취해야 한다는 명제로부터 따라오는가?

그 명제는 무엇을 나타내는가? (참이라면, 무엇을 보여주는가?)

만일 그것이 예측이라면, 얼마나 개연성이 있는가? 그것은 과거의 경험에 대한 어떤 관찰에 기초해 있는가?

만일 그것이 행동의 요청이라면, 그 행동을 취할 가능성은 어떠한가? (그것이 요청하는 바는 실행 가능한가?) 그 행동을 취한다면 그것이 이루게끔 되어 있는 것을 성취할 확률은 어떤가? (그 행동은 효과가 있을까?)

B. 질문에 관한 글쓰기(의문문)

그 질문은 과거, 현재, 미래 중 어느 것을 가리키는가?

그 질문은 무엇을 가정하고 있는가? (당연시하고 있는가?)

어떤 자료에서 답변을 찾을 수 있을까?

그 질문은 왜 생기는가?

근본적으로, 무엇을 의심하는가? 그것은 어떻게 테스트 할 수 있는가? 어떻게 평가할 수 있는가?

그 질문에 대한 답변에 어떤 명제들을 내놓을 수 있을까?

각 명제는 참인가?

만일 참이라면,

장래에 무슨 일이 생길까? 그로부터 무엇이 따라올까?

이런 예측들 가운데 어느 것이 가능한가? 개연성이 있는가?

결과적으로 어떤 행동을 취해야(또는 피해야) 하는가?

['명제'란 표제 아래 열거된 다른 질문들 대다수도 적용된다]

착상을 돕는 외부의 도우미들

우리는 이제까지 토픽들, 즉 필자가 논증을 착상하거나 발견할 때 도움을 구할 수 있는 '장소들'에 대해 생각했다. 토픽은 '설득의 기술적 도구'라고 부를 수 있는데, 그것은 수사학 기술이 가르친 도구이기 때문이다. 이에 덧붙여, 아리스토텔레스는 '설득의 비(非)기술적인 도구'도 거론했다. 이 자원들은 수사학 기술의 바깥에 존재했기 때문에 그런 이름을 붙인 것이다.

만일 주전 4세기 아테네에 참고 서적이 풍부했더라면, 아리스토텔레스는 분명히 학생들에게 그 서적들을 착상의 외부 도우미로 참고하라고 격려했을 것이다. 특별한 지식을 많이 축적할 필요성을 알았던 키케로와 퀸틸리안은 폭넓은 교양교육이야말로 연설가에게 최고의 배경이라고 주장했다. 오늘날의 학생들도 여전히 폭넓은 교양교육을 받을 수 있지만, 그에 덧붙여 지식의 간격을 메워줄 훌륭한 도서관들을 갖고 있다. 그들은 또한 컴퓨터에 저장된 정보에 의존할 수 있다. 그런데 아직도 모든 학생이 다 컴퓨터를 활용할 수 없으므로 여전히 도서관의 자료에 의지해야 할 것이다. 하지만 도서관의 풍부한 자료를 활용하려면 도서관이 소유하고 있는 문헌을 어느 정도 알아야 하고 거기에 접근하는 전략을 개발해야 한다.

여기서 제안할 바는 검색 전략인데, 당신의 목적에 가장 잘 맞는 도서관 자료에 체계적으로 접근하는 일련의 단계들이다. 이 일련의 단계를 통해 당신은 가장 일반적인 참고서적에서 좀 더 구체적인 참고 서적으로 이동할 수 있다. 보통은 한 단계에서 다음 단계로 직선적으로 움직이지만, 필요한 경우에는 언제나 이전의 단계로 돌아갈 수 있다. 예컨대, 사전은 두 번째 단계에서 참고할 참고 서적이지만, 검색하는 동안 여러 번 사전으로 돌아갈 필요가 있을지 모른다. 그리고 어떤 주제를 조사할 때 몇 단계를 뛰어넘을 수도 있다. 당신이 순서대로 모든 단계를 거치는 경험을 충분히 쌓은 후에는 특정한 주제를 위해 건너뛰어야 할 단계들을 아는 감각을 개발하게 될 것이다.

이 검색 전략에 속하는 단계들은 다음과 같다.

1. 백과사전

2. 사전

3. 핸드북

4. 참고문헌

5. 카드 목록

6. 정기간행물, 신문, 인용 색인

7. 에세이와 일반적인 문학 색인

8. 참고문헌 색인과 서평 색인

9. 편람(용어 색인)과 인용문을 실은 책

10. 통계 자료와 정부 문서

이런 자료들을 참고하면 당신이 연구하고 있는 주제에 관해 풍부한 정보를 축적할 수 있을 것이다. 마침내 당신이 수집한 많은 정보에서 일부를 선정해야 한다면 정보의 적실성, 정확성, 신빙성을 기준으로 정보를 평가해야 할 것이다. 정보의 정확성과 신빙성에 대한 판단은 저자의 전문성이나 평판에 달려있을 터이고, 그 전문성이나 평판에 대해 알고 싶으면 전기에 관한 서적을 한두 권 참고해야 할 것이다.

읽을거리

다음 읽을거리는 이번 장에서 논의된 논리학과 수사학의 원리들을 공부하는데 필요한 텍스트로 제공된 것이다. 이 읽을거리를 통해 이론이 예증되는 것을 볼 수 있다. 여기에 나오는 다수의 저자는 학교교육을 제대로 받지 않았어도 수사학적 원리를 알고 있었다. 수사학적 전통을 의식하지 않았던 저자들은 수사학자들이 귀납적으로 도달했던 그 원리들의 건전함과 실행 가능성을 확증해준다.

이 읽을거리는 이번 장에서 논의된 많은 것—귀납적 추론과 연역적 추론, 윤리적 호소, 감정적 호소, 착상의 외부적 도우미 등—을 공부하는데 사용할 수도 있지만, 일차적으로는 공동의 주제와 특수한 토픽들의 분석을 위한 텍스트로 고안된 것이다. 작문 과정에서는 주제가 논의 전개의 기폭제 역할을 한다. 반면에 당신이 주제 작동의 증거를 찾기 위해 이 텍스트들을 분석할 때는 완성된 텍스트에서 거꾸로 그 과정의 시발점으로 돌아가고 있는 것이다. 이 연습으로부터 당신은 두 가지 유익을 얻을 수 있다. 먼저, 주제야말로 '주어진 사례에서 가용한 설득 수단'을 발견하는 도우미임을 알게 될 것이고, 또한 상세한 텍스트 읽기를 위한 또 하나의 테크닉을 개발하게 될 것이다. 일단 당신이 어떤 텍스트를 주제의 관점에서 접근하기 시작하면 당신이 읽는 설명용 내지는 논쟁용 산문에서 주제를 파악하는 '눈'을 금방 개발하게 될 것이다.

처음 세 편의 읽을거리는 각각 심의용 담론, 사법용 담론, 그리고 의식용 담론의 예들이다. 이 읽을거리에 대한 폭넓은 분석을 제공한 것은 하나의 모델로 보여주기 위해서다. 당신은 먼저 텍스트를 유형에 따라 분류함으로 분석을 시작해야 하는데, 그렇게 분류하면 그 텍스트에서 작동할 특수한 토픽들을 눈여겨볼 수 있기 때문이다. 아울러 당신이 분석하는 텍스트의 주요 구분들을 개관하는 데도 유용할 것이다.

당신이 스스로 이런 읽을거리를 분석하는 일에 덧붙여 또 다른 연습도 가능하다. 샘플 분석은 논증들의 타당성과 수사의 효과성에 대해서는 거의 또는 전혀 평가하지 않았다. 따라서 당신은 이런 읽을거리를 나름대로 평가할 수 있다.

텍스트의 어느 부분을 다루고 있는지 알리기 위해 일부러 각 단락에 번호를 붙였다.

레이첼 카슨(Rachel Carson): 〈인내할 의무〉(*The Obligation to Endure*)

레이첼 카슨(1907~1964)은 성인 시절의 상당 기간을 미국의 어류 및 야생 동물국의 직원으로 일한 해양 생물학자였다. 그녀가 쓴 첫 세 권의 책은 바다에 관한 것이었다: 《바닷바람을 맞으며》(*Under the Sea Wind*)(1941), 《우리를 둘러싼 바다》(*The Sea Around Us*)(1951), 그리고 《바다의 가장자리》(*Edge of the Sea*)(1955). 하지만 1960년대 초 〈뉴요커〉(*The New Yorker*) 잡지에 실은 일련의 기사들을 통해 화학 살충제의 무책임한 사용으로 인해 동물과 식물과 인간 생명이 받는 피해를 경고했다. 훗날 《침묵의 봄》(*Silent Spring*)이란 책으로 출간된 이 기사들은 인간 거주자들의 환경오염에 관해 미국의 공중 의식을 고양시킨 최초의 글에 속하는 것이었다. 이는 다음 장에 나오는 토마스 생턴(Thomas Sancton)의 글, 즉 〈타임〉(*Time*)지에 실린 환경 위기 관련 기사가 다루는 것과 같은 상황이다. 이 심의용 담론을 분석할 때는 레이첼 카슨이 독자들에게 이 치명적 위험에 직면해 취할 그들의 의무를 설득하는 과정에서 열거한 논증을 낳는 주제들에 초점을 맞출 예정이다. ●

1. 지구에서 생명의 역사는 생물체와 그 환경 간의 상호작용의 역사로 내려왔다. 대

체로 식물의 물질적 형태와 동물의 생활은 환경에 의해 빚어졌다. 지구의 존재 기간 전체를 고려해보면, 생명이 실제로 주변 환경을 바꾸는 정반대의 결과는 비교적 미미했다. 금세기에 들어와서야 비로소 한 종(種)―사람―이 세계의 속성을 바꾸는 상당한 능력을 획득했다.

2. 지난 25년 동안 이 능력은 충격적일 만큼 큰 규모로 증대했을 뿐 아니라 그 성격도 바뀌었다. 사람이 환경에 가하는 폭행 중 가장 위급한 것은 위험하고 치명적인 재료로 공기, 땅, 강, 바다를 오염시키는 일이다. 이 오염은 대체로 회복이 불가능하다. 이 오염이 생명을 지지해야 할 세계뿐 아니라 살아있는 조직에서 유발하는 악의 사슬은 대체로 뒤집을 수 없다. 이런 세계적인 환경오염의 상황에서, 화학물질이 세계의 성격 자체―그 생명의 속성 자체―를 변질시키는 방사능의 사악한 파트너인데도 우리는 거의 인식하지 못하고 있다. 핵폭발로 공중에 방출되는 스트론튬 90은 비를 통해 땅에 내리거나 방사성 낙진으로 표류하고, 흙속에 들어가고, 풀이나 옥수수나 밀 속에 흡수되고, 시간이 흐르면 인간의 뼈 속에 자리를 잡고 그 사람이 죽을 때까지 머물러 있다. 이와 비슷하게, 경작지나 숲이나 정원에 뿌린 화학물질은 흙속에 오래 남고, 살아있는 유기체 속에 들어가고, 독과 죽음의 사슬 안에서 한 곳에서 다른 곳으로 옮겨간다. 또는 지하수를 타고 움직이다가 밖으로 나타나고, 공기와 햇빛의 작용으로 새로운 형태가 되어 식물을 죽이고, 가축을 병들게 하고, 한때는 깨끗했던 우물물을 마시는 이들에게 미지의 해를 입힌다. 앨버트 슈바이처가 말했듯이, "사람은 자기가 만든 마귀조차 알아보지 못한다."

3. 현재 지구에 거주하는 생명을 만드는 데 오랜 세월이 걸렸다. 생명이 발달하고 진화하고 다양화해서 주변 환경에 적응하고 또 후자와 균형을 이루는 상태에 도달하기까지 많은 시간이 걸린 것이다. 환경은 그것이 지지한 생명을 정밀하게 빚어내고 지도하며 우호적 요소뿐 아니라 적대적인 요소도 품게 되었다. 어떤 바위들은 위험한 방사능을 방출했고, 심지어는 모든 생명이 에너지를 얻는 햇빛에도 상처를 주는 단파 방사능이 있었다. 많은 시간이 흐르자 생명이 적응하게 되고

균형이 이뤄졌다. 시간은 필수 요소이기 때문이다. 그런데 현대 세계에는 시간이 없다.

4. 급속한 변화와 함께 새로운 상황이 조성된 뒤에는 자연의 의도적인 속도보다 사람의 충동적이고 부주의한 속도가 따라온다. 방사능은 더 이상 배후에 있는 바위의 방사능, 우주선(線)의 충격, 태양의 자외선 등 지구에 생명이 있기 전에 존재했던 것들에 그치지 않는다. 방사능은 이제 사람이 원자를 단련한 결과 생긴 부자연스러운 창조물이다. 생명이 적응해야 할 화학물질은 더 이상 칼슘과 규토와 구리 등 바위에서 씻겨 강을 거쳐 바다로 흘러가는 광물들만이 아니다. 그것들은 사람의 실험실에서 만들어지고 자연에 그 상대역이 없는, 사람의 발명 능력이 창조한 종합적 창조물이다.

5. 이런 화학물질에 적응하려면 자연적인 규모의 많은 시간이 필요할 것이다. 즉, 한 인생에 해당하는 기간이 아니라 여러 세대에 걸친 시간이 필요하다는 말이다. 그런데 기적이 일어나면 몰라도 그렇지 않으면 이마저 소용이 없을 것이다. 왜냐하면 우리의 실험실에서 새로운 화학물질이 끊임없이 흘러나오고, 미국만 해도 해마다 거의 500가지가 실제로 사용되고 있기 때문이다. 그 수치는 엄청나고 그 함의는 쉽게 파악하기가 어렵다. 사람과 동물의 몸이 해마다 적응해야 할 새로운 화학물질, 곧 생물학적 경험의 한계를 완전히 벗어난 화학물질이 500가지나 된다는 사실이 그렇다.

6. 그 가운데 다수는 자연에 대한 전쟁에서 사용되고 있다. 1940년대 중반 이후 오늘날 우리가 '해충'이라 부르는 곤충, 잡초, 설치류 등 여러 유기체를 죽이기 위해 200가지가 넘는 기본 화학물질이 만들어졌다.

7. 이런 스프레이, 분말, 에어로솔은 현재 농장, 정원, 숲, 가정에 거의 보편적으로 사용되고 있다. '좋은' 곤충과 '나쁜' 곤충을 모두 죽이고, 새들의 노랫소리를 잠재우고 강의 물고기의 도약을 중단시키고, 잎을 치명적인 필름으로 코팅하고, 흙속에 남아있는 그 무차별적인 화학물질들. 그런데 이런 물질이 겨냥하는 대상은 단지 몇 가지 잡초나 곤충에 불과하다. 그런 독을 지구 표면에 퍼부으면서도 모든

생명의 건강을 해치지 않는 것이 가능하다는 것을 믿을 사람이 어디에 있겠는가? 그런 독은 '살충제'가 아니라 '생명 파괴제'라고 불려야 마땅하다.

8. 살충제를 뿌리는 과정은 끝없는 악순환에 빠진 듯이 보인다. DDT를 민간인이 사용할 수 있게 된 이후 독성이 더 강한 물질이 계속 필요하게 되는 상승 과정이 진행되어 왔다. 이런 현상은, 다윈의 적자생존의 원리를 입증하듯이, 곤충들이 특정한 살충제에 면역성을 지닌 슈퍼 종(種)으로 진화함에 따라 더 치명적인 살충제가 항상 개발되어야 하기 때문에 일어난다. 이는 또한—그 이유는 나중에 설명하겠다—살충제를 뿌린 뒤에는 파괴적인 곤충들이 이전보다 더 증가하는 '후폭풍' 내지는 재발의 과정을 거치기 때문이다. 그래서 화학전은 결코 이길 수 없고, 모든 생명이 그 난폭한 교전에 사로잡혀 있다.

9. 우리 시대의 중심 문제는 핵전쟁에 의한 인류의 멸종 가능성과 더불어, 엄청난 피해를 줄 수 있는 물질들로 총체적인 환경을 오염시키는 일이 되었다. 식물과 동물의 조직 속에 축적되고 심지어 생식 세포에 침투해 장래의 모습이 달려있는 그 유전 물질을 부수거나 변경시키는 그런 물질들이 핵심 문제로 떠오른 것이다.

10. 우리의 장래를 건축하는 자칭 건축가들 일부는 인간의 생식질을 계획적으로 변경할 수 있는 날이 올 것으로 본다. 그런데 방사능과 같은 많은 화학물질이 유전자 돌연변이를 초래하기 때문에 우리는 지금도 쉽게 그렇게 할 수 있다. 사람이 살충제의 선택과 같이 하찮게 보이는 일을 함으로써 그 자신의 장래를 좌우할 수 있다는 것을 생각하면 아이러니가 아닐 수 없다.

11. 도대체 무엇을 위해 이 모든 위험을 감수하는 것인가? 장래의 역사가들은 우리의 왜곡된 균형감각에 대해 경악할 것이다. 어떻게 지성적인 존재들이 소수의 원치 않는 종들을 통제하기 위해 모든 환경을 오염시키고 심지어 그 자신의 종에 질병과 죽음의 위협을 자초한 그런 방법을 쓸 수 있는가? 그런데 이것이 바로 우리가 행한 짓이다. 더욱이 그 이유를 조사해보면 실로 기가 막힌다. 우리는 농장 생산물을 유지하려면 엄청난 양의 살충제를 사용해야 한다는 말을

들었다. 그러나 우리의 진짜 문제는 과잉생산이 아닌가? 농산물 생산을 줄이려고 넓은 농지를 없애고 농부들에게 보조금을 지급하는 등 여러 조치를 취했음에도 불구하고 엄청난 잉여 수확물을 거두는 바람에 1962년에 미국의 세금납부자는 초과 식량 저장 프로그램을 실행하는 비용으로 한 해에 10억 달러 이상을 지불하는 실정이다. 그리고 한편으로 미국 농무부의 한 부서는 생산을 줄이려고 애쓰는데, 또 다른 주들은 1958년에 "휴경 보조금 제도에 따라 수확용 토지를 줄이면 오히려 최대 생산물을 수확하기 위해 화학물질의 사용을 독려하게 될 것으로 보통 믿고 있다"고 진술한 것을 보면 상황이 개선된 것으로 보이지 않는다.

12. 그렇다고 곤충의 문제가 없고 통제할 필요가 없다는 말은 아니다. 오히려 통제는 가상적인 상황이 아니라 현실에 맞춰져야 하고, 사용하는 방법은 해충과 더불어 우리를 파괴하는 것이 되어선 안 된다는 말이다.

13. 해결책이 일련의 재앙을 몰고 온 그 문제는 우리의 현대식 생활방식의 부산물이다. 사람의 시대가 도래하기 오래전부터 곤충들이 지구에 거주했는데, 굉장히 다양하고 적응력이 강한 존재들이었다. 이후 세월이 흐르면서 50만 종 이상의 곤충들 중에 작은 비율이 주로 두 가지 방식으로 인간 복지와 갈등관계를 겪게 되었다. 식량 공급의 경쟁자로서, 그리고 인간 질병의 매개체로서 그렇게 된 것이다.

14. 병균을 옮기는 곤충들은 인간이 밀집되어 있는 곳에서 중요한 존재가 된다. 특히 자연 재난이나 전쟁, 또는 극한 가난과 결핍의 상황에서 그러하다. 그런 경우에는 모종의 통제가 필요하게 된다. 하지만 우리가 곧 살펴볼 것처럼, 대규모 화학적 통제 방법은 제한된 성공밖에 거두지 못했을 뿐 아니라 본래 억제하려고 했던 그 상황을 악화시킬 뿐이다.

15. 원시적인 농업에서는 해충의 문제가 별로 없었다. 이런 문제는 농업의 집중화 현상, 즉 광활한 땅을 단일 작물에 할애한 현상과 함께 발생했다. 그런 시스템은 특정한 해충이 폭발적으로 증가하는 무대를 마련해주었다. 단작 농업은 자연을 작동하게 하는 원칙들의 도움을 받지 못한다. 그것은 엔지니어가 생각하는 그런

농업이다. 자연은 대단히 다양한 종들을 도입했는데, 사람은 그것을 단순화하고픈 열정을 드러냈다. 그래서 자연이 종들을 한계 안에 두는 데 사용하는 내장된 견제와 균형을 제거해버렸다. 한 가지 중요한 견제 방법은 각 종의 적합한 서식지의 양에 제한을 두는 일이다. 그러면 당연히, 밀에 기생하는 곤충은 밀이 그 곤충이 적응하지 못한 다른 작물과 섞여있는 농장보다 오직 밀만 생산하는 농장에서 훨씬 높은 수준으로 그 집단을 형성할 수 있다.

16. 동일한 현상이 다른 상황에서도 발생한다. 한 세대 전만 해도 미국의 도처에 있는 소도시는 그 길에 고상한 느릅나무가 즐비했다. 그런데 지금은 그 아름다웠던 모습이 느릅나무를 통해 휩쓰는 질병으로 완전히 파멸할 지경에 빠졌다. 이 질병은, 그 느릅나무가 다양한 식물 속에 이따금 등장하는 나무였다면 그처럼 큰 규모로 커지고 나무에서 나무로 퍼질 확률이 훨씬 적었을 딱정벌레가 옮긴 것이었다.

17. 오늘날 곤충 문제의 또 다른 요인은 지질학적 역사와 인간 역사를 배경으로 해야 볼 수 있는 것이다. 수천 가지의 유기체들이 고유한 집에서 퍼져 새로운 영토를 침입한 현상이다. 이 범세계적인 이주를 연구하고 생생하게 묘사한 인물은 《침입의 생태학》(*The Ecology of Invasion*)을 쓴 영국 생태학자 찰스 엘튼(Charles Elton)이다. 몇 억 년 전인 백악기 동안 바다가 흘러넘쳐 대륙들 간의 많은 육지다리를 가로질렀고, 생물들은 앨튼이 '별도의 거대한 자연 보호구들'이라 부르는 곳에 자리를 잡게 되었다. 거기서 그 생물들은 동종의 다른 생물들로부터 고립된 채 새로운 종을 많이 개발했다. 약 1500만 년 전 광활한 땅덩어리들 중에 일부가 다시 합쳐졌을 때, 이런 종들은 새로운 영토로 이동하기 시작했다. 그 움직임은 아직도 진행 중일뿐만 아니라 지금은 사람의 도움을 상당히 받고 있다.

18. 오늘날 종의 확산이 기여한 주된 요인은 식물의 반입이다. 거의 모든 동물이 식물 종자를 품고 이동하며, 비교적 최근에 시작된 검역은 완벽하게 효과적이지는 않은 조치이기 때문이다. 미국 식물도입국만 해도 세계 전역에서 거의 20만 종의 식물을 도입했다. 미국에서 식물의 대표적인 적으로 분류되는 180여 마리의

곤충 중에 거의 절반은 우발적으로 해외에서 수입한 것이고, 그들 중 다수는 식물에 기생해서 들어온 것이다.

19. 새로운 영토에 침입한 식물이나 동물은 원생지의 천적에서 벗어난 만큼 굉장히 풍부해질 수 있다. 그런즉 우리에게 가장 골치 아픈 해충들이 도입된 종들이란 사실은 결코 우연이 아니다.

20. 자연적으로 일어나는 침입과 인간의 도움에 달려있는 침입은 무한정 계속될 가능성이 많다. 검역과 대규모 화학적 캠페인은 시간을 사는 지극히 값비싼 방법일 뿐이다. 엘튼 박사에 따르면, 우리는 '단지 이 식물이나 저 동물을 억제하는 새로운 기술적 수단을 찾는 생사의 문제에만 직면한 것이 아니다.' 그 대신 '균형을 도모하고 창궐의 능력과 새로운 침입을 좌절시킬', 동물 집단과 그들의 환경과의 관계에 대한 기본 지식이 필요하다.

21. 오늘날 우리는 필요한 지식의 상당부분을 얻을 수 있지만, 그 지식을 사용하지 않고 있다. 우리는 대학에서 생태학자를 훈련하고 심지어 그들을 정부기관에서 일하게 하면서도, 그들의 충고는 거의 받아들이지 않는다. 우리는 대안이 전혀 없는 것처럼 화학적인 죽음의 비가 내리도록 허용한다. 그러나 사실은 대안이 많이 있고, 기회가 주어지면 곧 더 많은 대안을 곧 찾게될 것이다.

22. 우리는 최면 상태에 빠져서, 마치 좋은 것을 요구할 의지나 비전을 잃어버린 것처럼, 열등하거나 해로운 것을 받아들인 것인가? 생태학자 폴 쉐파드(Paul Shepard)는 이렇게 말한다. "그런 사고방식은 머리만 수면 위로 내어놓는 인생, 자신의 환경오염에 대한 관용의 한계를 겨우 벗어난 인생을 이상화한다… 우리는 왜 약한 독성이 있는 식생활, 무미건조한 환경에 둘러싸인 집, 적이라고 할 수 없는 지인들, 미치게 만들 정도는 아닌 자동차의 소음을 그냥 참아야 하는가? 누가 죽지 않을 만큼만 위험한 그런 세계에 살고 싶겠는가?"

23. 하지만 그런 세계가 우리에게 밀어닥쳤다. 해충에서 자유로운 불모의 세계를 창조하려는 운동은 많은 전문가와 대다수 통제 기관들 편에 광적인 열정을 불러일으킨 것 같다. 어느 곳이든 살충제를 뿌리는 일에 종사하는 이들이 무자비한 힘

을 행사한다는 증거가 있다. "규제력을 지닌 곤충학자들은… 그들 자신의 명령을 강행하기 위해 검사와 판사와 배심원, 세금 평가인과 징세인과 보안관의 역할을 수행한다"고 코네티컷의 곤충학자 닐리 터너(Neely Turner)가 말했다. 가장 극악한 남용도 주 기관과 연방 기관 모두에서 통제받지 않고 허용된다.

24. 화학적 살충제를 절대로 사용하면 안 된다고 주장하는 것이 내 주장은 아니다. 우리가 독성이 있고 생물학적으로 강력한 화학물질을, 대체로 또는 전혀 그 해로운 속성을 모르는 사람들의 손에 무차별적으로 안겨주었다는 것이 내 주장이다. 우리는 수많은 사람이 이런 독과 접촉하도록 했는데, 그들의 동의 없이 그리고 종종 그들도 모르는 가운데 그렇게 했다. 만일 권리장전에 시민이 민간인이나 공무원들에 의해 배포되는 치명적인 독으로부터 안전하도록 보장하는 규정이 없다면, 그것은 우리의 조상들이 상당한 지혜와 예견력을 가졌음에도 그런 문제를 생각할 수 없었기 때문일 것이다.

25. 한 걸음 더 나아가, 나는 우리가 이런 화학물질이 토지와 물, 야생 생물과 사람에게 미칠 영향을 사전에 조사하지도 않은 채 그런 것이 사용되도록 허락했다고 주장하는 바이다. 미래 세대는 모든 생명을 지지하는 자연세계의 온전함에 대해 신중하게 고려하지 않은 우리의 잘못을 간과하지 않을 것이다.

26. 그런데 아직도 이런 위협에 대한 의식이 별로 없는 편이다. 지금은 전문가의 시대이고, 각 전문가는 자신의 문제를 보되 그 분야가 속한 더 큰 틀은 인식하지 못하거나 관용하지 못한다. 지금은 또한 산업의 시대라서 무슨 대가를 치르든 돈을 벌 권리에 도전하는 경우가 드물다. 농약을 사용해서 많은 피해를 입었다는 증거를 보고 대중이 항의를 하면 반쪽 진리라는 안정제를 투입할 뿐이다. 우리는 이제 이런 거짓 확신을, 불쾌한 사실에 사탕발림만 하는 행태를 끝장낼 필요가 있다. 곤충 관리자들이 계산하는 위험을 떠맡도록 요구받는 것은 대중이다. 대중은 과연 현재의 길로 계속 걷고 싶은지 결정해야 하고, 그들은 모든 사실을 소유할 때에만 그렇게 할 수 있다. 장 로스탕드의 말에 따르면, "인내할 의무는 우리에게 알 권리를 부여한다."

레이첼 카슨의 〈인내할 의무〉에 대한 토픽별 분석

환경오염이 중요한 공적 이슈로 등장하기 오래 전인 1962년에 레이첼 카슨은 《침묵의 봄》이란 책을 출판해서 화학 살충제의 무차별한 사용으로 인한 환경오염의 위험에 대해 일찍이 경고의 목소리를 높였다. 그녀가 지닌 설득자의 능력을 평가하려면 그 책 전체를 검토해야 할 것이다. 거기서 그녀의 입장을 완전히 개진하기 때문이다. 하지만 여기서는 그 책의 2장만 검토하면서 그녀의 수사학적 전략에 주목하고 그녀의 주장을 낳은 토픽들에 관해 추측할 예정이다.

이 발췌문은 공적 사안과 관련해 청중의 태도와 행동을 바꾸려고 꽤하므로 심의용 담론의 한 본보기이다. 모든 심의용 담론이 그렇듯이, 이 담론도 궁극적으로 장래에 대해 다루고 있다. 물론 이 담론은 현재 발생하는 현상에 대해 얘기하지만, 현 상황에 관한 얘기는 장래—가까운 장래—의 공공정책에 변화를 줄 목적으로 나누는 것이다.

앞에서 언급했듯이, 심의용 담론을 지배하는 특수한 토픽들은 '선함/무가치함'과 '유리함/불리함'이다. 이 두 쌍의 특수한 토픽들 가운데 레이첼 카슨은 '유리함/불리함'에 대해 엄하게 다루려고 한다. 그녀는 우리의 현재 행습의 방향을 바꾸기 위해 그런 행습은 불리하다고, 사회의 안녕에 해롭다고, 그리고 그녀가 옹호하는 행습은 유리하고 현 정책의 해로운 결과를 완화하거나 제거할 것이라고 우리를 설득해야 한다.

레이첼 카슨이 이 심의용 담론에서 어떻게 논증하고 있는지 검토하기 전에 우리는 이 발췌문의 주된 구조를 개관할 필요가 있다. 다음 장에서 우리는 긴 에세이의 배열이나 조직을 상세히 분석하고, 왜 필자가 에세이의 부분들을 어떤 특정한 방식으로 배열하기로 했는지에 대해 생각할 것이다. 하지만 여기서는 레이첼 카슨의 담론의 주요 구분을 개관하기만 해도 도움이 될 것이다. 다음은 이 발췌문을 몇 개로 구분한 것이다.

서론(단락 1)

I. 사람들이 핵 방사능과 화학 살충제를 통해 환경을 오염시키는 엄청난 역량을 개발한 상황에 대한 설명(단락 2~12)

II. 질병을 옮기고 수확물을 파괴하는 해충들에 대처하기 위해 창안한 치료책이 초래

한 설상가상의 상황에 대한 설명(단락 13~25)

결론(단락 26)

이 개관에서 볼 수 있듯이, 필자는 그 담론의 본론 두 부분에 동일한 단락들을 할애했다. 첫째 부분은 그 문제가 무엇인지를 묘사하고, 둘째 부분은 그 문제가 어떻게 전개되었는지를 설명한다. 이 두 부분은 원인과 결과의 관계에 해당한다고 말해도 좋다. 1부는 결과이고, 2부는 원인인 셈이다. 우리가 나중에 살펴볼 것처럼, 원인과 결과 그리고 전건과 후건이란 토픽들이 레이첼 카슨의 논증 중 다수를 산출했다.

이 발췌문의 서론에 해당하는 단락 1의 첫 번째 문장에서 필자는 그 문제의 전개에 대한 설명의 기초가 되는 전제를 말한다. "지구에서 생명의 역사는 생물체와 그 환경 간의 상호작용의 역사로 내려왔다." 이어서 곧바로 이 기본 관계에서 발생한 변화를 지적한다. 오랜 세월 동안 환경이 생물체를 지배하는 힘을 갖고 있었으나, 금세기에 들어와 생물체의 한 종인 인간이 환경을 지배하는 능력을 확보하게 되었다.

본론을 시작하는 다음 단락에서는 필자가 환경과 생물체의 관계에서 발생한 차이점은 정도뿐만 아니라 종류상의 차이라고 주장한다. 환경을 지배하는 인간의 능력이 급속도로 증가했을 뿐 아니라 그 능력이 현재 환경에 치명적이고 불가역적인 영향력을 행사하고 있다. 사람들은 주로 핵 방사능의 방출과 화학 살충제를 통해 그들이 몸담은 환경을 널리 오염시켰다. 이 단락의 끝에는 앨버트 슈바이처의 글이 인용되는데, 이는 금언에 의한 논증에 해당한다. "사람은 자기가 만든 마귀조차 알아보지 못한다."

단락 3에서는 예전의 상황과 현재의 상황 간의 또 다른 차이점을 지적한다. 과거에는 생명이 환경의 자연적인 변화에 적응할 시간이 넉넉했으나, 오늘날에는 그런 시간이 주어지지 않는다. 카슨은 과거와 현재를 대비시킴으로써 장래를 위한 가능성과 불가능성의 토픽을 이용하고 있는 것이다.

다음 네 단락(4~8)에서는 적응에 필요한 시간이 왜 더 이상 없는지 그 이유들을 탐구한다(여기서는 주로 원인과 결과의 토픽 또는 전건과 후건의 토픽으로 논증을 산출한다). (1) 오염 속도의 가속화 현상(단락 4), (2) 새로운 화학물질이 제조되는 속도의 가속화 현상(단락

5~6), (3) 살충제에 의한 무차별적 파괴 속도의 가속화(단락 7), (4) 새로운 분무의 독성 정도의 가속화(단락 8).

단락 9에는 '우리 시대의 중심 문제'(즉, 지금까지 늘 존재했던 핵전쟁에 의한 인류 멸종의 위험을 능가하는 한 문제)에 대한 정의가 나온다. 화학 스프레이로 환경 전체를 오염시키는 일을 예방하는 법이다.

단락 10에서는 우발적으로 장래 사실에 근거한 논증이 도입된다. 화학 스프레이는 우리의 환경을 오염시킬 뿐 아니라 핵 방사능처럼 유전자 돌연변이를 유발할 잠재력도 갖고 있다.

단락 11에서는 레이첼 카슨이 이번 장뿐 아니라 그 책을 쓰게 된 계기인 도발적인 질문을 제기한다. "어떻게 지성적인 존재들이 소수의 원치 않는 종들을 통제하기 위해 모든 환경을 오염시키고, 심지어 그 자신의 종에 질병과 죽음의 위협을 자초한 그런 방법을 쓸 수 있는가?" 이어서 화학 살충제의 사용을 정당화하는데 흔히 제안되는 주장들 중 하나에 논박한다. 말하자면, 우리의 농장 생산물을 유지하기 위해 살충제를 사용해야 한다는 주장이다. 그녀는 현재 농장 생산물이 너무 많아서 그 잉여 농산물을 저장하는데 매년 수십억 달러를 써야 한다는 점을 지적함으로써 그 주장의 약점을 드러낸다.

단락 12는 이 담론 첫 부분의 마지막 단락으로 레이첼 카슨이 자신의 주요 논지를 선언하는 대목이다. 그것은 우리가 곤충을 통제할 필요가 없다는 것이 아니라 "오히려 통제는 가상적인 상황이 아니라 현실에 맞춰져야 하고, 사용하는 방법은 해충과 더불어 우리를 파괴하는 것이 되어선 안 된다"는 말이다. 이것이 그녀가 그 책에서 앞으로 옹호할 정책이며, 이는 먼저 현 상황의 '명백하고 현존하는 위험'에 대해 우리를 설득한 후에 논의될 것이다. 제2부(단락 13~25)에서는 그녀가 우리를 위해 '현실이 어떤지'를 지적해서 이제까지 우리의 행습을 좌우해온 '가상적인 상황'에 반격을 가하려고 한다.

제1부에서는 레이첼 카슨의 수사학적 전략이 일반적인 명제와 함께 시작해서 점차 그녀의 주관심사인 중심 문제에 대한 논의로 좁혀가는 것임을 살펴보았다. 그녀는 생물체와 그들의 환경 사이에 자연적인 상호관계가 있다는 일반적인 전제와 함께 시작한다. 이어서 이 관계에서 두 가지 요인의 지배력에 큰 변동이 있었다고 지적한다. 이후에는

사람들이 환경에 대한 지배력을 행사한 두 가지 방식에 초점을 맞춘다. 하나는 핵 방사능이고, 다른 하나는 화학 스프레이다. 그녀는 제1부의 끝부분에 도달할 즈음에 그 논의를 화학 스프레이의 한 형태로 좁힌다. 바로 살충제이다. 그리고 이번 장의 나머지 부분에서는 살충제에 집중할 것이다.

제2부에서 레이첼 카슨은 주로 곤충 집단이 인류에게 위협이 되는 과정을 설명하는 역사적 및 생물학적 사실을 제시하는 일에 관심을 둔다. 그러나 그녀는 사람들이 고안한 통제 방법—화학 살충제를 공중에 뿌리는 것—이 본래 바로잡으려 했던 상황을 악화시켰다고 주장할 것이다. 제2부에서 그녀의 논증 대다수를 산출하는 토픽들은 원인과 결과, 전건과 후건, 증언, 통계 등이다.

단락 13에서는 레이첼 카슨이 곤충들이 사람이 출현하기 오래전에 지구에 거주했다는 점을 밝힌 후, 구분의 토픽에 의지해 결국 곤충의 작은 비율이 두 가지 방식으로 인류에게 위협이 되었다는 논점을 편다. 식량 공급의 경쟁자로서, 그리고 인간 질병의 매개체로서 그렇게 되었다는 것이다.

단락 14에서는 이런 위협들 중 하나를 간략하게 다룬다. 질병을 옮기는 곤충들이다. 그녀는 질병을 옮기는 곤충들의 위협을 심화시킨 상황을 묘사한 후, 이런 곤충들에 대한 어느 정도의 통제가 필요하다는 것을 시인하지만, 사람들이 고안한 치료책이 그 질병보다 더 나쁘다고 주장한다. 여기에 나오는 그녀의 논증은 대비의 토픽을 한 요소로 갖고 있는데, 그 논증은 이런 식으로 진행된다. 질병은 나쁘다. 치료책은 좋을 것으로 전제되어 있다. 그런데 이 경우의 치료책은 질병보다 더 나쁘다.

여기서부터 끝까지는 두 번째 위협을 다루고 있다. 식량 공급을 위해 인간과 경쟁하는 곤충들이다. 레이첼 카슨은 단락 15에서 원시적 농업 상황과 오늘날의 농업 상황 간의 차이점을 지적하기 위해 비교의 토픽에 의지한다. 그 자체에 견제와 균형 시스템을 갖고 있었던 원시적 농업 상황과는 달리, 오늘날의 단작 농업은 곤충 집단의 성장을 부추기고 말았다. 그 다음 단락(16)에서는 다시 비교의 토픽을 사용해 그런 본보기, 즉 20세기 초 미국의 많은 도시에서 단일 종의 나무(느릅나무)를 대규모로 심었던 일을 지적한다.

단락 17~19에서는 레이첼 카슨이 우리 시대에 곤충 집단의 증가에 기여했던 또 하나의 요인을 다룬다. 수천 종의 새로운 곤충이 그 고유한 서식지에서 미국으로 이주한 현상이다. 그녀는 영국 생태학자인 찰스 앨튼의 권위를 인용해서 바다의 행동으로 지질학적 분리가 일어나고 또 땅덩어리가 다시 합류한 결과, 자연적인 사건의 흐름 안에서 이런 유입이 발생한 경과를 설명한다. 단락 18에서는 이런 유입이 미국에 수입된 식물들에게 곤충이 기생한 결과, 우발적으로 발생했다고 밝힌다. 그녀는 식물의 대표적인 적으로 분류되는 180종의 절반이 이런 식으로 미국에 도입되었다는 통계를 인용한다. 단락 19에서는 정도에 근거한 논증을 사용한다. 침입하는 곤충들이 고유한 곤충들보다 더 해로운 것은, 전자는 그 고유한 서식지의 자연적 견제와 균형에서 자유로워진 나머지 굉장한 속도로 확산하기 때문이라고 한다.

레이첼 카슨은 단락 20에서 전건과 후건에 근거한 논증을 제시한다. 이런 침입은 무한정 계속될 것이므로 우리는 동물 집단과 그들의 환경과의 관계에 대해 더 알 필요가 있다. 그리고 이 문제에 관해 다시금 찰스 앨턴의 책에 근거한 증언을 인용한다. 다음 단락(21)에서는 필요한 지식의 상당 부분을 오늘날 곤충학자와 생태학자들로부터 얻을 수 있는 데도 우리 대다수가 이런 권위자에게 주의를 기울이지 않는 아이러니한 사실을 언급한다. 그녀는 단락 22에서 왜 우리가 "마치 좋은 것을 요구할 의지나 비전을 잃어버린 것처럼, 열등하거나 해로운 것을 불가피하게 받아들인 것인가?"라는 의문을 제기한다. 그리고 이처럼 관용할 수 없는 생태학적 상황을 받아들인 것에 관해 생태학자 폴 쉐파드로부터 보증의 말을 인용한다.

그 다음 단락(23)에서는 다시 전건-후건의 논증으로 돌아가서 우리가 해충에서 자유로운 불모의 세계를 만들어야 한다는 생각에 너무나 세뇌된 나머지, 규제 기관들에게 자치권을 부여해 그들의 권력을 무자비하게 또 무차별적으로 행사하도록 했다고 주장한다. 그녀는 '규제력을 지닌 곤충학자들'이 주 기관과 연방 기관의 통제를 받지 않은 채 가장 극악한 남용을 감행한다는 취지로 코네티컷 곤충학자 닐리 터너의 권위를 인용한다.

제2부의 마지막 두 단락인 단락 24~25에서는 이번 장과 책 전체의 논지를 반복한다. "우리가 독성이 있고 생물학적으로 강력한 화학물질을, 대체로 또는 전혀 그 해로운

속성을 모르는 사람들의 손에 무차별적으로 안겨주었다." 이렇게 자신의 논지를 두 번째로 반복하면서 독자들에게 그녀가 옹호하는 바를 분명히 하고 싶어 한다. 내용인즉, 화학 살충제의 사용을 절대적으로 배척하는 게 아니라 이 치명적 화학물질을 책임 있게, 차별적으로 사용하자는 것이다.

결론부(26)에서는 이 부분을 서서히 마감한다. 이 마지막 단락에서 그녀가 하고 싶은 일은 환경을 오염시키는 살충제의 위협에 대한 반응으로 대중이 채택해야 할 정책을 제안하는 것이다. "대중은 과연 현재의 길로 계속 걷고 싶은지 결정해야 하고, 그들은 모든 사실을 소유할 때에만 그렇게 할 수 있다." 그녀가 이 단락을 마칠 때 인용하는 장 로스탕드의 말(금언에 가깝다)―인내할 의무는 우리에게 알 권리를 부여한다"―은 이번 장의 제목을 제공할 뿐 아니라, 그녀가 대중에게 요청하는 결정은 무관심할 사안이 아니라 의무에 해당한다는 것을 시사한다. '인내할 우리의 의무'란 후건은 바로 사실을 알 권리이다. 그리고 이 책의 나머지 부분에서는 그녀가 독자들에게 대중이 결정을 내리도록 도와줄, 화학 살충제에 관한 구체적인 '사실들'을 제공할 것이다.

레이첼 카슨은 이번 장을 통틀어 화학 스프레이의 무차별적이고 무책임한 사용의 잠재적 위험에 대한 독자들의 이해를 끌어올렸다. 그녀는 이 책의 나머지 부분에서 전문가의 증언을 통해, 본보기와 통계를 통해 제시할 '파괴적인' 사실들을 독자들이 받아들이도록 준비시키는 작업을 했다. 이후의 역사로부터 우리는 레이첼 카슨이 '우리의 보금자리를 더럽히는 짓'의 위험성에 대해 미국 공중의 의식을 끌어올리는데 성공했다는 것을 알고 있다. 이런 면에서 그녀의 논증은 효과를 발휘했던 것이다.

소크라테스의《변명》

주전 469년에 탄생한 소크라테스는 주전 5세기 아테네가 황금기에 이르는데 기여했던, 놀라운 시인, 극작가, 철학자, 연설가, 정치인, 장군들로 이뤄진 그룹의 일원이었다. 그는 후대에 아무런 저작도 남기지 않았다. 그의 생애와 철학, 변증법적 방법은 플라톤과 크세노폰의 저술을 통해 우리에게 알려졌다. 주전 399년, 소크라테스는 70세의 나이에 표면상으로는 젊은이를 타락시키고 새로운 신들의 예배를 옹호한다는 혐의로 아테네에서 재판에 회부되었다. 그러나 진짜 이유는 아테네 당국의 정책과 가치관에 의문을 제기해서 골치 아픈 시민이 되었기 때문이었다. 다음에 나오는 사법용 수사에서 그에게 돌려진 혐의에 대항해 자신을 변호하는 (변증의 일차적 의미) 모습을 볼 수 있다. 초반부에서는 독백의 형식으로 말하지만 그가 흔히 사용하는 담론의 방법은 단락 13에서 시작되는 멜레투스와의 질의−응답의 대화에 잘 나타나 있다. ●

1. 아, 아테네 시민들이여, 여러분이 나의 고발인들의 영향을 얼마나 받았는지 나는 말할 수 없습니다. 그러나 그들이 너무나 설득력 있게 말해서 내가 누군지를 거의 잊어버리게 만들었다는 것은 알고 있습니다. 그들이 말한 많은 거짓 중에 나를 꽤 놀라게 한 거짓이 있었습니다. 그들이 여러분에게 스스로 경계하여 내 웅변의 능력에 속지 말아야 한다고 말한 것을 두고 하는 말입니다. 내가 입술을 열어 나 자신이 다름 아닌 위대한 연사라는 것을 증명하는 즉시 확실히 파악할 문제인데도, 이렇게 말한 것은 정말 내게는 가장 뻔뻔스런 모습으로 보였습니다. 그들이 말하는 웅변의 능력이 진리의 능력을 뜻하지 않는다면 그렇다는 말입니다. 만일 그런 뜻이라면, 나는 내가 유창하다는 것을 시인하는 바입니다. 그러나 그들의 길은 이로부터 얼마나 다른지 모릅니다! 내가 말했듯이, 그들은 진실을 말한 적이 거의 없습니다. 나로부터 여러분이 모든 진실을 얻게 되겠지만 그들의 방식에 따라 멋진 단어와 문구로 장식된 그런 연설로 전달되지는 않을 것입니다. 맹세코 그렇지 않을 것입니다! 나는 그 순간에 내게 떠오르는 단어와 논증을 사용할 것입니다. 왜냐하면 나의 대의가 정당하다고 확신하기 때문입니다. ●● 아, 아테네 사람들이여, 나는 거짓을 꾸며낸 소년의 모습으로 여러분 앞에 나타나서는 안 될 사람입니

● *The Dialogues of Plato*, trans. Benjamin Jowett, 4th ed. (Oxford: Clarendon Press, 1953), Vol. I, pp.341-53. Reprinted by permission of the publishers.

●● 또는 "나는 나의 방침이 옳다는 것을 확신하고 있습니다."

다. 아무도 나에게 그런 것을 기대하지 마십시오. 그리고 나는 특히 여러분에게 이런 호의를 보여 달라고 간청해야겠습니다. 만일 내가 나의 습관적인 방식으로 나 자신을 변호하고, 또 여러분이 내가 아고라와 환전상의 탁자에서, 그리고 다른 곳에서 사용한 말을 듣는다면, 나는 여러분에게 놀라지 말고 이 때문에 나를 간섭하지 말라고 부탁하고 싶습니다. 나는 칠십 살이 넘은 나이이고 처음으로 법정 앞에 서는 만큼 이곳의 언어에 낯선 자이기 때문입니다. 그러므로 나는 여러분이 나를 정말로 낯선 자인 것처럼 간주해서, 그런 사람이 그의 고유한 언어로, 그의 나라 방식에 따라 말하는 것을 양해하시길 바랍니다. 내가 지금 여러분에게 불공정한 부탁을 하고 있습니까? 나의 태도가 좋든 좋지 않든 신경 쓰지 마십시오. 다만 내 말의 진실성에 대해서만 생각하고 그 말에 주의를 기울이십시오. 화자가 진실을 말하게 해주시고 판사가 공정하게 판결하게 해주십시오.

2. 먼저, 나는 예전의 혐의들과 첫 번째 고발인들에게 답변하고, 이어서 나중의 것들로 나아갈 생각입니다. 예전에 오랫동안 나를 여러분에게 거짓으로 고발한 사람들이 많았기 때문입니다. 나는 아니투스와 그 동료들보다 그들을 더 두려워합니다. 물론 아니투스와 그 동료들도 나름대로 위험한 인물들이긴 하지만요. 그러나 훨씬 더 위험한 것은 그들입니다. 그들은 여러분 대다수가 어린 시절이었을 때부터 거짓으로 여러분의 마음을 사로잡았던 자들로서, 현인인 소크라테스는 위편 하늘에 대해 사색하고 아래편 땅을 조사해서 더 나쁜 대의를 더 나은 대의로 만든 인물이라고 말했습니다. 이런 이야기로 나를 더럽힌 남자들이 내가 두려워하는 고발인들입니다. 그들의 말을 듣는 사람들은 그런 탐구자들을 신들의 존재를 믿지 않는 것으로 상상하기 쉽기 때문입니다. 그리고 그들은 많고, 나에 대한 그들의 혐의는 오래된 것이며, 그런 혐의를 제기한 시기는 여러분 중 일부가 지금보다 더 감수성이 예민했던 시절—어린 시절이나 청소년기—이었고, 그 소송이 결석재판이 된 것은 답변할 사람이 없었기 때문입니다. 그리고 무엇보다 어려운 점은 내가 나의 고발인들의 이름을 모르고 또 말할 수 없다는 사실입니다. 어쩌다가 어느 익살스런 시인의 고발이 아니라면 그렇습니다. 모두가 질투와 악의로 여러분을

설득했고, 그들 중 일부는 먼저 그들 자신이 확신한 경우였습니다. 이런 부류의 사람들은 다루기가 가장 어렵습니다. 왜냐하면 그들을 여기로 불러와서 반대 신문을 할 수 없기 때문에, 나 자신을 변호하는 가운데 그림자들과 싸워야 하고 답변할 사람이 없는데도 논증해야 하기 때문입니다. 이제 여러분에게 나의 대적이 두 종류임을 받아들이길 요청할 것입니다. 하나는 최근의 대적이고, 다른 하나는 오래된 대적입니다. 그리고 내가 후자에 대해 먼저 답변하는 것이 적절함을 여러분이 알기를 바랍니다. 여러분이 이 고발들을 전자보다 오래전에 들었고 또 더 자주 들었기 때문입니다.

3. 그러면 이제 나 자신을 변호하고, 짧은 시간에 여러분의 마음에서 여러분이 오랫동안 섭취한 비방을 제거하려고 노력해야 하겠습니다. 만일 성공하는 것이 나의 유익과 여러분의 유익을 위한 것이거나 나의 대의에 쓸모가 있다면, 내가 성공하길 기원합니다! 이 과업은 쉽지 않은 것입니다. 그 속성을 나는 잘 알고 있습니다. 그래서 출구를 하나님께 맡기고 법에 순종하여 나는 이제 나 자신을 변호하겠습니다.

4. 나는 처음부터 시작해서 나를 비방하게 만들고, 실은 멜레투스가 나에게 이 혐의를 씌우도록 부추긴 그 죄과가 무엇인지 물을 것입니다. 비방하는 자들은 무슨 말을 합니까? 그들이 나의 고발인이 될 것이고, 이것이 그들이 나에 대해 맹세하는 정보입니다. '소크라테스는 악을 행하는 자이다. 그는 땅 아래와 하늘에 있는 사물들을 조사해서 더 나쁜 대의를 더 나은 대의로 만들고 전술한 행습을 다른 이들에게 가르치는 간섭자이다.' 이것이 고발의 본질입니다. 이는 여러분이 아리스토파네스●의 희극에서 직접 목격한 바로 그것입니다. 이 사람은 그 자신이 소크라테스라고 부르는 인물을 소개한 자로서 방향을 바꾸어 그는 공중에서 걷는다고 말하고, 내가 별로 아는 체 하지 않는 사안들에 대해 많은 난센스를 말하는 자로 취급했습니다. 나는 지금 자연철학을 배우는 학생을 비난하려고 하는 말이 아닙

● Aristophanes, *Clouds*, 225 foll.

니다. 멜레투스가 나에 대해 너무나 많은 혐의를 씌워서 내가 그런 짓을 하게 되지 않기를 바랄 뿐입니다! 그러나 아테네 시민들이여, 나는 물리적 사변과는 전혀 관계가 없는 것이 사실입니다. 여기에 있는 사람 대다수는 이것이 사실임을 증언하는 증인들인 만큼 나는 그들에게 호소하는 바입니다. 그러면 내 말을 들은 사람들은 말하시오. 여러분 중에 누구든지 내가 그런 사안들에 대해 몇 마디든지 많은 말을 늘어놓은 것을 안 적이 있는지 여부를 여러분의 이웃에게 말하시오…. 여러분은 그들의 답변을 듣습니다. 그리고 그들이 혐의의 이 부분에 대해 말하는 것에서 그 나머지의 진실성에 대해 판단할 수 있을 것입니다.

5. 나는 선생이고 돈을 취한다는 소문은 근거가 별로 없습니다. 이 고발 역시 다른 고발과 마찬가지로 진실성이 없습니다. 만일 어떤 사람이 정말로 인류를 가르칠 수 있다면, 이 역시 내가 보기에는 그에게 영예일 테지만 말입니다. 레온티움의 고르기아스, 케오스의 프로디쿠스, 엘리스의 히피아스와 같은 인물들이 있습니다. 이들은 여러 도시를 돌아다니면서 자기 시민들에게, 공짜로 배울 수 있는 젊은이들을 그들에게 오도록 설득해서 돈을 받고 가르칠 뿐 아니라, 그런 기회를 감사하게 만드는 자들입니다. 이 시점에 아테네에 거주하는 파로스의 철학자에 대한 소문을 들었습니다. 그 소문은 이런 내용이었습니다. 나는 온 세상이 소피스트들에게 지불한 돈보다 더 많은 돈을 쓴 어떤 사람과 마주치게 되었습니다. 그는 히포니쿠스의 아들인 칼리아스인데, 그에게 아들들이 있다는 것을 알고는 내가 이렇게 물었습니다. "칼리아스, 그대의 두 아들이 망아지나 송아지라면, 그들을 다룰 사람을 찾는 것은 어렵지 않을 것입니다. 우리는 그들에게 적절한 미덕과 탁월성을 훈련시킬 말 조련사나 농부를 고용해야 할 것입니다. 그런데 그들은 인간인즉 그대는 누구에게 그들을 맡길 생각입니까? 인간과 시민의 미덕을 이해하는 사람이 도대체 있습니까? 당신은 두 아들이 있는 만큼 이 문제에 관해 생각했을 것이 틀림없습니다. 그럴 사람이 있습니까?" "있습니다"라고 그가 말했습니다. "누구입니까?"라고 내가 물었습니다. "어느 나라 사람이고 돈을 얼마나 받습니까?" 그가 이렇게 대답했습니다. "파로스의 에베누스이고, 5미나를 받습니다."

나는 '에베누스가 정말 이런 지혜를 갖고 있고, 그만큼 받고 가르친다면 그는 복되다'고 독백했습니다. 내가 그와 같았다면 나 자신이 매우 자랑스러웠을 것입니다. 그러나 실은 나에게 그런 지식이 없습니다.

6. 아테네 시민들이여, 여러분 가운데 누군가는 이렇게 반응할 것입니다. "좋소, 소크라테스, 그런데 당신의 직업은 무엇이오? 당신에 대한 이런 고발의 기원은 무엇이오? 당신이 행한 일에 무언가 이상한 점이 있었던 것이 틀림없소. 만일 당신이 다른 사람들과 비슷했다면 당신에 대한 이 모든 소문과 구설수가 생기지 않았을 것이오. 그러면 그 원인이 무엇인지 우리에게 말해주시오. 당신을 서둘러 심판하는 것이 미안하기 때문이오." 나는 이것을 공정한 도전으로 간주합니다. 이제 여러분에게 왜 내가 지혜로운 자로 불리면서도 그런 나쁜 평판을 갖게 되었는지 설명하려고 노력하겠습니다. 제발 주의를 기울여주십시오. 그리고 여러분 중에 일부는 내가 농담을 하고 있다고 생각하겠지만 나는 모든 진실을 말해주겠습니다. 아테네 사람들이여, 나의 평판은 내가 갖고 있는 어떤 종류의 지혜로 말미암은 것입니다. 여러분이 무슨 종류의 지혜냐고 묻는다면, 나는 어쩌면 사람이 얻을 수 있는 지혜라고 대답하겠습니다. 그만큼은 나도 내가 지혜롭다고 믿고 싶기 때문입니다. 반면에 내가 거론하고 있던 사람들은 일종의 초인적 지혜를 갖고 있어서 어떻게 묘사해야 할지 모르겠는데, 나 자신은 그런 지혜를 갖고 있지 않기 때문입니다. 그래서 내가 그런 지혜를 갖고 있다고 말하는 사람은 거짓을 말하는 것이고 내 성품을 앗아가는 것입니다. 아, 아테네 사람들이여, 설사 내가 무언가 터무니없는 말을 하는 것 같아도 제발 중단시키지 말아주십시오. 내가 구사할 말은 내 것이 아니기 때문입니다. 나는 여러분에게 믿을 만한 증인을 언급하겠습니다. 그 증인은 바로 델피의 신이 될 것입니다. 그 신이 나에게 지혜가 조금이라도 있는지, 어떤 종류의 지혜인지, 내 지혜에 관해 여러분에게 말할 것입니다. 여러분은 카에레폰을 알게 되었음이 분명합니다. 그는 일찍이 내 친구였고, 또한 여러분의 친구이기도 합니다. 그는 최근에 사람들과 함께 망명을 갔다가 여러분과 함께 돌아왔기 때문입니다. 여러분도 알다시피 카에레폰은 모든 일에 매우 성급한 사

람이었습니다. 그는 델피에 가서 대담하게 신탁에게 말해달라고―내가 말했듯이 제발 나를 중단시키지 말아주십시오―, 누구든지 나보다 더 지혜로운 사람이 있는지 말해달라고 신탁에게 물었고, 델피의 여선지자는 더 지혜로운 사람이 하나도 없다고 대답했습니다. 카에레폰은 이미 죽었지만 법정에 있는 그의 형제가 내 말이 진실인지 확증할 것입니다.

7. 내가 왜 이 점을 언급합니까? 왜냐하면 여러분에게 내가 어째서 그런 나쁜 평판을 받게 되었는지 설명하려고 하기 때문입니다. 나는 그 대답을 듣고는 이렇게 자문했습니다. '그 신의 말의 뜻이 무엇일까? 그의 수수께끼에 대한 해석은 무엇일까? 왜냐하면 나에게는 작든 크든 지혜가 없다는 것을 알기 때문이다. 그렇다면 그 신이 내가 모든 사람 중에 가장 지혜롭다고 말할 때 무슨 뜻으로 그렇게 말한 것일까? 그런데 그는 신이라 거짓말을 할 수 없다. 거짓말은 그의 본성에 어긋나는 것이니까.' 오랫동안 궁금해 하다가 그 질문을 시험할 방법에 관해 생각했습니다. 만일 내가 나보다 더 지혜로운 사람을 찾을 수만 있다면 반박거리를 들고 그 신에게 갈 수 있겠다고 생각했습니다. 그리고는 "여기에 나보다 더 지혜로운 사람이 있소. 그런데 그대는 내가 가장 지혜롭다고 말했소"라고 말할 수 있겠다고. 따라서 나는 지혜로 평판이 높은 한 사람에게 가서 그를 관찰했습니다. 그의 이름을 밝힐 필요는 없고 그는 정치인이었습니다. 아테네 사람들이여, 그 사람을 조사하고 그와 얘기를 나눈 결과 나는 이 점을 발견했습니다. 그 사람은 다수가 지혜롭다고 생각하고 또 그 홀로 더 지혜로운 사람일지 몰라도, 나는 그 사람이 정말로 지혜롭지 않다고 생각하지 않을 수 없었습니다. 그래서 나는 그에게, 그는 스스로를 지혜롭다고 생각하지만 정말로 지혜로운 것은 아니라고 설명하려고 노력했습니다. 그 결과 그는 나를 미워했고 그곳에서 내 말을 들었던 여러 사람도 적대감을 품게 되었습니다. 그리하여 내가 그를 떠나면서 스스로에게 이렇게 말했습니다. '우리 중 누구도 정말로 가치 있는 것을 안다고 생각하지 않지만, 나는 적어도 이 친구보다는 더 지혜롭다. 왜냐하면 그 사람은 아무것도 모르면서 안다고 생각하기 때문이다. 나도 내가 안다는 것을 모르고 또 그렇게 생각하지도 않는다. 그

러면 이 작은 점에서는 내가 그보다 더 나은 것 같다.' 이후 나는 더욱 지혜로운 체하는 또 다른 사람에게 갔는데, 나의 결론은 똑같았습니다. 그 때문에 나는 또 하나의 적을 만들었고, 그의 곁에 있던 많은 사람도 적이 되었습니다.

8. 이후에 나는 이 사람 저 사람에게 갔는데, 내가 도발한 적대감을 의식하지 않은 것은 아닙니다. 나는 이 점을 한탄하고 또 두려워했으나 필연적으로 그렇게 할 수밖에 없었습니다. 맨 먼저 하나님의 말씀을 고려해야 마땅하다고 생각한 것입니다. 그리고 나 자신에게 이렇게 말했습니다. 나는 지식이 있는 듯이 보이는 모든 사람에게 가서 그 신탁의 뜻을 파악해야 한다고. 그리고 아테네 사람들이여, 나는 맹세코―나는 여러분에게 진실을 말해야 하기 때문에―여러분에게 내 임무를 다한 결과가 바로 이것이라고 말하는 바입니다. 가장 평판이 높은 사람들은 대체로 가장 어리석었고, 그보다 덜 존경받는 사람들은 정말로 지혜에 더 가까웠다는 사실입니다. 나는 여러분에게 나의 방랑과 '매우 어려운' 수고를 통해 마침내 그 신탁이 반박할 수 없는 것임을 발견했을 뿐이라고 말하겠습니다. 나는 정치인들을 만난 후 시인들에게 갔습니다. 비극 시인, 주신을 찬미하는 시인 등 온갖 시인을 만난 것입니다. 거기서 나는 스스로에게 이렇게 말했습니다. '너는 곧 간파될 것이야. 이제 네가 그들보다 더 무지하다는 것을 알게 될 거야.' 따라서 나는 그들에게 그들의 저술 중에 가장 정교한 대목들을 가리키며 그 뜻이 무엇인지 물었습니다. 그들이 나에게 무언가를 가르쳐줄 것으로 생각하면서. 여러분, 나를 믿겠습니까? 나는 이 진실을 고백해서 부끄럽지만, 그들의 시에 대해 그들 자신보다 더 낫게 얘기하지 않을 사람이 거의 없다고 말하지 않을 수 없습니다. 그래서 시인들이 시를 지혜로 쓰는 게 아니라 일종의 재능과 영감으로 쓴다는 것을 알게 되었습니다. 그들은, 좋은 말을 많이 하지만 그 뜻을 알지 못하는 점쟁이들과 비슷합니다. 시인들은 나에게 거의 똑같은 사례인 듯이 보였습니다. 더 나아가, 그들은 그들 시의 강점에 의거해 스스로를 다른 것들에서도 가장 지혜로운 자들이라고―실은 그렇지 않은데―믿고 있다는 것을 알아챘습니다. 그래서 나는 내가 정치인들보다 우월하다고 여길 만한 그 이유로 그들보다도 우월하다고 생각하면서 그곳을 떠났

습니다.

9. 마침내 나는 장인들에게 갔습니다. 그에 관해 나는 전혀 모른다는 것을 의식했고, 그들이 정교한 것을 많이 알고 있다고 확신했기 때문입니다. 이 점에서 나는 틀리지 않았습니다. 그들은 내가 무지한 많은 것을 알고 있었고, 이 분야에서는 확실히 나보다 더 지혜로웠습니다. 그러나 훌륭한 장인들조차 시인들과 똑같은 오류에 빠졌다는 것을 알아챘습니다. 그들은 훌륭한 숙련공이기 때문에 온갖 고상한 사안들도 알고 있다고 생각했고, 이 결함이 그들의 지혜를 가리고 말았습니다. 그러므로 나는 그 신탁을 대신해, 나는 그들의 지식도 무지도 없는 현재의 사람이 되고 싶은지, 아니면 양자에서 그들과 비슷한 사람이 되고 싶은지 자문했습니다. 그리고는 스스로와 그 신탁에게 나의 현재 모습이 더 낫겠다고 대답했습니다.

10. 이 탐구로 말미암아 나에게 가장 위험한 최악의 적들이 많이 생겼고, '현인'이란 이름을 비롯한 많은 오명을 얻기도 했습니다. 나의 청중은 항상 나 자신이 타인에겐 없는 지혜를 갖고 있는 것으로 상상하기 때문입니다. 그러나, 아, 아테네 사람들이여, 사실은 오직 하나님만이 지혜롭습니다. 그분은 그분의 응답으로 사람의 지혜는 거의 또는 전혀 가치가 없다는 것을 보여주려는 것입니다. 그분이 소크라테스를 거론하긴 하지만 내 이름을 하나의 예로 사용할 뿐입니다. 마치 그분이, 아, 아테네사람들이여, 소크라테스와 같이 가장 지혜로운 자도 그의 지혜가 사실은 전혀 가치가 없다는 것을 알고 있다고 말한 것처럼 말입니다. 그래서 나는 그 신에게 순종하여 세상을 돌아다니며 시민과 나그네를 막론하고 지혜로워 보이는 사람의 지혜에 대해 탐구하고, 만일 그 사람이 지혜롭지 않으면 나는 그 신탁을 변호하여 그 사람에게 그 자신이 지혜롭지 않다는 것을 보여줍니다. 나는 이 작업에 몰두한 나머지 공적인 사안이나 나의 관심사와 관련해 유용한 일을 할 시간이 없었고, 내가 그 신에게 헌신하는 바람에 절대 빈곤에 처해 있습니다.

11. 또 다른 문제가 있습니다. 할 일이 별로 없는, 부유층에 속한 젊은이들이 스스

로 내 주변에 와서 사람들이 조사받는 소리를 듣기를 좋아하고, 그들은 종종 나를 모방하고, 더 나아가 일부는 그들 스스로를 조사하는 일까지 합니다. 그들이 곧 발견하듯이, 자기가 무언가를 안다고 생각하지만 사실은 조금밖에 또는 아무것도 알지 못하는 사람들이 많습니다. 스스로를 조사하는 자들은 그들 자신에게 화를 내는 대신 나에게 화를 냅니다. 이것이 소크라테스를 혼란케 했다고 그들이 말합니다. 젊은이를 그릇된 길로 인도하는 악랄한 지도자! 그리고 누군가 그들에게 소크라테스가 어떤 악을 실행하거나 가르치는지 물으면, 그들은 모르고 또 말할 수 없습니다. 그런데 그들은 당황스러운 모습을 보이지 않으려고 진부한 혐의를 반복해서 말합니다. 이는 구름 위의 것과 땅 아래의 것을 가르치는 모든 철학자들에게 써먹던 혐의로서 신들이 없다거나 더 나쁜 명분을 더 나은 명분으로 보이게 만든다는 식입니다. 왜냐하면 그들은 자기가 아는 체 한다는 것이 간파되었음을 고백하고 싶지 않기 때문입니다. 이것이 사실입니다. 그리고 그들은 수가 많고 야심만만하고 원기왕성하며 설득력 있는 혀로 열렬하게 말할 때 여러분의 귀를 크고 상습적인 비방으로 가득 채웁니다. 그리고 이것이 세 명의 고발인들, 곧 멜레투스와 아니투스와 리콘이 나를 공격한 이유입니다. 멜레투스는 시인들을 대신해, 아니투스는 장인들과 정치인들을 대신해, 리콘은 수사학자들을 대신해 나와 논쟁을 한 사람들입니다. 내가 처음에 말했듯이, 나는 그토록 많은 비방을 한순간에 제거할 것을 기대할 수 없습니다. 그리고, 아, 아테네 사람들이여, 이것이 진실이고 모든 진실입니다. 나는 아무것도 감추지 않았고 아무것도 꾸미지 않았습니다. 하지만 나는 나의 평이한 연설이 그들의 미움을 부채질한다고 확실히 느끼고 있습니다. 그들의 미움이야말로 내가 진실을 말하고 있다는 증거가 아니고 무엇이겠습니까? 그리하여 나에 대한 편견이 생긴 것이고, 여러분이 이번 탐구나 미래의 탐구에서 알게 될 것처럼, 이것이 그 이유입니다.

12. 나는 첫째 부류에 속한 고발인들에 대한 변호를 충분히 했습니다. 이제 둘째 부류로 전환합니다. 그들의 우두머리는 멜레투스, 곧 자칭 선한 사람이자 자기 나

라를 사랑하는 사람입니다. 이들에 대해서도 나 자신을 변호하려고 노력해야겠습니다. 그들의 진술서를 읽게 하십시오. 거기에는 이런 내용이 담겨 있습니다. "소크라테스는 젊은이를 타락시키는 한 악을 행하는 자이고, 국가가 받아들이는 신들을 받아들이지 않고 그 자신의 새로운 종교를 갖고 있다." 혐의가 이렇습니다. 이제 그 기소 조항을 조사해봅시다. 그는 내가 악을 행하고 젊은이를 타락시키는 자라고 말합니다. 그러나, 아, 아테네 사람들이여, 나는 멜레투스가 악을 행하는 자라고 말합니다. 그는 조금도 관심이 없었던 사안들에 대해 열정과 관심이 있는 체하면서 무모하게 사람들을 재판에 끌고 나오는 등 엄중한 익살극을 자행하고 있습니다. 그리고 내가 이것의 진실성을 여러분에게 증명하려고 노력하겠습니다.

13. 멜레투스여, 여기에 오시오. 내가 당신에게 질문을 하겠소. 당신은 젊은이의 교화에 크나큰 중요성을 부여합니까?

14. 그렇소.

15. 그러면 재판관들에게 누가 그들을 교화하는 사람인지 말해주시오. 당신이 이 주제에 그토록 관심이 있고 그들을 타락시키는 자를 발견했고, 또 나를 이 법정에 소환해서 고발하고 있는 만큼 당신이 알고 있음이 틀림없기 때문이오. 그러면 발언하시오. 재판관들에게 누가 젊은이를 교화하는 사람인지 말하시오. 멜레투스, 보시오, 당신은 침묵을 지킨 채 할 말이 없소. 그런데 이것은 부끄러운 일이고, 내가 한 말, 즉 당신은 그 문제에 관심이 없다는 말을 증명하는 상당한 증거가 아니겠소? 친구여, 큰 소리로 말하시오. 누가 그들을 교화하는 자인지 말해보시오.

16. 법률이오.

17. 여보시오, 그것은 내 질문이 아니오. 당신은 어떤 인물의 이름을 댈 수 없소? 첫째 자격은 그가 법률을 안다는 것일 테요.

18. 소크라테스여, 법정에 있는 재판관들이오.

19. 뭐라구요? 멜레투스, 그들이 젊은이를 가르치고 교화할 수 있다는 뜻이오?

20. 확실히 그렇소.

21. 그들 모두가 그렇다는 말이오, 아니면 일부만 그렇다는 말이오?

22. 그들 모두.

23. 참으로 좋은 소식이오! 그러면 교화하는 자가 많군요. 청중에 대해서는 무엇이라고 말하겠소? 그들도 젊은이를 교화하는 것이오?

24. 그렇소.

25. 원로원 의원들도?

26. 그렇소, 원로원 의원들도 그들을 교화하오.

27. 그런데 어쩌면 총회의 회원들은 그들을 타락시키지 않소? 아니면 그들 역시 젊은이를 교화하는 것이오?

28. 그들도 젊은이를 교화하오.

29. 그러면 모든 아테네 사람이 그들을 교화하고 향상시키는 것이군요. 나만 빼놓고 모든 사람이 그렇고, 나 홀로 그들을 타락시킨다는 말이오? 이것이 당신이 긍정하는 것이오?

30. 그것이 내가 굳세게 긍정하는 것이오.

31. 당신이 옳다면 나는 매우 불행하오. 그런데 내가 당신에게 질문을 던진다고 가정해보시오. 말들도 똑같소? 한 사람이 그들을 해롭게 하고 온 세상이 선을 행하는 것이오? 정반대가 사실이 아니겠소? 한 사람이 그들에게 선을 행할 수 있지 않소? 또는 적어도 극소수는. 말하자면, 말 조련사는 그들에게 선을 행하되 보통 사람은 그들에게 해를 끼칠 수 있지 않소? 멜레투스여, 말의 경우에는 이것이 맞지 않소? 다른 어떤 동물도 그렇지 않소? 당신과 아니투스가 어떻게 대답하든 상관없이 확실히 그렇소. 만일 젊은이들을 타락시키는 자가 한 명뿐이고 나머지 모든 사람이 그들에게 유익을 준다면, 젊은이들은 정말로 행복할 것이오. 그러나 멜레투스여, 당신이 젊은이에 관해 생각한 적이 전혀 없다는 것을 충분히 보여줬소. 당신의 부주의함이 당신이 나를 고발한 바로 그 사항에 대해 신경을 쓰지 않는 것으로 분명히 드러났소.

32. 멜레투스여, 이제 또 하나의 질문에 대답해달라고 부탁하는 바이오. 나쁜 시민들과 좋은 시민들 중 어느 편에 서는 것이 더 낫소? 친구여, 대답하시오. 이것은 쉽게 대답할 수 있는 질문이오. 선한 사람은 이웃에게 선행을 하고 나쁜 사람은 악행을 하지 않소?

33. 그렇소.

34. 그리고 자기와 함께 사는 사람들로부터 유익을 얻기보다 상처를 받고 싶은 사람이 있소? 좋은 친구여, 대답하시오. 법률상 당신이 대답해야 하오. 누구든 상처를 받고 싶은 사람이 있소?

35. 없소.

36. 내가 젊은이를 타락시키고 오염시킨다고 당신이 고발할 때는 내가 의도적으로 그렇게 한다는 것이오, 아니면 무심코 그렇게 한다는 것이오?

37. 의도적으로.

38. 그런데 당신은 방금, 선한 사람은 이웃에게 선을, 악한 사람은 악을 행한다고 시인했소. 당신의 우월한 지혜는 이것을 일찍이 인식했고, 내가 이 나이가 되도록 어둠과 무지에 빠져 함께 사는 사람이 나로 인해 타락했고 내가 그에게 해를 당할 것을 모른다는 것, 그리고 내가 그를 타락시켰고, 그것도 의도적으로 그렇게 했다고 말하는 것에 일말의 진실이라도 있소? 물론 나도 그렇고 어떤 인간도 당신에게 설득당할 가능성이 없지만 말이오. 그러나 내가 그들을 타락시키지 않든지, 내가 그들을 무심코 타락시키든지 둘 중 하나요. 어느 경우이든 당신은 거짓말을 하는 셈이오. 만일 내 범죄가 비의도적인 것이라면, 법률은 비의도적인 범죄를 심리하지 않소. 그러므로 당신이 나를 사적으로 만나 경고하고 훈계했어야 마땅하오. 그런 훈계를 받았다면 나는 무심코 했던 일을 그만두었어야 했소. 틀림없이 그렇게 했을 것이오. 그러나 당신은 나에게 할 말이 전혀 없었을 터이고 나를 가르치길 거부했을 것이오. 이제 당신은 나를 이 법정에 세웠는데, 법정은 가르치는 장소가 아니라 벌을 주는 장소라오.

39. 아테네 사람들이여, 내가 말했듯이, 멜레투스가 그 사안에 대해 크든 작든 관심

을 품은 적이 없었다는 사실이 여러분에게 분명해질 것입니다. 그러나 멜레투스여, 아직도 나는 어떤 점에서 내가 젊은이를 타락시켰는지 알고 싶소. 당신의 고발장으로부터 추론하건대, 내가 그들에게 국가가 인정하는 신들을 인정하지 말고 그 대신 다른 새로운 신이나 영적 존재를 인정하라고 가르친다는 뜻으로 알고 있소. 이것이 바로 내가 젊은이들을 타락시키는 교훈들이오?

40. 그렇소. 단연코 그러하오.

41. 그러면 멜레투스여, 우리가 신들을 거론할 때 당신은 무슨 뜻으로 거론하는지 명백한 말로 나에게 그리고 법정에 얘기해주시오! 내가 아직도 이해하지 못하는 것이 있기 때문이오. 내가 다른 사람들에게 어떤 신들을 인정하라고 가르치면 내가 신들을 믿는 만큼 완전한 무신론자가 아니라고—이것은 당신이 내 혐의로 내놓지 않은 것이오—당신이 인정하는지, 하지만 그들은 도시가 인정하는 신들과 같은 신들이 아니라고—혐의는 그들은 다른 신들이란 것이오—당신이 말하는지 여부를 모르겠소. 아니면, 내가 한 마디로 무신론자이고 무신론을 가르치는 선생이란 뜻이오?

42. 후자요. 당신은 완전한 무신론자라는 것.

43. 얼마나 놀라운 진술인가! 왜 그렇게 생각하나요, 멜레투스? 내가 나머지 인류처럼 해의 신이나 달의 신을 믿지 않는다는 뜻이오?

44. 재판관들이여, 내가 확실히 말하건대 그는 그렇게 생각하고 있습니다. 그는 해는 돌이고 달은 흙이라고 말하기 때문입니다.

45. 내 친구 멜레투스여, 당신은 스스로 아낙사고라스를 고발하고 있다고 생각하오? 당신은 재판관들을 너무나 얕잡아본 나머지 그들이 너무 무지해서 이런 가르침들이 아낙사고라스의 책들에 나온다는 것을 모른다고 생각하시오? 그래서 젊은이들이 그 책들을 책 시장에서 기껏해야 1드라크마로 살 수 있는데, 소크라테스가 그들을 가르쳤다고 하니 참으로 어이가 없소. 그리고 그들은 돈을 지불할 수 있고, 만일 소크라테스가 이런 놀라운 견해들을 창시한 체하면 그들은 그를 비웃을 것이오. 그래서 당신은 내가 어떤 신도 믿지 않는다고 정말로

생각하오?

46. 내가 제우스로 맹세하건대 당신은 참으로 아무 신도 믿지 않소.

47. 아무도 당신을 믿지 않을 것이오, 멜레투스. 당신은 스스로를 믿지 않는다고 나는 확신하오. 아테네 사람들이여, 나는 멜레투스가 무모하고 뻔뻔스러운 사람이고, 그가 터무니없는 정신과 청년다운 허세로 이 고발을 제기했다고 생각하지 않을 수 없습니다. 그는 나를 시험할 생각으로 수수께끼를 꾸며내지 않았습니까? 그는 이렇게 독백했습니다. 그 지혜로운 소크라테스가 나의 우스운 자기모순을 찾아낼 수 있을지, 내가 소크라테스와 나머지 사람들을 속일 수 있을지 여부를 보겠다고. 멜레투스가 소크라테스는 신들을 믿지 않는 죄가 있으면서도 신들을 믿는 죄도 있다고 말한 만큼 그는 그 자신을 모순에 빠뜨리고 있는 것처럼 보입니다. 그런데 이것은 진지한 사람의 모습이 아닙니다.

48. 아, 아테네 사람들이여, 여러분도 내가 그의 모순이라 생각하는 것을 나와 함께 조사해보길 바랍니다. 그리고 멜레투스여, 당신은 답변하시오. 그리고 청중에게는 내가 나의 방식으로 말한다고 해도 나를 방해하지 말 것을 부탁하는 바입니다.

49. 멜레투스여, 인간이 자신이 존재한다는 것과 존재하지 않는다는 것을 동시에 믿은 적이 있소?… 아테네 사람들이여, 나는 멜레투스가 늘 간섭만 하려 하지 않고 대답하기를 바랍니다. 이제껏 마술(馬術)은 믿고 말은 믿지 않은 사람이 존재한 적이 있습니까? 또는 플루트 연주는 믿고 플루트 연주자는 믿지 않은 사람이 있었습니까? 내 친구여, 그런 사람은 존재한 적이 없소. 당신이 스스로 답변하길 거부하므로 내가 당신과 법정에게 답변하는 것이오. 그러나 이제는 다음 질문에 제발 답변해주시오. 한 사람이 영적인 것과 신적인 것의 존재는 믿지만 영들이나 반신반인의 존재는 믿지 않는 것이 가능하오?

50. 그럴 수 없소.

51. 법정의 도움을 받아 그 대답을 끌어낼 수 있어 얼마나 다행인지 모릅니다! 그런데 당신은 고발장에 내가 신적인 것이나 영적인 것—새 것과 옛 것을 막론하

고—을 가르치고 또 믿는다고 선서하고 있소. 어쨌든 나는 영적인 것을 믿소. 그래서 당신은 진술서에서 그렇게 말하고 또 선서하고 있소. 그런데 내가 그런 것을 믿는다면 어떻게 영들이나 반신반인을 믿지 않을 수 있겠소? 믿으면 안 된다는 말이오? 확실히 나는 믿지 않을 수 없소. 당신의 침묵은 곧 동의를 뜻하오. 그러면 영들이나 반신반인은 무엇이오? 그들은 신들이거나 신들의 아들들이 아니오?

52. 확실히 그렇소.

53. 그런데 이것이 바로 당신이 꾸민 우스운 수수께끼라고 내가 부르는 것이오. 반신반인들이나 영들은 신이오. 그리고 당신은 먼저 내가 신들을 믿지 않다고 말한 뒤에 내가 신들을 믿는다고 다시 말하고 있소. 내가 반신반인을 믿는다면 그렇다는 말이오. 만일 반신반인들이 신들이 님프로든 다른 어머니로든 낳은 사생아들이라면, 신들의 아들들이 있는데도 어느 인간이 신들이 없다고 믿겠소? 노새의 존재는 긍정하고 말과 당나귀의 존재는 부인하는 편이 더 낫겠소. 멜레투스여, 그런 난센스는 당신이 나를 재판에 넘길 의도로 만든 것일 뿐이오. 당신은 나를 고발할 죄목을 생각할 수 없었기 때문에 이것을 고발장에 넣은 것이오. 그러나 이해력이 조금이라도 있는 사람은 당신의 주장, 즉 한 사람이 신적인 것과 초인적인 것의 존재를 믿고 또한 신들과 반신반인과 영웅을 믿기를 거부할 수 있다는 주장에 결코 설득당하지 않을 것이오.

54. 나는 멜레투스의 고발에 대해 충분히 답변했습니다. 정교한 변호는 일체 불필요합니다. 여러분은 내가 많은 난폭한 적대감을 불러일으켰다는 내 진술이 진실하다는 것을 잘 알고 있습니다. 만일 내가 죽임을 당한다면, 이것이 죽임을 당하는 것일 터입니다. 멜레투스가 아니고 아니투스도 아니고 오직 세상의 질투와 비난, 곧 많은 선인의 죽음, 그리고 앞으로 일어날 더 많은 선인의 죽음일 것입니다. 내가 그들 중에 마지막이 될 위험은 없습니다.

소크라테스의 《변명》에 대한 토픽별 분석

여기에 게재된 내용은 소크라테스의 《변명》의 절반밖에 되지 않지만, 이 사법용 수사의 고전적 본보기를 분석한 샘플은 충분히 있다. 사법용 수사는 법정에서 자주 사용되지만, 이런 유의 설득용 담론은 행동과 성품을 다루는, 법정 밖의 변호까지 포함한다. 우리가 '변명하다'(apologize, 그리스어로 '변호하다'는 뜻)라는 용어와 '범주화하다'(categorize, 그리스어로 '고발하다'는 뜻)란 용어를 이해한다면 사법용 담론의 기본 기능을 가장 잘 묘사하는 두 용어를 갖고 있는 셈이다. 이 용어는 뉴먼의 《자기 생애의 변론》(*Apologia Pro Vita Sua*), 졸라의 《나는 고발한다》(*J'accuse*), 알렉산더 포프의 《아버스노트에게 보내는 편지》(*Epistle to Dr. Arbuthnot*)와 같은 다양한 저술과 〈독립선언문〉에 담긴 영국 왕에 대한 고발 목록까지 모두 포함할 수 있다. 만일 우리가 법정에 끌려가면 아마도 변호를 변호사에게 맡길 것이다. 그러나 살다 보면 우리가 법정 밖에서 우리의 행동을 정당화하도록 요구받는 경우가 많을 것이다.

소크라테스의 변호는 심각한 문제이다. 왜냐하면 배심원이 유죄 판결을 내리면 소크라테스는 사형선고를 받을 수 있기 때문이다. 우리가 알다시피, 소크라테스는 소송에 져서 치명적인 '독배'를 마시지 않으면 안 되었다. 오늘날 《변명》을 읽는 거의 모든 사람은 소크라테스가 그에 대한 고발에 성공적으로 답변했다고 생각한다. 아테네 총회에서 소크라테스의 유창한 호소를 들은 배심원이 오늘날의 독자들보다 더 우둔했던 것은 아니다. 법률 바깥의 많은 고려사항이 그들의 판결에서 일정한 역할을 했다. 우리는 그 판결을 치우치게 한 그런 고려사항들은 무시하고 그 연설 자체에 집중할 생각이다.

우리가 살펴보았듯이, 사법용 담론에서 나타나는 특수한 토픽들은 정의와 불의(또는 법적인 의미의 옳고 그름)이다. 사법적 화자나 필자는 이런 특수한 토픽들을 추구하면서 주로 다음 세 가지 질문 중 하나에 관심을 둔다. (1) 혐의가 과연 그런지(an sit) (2) 혐의의 성격이 무엇인지(quid sit) (3) 혐의가 얼마나 심각한지(quale sit). 재판 과정에서 법정은 이 세 질문을 모두 고려할 수 있지만 궁극적으로는 이 가운데 어느 것이 쟁점인지 결정해야 한다. 만일 an sit이 쟁점이라면, 증거가 주된 특수 토픽일 것이다. 만일 quid sit이라면, 정의(定義)가 주된 특수 토픽일 것이다. 만일 quale sit이라면 행동의 동기 내지는 원인이 주된 특수 토픽일 것이다. 사법적 호소인은 그 쟁점을 추적하는 가운데 여러 일반 주제들도 추적할 것이다. 그러면 《변명》에서 여러 토픽이 어떻게 작동하는지 살펴보자.

먼저, 여기에 게재된 일부 내용의 전반적인 개요를 살펴보자.

1. 소크라테스가 총회에 내놓은 서론적 발언(단락 1)
2. 이야기 ― 혐의에 대한 진술(단락 2)
3. 예전 혐의에 대한 논박(단락 4~12)
4. 최근 혐의에 대한 논박 ― 소크라테스가 멜레투스를 반대 심문하다(단락 13~54)
5. 결론적 발언(단락 54)

첫 단락에서 소크라테스는 그의 모든 발언이 행사하길 바라는 윤리적 호소의 어조를 설정한다. 그는 전형적인 아이러니한 겸손함으로 그의 고발인들의 웅변을 칭송하고 그 자신의 연설 기술을 깎아내린다. 그는 수사적 기술을 사용치 않고 그의 대의의 정당함을 신뢰할 터이고, 진실과 모든 진실의 상술이 그의 혐의를 풀어줄 것으로 믿는다. 그 자신이 70세임을 상기시키는 것은 법정의 동정이나 자비를 바라는 감정적 호소로 간주될 수도 있지만, 다른 어디서도 이런 어조를 표명하지 않기 때문에 그의 정당함을 청중의 감정적 반응에 맡기길 오히려 꺼리는 듯이 보인다. 전략적으로 보면, 감정적 호소를 피하는 것이 실수였을지 모르지만, 감정에 대한 불신은 소크라테스의 전형적인 특징이다.

소크라테스는 둘째 단락에서 구분(division)이라는 일반 토픽에 의지해 혐의를 예전의 것과 최근의 것 등 두 부류로 나눈 뒤에 차례로 답변하겠다고 말한다. 그는 두 표제 아래 혐의들을 명시하지 않고, 여기서는 변호의 일반적인 구조를 가리키는데 만족한다.

단락 4(과도기에 해당하는 단락 3 이후에)에서 소크라테스는 예전의 혐의들을 명시한다. '진술서'에 따르면 그의 혐의는 (1) 자연철학의 학생이라는 것, (2) 더 나쁜 대의를 더 나은 대의로 보이게 만든다는 것, (3) 이런 학설을 가르치는 선생이며 가르침을 주고 돈을 받는다는 것이다. 소크라테스는 첫째 혐의가 사실인지 여부(an sit)를 추적한 후 그 혐의를 부인하고 물리적 사안들에 대한 사변에 관여한 적이 없다고 주장한다. 그의 주장을 확증하기 위해 참석자들의 증언을 요청한다. "그러면 내 말을 들은 사람들은 말하시오. 여러분 중에 누구든지 내가 그런 사안들에 대해 몇 마디든지 말을 늘어놓는 것을 들은 적이 있는지 여러분의 이웃에게 말하시오." 이 초대에 대해 청중은 침묵만 지킬 뿐이다. 이 침묵은 이 예전의 혐의를 뒷받침하는 증거가 없다는 것을 의미한다. 한 마디로 사실이 아니다. 그것이 사실이 아닌 만큼 소크라테스는 군이 그 죄과의 성격과 심각성을 고려할 필요가 없다.

아울러 소크라테스가 선생이고 가르침에 대한 대가를 받는다는 혐의를 뒷받침하는 증거도 전혀 없다. 그런데 소크라테스가 스스로 선생이 아니라고 부인하는 것에 도전했던 사람이 왜 총회에 한 명도 없었는지 의아하기만 하다. 소크라테스는 분명히 우리에게 선생으로 알려져 있고 그의 동시대인들에게도 그랬음에 틀림없다. 어쩌면 여기에 정의(定義)의 문제가 개입되어 있을지 모른다. 여기서 소크라테스가 말하는 것은—그리고 다음 단락에서 그 자신이 지혜로운 사람인지 여부를 다루면서 이 논점을 주장하는 듯하다—기술적으로 그는 선생의 자격이 없다는 뜻인 것 같다. 그 혐의를 부인한 후에 소크라테스는 잠시 동안 그 혐의의 quale sit에 관해 다룬다. 설사 그가 자격을 갖춘 선생이라 가르침에 대해 돈을 받는다 해도—고르기아스, 프로디쿠스, 히피아스, 에베누스와 같은 소피스트들처럼—그는 이것을 범죄로 여기지 않을 것이다. 여기서 유추를 사용한다. 소크라테스는 그의 청중에게, 조련사가 망아지나 송아지를 훈련해서 훈련비 받는 것을 범죄로 간주하지 않는 것처럼, 선생이 젊은이들의 지성을 연마해주는 대가로 돈을 받는 것도 범죄로 간주하면 안 된다고 주장한다.

소크라테스는 더 나쁜 대의를 더 나은 대의로 보이게 만든다는 혐의에는 맞서지 않지만, 이 혐의에 대한 부인은 다른 두 혐의에 대한 부인에 내재되어 있는 것 같고, 이 혐의는 이후의 논증들에 의해 논박된다.

단락 6에서는 소크라테스가 왜 이런 거짓 혐의들이 그에게 퍼부어졌는지 그 이유를 고려한다. 이런 혐의들에는 어떤 근거가 있는 것이 틀림없다. 그 기원은 델피의 신탁 ─ "소크라테스는 가장 지혜로운 사람이다"─이 발표된 것에 있다고 소크라테스는 생각한다. 이 델피의 발표가 소크라테스에게 알려지자 그는 생략삼단논법의 형식으로 추론했다. "신은 거짓말을 할 수 없기 때문에 틀림없이 옳다." 그런데 소크라테스가 가장 지혜로운 사람이라는 신의 주장은 어떤 의미에서 옳을 수 있는가?

소크라테스는 이 질문에 대한 답변을 찾는 과정에서 단락 7에서 정의(定義)라는 일반 토픽으로 향한다(단락 7, 8, 9에서). 그는 정치인들과 시인들과 장인들과 겪은 경험을 이야기한다. 그는 이 사람들을 방문하는데, 그들은 지혜로운 자들로 추정되기 때문에 어째서 지혜로운지 발견하기 원해서다. 그러나 이 '이른바' 현인들은 그로 하여금 환멸을 느끼게 했다. 그들은 전혀 지혜롭지 않았고, 설상가상으로 자기네가 무지하다는 것을 인정하지 않거나 인식하지도 못했다. 이런 탐구의 결과로 소크라테스는 어떤 의미에서 그 자신이 가장 지혜롭다고 말할 수 있는지 발견했다. 오직 소크라테스만 자기가 모른다는 것을 알았기 때문이다.

소크라테스에 대한 적대감을 설명해주는 것은 오히려 이런 역설적인 우월함이다. 더욱이, 선천적으로 아는 체하기를 즐기는 젊은이들이 허풍쟁이들을 조사함으로써 소크라테스를 모방하기 시작했다. 아는 체하다가 폭로되어 기분이 상한 젊은이들은 모든 철학자들을 겨냥한 표준적이되 입증되지 않는 혐의들에 의존했다. 내용인즉 그들은 구름 위에서 무언가를 가르치고, 그들에게는 신이 없고, 그들은 더 나쁜 대의를 더 나은 대의로 보이게 만든다는 것이다. 그래서 편견이 이런 무모하고 무차별적인 혐의를 불러일으켰다. 편견이 예전의 고발인들뿐 아니라 최근의 고발인들도 부추긴 것이다. 멜레투스는 시인들을 대신해, 아니투스는 장인들과 정치인들을 대신해, 리콘은 수사학자들을 대신해 반응을 보이고 있다. 소크라테스는 약간 미심쩍은 논리에 호소하면서 이 부분을 결론짓는다. "그들의 미움이야말로 내가 진실을 말하고 있다는 증거가 아니고 무엇이겠습니까?" 소크라테스는 미움을 하나의 징표로 간주한다. 그러나 아리스토텔레스 역시, 수사적 목적으로, 개연성 있는 결론을 낳는 징표의 효과를 인정했다는 점을 우리는 기억할 필요가 있다. 모든 개연성의 경우가 그렇듯이, 이런 유의 징표는 신념만 낳을 뿐 확신은 낳을 수 없다.

단락 12에서는 소크라테스가 두 번째 그룹이 제시한 혐의를 명시하고 있다: (1) 나는 악을 행하는 자다, (2) 나는 젊은이를 타락시킨다, (3) 나는 국가의 신들을 믿지 않는다, (4) 나는 다른 신들을 받든다. 소크라테스는 첫째 혐의를 멜레투스에게 뒤집어씌운다. 따라서 멜레투스는 이런 사안들에 대해 진지하지 않기 때문에 그야말로 악을 행하는 자임을 보여주려고 애쓸 것이다. 이처럼 혐의를 상대방에게 뒤집어씌우는 것은 모든 고전적 수사학자들이 추천했던 방안이다. 그것은 고발인을 방어하는 입장에 처하게 하고, 만일 맞고소에 근거를 제공할 수 있다면 변호인은 압박감을 덜 수 있다.

단락 18~38에서 소크라테스는 자신이 젊은이를 타락시키는 자라는 혐의의 정당성을 검토한다. 이 반대 심문을 시작할 때, 그는 반대 명사라는 일반 토픽에 의존한다. 사실상 그는 "만일 내가 젊은이를 타락시키는 사람이라면, 멜레투스가 젊은이를 교화하는 사람으로 간주하는 이들이 있음에 틀림없다"고 말하는 셈이다. 젊은이를 교화하는 이들은 누구인가? 소크라테스는 멜레투스로 하여금 재판관들, 청중, 원로원 의원들, 총회의 멤버들, 즉 소크라테스를 제외한 모든 아테네 시민이 젊은이를 교화하는 사람임을 긍정하게 만든다. 이어서 소크라테스는 유추(유사성의 토픽)에 의지해 이 주장을 터무니없는 것으로 치부한다. 마치 말들은 모든 사람이 아니라 뛰어난 조련사 한 사람에 의해 키워지듯이, 젊은이도 다수가 아니라 한 사람에 의해 교화된다. 따라서 오직 소크라테스만 젊은이를 타락시키고 다른 모든 사람이 그들을 교화시킨다는 멜레투스의 주장은 명백히 어불성설인 것이다(소크라테스가 유추를 사용한 것에 아포티오리 논증이 내재되어 있는 것을 주목하라).

단락 32~38에서 소크라테스는 동일한 혐의를 또 다른 각도에서 접근한다. 먼저 그는 멜레투스가 세 가지 명제의 진실성에 동의하도록 촉구한다: (1) 선한 사람은 이웃에게 선을 행한다, (2) 모든 사람은 타인에 의해 상처받기보다 유익을 얻고 싶어 한다, (3) 나는 의도적으로나 비의도적으로 젊은이를 타락시킨다. 일단 이 세 가지 명제에 대한 동의를 확보한 뒤에 세 번째 명제를 그의 논박의 출발점으로 이용한다. 비교라는 일반 토픽 아래 모순에 대한 설명에서 살펴보았듯이, 모순된 명제들은 양립할 수 없다. 즉, 둘

다 참일 수 없다는 것이다. 그리고 만일 한 명제가 거짓으로 증명되면 다른 하나는 자동으로 참이란 것도 살펴보았다. 소크라테스의 전략은 '소크라테스는 의도적으로 젊은이를 타락시킨다'는 명제가 거짓임을 입증하는 것이다. 멜레투스가 동의한 다른 두 가지 명제를 소크라테스가 얼마나 영리하게 활용하는지 주목하라.

> 그런데 내가 어떻게 의도적으로 젊은이를 타락시킬 수 있소? 만일 내가 그들을 타락시킨다면, 그들은 악하게 되오. 일단 그들이 악하게 되면 나를 해롭게 하기 쉽소(왜냐하면 우리가 동의했듯이 악한 자는 악행을 하기 때문이오). 그러나 나는 —다른 모든 사람과 같이— 내 이웃에 의해 상처받기보다 유익을 얻기 원하는 만큼, 나에게 상처를 줄 그런 사람을 의도적으로 만들기 원할 가능성이 없소. 따라서 내가 의도적으로 젊은이를 타락시킨다는 혐의는 제쳐놓을 수 있소.

이 논증은 이제 두 가지 가능성으로 줄어들었다(그리고 우리는 이 둘을 반대 명사로 간주할 수 있다). 소크라테스는 이제 이 반대 명사들을 다음과 같이 다룬다.

> 당신이 나를 젊은이를 타락시키는 자로 공식적으로 고발했기 때문에, 첫째 가능성은 자의적으로 배제시킵시다. 그러면 내가 젊은이를 비의도적으로 타락시킬 수 있다는 가능성이 남소. 그런데 만일 내가 비의도적으로 젊은이를 타락시킨다면, 나는 법에 저촉되지 않으므로 이 법정에 있으면 안 되는 것이오.

소크라테스는 멜레투스의 혐의가 부조리함을 증명함으로써 그의 발언 내용이 다음과 같은 것을 간접적으로 증명하는 것으로 생각했다. 즉, 멜레투스는 이런 혐의를 진지하게 만들 수 없었던 만큼, 그야말로 정말 악을 행하는 자라는 것.

단락 39~53에서는 소크라테스가 그 자신이 무신론자라는 혐의가 일관성이 없음을 증명한다. 그는 기소장의 셋째 항과 넷째 항에서 극악한 모순을 간파한다. 셋째 항에서는 그가 신들을 믿지 않는다고 하고, 넷째 항에서는 그가 신들을 믿는다는 것이다. 소크라테스는 셋째 항이 거짓임을 증명하기 위해 유사점과 속(屬)과 종(種)이라는 일반 토픽들을 사용한다. 그는 멜레투스로 하여금 인간을 믿지 않으면서 인성을 믿을 수 없고, 말을 믿지 않으면서 마술을 믿을 수 없고, 플롯 연주자를 믿지 않으면서 플롯 연주를 믿을 수 없다는 것을 시인하게 한다. 달리 말하면, 우리는 종(種)을 믿지 않으면서 속(屬)을 믿을 수 없다는 것이다. 이와 비슷하게, 우리는 영들과 반신반인을 믿지 않으면서 (넷째 항이 주장하듯이) 신적인 것을 믿을 수 없다. 그런즉 소크라테스가 신들을 믿지 않는다는 혐의는 완전히 거짓이다. 모순의 원리에 따르면, 모순된 상반관계에서 한 명제가 거짓이면 다른 명제는 참이다. 그러므로 소크라테스는 분명히 신들을 믿는다.

단락 54는 여기에 게재된 본문의 마지막 단락이다. 여기서 소크라테스는 멜레투스와 아니투스가 퍼부은 혐의들에 대해 성공적으로 답변했다고 지적한다. 하지만 그는 평생에 많은 사람의 적대감을 불러일으켰다는 것과 고발내용이 아니라 적대감이 결국 그를 파멸로 이끈 원인으로 드러날 것임을 인정한다. 소크라테스는 본문의 처음부터 끝까지 부정적인 전략—논박의 전략—을 사용했는데, 이 지점부터는 자신의 무죄를 증명하기 위해 긍정적인 논증을 개진할 것이다.

마지막으로 지적할 점은, 이 부분 전체에 걸친 소크라테스 전략의 상당 부분은 멜레투스의 윤리적 호소를 최소화하려는 노력이란 것이다. 그는 멜레투스의 혐의를 논박하는 동시에, 간접적으로 멜레투스가 좋은 의식과 성품과 의지를 지닌 사람이 아니라는 점을 입증하고 있다. 멜레투스의 윤리적 호소는 소크라테스의 날카로운 질문에 억지로 답변하는 모습에 의해 더욱 약화된다. 최고의 순간은 소크라테스가 거듭해서 멜레투스를 '내 친구'라고 부르는 일종의 아이러니였다. 이는 셰익스피어의 《줄리어스 시저》에서 마크 앤토니가 그 유명한 발언 '친구들, 로마인들, 동포들'에서 '훌륭한 사람들'이란 호칭을 사용한 것만큼 치명적인 타격을 주는 아이러니이다.

캐서린 서전트 화이트(Katharine Sergeant White)의 사망 기사

앞에서 살펴보았듯이, 과시용 담론 또는 의식용 담론은 어떤 사람이나 집단, 기관이나 상황을 칭송하거나 비난하는 데 초점을 맞춘다. 이런 담론의 흔한 형태는 추도사, 자기 행동을 변호하는 변명, 졸업식 연설, 국경일의 연설, 공천 대회에서의 주요 연설 등이다. 그런데 장례식에서의 설교 다음으로 가장 흔한 의식용 담론의 형태는, 저명한 사람에 관한 신문의 사망 기사일 것이다. 다음 기사는 〈뉴요커〉지에 나온 것으로서 그 유명한 잡지의 창립 첫 해부터 잡지사 운영에 관여했던 놀라운 여성에 관한 내용이다. 이 담론에 스며있는 '칭송'을 낳은 수사학적 토픽들을 중심으로 분석할 예정이다. ●

1. 우리 중 다수에게 캐서린 서전트 화이트는 전 세계에서 기념비적 인물이었다. 그녀는 변화의 와중에도 변함이 없었다. 질서와 평정, 확실성과 영속성을 지닌 인물이었다. 그녀는 항상 거기에 있었다. 그런데 지난주에 예측하기 싫었던 사건이 일어났다. 84세의 나이에 돌아가신 것이다. 에른스트 앵겔의 부인이었던 캐서린 화이트는 1925년 헤럴드 로스가 〈뉴요커〉지를 창간한 지 6개월 만에 이 잡지사에 일하러 왔다. 그녀는 당초 원고 독자로 일을 시작했으나 곧 우리 사무실에서 이뤄지는 모든 일에 관여하게 되었다. 로스는 그녀의 지성, 에너지, 귀족적 취향, 권위 있는 모습, 놀랍도록 강인한 성품 등을 포착해서 그것들을 갓 태어난 잡지를 위해 사용하도록 했다. 잡지는 으레 자리를 잡아가는 과정에서 혼란스러웠지만, 그녀는 모든 것을 안정시키는 역할을 했다. 나름의 미학과 확고한 문학적 표준과 판단력을 소유했던 그녀는, 로스의 아이디어와 관심의 범위를 또 다른 스펙트럼으로 확장시켜주었다. 로스는 자신이 무엇을 원하는지는 알았으나 그것을 얻는 방법을 몰랐을 때 캐서린에게 도움을 구하기 시작했다. 로스가 자신이 무엇을 원하는지

몰랐을 때도 그것이 무엇인지 찾으려고 그녀에게 의지했다. 그는 스스로에 대해 확신을 품지 못했을 때에도 그녀에 대해서는 확신을 품었다. 오래지 않아 그녀는 그의 가장 귀중한 협력자가 되었다. 헤럴드 로스 외에는, 〈뉴요커〉의 모양을 만들고 경로를 설정하는데 캐서린 화이트보다 더 기여한 편집인이 없었다.

2. 세월이 흐르면서 잡지 작업이 더욱 복잡해지고 구획화되자 화이트 여사는 소설 분과의 책임자가 되었고, 약 10년간 일하다가 은퇴해서 남편 앤디 화이트와 함께 메인 주 노스 브루클린에 있는 농장으로 떠났다. 거기서 그녀는 하프 타임 편집인으로 계속 일했는데, 보통의 전임 직원보다 더 많은 일을 해냈다. 1950년대 말에 긴급 상황이 발생하자 뉴욕으로 돌아온 그녀는, 2년간 소설 담당 편집인으로 일한 뒤에 다시 메인에서 반(半) 은퇴 생활을 재개했다.

3. 캐서린 화이트의 편집 자질은 유례가 없었다. 그녀는 함께 일하는 모든 저자에게 한없는 관심을 쏟았다. 마치 다른 저자들은 없는 것만 같았다. 하지만 다수의 저자가 있었고, 그녀는 그들 모두에게 온통 전념할 수 있었다. 어떤 경우에는 그들과 몇 시간 동안 얘기했고 또 엄청나게 연락을 주고받았다. 그녀는 그들의 개인적인 삶에 진정한 관심을 보였다. 그들을 끝없이 격려했고, 안심시켰고, 위로했고, 상담했고, 심지어 어머니 역할까지 했다. 그녀는 저자들에게 글을 쓰도록 격려하기 위해 수백 통의 편지와 메모를 보냈고, 그들은 글을 썼다. 지난 50년 동안 캐서린 화이트가 없었다면, 미국 소설의 역사는 달라졌을 것이다. 그녀의 표준과 취향이 그 역사와 관련이 많지만 그밖에 다른 것도 있었다. 그녀는 문학적 충동을 불러일으키는 신비로운 능력이 있어서, 시들어가는 저자들이나 바닥났다고 생각되는 저자들에게서도 작품을 끌어낼 수 있었다. 캐서린 화이트의 손을 거치지 않았다면 얼마나 많은 좋은 작품이 덜 좋게 출판되었을지, 또는 그녀가 작품을 받기 위해 기다리지 않았다면 얼마나 많은 작품이 탄생조차 하지 못했을지 아무도 추정할 수 없다. 많은 저자에게 그녀는 꼭 필요한 유일한 영감이었다.

4. 캐서린은 침착하고 얌전하고 위엄 있고 아름다운 여성(80대에도 30대만큼 아름다웠다)으로 그녀의 유일한 운명인 듯 〈뉴요커〉에서 편집 경력을 시작했는데, 이후에

그에 못지않은 운명인양 전형적인 〈뉴요커〉 필자와 결혼까지 했다. 어느 시점에 이르러 그녀는 그 잡지에 어린이 책에 관한 에세이 시리즈로 기여할 수 있게 되었고, 훗날에는 정원 가꾸기에 관한 박식하고 시적이며 유머러스하고 열정적인 에세이 시리즈를 싣게 되었다. 지난 20년에 걸쳐 한 사람이 감당하기 힘든 질병에 시달렸으나—고통이 잇따라 찾아왔고 한 번에 서너 질병을 앓았다—그녀는 한 사람 몫 이상의 용기로 결국 이겨냈다. 고통과 치열하게 싸우면서도 그녀는 자신이 가꾸던 꽃 정원과 기억하는 정원, 그리고 상상의 정원에 관한 글을 썼다. 그리고 그녀는 편지도 썼다. 마지막 순간까지 끊임없이 편지쓰기에 몰입한 사람이었다. 필자들을 포함해 친구들에게 보낸 편지는 무척 길었다. 페이지마다 질문과 생각과 정보, 앤디와 함께하는 일상생활에 관한 흥미로운 이야기들과 그녀가 계속 연락했던 많은 사람에 관한 정보가 가득했다. 가정생활에 관한 소식은 풍부한 재능을 지닌, 흩어져 있는 친구들에게 좋은 선물이었다. 그녀가 죽기 전날에 받은 편지는 그 잡지의 기고가들 중에 한 명이 쓴 것으로 이런 내용이 실려 있었다. "당신이 언제나 나에게 양분을 공급했던 것처럼, 당신의 애정 어린 온화한 편지를 통해서도 양분을 공급받는다는 느낌이 들었소." 많은 필자가 그와 같은 말을 했을 것이다.

5. 캐서린 화이트가 충성했던 대상은 많았고, 그 충성심은 강렬하고 불변했다. 그녀가 자랐던 매사추세츠의 브루클린, 어린 시절에 기고했던 〈성 니콜라스〉 잡지, 출신 학교인 브린 모르, 뉴욕 시(무슨 일이 일어나든 상관없이), 메인 주, 보스턴 레드삭스, 그녀의 꽃들, 〈뉴요커〉, 잡지사 동료들, 함께 일했던 모든 필자, 사랑하는 앤디, 자녀들과 손자 손녀들과 증손들, 친구들, 이웃들, 그리고 문자 언어—특히 남편(E. B. 화이트)과 아들 로저 엔젤이 쓴 글 등이었다. E. B. 화이트는 〈파리 리뷰〉에 실린 인터뷰에서, 캐서린이 편집을 도맡았을 때 어떤 모습이었는지 어느 누구보다 더 잘 묘사했다.

6. "그녀는 고용된 최초의 편집인 중 하나였고, 그녀가 나타나지 않았다면 잡지가 어떻게 되었을지 도무지 상상할 수 없다…. 캐서린은 곧 미술 회의와 기획 모임에

참여하고, 소설과 시를 편집하고, 필자들과 미술가들을 그들이 원하는 노선에 따라 응원하고 조정하고, 조판을 배우고, 소설 분과를 이끌고, 어려움에 처하거나 절망에 빠진 수많은 기고가와 간사들의 개인적 고뇌와 딜레마를 공유하는 등, 요컨대 어미 닭의 따스함과 헌신으로 비틀거리는 잡지의 모든 감당키 어려운 업무를 도맡아 한 것이다. 내가 이 모든 것을 개관할 수 있었던 것은, 그 한복판에서 그녀의 남편이 되었기 때문이다. 낮 동안에는 그녀가 회사에서 일하는 모습을 보았다. 일과가 끝날 무렵에는 그녀가 싸구려 포트폴리오에 일거리를 잔뜩 넣고 집에 오는 모습을 보았다. 전등이 늦은 시간까지 켜져 있었고, 우리 침대는 교정쇄로 가득 찼고, 우리 가정은 웃음과 그녀의 헌신과 근면의 정신으로 살아 있었다."

캐서린 서전트 화이트의 사망 기사에 대한 토픽별 분석

사망 기사는 가장 흔한 형태의 의식용 수사 중의 하나이다. 가장 눈에 띄지 않는 시민이라도 가족이 요금만 지불한다면 지방 신문에 사망 기사를 몇 줄 실을 수 있다. 물론 유명한 인물은 전국 잡지들과 그 사람이 몸담은 도시 밖의 명성 있는 신문들에 긴 사망 기사가 실릴 것이다. 캐서린 화이트의 사망 기사는 그녀가 오랫동안 일했던 전국 잡지인 〈뉴요커〉에 게재되었다.

사랑하는 사람, 유명한 인물, 국가적 영웅의 죽음은 관대한 조의, 진심 어린 감정, 고상한 발표를 불러오게 마련이다. 이는 가장 깊은 감정을 야기하는 사건인 만큼 보통은 메마른 감정을 피하게 된다. 아마 남은 자들이 아무리 많이 감정을 표출해도 지나치지 않다고 느끼기 때문일 것이다. 하지만 시간이 흐르면 우리가 장례와 죽은 자에 대한 감정적 개입에서 멀어질 가능성이 있는데, 애가가 우리에게 감상적으로 다가오기 때문이다. 불후의 산문과 사라질 군말을 구별해주는 것은 결국 시간이다. 링컨의 〈게티즈버그 연설〉과 페리클레스의 〈추도 연설〉과 같은, 전투에서 죽은 '우리 편'의 군인들에 관한 과시용 연설의 고전적 본보기들은 당시 연단에서 전했던 날에 그랬던 것만큼, 지금도 감동적이고 진정한 것으로 우리의 가슴에 와 닿는다.

캐서린 서전트 화이트를 위한 사망 기사는 그 잡지의 익명의 편집인이 썼는데, 그녀를 오랫동안 알았던 사람인 듯하다. 이 필자가 고인을 칭송하기 위해 말하는 내용은 고인의 삶과 성품에 대해 가장 호의적인 빛을 비추는 사실들과 의견들에 관한 그 편집인의 견해를 대변한다. 각 사망 기사 필자는 다른 이들이 언급하지 않은 것들을 일부 말하겠지만, 많은 것—특히 그 사람의 공적 경력에 관한 사실들—은 모든 사망 기사에서 언급될 것이다.

이 사망 기사는 캐서린 화이트의 경력과 사생활에 관한 세부사항에 지면을 똑같이 할애하는 것 같다. 이런 식으로 개관할 수 있다.

    1. 그녀의 경력(단락 1~3)
      A. 〈뉴요커〉와의 오랜 연줄(단락 1~2)
      B. 편집인으로서의 장점(단락 3)
    2. 그녀의 사생활(단락 4~6)
      A. 가정생활(단락 4)
      B. 여러 충성심(단락 5)
      C. 남편의 증언(단락 6)

사망 기사를 위해 대다수 자료를 제공하는 일반 토픽은 증언, 곧 공적인 기록과 당사자를 친밀하게 알았던 이들의 의견과 평가이다. 이 사망 기사에 담긴 대다수 자료도 증언에 근거를 둔다. 그녀의 편집 경력, 그녀의 결혼 관계, 그녀의 글, 그녀의 충성심, 그녀의 고향, 교육, 거주지 등에 관한 '사실들'을 다루는 증언이다. 그녀의 경력과 삶에 대한 평가는 대체로 사망 기사 필자가 보증하는 말에서 나오지만, 그녀의 죽음 직전에 그녀에게 편지를 쓴 저자의 증언도 있고, 마지막 단락에는 남편인 E. B. 화이트의 증언도 있다.

비교라는 일반 토픽은 적어도 두 차례 나오고 정도의 차이를 낳는다. "헤럴드 로스 외에는… 캐서린 화이트보다 더…"(단락 1), 그리고 "캐서린 화이트의 편집 자질은 유례가 없었다"(단락 3). 원인과 결과라는 일반 토픽은 그녀가 부지런하게 저자들을 양육한 일이 이 나라의 글쓰기 과정에 미친 영향을 논의하는 중에 나온다. "만일 캐서린 화이트의 손을 거치지 않았다면 얼마나 많은 좋은 작품이 덜 좋게 출판되었을지… 아무도 추정할 수 없다"(단락 3), 그리고 "지난 50년 동안 캐서린 화이트가 없었다면 미국 소설의 역사는 달라졌을 것이다"(단락 3). 첫 단락 전체를 그 잡지의 운명 가운데 그녀가 담당한 역할의 정의(定義)로 간주해도 좋다.

그러나 의식용 담론이 흔히 그렇듯이, 특수한 토픽들이 이 사망 기사의 많은 내용을 낳았다. 특별한 미덕들, 속성들, 그리고 이 조사의 토픽에 해당하는 업적들이다. 무엇보다 먼저 우리는 필자가 캐서린 화이트에 관해 강조하는 특별한 미덕을 검토해도 좋겠다. 단락 4에서는 긴 질병과 고통에도 불구하고 그녀가 보여준 비범한 용기 내지는 강인함을 언급한다. 여기에 나온 만연된 특징 중 하나는 그녀가 필자들을 양육하려고 시간과 노력을 기울이고 또 친구들에게 긴 편지를 쓸 때 보여준 관대함이다(단락 3~4).

단락 1은 그녀의 신중함, 곧 지성과 취향이라는 지적인 미덕을 강조하고, 이것이 그녀를 초대 편집인인 헤럴드 로스의 귀중한 자문과 협력자로 만들어줬다고 한다. 그녀의 취미에 대한 언급에서는 그녀의 온유함 내지는 친절함을 암시한다. 곧 어린이 책의 집필과 꽃 정원을 가꾸는 일이다(단락 4). 그녀의 변함없는 충성심에 대한 주목은 사망 기사 전체를 관통하고 있으며, 다양한 충성심을 열거하는 단락 5에서 점점 강해지고 있다.

많은 자질과 업적을 묘사한 뒤에 그녀의 모습이 그려지고 있다. 적어도 그녀의 행동거지가 묘사되고 있다. '권위 있는 모습'(단락 1)과 '침착하고 얌전하고 위엄 있고 아름다운 여성'(80대에도 30대만큼 아름다웠다)(단락 4)이다. 그녀의 가정 배경, 교육, 가정생활, 친구들에 관한 세부사항이 많이 묘사되어 있다. 매사추세츠의 브루클린에서 자랐고, 브린모르에서 교육을 받았다는 것, 많은 친구, '전형적인 〈뉴요커〉 필자'인 E. B. 화이트와의 결혼, 이름 있는 스포츠기자 로저 엔젤의 어머니라는 것, 메인 주로 은퇴한 사실, 꽃 정원에 대한 애정 등이다. 그녀는 〈뉴요커〉를 빚어내는데 놀라운 기여를 하고 많은 필자를 길러냈을 뿐 아니라, 어린이 책들과 정원 가꾸기에 관한 중요한 에세이들도 집필했다. 만일 그녀의 삶과 성품을 요약한 부분을 찾는다면 첫 단락에 나오는 한 문장(그녀는… 질서와 평정, 확실성과 영속성을 지닌 인물이었다)과 마지막 단락에 나오는 남편의 증언(그녀의 헌신과 근면의 정신)에서 찾을 수 있다.

우리는 '의식용 담론을 위한 특수한 토픽들'에 관한 대목에서 아리스토텔레스가 칭송의 효과를 증폭시키기 위해 제안한 방식들을 살펴보았다. 이 사망 기사의 필자는 적어도 다음 세 가지 방식을 사용했다. "그 사람이 다른 누구보다 더 무언가를 잘했다는 것을 보여주라"(헤럴드 로스 외에는, 〈뉴요커〉의 모양을 만들고 경로를 설정하는데 캐서린 화이트보다 더 기여한 편집인이 없었다. 캐서린 화이트의 편집 자질은 유례가 없었다); "그 사람이 종종 똑같은 성공을 거두었다는 것을 보여주라"(그녀는 10년 동안 소설 편집인으로 성공적으로 일했고 은퇴 후에도 2년 더 일했다); "그 사람이 어떤 환경에서 무언가를 성취했는지 보여주라"(그녀는 마지막 20년 동안 질병의 고통에도 불구하고 성실하게 자신의 의무를 수행했다).

이 사망 기사는 누군가를 칭송할 때 어떻게 진행해야 할 지를 잘 보여준다. 필자는 높임 받는 사람의 명예를 반영하는 미덕, 속성, 행위, 업적, 증언 등을 언급하거나 상세히 설명한다. 이 기본 전략은 누군가를 깎아내리려고 할 때에도 사용된다. 비록 사랑이나 명예훼손죄를 고려해 한 개인을 공개적으로 비방하는 경우는 드물지만 말이다. 풍자가는 특정한 개인보다 어떤 유형을 노골적으로 묘사하거나 가명을 사용해 공격 대상을 위장할 가능성이 많다. 의식용 담론에서는 다른 두 종류보다 더 주제의 성격이 그 내용을 결정하는 주된 요인이 될 것이다. 왜냐하면 이런 유의 담론의 성공은 주로 그 내용의 진실성이나 신뢰성에 달려있기 때문이다. 당사자의 삶이나 성품에 관한 꾸며낸 내용이나 과장된 내용에 기초한 칭송은 궁극적으로 설득력이 없는 것으로 입증될 것이다.

제임스 매디슨: 〈연방주의자 논문 제10호〉

1787년 9월 17일 미국의 헌법이 마침내 입안되어 필라델피아에서 헌법 제정 회의 의원 50여 명이 서명을 했다. 하지만 새로 입안된 헌법은 최초의 13개 식민지 중 적어도 9개 주의 회의에서 승인을 받아야 했다. 미국 헌법을 너무도 당연시하는 우리는 이 비할 데 없는 문서가 남부 연방의 사람들에게 '팔려야' 했다는 사실을 믿기 어려워한다. 그러나 반(反)연방주의자는 곧 그 헌법의 파급 효과를 저지하기 위해 군대를 정렬시켰다. 그들의 주장은 이랬다. 그 헌법에 의해 세워지는 강한 중앙정부는 여러 주의 자율성에 대한 위협이다. 헌법이 대통령에게 너무 많은 권력을 준다. 헌법이 연방 법원이란 위험한 제도를 만든다. 헌법이 억압적인 과세의 길을 열어준다는 것이다. 하지만 작은 주들 가운데 다섯은 재빨리 헌법을 승인했다. 델라웨어, 메릴랜드, 뉴저지, 코네티컷, 사우스캐롤라이나 등. 가장 만만찮은 반대는 펜실베이니아, 매사추세츠, 버지니아, 뉴욕에서 왔다. 뉴욕이 반대편에 선 핵심 주였기 때문에 당시 30세에 불과했던 알렉산더 해밀턴(Alexander Hamilton)은 헌법에 대한 반론을 논박하고 그 미덕을 높이는 일련의 기사를 출간할 생각을 품었고, 버지니아의 제임스 매디슨과 뉴욕의 존 제이(John Jay)의 도움을 얻었다. 1787년 10월부터 1788년 4월까지 여러 뉴욕 신문에 실린 85개의 기사들에서 퍼블리우스(Publius)—모든 신문을 위해 만든 가명—는 뉴욕 회의가 그 헌법을 채택하도록 설득하기 위해 모든 수사학적 기술을 총동원했다. 〈연방주의자 논문〉의 3분의 1을 쓴 제임스 매디슨(제이는 5편만 썼다)이 1787년 11월 23일 금요일에 〈뉴욕 패킷〉(*New York Packet*)에 실린 제 10호의 필자였다. 이 논문은 해밀턴과 매디슨과 제이가 그들의 입장을 주장할 때 사용했던 명쾌하고 감동적인 양식과 설득력 있는 논리를 잘 보여주는 전형이다. 뉴욕이 마침내 가까스로 승인한 것은 별로 중요하지 않았다. 왜냐하면 당시는 필요한 9개 주들이 이미 헌법을 채택한 뒤였기 때문이다. 〈연방주의자 논문 제10호〉 다음에 나오는 글은 마크 아신(Mark Ashin)이 매디슨의 주장을 토픽별로 철저히 분석한 것이다.

  1. 잘 구성된 연합정부가 약속하는 많은 이점 가운데 그 무엇보다 더 정확히 개진할 만한 것은 파벌의 난폭함을 깨뜨리고 또 통제하는 성향이다. 대중 정부의 친구가 경각심을 느끼는 때는 그 정부의 특성과 운명보다 이 위험한 악덕의 경향을 생각할 때이다. 그러므로 그는 자기가 고수하는 원칙을 어기지 않으면서 그 악덕에 대한 적절한 치료를 제공하는 모든 계획에 합당한 가치를 반드시 부여할 것이다. 공

공 위원회들에 도입된 불안정과 불의와 혼동은 사실 대중 정부를 도처에서 멸망시킨 도덕적 질병이었다. 이는 계속해서 자유에 반대하는 자들이 가장 허울 좋은 연설을 이끌어내는, 좋아하는 풍성한 토픽이 되고 있다. 고대와 현대에 걸쳐 대중 모델들에 기초한 헌법들이 이룩한 귀중한 진보는 아무리 동경해도 지나치지 않다. 그러나 그런 모델들이 사람들이 기대한 대로 이편에 있는 위험을 효과적으로 제거했다고 주장하는 것은 근거 없는 편견일 터이다. 곳곳에서 가장 사려 깊고 덕스러운 시민들이 불평하는 소리가 들린다. 공적 신앙과 사적 신앙의 친구들과 공적 자유와 사적 자유의 친구들이 똑같이 내놓는 불평은 우리 정부들이 너무 불안정하다는 것, 공공선이 경쟁적인 정당들의 갈등으로 무시되고 있다는 것, 여러 조치가 정의의 규칙과 소수 정당의 권리에 따라 결정되지 않고 압도적 다수의 우월한 힘에 의해 결정되는 경우가 너무 많다는 것이다. 이런 불평이 근거가 없기를 아무리 간절히 바란다 해도, 알려진 사실들로 보건대 우리는 그것이 어느 정도 사실이란 것을 도저히 부인할 수 없다. 물론 상황을 정직하게 검토해보면 우리에게 고생을 안겨준 문제들의 일부를 정부 탓으로 돌리는 것은 잘못임이 밝혀질 것이다. 그러나 그와 동시에 다른 원인들만으로는 우리의 가장 큰 불행 중 다수를 설명할 수 없다는 것도 밝혀지리라. 특히 대륙의 한쪽 끝에서 다른 쪽 끝까지 울려 퍼지는, 갈수록 커지는 대중 참여에 대한 불신과 사적 권리에 대한 경각심이 그렇다. 이런 문제들은 전적으론 아닐지라도 주로 파벌 정신이 우리의 공공행정을 얼룩지게 한 불안정함과 불의가 낳은 결과이다.

2. 파벌이란, 다수파이든 소수파이든, 공동의 열정이나 이익에 의해 연합하고 작동하는 많은 시민으로, 다른 시민들의 권리나 영구적이고 집합적인 공동체 이익에 반하는 경우를 말한다.

3. 파벌의 해악을 치료하는 방법은 두 가지다. 하나는 원인을 제거하는 것이고, 다른 하나는 결과를 통제하는 것이다.

4. 파벌의 원인을 제거하는 방법도 두 가지다. 하나는 그 존재에 필수적인 자유를 파괴하는 것이고, 다른 하나는 각 시민에게 똑같은 의견, 똑같은 열정, 똑같은 이

익을 주는 것이다.

5. 첫 번째 해결책에 대해서는, 그것이 질병보다 더 나쁘다는 사실보다 더 올바로 말할 수는 없다. 자유와 파벌의 관계는 공기와 불의 관계와 같은데, 그것은 자유가 없으면 금방 꺼지는 병이다. 그러나 파벌을 조장한다고 해서 정치 생활에 필수적인 자유를 폐지하는 것은 어리석은 짓일 터이다. 이는 마치 불에 파괴적인 힘을 부여한다고 해서 동물의 삶에 필수적인 공기를 소멸시키는 것과 같다.

6. 두 번째 조처는 첫 번째 조처가 지혜롭지 못한 만큼 비현실적이다. 사람의 이성은 계속 틀리기 쉽고 사람이 자유로이 이성을 사용하는 한 다른 의견들이 형성될 것이다. 사람의 이성과 그의 자기사랑 사이에 연계성이 존재하는 한 그의 의견과 열정은 서로 영향을 주고받을 것이고, 전자는 후자가 스스로를 부착하는 대상이 될 것이다. 사람의 능력상의 다양성—이로부터 재산권이 나온다—은 이해관계의 통일성을 방해하는 극복할 수 없는 걸림돌이 아니다. 이런 능력들의 보호야말로 정부의 첫 번째 목적이다. 재산 획득에 있어서 서로 다른 불평등한 능력의 보호로부터 서로 다른 정도와 종류의 재산 소유가 즉시 따라온다. 이것이 여러 소유자들의 정서와 견해에 미치는 영향으로부터 서로 다른 이해관계와 당파에 따른 사회의 분립이 발생한다.

7. 그런즉 파벌의 잠재적 원인이 사람의 본성 속에 뿌려져 있는 셈이다. 그리고 우리는 그 원인들이 서로 다른 시민사회의 환경에 따라 서로 다른 활동으로 표출되는 것을 곳곳에서 목격한다. 종교, 정부, 그리고 다른 많은 사항에 관한 —사색뿐 아니라 행습에 관한—서로 다른 견해들에 대한 열정, 명성과 권력을 위해 싸우는 서로 다른 지도자들에 대한 애착, 또는 그 운명이 인간의 열정을 불러일으킨 인물들에 대한 애착이 차례로 인류를 여러 파당으로 나누었고, 상호간의 적대감을 부추겼고, 그들로 그들 자신의 공동선을 위해 협력하기보다 서로 괴롭히고 억압하도록 만들었다. 인류를 상호 적대감에 빠뜨린 이 성향이 너무도 강해서, 실질적인 계기가 생기지 않는 한, 가장 하찮고 가상적인 차이점이라도 비우호적인 정열을 불러일으키고 가장 난폭한 갈등을 자극하기에 충분했다. 그런데 이제까지 가장

흔하고 항구적인 파벌의 원인은 재산의 다양하고 불평등한 분배였다. 재산을 소유한 이들과 재산이 없는 이들은 언제나 사회에서 서로 다른 이해관계를 갖고 있다. 채권자들과 채무자들은 그와 비슷한 차별성을 갖고 있다. 땅의 이해, 제조상의 이해, 상업상의 이해, 금전적 이해 등은 다른 많은 더 적은 이해들과 함께 문명화된 나라들에서 성장하기 마련이고, 그것들은 서로 다른 정서와 견해를 지닌 다른 계급들로 나뉘지게 한다. 이런 다양한 이해관계의 규제는 현대 입법부의 주된 과업을 형성하고, 정부의 필연적이고 일상적인 작동에서 파당과 파벌의 정신을 포함하게 된다.

8. 어느 누구도 자신의 소송에서 재판관이 되도록 허용해서는 안 된다. 왜냐하면 그의 이해관계가 분명히 그의 판결에 영향을 줄 것이고 그의 온전함을 타락시킬 가능성이 없지 않기 때문이다. 이와 똑같은 이유로, 아니 더 큰 이유로 일단의 사람들도 재판관과 파당이 동시에 되는 것은 부적합하다. 그런데 가장 중요한 입법 행위의 다수가 개인들의 권리에 관한 것이 아니라 큰 시민 집단들의 권리에 관한 사법적 결정이 아니고 무엇인가? 그리고 서로 다른 입법자 계급들은 그들이 결정하는 소송과 관련된 옹호자와 파당이 아니고 무엇인가? 사적인 채무에 관한 법이 제안되는가? 그것은 채권자들이 한편에 속한 파당이고 채무자들이 다른 편에 속한 파당의 문제다. 사법부는 양자 사이에 균형을 잡아야 마땅하다. 하지만 그 파당들이 곧 재판관들이고 또 그런 것이 틀림없다. 가장 다수의 파당, 또는 달리 말하면 가장 강력한 파당이 이기게끔 되어 있다. 국내 제조업자들은 과연 해외 제조업자들을 규제함으로써 격려를 받을까? 그렇다면 어느 정도로? 이는 지주 계급과 제조업자 계급이 다르게 판단할 질문이고, 어느 쪽도 오로지 정의와 공공선을 존중하면서 판단하지 않을 가능성이 많다. 다양한 재산에 대한 세금 부과는 가장 정확한 불공평을 요구하는 행위이다. 하지만 지배 정당이 정의의 규칙을 짓밟을 기회와 유혹을 얻게 되는, 그보다 더 큰 입법 행위는 없을 것이다. 그들이 열등한 수에게 과도하게 부담시키는 각 실링은 곧 그들 자신의 주머니에 들어갈 실링이다.

9. 계몽된 정치인들이 서로 충돌하는 이해관계를 조정해 공공선에 기여하도록 만들 수 있을 것이라는 말은 헛소리다. 계몽된 정치인들이 항상 실권을 쥐지는 않을 것이다. 아울러 많은 경우에 간접적인 고려사항을 감안하지 않은 채 그런 조정이 이뤄질 가능성은 전혀 없다. 그런 고려사항이, 한 파당이 다른 파당의 권리나 전체의 유익을 무시할 때 얻을 당장의 이익을 이길 가능성은 거의 없다.

10. 여기서 우리가 끌어내게 되는 추론은 파당의 원인들은 제거할 수 없고, 그 해결책은 파당의 결과를 통제하는 수단에서만 찾을 수 있다는 것이다.

11. 만일 한 파당이 과반수에 못 미친다면, 공화주의 원칙, 즉 다수파가 정기적인 투표로 그 사악한 견해를 꺾을 수 있게 해주는 원칙이 해결책을 제공하게 된다. 그것이 행정부를 방해하고 사회를 격동시킬 수 있으나, 그것이 헌법의 형태 아래서는 그 난폭함을 집행하고 또 가릴 수 없을 것이다. 다른 한편, 다수파가 한 파당에 포함되어 있을 때에는 대중 정부의 형태가 그 파당이 그 자체의 열정이나 이익을 위해 공공선과 다른 시민들의 권리를 희생시키는 것을 가능케 한다. 그런 파당의 위험에 반해 공공선과 사적 권리를 확보하는 것, 그리고 동시에 대중 정부의 정신과 형태를 보존하는 것은 그 파당으로 하여금 대중 정부의 지배적인 열정이나 이해에 희생하게 해줄 수 있다. 그리고 이것이 우리의 탐구가 지향하는 큰 목적이기도 하다. 한 가지 덧붙이고 싶은 것이 있다. 이것이야말로 이정부 형태를 너무나 오랫동안 시달려온 불명예로부터 구출하고 인류에 대한 존중과 채용을 권할 수 있는 크나큰 요구사항이다.

12. 그러면 무슨 수단으로 이 목표를 달성할 수 있을까? 다음 두 가지 중에 하나이다. 다수파에 똑같은 열정이나 이익이 동시에 존재하는 것을 방지하거나, 그런 열정이나 이익을 가진 다수파가 그 숫자와 지역 상황에 의해 억압 구조를 만들어 실행할 수 없도록 만들어야 한다. 만일 충동과 기회가 어쩌다가 일치하게 된다면, 우리는 도덕적 동기와 종교적 동기가 적절한 통제의 수단으로 작동할 것이라고 믿을 수 없다는 사실을 잘 안다. 그런 동기들은 개개인의 불의와 폭력에 대한 통제 수단이 아닌 것으로 밝혀졌고, 다 함께 합친 수에 비례하여 그 효능을

잃는 것으로 드러났다.

13. 이 견해로부터 이런 결론에 도달할 수 있다. 즉, 순수한 민주주의—작은 수의 시민들로 구성되어 직접 정부를 구성하고 운영하는 사회를 말한다—는 파당의 해악을 치료하는 치료책을 허용할 수 없다는 결론이다. 공동의 열정이나 이익은 거의 모든 경우에 다수파가 느끼게 될 것이다. 의사소통과 협의는 정부의 형태 자체로부터 나온다. 더 약한 파당이나 불쾌한 개인을 희생시키고 싶은 생각을 저지하는 것은 전혀 없다. 그래서 그런 민주주의는 언제나 소란과 싸움을 일으키는 구경거리가 되어왔다. 따라서 개인의 안전이나 재산권과 양립이 불가능한 것으로 밝혀졌고, 대체로 그 죽음이 난폭했던 것만큼 그 생명도 짧은 것으로 드러났다. 이런 정부를 장려했던 이론적인 정치인들은 인류를 정치적 권리 면에서 완전히 평등으로 이끌면 그들이 소유와 의견과 열정에서도 완전히 평준화되고 또 융합될 것으로 잘못 추정해왔다.

14. 공화제—대표의 구조가 자리 잡는 정부를 말한다—는 다른 전망을 열어주고 우리가 찾고 있는 치료책을 약속한다. 먼저 공화제가 순수한 민주주의와 다른 점을 조사해보자. 그러면 우리는 공화제가 연합정부에서 끌어내게 되는 치료책과 효능의 성격을 모두 이해하게 될 것이다.

15. 민주주의와 공화제 간의 큰 차이점은 다음 두 가지다. 첫째, 후자에서는 정부가 나머지 시민들이 선출한 소수의 시민들에게 위임된다는 것이고, 둘째, 후자는 더 많은 시민과 더 큰 영역으로 확대될 수 있다는 것이다.

16. 첫째 차이점의 결과는, 한편으로, 공적 견해들을 매체를 통해 선출된 시민 집단에게 넘김으로써 그 견해들을 다듬고 확대하는 것이고, 그 집단의 지혜는 그 나라의 진정한 이익을 가장 잘 분별할 수 있고 그들의 애국심과 정의에 대한 사랑이 그 이익을 일시적이고 편파적인 고려사항에 희생시킬 가능성이 가장 적어질 것이다. 그런 규제 아래서, 국민의 대표들이 진술하는 공적인 목소리는, 만일 국민들 자신이 소집될 경우에 발표할 목소리보다 공공선에 더 부합할 것이다. 다른 한편, 그 결과는 뒤집어질 수도 있다. 지방의 편견이나 사악한 계획을 지닌

파당심이 강한 남자들이 간계나 부정부패 또는 다른 수단으로 먼저 투표로 지지를 얻은 후에 국민의 이익을 배신할 수도 있다. 따라서 크든 작든 공화제야말로 공공의 복리를 지키는 자들을 선출하기에 더 좋은 제도라고 할 수 있다. 다음과 같은 두 가지 명백한 고려사항은 후자를 선호하게 만든다.

17. 첫째, 그들은 아무리 클지라도 군중의 혼동을 경계하기 위해 특정한 수로 제한되어야 한다고 진술할 필요가 있다. 그런즉 두 경우에 대표들의 수는 두 선거구민들의 수에 비례하지 않고 작은 공화국에서 비례적으로 더 클 필요가 있다. 만일 적절한 사람들의 비율이 작은 공화국보다 큰 공화국에서 더 적지 않다면, 전자는 더 큰 의견을 제시할 것이고 따라서 적절한 선택의 개연성이 더 커지게 된다.

18. 다음으로, 각 대표가 작은 공화국보다 큰 공화국에서 더 많은 시민에게 선출될 것인즉, 자격 없는 후보들이 흔히 선거에서 이용하는 악한 책략을 성공적으로 실행하기가 더 어려울 것이다. 그리고 사람들의 참정권이 더 자유로워져서 가장 매력적인 장점을 지니고 가장 널리 알려지고 인정받는 인물들에게 집중될 가능성이 더 많을 것이다.

19. 다른 경우들과 같이 이 경우에도 양편 모두에 불편한 점이 있을 수 있다는 것을 고백해야겠다. 선거인의 수를 지나치게 늘리면 대표가 그 지방의 환경을 너무 적게 알고 더 작은 관심사에 좌우되는 문제가 있다. 반면에 그 수를 지나치게 줄이면 그런 환경에 과도하게 집착해서 큰 국가적 목적을 이해하고 추구하기에 적합하지 않게 된다. 따라서 연방 헌법은 이런 면에서 바람직한 조합을 형성할 수 있다. 큰 전체적인 관심사는 국가적 입법기관에 넘기고, 지방의 특수한 관심사는 주 의회에 넘기면 된다.

20. 다른 차이점은 민주주의 정부보다 공화주의 정부 내에 더 많은 시민과 더 넓은 영토를 포함시킬 수 있다는 것이다. 전자보다 후자에서 파벌적 조합을 덜 두려워하게 만드는 것이 바로 이런 환경이다. 사회가 작을수록 아마 그것을 구성하는 차별성 있는 파당들과 관심사가 더 적을 것이다. 차별성 있는 파당들과 관심

사가 더 적을수록 다수가 동일한 파당에 몸담을 가능성이 더 높아진다. 그리고 다수를 구성하는 개개인의 수가 더 적을수록 그들이 몸담을 범위도 더 작고, 그들의 억압 계획을 공조하고 실행하기도 더 쉬워질 것이다. 영역을 확대하면 파당들과 관심사가 더 다양해진다. 그러면 다수가 다른 시민들의 권리를 침해하기 위해 공통된 동기를 품을 가능성이 더 줄어든다. 설사 그런 공통된 동기가 존재할지라도, 모두가 그들의 강점을 발견해 서로 일치하여 행동하기가 더 어려워질 것이다. 다른 장애물들도 있지만, 불의하거나 불명예스러운 목적이 있을 경우에는 의사소통이 언제나 협력을 얻어야 할 사람들의 수에 비례하는 불신에 의해 저지당하게 된다.

21. 그러므로 파벌의 결과를 통제하는 면에서 공화제가 민주주의보다 나은 이점을 대체로 작은 공화제에서 누리게 되는 것이 분명한 듯하다. 그 이점을 연합정부가 그것을 구성하는 주들보다 더 많이 누릴 수 있다. 그러면 그 이점은 대표자들의 대체, 즉 그 계몽된 견해와 덕스러운 정서가 그들을 지방의 편견과 불의한 구조보다 우월하게 만드는 것에 있는 것일까? 연합정부의 대표들이 이런 필요한 재능을 소유할 가능성이 높은 것은 부인하지 못할 것이다. 이는 어느 한 파당이 나머지보다 수적으로 우세해서 후자를 억압하는 경우에 반해 더 다양한 파당들이 더 큰 안전을 보장하기 때문인가? 연합정부 내에 다양한 파당들이 있으면 있을수록 이 안전도 더 커지기 마련이다. 이는 자기 이익을 추구하는 불의한 다수파의 은밀한 바람이 성취되는 것을 방해하는 더 큰 걸림돌이 있기 때문인가? 다시금 연합정부의 범위가 가장 명백한 이점을 제공한다고 할 수 있다.

22. 파당의 지도자들의 영향력이 특정한 주 안에서는 불길을 일으킬지 모르지만 다른 주들에게 큰 불을 퍼뜨릴 수는 없을 것이다. 한 종교 분파가 연방의 일부에 속한 정당으로 합류할 수 있어도, 전반적으로 다양한 분파가 흩어져 있으면 전국 위원회는 어느 한 분파의 위험에서 보호받을 수 있다. 지폐, 채무의 폐기, 평등한 자산분배에 대한 열망, 또는 그 어떤 부당한 프로젝트에 대한 열망이라도 어느 한 구성원보다 연합정부 전체에 널리 퍼질 가능성은 더 줄어든다. 마찬가

지로 그런 병폐는 어느 주 전체보다 특정한 지방이나 지역을 얼룩지게 할 가능성이 더 많다.

23. 그러므로 연합정부의 범위와 합당한 구조 안에서 우리가 공화제 정부에게 일어나기 쉬운 질병에 대한 공화제 대책을 바라보게 되는 것이다. 그리고 우리가 공화주의자로 느끼는 즐거움과 자부심에 따르면, 우리는 연방주의자들의 정신을 동경하고 그 특성을 지지하는 열정을 품어야 마땅하다.

마크 아신: 매디슨의 〈연방주의자 논문 제 10호〉의 논증●

〈칼리지 잉글리시〉(*College English*) 1월호에서 시카고 대학교의 영문과 교수 몇 명은 오로지 형식 논리학의 테크닉에만 초점을 맞춰 작문 코스에서 논증을 가르치는 것이 합당한지에 대해 의문을 제기했다. 그들의 주장의 이랬다. 논리학의 귀납적 형식과 연역적 형식을 훈련시키면 학생이 이미 구성된 논증의 타당성을 판단할 수 있게 되지만, 그런 훈련은 젊은 학생의 최대의 필요, 즉 어느 논증을 구성하는 재료를 발견하는 테크닉은 거의 또는 전혀 공급할 수 없다는 것이다. 그들은 이 문제를 분석한 후 고전 수사학자들이 '토픽'이라 불렀던 것에 기초한 최신 수사학 시스템을 도입하도록 추천했다. '토픽'이라는 용어는 '그로부터 논증을 끌어내는 출처'로 번역될 수 있다. 그 교수진이 상세히 묘사하고 또 실제로 테스트한 논증의 네 가지 출처는 유 또는 정의, 결과, 유사점과 차이점, 그리고 권위라는 개념들이다. 이런 관점의 저변에 있는 이론에 관심이 있는 독자들은 그 기사를 참고하길 바란다.●● 그런데 그런 논점을 확신하는 이들조차, 논리를 가르치는 문제에 대한 이 새로운 공격이 추상적으로는 유망하게 들리지만 이 수사학적 접근이 교실에서 어떻게 작동하는지에 대해 많은 의문을 갖고 있을 것이다. 이 글의 목표는 교실에서 다루는 한 텍스트—뛰어난 논쟁적인 글로 널리 알려진 〈연방주의자 논문 제

● *College English*, XV (October 1953), 37-45. Reprinted by permission of the National Council of Teachers of English and Professor Ashin.

●● Bilsky, Hazlett, Streeter, and Weaver, 'Looking for an Argument', *College English*, XIV (January, 1953), 210-16

10호〉—의 분석과 해석에 '토픽 중심의' 성찰을 적용함으로써 부분적으로나마 이 호기심을 채워주는 것이다.

대중 정부에서의 파벌의 통제에 관한 이 논문은 이후에 공화주의 이론을 변호하는 고전으로 불멸의 지위를 누려왔다. 아울러 가르침의 도구로 유용하다는 점도 잘 입증되었다. 공민학과 사회과학 과목들에서는 학생들에게 헌법의 이론적 기반을 이해시키기 위한 필독의 글로 지정되어왔다. 이 글은 삼단논법의 추론이 지닌 통제력을 보여주는 적절한 본보기로서 논리와 논증의 선생 노릇을 해왔다. 미국의 사회사와 지성사를 다루는 모든 텍스트는 이 글을, 헌법 채택을 둘러싼 정치적 논쟁이 일어난 기간에 연방주의 입장을 보여주는 최고의 실례로 꼽는다. 책을 통해 연방주의적 보수주의에 반대하는 운동을 펼친 버논 파링턴(Vernon L. Parrington)조차 그 글을 "불과 몇 페이지 안에 정치학의 연방주의 이론을 함축하고 있는 놀라운 제 10호"라고 부름으로써 훌륭한 적이라는 찬사를 보냈을 정도다. 이 에세이는 삼단논법이 작동하는 모습을 보여주는 맞춤형 샘플이라, 매디슨의 추론의 효과성을 드러내기 위해 전통적인 논리적 분석이 많이 시도되어왔다. 하지만 형식적 분석을 보충하기 위해 필자가 그의 논증에 필요한 재료를 끌어온 주요 출처를 고려하는 일은, 영문과 교수가 연역법을 다루는 일을 무진장 풍요롭게 할 수 있다고 믿는다. 왜냐하면 매디슨이 증명을 추진하는 과정에서 일어나는 특유의 두뇌 작동을 모두가 이해할만한 수준으로 제시할 수 있기 때문이다.

매디슨에게 논증의 주요 출처는 **정의**(定義)와 **결과**이다. 정치 이론에 관한 모든 진술에는 핵심 용어들—출발점으로 삼은 것으로서(단락 2에 나오는 '파당'의 정의를 보라), 그리고 논증의 단계로서(단락 6에 나오는 암시적인 '사람'의 정의를 보라)—에 대한 신중한 정의가 어떤 입장을 명료하게 하는데 꼭 필요하다. 이에 덧붙여, 청중이 추천된 행동 경로를 수용하도록 유도하려면, 당신의 제안을 채택하면 반드시 좋은 결과가 따를 것이고 다른 제안을 채택하면 나쁜 결과가 따를 것이라고 주장하는 일보다 더 설득력 있는 동기를 찾기가 어렵다. 매디슨의 관심사와 그의 추론 방향은 첫 대목에 표현되어 있다.

잘 구성된 연합정부가 약속하는 많은 이점 가운데 그 무엇보다 더 정확히 개진할 만한 것은 파벌의 난폭함을 깨뜨리고 또 통제하는 성향이다. 대중 정부의 친구가 경각심을 느끼는 때는 그 정부의 특성과 운명보다 이 위험한 악덕의 경향을 생각할 때이다. 그러므로 그는 자기가 고수하는 원칙을 어기지 않으면서 그 악덕에 대한 적절한 치료를 제공하는 모든 계획에 합당한 가치를 반드시 부여할 것이다.

그러나 매디슨의 목적에 대한 명시적 진술은 그 자신이 파벌의 원인은 제거될 수 있다는 논지를 처리한 후 그 결과를 통제하는 법을 묘사하는 실질적인 과업으로 옮긴 단락 11에 나온다. 먼저 대중 정부에서는 소수파가 아니라 다수파가 주된 위험이라고 말한 뒤에 이렇게 진술한다.

그런 파당의 위험에 반해 공공선과 사적 권리를 확보하는 것, 그리고 동시에 대중 정부의 정신과 형태를 보존하는 것은 그 파당으로 하여금 지배적인 열정이나 이해에 희생하도록 해준다. 그리고 이것이 우리의 탐구가 지향하는 큰 목적이기도 하다.

매디슨은 다음과 같이 주장하는 것을 그의 과업으로 간주한다. 대중 정부가 조장하는 파벌의 문제에 '공화주의 치료책'을 제공하는 동시에 대중 정부의 정신과 형태를 보존할 만한 정부 구조를 주장하는 것이다. 고도의 추상적 관점에서 보면 이 목적은 불가능한 것처럼 보인다. 왜냐하면 결과를 제거하라고 요청하면서도 그 결과를 낳는 원인은 보존하려는 듯이 보이기 때문이다. 이 목적의 성격은 원인과 결과의 신중한 차별화를 요구하는데, 이것이 매디슨의 논증의 특징이다.

매디슨의 논리의 형식적 패턴은 일련의 '양자택일'의 삼단논법이고, 이는 다른 대안들을 제거함으로써 점차적으로 그 탐구를 좁혀서 마침내 제의된 헌법에 개관된 것과 같은 연방제 공화국이 파벌의 결과를 통제할 최상의 제도라는 결론에 도달한다. 첫째 단락에서 그는 파벌의 위험성에 대한 그의 관심을 설득력 있게 수사적으로 정당화한다. 어느 논증의 출처로부터 독자들도 똑같은 관심을 품게 할 세부사항을 가장 잘 끌어올 수 있을까? 연합 규약 아래서 겪은 6년간의 정부 경험—그의 청중 대다수와 친밀하게 또 고통스럽게 공유한 경험—은 **결과**●에 관한 진술로 일반화될 수 있고, 이 *결과*는 자유의 환경에서 파벌의 작동으로부터 초래되는 것으로 볼 수 있다. 그래서 고소가 시작된다. 대중 정부는 '이 위험한 악덕' 곧 파벌이 생길 성향을 드러낸다. 일단 파벌이 생기면 곧바로 공공 위원회들에서 불안정과 불의와 혼동을 낳게 된다. 이는 궁극적으로 대중 정부의 죽음으로 이어진다. '이는 계속해서 자유에 반대하는 자들이 가장 허울 좋은 연설을 이끌어내는, 좋아하는 풍성한 토픽●●이 되고 있기' 때문이다. 미국의 다양한 주 헌법들은 비록 고대와 현대 세계의 대중 모델들을 능가하는 큰 진보이긴 하지만, 그 헌법들은 경쟁적 당파들의 형태로 나타나는 파당적 갈등의 발생을 방지하지 못했고 그 확산을 효과적으로 통제하지도 못했다.

매디슨이 서론에서 그의 주장 전체를 관통하는 기본적 이분법을 설정하는 것을 주목할 필요가 있다. 서로 상반되는 용어들은 한편의 '정의', '공공선', '소수파의 권리'이고, 다른 편의 '다수파'이다.

> 곳곳에서 가장 사려 깊고 덕스러운 시민들이 불평하는 소리가 들린다. 공적 신앙과 사적 신앙의 친구들과 공적 자유와 사적 자유의 친구들이 똑같이 내놓는 불평은 우리 정부들이 너무 불안정하다는 것, 공공선이 경쟁적인 정당들의 갈등으로 무시되고 있다는 것, 여러 조치가 정의의 규칙과 소수 정당의 권리에 따라 결정되지 않고 압도적 다수의 우월한 힘에 의해 결정되는 경우가 너무 많다는 것이다.

이와 똑같은 이분법이 단락 2에 나오는 파벌의 **정의**의 저변에 깔려있다.

> 파벌이란, 다수파이든 소수파이든, 공동의 열정이나 이익에 의해 연합하고 작동하는

● '정의'(definition), '결과'(consequences), '유사점−차이점'(likeness−difference), '증언−권위'(testimony−authority)를 이 탤릭체로 표기한 것은 매디슨이 논증의 출처를 사용하는 방법을 주목하게 하기 위해서다.
●● 이 인용문에서 매디슨이 '토픽들'을 사용하는 방법은 이 글의 배후에 있는 고전 전통에 속해 있다. '불안정'(Instability), '불의'(injustice), 그리고 '혼동'(confusion)은 대중 정부에서 특히 파벌로 인해 생기는 결과들이다.

많은 시민으로 다른 시민들의 권리나 영구적이고 집합적인 공동체 이익에 반하는 경우를 말한다.

매디슨은 대중 정부에서의 파벌의 치명적 결과를 증명하고 이 핵심 용어를 정의한 후에, 단락 3에서 그의 주장의 논리적 결과로 나아갈 수 있다. 거기에 설정된 대안적 삼단논법은 나머지 부분에서의 사유의 흐름을 통제한다. "파벌의 해악을 치료하는 방법은 두 가지다. 하나는 원인을 제거하는 것이고, 다른 하나는 결과를 통제하는 것이다." 이는 다음과 같은 형태의 삼단논법으로 표현할 수 있다.

A[우리는 원인을 제거할 수 있다] 또는 B[우리는 결과를 통제할 수 있다].

매디슨의 주장[단락 3~10]의 전반부에 개진된 작은 전제는, 파벌의 원인을 제거할 수 없는 이유가 그것이 사람의 본성에 뿌리박고 있기 때문이라는 것이다.

A가 아니다. [우리는 원인을 제거할 수 없다]

따라서 우리는 결과를 통제하는 노력에 전념해야 한다.

그러므로, B이다. [우리는 결과를 통제할 수 있다]

작은 전제를 위한 논증을 분석하면 A, 즉 파벌의 원인을 제거하려는 시도는 두 가지 대안으로 구성되어 있다.

파벌의 원인을 제거하는 방법도 두 가지다. 하나는 그 존재에 필수적인 자유를 파괴하는 것이고, 다른 하나는 각 시민에게 똑같은 의견, 똑같은 열정, 똑같은 이익을 주는 것이다.

이 대안들은 형식적으로 A1과 A2로 표현될 수 있다.

A1 [자유를 파괴하는 것]은 유추에 의해, 또는 달리 말해, **유사점**과 **차이점**에 기초한 논증에 의해 쉽게 처분된다.

> 자유와 파벌의 관계는 공기와 불의 관계와 같은데, 그것은 자유가 없으면 금방 꺼지는 병이다. 그러나 파벌을 조장한다고 해서 정치 생활에 필수적인 자유를 폐지하는 것은 어리석은 짓일 터이다. 이는 마치 불에 파괴적인 힘을 부여한다고 해서 동물의 삶에 필수적인 공기를 소멸시키는 것과 같다.

첫 번째 유추적 대칭[자유:파벌: :공기:불]—이는 논리적으로 자유가 파벌의 원인인 즉, 자유를 파괴해야 마땅하다는 추론을 낳는다—은 거기서 둘째 명사와 넷째 명사를 바꿈으로써[자유: 정치 생활: :공기:동물의 삶] 즉시 수정된다. 자유의 폐지를 파벌의 치료책으로 여기는 것이 어리석다는 점은 자명하다. 매디슨은 이 주장에 시간을 할애할 필요가 없다. 그의 근본적인 목적의 일부는 대중 정부의 정신과 형태를 보존하는 것이었기 때문이다. 자유를 폐지해 파벌을 치료하려는 모든 조처는 그의 말대로 질병보다 더 나쁜 치료책이다. ●

A2 [모든 시민이 똑같은 열정과 의견과 이익을 품게 하는 것]에 대한 반증은 훨씬 더 복잡하고 집중 연구를 할 만하다. 매디슨은 이 대안은 실행이 불가능하다고 결론을 내린다. 그 이유는 인간 본성에 대한 그의 견해에 있는데, 달리 말하면 정의(定義)의 출처에서 끌어낸 명제들에 있다고 할 수 있다. 단락 6~10에서 매디슨은 로크 심리학의 원리들을 이용해 사람은 본성상 파벌 갈등을 불가피하게 만드는 능력들을 소유하고 있음을 증명한다. 사람들은 틀릴 수 있는 이성을 갖고 있어서 자유의 환경에서는 다른 의견들을 형성하게 될 것이라고 한다. 이성과 자기사랑 사이에 연계성이 있고, 이는 후자가 만

● 이 비유는, 보이는 것처럼 간단하게, 전체주의 국가나 일당 독재 국가가 파벌을 없앨 수 있기 때문에 자유 정부보다 낫다는 논증의 엄청난 논박을 가능케 한다.

든 열정을 지도해 전자에서 나오는 의견을 지지하게 할 것이다. 이 근본적인 특징—이성과 자기사랑—과 더불어 사람들은 다양한 능력들을 소유하고 있고, 이는 재산 축적을 위한 다양한 적성의 기원이 된다. 이런 다양한 능력들을 보호하는 것이 정부의 첫째 목적이므로 이에 따른 재산의 정도와 종류의 차이를 보호하는 것도 필요하다. 다양한 재산상의 이해관계가 소유주들의 의견과 열정에 영향을 줄 수밖에 없으므로, 사회는 언제나 서로 다른 이해관계와 파당으로 나뉘는 게 불가피하다. 그 결과 "파벌의 잠재적 원인이 사람의 본성 속에 뿌려져 있는 셈이다."

단락 7에서는 매디슨이 자기가 세운 정의의 **결과들**을 전개한다. 사람의 본성에 심겨진 것은 무엇이든 그가 행하는 모든 일에서 나타날 것이다. 이 잠재적 원인들은 시민 사회의 모든 측면에서 드러나기 마련이다. 파당들은 종교와 정부, 그리고 인류의 모든 사색적이고 실제적인 사안들에서 서로 다른 의견에 대한 열정으로부터 생길 수 있다. 또는 야심적인 지도자들에 대한 감정적 애착으로부터, 또는 하찮고 가상적인 차이점을 둘러싼 갈등으로부터도 생길 수 있다. 하지만 "이제까지 가장 흔하고 항구적인 파벌의 원인은 재산의 다양하고 불평등한 분배였다." 그리고 여기서 매디슨은 정치적 정부의 경제적 기반에 대한 특정 견해를 직접 표명하는데, 이는 마르크스의 전통보다 훨씬 오래된 어떤 전통에서 끌어온 것이다.

재산을 소유한 이들과 재산이 없는 이들은 언제나 사회에서 서로 다른 이해관계를 갖고 있다. 채권자들과 채무자들은 그와 비슷한 차별성을 갖고 있다. 땅의 이해, 제조상의 이해, 상업상의 이해, 금전적 이해 등은 다른 많은 더 적은 이해들과 함께 문명화된 나라들에서 성장하기 마련이고, 그것들은 서로 다른 정서와 견해를 지닌 다른 계급들로 나눠지게 한다. 이런 다양한 이해관계의 규제는 현대 입법부의 주된 과업을 형성하고, 정부의 필연적이고 일상적인 작동에서 파당과 파벌의 정신을 포함하게 된다.

마지막 명제—파벌 정신이 정부의 일상적인 작동에 개입된다는 것—는 이전에 제시된 사람의 **정의**를 또 다른 영역으로 확장할 것을 요구한다. 가능한 반론을 논박하기 위해서다. 이런 반론이 제기될 수 있다. 사람의 본성이 그들을 서로 상충되는 파당들로 나누기 때문에, 정부의 과업은 그런 갈등 위에 서서 정의와 공동선을 위해 그들을 화해시키는 것이라는 반론이다. 이 논지는 입법자들은 일반인들보다 우월해서 그들 자신의 이해관계에 영향을 받지 않는다는 의미를 함축하고 있다. 이런 견해를 논박하기 위해 매디슨은 단락 8에서 정부의 두 가지 주요 요인들—입법 행위와 입법자들—의 정의를 내린다.

입법 행위—사적인 채무, 관세, 재산세 등에 관한 법률들—에 대해 매디슨은 큰 시민 집단들의 권리에 관한 사법적 결정이라 정의한다. 그리고 입법자들은 그들이 결정하는 소송들과 관련된 옹호자들과 파당들이라고 정의한다. 입법자들의 자기사랑은 추상적 정의의 원리들이 아니라 그들 자신의 파당적 이해관계를 대변하는 결정을 내릴 수밖에 없을 것이다. 매디슨은 정의와 공공선에 비추어 다양한 이해관계의 충돌을 조정하기 위해 '계몽된 정치인들'의 영향에 의존하는 것은 헛되다고 생각한다. 그런 정치인들은 늘 지배적인 지위에 있지는 않을 뿐 아니라, 많은 경우 입법의 문제는 너무 복잡하고 긴급해서 정치인들이 계몽된 방식으로 행동하기가 거의 불가능하기도 하다.

그러므로 이 논문의 전반부—사람과 정부의 **정의**에 기초한 두 개의 강력한 주장으로 구성된—는 모든 시민이 똑같은 열정과 의견과 이익을 품게 하는 것이 불가능하다는 결론에 도달했다. 그 결과, "우리가 끌어내게 되는 추론은 파당의 원인들은 제거할 수 없고, 그 해결책은 파당의 결과를 통제하는 수단에서만 찾을 수 있다는 것이다." 다시금 대안적인 삼단논법을 살펴보자.

A [우리는 원인을 제거할 수 있다] 또는 B [우리는 결과를 통제할 수 있다],

A가 아니고,

그러므로, B이다.

여기서 **유사점**과 **차이점**에 근거한 논증(A1에 반대하는)과 **정의**에 근거한 논증(A2에 반대하는)이 작은 전제, 곧 우리는 파벌의 원인을 제거할 수 없다는 전제를 지지하는 것을 볼 수 있다. 이 에세이의 나머지 부분은 그 결론—그러므로 우리는 결과를 통제할 수 있다—를 입증하는 일에 전념한다.

　B 명제를 지지하는 논증은 A 명제에 반대하는 논증보다 훨씬 더 복잡하다. 매디슨이 정치 이론가로서 실제적 성향을 갖고 있다는 것은, 그의 주관심사가 원인의 제거보다 결과의 통제에 있다는 것으로 알 수 있다. 무언가의 원인을 제거하는 일은 근본적인 조치이지만 단순한 대안인 반면, 결과의 통제는 보통 광범위한 방법들을 내포하고 그 성공의 정도는 신중한 분석이 필요한 수많은 요인에 달려있다.

　매디슨은 파벌의 결과를 통제하는 적절한 수단의 문제를 공격하기 전에 소수파와 다수파가 초래하는 위험들을 구별함으로써 그의 문제를 명료하게 한다. 이 중요한 구별은 단락 2에 나오는 '파벌'의 정의에 이미 소개된 바 있다. "파벌이란, 다수파이든 소수파이든, 공동의 열정이나 이익에 의해 연합하고 작동하는 많은 시민으로…." 단락 11에서 매디슨은 소수파의 위험을 제외하기 위해 또 다른, **정의**에 근거한 논증을 사용한다.

> 만일 한 파당이 과반수에 못 미친다면, 공화주의 원칙, 즉 다수파가 정기적인 투표로
> 그 사악한 견해를 꺾을 수 있게 해주는 원칙이 해결책을 제공하게 된다.

　모든 주가 이 문제로 골치를 앓고 있는데, 이런 해결책은 너무 오만하게 보일 수 있다. 그래서 매디슨은 광적인 소수파가 자유 사회에서 행할 수 있는 것과 그 자신이 비교적 염려하지 않는 이유를 알고 있다고 밝힘으로써 논의를 계속한다. "그것이 행정부를 방해하고 사회를 격동시킬 수 있으나, 그것이 헌법의 형태 아래서는 그 난폭함을 집행하고 또 가릴 수 없을 것이다." 소수파가 주는 위험은 아무리 심각해도 행정부의 영역 안에 있고, 최악의 경우에도 국가의 경찰력에 의해 제거될 수 있다. 다른 한편, 다수파가 연합해서 한 파당을 만들면 대중 정부의 형태는 그런 파당이 다른 시민들의 권리를 짓밟고 또 공공선을 그 열정에 희생되도록 만들 수 있다. 여기에 바로 연방주의 이론가들의 염려가 있었다. 어떻게 하면 다수파가 서로 협력해 공격적인 분위기를 만들어 소수파의 권리와 공동체의 전반적인 유익을 침해하지 못하도록 억제할 수 있을까?

이 문제가 얼마나 중요한지는 매디슨이 단락 11에서 소수파와 다수파를 구별한 직후에 그의 에세이의 목적을 분명히 밝히는 것으로 알 수 있다.

> 그런 파당의 위험에 반해 공공선과 사적 권리를 확보하는 것, 그리고 동시에 대중 정부의 정신과 형태를 보존하는 것은 그 파당으로 하여금 대중 정부의 지배적인 열정이나 이해에 희생하게 해줄 수 있다. 그리고 이것이 우리의 탐구가 지향하는 큰 목적이기도 하다.

이 에세이의 후반부에 나오는 논증은 다음 두 질문에 대한 답변을 포함하고 있다. (1) 이론적으로, 다수파의 영향을 통제하는 최선의 수단은 무엇인가? (2) 어떤 형태의 대중 정부가 이런 수단을 가장 잘 활용할 수 있는가?

형식상으로는 두 번째 주요 논증이 첫 번째 것과 비슷하다. 이 논증 또한 대안들의 구분과 함께 시작하기 때문이다. 다수파의 영향을 통제하는 수단은 두 가지다.

> 다수파에 똑같은 열정이나 이익이 동시에 존재하는 것을 방지하거나, 그런 열정이나 이익을 가진 다수파가 그 숫자와 지역 상황에 의해 억압 구조를 만들어 실행할 수 없도록 만들어야 한다.

이 대안들을 B1과 B2로 부르기로 하자. 매디슨의 논리적 절차를 제대로 파악하려면 첫 번째 논증에서 A1과 A2를 모두 배척해 우리에게 부정적인 작은 전제를 주었다는 점을 주목할 필요가 있다. 하지만 그 결론은 긍정적인 것이다. 이는 B1과 B2 모두 다수파의 억압을 방지하는 용납할 만한 수단임을 의미하고, B1이 불가능할 경우에는 B2가 보조적인 방법으로 작동할 수 있다. 이 두 방법을 판단의 기준으로 사용하는 가운데 이제는 두 가지 형태의 대중 정부—순수한 민주주의와 공화제—를 분석하는 편으로 눈을 돌려 어느 것이 그 본질상 다수파의 영향을 가장 잘 통제할 수 있는지 살펴볼 수 있게 되었다.

매디슨은 다시 **정의**의 출처를 이용하면서 이렇게 결론짓고 있다. 순수한 민주주의란 '작은 수의 시민들로 구성되어 직접 정부를 구성하고 운영하는 사회'를 말하며, '이는 파당의 해악을 치료하는 치료책을 허용할 수 없다'고 한다. 그런 정부는 그 형태가 다수파의 열정이나 이익의 창조와 주장을 허용하기 때문에 소수파의 권리나 심지어 다수파를 싫어하는 개인들의 권리조차 희생시킬 수 있을 것이다. 매디슨이 이 지점에서 역사를 언급하며 그의 이론적 분석을 지지하는 것으로 볼 때, 아테네 시민의 다수파에 의한 소크라테스의 정죄에 대해 생각했을지도 모른다.

> 그래서 그런 민주주의는 언제나 소란과 싸움을 일으키는 구경거리가 되어왔다. 따라서 개인의 안전이나 재산권과 양립이 불가능한 것으로 밝혀졌고, 대체로 그 죽음이 난폭했던 것만큼 그 생명도 짧은 것으로 드러났다.

이 논증의 전반적 결과는 전반부에 나온 논증의 결과와 비슷하다. 순수한 민주주의는 모든 사람을 정치적으로 평등하게 만듦으로써 그들의 소유와 의견과 열정을 평준화할 수 있다고 믿으므로 실패할 것이기 때문이다. 매디슨은 그런 희망을 이미 처분한 바 있다.

정의(定義)상, 공화제는 두 가지 면에서 순수한 민주주의와 다르다. 하나는 그 형태이고, 다른 하나는 가능한 작동의 규모이다. 공화제는 권력이 국민이 선출한 대표들에게 위임되는 대중 정부의 한 형태이고, 공화제는 그러므로 순수한 민주주의보다 더 많은 수의 시민들과 더 큰 영역으로 확대될 수 있다. 이 두 형태의 대중 정부에 대한 정의들은 단락 16에서 시작해 마지막까지 계속되는 추론을 위한 길을 준비한다. 이 단락들을 민주주의와 공화제 간의 두 가지 차이점에서 나오는 **결과들**에 대한 상세한 진술로 보게 되면, 그것들을 그 논증의 나머지 부분과 연결시킬 수 있다. 단락 16~19는 형태상 차이점의 결과를 다루고 있고, 단락 20은 규모상 차이점을 다루고 있다.

형태상의 차이점—위임된 권력의 원리—은 그 자체로 다수파가 통제될 것임을 보장하진 않는다. 오히려 하나의 원인으로 작동하여 정반대의 결과를 낳을 수도 있다. 국민의 의견들이 애국심과 정의에 대한 사랑의 영향을 받은 대표 집단을 통해 가려진다면, 그 과정은 공적 견해들을 정련하고 확대하는 결과를 낳을 수 있고, 어쩌면 공공선을 증진하는 결정을 산출할 수 있을 것이다. 하지만 그 결과는 쉽게 역전될 수도 있다. 이를 매디슨은 이렇게 표현한다.

> 지방의 편견이나 사악한 계획을 지닌 파당심이 강한 남자들이 간계나 부정부패 또는 다른 수단으로 먼저 투표로 지지를 얻은 후에 국민의 이익을 배신할 수도 있다.

위임된 정부 형태 자체는 다수파를 통제할 수 있다고 보장할 수 없는 만큼, 매디슨은 작은 공화제와 큰 공화제 중 어느 것이 좋은 입법자들을 가장 잘 선출할 수 있는지의 문제로 나아간다. 단락 17과 18은 큰 공화제를 선호하게 하는 두 가지 고려사항을 제시한다. 근본적으로, 이 두 단락은 작은 공화제와 대비되는 큰 공화제를 특징짓는, 대표와 선거구민 간의 더 작은 비율이 낳을 가능한 **결과들**을 제시한다. 가설적인 한 예가 이 단락들의 추론을 명료하게 해줄 것이다. 매디슨은 다음과 같은 가정과 함께 시작한다. 공화국의 규모와 상관없이, 대표들의 인원은 소수의 음모를 경계할 수 있을 만큼 많아야 하고, 군중의 혼동을 피할 만큼 제한되어야 한다. 효율적인 입법부를 운영하는데 필요한 범위가 대표 100명에서 500명까지라고 가정하자. 만일 작은 수인 100명이 작은 공화국의 선거구민 10,000명에 의해 선출된다면, 그 비율은 1:100이다. 만일 큰 수인 500명이 5,000,000명의 투표자들에 의해 선출된다면, 그 비율은 1:10,000이다. 그러므로 좋은 사람의 비율이 두 주에서 똑같다면, 큰 공화국이 선택의 범위가 더 넓고, 따라서 적절한 선택의 개연성이 더 커진다. 큰 공화국을 선호하게 하는 두 번째 고려사항은, 각 대표는 더 많은 투표로 선출될 것인즉, 투표자들이 선동 책략을 이용하는 자격 없는 후보들에게 속을 확률이 줄어들 것이다. 단락 17의 논증은 그 효력이 오로지 수적인 비율에 달려있다. 현명한 선택을 할 수 있는 큰 공화국에 좋은 사람이 더 많을 것이다. 단락 18은 소수를 속이는 것보다 다수를 속이는 것이 더 어려울 것이란 고려사항을 더한다.

매디슨은 이어서 민주주의와 공화제 간의 두 번째 차이점으로 되돌아간다. 공화국 형태의 범위 내에는 더 큰 수의 시민들과 더 큰 영토를 가져올 수 있다는 것이다. 그리고 여기서 그는 그가 내린 정의의 결과들을 요약하되 민주주의보다 공화국의 우월성을, 그리고 작은 공화국보다 큰 공화국의 우월성을 강조하는 식으로 요약한다.

사회가 작을수록 아마 그것을 구성하는 차별성 있는 파당들과 관심사가 더 적을 것이다. 차별성 있는 파당들과 관심사가 더 적을수록 다수가 동일한 파당에 몸담을 가능성이 더 높아진다. 그리고 다수를 구성하는 개개인의 수가 더 적을수록 그들이 몸담을 범위도 더 작고, 그들의 억압 계획을 공조하고 실행하기도 더 쉬워질 것이다. 영역을 확대하면 파당들과 관심사가 더 다양해진다. 그러면 다수가 다른 시민들의 권리를 침해하기 위해 공통된 동기를 품을 가능성이 더 줄어든다. 설사 그런 공통된 동기가 존재할지라도, 모두가 그들의 강점을 발견해 서로 일치하여 행동하기가 더 어려워질 것이다.

그래서 큰 공화국이 다른 어떤 형태의 대중 정부보다 파벌의 결과를 더 잘 통제할 수 있고, "그러므로 연합정부의 범위와 합당한 구조 안에서 우리가 공화제 정부에게 일어나기 쉬운 질병에 대한 공화제 대책을 바라보게 되는 것이다." 매디슨은 참된 공화주의를 제의된 헌법에 대한 연방주의적 옹호와 동일시함으로써 결론을 내린다.

연방주의 공화제에 대한 매디슨의 강력한 호소를 강하게 느낄 수 있는 때는, 그의 논증의 출처들이 밝히 드러나고 그의 명제들이 가정과 전제에서 결론으로 끊임없이 움직이는 연역적 형태 속에서 작동하고 있음을 보게 되는 경우이다. 많은 영어 교사가 〈연방주의 논문 제 10호〉가 그 논리력을 끌어오는 출처인 논쟁적 방법들을 분명히 밝히는 것으로 만족할 것이다. 반면에 어떤 이들, 아마 정치 이론에 관심이 있는 이들은 학생들에게 매디슨의 논증의 가정을 조사해서 그 결론에 도전하라고 요구할 것이다. 가능한 논박들은 이 글의 범위를 넘어서긴 하지만, 출처들을 이해하면 유망한 공격 노선들을 개관하는데 도움이 될 수 있다. 예컨대, 매디슨이 설정한 근본적인 이분법은 한편의 '공공선'

과 다른 편의 '다수파' 간의 구분이다. 매디슨은 자기가 반대하는 바를 규정짓는 데는 무척 신중하다. 그러나 '공공선'이란 용어는 그의 판단을 통제하는 데도 불구하고 정의되지 않은 이상(理想)으로만 남아있다. 우리 가운데 아무 생각 없이 공공선을 다수파의 뜻과 동일시하는 사람들에게는, 매디슨의 분석이 충격적일 만큼 비민주적으로 보인다. 이런 의문이 제기될 수 있다. 만일 다수파가 어떤 공화국에서 주요한 위험으로 간주된다면, 어떻게 공공선이 성취되거나 확실히 알려질 수 있겠는가? 또 하나의 논박은 단락 6과 7에 나오는 매디슨의 '냉소적인 사람의 정의'에 대해 제기할 수 있다. 사람에 대한 제퍼슨의 정의 또는 기독교적 정의는 다른 결론을 낳지 않을까? 끝으로, 과연 큰 공화국들이 실제로 작은 공화국들보다 더 높은 자질의 입법자들을 갖고 있는지에 대해 의문을 제기할 수도 있다. 매디슨의 주장은 전국의 대표들이 주 입법부에 몸담은 대표들보다 더 나을 개연성이 높다는 것이다. 하지만 오늘날의 의회를 과연 훨씬 더 작은 헌법 위원회와 질적으로 비교할 수 있는지, 또는 이것이 불공평하다면 매디슨 당시의 의회와 비교할 수 있는지 물어볼 수도 있다.

이런 의문들은 학생들로 하여금 이 에세이의 중요한 주제에 관심을 갖게 할 뿐 아니라, 지적으로 흥미로운 논리적 절차의 엄밀함에 관심을 갖게 하는 것을 겨냥할 수 있다. 학생이 매디슨의 논증을 단계별로 재구성하도록 지도해서 한편의 훌륭한 수사가 어떻게 탄생하게 되었는지 보게 할 수 있다. 학생 필자는 매디슨의 논증의 출처들을 공부하고 또 삼단논법의 추론이 어떻게 이론과 경험의 영역에서 끌어온 재료로 가득한지를 봄으로써, 특정 명제를 지지해야 할 경우에 이런 아이디어들과 출처들을 사용해 자신의 논증을 더 풍성하게 만들고 궁극적으로 더 설득력 있게 만드는 법을 배울 수 있다.

에드먼드 버크: 《각하에게 보내는 편지》(Letter to a Noble Lord)

1794년 에드먼드 버크(1729~1797)는 그 자신이 끈질긴 기소자의 하나로 활약한 웨렌 헤스팅스(Warren Hastings)의 재판이 끝난 후 거의 30년 동안 섬겼던 하원에서 은퇴했고, 아들 리처드(Richard Burke)가 그의 자리를 차지하도록 지명되었다. 버크는 오랜 봉직에 대한 보상으로 비콘스필드 경이란 호칭과 함께 작위를 제안받았으나, 1794년 8월 아들 리처드의 죽음으로 인해 직함의 영예에 대한 관심을 모두 잃어버렸다. 이후 조지 3세는 버크에게 연금을 하사했으나 의회의 승인을 받는 공식 절차를 밟지 못했다. 베드퍼드의 다섯 번째 공작이었던 프랜시스 러셀(Francis Russell, 1762~1802)은 상원에서 그 연금에 대해 반론을 제기했다. 마르틴 루터 킹이 〈버밍햄 감옥에서 보낸 편지〉에서 그랬듯이, 버크는 '공개 편지'의 형태로 그 자신을 변호하려고 시도했다. 이를 19세기 비평가 존 몰리(John Morley)는 '영어에서 가장 훌륭한 재치있는 답변'이라 불렀다. 여기에는 그 편지의 3분의 1밖에 싣지 않았는데, 앞의 20개 단락이 생략되었고 뒤편의 20개 단락도 포함되지 않았다. 여기에 실린 단락 바로 앞에서 버크는 이렇게 썼다. "나 자신이나 나 자신의 정당화가 아니라 끔찍한 시대상(相)이 내가 지금 쓰는 글 또는 내가 장차 쓰거나 말할 내용의 진정한 대상이다."

1. 베드퍼드의 공작은, 상원이 폐하께서 나에게 준 하사금, 곧 그가 지나치고 터무니없다고 생각하는 그 하사금에 주목하도록 요청할 의무가 있다고 생각한다.

2. 나는 어떻게 그런 일이 발생했는지 모르지만, 각하가 나에 대한 질책을 생각하는 동안 잠에 빠진 듯이 보인다. 호머가 고개를 끄덕인다. 그리고 베드퍼드 공작은 꿈을 꾸고 있는지 모른다. 꿈들은(그의 황금 꿈이라도) 잘못 엮어지기 쉽고, 각하는 나를 책망하려는 생각을 보존했으나 그 주제를 국왕이 그 자신의 집안에 내린 하사금으로부터 취했다. 이것이 '그의 꿈들을 구성하는 재료'이다. 각하가 그 모든 것을 이런 식으로 엮은 것은 전적으로 옳다. 러셀 집안에 내린 하사금은 너무나 엄청나서 경제에 손실을 줄 뿐 아니라 믿음을 흔들리게 만들 정도다. 베드퍼드 공작은 국왕의 모든 피조물 가운데 리바이어던에 해당한다. 그는 그의 다루기 힘든 부피 둘레에 넘어지고, 왕이 내린 상금의 대양에서 놀고 장난친다. 그는 거대하고, 그가 '길쭉하게 둥둥 떠 있는' 동안에도 여전히 하나의 피조물이다. 그의 갈비, 그의 지느러미, 그의 고래수염, 그의 고래 지방, 그의 기원을 향해 바닷물을 내뿜

고 나를 물보라로 완전히 뒤덮는 그 분수공 등, 이 모든 것은 왕좌로부터 왔다. 그는 과연 왕이 호의를 베푸는 것에 의문을 제기할 사람인가?

3. 나는 각하의 공적인 공로, 곧 그가 받은 하사금을 정당화시켜주는 공로와 나의 이런 공훈, 곧 각하가 그토록 불승인하는 것을 내가 얻게 한 좋은 업적 사이에 약간의 유사점이라도 끌어내게 되어 무척 당혹스럽다. 사생활에서는 내가 고귀한 공작과 친해질 영예를 전혀 얻지 못했다. 그러나 그가 그와 함께 사는 모든 사람의 존경과 사랑을 받을 충분한 자격이 있다고 추정해야 마땅하고, 그렇게 생각하는데 아무런 비용도 들지 않는다. 그러나 공무와 관련하여, 나 자신을 계급과 재산, 훌륭한 혈통, 젊음, 힘, 또는 풍채 면에서 베드퍼드 공작과 비교하는 것은, 그의 공헌과 조국에 쓸모 있는 존재가 되려고 했던 나의 노력 사이에 유사점을 찾는 것만큼 우스운 일이다. 그가 광대한 땅을 연금으로 받게 한 공헌의 개념을 생생하게 유지할 만큼 그에게 어떤 공로라도 있다고 말하는 것은 심한 과찬이 아니라 무례한 아이러니일 것이다. 내 공로는, 그것이 무엇이든, 독창적이고 개인적인 것이다. 그의 공로는 유래된 것이다. 국왕의 하사금을 받은 모든 수령인의 공로와 관련해 각하를 아주 미묘하고 예외적으로 만드는 것은, 이 소진될 기금을 쌓은 그의 조상, 곧 최초의 연금수령자이다. 만일 그가 나를 조용하게 있도록 허락했더라면, 나는 "그것은 그의 영지이고 그것으로 충분하다. 그것은 법적으로 그의 것이다. 내가 그것 또는 그 역사와 무슨 관계가 있는가?"라고 말해야 했을 것이다. 그는 그의 편에서 이렇게 자연스레 말했을 것이다. "그것은 이 사람의 재산이다.— 지금 그는 250년 전의 내 조상과 같이 선하다. 나는 매우 오래된 연금을 가진 젊은이고, 그는 매우 젊은 연금을 가진 늙은이다—그게 전부다.'

4. 어째서 각하가 나를 공격하는 바람에, 내가 마지못해 나의 작은 공로와, 국왕으로부터 풍부한 기부금을 받은 비범한 인물들의 공로, 즉 비천하고 부지런한 개인들의 평범함을 짓밟게 하는 그 공로를 비교하게 되었는가? 나는 기꺼이 그를 문장원(紋章院), 곧 민중의 철학(그의 친구들이 귀족과 전제군주라 부르는 것의 행렬에서 활보했던 가터와 노로이와 클래런수와 로즈 드래곤보다 훨씬 더 자부심이 강한)이 무례하게

비웃으며 폐지할 그곳에 내버려 두겠다. 이 역사가들, 기록자들, 그리고 미덕과 문장을 자랑하는 이들은, 정치인의 어떤 행동에도 선한 동기를 부여하지 않는 역사가들의 다른 묘사와는 완전히 다르다. 그와 반대로, 이 온유한 역사가들은 그들의 펜을 오로지 인간의 친절함이란 젖에 담근다. 그들은 특허증의 전문이나 묘지의 비문 이외의 것에서는 공로를 찾지 않는다. 그들에게는 귀족을 창조한 모든 사람이 이미 만들어진 영웅이다. 그들은 직책에 대한 각 사람의 역량을, 그 사람이 차지한 직책으로 판단한다. 직책이 많을수록 능력이 많은 셈이다. 모든 장군은 한 명의 말보로이고, 모든 정치인은 한 명의 버레이고, 모든 재판관은 한 명의 머레이 또는 요크이다. 모든 지인에게 비웃음을 당하거나 동정을 받은 살아있는 이들은, 길림과 에드먼슨과 콜린스의 책에 나오는 가장 훌륭한 인물들만큼 선한 사람들로 간주된다.

5. 좋은 성품과 위대한 성품이 가득한 이런 기록자들에게 나는 최초의 베드퍼드 공작과 베드퍼드 백작과 그의 하사금의 공로를 기꺼이 맡기겠다. 그러나 측량인, 계량인, 하사금 계량 담당관은 우리로 하여금 하사금이 만들어진 당시의 군주의 판단에 묵종하도록 내버려 두지 않을 것이다. 그들은 그것을 얻는 이들에게 결코 선하지 않다. 새로운 수령자들은 오랜 수령자들이 벌인 싸움에 말려들었고, 주권자의 말은 받아들이지 말아야 하는 만큼, 우리의 눈을 역사로 돌려 위대한 인물들이 항상 그들 집안의 영웅적 뿌리를 성찰하는 기쁨을 누리고 있음을 직시하자.

6. 그 이름의 첫 번째 귀족, 하사금의 최초의 구매자는 러셀 씨로서 헨리 8세의 총애를 받아 귀족이 된 고대 신사 집안에 속했던 사람이다. 이런 관계를 맺으려면 보통은 성품상의 닮은 점이 있는 고로, 그 총신은 그의 주인과 비슷했을 가능성이 많다. 그 과도한 하사금 중 최초의 것은 국왕의 옛 영지에서 취한 것이 아니라, 옛 귀족의 땅을 최근에 몰수한 것에서 취한 것이었다. 사자는 먹이의 피를 빨아먹은 후에 부스러기 시체를, 기다리는 재칼에게 던진다. 총신은 일단 몰수된 양식의 맛을 본 후에 사납고 탐욕스럽게 되었다. 이 총신의 첫째 하사금은 평범한 귀족에게서 왔다. 둘째 것은 첫째 것을 무한정 늘린 것으로 교회의 약탈품에서 왔다. 사실

각하가 나의 하사금과 같은 것, 양뿐만 아니라 종류도 그의 것과 너무나 다른 것을 싫어하는 것은 변명의 여지가 있다.

7. 나의 하사금은 온순하고 호의적인 주권자에게서 왔고, 그의 것은 헨리 8세로부터 왔다.

8. 나의 것은 화려한 계급에 속한 죄 없는 사람의 살해 또는 해롭지 않은 사람의 약탈에서 나온 기금이 아니었다. 그의 하사금은 악하게 합법적인 판결이 낳은 축적된 공고한 기금과, 교수대로 위협해 합법적인 소유주들이 자발적으로 내놓은 소유물에서 나온 것이었다.

9. 그의 조상인 수령자의 공로는 전제군주, 곧 자기 백성의 모든 계급을 억압하고 특히 위대하고 고귀한 모든 것에 분노를 터뜨리는, 평준화시키는 군주의 재빠르고 탐욕스런 도구가 된 것이었다. 나의 공로는 모든 계급에 속한 모든 사람을 억압에서 보호하려고 노력하고, 특히 압류하는 군주들, 합류하는 총독들, 또는 압류하는 선동자들이 판치는 나쁜 시대에, 질투와 탐욕과 시기에 가장 많이 노출된 고귀하고 저명한 사람들을 변호하는 일이었다.

10. 그의 폐하의 연금을 최초로 수령한 자의 공로는 당시 국가 교회의 일부를 약탈했던 군주의 일에 일조하고 그 약탈품을 나눠 갖는 것이었다. 나의 공로는 내 시대의 국가 교회 전체를, 그리고 모든 나라의 국가 교회 전체를, 나쁜 원칙들과 악본들, 즉 교회의 약탈과 시효에 의해 얻은 모든 호칭의 멸시, 모든 재산의 약탈, 그리고 보편적인 황폐함을 낳는 그런 원칙과 악본들로부터 방어하는 것이었다.

11. 폐하의 하사금을 애초에 얻어낸 그의 공로는, 그 모국에 자유를 남기지 않은 군주의 총애받는 자문관이 된 것이었다. 나의 노력은 내가 태어난 자치 국가와 그 속의 모든 계급과 교단을 위해 자유를 획득하는 일이었다. 나의 수고는 늘 경각심을 품고 나를 입양한, 내가 더 사랑하는 더 포괄적인 국가에서 모든 권리, 모든 특권, 모든 참정권을 지지하는 일이었다. 그리고 이 제국의 중심 국가의 권리들을 보존할 뿐 아니라 모든 땅에서, 모든 국가에서, 모든 기후와 종교와 언어에

서, 여전히 보호받고 있는 광대한 영토에서, 그리고 한 때 대영제국의 보호 아래 있었던 더 넓은 땅에서 그런 권리들을 보존하는 것이었다.

12. 최초 수령자의 공로는 그의 주인을 섬겨 그의 재산을 얻은 그 기술로 그의 나라에 가난과 비참함, 그리고 인구감소를 가져온 것이었다. 나의 공로는 호의적인 군주 아래 그의 왕국의 상업과 제조업과 농업을 증진시킨 것이었다. 폐하는 오락을 할 때에도 애국자이고, 여가 시간에도 그의 땅을 개선하는 뛰어난 본보기를 보여주신다.

13. 그 창설자의 공로는 법정 기술로 일어난 신사의 공로였고, 월시의 보호로 크고 유력한 주인의 명성을 드높인 것이었다. 그의 공로는 전제군주가 불의를 행하도록 부추김으로써 백성이 반역하도록 도발한 것이었다. 나의 공로는 국가의 건전한 부분을 일깨워 그들이 어느 한 유력한 주인 또는 그보다 많은 유력한 주인들 또는 어떤 부류든 큰 지도자들의 조합에 대해 경계하도록 하는 것이었다. 만일 이런 지도자들이 그와 똑같은 경로를 밟되 정반대의 순서로 그렇게 하려고 한다면 말이다. 말하자면, 타락한 민중이 반역하도록 부추기고, 그 반역을 통해 예전의 전제정치, 즉 그의 각하의 조상이 지지했고 또 그 자신이 헨리 8세의 전제에서 보는 그런 이익을 얻었던 전제정치보다 더 나쁜 전제를 도입하는 경우를 가리킨다.

14. 각하 집안의 최초의 연금 수령자가 세운 정치적 공로는 국가의 자문관으로 조언을 하는 일이었고, 개인 자격으로 프랑스와의 불명예스러운 평화의 조건을 실행하여 당시 대륙의 전초기지였던 블로뉴의 요새를 포기하는 것이었다. 그로 말미암아 프랑스의 열쇠이자 그 권력의 입속의 고삐에 해당하는 칼레를 몇 년 뒤에 잃고 말았다. 나의 공로는 프랑스의 통치 형태가 어떠하든, 그 국가의 권력과 교만을 저지하는 일이었다. 그런데 그 통치가 최악의 형태로 나타났을 때, 정말로 모든 악의 최고 원인과 원리가 취할 수 있는 최악의 형태를 지녔을 때, 최대의 열정과 진지함으로 그것을 반대하는 것이었다. 나는 영예로운 자리를 얻은 하원에서, 이른 활력과 결단력으로 가장 정의롭고 필연적인 전쟁을 수행하는 데 필

요한 정신을 온갖 수단으로 불러일으키려고 노력했다. 그 목적은 내 나라를 프랑스의 쇠 멍에서, 그리고 그 주의의 무서운 전염에서 구하는 것이었고, 가능한 동안에 영국 국민의 순수하고 얼룩지지 않은 오랜 온전함, 경건, 좋은 성품, 좋은 유머를 그 무서운 전염병에서 보존하는 것이었는데, 이 전염병은 프랑스에서 시작되어—다음 두 영역에 가장 심한 악영향을 미친 결과—모든 도덕과 물리적 세계를 상당한 정도로 초토화하려고 위협했던 것이었다.

15. 각하가 행한 창설자의 수고는 영국 하원의 크진 않아도 깊은 저주를 받을 만했다. 그 자신과 그의 주인이 그들을 노예와 치욕의 상태에서 타락하고 부패한 국민의 진정하고 적합한 대표들로 만듦으로써, 완전한 의회 개혁을 초래했기 때문이다. 나의 공로는 예외 없이 내 시대에 이의 없는 헌법의 모든 결의에 적극적으로 참여하는 것과, 모든 경우에 대영제국 하원의 권위와 효율성과 특권을 지지한 것이었다. 나는 그들의 헌법적 권리에 관한 그들 자신의 의사록에 대해, 완전히 추론되고 기록된 주장과 그들의 헌법적 행위에 대한 변호로 내 직무를 마쳤다. 나는 모든 일에서 그들의 내향적 동의를 얻기 위해 수고했고(내 최고의, 그리고 최선의 도움을 힘입어) 나는 그들의 자유롭고 공평하고 공적이고 엄숙한 감사를 받았다.

16. 이것이 국왕의 하사금을 받을 만한 공로에 대한 설명이고, 이는 베드퍼드 공작의 재산을 나의 것과 균형 맞추게 하는 하사금이다. 상식의 이름으로, 왜 베드퍼드의 공작은 오직 러셀의 집안만이 국왕의 은총을 받을 자격이 있다고 생각하는가? 어째서 그는 헨리 8세를 빼놓고 그 어떤 영국의 왕도 공로를 판단할 능력이 없다고 생각하는가? 진정 그분은 나를 용서하실 것이다. 그는 약간 틀렸을 뿐이다. 모든 미덕은 베드퍼드의 백작에서 끝나지 않았다. 모든 분별은 그의 창조주가 눈을 감았을 때 그 시력을 잃지 않았다. 그로 하여금 타인들의 공로와 보상 간의 불균형에 활력을 쏟아붓게 하라. 그러면 그들은 그의 재산의 기원에 대해 탐구하지 않으리라. 기나긴 그의 세대들의 흐름에서 그 무엇이 하늘의 영향에 노출되어 완화되었든 간에, 그들은 그 샘의 딱딱하고 신랄한 금속성의 문장에서

더 많은 만족감을 얻어 존경할 것이다. 그의 조상들 중 여럿이 영예와 미덕 속으로 전락했다는 것은 별로 의심할 바가 없다. 이제 베드퍼드의 공작으로 하여금 비웃음과 영예와 함께 강사들의 조언, 즉 그로 하여금 또 다른 귀족의 재산을 몰수하고 또 다른 교회를 약탈하여 또 다른 엄청난 재산을 얻으라고 유혹하는, 탐욕과 야심을 불러일으키는 사악한 뚜쟁이들의 조언을 배척하게 하라(나는 그가 그러리라고 확신한다). 그로 하여금 젊음의 모든 에너지와 재산의 모든 자원을 동원하여 도덕적 근거가 없는 반역적 원리들과 전제에서 도발성이 없는 반역적 운동들을 쳐부수게 하라(나는 그가 그렇게 하리라고 믿는다).

17. 그러면 그의 조상이 범죄에서의 의심스러운 우선순위로 도발하고 또 진화했던 반역들이 잊어질 것이다. 고귀한 공작의 그런 행동에 대해 많은 동포는 약간의 양해와 함께 그들의 열정적인 감사에 양보할지 모르고, 만일 그들이 베드퍼드의 공작과 그의 재산을 흔들리는 세계에 대한 버팀목으로 인정할 수밖에 없다면, 버킹햄 공작의 학살은 관용될 수 있다고 옛 연설가의 대담한 방식으로 외칠지 모른다. 그들이 몰수품의 상속인에게서 오늘날의 잔인한 몰수 아래 고통당한 순교자들을 동정하는 위로자를 보는 한편, 그것은 은근히 인정받을지도 모른다. 그들이 프랑스의 덕스러운 귀족을 열심히 보호한 그의 손길과 조국의 귀족과 신사 계급인 그의 형제들에 대한 용감한 지지를 동경의 눈으로 바라볼지도 모른다. 그러면 각하의 공로는 순수하고 새롭고 뚜렷하며 영예롭게 빛날 것이다. 그가 원했듯이 그는 전임자들에게 영예를 비출지 모르고, 영예를 그를 계승할 사람들에게 비추게 될지도 모른다. 그는 영예를 퍼뜨리는 사람이 될 것이고, 그가 적절하다고 생각하는 만큼 영예의 뿌리가 될 것이다.

18. 하나님께서 나에게 계승의 희망을 계속 품게 하는 걸 기뻐하셨더라면, 나는 나의 평범함과 내가 속한 평범한 시대에 따라 일종의 집안 창시자가 되어야 했을 것이다. 나는 한 아들을 남겼어야 했을 터인데, 그 아들은 개인적 장점에 관한 한 모든 점에서, 즉 과학과 학식, 재능과 취향, 영예와 관대함, 인간성, 그리고 모든 진보적 정서와 업적에서 결코 베드퍼드의 공작이나 그의 가계에 속한 어느

누구보다 열등하지 않았을 것이다. 각하는 곧 나보다 나의 집안에 더 걸맞는 그 지급품에 대한 공격에서 그럴 듯한 구실을 찾고 싶었을 것이다. 그는 곧 모든 부족한 것을 공급하고 모든 불균형을 바로잡았을 것이다. 그 후계자는 나 또는 어떤 조상에게서든 정체된 공로의 저장소에 의지하지 않았을 것이다. 그는 그 자신 속에 관대하고 남자다운 행동이 솟아나는 샘을 갖고 있었다. 그는 날마다 국왕의 풍부함을 다시 구입했을 터이고, 만일 그가 열 배 더 받았더라면 열 배 더 그렇게 했을 것이다. 그는 공적 피조물이 되었다. 그리고 오로지 특정한 의무를 수행하는 것 말고는 아무런 즐거움이 없었다. 이 절박한 순간에, 다 끝난 사람의 상실은 쉽게 제공되지 않는다.

19. 그러나 그 시여자, 곧 우리가 저항할 수 없고 그 지혜에 우리가 왈가왈부해서는 안 되는 권력을 가진 그분이, 그것을 또 다른 방식으로 제정했고(흠을 잘 잡는 나의 약점이 무엇이라고 얘기하든) 훨씬 더 잘 해냈다. 폭풍이 나를 지나갔고, 나는 최근 발생한 허리케인이 내 주위에 흩어놓은 늙은 오크나무 한 그루처럼 엎드러졌다. 나는 모든 명예를 잃어버리고 뿌리째 뽑혀 땅바닥에 엎어지고 말았다! 그 엎어진 곳에서 나는 하나님의 공의를 있는 그대로 인식하고 어느 정도 그 공의에 순복한다. 그러나 내가 하나님 앞에서 낮아지는 동안 불의하고 분별없는 사람들의 공격을 격퇴하는 것이 금지되어 있는지는 모르겠다. 욥의 인내는 널리 알려져 있다. 그는 우리의 성마른 성격과 같은 격정적인 몸부림을 친 후에 스스로 항복하고 티끌과 재 가운데서 회개했다. 그렇지만 나로서는 욥이 그 이웃들, 곧 그의 누추한 곳을 방문해서 그의 불행에 대해 도덕적, 정치적, 경제적 강의를 했던 심술궂은 이웃들을 상당히 신랄한 말로 비난했다고 책망받았다는 성경의 내용을 찾지 못하겠다. 나는 홀몸이다. 내게는 성문에서 내 적들과 마주칠 가족이 하나도 없다. 나의 군주시여, 만일 이 어려운 계절에 내가 세상에서 유명세와 영예라고 불리는 것을 위해 많은 찌꺼기 밀을 주려 한다면 나 자신을 크게 속이는 것입니다. 이것은 오직 소수의 갈망일 뿐이다. 이는 하나의 사치요, 하나의 특권이며, 편안한 사람들을 위한 탐닉거리이다. 그런데 우리 모두는 고통과 가난과 질

병에서 물러서도록 지음 받은 것처럼 불명예도 피하도록 만들어졌다. 이는 하나의 본능이고, 이성의 지도를 받으면 본능은 언제나 옳다. 나는 거꾸로 살고 있다. 나를 계승했어야 할 사람들이 나보다 먼저 가고 말았다. 나의 후손이 되어야 했을 이들이 조상의 자리에 있다. 나는 가장 가까운 친척(언제나 기억 속에 존재할)에게, 그가 나에게 수행했어야 할 그 경건의 행위를 빚지고 있다. 나는 그에게, 그가 베드퍼드의 공작의 경우처럼 자격 없는 부모로부터 내려오지 않았다는 것을 보여줄 책임이 있다.

20. 국왕은 오랜 복무 후에 나를 배려했다. 국왕은 베드퍼드 공작에게는 선불로 지불했다. 그는 이후에 수행할 모든 복무에 대해 오랜 영예를 얻어왔다. 그는 안전하고, 특정 복무를 수행하든 하지 않든 간에, 사전에 오래도록 안전한 자리에 있다. 그러나 그가 자신의 실리 또는 하찮음을 보증하는 헌법의 안전을 어떻게 위태롭게 하는지 주의하게 하라. 또는 그가 유용한 자와 무가치한 자에게 똑같이 비치는 하늘의 해와 같은 사물의 질서를 수호하기 위해 미약한 무기마저 드는 사람들을 어떻게 낙담시키는지 주의하게 하라. 국왕의 하사금은 수많은 세월의 끔찍한 서리로 덮인 유럽의 공법에 접목되어 있다. 이는 신성한 규정 법규로 지켜지고, 우리 국내법의 빈약함을 더욱 풍성하고 강건하게 해준 그 보배로운 법체계에 기초를 두고 있다. 이 규정 법규는 그것이 완성되도록 내가 참여했던 것이다. 베드퍼드의 공작은 규정법이 존속하는 한 그대로 지속할 것이다. 모든 문명화된 국가들에게 공통된 그 큰 재산법이 그대로 보존되고, 법, 금언, 원리, 또는 위대한 혁명의 전례가 조금도 서로 섞이지 않는 한 그럴 것이다. 단 하나만 빼고 어떤 변동에도 안전하다. 모든 혁명적인 시스템, 제도, 법률 요람, 규약, 소설, 텍스트, 해설, 코멘트는 똑같을 뿐 아니라 정반대이고, 이제껏 전 세계의 모든 정부에서 붙들어온 시민 생활의 기초가 되는 모든 법의 정반대이다. 사람의 권리를 가르치는 유식한 교수들은 규정을 모든 소유에 반대해 설정된 것, 모든 권리를 금지하는 증거로 간주하지 않고, 규정 자체를 소유자에 반하는 빗장으로 본다. 그들은 아주 오랜 소유를, 오랫동안 지속되어 악화된 불의에 불과한 것으

로 본다.

21. 그들의 아이디어는 그렇다. 그들의 종교가 그렇고 그들의 법이 그렇다. 그러나 우리나라와 우리 인종에 대해서는, 경외심으로 지켜지고 힘과 요새와 성전으로 방어되는 우리 교회와 국가의 탄탄한 구조, 고대법의 성소와 지성소가 영국의 이마에 손상되지 않은 채 지속되는 한—국가의 질서에 의해 방어되는 이상으로 제한되지 않는 영국 군주제가 그 유사한 동시대의 탑들로 이뤄진 이중 벨트와 함께 그 장엄한 모습으로 일어나는 한, 이 놀라운 구조가 그 식민지를 감독하고 지켜주는 한—저지대의 둑들과 비옥한 베드퍼드 평원은 프랑스 평등주의자들의 곡괭이로부터 두려워할 것이 전혀 없을 것이다. 우리의 주권자인 왕과 충성스러운 신하들, 이 영역의 군주들과 평민들—어느 인간도 깰 수 없는 삼겹줄; 이 나라의 엄숙한 헌법의 십인조; 서로의 존재와 권리에 대한 확고한 보장; 모든 종류와 모든 질의 재산과 존엄성을 위한 여러 연합된 보증들이 지속되는 한, 이런 것이 존속되는 한, 베드퍼드의 공작은 안전하다. 그리고 우리도 모두 안전하다. 상류층은 질투의 마름병과 탐욕의 약탈로부터, 하층민은 압제의 철권과 멸시의 오만한 코방귀로부터….

토마스 헨리 헉슬리: 〈과학과 문화〉

다음 두 글은 토마스 헨리 헉슬리(1825~1895)와 매튜 아놀드(1822~1888)가 우리 시대에 C. P. 스노우(C. P. Snow)가 '두 문화'라고 부른 과학과 인문학의 상대적 장점에 관해 치열한 논쟁을 벌이는 모습을 보여준다. 헉슬리는 과학을 옹호하는 가장 유창한 19세기 대변인이었다. 젊은 시절 의학을 공부한 그는 다음 몇 가지 사실로 널리 알려지게 되었다. 비교 해부학과 발생학에 관한 연구, 찰스 다윈(Charles Darwin)의 진화론에 대한 용감한 변호, 여성과 흑인을 위한 고등교육의 옹호, 여러 노동자 대학에서의 강의, 사회학과 윤리에 대한 기여 등이다. 〈과학과 문화〉는 1880년 10월 1일 잉글랜드의 버밍햄 소재 조시아 매이슨 경(Sir Josiah Mason)의 과학 대학의 창립식에서 행한 연설이다. 그의 에세이는 여기서 생략된 판으로—처음에 나오는 단락 15개와 마지막에 나오는 단락 4개가 빠졌다—실렸다.

매튜 아놀드는 존 헨리 뉴먼과 나란히 19세기에 교양 교육을 옹호한 불굴의 인물로 우뚝 서 있다. 유명한 럭비 스쿨(Rugby School) 토마스 아놀드(Thomas Arnold) 박사의 아들이었던 아놀드는, 1844년 옥스퍼드 발리올 칼리지에서 2등급 학사학위밖에 못 받았지만, 이듬해 옥스퍼드 오리엘 칼리지에서 펠로십을 획득했다. 혼자 힘으로 저명한 시인이자 비평자이며 에세이 작가가 된 그는, 옥스퍼드에서 시학 교수로 두 차례나 선출되었다. 그는 생애 35년 동안 잉글랜드에서 학교 검열관으로 일하면서 모든 사회 계층의 청소년을 위한 의무교육을 실현하는 데 상당한 영향력을 발휘했다. 〈문학과 과학〉은 맨 처음 캠브리지 대학교의 리드 강좌에서 행한 연설이었고, 나중에 〈19세기〉(*Nineteen Century*) 1882년 8월호에 실렸다. 그리고 1883~1884년 미국 강좌 여행 때 약간 개정된 형태로 다시 발표되었다. 여기에 실은 것은 생략된 판이지만, 본질적으로 캠브리지와 미국에서 행한 강좌와 동일하다. 두 명의 뛰어난 논쟁자들이 매우 심각하게 여기는 문제를 둘러싸고 논쟁하는 것을 관찰하면 많은 교훈을 얻을 수 있다.

1. 나는 두 가지 확신을 무척 강하게 품고 있다. 첫째는 고전 교육의 분야와 주제 모두, 자연과학 학생에게는 귀중한 시간을 투입하는 것을 정당화할 만큼 직접적인 가치가 없다는 것이다. 둘째는 진정한 문화를 획득하기 위해서는 오로지 과학 교육만 하는 것이, 적어도 오로지 문학 교육만 하는 것만큼 유효하다는 것이다.

2. 나는 이 의견들, 특히 후자가 일반 학교와 대학교 전통의 영향을 받은 절대 다수의 영국인의 의견과 정면으로 충돌한다는 것을 군이 지적할 필요가 없다. 그들의 의견에 따르면, 문화는 오직 교양 교육으로만 획득할 수 있다. 그리고 교양 교육은 문학 교육과 동의어일 뿐 아니라 특정 형태의 문학, 즉 고대 그리스와 로마의 그것과도 동의어이다. 그들은 라틴어와 그리스어를 배운 사람은—아무리 적게 배

워도—교육받은 자라고 주장한다. 반면에 다른 지식 분야에서는 아무리 깊이 통달한 사람이라도 다소 존경할 만한 전문가는 될지언정 교양 있는 계급에 속할 수 없다. 교육받은 사람의 표식, 곧 대학교 학위가 그에게는 주어지지 않는다.

3. 나는 우리 문화의 대표 사도(apostle)의 저술에 스며있는 관대한 보편 정신, 과학적 사고에 대한 진정한 동정심을 너무도 잘 알고 있고, 그 사도를 이런 의견과 동일시한다는 것도 안다. 하지만 혹자는 팔레스타인 사람들에게 보낸 그 편지들 중 한두 편으로부터 그 이름에 응답하지 않는 모든 이를 너무도 기쁘게 하는 것, 즉 그들을 어느 정도 지지해주는 문장들을 발췌할 수 있을 것이다.

4. 아놀드 씨는 우리에게 문화의 뜻이 '전 세계에서 이제껏 생각되고 말해진 최상의 것을 아는 것'이라고 일러준다. 그것은 문학에 담긴 인생 비평이다. 그 비평은 이렇게 간주한다. "유럽은 지적인 목적과 영적인 목적상, 하나의 큰 연방이라는 공통된 결과를 얻기 위해 연합해서 행동하고 또 일하고 있다. 그리고 그 회원국들은 공통된 채비를 위해 그리스와 로마와 고대 동방, 그리고 서로에 대한 지식을 갖고 있다. 특수하고 지역적이며 한시적인 이점은 도외시한 채, 근대 국가는 지적인 영역과 영적인 영역에서 이 프로그램을 가장 철저히 수행할 경우에 가장 큰 진보를 이룰 것이라고 한다. 그리고 이 말은 우리 모두도 개개인으로서 그것을 더욱 철저히 수행할 경우에 더 많은 진보를 이룰 것이라는 뜻이 아닌가?"

5. 우리는 여기서 두 가지 별개의 명제들을 다뤄야 한다. 첫째는 인생 비평이 문화의 본질이란 명제이다. 둘째는 문학이 그런 비평의 구성에 충분한 재료를 담고 있다는 명제이다.

6. 나는 우리 모두가 첫째 명제에는 동의한다고 생각한다. 문화는 확실히 학식이나 전문 기술과는 상당히 다른 그 무엇을 의미하기 때문이다. 그것은 이상(理想)의 소유와 사물의 가치를 이론적 기준과 비교해 평가하는 습관을 함축한다. 완전한 문화는 인생의 가능성과 한계에 대한 명백한 지식에 기초를 둔 완전한 인생론을 제공해야 한다.

7. 그러나 우리가 이 모두에 동의할지라도, 오직 문학만이 이 지식을 제공할 수 있

다는 가정에는 강하게 이의를 제기할 수 있다. 그리스와 로마와 고대 동방이 생각하고 말한 것과 근대 문학이 들려주는 내용을 다 배운 후에라도, 우리가 문화를 구성하는 인생 비평을 위한 충분히 폭넓고 깊은 토대를 놓았다는 것은 분명하지 않다.

8. 자연과학의 범위에 익숙한 사람에게는 결코 분명하지 않다. 진보가 오직 '지적이고 영적인 영역'에서만 일어난다고 생각할 경우, 국가나 개인이 그 공통된 채비를 자연과학의 보고에서 아무것도 끌어내지 못한다면 정말로 진보를 이루었다고 인정할 수 없다. 나는 이렇게 말하지 않을 수 없다. 군대가 정교한 무기와 특별한 작전의 기반이 없이 라인 지역에 출정하는 편이, 한 사람이 지난 세기에 자연과학이 이룬 것에 대한 지식 없이 인생 비평을 시도하는 편보다 전망이 더 밝다고.

9. 생물학자가 이형(異形)을 접하면 본능적으로 그것을 해결하기 위해 발달과정을 탐구한다. 역사에서도 상충되는 의견들이 있을 경우에는 똑같이 근본적인 이유를 찾게 된다.

10. 영국인이 교육적 목적으로 교육기관에 재물을 기부하는 일은 다행히도 새로운 것이 아니다. 그런데 500~600년 전에는 재단의 증서가 조시아 메이슨 경(Sir Josiah Mason)이 편리하다고 생각했던 조건들과는 정반대의 조건들을 표명하거나 시사했다. 말하자면, 자연과학은 실질적으로 무시되었던 반면, 특정한 문학 훈련은 본질상 신학적 지식의 획득을 위한 수단으로 강요되었다.

11. 동료의 복지를 증진하기 위해 사욕 없는 열망에 똑같이 고무된 사람들의 행동 사이에 이 이상한 모순이 생긴 이유는 쉽게 발견할 수 있다.

12. 당시에는 그 자신의 관찰이나 흔한 대화로 얻을 수 없는 지식을 갖고 싶다면, 맨 먼저 라틴어를 배울 필요가 있었다. 서구 세계의 모든 고등 지식이 그 언어로 쓰인 저술들 속에 담겨 있었기 때문이다. 그래서 라틴어를 통해 공부하는 라틴어 문법은 논리학과 수사학과 더불어 교육의 기본이었다. 이 경로를 통해 전달되는 지식의 내용과 관련해서는, 로마 교회에 의해 해석되고 보충되는 유대교와 기독교의 성경이 완전하고 오류 없는 일단의 정보를 담고 있는 것으로 여겨졌다.

13. 신학적 언명은 당시의 사상가들에게 유클리드의 공리와 정의가 오늘의 기하학자들에게 지니는 위상과 같았다. 중세 철학자들의 과업은 신학자들이 제공한 자료들, 기독교 학위에 부합되는 결론들로부터 추론하는 일이었다. 그들은 교회가 진리라고 말한 것이 어떻게 또 왜 진리임에 틀림없는지를 논리적으로 보여주는 높은 특권을 부여받았다. 그리고 만일 그들의 증명이 이 한계에 못 미치거나 능가하면, 교회가 어머니답게 그들의 착오를 견제할 준비가 되어 있었다. 필요하면 세속 기구의 도움을 받았다.

14. 양자 사이에서 우리 조상들은 간결한, 완전한 인생 비평을 제공받았다. 그들은 세계가 어떻게 시작했고 또 어떻게 끝날 것인지에 대해 들었다. 그리고 모든 물질적 존재는 영적 세계의 깨끗한 얼굴에 붙은 속되고 하찮은 얼룩에 불과하고, 자연은 어느 면으로 보든 마귀의 놀이터일 뿐이라고 배웠다. 그리고 지구는 가시적인 우주의 중심이고, 사람은 지상의 것들이 주목하는 대상이라고 배웠다. 특히 자연의 경로는 고정된 질서가 없고, 사람들의 행위와 기도에 의해 움직이는 수많은 영적 존재들의 매개에 의해 변경될 수 있고 또 늘 변경된다는 교육을 받았다. 이 모든 교리의 총합과 본질은, 이 세상에서 정말로 알 만한 가치가 있는 유일한 것은, 특정한 조건 아래, 교회가 약속한 더 나은 장소를 확보하는 법이란 확신을 산출하는 것이었다.

15. 우리 조상들은 이런 인생론에 대한 신념이 있었고, 다른 모든 문제에서 그랬듯이 그에 따라 교육도 다뤘다. 문화는 곧 당시 성인들의 모습을 좇은 성인다움을 의미했다. 그것을 낳은 교육은 필연코 신학적이었다. 그리고 신학에 이르는 길은 라틴어로 나 있었다.

16. 자연 연구—일상의 필요를 충족하는데 필요한 것보다 더 나아간—가 인간 생활과 특정한 관련이 있어야 한다는 것은, 그런 훈련을 받은 사람들의 생각에서 멀었다. 자연이 인간을 위해 저주받았던 만큼, 자연을 만지작거리는 이들은 사탄과 가까운 접촉에 진입할 가능성이 많다는 것이 자명한 결론이었다. 만일 타고난 과학적 탐구자가 자신의 본능을 좇는다면, 그는 마법사의 평판을 얻을 것을,

어쩌면 그런 운명에 시달릴 것을 기대해도 좋았다.

17. 만일 서구 세계가 중국처럼 고립되어 홀로 내버려졌더라면 이런 사태가 얼마나 길게 지속되었을지 모른다. 13세기 이전에도 스페인에서의 무어인 문명의 발달과 십자군 운동은, 당시부터 오늘까지 작동을 멈춘 적 없는 누룩을 도입했었다. 처음에는 아랍어 번역본들을 통해, 나중에는 원본 연구로 서유럽은 고대 철학자들과 시인들의 저술에 대해, 그리고 세월이 흐르면서 고대의 방대한 문헌에 친숙해졌다.

18. 이탈리아와 프랑스, 독일과 영국에 얼마나 큰 지적 열망이나 지배적 역량이 있었든지 간에, 그들은 몇 세기를 그리스와 로마의 죽은 문명이 남긴 풍부한 유산을 소유하는데 보냈다. 놀랍게도 인쇄술 발명의 도움을 받아 고전 학문은 널리 퍼지고 번영했다. 그 학문을 소유한 이들은 인류가 닿을 수 있는 최고의 문화에 도달했다고 스스로 자랑했다.

19. 정당한 자랑이었다. 왜냐하면 홀로 우뚝 선 단테(Dante)만 빼놓고, 르네상스 시대에 고대의 인물들과 비교할 만한 근대 문학의 인물이 없었기 때문이다. 고대의 조각에 비할 만한 예술도 없었다. 그리스인이 창조했던 자연과학 이외의 다른 자연과학은 없었다. 무엇보다도, 완전한 지적 자유, 즉 이성만을 진리에 이르는 유일한 안내자와 행위의 최고 심판자로 서슴없이 받아들이는 자유의 다른 본보기가 없었다.

20. 새로운 학문은 곧 교육에 심대한 영향을 미칠 수밖에 없었다. 수도사와 스콜라 신학자(철학자)의 언어는 버질(Vergil)과 키케로를 갓 배운 학자들에게 횡설수설과 별로 다를 바가 없었고, 라틴어 공부는 새로운 토대 위에 놓여졌다. 더 나아가, 라틴어 자체는 더는 지식에 이르는 유일한 열쇠를 제공할 수 없었다. 고대의 최고 사상을 추구했던 학생은 로마 문학에서 그것이 간접적으로 반영된 것을 발견했고 그의 얼굴을 그리스인의 충만한 빛으로 돌렸다. 그리고 현재 자연과학의 가르침을 둘러싸고 싸우는 것과 그리 다르지 않은 싸움 후에, 그리스 공부는 모든 고등 교육의 필수 요소로 인정받았다.

21. 그리하여 인문학자들—당시에 이렇게 불렸다—이 승리했다. 그리고 그들이 초래한 위대한 개혁은 인류에게 끼친 헤아릴 수 없는 공헌이었다. 그러나 모든 개혁가들의 강적은 종국이다. 그래서 교육 개혁가들은 종교 개혁가들처럼 개혁 작업의 시작을 개혁 작업의 끝으로 착각하는 심각한 오류에 빠지고 말았다.

22. 19세기의 대표적인 인문학자들은, 마치 아직도 르네상스 시대에 살고 있는 것처럼, 고전 교육이 문화에 이르는 유일한 길이라는 입장을 강하게 견지한다. 하지만 현재 근대 세계와 고대 세계의 지적 관계는 3세기 전의 관계와는 굉장히 다르다. 위대한 근대 특유의 문학, 근대 미술, 특히 근대 음악의 존재를 제쳐놓더라도, 르네상스를 중세와 구분시키는 것보다 더 넓게 현 시대를 르네상스와 구분시키는 문명화된 세계의 한 가지 특징이 있다.

23. 우리 시대의 이 독특한 특징은 자연 지식이 수행하는, 방대하고 증가일로에 있는 역할에 있다. 우리의 일상생활이 그 지식에 의해 좌우되고, 또 수백만 명의 번영이 그 지식에 달려있을 뿐 아니라, 우리의 인생론도 오랫동안 의식적으로나 무의식적으로 자연과학이 부과한 일반적인 우주 개념의 영향을 받아왔다.

24. 사실, 과학적 탐구의 결과를 아주 초보적으로 알기만 해도 중세에 암묵적으로 인정받고 가르쳐졌던 견해와는 굉장히 상충된다는 것을 발견하게 된다.

25. 우리 조상들이 품었던, 세계의 시작과 끝에 대한 개념들은 더 이상 신빙성이 없다. 지구가 우주의 중심이 아니고 세계가 사람의 용도에 종속되지 않는다는 것은 매우 확실하다. 자연은 아무것도 간섭하지 않는 일정한 질서의 표출이고, 인류의 으뜸 과업이 그 질서를 배우고 그에 따라 스스로를 다스리는 것임은 더욱 확실하다. 더 나아가, 이 과학적인 '인생 비평'은 그 어느 것과도 다른 신빙성과 함께 우리에게 다가온다. 그것은 권위에 호소하지 않고, 누군가 생각하고 말한 것에도 호소하지 않고, 오직 자연에만 호소한다. 그것은 자연적 사실에 대한 우리의 모든 해석이 다소 불완전하고 상징적임을 시인하고, 배우는 자에게 진실을 말이 아닌 사물 가운데서 찾으라고 명한다. 이는 증거를 벗어나는 주장은 큰 실수일 뿐 아니라 하나의 범죄라고 우리에게 경고한다.

26. 우리 시대의 대표적인 인문학자들이 옹호한, 순전히 고전적인 교육은 이 모든 것을 암시하지 않는다. 어떤 사람은 에라스무스(Erasmus)보다 나은 학자일지 몰라도, 현재의 지적 동요의 주원인에 대해 에라스무스만큼 알지 못한다. 존경받을 만한 학문적이고 경건한 사람들 모두가 과학이 중세식 사고방식에 적대적 태도를 취해 슬프다는 말을 하는데, 그런 사고방식은 과학적 탐구의 첫째 원리조차 모르고, 과학자가 말하는 정확성이 무슨 뜻인지도 이해하지 못하며, 정립된 과학적 진리의 무게도 의식하지 못하고 있는 만큼 일종의 코미디에 가깝다.

27. "너도 마찬가지다"라는 반박 논리는 큰 힘이 없다. 그렇지 않으면 과학 교육의 옹호자들은 근대 인문학자들에게, 그들이 유식한 전문가인지는 몰라도 문화의 이름에 합당한 인생 비평을 위해 건전한 토대를 소유하지 못하고 있다고 충분히 반박할 수 있을 것이다. 그리고 만일 잔인해지고 싶다면, 인문학자들이 이런 비난을 자초했다고 주장할 수 있는데, 그것은 그들이 고대 그리스의 정신에 너무 충만해서가 아니라 그 정신이 결여되어 있기 때문이다.

28. 르네상스의 시기는 흔히 '문학의 부흥'(Revival of Letters)의 시기라 불린다. 마치 당시 서유럽의 정신에 초래된 영향이 순전히 문학의 분야에 국한되었던 것처럼 말이다. 똑같은 기관이 초래한 과학의 부흥은 덜 눈에 띄지만 결코 덜 중요하지 않다는 사실이 매우 쉽게 잊혔다고 나는 생각한다.

29. 사실 당시에 여기저기 흩어져 있던, 자연을 공부하는 소수의 학생이 천 년 전에 그리스인의 손에서 떨어진 자연의 비밀에 대한 실마리를 포착했다. 수학의 토대가 그들에 의해 너무도 잘 놓인 나머지, 우리 자녀들도 기하학을 2천 년 전 알렉산드리아 학교를 위해 쓴 책에서 배운다. 근대 천문학은 히파르쿠스(Hipparchus)와 톨레미(Ptolemy)의 작업의 연장선 위에 있고 후자가 발달한 결과이며, 근대 물리학은 데모크리투스(Democritus)와 아르키메데스(Archimedes)의 작업과 연결되어 있다. 근대 생물학이 아리스토텔레스와 테오프라스투스(Theophrastus)와 갈렌(Galen)이 우리에게 남긴 지식을 뛰어넘는 데는 오랜 시간이 걸렸다.

30. 그리스인들이 자연 현상에 대해 어떻게 생각했는지 알지 못하면, 그들의 최상

의 생각과 말을 전혀 알 수 없다. 그리스인들의 인생 비평이 과학적 개념들에 어느 정도 영향을 받았는지 알지 못하면, 그들의 인생 비평을 완전히 이해할 수 없다. 만일, 그들 가운데 최고의 지성들이 그랬듯이, 과학적 방법에 따라 자유로운 이성의 활용이 진리에 도달하는 유일한 방법이란 서슴없는 믿음으로 충만하지 않다면, 우리는 그들 문화의 계승자인 체하는 잘못을 범하는 것이다.

31. 그래서 나는 근대 인문학자들의 문화를 독점하는 듯한 태도와 자기들만 고대의 정신을 물려받았다는 자세는 버리진 않더라도 약화되어야 한다고 감히 생각한다. 그런데 내가 말한 것이, 내 편에서 고전 교육의 가치를 평가 절하시키려는 소원을 뜻하는 것으로 받아들여진다면, 그것은 참으로 유감이다. 그럴 수도 있고 때로는 그렇기도 하다. 인류의 타고난 역량은 그들의 기회에 못지않게 다양하다. 문화는 하나이지만, 한 사람이 문화에 도달하는 최상의 길은 또 다른 사람에게 가장 유리한 길과 무척 다르다. 다시 말하건대, 과학 교육은 아직 정리가 되지 않은 잠정적 상태인 반면, 고전 교육은 여러 세대의 선생들의 실질적 경험에 기초해 철저히 조직화되어 있다. 그래서 배움의 시간이 넉넉하고 일반적인 삶이나 문학 경력을 쌓는데 목적이 있다면, 문화를 추구하는 젊은 영국인이 그의 눈에 띄는 경로를 좇고 부족한 면을 그 자신의 노력으로 보충하는 것보다 더 나은 길은 없다고 나는 생각한다.

32. 반면에 과학을 그들의 진지한 직업으로 삼고 싶거나 의료직을 좇기 원하거나 일찍이 평생직에 진입해야 할 사람들에게는, 고전 교육이 잘못된 길이라는 게 내 의견이다. 이 때문에 나는 '단순한 문학 교육과 가르침'이 조시아 메이슨 경의 대학 교과과정에서 쫓겨난 것을 기쁘게 생각한다. 그것을 포함하면 라틴어와 그리스어를 수박 겉핥기로 공부하게 될 가능성이 있다.

33. 그럼에도 나는 진정한 문학 교육의 중요성을 의문시하거나 지적인 문화가 그런 교육 없이도 완성될 수 있다고 생각하는 사람은 결코 아니다. 오로지 과학적 훈련만 받는 것은 오로지 문학적 훈련만 받는 것과 똑같이 정신적 왜곡을 초래할 것이다. 뱃짐의 값어치가 배가 한쪽으로 기울어지는 것을 보상해주지 않는다.

과학 대학이 오직 균형을 잡지 못한 사람들만 배출한다면, 무척 유감일 것이다.

34. 하지만 그런 재난이 발생할 일은 없다. 영어와 프랑스어와 독일어 교육이 제공되기 때문에, 근대 세계의 가장 위대한 세 가지 문학에 학생들이 접근할 수 있는 셈이다. 프랑스와 독일어—특히 후자—는 어느 과학 분야에서든 온전한 지식을 얻기 원하는 학생들에게 필수불가결하다. 그러나 이 언어들에 대한 지식의 습득이 기껏해야 과학적 목적을 위해 충분하다고 추정하더라도, 모든 영국인은 모국어에서 거의 완전한 문학적 표현 도구를 갖고 있으며, 영국 문학에서 온갖 문학적 탁월성의 본보기들을 갖고 있다. 만일 어느 영국인이 성경과 셰익스피어, 밀턴에서 문학적 문화를 얻을 수 없다면, 그는 호머와 소포클레스, 버질과 호레이스를 아무리 깊이 공부해도 그런 것을 얻을 수 없다고 믿는다.

35. 따라서 대학의 제정이 과학 교육과 더불어 문학을 위한 과목을 충분히 제공하는 만큼, 그리고 예술 교육 역시 고려되고 있는 만큼, 상당히 온전한 문화가 그것을 활용하고픈 모든 이에게 제공되고 있는 듯하다.

36. 그러나 이 지점에서 상처는 입었으나 살해당하지는 않은 '실질적인' 사람이, 문화에 관한 이 모든 담론이 학문기관, 즉 '국가의 제조업과 산업의 번영을 증진하는' 것을 목적으로 삼는 그 기관과 무슨 관계가 있느냐고 물을지 나는 확실히 모르겠다. 그는 이 목적을 위해 요구되는 것은 문화가 아니고, 심지어 순전히 과학적인 학문도 아니고, 그저 응용과학에 대한 지식이라고 제안할 것이다.

37. 나는 '응용과학'이란 어구가 결코 창안되지 않았으면 좋았겠다고 종종 생각한다. 왜냐하면 이 어구는 실제적으로 사용할 수 있는 과학 지식이 있어서, 실질적 유용성이 없는 '순수과학'이라는 다른 종류의 과학 지식과 별개로 공부할 수 있다고 시사하기 때문이다. 그러나 이보다 더 완전한 오류는 없다. 사람들이 응용과학이라 부르는 것은 다름 아니라 순수과학을 특정한 부류의 문제들에 적용한 것이다. 그것은 순수과학을 구성하는 추론과 관찰에 의해 입증된 일반적 원리들에서 연역한 것으로 이뤄져 있다. 그 원리들을 확실히 파악하지 못하면 누구도 이런 연역을 만들 수 없는 법이다. 그리고 오로지 그 원리들의 토대가 되

는 관찰과 추론의 작용을 개인적으로 경험해야만 그것들을 파악할 수 있다.

38. 기술과 제조업에서 활용되는 거의 모든 과정은 물리학이나 화학의 범위에 들어간다. 그런 과정들을 개선하려면 그것들을 철저히 이해해야 한다. 원리들을 섭렵하고 사실들을 다루는 습관을 습득하지 못하면 누구도 그것들을 이해할 수 없는데, 이런 것은 물리학과 화학 실험실에서 좋은 지도를 받으면서 오랫동안 과학적 훈련을 거쳐야 가능하다. 그래서 순전히 과학적인 학문의 필요성은 의문의 여지가 없다. 비록 대학의 작업이 그 목적에 대한 가장 협소한 해석에 의해 제한을 받았지만 말이다.

39. 그리고 과학이 낳는 문화보다 더 넓은 문화가 바람직하다는 점에 대해서는, 제조과정의 개선이 산업 번영에 기여하는 조건들 중 하나에 불과하다는 것을 상기할 필요가 있다. 산업은 하나의 수단이지 목적이 아니다. 그리고 인류는 그들이 원하는 것을 얻기 위해서만 일한다. 그것이 무엇인지는 부분적으로 그들의 타고난 욕망과 부분적으로 습득한 욕망에 달려있다.

40. 만일 번창하는 산업이 초래한 부(副)가 무가치한 욕망의 만족에 사용된다면, 만일 제조과정의 지속적인 개선이 그것을 수행하는 이들의 타락을 수반한다면, 나는 산업 번영의 유익을 도무지 보지 못하겠다.

41. 이제 확실해진 것이 있다. 바람직한 것에 대한 사람들의 견해는 그들의 성품에 달려있다는 것과, 타고난 성향은 아무리 많이 교육해도 건드릴 수 없다는 것이다. 그렇다고 해서 단순한 지적 교육조차 무지한 자에게 알려지지 않은 동기를 사람들에게 제공함으로써, 그들의 행동에 나타난 성품을 무한정 수정할 수 없다는 뜻은 아니다. 쾌락을 사랑하는 성품은 모종의 쾌락을 얻을 것이다. 그러나 그에게 선택의 여지를 준다면, 그는 자기를 타락시키는 쾌락보다 타락시키지 않는 쾌락을 선호할 것이다. 그리고 이 선택은 문학적 문화나 예술적 문화 안에서 무진장한 쾌락의 원천을 소유하고 있는 모든 사람에게 제공되며, 그 쾌락은 나이 먹는 것에 의해 시들지 않고 관습에 의해 진부해지지 않고 자책의 고통에 의해 기억 속에서 희미해지지도 않는다.

매튜 아놀드: 〈문학과 과학〉

1. 나는 문학을 그것이 예전 교육 분야에서 차지했던 우월한 위치로부터 내쫓고 그 위치를 자연과학으로 옮기려는 현재의 운동, 이 활발하고 번성하는 운동이 과연 이겨야 마땅한지, 그리고 결국에는 이 운동이 정말로 이길 가능성이 있는지 여부에 대해 물어볼 생각이다. 나는 이에 대한 반론이 제기될 것을 예상한다. 내가 공부한 분야는 거의 대부분 문학이고 자연과학 분야는 접해본 적이 별로 없지만, 이 과학들은 항상 내 호기심을 강하게 불러일으키곤 했다. 누군가는, 문학을 공부한 사람은 교육의 수단으로서 문학과 자연과학의 상대적 장점을 논의할 자격이 없다고 말할지 모른다. 이 반론에 대해 나는 무엇보다 먼저 그의 무자격성은, 그런 논의를 시도하지만 정말로 무능하다면, 충분히 눈에 띌 것이라고 대답하는 바이다. 아무도 설득당하지 않을 것이다. 그리고 인류를 그런 위험에서 구할 날카로운 관찰자와 비평가들이 많이 나타날 것이다. 그러나 당신이 곧 발견하겠지만, 내가 따를 노선은 지극히 단순하며, 더 야심적인 노선을 전개하기에 무능한 사람조차 틀림없이 따를 수 있는 노선일 것이다.

2. 여러분 중 일부는 상당히 많은 코멘트를 받은 나의 어구를 아마 기억할 것이다. 즉, 우리 문화에서 우리 자신과 세계를 알고자 하는 목적을 이루는 수단은 세상에게 그동안 생각되고 말해진 것 중 최상의 것을 아는 것이라는 취지의 진술이다. 과학자이자 뛰어난 저자이며 논쟁의 대가인 헉슬리 교수가 버밍햄의 조시아 매이슨 경의 칼리지 창립식에서 행한 연설에서 이 어구를 붙잡고 나의 다른 말을 인용함으로써 그것을 확대시켰다. 그 다른 말이란 바로 이것이다. "유럽은 지적인 목적과 영적인 목적상, 하나의 큰 연방이라는 공통된 결과를 얻기 위해 연합해서 행동하고 또 일하고 있다. 그리고 그 회원국들은 공통된 채비를 위해 그리스와 로마와 고대 동방, 그리고 서로에 대한 지식을 갖고 있다. 특수하고 지역적이며 한시적인 이점은 도외시한 채, 근대 국가는 지적인 영역과 영적인 영역에서 이 프로그램을 가장 철저히 수행할 경우에 가장 큰 진보를 이룰 것이라고 한다."

3. 이처럼 확대된 나의 어구에 대해 헉슬리 교수는 이렇게 말한다. 내가, 위에 언급한 대로, 지식이 우리에게 우리 자신과 세계를 알게 해주는 것이라고 말할 때, 문학이 우리로 하여금 우리 자신과 세계를 알게 하는데 충분한 재료를 담고 있다고 주장한다는 것이다. 그러나 그의 말에 따르면, 고대 문학과 근대 문학이 우리에게 말하는 모든 것을 배운 후에도 우리가 인생의 비평에 필요한 충분히 넓고 깊은 토대를 놓았는지, 문화를 구성하는 우리 자신과 세계에 관한 지식을 배운 후에도 과연 그런지는 결코 분명하지 않다고 한다. 이와 반대로, 헉슬리 교수는 이렇게 선언한다. "진보가 오직 '지적이고 영적인 영역'에서만 일어난다고 생각할 경우, 국가나 개인이 그 공통된 채비를 자연과학의 보고에서 아무것도 끌어내지 못한다면 정말로 진보를 이루었다고 인정할 수 없다. 나는 이렇게 말하지 않을 수 없다. 군대가 정교한 무기와 특별한 작전의 기반이 없이 라인 지역에 출정하는 편이, 한 사람이 지난 세기에 자연과학이 이룬 것에 대한 지식 없이 인생 비평을 시도하는 편보다 전망이 더 밝다고."

4. 이는 어떤 주제를 함께 논의하는 이들이 자기네가 사용하는 용어의 의미에 대해 공통된 이해를 갖고 있는 것이 얼마나 필요한지 잘 보여준다. 얼마나 필요한지, 그리고 얼마나 어려운지를 보여준다는 것이다. 헉슬리 교수의 말은 순수 문학 (belles lettres)의 공부에 대해 너무나 자주 제기되는 비난을 함축하고 있을 뿐이다. 그 공부는 우아하지만 하찮고 무익하다는 것, 그리스어와 라틴어 등 장식용에 대한 천박한 지식은 진리에 도달하고 실질적인 사람이 되고자 하는 사람에게는 거의 쓸모가 없다는 것이다. 레난(M. Renan) 역시 학업과정, 곧 마치 우리가 모두 시인, 작가, 설교자, 웅변가가 될 것처럼 취급하는 그런 과정의 '피상적인 휴머니즘'을 거론하고, 이런 휴머니즘을 실증과학 또는 진리를 찾는 비평적 탐구와 대립시킨다. 그리고 교육 분야에서 문학을 순수 문학으로 이해하고 순수 문학을 피상적 휴머니즘, 즉 과학이나 참 지식과 반대되는 것으로 이해해서 문학의 우월성에 반기를 드는 사람들에게는 항상 그런 경향이 있다.

5. 그러나 예컨대 그리스와 로마 문헌을 아는 것, 즉 사람들이 인문학이라 불러온

지식을 거론할 때, 나의 경우에는 주로 장식용에 불과한 피상적인 지식 이상의 어떤 것을 의미한다. 호머의 비평가인 울프는 이렇게 말한다. "나는 모든 가르침을 과학적이라고 부르는데, 이는 체계적으로 펼쳐지고 그 원래의 출처까지 거슬러 올라가기 때문이다. 예컨대, 고전 문헌에 대한 지식은 고전 문헌의 유물을 그 원어로 정확하게 공부할 때는 과학적인 성격을 띠는 것이다." 울프가 완전히 옳다는 것은 의문의 여지가 없다. 즉, 체계적으로 펼쳐지고 그 원래의 출처까지 거슬러 올라가는 모든 학문은 과학적이고, 진정한 휴머니즘도 과학적이라는 말이다.

6. 그러므로 내가 우리 자신과 세계를 아는데 도움이 되는 그리스와 로마 문헌에 대해 말할 때는 많은 어휘, 많은 문법, 그리스어와 라틴어를 사용했던 많은 저자에 대한 지식 이상의 것을 가리킨다. 내용인즉 그리스인과 로마인, 그들의 삶과 재능, 그리고 그들이 세상에서 누구였고 무슨 일을 했는지, 아울러 우리가 그들로부터 얻는 것과 그 가치가 무엇인지 아는 것을 말한다. 이것이 적어도 이상(理想)이다. 우리가 우리 자신과 세계를 아는데 도움이 되는 그리스와 로마 문헌을 알려고 노력하는 것을 거론할 때는 따라서, 우리가 여전히 그것에 전혀 미치지 못하더라도, 그 이상을 만족시키는 것과 관련해 그들을 알려고 노력한다는 뜻이다.

7. 우리 자신과 세계를 이해할 목적으로 우리나라와 다른 근대 국가들을 아는 것에 대해서도 똑같이 말할 수 있다. 근대 국가들이 생각하고 말한 최상의 것을 아는 것은 "오직 근대 문학이 우리에게 말하는 것을 아는 것일 뿐이다. 그것은 근대 문학에 담긴 인생 비평이다"라고 헉슬리 교수는 말한다. 하지만 "우리 시대의 이 독특한 특징은 자연 지식이 수행하는, 방대하고 증가일로에 있는 역할에 있다"고 그는 주장한다. 그러므로 자연과학이 지난 세기에 이룬 것에 대한 지식이 없는 사람이 어떻게 근대 생활의 비평에 진입할 희망을 품을 수 있겠는가?

8. 먼저 우리가 사용하는 용어들의 뜻에 대해 합의하도록 하자. 세상에서 그동안 생각되고 말해진 최상의 것을 아는 것에 대한 이야기 말이다. 헉슬리 교수는 이는 문학을 아는 것을 의미한다고 말한다. 문학은 큰 단어이다. 그것은 철자로 기록되었거나 책에 인쇄된 모든 것을 의미할 수 있다. 그래서 유클리드의 《원론》

과 뉴턴의 《프린키피아》는 문학이다. 책을 통해 우리에게 닿는 모든 지식은 문학이다. 그런데 헉슬리 교수가 말하는 문학은 순수 문학을 의미한다. 그에 따르면, 나는 근대 국가들이 그동안 생각하고 말했던 최상의 것을 아는 것은 단지 그들의 순수 문학을 아는 것이라고 말한 셈이다. 그리고 이것은 근대 생활을 비평하기에 충분한 준비가 되지 못한다는 것이 그의 주장이다. 그러나 내가 고대 로마를 안다고 말할 때는, 단지 라틴 순수 문학을 어느 정도 알고 로마의 군사적, 정치적, 법적, 행정적 업무는 고려하지 않는다는 뜻이 아니다. 그리고 고대 그리스를 안다는 것은, 그리스를 그리스 예술의 증여자로 알고, 자유롭고 올바른 이성의 사용과 과학적 방법의 안내자로, 우리의 수학과 물리학과 천문학과 생물학의 창시자로 아는 것을 말한다. 그리스를 아는 것은 이 모든 것을 안다는 뜻이지, 단지 특정한 그리스 시들과 역사와 글과 연설만을 안다는 뜻이 아니다. 근대 국가들에 대한 지식도 마찬가지다. 근대 국가들을 안다는 말은 그들의 순수 문학을 알 뿐 아니라, 코페르니쿠스(Copernicus), 갈릴레오(Galileo), 뉴턴, 다윈 같은 인물들이 이룬 것도 안다는 뜻이다. 헉슬리 교수는 "우리 조상들은… 지구는 가시적인 우주의 중심이고, 사람은 지상의 것들이 주목하는 대상이라고 배웠다. 특히 자연의 경로는 고정된 질서가 없고, 사람들의 행위와 기도에 의해 움직이는 수많은 영적 존재들의 매개에 의해 변경될 수 있고 또 늘 변경된다는 교육을 받았다"고 말한다. 그러나 오늘날 우리에게는 "우리 조상들이 품었던, 세계의 시작과 끝에 대한 개념들은 더 이상 신빙성이 없다. 지구가 우주의 중심이 아니고 세계가 사람의 용도에 종속되지 않는다는 것은 매우 확실하다. 자연은 아무것도 간섭하지 않는 일정한 질서의 표출이고, 인류의 으뜸 과업이 그 질서를 배우고 그에 따라 스스로를 다스리는 것임은 더욱 확실하다"고 말을 잇는다. 하지만 "우리 시대의 대표적인 인문학자들이 옹호한, 순전히 고전적인 교육은 이 모든 것을 암시하지 않는다"고 외친다.

9. 적당한 장소와 시기에 나는 고전 교육을 둘러싼 어려운 문제를 다룰 것이다. 현재 당면한 문제는 근대 국가들이 생각하고 말한 최상의 것을 안다는 것이 무슨 뜻

이냐 하는 것이다. 그것은 단지 그들의 순수 문학을 안다는 뜻이 아니다. 이탈리아의 순수 문학을 안다는 것은 이탈리아를 아는 것이 아니다. 영국의 순수 문학을 안다는 것은 영국을 아는 것이 아니다. 이탈리아와 영국을 안다는 것은 그보다 더 많은 것을 아는 것이고, 그 중에는 갈릴레오와 뉴턴도 포함된다. 순수 문학의 색채를 띤 피상적 휴머니즘이 되는 것에 대한 질책은 다른 학문들에도 충분히 제기될 수 있다. 그러나 내가 세상에서 그동안 생각되고 말해진 최상의 것을 아는 것을 말할 때 권유한 그 특정 학문에는 적용되지 않는다. 그 최상의 것에 나는 근대의 위대한 자연 관찰자들과 지식인들을 확실히 포함시킨다.

10. 그러므로 헉슬리 교수와 나 사이에, 근대의 과학적 자연 연구의 위대한 결과들이 문학과 예술의 산물들을 아는 것과 더불어 우리 문화의 일부로 필요한지 여부에 관해 아무런 문제가 없는 셈이다. 그러나 그런 결과를 얻어낸 과정을 좇는 것을 인류를 위해 교육의 주요소로 삼아야 한다고 자연과학 분야의 친구들이 말한다. 바로 여기서 헉슬리 교수가 풍자적으로 '문화의 레위인들'이라 부르는 이들과 가련한 인문주의자가 때때로 문화의 느부갓네살들로 간주하는 이들 사이에 문제가 생긴다.

11. 과학적인 자연 탐구의 위대한 결과들을 알아야 한다는 점에는 동의하지만, 그런 결과를 얻어낸 과정에 우리 연구의 얼마만큼을 할애해야 하는 것일까? 그 결과들은 인간 생활과 눈에 띄는 관련이 있다. 그런데 그런 결과를 얻어내고 확증시킨 그 모든 과정, 그 모든 사실 항목들은 무척 흥미롭다. 모든 지식은 지혜로운 사람에게 흥미롭고, 자연에 관한 지식은 모든 사람에게 흥미롭다. 알부민을 함유한 달걀 흰자로부터 달걀 속의 병아리가 그 살과 뼈와 피와 날개에 필요한 재료를 얻는 한편, 지방이 많은 노른자위로부터는 마침내 껍질을 깨고 세상살이를 시작하게 해주는 열과 에너지를 얻는다는 사실을 아는 것은 무척 흥미롭다. 그리고 초가 탈 때는 밀랍이 탄산과 물로 바뀐다는 사실을 아는 것은 그보다는 덜 흥미롭긴 해도 여전히 흥미롭다. 더 나아가, 자연 연구가 제공한 사실들을 다루는 습관은 자연과학의 친구들이 칭송하듯이 훌륭한 훈련이다. 자연의

연구에서는 늘 관찰과 실험에 호소한다. 사실이 그렇다고 말할 뿐 아니라 우리도 그것이 사실임을 관찰할 수 있다. 마치 한 사람이 우리에게 카론(Charon)이 스틱스 강을 나룻배로 저어간다고, 또는 빅토르 위고(Victor Hugo)는 탁월한 시인이라고, 또는 글래드스톤(Gladstone) 씨는 가장 존경할 만한 정치인이라고 말할 수 있듯이, 한 사람이 우리에게 "초가 탈 때는 밀랍이 탄산과 물로 바뀐다"고 말할 뿐 아니라, 우리가 그런 변화가 실제로 일어나는 것을 목격하게 될 수도 있다. 자연과학의 친구들은 사물에 관한 지식인 이런 자연 지식을 인문주의자의 지식, 즉 글에 관한 지식과 대비시킨다. 그래서 헉슬리 교수는 "진정한 문화를 획득하기 위해서는 오로지 과학 교육만 하는 것이, 적어도 오로지 문학 교육만 하는 것만큼 유효하다"고 말하게 되는 것이다. 영국학술협회의 기계과학 분과의 한 대표는 성경의 어구로 말하면, '매우 담대하게', 만일 누군가 정신적 훈련에서 '자연과학을 문학과 역사로 대체했다면 그는 덜 유용한 대안을 선택한 셈'이라고 선언한다. 우리가 그만큼 나아갈지 여부와 상관없이, 우리는 자연과학에서 사실을 다루는 습관이 매우 가치 있는 훈련이고 누구나 그런 경험을 조금씩은 해야 한다는 것을 인정해야 마땅하다.

12. 하지만 개혁가들은 이보다 더 많은 것을 요구한다. 어쨌든 대다수의 인류에게 자연과학 훈련을 교육의 주된 부분으로 만들어야 한다는 주장이다. 그리고 여기서 나는 자연과학의 친구들과 결별한다고 고백하는 바이다. 이제까지는 그들과 의견을 같이했지만 말이다. 그러나 이 점에서 나는 지극히 조심스럽게 나아가고 싶다. 내가 자연과학 분야에 별로 익숙하지 않다는 사실을 늘 유념하고 있고, 이 분야들에 대해 불공정할까봐 두렵다. 자연과학의 열렬한 지지자들은 능력이 많고 호전적이라 반박하기가 무척 어렵다. 희미한 능력과 제한된 지식을 가진 자에게 어울리는 잠정적 탐구의 논조가 내가 취하고 싶은 논조이고, 이런 논조에서 떠나고 싶지 않다. 현재로선 자연적 지식에 대다수 인류의 교육에서 주된 자리를 부여하기 원하는 사람들이 한 가지 중요한 것을 고려하지 못하고 있는 것처럼 보인다. 바로 인간 본성의 구성이다. 그런데 나는 결코 어렵지 않은 몇 가

지 사실에 기초해 이를 내놓는 바이다. 그것은 매우 단순한 방식으로 진술할 수 있는 사실들이고, 내가 그렇게 진술하면 과학자는 거기에 합당한 중요성을 기꺼이 부여할 것이라고 확신한다.

13. 과학자는 그 사실들을 몽땅 부인할 수 없을 것이라고 생각한다. 인간의 삶을 세우는 힘들을 열거할 때 행위의 힘, 지성과 지식의 힘, 아름다움의 힘, 사회생활과 예절의 힘이라고 말하는 것을 그는 거의 부인할 수 없다. 이 구조가 비록 대충 평범한 노선을 따르며 과학적 정확성이 있는 척하지 않지만, 그래도 그 문제를 꽤 진실하게 표현한다는 것을 거의 부인할 수 없다. 인간의 본성은 이런 힘들로 세워지는 법이다. 우리에게는 그 모든 것이 필요하다. 우리가 그 모두의 요구사항을 옳게 충족하고 거기에 적응했을 때는 지혜와 더불어 건전하고 의로운 상태에 이르는 길에 들어서게 될 것이다. 이는 무척 자명해서 자연과학의 친구들도 인정할 것이다.

14. 그런데 그들이 어쩌면 또 다른 것을 충분히 관찰하지 못했을지도 모른다. 말하자면, 방금 언급된 여러 힘이 따로 고립되어 있지 않고, 대다수 인류의 경우 그것들을 다양한 방식으로 서로 연관시키는 경향이 있다는 것이다. 현재 나는 특히 한 가지 방식에 관심이 있다. 우리는 지성과 지식에 대한 본능을 좇아서 단편적인 지식들을 얻는다. 그리고 현재 대다수 사람은 이 단편적인 지식들을, 행동을 지향하는 감각과 아름다움을 향한 감각과 연관시키고 싶은 욕구가 생긴다. 만일 이런 욕구가 좌절되면 피로감과 불만족이 발생한다. 바로 이런 욕구에 문학이 우리를 붙드는 손길의 힘이 있다고 생각한다.

15. 방금 말했듯이, 모든 지식은 흥미롭다. 심지어 자연으로부터 얻는 지식의 항목들은, 우리의 사유 속에서 서로 잘 연관될 수 없고 고립된 채 존재해야 함에도 흥미로운 점을 갖고 있다. 예외적인 것들의 목록조차 흥미로운 점이 있다. 만일 그리스어 악센트를 공부하고 있다면, 파이스(pais)와 파스(pas), 그리고 동일 형태의 어형변화의 다른 몇몇 음절들이 복수 소유격의 마지막 음절 위에 곡절 악센트를 취하지 않는데, 이 면에서 일반 규칙과는 다르다는 사실을 아는 것은 무척 흥

미롭다. 만일 생리학을 공부하고 있다면, 폐동맥은 검은 피를 나르고 폐정맥은 맑은 피를 나르는데, 이는 정맥과 동맥 간의 노동 분업을 위한 일반 규칙에서 벗어난다는 사실을 아는 것은 흥미롭다. 그러나 누구나 우리가 어떻게 자연스레 단편적인 지식들을 다 함께 묶으려고 하고, 그 지식들을 일반적인 규칙 아래 가져오려 하고, 그것들을 원칙들과 연관시키려 하는지를 알고 있다. 그리고 계속해서 예외적인 경우들의 목록을 영원히 배우거나 고립된 채 있어야 할 사실의 항목들을 영원히 모으기만 하는 것이 얼마나 불만족스럽고 피곤한 일인지 알고 있다.

16. 그런데 우리 지식의 영역 내에서 작동하는 우리 지식을 연관시키고픈 욕구가 그 영역 밖에서도 작동하는 것을 알게 될 것이다. 계속 배우고 또 알아가면서—이는 우리의 절대 다수가 경험하는 것이다—우리는 우리가 배우고 알게 된 것을 우리 속에 있는 행동하고픈 감각과 아름다움을 향한 감각과 연관시키고 싶은 욕구를 경험하게 된다.

17. 아르카디아 소재 만티네이아의 그리스 선지자였던 디오티마(Diotima)는 언젠가 철학자인 소크라테스에게, 사랑과 충동과 온갖 성향은 사실 선(善)이 영원히 그들에게 있어야 한다는 사람들 속의 욕망에 다름 아니라고 설명한 적이 있다. 선을 향한 이 욕망은 우리의 근본적인 욕망이고, 우리 속의 모든 충동은 각각 그것의 특정 형태일 뿐이라고 소크라테스에게 확신시켰다. 그러므로 이 근본적인 욕망—선이 영원히 그들에게 있어야 한다는 사람들 속의 욕망—이야말로 우리가 우리의 지식을, 행동을 향한 감각과 아름다움을 향한 감각과 연관시키고픈 충동을 느낄 때 우리 속에서 작동하는 것이라고 생각한다. 어쨌든 전반적으로 사람들에게 그런 본능이 있다. 인간 본성이 그렇다. 그리고 그 본능은 순수하고, 인간 본성은 우리가 그 순수한 본능을 좇음으로써 보존된다는 것을 모두 인정할 것이다. 그런즉 우리가 이 본능을 만족시키려고 할 때는 인류의 자기보존의 본능을 좇고 있는 셈이다.

18. 그러나 분명히 모종의 지식은 문제의 본능을 직접 섬기도록, 아름다움의 감각과 행동에의 감각과 직접 연관되도록 할 수 없다. 이런 것은 도구적인 지식이고,

그렇게 될 수 있는 다른 지식으로 이끄는 지식이다. 자기의 삶을 도구적 지식을 얻는데 보내는 사람은 전문가이다. 그들은 그 이상의 어떤 일을 하기 위한 도구로서 그것들을 사용할 재능을 가진 사람들에게 가치있을 수 있다. 그런 분야들은 누구나 어느 정도 교육을 받기에 유용한, 그런 영역일 수 있다. 그러나 대다수의 사람이 모든 정신적인 삶을 그리스어 악센트나 형식 논리를 배우는데 보내야 한다는 것은 도무지 생각할 수 없는 일이다. 세계 최초의 수학자들 중 하나인 내 친구 실베스터(Sylvester) 교수는 수학의 미덕에 대해 초월적 신조를 갖고 있지만, 그런 신조는 보통 사람들을 위한 것이 아니다. 상원과 캠브리지의 중심에서 나는 언젠가, 물론 나의 불경함에 대해 용서를 구하지 않은 것은 아니라도, 대다수 인류에게 약간의 수학은 큰 도움이 될 것이라는 의견을 감히 개진한 적이 있다. 물론 이 의견은 수학이 다른 어떤 것을 위한 도구로 엄청나게 중요하다는 사실과 맥을 같이한다. 그러나 수학을 사용할 만한 적성을 지닌 자는 소수이지 대다수 인류가 아니다.

19. 하지만 자연과학은 이런 도구적 지식들과 대등한 위치에 있지 않다. 경험에 따르면, 대다수 인류는 파이스와 파스의 복수 소유격이 어미에 곡절 악센트를 취하지 않는다는 것을 배우는 것보다 초가 탈 때 밀랍이 탄산과 물로 바뀐다는 것, 또는 이슬 현상에 대한 설명을 배우는 것, 또는 혈액 순환이 어떻게 진행되는지를 배우는 것에 더 흥미가 있다. 그리고 자연 지식의 한 단편이 다른 단편에 더해지고, 다른 단편들이 거기에 덧붙여져서, 마침내 다윈의 유명한 명제처럼—우리의 조상은 꼬리와 뾰족한 귀를 가진 털 많은 네발짐승이었고, 아마도 그 습관이 나무와 같았을 것이다—무척 흥미로운 명제들에 도달하게 된다. 또는 우리가 헉슬리 교수가 전달하는 명제처럼 중요한 명제들에 이르게 된다. 그의 명제인즉, 세계의 시작과 끝에 관한 우리 조상들의 관념은 모두 틀렸고, 자연은 아무것도 간섭하지 않는 일정한 질서의 표출이라는 것.

20. 이런 과학의 결과들은 참으로 흥미롭고 중요하며, 우리 모두 그것들에 익숙해져야 한다. 그러나 내가 당신이 주목하길 바라는 바는, 그 결과들이 우리에게 설명

되고 우리가 그것들을 받을 때는 여전히 지성과 지식의 영역에 속해 있다는 점이다. 그리고 대다수 사람의 경우, 그들이 자신의 조상이 '꼬리와 뾰족한 귀를 가진 털 많은 네발짐승이었고, 아마도 그 습관이 나무와 같았을 것이다'라는 명제를 받아들였을 때, 이 명제를 우리 속에 있는 행동에의 감각과 아름다움을 향한 감각에 연관시키고픈, 어쩔 수 없는 욕망이 생기는 것을 발견하게 되리라. 그런데 과학자들은 우리에게 이것을 하지 않을 테고, 그렇게 한다고 고백하지도 않을 것이다. 그들은 우리에게 다른 동물들과 그들의 조상들, 또는 식물들, 또는 돌들, 또는 별들에 관한 지식의 다른 단편들, 다른 사실들을 제공할 것이고, 그들은 마침내 우리를 "그 큰 일반적인 우주 개념들, 즉 자연과학의 진보로 우리 모두에게 강요된 그런 개념들"로 인도할 것이라고 헉슬리 교수가 말한다. 그래도 그들이 우리에게 제공하는 것은 여전히 지식일 것이다. 그것은 우리의 행동에의 감각, 우리의 아름다움에의 감각과 연관되지 않은 지식이고 감정과도 관계가 없는 지식일 뿐이다. 그러므로 대다수 인류에게는 한참이 흐른 후에 불만족스럽고 피곤케 하는 지식이다.

21. 물론 타고난 자연주의자에게는 그렇지 않을 것임을 인정한다. 그런데 타고난 자연주의자란 무슨 뜻인가? 자연을 관찰하고픈 열정이 예외적으로 강해서 대다수 인류와는 구별되는 그런 사람이다. 그런 사람은 자연 지식을 수집하고 그에 관해 추론하는 일에 기쁘게 인생을 보낼 것이고, 그 이상은 아무것도 요구하지 않을 것이다. 얼마 전에 죽은 총명하고 존경스러운 자연주의자 다윈 씨가 언젠가 한 친구에게 자신은 대다수 사람에게 너무나 필요한 두 가지—종교와 시—가 필요하다는 것을 느끼지 못했다고 고백했다는 말을 들었다. 과학과 가족에 대한 애정으로 충분하다고 생각했던 것이다. 타고난 자연주의자는 충분히 그럴 수 있다는 것은 이해할 만하다. 그는 자연에 너무나 몰두하고 그 직업을 너무도 사랑한 나머지, 계속 자연 지식을 습득하고 그에 관해 추론하기 때문에, 그 지식을 행동에의 욕망과 아름다움에 대한 욕망에 연관시키는 것을 생각할 시간이나 마음이 거의 없다. 그럴 필요를 느끼는 한, 그 지식을 자신을 위해 후

자와 연관시킬 뿐이다. 그리고 추가로 필요한 위안은 가족의 애정에서 끌어내곤 한다. 그런데 다윈 같은 인물은 매우 드물다. 또 하나의 위대하고 존경스러운 대가인 패러데이(Faraday)는 샌디먼파(Sandemanian)였다. 말하자면, 그는 존경스러운 스코틀랜드 장관 로버트 샌디먼(Robert Sandeman)의 도움을 받아 자신의 지식을 행동에의 본능과 아름다움에 대한 본능에 연관시켰다는 뜻이다. 그리고 대체로 종교와 시는 사람 속에 자리 잡고, 또 그의 지식과 연루되고, 또 그 지식을 부각시키고 기뻐하고 싶은 열망이 너무도 강해서, 우리 가운데 이런 면에서 다윈과 같은 성향을 지닌 사람 한 명당 패러데이와 같은 성향을 지닌 사람은 적어도 오십 명은 될 것이다.

22. 교육은 사실 이런 요구를 충족시킴으로써 우리를 붙들고 있다. 헉슬리 교수는 다음과 같은 이유로 중세 교육을 조롱한다. 자연에 관한 지식을 무시한 것, 심지어 문학 공부도 빈약한 것, '교회가 진리라고 말한 것이 어떻게 또 왜 진리임에 틀림없는지를 보여주는' 일에 몰두한 형식 논리 때문이다. 그러나 위대한 중세 대학교들이 빈약하고 경멸할 만한 교육을 베풀려는 열정으로 창설된 것은 아니었다는 것은 확신해도 좋다. 왕들이 그 대학교들을 양육하는 아버지들이었고 여왕들은 양육하는 어머니들이었으나, 이 때문에 그렇게 한 것은 아니다. 중세 대학교들이 존재하게 된 것은, 성경과 교회가 제공한 지식이 그 자체를 사람의 행동에의 욕망과 아름다움을 추구하는 욕망과 너무도 단순하고 쉽고 강력하게 연관시킴으로써 사람의 마음에 너무도 깊이 개입했기 때문이다. 다른 모든 지식은, 바로 이 지식의 지배를 당했고 후자에 종속되었다. 왜냐하면 이 지식이 스스로를 인간의 행동에의 감각과 아름다움에의 감각에 심오하게 결합시킴으로써 인간의 애정을 강하게 붙잡았기 때문이다.

23. 그러나 헉슬리 교수는, 지금은 우리 조상들이 품었던 관념에 치명적인 우주의 개념들이, 자연과학에 의해 우리에게 강요되었다고 말한다. 좋다. 그 개념들이 정말로 치명적이고, 새로운 개념들이 곧 도처에서 유행해야 하고 또 유행할 것이라고, 그리고 누구나 새로운 개념들이 우리 조상의 신념에 치명적임을 결국

인지하게 될 것이라고 인정하자. 인문학은 선(善)이 영원히 사람들에게 나타나야 한다는, 사람들 속에 있는 최고의 욕망을 섬기기 때문에 그렇게 불리는 것이다. 따라서 인문학이 필요한 것이다. 그 새로운 개념들과 아름다움을 향한 우리의 본능과 행동의 본능 사이의 관계를 정립할 필요성이 더욱 눈에 띌 뿐이다. 중세는 자연에 대한 연구가 없이도 괜찮았듯이, 인문학 없이도 괜찮았던 것은, 당시의 지식이 감정에 너무도 강력하게 개입하도록 되어 있었기 때문이다. 당시의 지식이 사라지면, 감정에 개입하도록 되어 있었던 그 능력도 물론 사라질 것이다. 그러나 감정들 자체와 개입되고 만족되길 원하는 그 요구는 그대로 남을 것이다. 만일 우리가 경험상 인문학이 감정에 개입하는 부인할 수 없는 능력을 갖고 있음을 발견한다면, 사람의 훈련에서 차지하는 인문학의 중요성은 작아지지 않고 더 커지며, 근대과학이 소위 '중세적 사고방식'을 근절하는 일에 성공하는 것에 비례해서 그렇게 될 것이다.

24. 그러면 인문학, 즉 시와 웅변이 감정에 개입하는 능력을 갖고 있는가? 또한 그 능력을 발휘하고 있는가? 그리고 만일 그것을 갖고 있고 행사하고 있다면, 사람의 행동 감각과 아름다움의 감각에 영향을 미치기 위해 그 능력을 어떻게 발휘하는가? 끝으로, 비록 인문학이 그런 감각에 영향력을 행사할 수 있고 또 실제로 행사한다고 할지라도, 인문학은 어떻게 그것에 자연과학의 결과들─근대의 결과들─을 연관시켜야 할까? 이 모든 질문이 제기될 수 있다. 첫째, 시와 웅변은 감정을 불러오는 능력을 갖고 있는가? 경험에 물어봐야 한다. 경험에 따르면, 인간의 대다수, 전반적인 인류에게 그 둘은 그런 능력을 갖고 있다. 다음으로, 시와 웅변은 그 능력을 발휘하는가? 그렇다. 그렇다면 이 둘은 사람의 행동에의 감각과 아름다움에의 감각에 영향을 미치기 위해 어떻게 그 능력을 발휘하는가? 이 경우에는 전도자의 말을 적용해도 좋을 것이다. "그 뜻을 찾아보려고 아무리 애를 써도, 사람은 그 뜻을 찾지 못한다. 혹 지혜 있는 사람이 안다고 주장할지도 모르지만, 그 사람도 정말 그 뜻을 알 수는 없는 것이다"(구약성경 전도서 8:17 중에서, 새번역). 감정에 미치는 영향과 관련해서 "인내는 미덕

이다"라고 말하는 것과, 감정에 미치는 영향과 관련해서 호머와 함께 "운명이 사람의 자녀들에게 인내하는 마음을 갖도록 명했다"고 말하는 것은 왜 별개의 문제인가? 감정에 미치는 영향과 관련해서 철학자 스피노자(Spinoza)와 함께 "사람의 행복은 그 자신의 본질을 보존할 수 있는 것에 있다"고 말하는 것과, 감정에 미치는 영향과 관련해서 복음서와 함께 "사람이 온 세상을 얻고도 제 목숨을 잃으면, 무슨 이득이 있겠느냐?"(신약성경 마가복음 8:36, 새번역)라고 말하는 것은 왜 별개의 문제인가? 어떻게 이런 다른 영향이 생기는가? 나는 말할 수 없고, 그것을 아는데 큰 관심이 없다. 중요한 점은 그런 차이가 생기고 그로부터 유익을 얻을 수 있다는 것이다. 끝으로, 시와 웅변은 자연과학의 근대적 결과를 사람의 행동 본능과 아름다움을 향한 본능에 연관시키는 능력을 어떻게 발휘해야 하는가? 여기서 다시금 나는 양자가 그 능력을 어떻게 발휘할 것인지 모르겠다고 답변할 뿐이지만, 그럴 수 있고 또 그럴 것이라고 확신한다. 그러나 근대의 철학적 시인들과 근대의 철학적 도덕론자들이 와서 명시적인 언어로 근대 과학연구의 결과를 우리의 행동 본능과 아름다움을 향한 본능에 연관시켜 줄 것이라는 뜻은 아니다. 반면에, 만일 우리가 세상에서 이제껏 생각되고 발설된 최상의 것을 안다면—어쩌면 오래 전에 살았던 사람들, 가장 제한된 자연지식을 갖고 있었던 사람들, 중요한 다수의 사안에 대해 가장 잘못된 개념을 갖고 있었던 사람들의 예술과 시와 웅변일지라도—우리는 이 예술과 시와 웅변이 우리를 상쾌하게 하고 기쁘게 하는 능력을 갖고 있을 뿐 아니라, 근대과학의 결과를 행동에 대한 우리의 욕구와 아름다움에 대한 욕구에 연관시키도록 도울 강력한 생동력—저자들의 삶의 비평이 지닌 힘과 가치와 같은 것—도 갖고 있다는 것을 발견하게 될 것이다. 나는 호머의 물리적 우주 개념은 우스꽝스러웠다고 생각한다. 그러나 근대과학으로부터 "세계는 사람의 용도에 종속되지 않고 사람은 지상의 것들이 주목하는 대상이 아니다"라는 말을 듣고 충격을 받은 나는 방금 인용한 호머의 글귀—"운명이 사람의 자녀들에게 인내하는 마음을 갖도록 명했다"—보다 더 나은 위로를 찾을 수 없었다!

25. 그리고 사람의 마음이 맑아질수록, 과학의 결과가 솔직히 더 받아들여질수록, 시와 웅변은 사실 있는 그대로—유별나게 많은 점에서 비범한 능력을 지닌 재능 있는 사람들이 내놓은 인생 비평—더욱 수용되고 연구되기에 이르고, 인문학과 예술이 그에 못지않은 능력을 가진 언설로서 그 가치가 더욱 경험되고 인정받을 것이며 교육에서의 위치도 확보될 것이다.

26. 그러므로 우리 모두 교육의 수단으로서 인문학의 장점과 자연과학의 장점을 불 공평하게 비교하는 일을 최대한 피하도록 하자. 그러나 영국학술협회의 기계과 학 분과의 한 대표가 비교하겠다고 고집을 부리며 "만일 누군가 정신적 훈련에서 자연과학을 문학과 역사로 대체했다면, 그는 덜 유용한 대안을 선택한 셈이다" 라고 말한다면, 우리는 그에게 인문학의 학생 역시 적어도 근대 자연과학이 초래 한 위대한 개념들을 알 터인데, 이유인즉 헉슬리 교수의 말대로 과학이 그 개념들 을 우리에게 강요하기 때문이라고 대답하자. 반면, 우리의 가설에 따르면 자연과 학도는 인문학에 대해 전혀 모를 것이다. 그 자신이 자연 지식을 영구히 축적하는 일에 힘쓰는 것은 말할 것도 없고, 오직 전문가들만 기분 좋게 수행할 재능을 가 진 그런 일을 수행하려고 애쓰게 되기 때문이다. 그래서 그는 아마 불만족스럽거 나 어쨌든 불완전할 터이고, 심지어는 인문학도보다 더 불완전할 것이다.

27. 나는 언젠가 다음 사실을 언급한 적이 있다. 어느 대학 영어 훈련 과정의 한 젊 은이가 리포트에서 《맥베스》(*Macbeth*)의 한 구절을 바꿔 써야 했는데,

그대는 병든 마음을 보살펴주지 않을 수 없는가?

를 "당신은 광인을 앙망하지 않을 수 있는가?"로 바꿨다는 것이다. 그리고 나는 "만일 우리 국립학교의 모든 학생이 달의 지름이 3,474킬로미터인 것을 알고, 또 동시에

그대는 병든 마음을 보살펴주지 않을 수 없는가?

를 잘 바꿔 쓴 것이 '당신은 광인을 앙망하지 않을 수 있는가?'라고 생각한다면, 얼마나 이상한 사태일까?"라고 말했다. 만일 어느 편을 반드시 선택해야 한다면, 나는 달의 지름에 대해서는 무지하지만, "당신은 광인을 앙망하지 않을 수 있는가?"가 나쁜 바꿔 쓰기임을 아는 젊은이를 선택하지, 이와 반대되는 학생을 택하지는 않을 것이다.

28. 또는 우리 국립학교의 학생들보다 더 높은 차원을 생각해보자. 나는 마음속으로 영국의 의원 한 사람을 상상해본다. 그는 미국을 여행한 뒤에 자신의 여행 경험을 이야기하면서, 그 큰 나라의 지질학과 채굴 능력에 대한 대가다운 지식을 보여주지만, 미국이 우리 왕족으로부터 왕자를 모셔가서 그들의 왕으로 삼고 우리의 방식을 따라 큰 지주들로 구성된 하원을 만들어야 한다고 진지하게 제안하는 것으로 말을 맺는다. 그러면 미국은 행복하고 완전한 장래를 보장받게 될 것이라고 생각한다. 이 경우에는 영국학술협회의 기계과학 분과의 한 대표가 그 의원이 스스로 지질학과 광산학 등에 몰두하고 문학과 역사에 관심을 두지 않음으로써, "더 유용한 대안을 선택했다"고 말하지 않을 것이 분명하다.

29. 그리하여 만일 한편에는 인문학을 두고 다른 편에는 자연과학을 둔 채 둘 중 하나를 선택해야 한다면, 대다수 인류, 즉 자연의 공부에 대한 예외적인 적성이 없는 모든 이들은 자연과학보다 인문학을 선택하는 편이 나을 것이라고 생각하지 않을 수 없다. 문학은 더 많은 점에서 그들의 존재를 불러낼 것이고 그들을 더 풍성하게 살게 할 것이다.

3. 재료의 배열

Arrangement of Material

일단 필자들이 착상 과정 내지는 재료의 발견을 통해 주어진 주제에 관해 할 말을 찾으면, 자신들의 목적을 성취하기 위해 가용한 재료를 선별하고 정리하는 문제에 직면한다. 그들은 가용한 모든 재료를 사용할 수 없고 또 사용하면 안 되므로, 가장 적절하고 타당한 것을 선정해야 한다. 이렇게 선정된 재료는 특정한 순서로 배열되어야 한다. 그런 순서가 없으면, 가장 예민한 분별력으로 선택한 최상의 재료라도 그 힘이 약화될 것이기 때문이다. 고전 수사학자들은 선정과 배열의 문제를, 그리스인은 텍시스(texas)라고 부르고 라틴인은 디스포시티오(dispositio)라고 부른 부분에서 다루었다. 우리는 배열(arrangement)이라는 용어를 사용할 것이다.

디스포시티오에 관한 고전적 교훈들에서 유익을 얻으려면, 그것이 고대인에게 무슨 뜻이었는지 분명히 이해해야 한다. 다수의 사람에게 배열(disposition)은 담론의 여러 부분에 관한 연구를 의미한다: (1) 서론(또는 exordium), (2) 사실의 진술(또는 narratio) 또는 담론의 주제에 관해 알 필요가 있는 상황, (3) 우리 사례의 증명(또는 confirmatio), (4) 반대 견해에 대한 반박(또는 refutatio), (5) 결론(또는 peroratio). 고전 수사학은 분명히 이런 부분들을 이 순서로 다루었지만 그 이상의 것, 즉 전체 구성의 전략적 기획에도 관심이 있었다.

퀸틸리안은 "배열과 수사의 관계는 장군의 기량과 전쟁의 관계와 같다"라고 말함으로써 배열의 더 중요한 관심사를 암시한다. 장군을 그의 군대의 예정되고 고정된 위치에 묶어두는 것은 어리석은 짓일 터이다. 그는 특정한 순간, 자신이 처한 상황에 가장 잘 대처하기 위해, 자신의 부대를 자유롭게 배치할 수 있어야 한다. 그리하여 그는 전선의 한 지점에서는 일부 부대를 집합시키고, 다른 지점들에서는 분산시키고, 다른 부대는 예비 병력으로 두고, 정예 부대는 가장 중요한 영역에 집중시킬 것이다. 그 장군은 판단력과 상상력에 이끌려, 전략에 따라 어떤 조정도 할 준비가 되어 있다.

키케로는 다음과 같은 말로 배열의 이중적 측면을 밝히 보여줬다. "웅변가는 처음에 자기가 말할 것을 찾아내야 한다. 다음에는 그의 재료를 배열하고 정리하되, 특정한 순서로 그럴 뿐 아니라 재료의 무게와 화자의 판단에 따라 그래야 한다"[《변론가론》(De Oratore), 31]. 설득하려는 사람들은 그들 자원의 적절한 배열에 관한 결정을 내릴 때 여러 사항을 고려하게 될 것이다.

1. 그들이 관여하는 담론의 종류—심의용인지, 사법용인지, 의식용인지 여부.
2. 주제의 성격—그들에게 가용한 재료의 분량과 질을 결정할 고려사항.
3. 그들의 에토스—그들의 성격, 그들의 도덕적 및 철학적 편견, 그들의 한계와 능력
4. 청중의 성격—그들의 나이, 그들의 사회적·정치적·경제적·교육적 수준, 당시의
   기분

이 모든 것은 배열이, 아리스토텔레스가 테크네(techne)—사람이 특정한 목적을 위해 수단을 채용하는 기술—라는 단어로 가리킨 것임을 시사한다. 고전 수사학자들이 배열이라는 제목 아래 다루려고 했던 것은, 로날드 크레인(Ronald S. Crane)이 에세이를 작성한 자신의 경험을 묘사할 때 거론했던 '포섭하는 형식'(subsuming form)이었다. 그 대목은 전부 인용할 만하다.

특히 글쓰기에 관한 교재들을 쓴 저자들은 작문 과정을 투박하게 두 단계로 나눠왔다. 하나는 준비용 독서, 사유, 계획, 심사숙고의 단계이고, 다른 하나는 재료를 글로 조립하는 단계이다. 그리고 둘째 단계에서 일어나는 일은 보통 저자가 첫째 단계에서 갖게 된 아이디어나 상상의 산물을 직접 종이로 옮기는 것으로 묘사되어 왔다. 즉, 획득한 내용에 적절한 구술형식을 부여하는 간단한 작업으로 생각한 것이다. 나 자신도 이 손쉬운 가르침을 학생들에게 베풀어왔다. 그런데 내가 다음과 같은 혼란스런 사실에 대해 묵상하기 시작한 후에는 그렇게 가르치지 않았다. 즉, 오랫동안 어떤 주제에 관해 집중해서 생각하고, 핵심 용어들에 관한 많은 흥미로운 아이디어와 패턴들을 메모하고, 완전한 개요처럼 보이는 것을 만들었는데도, 첫 번째 문장조차 작성할 수 없거나, 그 에세이가 무엇에 관한 것인지 모르거나, 만족스런 결론에 이르기 위해 억지로 계속 작성해야 했던 것을 너무 자주 경험한 반면, 다른 경우에는 더 이상 준비할 것이 없고, 더 이상 집필의 욕구를 품을 수 없고, 최대한의 용기를 품은 채 작문을 했는데 기쁘게도 거의 모든 것이 재빠르게 제 자리를 찾고, 적당한 어휘가 떠오르고 (또는 어쨌든 내가 나중에 바꿀 수 없는 단어들), 거의 문제가 없이 문장들과 단락들이 술술 떠올라서 나중에 다시 읽어도 그럴 수밖에 없었다고 생각되는 그런 일을 발견한 것이다.

나는 두 번째 경험보다 첫 번째 경험을 훨씬 더 많이 한 까닭에 그런 차이점이 생긴 이유를 끌어내려고 노력했다. 그리고 내가 그것을 설명할 수 있는 최선의 방식은 이러하다. 앞의 경우에 내가 달성하지 못한 것, 후자에서는 전체 과정의 어느 순간에 달성했던 것은, 그 재료들 또는 내가 마음과 메모에 수집했고 가장 중요시했던 것들에 대한 가능한, 포섭하는 형식을 직관적으로 포착한 것이었다. 그 형식은 내 마음 속의 형식으로서 충분히 일관되고 이해 가능한 형식이라서, 내가 내 주장을 개발하고 그것을 글로 쓰는 과정에서 당장 무엇을 해야 하거나 할 수 있는지, 무엇을 해서는 안되는지, 어떤 순서로 해야 하는지, 여러 부분에서 무엇을 강조해야 하는지 알 수 있게 되는 것이다. 돌아보면, 그런 종합적인 아이디어에 반응하여 쓴 글이 아니면 유기적 통일성을 지닌 글을 결코 쓸 수 없었다는 것을 알게 된다. 그것은 전반적인 의도 이상의 것이고, 하나의 '주제' 이상의 것이며, 일반적인 의미의 개요 이상의 것이다. 내가 말했듯이, 그것은 형태를 부여하거나 앞을 지도하는 대의인 동시에, 그리고 모종의 상관관계가 있어서 내 주제가 내 에세이에서 취할 특정한 개념적 형식, 내가 논의에 사용할 특정한 양식의 논증이나 수사, 내 논의가 이룰 특정한 목적을 모두 포함한다. 쉽게 또는 성공적으로 진도를 나가기 전에 어떤 형식으로든 적어도 이 세 가지를 알아야 한다.

_로날드 S. 크레인, 《비평 언어와 시적 구조》

(*The Languages of Criticism and the Structure of Poetry*), The Alexander Lectures, 1951~52.

만일 크레인 교수의 집필 과정 분석이 정확하다면, 작문은 필자에게 현재는 물론 예비적인 여러 판단과 결정을 요구하는 것 같다. 퀸틸리안은 《변론법 수업》 제7권 10장에서, 배열은 다음과 같은 질문들에 대한 판단과 결정에 연관되어 있다고 지적했다.

1. 서론은 언제 필요하며, 언제 생략되거나 요약될 수 있는가?
2. 언제 사실에 대한 진술을 계속해야 하고, 언제 그 진술을 나눠서 곳곳에 삽입해야 하는가?
3. 어떤 상황에서 사실에 대한 모든 진술을 생략할 수 있는가?
4. 언제 논적이 개진한 주장을 다루면서 시작해야 하고, 언제 주장을 개진하면서 시작해야 하는가?
5. 가장 강한 논증을 언제 먼저 제시하는 것이 바람직하고, 언제 가장 약한 논증으로 시작해서 가장 강한 논증으로 움직이는 것이 제일 좋은가?
6. 우리의 논증 가운데 청중이 쉽게 받아들일 것은 무엇이고, 그들이 수용하도록 유도해야 하는 것은 무엇인가?
7. 논적의 주장을 전체적으로 논박해야 하는가, 아니면 그 주장을 상세히 다뤄야 하는가?
8. 청중을 회유하기 위해 얼마만큼의 윤리적 호소를 해야 하는가?

9. 결론을 위해 감정적 호소를 유보해야 하는가, 아니면 그것을 담론 전체에 분배해
야 하는가?

10. 어떤 증거나 문헌을 활용해야 하고, 이런 논증은 담론의 어느 부분에서 가장 효
과적인가?

필자들이 작문을 계획하기 위해 앉아서 모든 분별력을 동원할 때는, 이를 비롯한 많
은 질문을 접하게 될 것이다. 그들이 적절한 전략에 관해 중요한 결정을 내려야 할 때,
타고난 양식과 직관이 반드시 필요하겠지만, 수사학은 이 단계에서 그들을 지도할 일반
적인 원리들을 설정할 수 있다. 하지만 어디서, 그리고 어떻게 이런 원리들이 특정한 상
황에 적용될 수 있는지 분별하는 것은 필자의 몫이다.

이 지점에서 재료의 배열이 하찮은 문제가 아니라는 점을 강조해야 마땅하다. 적당
한 배열의 중요성은 아테네의 위대한 두 웅변가인 아이스키네스(Aeschines)와 데모스테네
스(Demothenes)가 벌인 웅변 콘테스트, 즉 크테시폰(Ctesiphone)이 데모스테네스에게 상
급으로 황금 면류관을 주도록 제안했던 대회에서 잘 드러난다. 당시 아이스키네스는 심
판들에게 데모스테네스가 자기가 논증을 제시할 때 따른 순서를 그대로 지키도록 해달
라고 제안했다. 그러나 데모스테네스는 아이스키네스의 순서가 자기에게 불리할 것임을
금방 알아차렸다. 따라서 그는 심판들에게 자신이 적절하다고 생각하는 순서를 따르게
해달라고 호소했다. 데모스테네스는 그의 논증의 배열이 그 경쟁에서 결정적 요인이 될
수 있다는 것을 알았다. 최고의 논증이라도 잘못된 곳에 삽입되거나 부적절한 강조점과
함께 제기되면, 약해지거나 무효가 될 수 있다.

담론의 여러 부분

대다수 수사학자는 논증용 담론이 다섯 부분으로 구성된다고 한다. 서론, 사실 진
술, 확증 또는 증명, 반박, 그리고 결론이다. 이 용어들은 앞에서 간략하게 설명된 바 있

다. 여기서는 서론, 사실 진술, 확증, 결론 등 네 부분을 다루게 될 것이다. 담론의 이런 구분은 학생들이 배웠을 개요 시스템과는 다르다. 개요는 보통 주제별로 구성된다. 반면에 이 구분은 담론의 다양한 부분의 기능들에 의해 결정된다.

우리는 이 네 부분을 이번 장의 구성 원리로 사용할 것이다. 하지만 배열에 대한 고전적 견해에 따라서 '필자는 특정한 주제, 경우, 목적 또는 청중에 맞춰 순서와 비율과 강조와 색채 등을 조정해야 한다'는 점을 줄곧 지적하게 될 것이다.

서론

어원적으로, 서론은 '—으로 안내하다'란 뜻이다. 이 부분을 가리키는 그리스의 수사적 용어와 라틴의 수사적 용어는 똑같은 것을 연상시킨다. 그리스어 프로에미움(proemium)은 '노래 전에'라는 뜻이었고, 라틴어 엑소르디움(exordium)은 '(씨줄을 늘리거나 날줄을 놓음으로써) 그물망을 시작하며'라는 뜻이었다. 따라서 서론의 기본 기능은 청중을 담론 속으로 안내하는 것이다. 그런데 우리가 담론의 본론으로 갑자기 들어가면, 청중은 불안정함과 혼란함을 느끼게 된다. 대다수 경우에는 청중을 담론의 주제로 '편안하게 안내해야' 한다는 것을 감지한다.

대체로 이 준비단계는 이중적 측면을 갖고 있다: (1) 서론은 청중에게 우리 담론의 목적을 알려준다. (2) 서론은 청중이 우리가 할 말을 수용하도록 준비시켜준다. 청중이 어떤 주제에 관해 충분히 알고 있고 사전에 준비가 되어 있다면, 서론은 매우 짧아지거나 아예 생략될 수도 있다. 그러나 그런 상황에서도 우리 대다수는 모종의 서곡이 필요하다고 느낄 것이다: 특정한 농담, 적절한 인용문, 재미있는 일화, 청중의 마음에 드는 몸짓 등. 아리스토텔레스는 연설에 대한 서론은 플룻 연주자들이 공연 전에 하는 준비용 취주와 비교할 만하다고 말했다. 음악가들이 공연에 앞서 청중의 호의와 관심을 얻기 위해 가장 잘 연주할 수 있는 부분을 과시하는 전주곡을 말한다. 이런 '장식용' 서론이 없다면 담론은 갑작스럽고 태만하고 미완성된 분위기를 풍길 것이다. 그런즉 즉각적으로 '본론'에 뛰어드는 담론은 드문 편이다.

청중에게 알려주기

대다수 작문이 모종의 전주곡을 요구한다고 인정한다면, 이제 서론의 두 가지 기능 중 첫째 것을 생각해보자. 즉, 청중에게 우리 담론의 목적이나 주제를 알려주는 일이다. 이로써 우리는 청중을 안내하려 하지만, 그보다 더 중요한 것은 '청중에게 우리 담론의 주제가 그들이 주목할 만한 것임을 확신시키려고 한다'는 점이다. 우리의 주제가 청중에게 매력적임을 알려주는 방법은, 그것이 중요하다거나 그들의 관심사에 적실하다거나 놀랄 만한 것이라거나 즐거운 것임을 보여주는 일이다. 물론 우리가 다룰 주제의 성격이 이런 토픽들 중에 어느 것을 이용할지 결정할 것이다. 하찮은 주제는 어떤 재주를 동원해도 중요하게 보이게 할 수 없다. 하지만 하찮은 주제라도 우리의 관심을 끌 만큼 유쾌하거나 이국적인 것으로 보이게 할 수는 있다.

리차드 훼틀리는《수사학의 요소들》에서 우리의 주제에 대한 관심을 높일 의도로 다양한 종류의 서론을 지칭하기 위해 여러 용어를 창안했다.

1. 탐구적 서론 : 우리의 주제가 중요하거나 호기심을 불러일으키거나 흥미롭다는 것을 보여주는 것

다음과 같은 '탐구적 서론'의 본보기에서 아놀드 토인비(Arnold J. Toynbee)는 도발적인 질문을 제기한 후, 그 질문에 대한 대답이 현대세계에 중요함을 시사함으로써 독자의 관심을 지탱하려고 한다.

역사는 반복되는가? 18세기와 19세기 서구 세계에서는 이 질문이 하나의 학문적 연습 문제로 논쟁이 되곤 했다. 당시에 우리 문명이 즐기고 있던 복지의 마력이 우리 선조들을 현혹시켜 그들은 "다른 사람들과 같지 않다"는 이상한 바리새인적인 관념을 품게 했다. 그들은 우리 서구 사회가 다른 문명들, 곧 그 역사가 처음부터 끝까지 열린 책인 그런 문명들의 멸망을 몰고 왔던 실수에 빠질 가능성에서 면제되었다고 믿기에 이르렀다. 우리 세대에는 그 오랜 질문이 갑자기 새롭고 매우 실제적인 의미를 갖게 되었다. 우리는 서구인과 그의 작업이 지금은 멸절된 아즈텍족과 잉카족, 수메르족과 히타이트족의 문명들과 마찬가지로 취약성이 없지 않다는 진리에 눈을 뜨게 되었다(아니, 우리가 어떻게 그 진리에 눈이 멀 수 있었는가?). 그래서 오늘 약간의 염려와 함께 우리는 우리가 해독할 수 있는 교훈을 담고 있는지 알기 위해 과거의 경전들을 탐구하고 있다. 역사는 우리에게 우리 자신의 전망에 관해 어떤 정보라도 제공하고 있는가? 만일 그렇다면, 그 정보의 짐은 무엇인가? 그것은 우리가 팔짱을 낀 채 기다릴 수밖에 없는 냉혹한 파멸을 판독하는가? 우리 자신의 노력으로 피하거나 수정할 수 없는 운명에 스스로 단념할 수밖에 없는가? 아니면, 우리에게 우리 자신의 장래에 대해 확실성이 아니라 개연성이나 약간의 가능성을 알려주는가? 그 실질적인 차이는 실로 광대하다. 왜냐하면 이 두 번째 대안의 경우에는 우리가 그저 수동적으로 있기는커녕 일어나 행동해야 하기 때문이다. 이 두 번째 대안의 경우, 역사의 교훈은 점성가의 천궁도와 비슷하지 않을 것이다. 오히려 항해사의 해도, 즉 항해사가 눈이 먼 상태로 항해할 때보다—해도를 이용할 지능이 있다면—해도에 그려진 바위와 암초들 사이에서 경로를 조종해서 파선을 피할 수 있다는 훨씬 더 큰 희망을 품게 해주는 해도와 비슷할 것이다.

_아놀드 토인비, 《문명의 시련》(*Civilization on trial*)

2. 역설적 서론 : 우리가 세우려는 논점에 개연성이 없어 보이지만 결국은 인정되어야 함을 보여주는 것.

다음은 영국의 드라마 비평가인 케네스 티난(Kenneth Tynan)이 쓴 '역설적 서론'의 본보기다.

육체적 사랑의 주제에 관한 영국 특유의 희곡은 셰익스피어의 《안토니와 클레오파트라》(*Antony and Cleopatra*)이다. 사랑의 장면이 전혀 없기 때문이다. 영국은, 그들의 드라마가 대변하듯이, 사랑을 즐기지 않으면서 끝없이 사랑에 관해 얘기하는 나라이다. 서로 기뻐하면서 맺는 원기왕성한 육체적 관계는 연극에서 금기에 속한다. 좌절된 사랑을 선호하는데, 이는 친절한 코워드 경(Sir Noël Peirce Coward)이 《밀회》(*Brief*

Encounter)에서 다룬 이야기, 즉 유부남과 유부녀가 슬프고 가련한 애착을 느끼지만 끝까지 갈 수 없는 그런 사랑이다. 전혀 다른 주제—종교나 정치—에 관한 연극의 끝에는 흔히 영웅이, 《로버트의 아내》(*Robert's Wife*)에 나오듯이, "나는 어느 멋진 여인과 깊은 사랑에 빠졌다"고 말하고 아내가 "아, 사랑하는 남편이여"라고 반응하는 장면이 나온다. 그런데 텍스트 어디에도 그들이 입술이 가볍게 스칠 정도로 진도가 나갔다는 암시조차 없어야 한다.

_케네스 티난, 《커튼》(*Curtains*), Atheneum Publishers, 1961

3. 교정적 서론 : 우리의 주제가 무시되고 오해받거나 잘못 전달되었음을 보여주는 것.

다음에 나오는 '교정적 서론'의 첫 단락에서 조지 오웰은 문제에 대한 일반적 합의는 있으나 그 문제의 원인과 중요성에 관해서는 만연된 오해가 있다고 말한다. 이어서 두 번째 단락에서는 그의 에세이가 취할 '교정용' 노선을 시사한다.

그 문제를 조금이라도 고민하는 대다수 사람은 영어가 위험한 상태에 빠졌다는 점은 시인하겠지만, 보통은 자신들이 그에 관해 의식적 행동으로 아무것도 할 수 없다고 생각한다. 우리 문명은 쇠퇴기에 접어들었고 우리의 언어도—이렇게 논리가 진행된다—그 전반적인 붕괴를 공유할 수밖에 없다. 따라서 언어의 남용에 반대하는 모든 싸움은, 초를 전등보다 선호하거나 멋진 택시를 비행기보다 선호하는 것처럼 하나의 감상적 복고주의에 불과하다. 이 논리의 저변에는 언어가 자연적으로 성장하는 것이며 우리의 목적을 위해 임의로 빚어내는 도구가 아니라는 반(半)의식적 신념이 깔려있다.

언어의 몰락에는 궁극적으로 정치적이고 경제적인 원인들이 있음에 틀림없다. 그것은 단지 필자의 이런저런 나쁜 영향 때문이 아니다. 그러나 어떤 결과가 원인이 되어 원초적 원인을 강화시키고 똑같은 결과를 심화된 형태로 낳을 수 있고, 그런 식으로 무한정 계속될 수 있다. 사람은 스스로 실패자라고 느껴서 술을 마실 수 있고, 술을 마시기 때문에 더 완전히 실패할 수 있다. 영어에 일어나고 있는 일도 마찬가지다. 영어는 우리의 생각이 어리석기 때문에 꼴사납고 부정확하게 되지만, 우리 언어의 초라함이 우리로 하여금 어리석은 생각을 더 쉽게 품게 한다. 요점은 그 과정을 뒤집을 수 있다는 것이다. 현대 영어, 특히 문어체 영어는 모방에 의해 퍼지는 나쁜 습관으로 가득한데, 이는 필요한 수고를 할 마음만 있으면 피할 수 있는 것이다. 누구든지 이런 습관을 제거하면 더 명료하게 생각할 수 있고, 명료하게 생각하는 것은 정치적 중생을 향한 첫 번째 발걸음이다. 그래서 나쁜 영어에 대한 싸움은 하찮은 것이 아니고 전문적인 필자들의 배타적 관심사가 아니다. 곧 이 문제로 돌아오겠지만 그때에는 내가 여기서 말한 것의 의미가 더 명료해지길 바란다. 여기에 현재 습관적으로 사용되고 있는 문어체 영어의 다섯 가지 표본이 있다.

_조지 오웰, '정치와 영어'(*Politics and English Language*),
《코끼리를 쏘다》(*Shooting as Elephant*)

4. 예비적 서론-우리 주제를 발전시키는 특이한 양식을 설명하는 것, 또는 우리의 목적에 대한 오해를 미연에 방지하는 것, 또는 부족한 부분에 대해 사과하는 것.

레이첼 카슨의 《우리를 둘러싼 바다》의 첫 단락은 '예비적 서론'의 좋은 본보기인데, 저자가 대양이 시작된 역사를 추적함에 있어 자신은 그 사건을 목격한 자가 아니므로 어떻게 진행할지를 설명하는 대목이다.

기원은 어렴풋하기 쉬운데, 생명의 위대한 어머니인 바다의 기원도 마찬가지다. 많은 사람이 지구가 어떻게, 그리고 언제 대양을 갖게 되었는지에 대해 논쟁을 벌여왔으나, 그들의 설명들이 항상 일치하지 않는 것은 놀랄 일이 아니다. 명백하고 불가피한 진실은 아무도 눈으로 목격하지 못했고, 증인의 이야기가 없으면 어느 정도의 의견 불일치가 있기 마련이기 때문이다. 그래서 내가 여기서 젊은 행성인 지구가 어떻게 대양을 갖게 되었는지 이야기한다면, 그것은 많은 출처에서 얻은 단편들을 묶은 이야기이고 상상만 할 수 있는 세부사항들을 담은 많은 장이 있을 수밖에 없다. 그 이야기는 지구에서 가장 오래된 바위들, 지구가 젊었을 때 똑같이 젊었던 그 바위들의 증언, 지구의 위성인 달 표면에 적힌 다른 증거, 그리고 해와 별로 가득한 공간의 우주 전체의 역사에 담긴 암시들에 기초해 있다. 비록 이 우주의 탄생을 목격했던 사람이 하나도 없을 지라도, 별들과 달과 바위들은 거기에 있었고, 거기에 대양이 있다는 사실과 많은 관련이 있다.

_레이첼 카슨, 《우리를 둘러싼 바다》, Revised Edition.

5. 설화체 서론-처음에 일화를 사용해서 우리 주제에 대한 관심을 불러일으키는 것

일화로 시작하는 것은, 독자의 주목을 끌기 위한 가장 오래되고 효과적인 화두의 하나이다. 여기에 실린 《국가》(*The Nation*)에 나오는 글, 여덟 살짜리 멜빈 딘 니메르의 엄마와 아빠의 불가사이한 살인에 관한 이야기는 '설화체 서론'의 좋은 본보기다.

1958년 9월 2일, 정확히 새벽 2시 4분에 스테이튼 아일랜드 웨스트 브라이튼의 포레스트 가에 위치한 뉴욕 전화국의 중앙 교환대에서 불빛이 번쩍거렸다. 당시에 근무하던 교환원 캐서린 톰슨 부인이 전화선에 접속했다. 거친 숨소리를 들은 그녀는, "여보세요, 여보세요"라고 말했다. 그러나 대답은 없고 거친 숨소리뿐이었다. 톰슨 부인은 또 다른 교환원인 플로렌스 파르킨에게 그 전화를 추적하라고 요청했다. 파르킨 부인은 그 전화가 반더빌트 가 242번지에서 걸려온 것임을 금방 알아냈다. 이후 그녀가 그 전화선에 접속해서 시간을 끄는 동안, 톰슨 부인은 경찰에게 무언가 문제가 있는 것 같다고 신고했다.

톰슨 부인이 세인트 조지 경찰국의 내근 경사에게 말하는 순간, 파르킨 부인은 전화선에서 거친 숨소리가 목소리로 바뀌는 것을 들었다. 한 여인이 "칼에 찔렸어"라고 헐떡이며 말하는 것이었다.

교환원은 즉시 경찰이 그 대화에 접속하게 했고, 그녀와 내근 경사는 함께 그 여인이 이렇게 되풀이해서 말하는 소리를 들었다. "내가 칼에 찔렸어. 칼로 공격당했다고." 잠시 후 "내 남편도 칼에 찔렸어"란 소리도 더해졌다.

그리고는 침묵이 흘렀다. 단 1초 동안. 이어서 어린 소년의 목소리가 전화선을 타고 왔다.

"엄마가 피를 흘리고 있어요."

톰슨 부인은 소년에게 경찰이 이미 출동했다고 일러주었다.

"그럼 바깥에서 경찰을 기다릴게요"하고 소년이 말했다.

"아니야, 엄마와 함께 있는 게 나을 거야"하고 그녀가 소년을 타일렀다.

전국을 뒤흔들 드라마가 그렇게 시작되었다.

_프레드 J. 쿡(Fred J. Cook)과 진 글리슨(Gene Gleason),

'그에게는 기회가 없었다'(*He Never Had a Chance*), 《국가》

흔히 이런 식으로 필자들은 독자들에게 그 담론의 목적이 무엇인지를 알리는 동시에 그 주제에 대한 흥미를 불러일으킨다. 물론 그 주제에 대한 관심을 불러일으킬 필요가 없을 때도 있다. 주제 자체가 충분히 흥미로울 수 있다(킨제이 박사가 남자와 여자의 성행위에 관해 보고할 때 군이 흥미를 불러일으킬 필요가 있었는가?). 또는 특정한 상황이 그 주제를 흥미롭게 만들 수 있다(윈스턴 처칠이 하원에서 일어서서 '피와 고생과 눈물과 땀' 연설을 할 때 그의 주제에 대한 관심을 부추길 필요가 있었는가?). 또는 어떤 주제는 특정한 부류의 청중에게 흥미로울 것이다(유전학자의 학회에서 강사가 DNA, 즉 시험관에서 인간 생명의 창조에 대한 열쇠를 쥐고 있을지 모르는 것에 관한 보고를 할 때 군이 흥미를 북돋울 필요가 있었는가?). 이런 고려사항에 따라 강사나 필자는 그의 주제에 대한 흥미를 불러일으킬 서론에 과연 시간을 투입해야 할지 결정하게 되리라.

청중의 비위를 맞추는 것

군이 우리 주제에 대한 흥미를 불러일으킬 필요가 없을 때라도, 청중에게 신용을 얻기 위해 서론에 약간의 시간을 사용해야 할지 모른다. 이런 서론의 기능—라틴 수사학자들이 인시누아티오(insinuatio)라고 부른—은 담론이 발휘해야 할 윤리적 호소와 긴밀하게 묶여있다. 때로는 필자들이 청중에게 그들이 어떤 주제에 관해 말할 자격이 있다는 것을 설득시켜야 한다. 또 어떤 경우에는 그들 자신이나 그들의 담론의 주제에 관한 편견이나 오해를 불식시켜야 한다. 또는 그들의 담론이 반박하게 될 반대 견해를 향한 적대감을 불러일으켜야 한다.

　　암시(insinuation)라는 용어가 시사하듯, 저자들은 자신의 권위를 세우거나 편견을 불식시키려고 할 때 지극히 교묘하게 진행해야 한다. 그들의 지적 자격과 도덕적 자격을 노골적으로 내어놓는 것은, 청중에게 단순한 자랑으로 보여서 그들이 의도했던 효과를 수포로 돌아가게 할 수 있다. 필자가 자기의 신임장을 제시할 때는 양식과 선한 취향의 지도를 받아야 한다. 사실을 얘기할 때 적당한 절제력과 겸손함을 발휘하면, 청중은 필자의 자격을 수용할 것이다. 어떤 사람이 "나는 뉴욕과 시카고와 로스엔젤레스 등 여러 도시에서 청소년 범죄의 문제를 연구하는데 15년을 보냈다"고 말하고, 또 다른 사람이 "나는 여러 지역에서 청소년 범죄의 문제를 철저히 연구했기 때문에, 지혜보다는 열정으로 그 문제를 조사한 어설픈 사람들의 자격을 완전히 박탈했다"고 말한다면, 전자가 후자보다 자신의 자격을 더 잘 입증할 것이다. 자기가 잘났다고 떠드는 사람은 보통 신뢰보다 분개를 더 불러일으킨다.

　　다음의 예에서 스노우는 '두 문화', 즉 과학과 인문학에 관한 글을 쓸 만한 그의 자격을 겸손하게 제시하고 있다.

내 마음에 한동안 품고 있었던 문제를 글로 쓴 지 약 3년이 되었다. 그 문제는 내 삶의 정황 때문에 도무지 피할 수 없는 것이었다. 그 주제에 관해 조금이라도 반추할 만한 유일한 자격은 그런 정황을 통해서, 다름 아닌 일련의 우연을 통해서 주어졌다. 그와 비슷한 경험을 한 사람은 누구나 거의 똑같은 것을 보았을 터이고, 그에 관해 거의 똑같은 코멘트를 했을 것이라고 생각한다. 그것은 어쩌다가 겪은 특이한 경험이었을 뿐이다. 내 전공은 과학이었고 직업은 작가였다. 그게 전부였다. 그것은 가난한 집안 출신에게 주어진 일종의 행운이었다고 할 수 있다.

그러나 현재로선 나의 개인적 내력이 요점은 아니다. 내가 할 말은 내가 케임브리지 출신이며, 중요한 과학적 활동이 있던 시기에 여기서 약간의 연구를 했다는 사실밖에 없다. 물리학의 역사에서 가장 훌륭한 창조적 시기 중 하나를 곁에서 볼 특권을 누린 것이다. 그리고 그 일은 어쩌다 전쟁 중에 일어났고—예컨대, 1939년 어느 매우 추운 날 아침에 케터링 역의 뷔페에서 브래그(W. L. Bragg)를 만난 것인데, 이는 나의 실생활에 결정적인 영향을 미쳤다—그 이후로 나는 그 주변부 견해를 견지할 수 있었고, 실은 도덕적으로 견지하지 않을 수 없었다. 그래서 30년 동안 나는 호기심 때문만이 아니라 직업의 일부로도 과학자들과 접촉해야만 했다. 그 30년 동안에 나는 내가 쓰고 싶은 책들을 만들려고 애썼고, 그러다가 저자들 중의 하나가 되기에 이른 것이다.

_《두 문화》(*The Two Cultures: and a Second Look*), 1965

그들에 대한 편견을 최소화해야 할 사람들도 똑같이 신중해야 하지만, 자신의 자격을 입증해야 할 사람보다는 좀 더 너그러울 수 있다. 공개적으로 자신에 대한 혐의와 오해를 청산하려는 사람은 누구도 분개하지 않는다. 청중의 '공정한 경기'에 대한 의식은 '이야기의 뒷면'을 읽을 준비를 갖추게 한다.

많은 화자나 필자들은 편견을 제거하려 할 때 여러 경로를 밟을 수 있다.

1. 그들이 그런 편견을 조장했다는 혐의를 부인할 수 있다.
2. 그 혐의는 시인하되 그 중대성은 부인할 수 있다.
3. 그런 편견을 무마하는 미덕이나 행실을 언급할 수 있다.
4. 불명예를 초래한 행위를 그들 편에서 정직한 실수 탓으로, 또는 특정 사고 탓으로, 또는 불가피한 충동 탓으로 돌릴 수 있다.
5. 똑같은 문제를 범했으나 그런 비난을 받지 않은 다른 이들을 언급할 수 있다.
6. 추정된 동기를 다른 동기로 대체할 수 있다.
7. 비방과 전반적인 악한 환심에 대해 강하게 항의할 수 있다.
8. 그 문제에 다른 견해를 가진 사람들의 증언을 인용할 수 있다.

여기에 자신에 대한 편견을 제거하려고 애쓰는 사람의 예를 들어보겠다. 위대한 영국 의원인 에드먼드 버크는 미국 식민지 사람들에 관해 동정적인 글을 쓴 바람에 미국을 옹호하는 성향이 있다고, 그 동정의 근거를 추상적 원리들이 아니라 편의에 두고 있다는 의심을 받았다. 이런 혐의에 그가 어떻게 대처하는지 주목하라.

> 나는 미국인이라는 혐의를 받았다. 만일 조금의 권위라도 있는 아랫사람들에 대한 따스한 애정이 범죄라면, 나는 그 잘못을 범한 셈이다. 그러나 내가 여러분에게 확신시키고 싶은 바는(나를 공적으로나 사적으로 아는 이들이 충분히 증언할 바는), 여태껏 의회의 주권과 이 왕관의 권리에 대해 어느 누구보다 더 열정적으로 나선 사람이 있었다면, 그것이 바로 나 자신이라는 사실이다. 많은 이가 이런 권리들의 범위나 토대에 대해 나보다 더 많이 알지 모른다. 나는 골동품 연구가, 변호사, 또는 형이상학 분야의 석좌 교수인 체하지는 않는다. 나는 여러분의 확고한 이익을 감히 사변적인 근거에 둔 적이 결코 없다. 내가 줄곧 그렇게 하길 거절한 것은, 그런 탐구를 할 수 없는 나의 무능력 때문이었다. 그리고 나는 그것이 부분적인 원인이라고 믿고 싶다. 나는 내가 무지한 영역에 대해서는 사양하는 편이라고 고백하는 것을 결코 부끄러워하지 않을 것이다. 나는 나에게 씌운 이 무능력을 말끔히 처리하기를 그리 갈망하지 않는다. 왜냐하면 이런 미묘한 문제에 나보다 덜 관련 있는 사람들, 내가 감히 넘볼 수 없는 자리에 앉은 사람들도 순전히 사회적 재량권으로, 뛰어난 솜씨로 득의양양하게 위대한 국가들의 사안을 처리했기 때문이다.
>
> _《에드먼드 버크의 편지》(*A Letter from Edmund Burke*),
> 'To John Farr and John Harris, Esqurs., Sheriffs of the City of Bristol, on the Affairs of Amenrica', 1777.

본인의 대적에 대한 적대감을 불러일으키는 것은 보통 서론보다 결론에 두는 편이 더 효과적이다. 왜냐하면 일단 상대방의 논리를 무너뜨린 후에 그의 에토스를 의심하게 하는 것이 더 쉽기 때문이다. 그러나 때로는 서론에서 적대감을 품게 하는 편이 더 편리하다. 만일 상황 때문에 본인에 대한 편견이나 의심을 청산하기가 어렵거나 불가능하다면, 대적이 바보이거나 악한임을 보여줌으로써 발언의 기회를 얻을 수 있을 것이다. 그리고 이 전략은 서론에 도입하는 것이 최선이다. 우리는 소크라테스가 《변명》에서 일찍이 멜레투스의 온전함에 대해 의심을 제기하는 모습을 살펴본 바 있다. 이로써 소크라테스는 이후에 전개되는 멜레투스의 고소에 대한 논박에 앞서 청중의 저항을 '약화시킨' 것이다.

다음은 토마스 페인이 쓴 《사람의 권리》(*The Rights of Man*, 1791~1792)의 첫 단락들인데, 여기서 그는 본론에서 공격할 에드먼드 버크(의 정치적 및 사회적 견해)에 대해 청중이 편견을 품게 하려고 애쓴다.

> 국가들이나 개인들이 서로를 도발하고 자극하기 위해 행하는 무례함 가운데, 프랑스 혁명에 관한 버크 씨의 팸플릿 《프랑스 혁명에 대한 성찰》(*Reflection on the Revolution in France*, 1790)은 비범한 예이다. 프랑스 국민과 국회 모두 영국이나 영국 의회의 사안들에 관계하지 않았는데, 버크 씨가 의회에서, 그리고 공공연하게 그들에 대한 공격을 개시한 것은 예의의 차원에서 용서받을 수 없고, 또 정책의 차원에서도 정당화될 수 없는 행실이다.
>
> 버크 씨가 프랑스 국민과 국회에게 쏟아놓지 않은 욕설은 영어에서 거의 찾기 어려울 정도이다. 적의, 편견, 무지, 또는 지식이 시사할 수 있는 모든 것이 거의 4백 페이지나 되는 격분으로 퍼부어졌다. 버크 씨는 그런 투로, 그리고 그의 계획에 따라 수천 페이지까지 쓸 수 있었을 것이다. 그런 격분을 말이나 펜으로 터뜨리면 고갈되는 것은 그 주제가 아니라 사람이다.
>
> 여태껏 버크 씨가 프랑스 사태에 대해 품은 견해는 잘못되고 또 실망스러운 것이었는데, 그의 교묘한 희망 또는 악의에 찬 절망이 그랬기 때문에 새로운 가면을 쓴 채 계속 나아갔다. 한 때 버크 씨는 프랑스에 혁명이 일어난다는 것을 도무지 믿을 수 없었다. 당시 그의 견해는 프랑스가 혁명을 일으킬 정신도 없고, 혁명을 지지할 강인함도 없다는 것이었다. 이제 혁명이 일어나자 그는 혁명을 비난함으로써 도피할 길을 찾고 있는 것이다.

우리가 이제까지 서론의 내용과 전략에 관해 말한 내용을, 다음과 같이 표현할 수 있다. 서론은 청중이 주목하고 호의적이 되게 만들려고 한다는 것. 즉, 필자와 그의 대의에 대해 호의를 품게 하고 유순하게 만드는 것, 가르침이나 설득을 받아들일 준비를 갖추게 하는 것이다. 이런 목적을 성취하기 위해 서론에서 수행할 바를 결정하려면 다음 사항들을 고려해야 한다: (1) 말할 내용, (2) 말할 대상, (3) 말하게 될 환경, (4) 청중의 선입견은 무엇인지, (5) 할당된 지면이나 시간의 양. 이런 고려사항을 정직하게 숙고하면, 우리가 서론에서 수행해야 할 바와 더불어 서론이 얼마나 길어야 할지도 알게 될 것이다. 굳이 청중을 주목하게 하고 호의적이 되게 하고 유순하게 만들 필요가 없다면 서론은 매우 짧아도 무방하다. 청중의 마음에 드는 말 몇 마디와 논지에 대한 간단한 진술로 충분하다. 반면에 청중을 충분히 준비시킬 필요가 있는 상황이라면 서론을 더욱 자세하게 써야 한다.

한 가지 주의사항을 강조할 필요가 있겠다. 흔히 서론을 지나치게 길게 쓰는 경향이 있다는 것. 학생들은 이런 고전적인 충고를 들은 적이 있을 것이다. "당신의 대략적인 초안의 첫 페이지를 내다버리고 최후의 초안을 둘째 페이지 윗부분에서 시작하라." 물론 이 충고를 기계적으로 따를 수는 없지만, 이 원칙은 기본적으로 건전하다. 우리의 첫째 초안은 종종 너무 많아서 골치가 아프다. 긴 '워밍업'이 너무나 흔한 이유 중의 하나는, 우리가 시작하기 전에 극복해야 할 자연스런 타성이 있기 때문이다. 종종 주어진 주제에 관해 할 말이 적은 필자들이 과대한 서론을 쓰곤 한다. 예컨대, 그들이 800 단어를 써야 한다고 치자. 만일 그들이 서론에 400 단어를 쓸 수 있다면, 본격적으로 주제를 다뤄야 할 만만찮은 순간을 연기할 수 있다…. 그리고 이제는 400 단어만 더 쓰면 된다! 주제의 훈련이 '마른 우물'을 채울 수 있다면, 우리는 서론을 장황하게 쓰는 경향을 예방할 수 있을 것이다.

할당된 단어 수가 점점 더 서론의 길이를 결정하는데 중요한 고려사항이 되고 있다. 현대의 신문과 잡지에서는 지면이 매우 중요시되고 있는 만큼, 편집진은 단어의 제한을 엄밀히 지키도록 요구한다. 주제의 성격이나 청중의 특성이 꽤 자세한 서론을 요구할지 몰라도, 우리의 논지를 1,200 단어로 개진하라는 요청을 받았다. 그래서 우리는 급박한 사정을 무시하고 최대한 빨리 본론에 들어가야 할 것이다. 글쓰기는 단어 제한을 지키는 훈련을 통해 유익을 얻을 수 있다. 산문에서 장황한 부분을 깎아내는 일보다 더 나은 훈련은 없다. 서평을 300~350 단어 이내로 쓰도록 요청받은 사람은, 곧 수단의 경제성에 관해 많은 유익한 교훈을 배우게 된다.

이제까지 즉시 독자의 흥미를 사로잡는 화두의 종류에 관해서는 언급하지 않았다. 소설 테크닉이나 특집 이야기에 관한 책들에서는 이런 화두를 '낚싯바늘'이라 부른다. 도발적인 질문, 깜짝 놀랄 만한 과장 어구, 흥미를 자극하는 역설 등은 우리의 독자를 붙들기 위해 이용하는 장치들이다. 노만 커즌스(Norman Cousins)는 《인류의 자리에서 물러나지 말라》(*Don't Resign from the Human Race*)란 글의 첫 단락에서 도발적 질문을 효과적으로 사용한다.

> 만일 당신이 갑작스럽게 인류를 변호하라는 부름을 받는다면, 무슨 말을 할지 생각해 본 적이 있는가?
> 당신이 큰 논쟁에 참여하도록 초대를 받았다고 가정해보라. 또는 인류가 생존의 권리를 정당화했는지 여부를 결정할 목적으로 열린 배심원 재판에 초대를 받았다고 하자. 즉 인류의 미덕과 약점에 기초해 실제로 생명의 선물을 받을 자격이 있는지 여부를 묻는 재판이다. 당신의 역할은 그 자격을 변호하는 변호사라고 추정하라. 당신은 어떻게 증거를 수집하겠는가? 어떤 증인들을 부를 것인가? 어떤 논리를 이용할 것인가?
>
> _〈새터데이 리뷰〉(*Saturday Review*), 1948. 8.

그런 화두가 주목을 끄는 이유는 여러 가지가 있다. 첫째, 첫째 질문이 수사적 질문—청중이나 독자에게 즉각적인 대답을 요구하지 않는 유형—이긴 하지만 청중에게 도전을 주고 그들을 더욱 깨어있게 만든다. 이 질문이 효과적인 또 다른 이유는, 특이한 질문인 동시에—인류가 생존권을 정당화해야 한다고 시사하는 것을 상상해보라—우리 자신의 존재와 관련되기 때문이다. 그래서 뜻밖의 질문이자 중요한 질문이란 점이 그 화두의 효과성에 기여하고 있다. 둘째 단락은 가설적 상황을 제기함으로써 우리에게 도전한다. 당신이 인류를 대변하는 변호사가 되도록 부름 받았다고 가정해보라. 마지막 세 질문은 그런 입장에 있는 우리가 접할 몇 가지 문제를 시사한다. 그러므로 이 단락들은 우리를 정신 차리게 하고 또 당황케 한다. 우리는 그 중요한 질문에 도전을 받고 준비된 답변이 없어서 약간 유감스러운 상태로, 이제는 이 사람의 답변을 경청할 '준비를 갖추게' 된다.

필자들은 주목을 끌기 위한 서두를 찾을 때 좋은 취향과 판단력을 발휘해야 한다. 노골적이고 지나치게 영리한 서두는 독자들을 개입시키기보다 쫓아버릴 수 있다. (〈뉴요커〉는 그처럼 무모하게 영리한 화두에 붙이는 딱지가 있다. '우리가 결코 끝까지 읽지 않는 편지들'이다) 매력적인 서두와 관련해 가장 믿을 만한 안내자는 청중의 성격과 기질이다.

서론의 마지막 행은 다음 부분으로 쉽고 자연스럽게 이끌어주는 것이어야 한다. 전이의 문제는 기본적으로 일관성의 문제이다. 우리는 담론의 여러 부분이 '앞뒤가 맞기'를 바라고, 봉합 부분이 가능하면 눈에 띄지 않기를 바라지만, 그럼에도 우리 독자들이 다른 부분으로 넘어가고 있음을 인식하기를 원한다. 강설의 위대한 대가인 아리스토텔레스도 전이 부분을 명시적으로 표시하는 것을 주저하지 않았다. 예컨대, 《수사학》 제1권 제1장의 끝부분에서 "이제 우리는 수사학 자체의 체계적인 원리들에 대해 어느 정도 설명하도록 노력하자. 우리 앞에 놓인 목적을 이루는 바른 방법과 수단에 관한 것이다. 우리가 마치 참신한 출발인 듯이 만들어야 하고, 진도를 더 나가기 전에 수사학이 무엇인지를 정의해야 한다."《수사학》 전체에 걸쳐—실은 그의 논문 대다수가 그렇다—아리스토텔레스는 신중하게 이런 전이용 표지들을 심어놓는데, 종종 어느 장의 끝에, 때로는 새로운 장의 첫 부분에, 이따금 특히 긴 강설의 구획들에 그렇게 했다. 때로는, 우리 사유의 논리적 발전 덕분에 굳이 '지시봉'을 사용하지 않아도 자연스럽게 다음 부분으로 미끄러져 넘어간다. 언제 전이를 명시적으로 표시하는 것이 최선이고, 언제 사유의 발전 논리가 독자를 다음 부분으로 넘겨주게 하는 것이 좋은지에 대해 일반 원리를 만들 수는 없다. 이 부분에서는—우리가 수사학의 전략을 다룰 때 자주 보았듯이—특정한 상황이 이런 문제를 좌우하게 될 것이다.

서론에 관해 마지막으로 짚고 넘어갈 사항이 있다. 우리가 서론에서 행하려는 것들—청중이 주목하게 하고 호의적이 되게 하고 유순하게 만드는 것—은 때때로 담론의 여러 지점들에서 수행되어야 할 일이고, 특히 긴 담론에서 그러하다. 일부 수사학자들이 말했듯이, 청중의 주의를 끌기 위한 놀이를 서론이 아니라 나중에 하는 것이 더 필요한 경우도 때때로 있다. 보통은 우리 담론을 시작할 때, 청중이 자연스럽게 주목하리라고 기대할 수 있고, 논의가 진전되는 동안 그 주목이 약해질 수 있다. 그런 경우에는 다시 청중을 끌어올리는 일이 필요하다. 마찬가지로, 특히 정교한 논리를 착수하려고 할 때 는, 청중의 선의를 얻기 위해 또 다른 놀이를 할 필요가 있을 것이다.

사실의 진술

우리는 사실의 진술(statement of fact)이라는 용어를, 라틴어 라라티오(narratio)를 가 리키는 더 나은 용어가 없어서 담론의 두 번째 부분을 지칭하기 위해 사용했다. 서술 (narration)이란 단어는 오늘날, 로마인에게 지니지 않았던 뜻을 덧입게 되었다. 사실의 진술이란 말도 약간 모호하긴 하지만 설명용 및 논증용 산문의 이 부분에서 행하는 일을 서술보다는 더 정확하게 묘사하는 용어이다.

사실의 진술은 주로 법정용 연설에서 나타났다. 법정용 발언의 이 부분에서 변호인 은 현재 고려 중인 사건의 필수적인 사실들을 제시한다. 변호인이 이런 식으로 말하는 것을 상상할 수 있다. "3월 15일 밤, 가이우스 맥시무스는 포럼의 뒤 골짜기에 떨어져 살해되었다. 그날 저녁 포럼에서 눈에 띄었고 죽은 자의 정치적인 적으로 알려진 내 의 뢰인이 살해자로 추정되었다. 내 의뢰인에 대한 의심은 살해 당시 내 의뢰인이… 에서 눈에 띄었다는 사실에 의해 떨쳐지지 않았다…." 만일 검사가 이전에 이런 사실들을 제 시했다면, 변호사는 그의 발언에서 관련된 사실을 더하거나 검사의 진술에 담긴 세부사 항을 바로잡기 위해 이 부분을 이용할 수 있을 것이다. 흔히 재판에서 이 부분이 시작될 때는 피고에 대한 기소장―그 사건의 쟁점을 규정짓는 것―을 읽는 것이 보통이다. 예를 들면, 1925년 7월에 열린 '원숭이 재판'(Monkey Trial)의 둘째 날, 법무부 장관 A. T. 스튜 어트(A. T. Stewart)가 읽은 기소장은 다음과 같다. 이 재판은 법정에서 윌리엄 제닝즈 브 라이언(William Jennings Bryan)과 클레렌스 대로우(Clarence Darrow) 사이에 벌어진 충돌로 유명한 쟁점이 된 재판이다.

1925년 4월 24일 존 토마스 스콥스는 전술한 카운티에서, 그때 거기서, 테네시 주 레아 카운티—여기서는 공립학교들이 부분적으로 또 전부 그 주의 공립학교 기금의 지원을 받는다고 상술되어 있다—의 공립학교들에서, 성경이 가르치는 하나님의 창조이야기를 부인하는 특정 이론과 이론들을 고의적으로, 또한 불법적으로 가르쳤다. 그대신 테네시주 레아 카운티의 공립학교들에서 가르치던 선생인 존 토마스 스콥스는 당시와 그 이전에도 사람이 더 저급한 동물에서 유래했다고 가르침으로써 그 주의 평화와 존엄을 해치는 행위를 했다.

_테네시주 대 존 토마스 스코프(John Thomas Scope)의 재판 공식 녹취록에서,
Nos. 5231 and 5232, in the Circuit Court of Rhea County, Tennessee, p. 123.

그 재판이나 그 재판에 기초한 연극 〈바람을 물려주라〉(*Inherit the Wind*)를 잘 아는 사람은 그 논쟁이 종종 기소장에 명시된 혐의로부터 멀리 표류했다는 사실을 알고 있다. 그러나 이 사건과 연루된 더 큰 쟁점들에 관한 눈부신 수사에도 불구하고 배심원은 결국 '혐의대로 유죄'라는 평결을 되돌려 보냈다.

법정용 담론의 영역은 과거에 대한 것이기에, 대개의 경우 판사와 배심원의 유익을 위해 상술되는 일련의 사실들이 있다. 일반적으로 이런 '사실들'은 입증되거나 논박되기 전에 진술되어야 하므로, 나라티오는 법정 연설의 정규적 일부가 되었다. 다른 한편, 심의용 연설은 장래를 다루는 만큼 엄밀히 말해 상술될 '사실'이 없다고 할 수 있다. 심의용 연설은 과거에 이뤄진 일이 아니라 앞으로 이뤄져야 할 일에 관해 주장하기 때문에 나라티오는 불필요한 것으로, 이런 유의 연설에선 없어도 좋은 부분으로 간주되었다.

그러나 심의용 담론의 화자—그리고 의식용 담론의 화자—는 종종 장래에 관한 권면의 기초로 과거 사건을 상술할 필요성을 느꼈다. 그 결과, 나라티오는 법정용 연설뿐 아니라 심의용 연설과 의식용 연설에도 나타나기 시작했다. 사실의 진술이 과연 심의용 담론이나 의식용 담론에도 필요한지 여부는 논쟁의 여지가 있지만, 실제로 어떤 종류이든 대다수 담론은 사실의 진술에 한 부문—서론 직후에 나오는—을 할애하고 있다. 이제 사실의 진술은 종종 생략될 수 있다는 점을 염두에 두면서 이 부분에서 무엇이 이뤄지고

또 어떻게 이뤄지는지 생각해보자.

사실의 진술은 근본적으로 설명의 성격을 갖고 있다. 이 부문은 독자들에게, 우리의 주제에 관해 알 필요가 있는 상황을 알려준다. 만일 독자들이 고려중인 주제에 관해 충분히 알고 있다면, 우리는 이 부분을 모두 생략할 수 있다. 그러나 대다수의 경우에는 잘 알고 있는 독자들이라도 그 상황과 세부사항과 문제의 상태에 관해 어느 정도 상술하는 것을 고맙게 여길 것이다.

학술적인 글을 쓰는 필자들은 자신이 논의할 아이디어의 역사를 간략하게 요약하는 것이 관례이다. 여기에 '극적 환상에 대한 찰스 램의 기여'(Charles Lamb's Contribution to the Theory of Dramatic Illusion)라는 글에서 따온 예를 싣는 바이다. 서론의 마지막 문장은 사실의 진술로 넘어가는 전환점에 해당한다. "수많은 극장 방문의 산물인 램의 견해를 논의하기 전에, 낭만주의 시대 이전에 개진된 대표적인 이론들의 개관을 염두에 두는 것이 좋을 터이다." 그리고 이렇게 이어진다.

신(新)고전 이론은 문학적 망상의 필요성을 고집하기 때문에 시간과 장소와 행동의 극적인 통일성을 변호하는데 몰두한 것으로 간주되었다. 흔히 기대한 것처럼, 17세기 말에는 그 통일성의 이성적 측면이 강조되었다. 그 논리에 따르면, 방관자가 이틀간의 사건이 두어 시간으로 압축될 수 있다고 생각하거나, 아시아로 이동한 청중에게 몇 순간 뒤 아프리카로 도약하도록 요구해야 한다고 생각하는 것은 부당하다고 한다. 그렇게 요구하는 것은 불공평하고, 청중이 그런 요구에 순응할 수 있다고 생각하는 것은 비합리적이라는 것이 이 견해의 주장이다. 그러나 18세기에 이르러 청중과 문학 비평가들이 수용하게 된 답변은 갈수록 더 진화되었다. 합리적이든 아니든 간에, 이 반론은 생각은 처음 아시아로 이동할 수 있었던 것처럼 아시아에서 아프리카로도 쉽게 옮겨갈 수 있다고 말했다. 문제는 '이성'이나 '합리성'의 여부가 아니라—이론이 아니라—사실상 상상력이 무엇을 할 수 있는가 하는 것이다. 존슨 박사는 이 두 번째 전통에 속해 있지만, 단지 생각은 한 장소에 다른 장소로 건너뛸 수 있고 시간과 공간을 마음대로 압축할 수 있다고 말하는 것보다 더 나아간다. 그는 극작가가 스스로를 통일성으로 막아서는 안 된다고―이는 기껏해야 한 사람이 나쁜 극작가가 되는 것을 방지할 뿐, 그를 좋은 극작가로 만들 수는 없다―주장하고, 방관자가 문자 그대로―상상으로 나 이성적으로―연극이 아니라 현실을 보고 있는 것처럼 속일 수 있다는 것은 부인했 다. 이것이 바로 존슨(Johnson)의 폭넓은 이론적 일반화이다. 우리는 그의 행습을 염두 에 두어야 할 것이다. 예컨대, 존슨이 《리어 왕》(*King Lear*) 읽기를 꺼리는 것은 코델리 아의 죽음이 그에게 많은 고통을 안겨주었기 때문이다.

_실번 바너(Sylvan Barner), '극적 환상에 대한 찰스 램의 기여',

PMLA, LXIX, 1954. 12.

이 글의 청중은 주로 대학교 수준의 영어 교사들이었기 때문에, 예전의 학설들에 대 한 요약이 비전문가 청중을 겨냥하는 경우보다 더 생략될 수 있다. 이 요약은 청중에게 정보를 주기보다 상기시켜주는 것이다.

학술적인 글에서 따온 이 예에서 그렇듯이, 우리는 종종 우리가 전개하게 될 주제에 관해 타인이 생각했거나 말한 바를 요약하는 일이 필요하다. 타인이 개진한 견해들에 대 한 이런 요약과 밀접히 연결되어 있는 것은, 우리가 지지하거나 논박하게 될 견해들에 대한 요약이다. 다음은 노만 포드호렛츠(Norman Podhoretz)의 글인데, 그가 이의를 제기 할 한나 아렌트(Hannah Arendt)의 책 《예루살렘의 아이히만》(*Eichmann in Jerusalem*)에 담긴 주요 논지들을 요약하고 있다. 다음 인용문은 포드호렛츠 씨의 서론의 마지막 문장으로 서, 이 사실의 진술로 이어지는 전환점에 해당한다. "그러면 출발점은 아렌트 양의 논지 이고, 해결할 문제는 그 논지가 그것이 창조하는 관점의 왜곡과 그것이 재촉하는 증거의 거만한 취급을 과연 정당화하는지 여부이다." 이렇게 이어진다.

아렌트 양에 따르면, 나치는 유대인에 대한 대량학살 계획을 수행하기 위해 유대인의 협조가 필요했고 사실 그것을 '굉장한 정도로' 받았다. 이 협조는 '행정 업무와 경찰 업 무'의 형태를 띠었고, 그것은 '동부 유럽의 이디시 말을 하는 대중들'에 못지않게 풍부 하게 '중부 유럽과 서부 유럽의 고도로 동화된 유대인 공동체들에 의해' 확장되었다.

아렌트 양은 바르샤바에서만큼 암스테르담에서, 부다페스트에서만큼 베를린에서 그랬다고 하면서 이렇게 쓴다.

유대인 관리들은 사람들의 명단과 재산 목록을 수집하고, 그들의 추방과 몰살의 비용을 부담하기 위해 피추방자들로부터 돈을 확보하고, 퇴거한 아파트들을 추적하고, 경찰에게 유대인을 붙잡아 열차에 태우도록 협조할 것으로 신뢰할 수 있었는데, 마침내 최후의 몸짓으로 그들이 최후의 압류를 위해 유대인 공동체의 자산을 넘겨주기까지 그럴 것으로 믿을 수 있었다.

이 모든 사실은 오랫동안 알려져 있었다. 새로운 것은 다음과 같은 아렌트 양의 주장이다. 만일 유대인(또는 그들의 지도자들)이 이런 식으로 협조하지 않았다면, "혼란과 많은 불행이 있었겠지만 희생자의 총수가 450만에서 600만 명 사이가 되지는 않았을 것이다."

유대인에 대해서는 이만큼 얘기하자. 나치의 경우에는 대학살 정책을 수행하기 위해 자신들이 굳이 괴물이나 병적인 유대인 증오자들이 될 필요가 없었다. 그와 반대로, 유대인 살해는 국가의 법이 명령했던 만큼, 그리고 법에 대한 이타적 충성은 히틀러 치하의 독일인이 최고의 미덕으로 받든 것이었던 만큼, 아이히만과 그 일당이 행한 짓을 하려면 어떤 이상주의가 필요했다. 이와 관련해 아렌트 양은 히믈러의 유명한 진술을 인용한다. "그것을 끝까지 계속하는 것, 그리고 인간의 약점으로 인한 예외와는 별개로 점잖게 머물러있는 것, 그것이 우리를 힘들게 만들었다." 그렇다면 아이히만은 자기가 반(反)유대주의자임을 부인했을 때 진실을 말하고 있었던 셈이다. 그는 최선을 다해 의무를 수행했고, 설사 그가 유대인을 사랑했어야 했더라도 똑같은 열정으로 그렇게 했을 것이다. 따라서 이스라엘 검사 기드온 하우스너가 아이히만을 짐승 같은 사람이자 사디스트이자 악마 같은 인물로 묘사한 것은 터무니없이 핵심을 벗어난 발언이었다. 아이히만은 사실상 평범한 인물, 그 악행이 자신의 성품이 아니라 나치 시스템에서의 직위에서 흘러나온, 하잘것없는 인물이었던 것이다.

이 시스템은 물론 전체주의로 알려져 있고, 아렌트 양 논지의 두 절반을 다 함께 묶는 것은 전체주의다. 오래전에 데이비드 루셋, 브루노 베텔하임, 그리고 아렌트 양이 우리에게, 희생자의 공범 관계를 확보하는 일이 전체주의 국가들의 특징적인 야망 중 하나라고 가르쳤고, 유대인의 공범 관계에 관한 그녀의 이야기는 이 논점의 또 다른 예화로—적어도 피상적으로는—제공된 것이다. 역시 오래 전에 그녀와 그 동료들은 우리에게 전체주의 국가들은 상식적인 현실을 파괴하고 공식 이데올로기의 특징에 맞는 새로운 현실의 창조를 목표로 삼는다고 가르쳤고, 아이히만은 그 양심이 '정반대로' 작동하게끔 만들어진 평범한 사람이란 그녀의 개념도 보다 일반적인 논점의 예화로 제시되었다. 물론 그 시스템이 만일 그토록 굳게 닫히지 않았더라면—말하자면, 반대의 목소리나 저항의 몸짓이 있었더라면—이 평범한 사람이 그토록 큰 인물이 되어 악행자로 변모될 수 없었을 것이다. 그러나 아렌트 양이 판단하기에 그런 목소리는 지극히 작고 미약했고, 그런 저항의 몸짓은 보잘 것이 없었다. '도처의 선한 사회'가 최종적 해결책(유대인 학살)을 '열정적으로' 받아들였을 뿐만 아니라, 유대인들도 묵인했고 심지어 '굉장한 정도로' 협조하기까지 했다. 여기 최종 해결책에 대한 아렌트 양의 해석 결론과 유대인의 공범 관계에 관한 설명이 있다. 그녀는 이렇게 말한다. "그 이야기의 이 장(章)은 나치가 훌륭한 유럽 사회에서 유발한 총체적인 도덕적 몰락—독일뿐 아니라 거의 모든 나라에서, 박해자들 사이에서뿐만 아니라 희생자들 사이에서도—을 들여다보게 하는 가장 놀라운 통찰을 제공한다."

_노만 포드호렛츠, '한나 아렌트의 아이히만 연구'(*Hannah Arendt on Eichmann*),

Commentary, XXXVI, 1963. 9.

방금 인용한 대목은 학생에게 지나치게 긴 사실 진술로 다가올 지도 모르겠다. 그러나 그 기사가 잡지에 2단짜리 8페이지 분량으로 실린 것을 감안하면 그리 긴 편은 아니다. 우리가 꽤 긴 대목을 인용한 것은 사실의 진술이, 긴 담론에서 어떤 비율을 차지할 수 있는지를 보여주기 위해서다. 물론 더 짧은 글에서는, 만일 필요하다면, 사실 진술이 상당히 간결해야 할 것이다. 늘 그렇듯이, 주제의 중요성과 복잡성, 그리고 우리가 얼마나 깊이 다룰지의 문제가 또한 사실 진술의 길이를 결정하게 되리라. 만일 포드호레츠 씨가 아렌트의 책을 비평하는 글만 썼다면, 여기에 실린 만큼 많은 지면을 할애할 수 없었을 것이다.

퀸틸리안은 사실의 진술을 통해 청중을 교육하는 글은 명료하고 짧고, 그럴 듯해야 한다고 충고한다. 이 세 가지 특성은 물론 상황과 관련이 있다. 어느 청중에게 명료하고 그럴 듯한 설명이 다른 청중에게는 그렇지 않을 수 있다. 그러므로 서론의 전략을 논의할 때 말했듯이, 우리는 사실 진술의 처리에 대해 어떤 엄격한 규칙도 정할 수 없다. 우리는 우리 수단을 특정한 상황에 맞춰야 한다. 여기서 우리가 할 수 있는 일은 퀸틸리안이 언급하는 특성들을 이루기 위해 이용할 수 있는 몇 가지 방식을 알려주고, 필자들이 자신이 처한 상황에 가장 잘 맞는 방식을 선택하리라고 신뢰하는 수밖에 없다.

명료성은 양식의 문제, 즉 우리가 청중에게 우리의 뜻을 쉽게 전달하기 위해 단어들을 선정하고 배열하는 문제이다. 명료성을 확보하는 수단에 대해서는 양식에 관해 다룰 다음 장으로 미룰 생각이다. 명료성은 물론 담론의 모든 부분을 특징지어야 한다. 여기서는 사실의 진술과 특별히 관련된 명료성 확보의 수단만 언급할까 한다. 무엇보다 먼저, 우리가 만일 알려질 필요가 있는 모든 사실을 충분히 설명한다면 명료해질 것이다. 설명을 지나치게 생략하면 당연히 모호해질 수 있다. 다른 한편, 과도한 상술은 너무 혼란스럽게 만들어 주안점이 흐려질 수 있다. 질서정연한 사실의 표현 또한 명료성에 도움을 줄 것이다. 때로는 연대기적 순서가 우리 설명의 구성 원리가 될 것이다. 먼저 이런 일이 발생했고, 다음에는 이런 일이, 그리고 이후에 저런 일이 일어났다는 식이다. 다른 경우에는 일반적인 것에서 특수한 것으로, 또는 좀 더 익숙한 것에서 덜 익숙한 것으로 움직이는 순서를 채용할 수 있다.

명료성을 돕는 또 하나의 도우미는 그리스인이 에나르게이아(enargeia)라고 부른 것, 즉 명백함 내지는 생동감으로 번역할 수 있는 장치이다. 에나르게이아는 우리의 사실 진술이 설명용 논법보다 이야기 논법에 더 도움이 된다면 특히 유용할 것이다. 예컨대, 과거의 사건들을 상술하는 경우이다. 여기서 만일 단지 과거의 사건을 얘기하는 대신 그 장면을 그림 그리듯 묘사할 수 있다면, 우리는 독자들의 상상 속에 '사실들'을 선명하게 새길 생동감을—감정적 영향은 말할 것도 없고—낳을 수 있을 것이다. 우리는 검사가 라스콜니코프의 범죄를 다음과 같이 묘사하는 장면을 상상할 수 있다.

> 그는 도끼를 꺼내 그 자신을 거의 의식하지 않은 채, 거의 노력도 없이, 거의 기계적으로, 두 팔로 휘둘러 그녀의 머리에 무딘 쪽을 찍어 내렸다…. 노파는 늘 그랬듯이 맨머리 상태였다. 기름을 짙게 바른 회색빛의 가늘고 가벼운 그녀의 머리칼이 쥐꼬리 모양으로 땋여있었고 목덜미에 놓인 부서진 뿔 빗에 매여 있었다. 그녀는 키가 아주 작아서 도끼가 두개골 위를 강타했다. 그녀는 아주 약한 소리로 비명을 지르고는 손을 머리에 올린 채 갑자기 마루에 쓰러졌다.
>
> _표도르 도스토옙스키(Fyodor Dostoyevsky), 《죄와 벌》(Crime and Punishment), 1부 7장

도스토옙스키의 소설에서, 이 생생한 내러티브는 검사가 법정에서 묘사한 말이 아니지만, 그런 묘사는 종종 검사가 어느 사건에서 사실을 진술하는 방식이다. 그런 묘사의 명료성과 효과는 의심할 필요가 없다. 그리고 에나르게이아는 담론의 다른 부분에서도 이용될 수 있지만, 사실의 진술에서 등장할 가능성이 가장 크다.

이제 명료성의 주제를 마감하기 전에, 진술의 명료성이 항상 우리의 목적에 유익한 것은 아니라는 점을 말해야겠다. 일부러 설명을 모호하게 하는 것이 편리한 경우도 있다. 만일 사실들이 우리에게 불리하다면, 이 지점에서는 사실의 진술을 전부 생략하거나 모호하게 설명하는 것이 최선일 수 있다. 솔직하고 명료한 사실 상술이 우리 청중을 소외시킬 가능성이 있어서, 그들이 나중에 우리의 증거에 귀 기울이길 싫어하게 되는 경우도 있다. 상황에 따라 생략의 전략이나 모호함의 전략을 채택하는 것이 좋을 수 있는 이유다.

우리가 노만 포드호레츠의 글에서 인용한 대목에 대해 말했듯이, 진술의 간결함 역시 특정한 상황에 의해 결정될 것이다. 아리스토텔레스는 사실 진술이 간결해야 한다는 규정을 조롱했다. 그는 "어째서 사실의 진술이 짧거나 길어야 하느냐?"고 물었다. 그 진술이 왜 딱 맞을 수 없는가? 아리스토텔레스는 그 특유의 중용에 대한 주장에서 상황의

필요에 따라 적절한 길이를 결정할 것을 요청하고 있다. 여기서는 '딱 맞게'라는 원리가 타당성이 있는 유일한 일반 규칙이다. 우리는 다음 세 가지 조건부로 합당한 간결함을 이룰 수 있을 것이다: (1) 우리 독자들이 관심을 품기 시작하는 지점에서 우리의 상술을 시작할 것(처음부터가 아니라 거두절미하고 이야기를 시작하라는 호레이스의 교훈과 비교할 만하다), (2) 적실하지 않은 것을 모두 배제시킬 것, (3) 아무리 적실해도, 독자들이 우리의 문제를 이해하는데, 또는 우리의 대의에 대해 우호적인 자세를 취하게 하는데 거의 또는 전혀 도움이 되지 않는 것은 모두 삭제할 것 등이다.

사실의 진술이 그럴듯한 지는 부분적으로 담론 자체의 윤리적 논조 또는 필자의 윤리적 이미지에 의해 좌우될 것이다. 만일 독자들이 필자의 권위나 성품을 신뢰한다면 그 상황이 묘사된 그대로라고 믿을 것이다. 윤리적 호소는 물론 담론의 모든 부분에서 중요하지만, 사실의 진술과만 관련이 있는 이 부분에서도 그 중요성을 최소화하면 안 된다.

우리의 사실 진술의 신빙성을 더 증진할 또 다른 방법은 자연이나 역사적 사실과 상충되는 말을 하지 않도록 조심하는 것, 사건에 대한 믿을 만한 원인이나 이유를 드는 것, 과장법보다 삼가서 말하는 것을 더 신뢰하는 것 등이다. 청중은 필자가 '지나치게 반대하는 것'을 간파하는데 매우 빠르다. 우리가 만일 담론의 이 단계에서 독자들의 신빙성을 무시한다면, 매우 중요한 증거의 진술에 도달할 때 그들을 붙잡을 수 없게 된다.

확증

이 부분을 지칭하기 위해 확증(confirmation)이라는 용어를 사용하면, 이는 단지 설득용 담론에만 나오는 것처럼 보일지 모른다. 그러나 만일 우리가 확증 내지는 증명을 본론에 접어드는 부분을 지칭하는 것으로 간주한다면, 이 용어는 논증용 산문뿐 아니라 설명용 산문까지 아우르는 것으로 확장될 수 있다. 앞에서 다룬 부분들, 곧 서론과 사실 진술은 확실히 설명용 담론과 논증용 담론 모두에 나타난다. 이 두 부분을 예비단계로 간주한다면, 확증은 우리 담론의 핵심으로, 중심부로, 본론으로 간주할 수 있다. 설명하는 것이든 설득하는 것이든, 우리가 애초에 수행하려고 했던 그 부분이다. 확증에 관해 말하는 많은 내용은, 물론 논증용 담론에만 적용될 수 있지만, 이 부분과 관련된 많은 교훈은 설명용 산문에도 똑같이 적용될 수 있다. 어떤 논리를 증명하거나 논박한다는 좁은 의미의 확증에 관해 얘기할 때는 금방 학생에게 명백히 드러날 것이다.

앞의 두 부분을 예증할 때 사용한 것처럼, 짧은 대목을 인용해서 논증의 배열을 예증하는 것이 무척 어렵기 때문에, 우리는 이번 장의 끝에 나오는 전문을 숙고하기까지 논점의 예를 드는 일을 연기할까 한다.

우리가 착상 과정에서 수집한 재료를 사용하는 곳은 주로 이 부분이다. 우리는 최대한의 효과를 얻기 위해 이 재료를 선정하고 배치해야 한다. 착상 과정과 배열 과정은 우리가 각각 별개로 취급했다고 해서 서로 독립된 것은 아니다. 글을 읽을 때 평가 행위는 독해 행위와 거의 동시에 일어날 수 있다. 마찬가지로, 작문을 할 때에도 우리는 우리의 재료를 발견하는 일에 참여하는 동안, 우리 재료를 선정하고 정리하는 문제에도 종종 관여한다. 착상과 배열을 따로따로 논의한 이유는, 부분적으로 우리가 정리하기 전에 발견해야 하기 때문이고, 부분적으로 이렇게 따로 논의하는 것이 교육상 편리하기 때문이다.

우리가 이 부분에서 접하는 주된 문제들 중 하나는 순서의 문제이다. 처음에 어느 논점을 취급하는가? 일단 그 논점을 다룬 뒤에는 무슨 논점을 취급하는가? 설명용 담론에서는 때때로 우리의 재료를 연대에 따라 정리할 수 있다. 예컨대, 타이어 교체와 같이 비교적 단순한 과정을 설명하는 경우이다. 좀 더 복잡한 주제를 설명할 때는 일반적인 것에서 특수한 것으로, 또는 익숙한 것에서 미지의 것으로 움직여야 할 것이다. 보통은 설명할 주제의 성격이 적절한 절차를 알려줄 것이다.

하지만 논증용 담론에서는 이런 구성 원리들을 항상 의지할 수 없다. 왜냐하면 우리가 다음과 같은 질문들을 직면하기 때문이다. "나는 가장 약한 주장으로 시작해서 가장 강한 주장으로 쌓아가야 하는가?" "나는 먼저 반대 주장을 논박한 뒤에 내 주장을 제시해야 하는가, 아니면 나의 입장을 먼저 세운 뒤에 반론을 논박해야 하는가?" 늘 그렇듯이, 특정한 상황이 적절한 전략을 지시할 것이고, 여기서 할 수 있는 일은 필자를 위해 몇 가지 지침을 제공하는 것이다.

일반적 규칙은 이렇다. 우리의 주장을 제시할 때 가장 강한 주장으로부터 가장 약한 주장으로 내려가면 안 된다. 대체로 그런 순서는 우리의 설득 노력의 효과를 상당히 약화시킬 것이다. 우리는 가장 강한 주장이 청중의 기억 속에 울려 퍼지기를 바란다. 그래서 보통은 그것을 마지막 위치에 두는 것이다. 가장 강한 주장을 맨 앞에 두고 일련의 더 약한 주장을 더하게 되면, 강한 주장의 효과를 반감시키게 될 것이다. 청중은 첫눈에 탄탄하게 보였던 우리의 입장이 이제 흐트러지기 시작한다는 인상을 받을 수 있다. 더 약한 주장들은 청중에게 '때늦은 생각'으로 비칠 것이다. 이는 우리가 자신의 강한 주장의 설득력에 자신이 없어서 몇 가지 버팀목을 더할 필요가 있다고 생각한다는 것을 시사한다. 이렇게 자신감의 부족을 드러내면 독자들의 자신감도 떨쳐버리게 된다.

만일 우리에게 동등한 가치를 지닌 여러 주장이 있다면, 이런 주장들을 어떤 순서로 배열하든 상관없다. 그러나 이 경우에도 특정 원리들의 지도를 받을 수 있다. 우리의 주장들이 비교적 동일한 강도를 갖고 있다면, 독자들에게 익숙한 주장들을 맨 처음 제시하는 것이 최선이다. 만일 익숙한 주장에 대한 찬동을 얻는다면 독자들이 낯선 주장도 받아들이도록 준비시킬 수 있다. 우리는 그들이 의심한 것을 확증한 뒤에 그들이 예전에 알지 못했던 것을 더한 셈이다.

만일 우리에게 비교적 강한 주장과 약한 주장이 여럿 있다면, 강한 주장으로 시작한 후 더 약한 몇 가지 주장을 끼워넣고 나서 가장 강한 주장으로 끝내는 것이 최선이다. 최초의 강한 주장은 청중이 더 약한 주장들을 받아들이도록 준비시켜준다. 이후에 더 약한 주장들이 우리 주장의 효과를 약화시키려고 위협할 때, 우리는 가장 강한 주장을 도입하게 된다. 우리의 밑천이 떨어질 때 강한 주장을 도입하면 독자가 놀라게 되고, 그 놀라움이 최후의 주장이 지닌 설득력을 강화시킬 것이다.

논박

이제까지는 우리의 입장을 확증할 필요가 있을 때, 전략적으로 주장들을 어떤 순서로 배치해야 하는지 살펴보았다. 반론들을 논박해야 할 때는 몇 가지 문제가 추가로 생기게 된다. 강사가 교대로 나오는 공개 논쟁에서는 반론들이 실제로 제시되고, 우리는 반론들 중에 어느 것을 다뤄야 할지, 그리고 반론을 먼저 논박한 후에 우리의 주장을 제시할지, 아니면 우리의 주장을 먼저 제시한 후에 반론을 논박해야 할지 결정해야 한다. 우리가 앉아서 논쟁적인 글을 쓸 때는 대면해서 응답해야 할 대적이 없다. 그럼에도 우리가 논의하는 이슈에는 만나서 처리해야 하는 반대 견해가 내재되어 있다. 그런 경우에는 우리 입장만 정립하는 것으로 충분하지 않다. 우리 주장이 아무리 설득력 있어도, 우리가 우리의 논지에 대한 반론을 예상하고 또 답변하지 않는다면 독자들의 머릿속에 의구심이 남게 될 것이다.

반론들을 청중이 잘 받아들였다면, 보통은 우리의 주장을 제시하기 전에 그런 견해들을 논박하는 것이 좋다. 정반대 관점에 호감을 품은 사람들은, 우리 주장이 아무리 타당하고 설득력이 있어도 쉽게 마음을 열지 않을 것이다. 말하자면, 지원팀을 과시하기 전에 땅을 정지해야 하는 것이다.

하지만 우리의 입장을 개진하기 전에 먼저 반론을 논박해야 한다는 것이 불변의 규칙이 될 수는 없다. 반론이 비교적 약한 경우에는 우리의 입장을 입증한 이후까지 답변을 유보할 수 있다. 그런 경우에는 우리 주장의 설득력이 청중으로 하여금 반론의 약점을 알아채게 해 줄 수 있을 것이다. 그리고 반론이 강력하고 청중에게 잘 받아들여지는 경우에도 때로는 반론에 대한 논박을 연기하는 것이 편리할 것이다. 예를 들어, 청중이 우리 견해에 과도하게 반대할 때 가장 현명한 전략은, 그 반론을 최대한 오랫동안 보이지 않게 하는 것이다. 적대적인 청중에게 처음부터 반론을 상기시켜주면, 그들을 편견에 머물러 있게 해서 그들이 그 주장에 대한 우리의 논박에 귀를 기울이지 않을 수 있다. 이런 상황에서 우리의 주장을 먼저 제시하면 청중이 적어도 우리의 논박을 경청하게 될 수 있다.

이번 장에서 계속 강조했듯이, 반드시 무엇을 해야 하고 어떤 순서로 해야 한다는 식의 불변의 규칙은 설정할 수 없다. 필자들은 자신의 수단을 목적에 맞추고 자신의 전략을 특정한 상황에 맞출 준비를 갖춰야 한다. 주어진 상황을 어떻게 통과할지 '감지해야 하는 것이다. 어떤 필자들은 주어진 상황에 '딱 맞는' 수단이 무엇인지에 대한 선천적 감각이 있거나 그런 감각을 개발했기 때문에, 타인이 실패해도 종종 성공하곤 한다. 안타깝게도, 수사학이 모든 상황을 섭렵할 일반 원리를 제공할 수는 없지만, 우리는 반론을 논박할 때 쓸 수 있는 몇 가지 수단을 간략하게 살펴볼 수 있다.

이성에의 호소에 의한 논박

어떤 명제를 논박할 수 있는 방법은 두 가지다. 첫째, 그 명제의 모순성을 증명할 수 있다. 둘째, 그 명제를 뒷받침하는 주장을 무너뜨릴 수 있다. 앞장에서 살펴보았듯이, 만일 한 쌍의 모순된 명제들 중 하나가 참이란 것을 증명할 수 있다면 자동적으로 다른 명제가 거짓임을 증명하게 된다. 모순된 명제를 증명하는 일은 가장 설득력 있는 논박이 될 수 있는데, 이유인즉 모든 사람은 합리적 본성을 갖고 있어서 어떤 것이 존재하는 동시에 부재할 수 없다는 원리를 인식하기 때문이다.

그런데 우리가 항상 상호모순적인 명제들만 접하는 것은 아니다. 그보다는 상반되는 명제들을 논박해야 하는 경우가 더 많다. 한 편은 특정 행동 경로가 현명하다고 주장하고, 다른 편은 그것이 어리석다고 주장한다. 그런 경우에는 상반된 주장을 지지하는 받침대를 넘어뜨려야 한다. 두 가지 방법이 있다: (1) 그 주장이 의존하는 전제들 중 하나의 진리성을 부인하고, 가능하면 증거나 증언을 통해 그 전제가 거짓임을 증명하는 것이다. (2) 전제들로부터 끌어낸 추론에 반대하는 것이다. 보통은 그런 추론을 거부할 때 이런 식으로 말한다. "나는 그 원리는 인정하지만 그것이 그런 결론으로 이끈다는 것을 부인한다." "나는 그 원리는 인정하지만 그것이 이 경우에 해당된다는 것을 부인한다." "당신의 주장은 옳지만 그것에 당신의 결론을 지지하는 논리로서의 힘은 없다."

이런 것이 특정한 주장들을 논리적으로 반박하는 방법들이지만, 때로는 개연성을 다뤄야 한다. 개연성은 엄밀한 논리로 무너뜨릴 수 없는 것이다. 그런 경우에는 생략삼단논법과 예를 이용해야 하는데, 이것들은 설사 반대편을 결론적으로 논박하지 못할지라도 설득의 가치가 분명히 있기 때문이다. 우리가 앞장에서 논의했던 감정적 호소와 윤리적 호소 역시 논박에서 그 나름의 역할을 담당한다.

감정적 호소에 의한 논박

청중에 대한 지식이 감정적 호소를 사용할 때보다 더 중요한 경우는 없을 것이다.

청중의 기질에 대한 오해는 의도한 효과를 파괴하거나 오히려 역효과를 낼 수 있다. 잘못된 감정적 호소를 사용하거나 감정적 호소를 담론의 부적절한 장소에 사용하거나 어울리지 않는 감정적 호소를 사용하면, 우리의 논박을 무력하게 만들 뿐 아니라 이전에 입증한 증거에 대한 믿음 또한 약화시킬 수 있다.

물론 감정적 호소는 청중에 따라 효과의 차이가 있기 마련이다. 청중이 얼마나 이질적인지에 비례해서 감정적 호소의 문제점이 더 커질 것이다. 상원의원 리처드 닉슨은 1952년 선거운동 자금을 취급한 방법을 변호하기 위해 전국의 TV 시청자들에게 연설하게 되었는데, 어떤 종류의 감정적 호소를 어느 정도 사용해야 할지 몰라 딜레마에 빠졌다. 연설에 대한 반응으로 판단하면 닉슨 씨가 현명하게 계산했다는 결론을 내려야 하겠다. '직물 코트'와 '강아지 체커스'에 대한 언급은 TV 시청자들 중 일부를 완전히 소외시켰다. 그러나 대다수 청중은 그런 말에 감정이 움직여서 그의 사과를 받아들이게 되었다.

강사가 이질적인 대규모 청중에게 말할 때는 어느 감정적 호소가 성공할 수 있을지 판단해야 한다. 달리 말하면, 다수파의 승인을 얻기 위해 일부의 찬동을 희생해야 할지 모른다는 것이다. 〈뉴 리퍼블릭〉(*New Republic*)이나 〈커먼윌〉(*Commonweal*) 또는 〈내셔널 리뷰〉(*The National Review*)에 기사를 쓰는 필자는 〈라이프〉(*Life*)나 〈TV 가이드〉(*TV Guide*)에 논쟁적인 글을 쓰는 필자보다 여러 면에서 더 쉬운 작업을 하고 있는 것이다. 발행부수가 적은 잡지들에 기사를 쓰는 필자들은 발행부수가 많은 잡지들에 기사를 쓰는 필자들보다 더 정치적, 철학적, 또는 종교적 동질성을 추정할 수 있기 때문이다.

윤리적 호소에 의한 논박

윤리적 호소는 담론의 모든 부분에 널리 퍼져야 하지만, 우리의 입장을 증명하거나 반론을 논박하는 이 부분에서보다 더 중요한 곳은 없다. 설득력을 발휘하는데 윤리적 호소가 너무도 중요하기에, 아리스토텔레스는 "선한 사람이 그 자신을 미묘한 추론가보다 정직한 친구로 드러내는 것이 더 적합하다"고 말했다(《수사학》, III, 17). 때때로 우리의 입장이 약할 때는 필자의 이미지나 담론의 어조로 행사된 윤리적 호소가 승리를 거둘 수 있을 것이다. 본인의 입장이 약한 경우에 윤리적 호소가 효과를 거둔 사례는 맥아더 장군이 1951년 한국에서의 지휘권을 놓은 후 미국으로 돌아와 의회 앞에서 행한 연설에서 볼 수 있다. 노병은 죽지만 때로는 그들이 섬긴 사람들의 마음속에 영원히 살아있다.

위트(wit)에 의한 논박

샤프츠베리 백작(The earl of Shaftesbury)은 언젠가 "조롱은 진실의 테스트이다"라고 주장했다. 진실로 추정되는 것이 조롱의 맹공격에 살아남을 수 있다면, 그것은 진실임에 틀림없다는 말이다. 우리가 샤프츠베리의 주장을 받아들일 수 있다 해도 유보 조항을 붙여야 한다. 진정한 진실이 위트 있는 수사학자에 의해 부조리로 전락될 가능성이 있지만, 그 진실은 청중의 생각 속에서 신빙성을 잃는다 해도 여전히 진실로 남을 것이다.

조롱과 냉소, 아이러니 등은 논박의 효과적인 도구들일 수 있지만, 우리는 그것들을 굉장히 조심스럽게 이용해야 한다. 그리스 수사학자 고르기아스(Gorgias)는 우리가 "우리 대적의 진지함을 우리의 조롱으로 죽이고, 그의 조롱을 우리의 진지함으로 죽여야 한다"고 충고했다. 고르기아스는 무척 영리해서 많은 경우 반대편에 대해 비슷한 전술을 이용해서 반격할 수 없다는 것을 알았다. 그리고 종종 위트를 '능가하기'가 어렵기 때문에, 대적에게 웃기는 농담으로 반응하지 않고 진지하게 대하는 편을 택하는 것이 좋을 것이다. 다른 한편, 때로는 냉정하게 제시된 주장에 대해 위트를 이용해 그 주장을 부조리로 전락시킴으로써 그 효과를 무너뜨릴 수 있다. 하지만 필자들이 주의할 점이 있다. 위트가 단지 허약한 주장을 가리는 수단에 불과하다면, 자신의 윤리적 호소를 모두 수포로 돌아가게 할 위험이 있다는 점이다. 위트가 있으나 텅 빈 반론으로 한동안 일부 사람을 속일 수는 있지만, 자기 전술에 대해 양심적인 사람들은 성공을 위해 고결함을 희생시키지 않을 것이다.

농담은 청중을 무장 해제시키거나 청중의 호감을 사기 위해 이용할 수 있다. 이런 목적으로 농담을 이용할 때는 서론에서 구사하는 경우가 가장 많다. 서론이야말로 화자나 필자가 청중의 환심을 사기 위해 이런 장치를 이용하기에 가장 적합한 곳이기 때문이다. 그러나 무장해제용 농담은 때때로 확증 부분에서도 이용할 수 있다. 예컨대, 쉽게 용인되지 않을 것 같은 주장을 시작하려고 하는 경우이다.

그러나 어떤 농담이 우리가 깎아내리려고 하는 논점에 일종의 유비를 제공한다면, 우리는 그런 농담을 논박의 목적으로 이용할 수도 있다. 유사한 농담은 청중이 논의되는 논점에 대해 객관적인 견해를 갖도록 유도할 수 있다. 청중으로 하여금 공격받는 논점에서 약간 떨어진 상황을 비웃도록 만들 수 있다면, 우리가 그 유비를 적용할 때 청중이 그 부조리를 보게 만들기가 더 쉬워질 것이다.

어떤 청중에게는 더 세련된 유머가 가장 큰 효과를 발휘할 것이다. 청중을 무장 해제시킬 목적으로 이용할 만한 가장 효과적인 세련된 유머는, 화자나 필자가 스스로를 깎아내리는 그런 농담이다. 거의 모든 사람은 스스로의 체면을 깎아내리는 이들에게 좋은 반응을 보이는데, 누구나—아무리 높은 사람이라도—결국 인간에 불과하고 그 자신의 중요성이나 업적을 과장하지 않는다고 느끼기를 좋아하기 때문이다. 남을 깎아내리면 때때로 반격을 받을 수 있지만, 자신을 비하하는 것은 어느 누구의 분노도 일으키지 않고 우리에 대한 신뢰를 꺾는 경우도 거의 없다.

품위 있는 글솜씨로 인한 가벼운 터치는, 특히 교육받은 청중에게 잘 통하는 또 다른 종류의 유머이다. 다음 장에서 살펴볼 것처럼, 많은 비유적 표현은 이런 재미있는 유머에 사용될 수 있다. 예컨대, 동음이의의 익살은 낮은 형태의 유머로 간주되기에 이르렀지만, 셰익스피어부터 제임스 터버(James Thurber)에 이르는 위대한 작가들은 말장난을 즐겼고(수사학자들은 paronomasia라고 불렀다) 그런 재주에 대해 사과할 필요를 느끼지 않았다. 아이러니는 미묘한 형태의 말 재주이고, 아이러니가 대다수 사람에게 자연스럽게 다가오지만("여보, 그건 참 멋진 모자예요!") 우리는 이 수사를 사용할 때 매우 조심해야 한다. 아이러니는 미묘해서 쉽게 오해받을 수 있다. 오늘날에도 스위프트의 아이러니한《겸손한 제안》을 그릇 해석하는 대학생들이 있다.

냉소(sarcasm)는 실패하기 쉽기 때문에 노련한 솜씨가 필요한, 또 다른 종류의 유머이다. 냉소는 개인을 겨냥할 때 성공확률이 가장 높고, 국적, 계급, 계층, 또는 직업을 겨냥할 때는 위험부담이 크다. 왜 그런지는 잘 모르겠다. 다양한 풍자적 위트 가운데 냉소가 무정함에 가장 가까운 편이기 때문일 수도 있고, 흔히들 개인에 대한 신랄한 비웃음이 집단에 대한 비웃음보다 자애의 미덕을 더 많이 위배하기 때문에 개인적인 냉소가 청중에게서 비우호적인 반응을 끌어내기 쉽다고 생각하기 때문일 수도 있다. 그런데 인간 본성은 개인에 대한 혹평을 관용하고, 심지어 즐기기까지 하는 듯하다. 알렉산더 포프가 '스포러스'[Sporus, 로마 황제 네로의 거세당한 남색(男色) 연인—편집자 주]로 가장하여 존 허비 경(Lord John Hervey)을 통렬하게 비꼬았을 때 런던 사회는 낄낄 웃고 넘겼지만, 만일 그런 비웃음이 허비 경이 대변하는 귀족계급을 겨냥했다면 분노를 불러일으켰을 것이다. 이런 왜곡된 즐거움의 배후에 있는 심리를 라 로슈푸코(La Rochefoucauld)의 유명한 금언이 잘 포착했다. "우리는 가장 친구들의 불행을 종종 즐기는 자기 자신을 발견한다."

수사학자들은 하나같이 공식 담론에서 상스러운 농담을 사용하는 것을 비난한다. '더러운 이야기'가 친밀한 소그룹에서는 웃음을 불러일으킬지 몰라도 공적인 담론에서는 청중을 불쾌하게 하고 소외시킬 가능성이 많다. 그런 농담이 우리의 목적에 도움이 되는 상황은 상상하기가 어렵다. 따라서 수사학적 이유와 도덕적 이유로 우리는 담론에서 외설적 표현과 이중적인 표현을 사용하는 걸 피해야 한다.

우리가 논의한—그리고 아직 논의하지 않은 몇 가지도 포함해—다양한 유머 가운데 수사적 목적으로 가장 많이 사용되는 유형은 풍자이다. 그리고 가장 위대한 영국 풍자가들—벤 존슨(Ben Jonson), 존 드라이든, 알렉산더 포프, 조나단 스위프트 등—이 고전 수사학을 철저히 배웠다는 사실은 주목할 만하다. 학생들이 수사적 목적으로 유머를 사용하는 법을 배우려면 위대한 풍자가들의 글을 읽는 것이 최선이다. 그들이 그런 문학을 우리가 여기서 공부한 수사학의 예시로 접근한다면, 풍자 문학을 읽고 분석하는 또 다른 방법을 배우게 될 것이다.

퀸틸리안은 언젠가 "위트가 되길 바란다는 사실을 과시하는 농담만큼 재미없는 농담은 없다"고 말한 적이 있다(《변론법 수업》VI, iii, 26). 이런 말은 수사적 목적으로 유머를 사용할 때 유념해야 할 경고이다. 그저 '재미있고' 싶어서 하는 유머는 사람들의 마음을 얻기보다 오히려 역효과를 낼 것이다. 유머는 지극히 어려운 기술이다. 그래서 만일 학생들이 선천적인 재능이나 습득한 기술을 갖고 있지 않다면, 이런 설득용 수단의 사용을 아예 피하는 편이 낫다. 그리고 그들은 어떤 종류이든 유머가 완전히 부적절한 경우도 많다는 것을 기억할 필요가 있다. 마침내 우리는 수사학의 중요한 원리로 되돌아왔다. 주제, 상황, 청중, 그리고 화자나 필자의 성격이 우리의 목적을 이루기 위해 이용할 수단을 좌우한다는 원리다.

결론

고전 수사학자들이 결론을 지칭하는데 사용한 용어들을 살펴보면, 담론의 이 부분의 기능을 어떻게 생각했는지 짐작할 수 있다. 가장 흔한 그리스어는 에피로고스(epilogos)로서 '추가로 말하다'는 뜻을 지닌 동사 에피레게인(epilegein)에서 유래한 단어이다. 이 부분을 일컫는 더 교훈적인 그리스어는 아나케팔레오시스(anakephalaiōsis)로 라틴어 레카피툴라티오(recapitulatio)의 동의어이고, 이는 영어단어 recapitulation(요점의 반복)의 어원이다. 이 부분을 일컫는 흔한 라틴어는 페로라티오(peroratio)로서 전치사 per—는 본인의 호소를 '끝낸다'는 것을 시사했다. 이 라틴어의 뜻은 퀸틸리안이 결론 부분에 사용했던 두 개의 표제어가 잘 포착하고 있다: 에누메라티오(enumeratio, 열거 내지는 요약)와 아펙투스(affectus, 청중에게서 적절한 감정을 끌어내는 것)이다.

어떤 담론들은 주제의 성격이나 상황, 또는 시간의 제한이나 할당된 단어 수 때문에 상세한 결론을 면제받을 수 있지만, 공식적으로 말하거나 글을 쓸 때는 앞부분에서 빚어오던 것을 '마무르고' 싶은 성향이 있다. 결론이 없다면 그 담론은 마감이 되지 않고 그저 중단되는 듯한 느낌을 준다. 결론은 담론의 끝에 위치하기 때문에, 청중에게 '맡겨지는' 부분, 즉 기억 속에 오래토록 머무는 부분이기도 하다. 따라서 결론은 우리가 최대한 노력하고픈 부분, 우리가 특유의 유창함과 강렬한 감정을 과시하고픈 부분이다. 이처럼 우리 특유의 글쓰기 자원과 감정적 자원을 총동원하고 싶은 충동 때문에, 또는 과도하게 나가는 바람에 그동안 이뤄놓은 탄탄한 업적을 손상시키기도 한다. 그래서 앞부분과 마찬가지로 여기서도 무척 신중할 필요가 있다. 아리스토텔레스는 보통은 우리가 결론에서 다음 네 가지 일을 하려고 노력한다고 가르쳤다.

1. 청중이 우리 자신에게 우호적인 견해를, 우리의 대적에게 비우호적인 견해를 품
   도록 하는 것
2. 앞부분에서 개진한 논점의 힘을 증대시키고 반대편이 개진한 논점의 힘을 약화
   시키는 것
3. 청중에게 적절한 감정을 불러일으키는 것
4. 우리가 제시한 사실들과 주장들을 요약해서 재진술하는 것

아리스토텔레스는 이런 것들을 결론에서 수행해도 좋지만, 담론마다 모두 수행해야 하는 것은 아니라고 말한다. 지면의 제약 때문에 상세한 결론을 풀어내지 못할 때도 있다. 주제의 성격이나 청중의 성향 때문에 감정적 호소를 일절 하지 않는 것이 좋을 때도 있다. 우리의 주장들이 직접적이고 복잡하지 않은 경우에는 굳이 그것들을 반복하거나 확대시킬 필요가 없을 것이다. 여기서 내놓고 싶은 충고는, 담론의 다른 부분도 그렇듯이, 반드시 관례를 따를 필요가 없고 꼭 필요한 일만 수행하면 된다는 것이다.

아리스토텔레스가 명시한 네 가지 사항 중에 '요점의 반복'은 결론에 가장 자주 등장하는 것이다. 담론의 끝부분에 이르면 본론에서 상세히 설명한 논점들을 일반적인 말로 다시 진술할 필요성을 느낀다. 이런 성향은 청중의 기억을 새롭게 해야 하겠다는 우리의 느낌에서 나오는 것이다. 그리고 담론의 끝부분에서 상세히 설명한 내용을 캡슐 형태로 제시하면, 그동안 무뎌진 사실들과 주장들이 다시 살아날 것이란 생각도 있을 것이다.

때로는 필자들이 이제부터 에세이의 본론에서 개진한 논점들을 되풀이할 것이란 신호를 명시적으로 내놓을 것이다. 다음은 공식적으로 선언된 요점 반복의 본보기다. 필자는 그 글의 결론적인 단락에서 그렇게 반복하는 이유를 밝히고 있으며, 그 글의 논지는 첫 문장에 제시되어 있다. "나의 주장인즉, 민주적인 예절—보스를 이름으로 부르는 행습이 상징하는—은 우리나라에서 개인적 존엄성의 보존으로 이끌지 않고, 한 사람의 다른 사람에 대한 비굴한 복종으로 이끄는 지점에 도달했다는 것이다."

나는 거의 끝냈다. 그러나 나는 어떤 바보—박사 학위를 가진 자일 가능성이 많다—가

이 글을 읽고, 내가 힌두교의 카스트 제도와, 중국식 여자와 아이의 예속을 소생시키기 위해 황제 제도의 회복을 열망하는 것을, 잘 알려진 사실인 듯 영원히 주장할 것임을 안다. 그래서 요점을 반복할까 한다. 그 과정에서 앞에서 언급하는 것을 잊은 한두 가지 논점을 더할 생각이다.

현명한 예절 제도는 다양한 유익을 준다. 삶의 중요한 사실들을 늘 상기시켜줄 뿐 아니라, 인간들에게 상징적 표현이라는 인간 특유의 만족감을 제공하기도 한다. 그런 제도는 집단생활을 가능케 할 뿐 아니라, 그 격식 덕분에 한 개인에게 집단적 압력에 대처하는 보호용 갑옷을 제공하기도 한다. 이런 격식은 그 개인에게 사회질서를 묵인하게 하는 한편, 그에 대한 최종적 판단은 유보하게 해주기 때문이다. 그런 격식은 그 사람으로 하여금 권위 있는 사람들에게 충성을 서약하게 하되, 그 장기적 결과가 세뇌의 그것과 다름없는, 그런 조정을 하게 만들지는 않는다.

미국에서 민주적 예절이 미국 민주주의의 심장을 좀먹고 있다. 그 시스템에 경의를 표할 인상적인 방법이 없고 또 관료가 차지하는 자리 때문에, 우리 스스로 사람 앞에 엎드리지 않으면 안 된다. 그런 부복이 미국보다 더 심한 나라가 있다. 거기서는 가장 비천한 시민이 막강한 지배자를 '동지'(comrade)라고 부른다.

나는 미국식 예절의 개혁을 제안하지 혁명을 제안하는 건 아니다. 만일 평등주의 예절의 유일한 대안이 의전과 의식만 있는 사회라면, 이 논의는 헛되다. 그러나 그것만이 유일한 대안이 아니다. 근대에 구체제의 계층화가 당시의 프롤레타리아 화보다 더 실재적이라고 믿은 자코뱅파를 제외하고, 그들이 아무리 일관된 형식화를 반대할지라도, 영국인이 알고 있고 미국도 그 나름대로 발견할 수 있듯이, 현실에 부합하는 중간적인 해결책이 있다. 현학적인 민주주의자들은 지혜와 창의적 능력과 서비스가 은행의 돈과 반대되는 것처럼 말한다. 그러나 예절의 교정이 없으면 대다수 사람은 그런 미덕들보다 캐딜락을 획득하는 편을 택할 것이다. 왜냐하면 정규적으로 인정받지 못하는 그런 미덕들은 캐딜락만큼 눈에 띄지 않기 때문이다.

_모튼 J. 크로닌(Morton J. Cronin),
'민주적 방식의 압제'(*The Tyranny of Democratic Manners*), 〈뉴 리퍼블릭〉, 1958. 1.

이런 요점 반복의 가치를 알려면, 필자가 그의 논점을 길게 개진한 본론과 함께 이 대목을 공부해야 할 것이다. 그리고 여기서는 필자가 그 글에서 개진한 논점들을 되풀이 하겠다고 독자들에게 명시적으로 알리고 또 왜 그렇게 하는지를 일러주지만, 대체로 필자들은 독자에게 명시적으로 알리지 않은 채 요점 반복에 진입한다. 대부분의 경우 필자가 앞에서 개진한 논점들을 요약하고 있는 것이 자명하다.

요점 반복이 얼마나 중요한지가 가장 극적으로 드러나는 곳은 바로 재판에서다. 배심원은 매우 상세한 증언과 반대 신문을 경청하는데 며칠을, 때로는 몇 주를 보낸다. 그 기간이 끝날 때는 배심원이 평결을 내리는데 필요한 모든 재료를 갖게 된다. 그러나 실제 재판이나 가상적 재판을 목격한 사람은 누구나 알고 있듯이, 검사와 변호사는 모두 배심원이 평결을 심의하기 전에 그들 입장의 요약문을 제출한다. 검사와 피고인은 배심원에게 재판 과정에서 정립된 주안점들을 상기시키는 이 요약문에 대다수의 시간을 쓴다. 쟁점들과 주장들이 이 요약문에 의해 날카롭게 다듬어질 뿐 아니라, 하나씩 연속적으로 등장함으로써 축적된 힘을 덧입게 된다.

이제 가상적인 예를 살펴보자. 이 요약은 소설가가 치밀하게 제어하고 있기 때문에 실제 재판에서 변호사가 제시하는 요약문보다 덜 장황할 것이다. 《앵무새 죽이기》(*To Kill a Mockingbird*)라는 소설에 나오는 이 장면에서, 백인 소녀를 강간한 혐의를 받은 흑인을 변호하는 아티커스 변호사가 배심원에게 최후의 호소를 하고 있다.

"신사 여러분, 나는 간단하게 말하겠으나, 남은 시간을 이용해 여러분에게 이 사건은 어려운 게 아니고, 복합적인 사실들을 가려내는 의사록이 필요 없고, 여러분이 피고인의 유죄에 대해 전혀 의심할 필요가 없다는 것을 상기시키고 싶습니다. 먼저 이 사건은 재판에 회부되지 말아야 했습니다. 이 사건은 흑과 백만큼 단순합니다."

"주 정부는 톰 로빈슨이 혐의를 받은 그 범죄가 발생했음을 보여주는 의학적 증거를 조금도 확보하지 못했습니다. 그 대신 두 증인의 증언에 의존했는데, 그들의 증거는 반대 신문에서 심각한 의심을 받았을 뿐 아니라 피고인에 의해 단호히 반박되었습니다. 피고인은 유죄가 아니고 이 법정 안의 누군가가 유죄입니다."

"내 마음속에는 주 정부를 위한 증인에 대한 연민밖에 없습니다. 하지만 그 연민은 그 소녀, 곧 자신의 죄책감을 제거하기 위해 한 남자의 목숨을 위험에 빠뜨린 그녀까지는 미치지 않습니다."

"신사 여러분, 나는 죄책감을 말합니다. 그녀에게 동기를 부여한 것이 죄책감이기 때문입니다. 그녀는 범죄를 저지르지 않았습니다. 그녀는 단지 우리 사회의 유서 깊은 엄격한 규약, 즉 너무도 가혹해서 그것을 깨는 사람은 누구나 우리와 함께 살기에 부적합해서 쫓겨나게 하는 그 규약을 어겼을 뿐입니다. 그녀는 잔혹한 가난과 무지의 희생자이지만 나는 그녀를 불쌍히 여길 수 없습니다. 백인이기 때문입니다. 그녀는 그녀의 엄청난 잘못을 충분히 알았지만, 그녀의 욕망이 자기가 깨고 있던 규약보다 더 강해서 계속 그 규약을 어기고 있었던 것입니다. 그녀는 끈질기게 어겼고, 이후의 반응은 우리 모두가 언젠가 알았던 적이 있는 그런 것입니다. 그녀는 모든 어린이가 행했던 짓이었습니다. 그녀가 잘못한 증거를 없애려고 노력했습니다. 그러나 이 경우에 그녀는 훔친 금지품을 감추는 어린이가 아니었습니다. 그녀는 그녀의 희생자를 치려고 덤벼들었습니다. 그녀는 반드시 그를 그녀로부터, 이 세상에서 격리시켜야 했기 때문입니다. 그녀가 잘못한 증거를 파괴해야 했던 것입니다."

"그녀가 잘못한 증거는 무엇이었습니까? 바로 한 인간, 톰 로빈슨이었습니다. 그녀는 톰 로빈슨을 자신으로부터 떼어놓아야 했습니다. 톰 로빈슨은 그녀가 행했던 짓을 날마다 상기시켜주는 인물이었습니다. 그녀는 무슨 짓을 했습니까? 한 니그로를 유혹한 것입니다."

"그녀는 백인인데 니그로를 유혹했습니다. 그녀는 우리 사회에서 입에 담기도 싫은 짓을 했습니다. 흑인 남자에게 키스를 한 것입니다. 늙은 아저씨가 아니라 강하고 젊은 니그로 남자에게. 그녀가 어기기 전까지는 그 규약이 중요하지 않았습니다. 그러나 나중에는 그 규약이 그녀를 짓눌렀습니다."

"그녀의 아버지는 그 광경을 보았고, 피고인이 그의 진술에 대해 증언했습니다. 그녀의 아버지는 무슨 행동을 했습니까? 우리는 모릅니다만, 매옐라 에웰이 왼손만 쓰는 누군가에게 무자비하게 맞았음을 가리키는 정황상의 증거가 있습니다. 우리는 에웰

씨가 무슨 행동을 했는지 부분적으론 알고 있습니다. 하나님을 경외하고 인내하고 존경스러운 백인 남자라면 그런 상황에서 당연히 했을 그런 행동이었습니다. 그는 선서하고 영장을 발부받았는데 분명히 왼손으로 서명을 했을 것입니다. 그리고 톰 로빈슨은 현재 여러분 앞에 앉아 그가 가진 유일한 손, 곧 오른손으로 맹세를 했습니다."

"그리고 순전한 만용을 지닌 채 백인 여자에게 '죄송스럽게' 느껴야 했던, 너무도 조용하고 존경스럽고 비천한 니그로는 두 명의 백인들에게 거슬리는 말을 해야 했습니다. 나는 그들의 등장과 행실을 여러분에게 상기시킬 필요가 없습니다. 여러분 스스로 목격했기 때문입니다. 메이콤 카운티의 보안관을 제외하고, 주 정부를 위한 증인들은 이 법정에서 냉소적인 확신으로 신사 여러분에게 그들의 모습을 나타냈습니다. 그것은 그들의 증언이 의심을 받지 않을 것이란 확신, 신사 여러분이 모든 니그로는 거짓말을 하고, 모든 니그로는 기본적으로 부도덕한 존재들이고, 모든 니그로 남자는 우리 여성들 둘레에 있을 때 믿으면 안 되고, 그들은 끼리끼리 어울린다는 가정—악한 가정—위에 그들과 함께하리라는 확신을 말합니다."

"신사 여러분, 그것은 그 자체가 톰 로빈슨의 피부만큼 새까만 거짓말, 내가 굳이 여러분에게 지적할 필요가 없는 거짓말임을 우리는 압니다. 여러분은 진실을 알고 있습니다. 그 진실은 바로 이것입니다. 일부 니그로는 거짓말을 하고, 일부 니그로는 부도덕하고, 일부 니그로는—흑인이든 백인이든—여성들 둘레에 있을 때 믿으면 안 된다는 것입니다. 그런데 이것은 인류에게 해당되는 진실이지 특정한 인종에게 해당되는 진실이 아닙니다. 이 법정에 있는 사람들 중에 거짓말을 한 번도 안 한 사람, 부도덕한 짓을 한 번도 안 한 사람은 없고, 욕망을 품지 않은 채 여자를 바라본 적이 없는 남자도 없습니다."

_하퍼 리(Harper Lee), 《앵무새 죽이기》, 20장

아티커스는 법정에서 모든 사람을 위한 동등한 정의를 주장하는 등, 세 단락을 더 설파한다. 《앵무새 죽이기》를 읽은 사람이나 그 소설에 기초한 영화를 시청한 사람은, 여기서 그가 요약하는 논점들을 얼마나 노련하게 주장했는지, 그리고 그가 자신이 다룰

배심원의 부류를 고려하는 가운데 그들에게 논쟁의 성격을 상기시켜주고 그 사건을 올바른 관점에서 보게 하는 것이 얼마나 필요했는지를 기억할 것이다. 하지만 이같은 요약은 청중에게 중요한 논점들을 상기시켜줄 뿐만 아니라, 그 발언의 주목적인 설득작업을 계속하고 또 강화시켜주기도 한다. 그래서 아티커스의 요점 반복은 대체로 설명의 성격을 띠지만, 마지막 단계까지 논쟁적 성격을 지니고 있다.

요약을 담은 그런 결론과 밀접한 관련이 있는 것은, 일반화하는(generalizes) 결론이다. 이런 결론은 우리가 본론에서 고려해왔던 문제나 이슈를 보는 안목을 넓혀주고, 우리가 주장하거나 논박했던 견해들의 궁극적 결과를 고려하고, 앞으로 취할 태도나 따를 행동방침을 권유한다. 달리 표현하면, 이는 우리가 우리의 주제를 고려한 결과 도달하게 된 일반적 결론들을 제시하는 그런 유의 결론이다.

미국 영어교사 협의회 1959년 대회에서 와너 라이스(Warner G. Rice) 교수는 대학 1학년 영어 과목을 폐지하자고 주장했다. 이에 반박하여 앨버트 키츠하버(Albert R. Kitzharber) 교수는 현재의 영어 과목을 개정하자고 주장했다. 여기에 실린 결론부에서 키츠하버 교수는 본론에서 주장했던 논점들에 기초해 일반화를 시도한다.

나는 우리가 논의하고 있는 문제와 관련해 내 입장을 아주 짧게 요약할 수 있다. 나는 현행 1학년 영어 과목의 전형적인 형태가 불만족스럽다. 그러나 급진적인 개정은 고등학교의 영어 교과과정의 변화를 앞지르면 안 되고 그것을 기다려야 한다고 확신한다. 고등학교 영어 교사들이 시도한 강요는 아무 효과가 없을 것이다. 우리가 그들이 작문을 가르치는 작업을 더 잘 수행하길 바라는 만큼, 그들도 그 작업을 더 잘 하고 싶어 한다. 그런데 그들과 우리 모두 이제껏 제대로 풀 수 없었던 문제에 대해, 우리는 동등한 입장에서 그들과 함께 일하고 그들을 도와야 한다. 우리의 협동 작업이 우리가 원하는 결과를 낳는다면, 현행 1학년 과목의 필요성은 사라질 것이다. 그러나 개정된 고등학교 과목을 활용하고 또 그 위에 세울 새로운 1학년 과목의 필요성은 사라지지 않을 것이다. 그런 과목은 1학년생이 그해에 듣게 될 다른 어떤 과목에 못지않은 가치를 지녀야 한다고 주장하고 싶다. 그 과목이 학생의 작문 실력을 유능한 수준에서 뛰어난 수준으로 끌어올리는데 집중하기 때문에 가치가 있고, 또한 지속적인 문학과 언어 공부를 통해 그의 교양 교육에 상당히 기여하기 때문에 가치가 있는 경우가 되어야 한다는 것이다. 이 둘은 영문과의 합당한 관심사이다.

사실 나는 양자가 의무라고 생각한다.

_앨버트 키츠하버, '죽음, 혹은 변신?'(*Death-or Transfiguration?*),

〈칼리지 잉글리시〉, 1960. 4.

우리가 수사학자들이 확대(amplification)와 경감(extenuation)이라 불렀던 것에 관여할 최상의 기회를 얻는 것은 이런 요약형 결론에서다. 확대란 우리가 개진한 논점들을 부각시키는, '최대한 크게' 만드는 과정을 말한다. 확대는 청중에게 우리 논점의 중요성이나 설득력이나 우월성을 상기시키는 하나의 방법이다. 경감은 정반대의 역할을 수행한다. 이는 반대편이 개진한 논점들이 하찮고, 약하거나 열등하다고 주장한다. 우리가 우리의 논점들을 확대하거나 대적의 논점들을 약화시키려고 할 때 의지하는 흔한 토픽들은 규모의 토픽과 정도의 토픽이다. 달리 말해, 우리는 우리가 개진한 논점의 절대적 중요성을 강조하거나 상대적 중요성을 덜 강조하려고 노력한다. 물론 우리는 우리의 주장을 제시할 때 이런 노력을 하지만, 결론에서 요약하는 방식으로 이런 확대와 경감 작업에 관여하는 것은 목적 달성에 유익할 수 있다.

요약 반복과 관련해 마지막으로 주의할 점이 있다. 가능한 한 짧아야 한다는 것. 그렇지 않으면 결론이 또 하나의 담론의 몫을 차지하게 되어 청중을 피곤하게 만들고 소외시킬 것이다. 강사나 필자가 결론을 맺겠다고 말한 뒤에 질질 끄는 것만큼 청중을 화나게 하는 것은 없다. 불균형적인 결론은 보통 불균형적인 서론보다 그 글의 효과에 더 나쁜 영향을 미친다. 새로운 청중은 따분한 서론은 용서할 수 있는 반면, 피곤한 청중은 하나같이 지루한 결론에 분개할 것이다.

우리가 살펴보았듯이, 감정적 호소는 담론의 어느 부분에나 적절하다. 하지만 전통적으로, 결론이야말로 감정적 호소가 가장 눈에 띄는 부분이었다. 오늘날의 학생들은 금세기 초에 큰 인기를 누렸던 셔터퀴(Chautauqua, 미국의 하계 문화 교육 학교-역자 주)풍의 연설에 많이 노출되지 않았지만, 윌리엄 제닝스 브라이언(William Jennings Bryan)과 같은 현란한 연설가의 연설을 고찰하면, 강사들이 한때 결론부에서 모든 감정적 중단을 이끌어내는 모습을 볼 수 있다. 오늘날의 학생들에게는 윈스턴 처칠 경이 장대한 오랜 전통에 속한 연설가였다는 것이 더 친숙하게 다가오리라. 감정을 불러일으키는 연설의 한 예는, 윈스턴 처칠 경이 1940년 5월 13일 하원에서 행한 유명한 연설의 결론부에 나온다.

> 내가 이 정부에 합류한 장관들에게 말했듯이, 하원에게 나에겐 피와 노고와 눈물과 땀 밖에 없다고 말하는 바입니다. 우리 앞에는 가장 격심한 시련이 놓여 있습니다. 우리 앞에는 허다한 달에 걸친 싸움과 고난이 있습니다.
>
> 여러분은 우리의 정책이 무엇인지 묻습니다. 나는 그것이 땅과 바다와 공중으로 전쟁을 벌이는 것이라고 말합니다. 하나님이 우리에게 주신 모든 힘과 모든 능력으로 치르는 전쟁, 어둡고 한탄스러운 인류의 범죄 목록에서 유례가 없는 괴물 같은 폭정에 항거하는 전쟁을 벌이는 것입니다. 그것이 우리의 정책입니다.
>
> 여러분은 우리의 목표가 무엇인지 묻습니다. 나는 한 마디로 대답할 수 있습니다. 그것은 승리입니다. 아무리 길고 어려운 길일지라도, 무슨 수를 써서라도 이룰 승리—모든 공포에도 불구하고 이룰 승리—입니다. 승리 없이는 생존이 없기 때문입니다.
>
> 이 점을 깨달읍시다. 대영제국의 생존이 없고, 대영제국이 이제까지 대변한 모든 것의 생존이 없고, 인류가 그 목표를 향해 전진할 것이라는 모든 시대의 열망이 생존하지 못할 것입니다.
>
> 나는 기운과 희망을 품고 이 과업을 떠맡습니다. 나는 우리의 대의가 사람들 사이에서 실패하지 않을 것으로 확신합니다.
>
> 나는 이 중대한 시기에 모두의 도움을 요청하고 "그러면 우리 모두 연합된 힘으로 다 함께 전진하자"고 말할 만한 자격이 있다고 느낍니다.

오늘날에도 우리는 이런 연설에 대한 향수를 느끼고 있고, 이따금 지명 전당대회와 같은 곳에서 감정을 불러일으키는 이런 연설에 노출되곤 한다. 하지만 일반적으로, 우리는 과장된 말로 우리의 감정을 이용하는 연설을 의심하는 편이다. 그리고 우리가 감정적 호소에 넘어가기 쉬운 자신의 성향을 잘못 판단했을지 모르지만, 과대한 감정 표현은 대체로 한물간 것이다.

오늘날 우리는 아브라함 링컨이 '두 번째 취임 연설'에서 발휘했던 절제된 감정적 호소를 더 적합한 것으로 간주하는 듯하다. 다음 본보기에서는 상당한 감정적 호소가 용어의 선택, 문장의 운율과 구조에 의해 생성되는 것을 볼 수 있다.

전능자는 그 자신의 목적을 갖고 있습니다. "범죄로 인해 세상에 화가 있을지라! 그 범죄가 생길 필요가 있기 때문이다. 그러나 그 범죄를 도입한 자에게 화가 있을지라." 만일 우리가 미국의 노예제가 하나님의 섭리로 생길 필요가 있었지만 지정된 기간 동안 계속되었다가 지금은 하나님께서 없애기 원하시는 범죄 중 하나이며, 그분이 이 끔찍한 전쟁에서 북부와 남부 모두에게 그 범죄를 도입한 자들에게 합당한 저주를 퍼부으신다고 추정한다면, 우리는 거기에서 살아계신 하나님을 믿는 신자들이 항상 그분께 돌리는 신적 속성들로부터 우리가 떠난 것을 알아챌 것인가? 우리가 간절히 바라고 또 열심히 기도하는 바는, 이 불행한 전쟁이 빨리 끝나는 것이다. 그런데 설사 하나님의 뜻이, 이 전쟁이 노예들이 250년 동안 무료로 봉사한 것을 통해 축적한 모든 부가 바닥이 날 때까지 계속되는 것이고, 채찍으로 흘린 피 한 방울을─3천 년 전에 말했듯이─칼로 흘린 또 다른 한 방울로 갚을 때까지 그렇게 된다고 해도, 여전히 "주님의 심판은 모두 옳고 의롭습니다"라고 말해야 한다.

아무에게도 악의를 품지 말고, 모두에게 사랑을 품고, 옳은 것을 확고히 믿는 가운데, 하나님이 우리에게 옳은 것을 보여주시는 대로, 우리가 몸담은 일, 즉 전쟁을 겪었을 자를 돌보고─국민의 상처를 싸매는 것─과부와 고아를 돌보며, 우리 가운데 그리고 모든 나라와 더불어 정의롭고 영구적인 평화를 이루고 흠모할 수 있게 하는 모든 일을 행하도록 노력합시다.

과장된 양식의 시대가 지나갔다고 해서, 우리가 감정적 호소에 반응하길 그쳤거나 감정적 호소를 이용하길 그친 것은 아니다. 지금은 감정적 호소가, 특히 결론에 나타날 때는, 불과 50년 전보다도 더 미묘하고 더 절제되는 경향이 있다는 것이다. 우리는 직접적인 감정적 호소에 덜 의존하고 간접적인 수단에 더 의존하는 듯하다. 예컨대, 우리 문장의 운율은 거의 눈에 띠지 않지만, 그에 못지않게 감정에 영향을 미친다. 이런 감정적 효과에 대해서는 양식에 관한 장에서 훨씬 길게 다룰 생각이다.

우리가 결론에서 감정적 호소에 의지할 필요가 있는지 여부와, 우리가 얼마나 강하게 감정적 호소를 활용해야 하는지는 대체로 청중의 성격에 달려있을 것이다. 화자나 필자가 그 담론의 알려진 청중 또는 가능한 청중의 기질을 가능한 한 정확히 판단하는 일은 지극히 중요하다. 어떤 청중들은 다른 청중들에 비해 감정적 호소에 덜 넘어갈 것이다. 예컨대, 어떤 전문가 그룹은 기질이나 훈련으로 인해 어떤 제안을 증명에 근거해 수용하거나 거부하는 경향이 있어서, 전문적인 관심사와 관련해 감정에 호소하는 것에 무감각할 수 있고 심지어는 적대적일 수 있다. 물론 청중의 감정적 호소에 대한 수용성은 논의되는 주제에 따라 다양할 수 있다. 의사들 같은 경우에는, 그들이 특정 신약이나 신기술을 받아들이라는 압박을 받을 때, 감정적 호소에 대해 거부반응을 보일 수 있다. 반면에 정부의 의료보험 후원 같은 주제에 관해서는 동일한 집단이 감정적 호소에 열린 반응을 보일 수 있다. 그리고 특정 주제에 관한 논리적 설득 수단이 약한 경우에도—적어도 반대편의 수단보다 더 약하다면—감정적 설득에 의지하는 것이 편리할 수 있다. 퀸틸리안은 그런 상황에서 감정적 호소가 효과적임을 발견했다. "물론 증거가 판사들로 하여금 우리 입장이 반대편의 입장보다 우월하다는 것을 보게 만들 수 있지만, 감정적 호소는 그들로 우리 입장이 더 낫게 되길 바라게 만들 것인즉 더 많은 역할을 할 것이다. 그리고 그들은 바라는 바를 또한 믿게 될 것이다."《변론법 수업》, VI, ii, 5. 퀸틸리안은 심지어 이렇게까지 주장했다. "웅변의 생명과 영혼을 발견할 곳은 바로 감정을 좌우하는 그 능력 안에서다"(VI, ii, 7). 그 위대한 라틴 수사학자가 목적을 이루기 위해서는 어떤 비윤리적 수단을 사용해도 좋다고 격려하는 듯이 보인다. 그러나 이상적인 웅변가는 '선한 사람'이라는, 퀸틸리안의 견해를 기억하는 사람은 이런 비방을 배척해야 마땅하다. 퀸틸리안은 사람들의 진면목을 감안할 때 감정적 호소가 어떤 상황에서는 가장 효과적인 설득 수단일 것임을 솔직히 인정할 뿐이다. 이렇게 인정하는 것은, 어떤 감정의 이용이라도 재가한다는 것을 의미하지는 않는다. 고전 수사학자들이 감정적 호소 자체를 비합법적인 것으로 간주하지 않았기 때문이다. 사람들은 때때로 이런 설득 수단을 남용했지만, 일부 사람이 남용했다고 해서 이 자원을 이용하는 모든 방식이 무효가 된 것은 아니다.

결론에서 우리가 할 수 있는 네 번째 일, 그리고 때로는 반드시 해야겠다고 느끼는 일은 청중을 우리에게 우호적으로 만드는 것이다. 우리가 담론의 앞부분에서 윤리적 호소를 발휘하지 않았다면, 그것을 결론부에서 하려는 것은 아마 너무 늦은 시도일 터이다. 이는 서론을 다룰 때 이미 살펴본 바 있다. 우리는 적대적인 청중의 환심을 사야 하거나 회의적인 청중에게 우리의 신빙성을 알려야 할 것이고, 종종 우리가 그동안 청중에게 쌓아놓은 신용을 보강해야 할 것이다. 우리 자신에 대한 우호적인 이미지를 쌓는 일을 결론까지 미루면, 보통은 청중을 설득할 기회를 잃기 쉽다. 그래서 결론에서 청중을 우리에게 우호적으로 만들려고 할 때는, 단지 앞부분에서 작동해온 윤리적 호소를 새롭게 하고 강화하는 것이 좋다.

결론에서 가장 적절한 윤리적 호소는 우리의 약점을 솔직히 고백하는 것, 상대편 입장의 강점을 인정하는 것, 앙심을 품은 대적에 대한 관대한 몸짓 등이다. 청중에게 우리는 우리 자신이나 우리 입장에 대해 환상을 품지 않고, 어디서 발견되든 진실을 존중하고, 악의를 사랑으로 갚을 능력이 있다는 인상을 남기는 것이 좋다. 청중은, 솔직한 고백과 관대한 양보를 할 수 있는 사람은 좋은 사람일 뿐 아니라, 그 자신의 입장의 강점을 너무도 확신하는 나머지, 반대편에도 점수를 양보할 사람이라는 인상을 품는다.

서론을 다루는 대목에서, 우리 대적에 대해 적대감을 불러일으키는 일이 필요하다면 그것을 서론보다는 결론에서 하는 편이 낫다고 말한 바 있다. 한편으로는, 상대편의 주장을 무너뜨린 후에 그에 대한 적대감을 불러일으키는 것이 더 쉽다. 하지만 어떤 상황에서는 적대감을 담론의 초기에 불러일으키는 편이 더 나을 수도 있다. 앞장에 실린 《변명》에서 소크라테스가 멜레투스에 대한 적대감을 연설의 초기에 불러일으키는 것이 필요하다고 생각했던 것을 살펴본 적이 있다.

배열에 대한 결론적인 진술

이번 장에서는 긴 담론의 여러 부분을 살펴보면서, 보통 각 부분에서 이뤄지는 것을 언급하고 종종 특정한 상황에 알맞게 적응할 필요가 있다고 말했다. 배열에 관한 규칙 중에 불변하는 것은 거의 없다. 무엇이든 급박한 상황에 맞출 필요가 있다. 달리 말하면 주제의 요구사항, 담론의 종류, 필자의 성격이나 능력, 또는 청중의 기질에 맞춰야 한다는 뜻이다. 특정한 상황에 많은 것을 적응시켜야 하는 한편, 설정할 수 있는 엄격한 규칙은 거의 없는 편이다. 어떤 필자는 다른 필자보다 이런 전략적 적응을 더 잘하는데, 이는 전자가 주어진 특정 상황에서 무엇이 효과적인지 아는 건전한 본능을 부여받았기 때문이다. 그러나 그만큼 은사를 부여받지 않은 필자라도 경험과 연습과 지도를 통해 이런 기술을 어느 정도 습득할 수 있다. 경험과 연습은 필자들이 스스로 쌓아야 하는 것이고, 이 텍스트는 필자에게 필요한 일반적 지침을 제공하려고 한다.

수사학이 할 수 있는 일은 이런 주제나 목적, 청중이 주어졌을 때 필자가 담론의 어떤 부분에서 해야 할 일과 어떻게 그 일을 할 수 있는지 지적하는 것이 전부다. 그러면 배치는 담론의 구성을 위한 전통적인 시스템 이상의 것, 작문의 개요를 작성하는 시스템 이상의 것이 된다. 배치는 원하는 목적을 달성하기 위해 현명한 선택을 하고 가능한 수단을 이용하도록 필자를 훈련시키는 하나의 분야가 된다.

배열에 관한 너무도 많은 결정이, 주어진 상황에 달려있기 때문에, 필자는 다음에 수록되는 글들을 통해 일부 필자들이, 주어진 상황에서 어떻게 배열했는지 공부하는 것이 좋을 것이다.

토마스 샌턴(Thomas A. Sancton) : 〈올해의 행성〉(*Planet of the Year*)

〈타임〉지는 새해 첫 호에 올해의 남자(또는 올해의 여자) 이슈를 출간한다. 1989년 1월 2일에 출간된 첫 호는 올해의 인물을 지명하는 대신, 위기에 처한 지구를 올해의 행성으로 지명했다(과거에는 단 한 번 1982년에 컴퓨터를 올해의 기계로 지명한 적이 있다). 토마스 샌턴의 에세이는 33페이지 분량의 패키지를 소개했는데, 거기에는 10편의 다른 에세이들과 미국의 계관 시인으로 존경받는 하워드 네메루(Howard Nemerou)의 시 〈규모〉(*Magnitudes*)도 포함되어 있다. 샌턴의 글에 따라오는 에세이들은, 하나같이 우리 행성이 입은 손상의 한 측면을 깊이 다루었다. 그 가운데 몇 편의 제목을 소개하면 다음과 같다.

〈탄생의 죽음〉(*The Death of Birth*, 사람이 지구에서 무모하게 생명을 쓸어버리고 있다)

〈스프레이 캔 속의 치명적인 위험〉[*Deadly Danger in a Spray Can*, 오존을 파괴하는 CFCS(chlorofluorocarbons, 염화불화탄소)을 금지해야 한다]

〈악취 풍기는 엉망의 상태〉(*A Stinking Mess*, 쓰고 버리는 사회는 땅과 바다를 더럽힌다)

〈너무 많은 입〉(*Too Many Mouths*, 사람 떼가 양식과 공간을 다 써버린다)

〈최악을 대비하라〉(*Preparing for the Worst*, 해가 살해자로 둔갑하고 우물이 말라버리면 인류는 어떻게 대처할 것인가?)

〈타임〉지 1989년 2월 13일자 판에 편집진은 독자들이 올해의 행성 호에 1,687통의 편지를 보내왔다고 보도하면서 "이는 〈타임〉지가 1979년 아야툴라 호메이니(Ayatullah Khomeini)를 올해의 인물로 선정한 이후에 쏟아진 최대의 메일"이라고 했다. 편집자에게 보낸 편지의 양으로 판단하건대, 이 특별호에서 다룬 토픽이 독자들의 민감한 신경을 건드렸다고 주장해도 무난하겠다. 샌턴의 에세이에 이어 이 글의 배열을 분석할 예정이다. ●

"한 세대는 가고 한 세대는 오되 땅은 영원히 있도다"(구약성경 전도서 1:4)

1. 아니다. 영원하지 않다. 최대한으로 잡아도 지구는 아마 앞으로 40억 년에서 50

● *TIME*, 2 January 1989, pp.26-30. Copyright 1988 The Time Inc. Magazine Company. Reprinted by permission.

억 년까지 지속될 것이다. 그때가 되면 태양이 너무 많은 수소 연료를 태운 나머지 팽창하여 지구를 포함한 주변 행성들을 태워 없앨 것이라고 과학자들은 예측한다. 다른 한편, 핵의 재앙은 당장 내일이라도 지구를 파괴할 수 있다. 이런 극단들 사이 어딘가에 이 놀랍고 소용돌이치는 지구의 수명이 놓여있다. 지구가 얼마나 길게 존속하고 생명의 질을 지지할 수 있는지는, 불변하는 물리학 법칙들에만 달려있지 않다. 왜냐하면 사람은, 좋든 나쁘든, 진화과정에서 이 행성의 현재와 미래의 상태에 영향을 미칠 능력을 가진 지점에 도달했기 때문이다.

2. 사람은 존재한 지 약 2백만 년 중 대부분의 기간에 걸쳐 지구의 환경에서 크게 번성했다. 어쩌면 너무 번성한 듯하다. 1800년에 이르러 10억 명이 이 행성에 걸터앉았다. 그 수가 1930년에 이르러 두 배가 되었고, 1975년에 다시 두 배가 되었다. 현행 출산율이 지속된다면 현재의 세계 인구 50억 명은 40년 뒤에 다시 두 배로 늘 것이다. 무서운 아이러니는 이런 인구의 기하급수적 성장—호모 사피엔스가 유기체로서 성공했다는 그 징표—이 인간 거주지로서의 지구를 파멸에 빠뜨릴 수 있다는 것이다.

3. 그 이유는 그 순전한 숫자보다도—비록 제3세계에서는 날마다 4만 명의 아기가 굶주림으로 죽고 있지만—인류가 자신들을 거주자로 맞이해준 이 행성을 취급하는 무모한 방식에 있다. 테크놀로지의 발달은 판도라의 상자에서 날아온 악한 마귀들처럼 자연의 평형상태, 즉 생명의 거미줄을 구성하는 생물학적, 물리적, 화학적 상호작용의 복잡한 체계를 깨뜨리는 수단을 제공했다. 산업혁명이 시작되면서, 굴뚝들은 유독한 가스를 대기에 배출했고, 공장들은 유독한 폐기물을 강과 개천에 쏟아냈고, 자동차들은 대체 불가능한 화석 연료를 꿀꺽 마시고 그 파편으로 공기를 더럽혔다. 진보의 이름으로, 숲들은 발가벗겨지고, 호수들은 농약으로 오염되고, 지하 대수층은 말라버렸다. 몇십 년 동안 과학자들은 이 모든 방탕함이 낳을 결과에 대해 경고를 해왔다. 그러나 아무도 크게 주목하지 않았다.

4. 마치 하나님이 노아에게 대홍수를 경고하듯이, 올해는 지구가 말했다. 그 메시지는 크고 분명했고, 갑자기 사람들이 경청하면서 거기에 어떤 불길한 의미가 있

는지 곰곰이 생각하기 시작했다. 미국에서는 3개월에 걸친 가뭄이 캘리포니아에서 조지아에 이르는 땅을 휩쓸어서, 전국의 곡물 생산이 31퍼센트나 줄고 수천 마리의 가축이 죽고 말았다. 고집스럽게 지속된 7주간의 열기는 전국의 상당지역이 37.7도를 웃돌게 만들어, 무서운 '온실 효과'—대기권에 이산화탄소와 다른 가스들이 쌓인 결과 생기는 지구 온난화—가 이미 진행되고 있을지 모른다는 우려를 낳았다. 옐로스톤 국립공원을 비롯한 미국 서부의 숲들은, 비의 부족으로 바싹 말라 불길에 태워지고 환경보호를 둘러싼 뜨거운 논란을 불러일으켰다. 그리고 많은 해변에서는 쓰레기와 하수, 의료 폐기물이 밀려 올라오는 바람에 수영객들의 흥이 깨어진 것은 물론, 바다가 갈수록 더 약탈당하고 있음을 보여주었다.

5. 이와 비슷한 오염 때문에 지중해와 북해와 영국해협의 많은 해변이 문을 닫았다. 엄청난 허리케인이 카리브 연안을 갈가리 찢어버리고, 홍수가 방글라데시를 황폐하게 만들어 우리에게 자연의 원색적인 권능을 상기시켜주었다. 소련에 속한 아르메니아에서는 거대한 지진이 발생해 5만 5,000천 명이 생명을 잃었다. 그것도 자연 재앙이긴 하지만, 잘 알려진 단층 지역에 값싼 고층 아파트를 세우는 바람에 초래한 높은 사상자 수는 자연을 다룰 때 부주의한 인류의 습관을 뚜렷이 보여주었다.

6. 환경 재난을 예고하는 다른 징조들도 있다. 미국에서 연방 무기 제조 공장들이 넓은 지역에 방사능 폐기물을 무모하게 또 비밀리에 버렸다는 사실이 밝혀졌다. 암을 유발하는 자외선을 차단하는 대기권의 오존층이 더욱 얇아지고 있다는 사실은, 페인트 스프레이 통이나 에어컨 같은 것에서 나오는, 대기를 파괴하는 프레인 가스를 계속 남용하고 있음을 입증했다. 가장 불길한 현상은 지구의 식물 및 동물 종(種) 절반의 집인 열대림의 파괴가, 매초 축구장 한 개에 달하는 속도로 계속 진행되고 있다는 사실이다.

7. 이런 나쁜 현상 중 대다수는 오랫동안 진행되어 왔고, 최악의 재난 중 일부는 인간의 행태와 아무 관계가 없었다. 하지만 금년에 일어난 한 차례의 기상이변과 무서운 환경 이야기는 범세계적인 여론을 불러일으키는 강력한 촉매제의 역할을 했

다. 모든 사람이 별안간, 이 선회하는 지구, 우리가 아는 모든 생명의 고귀한 저장소가 위험에 처했다는 사실을 감지했다. 그 어떤 인물, 어떤 사건, 어떤 운동도 우리 인류의 집인 바위와 흙과 물과 공기보다 더 상상력을 붙잡거나 헤드라인을 장식하지 못했다. 그래서 〈타임〉지는 전례가 없진 않지만 드물게 올해의 인물을 지명하는 전통을 떠나, 1988년을 맞이해 위기에 처한 지구를 올해의 행성으로 지명하기에 이른 것이다.

8. 이 주제를 보도하기 위해 〈타임〉지는 11월에 볼더에서 3일간의 대회를 개최하려고 10개국에서 33명의 과학자와 행정가, 정치 지도자들을 초청했다. 그 그룹에는 기후 변화, 인구, 폐기물 처리, 종의 보존 분야의 전문가들이 포함되었다. 전문가들은 서로 맞물린 이런 문제들의 복잡성을 설명했을 뿐 아니라, 폭넓은 실제적 아이디어와 제안도 내놓아서, 〈타임〉지가 환경 보존을 위한 실행방안을 만들게 되었다. 그 의제는 대표적인 환경문제 각각에 관한 이야기를 수반하는 가운데 다음 페이지에 계속 등장하게 된다.

9. 만일 지구의 위험한 상태에 대해 아무런 조치도 취하지 않는다면 어떻게 될까? 컴퓨터 프로젝션에 따르면, 대기권에 이산화탄소가 축적되어, 다음 세기의 중반에 이르면 지구의 평균기온이 영하 16도에서 영하 12.7도까지 올라갈 수 있다고 한다. 이는 대양의 수면을 상승시키고, 바닷물이 연안 지역에 밀려들어와 소금화 현상으로 광대한 농지를 망가뜨릴 수 있다. 기후 패턴이 바뀌면 거대한 지역이 불모지가 되어 역사상 유례가 없는 피난민 행렬이 만들어질 수 있다.

10. 유독성 폐기물과 방사능 오염은 인간 생존의 필수불가결한 조건인 안전한 식수의 부족을 초래할 수 있다. 그리고 21세기 중반에 이르러 80억에서 140억 명이 살아가게 될 세계에서 대규모 아사(餓死)가 발생할 가능성이 크다. 심지어는 도널드 마르키스(Donald Marquis)의 《아체와 메히타벨》(*Archy and Mehitabel*)에 나오는 '타이프 치는' 바퀴벌레가 그토록 비꼬듯 냉담하게 예언한 세계를 그려보는 것도 가능하다. "사람은 지구를 사막으로 만들고 / 이제는 그리 오래지 않아 / 사람이 지구를 다 써버려 / 오직 개미들과 / 지네들과 전갈들이 / 거기에서 거처를 찾을

수 있을 거야."

11. 최악의 시나리오들은 참으로 놀랍고 근거가 없다고 믿는 이들이 있다. 일부 과학자들은 지구 온난화 이론에 반대하거나 자연의 과정들이 그 효과를 무효화시킬 것이라고 예측한다. 캘리포니아 주립대학에서 환경학을 가르치는 케네스 와트(Kenneth E. F. Watt) 교수는 온실 효과를 '금세기의 웃음거리'로 부르기까지 했다. 미국 교통부에서 일하는 지질 물리학자 프레드 싱어(S. Fred Singer)는, 모든 온실 온난화는 열기를 반사하는 구름의 증가로 상쇄될 것이라고 예측한다. 이런 회의론자들이 옳을 수도 있다. 그러나 절대적인 재난의 증거를 기다리는 동안, 아무것도 하지 않는 것은 너무나 위험하다.

12. 이런 이론이나 저런 이론의 타당성이 어떠하든 간에, 지구는 현재와 같은 상태로 남지 않을 것이다. 이 행성은 약 45억 년 전 용해된 바위와 가스 덩어리로 시작할 때부터, 대륙들이 형성되고 퍼즐 조각들처럼 다 함께 움직이고 또 떨어져서 표류하는 모습을 보았다. 이후의 빙하 시대에는 빙하들이 극지의 빙관들에서 미끄러져 나갔다. 산맥들이 해저에서 불쑥 돌출했고, 광대한 토지들이 파도 아래로 사라졌다.

13. 예전의 기후나 위상의 변화는 멸종의 파도를 수반했다. 가장 놀라운 예는, 백악기(1억 3600만 년~6천 500만 년 전) 동안 거대한 공룡들이 멸절된 것이다. 아무도 무엇이 공룡을 죽였는지 정확히 알지 못한다. 물론 환경 조건의 급진적 변동이 해답일 가능성이 높지만 말이다. 어느 대중적인 이론은 거대한 유성이 지구와 충돌해 방대한 흙구름을 일으켜 햇빛을 막는 바람에 식물들이 멸종되었다고 한다. 그 결과 공룡들이 굶어 죽었다는 것이다.

14. 그 이론이 정확하든 말든, 그에 못지않은 굉장한 사건이 바로 이 순간 일어나고 있고, 이번에는 그 행위자가 바로 사람이다. 대표적인 본보기로, 브라질을 비롯한 여러 나라에서 숲을 무차별 불태우고 잘라내는 바람에, 날마다 대체 불가능한 종들이 사라지고 있다. 하버드 생물학자 E. O. 윌슨(E. O. Wilson)은 "현재 진행 중인 범세계적 멸종은, 적어도 공룡 시대의 끝에 발생한 대규모 멸종만큼 될

전망이다"라고 말한다.

15. 인류가 자연을 약탈하는 현행 관계는, 오랜 세월에 걸쳐 진화한 사람 중심의 세계관을 반영한다. 거의 모든 사회는 제각기 지구와 그 기원에 대한 신화를 갖고 있다. 고대 중국인은 카오스를 거대한 계란으로 묘사하며 그 부분들이 지구와 하늘, 음과 양으로 분리되었다고 했다. 그리스인은 가이아, 곧 지구는 카오스 직후에 창조되었고 신들을 탄생시켰다고 믿었다. 많은 이방 사회에서는 지구가 어머니, 곧 풍부한 생명의 부여자로 간주되었다. 자연—흙과 숲과 바다—에는 신성이 부여되었고, 죽을 인간들은 자연에 종속된 존재였다.

16. 유대-기독교 전통은 근본적으로 다른 개념을 소개했다. 창세기에 따르면, 지구는 유일신인 하나님이 창조하셨고, 그분은 지구를 만든 뒤에 그 거주자들에게 이렇게 명했다고 한다. "생육하고 번성하여 땅에 충만하라, 땅을 정복하라, 바다의 물고기와 하늘의 새와 땅에 움직이는 모든 생물을 다스리라"(구약성경 창세기 1:28 중에서). 정복의 개념은 자연을 편의대로 이용하라는 초대로 해석될 수 있다. 그래서 기독교의 확산은—보통은 이것이 테크놀로지의 발달을 위한 길을 닦았다고 여긴다—그와 동시에 종종 기술의 진보에 수반되는 무자비한 자연의 착취의 씨앗을 들고 왔을지 모른다.

17. 그런 경향은 계몽주의의 기계적 우주 개념, 즉 사람이 과학을 통해—자신의 목적을 위해—우주를 형성할 수 있다는 개념과 혼합되었다. 그런 세계관의 신나는 낙관주의가 근대의 가장 위대한 일부 업적들의 배후에 있었다. 노동절약형 기계의 발명, 마취제와 백신의 발견, 효율적인 운송과 커뮤니케이션 시스템의 발달 등. 그런데 갈수록 더 테크놀로지는 뜻밖의 결과의 법칙에 직면했다. 의료의 진보는 수명을 연장시키고 유아 사망률을 낮췄지만, 인구 문제를 악화시켰다. 살충제 사용은 수확을 증대시켰지만 급수를 오염시켰다. 자동차와 제트 비행기의 발명은 여행을 혁명적으로 바꿔놓았지만 대기를 더럽히고 말았다.

18. 그러나 테크놀로지의 진보는 지구의 아름다움에 대한 사람의 경이와 경외를 파괴한 적이 없다. 영국 산업혁명의 도래는 그 '어둔 사탄적인 제분기'(dark Satanic

mills)와 함께 자연의 영광을 노래하는 로마 시(Romantic Poetry)의 특별한 만발과 동시에 일어났다. 20세기의 많은 사람은 달에서 바라본 지구의 첫 이미지들을 보고 동일하게 부드러운 느낌을 표현했다. 캄캄한 우주를 배경으로 희미하게 반짝이는 공의 광경은, 보통은 산문의 분위기인 우주인들에게 영감을 주어 유창한 웅변으로 날아오르게 했다. 1971년 아폴로 14호를 타고 달에 갔던 에드거 미첼 (Edgar Mitchell)은 지구를 '캄캄한 미스터리의 짙은 바다 속의 작은 진주처럼… 천천히 선회하는 하얀 베일로 장식된… 반짝이는 푸르고 흰 보석'으로 묘사했다. 우주에서 찍은 지구 사진은 지질학자 프레스턴 클라우드로 하여금 이렇게 쓰게 했다. "어머니 지구는 다시는 똑같이 보이지 않을 것이다. 사유하는 사람들은 더 이상 이 작은 행성을… 모든 요구에 무한히 새로운 선물을 산출하는 등 무한한 활동의 극장이자 사람에게 자원을 공급하는 자로 여길 수 없다." 그 결론은 1988년의 환경적 충격의 결과 더더욱 불가피한 것으로 보인다.

19. 환상을 품지 말자. 지구 환경에 대한 대규모 상처를 중단시키는 효과적인 행동을 취하려면 정치적 의지의 동원, 국제적인 협력, 전쟁 때를 제외한 알려지지 않은 희생이 필요할 것이다. 그런데 인류는 현재 전쟁 중이다. 그것을 생존을 위한 전쟁이라 불러도 가혹하지 않다. 모든 국가가 동맹을 맺어야 할 전쟁이다. 지구를 위협하는 문제들의 원인과 결과는 모두 세계적이고, 그것들은 전 세계가 함께 공격해야 마땅하다. "모든 국가는 공동 운명과 관련해 다 함께 묶여있다." 미주리 식물원의 원장인 피터 레이븐(Peter Raven)의 말이다. "우리는 모두 공동의 문제에 직면하고 있다. 그것은 우리가 어떻게 이 단일한 자원, 말하자면 세계를 생명력 있게 유지할 것인가 하는 것이다."

20. 인류는 20세기의 마지막 10년에 접어들면서 중요한 전환점에 도달한다. 현재 살아있는 자들의 행동이 미래를, 아마도 이 종의 생존 자체를 결정할 것이란 점이다. "우리는 사태의 전환을 꾀할 시간이 몇 세대가 아니라 몇 년뿐임을 유념해야 한다"고 워싱턴 소재 월드와치연구소의 소장 레스터 브라운(Lester Brown)이 경고한다. 이 행성의 모든 사람은 지구의 취약성과 지구 보존의 긴급한 필요성

에 대해 일깨움을 받아야 한다. 평범한 사람들—캘리포니아의 주부, 멕시코의 농부, 소련의 공장 일꾼, 중국의 농부—이 기꺼이 그들의 생활방식을 조정하려 하지 않는 한, 환경을 보호하려는 어떤 시도도 장기적으로 성공하지 못할 것이다. 낭비하고 부주의한 우리의 생활방식은 과거의 것이 되어야 한다. 우리는 일상생활에서 더 많이 재활용하고, 더 적게 자식을 낳고, 전등을 끄고, 대중교통을 이용하고, 수많은 일을 다르게 수행해야 한다. 이렇게 하는 것은 우리 자신과 우리 자녀들뿐 아니라 언젠가 지구를 물려받을 태어나지 않은 세대들에 대한 의무이기도 하다.

21. 이런 대규모 헌신을 동원하려면 비범한 리더십, 위기의 때에 나타난 그런 리더십이 필요할 것이다. 진용을 갖춘 동포들에게 '최고의 순간'을 살도록 원기를 북돋운 처칠(Winston L. S. Churchill)의 웅변, 대공황에 빠진 미국인들에게 희망과 일자리를 준 루스벨트(Franklin D. Roosevelt)의 실용적 이상주의 같은 리더십이다. 과거 어느 때보다 더 지금은 지도자들이 필요한 시대다. 동료 시민들에게 민족주의적인 캠페인이나 군사적 캠페인이 아니라 지구를 구하기 위한 전 세계적 십자군운동에 대한 뜨거운 사명 의식을 불어넣을 그런 지도자들이다. 인류가 지체 없이, 총체적으로 그 대의를 수용하지 않는다면, 핵무기에 의한 대학살 또는 느린 멸종에 대한 대안이 전혀 없을 것이다.

토마스 생턴의 〈올해의 행성〉에 나타난 배열의 분석

토마스 생턴의 에세이 〈올해의 행성〉은 1989년 〈타임〉지 첫 호에 실렸는데, 이는 '위기에 처한 지구'라는 일반적 주제에 관한 일련의 기사들의 서문 역할을 한다. 각 기사는 인구과잉, 환경오염, 기후 온난화와 같은, 우리 행성의 안녕에 대한 특별한 위협을 다루고 있다. 각 기사는 독자들에게 관련된 사실들을 알려주고, 또 우리가 조치를 취하지 않으면 초래될 결과를 보여줌으로써 그들에게 경각심을 불러일으키려고 한다. 이 선두 기사에서 토마스 생턴은 독자들에게 현 상황을 개관해준다.

우리는 생턴이 이 서문격 에세이에서 제시하는 사실들과 주장들의 설득력과 타당성을 분석할 수도 있지만, 여기서는 그 에세이의 배열과 구성에 집중할까 한다. 정보용 에세이나 논증용 에세이를 구성하는 단 하나의 이상적인 방법은 없다. 거의 모든 담론의 구성은, 그 부분들을 정돈하는 법에 관한 특정한 필자의 판단력을 보여준다. 우리는 그 구성을 분석함으로써 필자가 부과한 순서의 효과성 내지는 비효과성에 관해 나름의 판단을 내릴 수 있다. 우리는 특정한 에세이의 부분들을 그렇게 정돈하는 것이 불가피했다고 말할 수 없을지 모르지만, 그 정돈이 현명했다거나 정당했다고 말할 수는 있다. 우리는 필자가 왜 저것보다 이것을 먼저 얘기해야 했는지를 알 수 있을 것이다. 또는 저것보다 이것을 먼저 얘기하는 것이 전략적 실수였음을 보여줄 수 있을지도 모른다. 논증의 순서는 저자의 설득이 성공하는데 매우 중요할 수 있으나, 특정한 사례 또는 전형적인 사례에서 최상의 순서를 지배하는 법칙은 하늘에 펼쳐져 있지 않다. 생턴의 에세이의 기능을 감안하는 가운데, 이 필자가 의식적으로나 무의식적으로 어떻게 이 담론을 구성하기로 했는지 살펴보기로 하자.

생턴의 에세이에는 21개의 단락이 있다. 이제 우리가 그 에세이를 개관할 때 할 일은, 21개 단락을 어떤 그룹으로 나눌 수 있는지 보는 것이다. 큰 덩어리들이 어디에 있는가, 그리고 이 덩어리들은 서로 어떤 관계에 있는가? 이 에세이의 이음매가 어디에 있는지에 대해서는 독자에 따라 의견이 다를 수 있지만, 이 에세이의 주요 구분에 관해서는 어느 정도의 여론을 얻을 수 있을 것이다.

키케로가 말한 부분들—서론, 사실 진술, 구분, 증거, 결론—의 견지에서 에세이의 배열을 분석할 수 있지만, 여기서는 또 다른 분석 방법—전통적 개관의 로마숫자 형식—을 이용하도록 하자.

서론(단락 1~3)
  I. 지구 환경의 악화의 증거(단락 4~7)
  II. 〈타임〉지가 우리의 경각심을 불러일으키려고 한 일(단락 8)
  III. "지구의 위험한 상태에 대해 우리가 아무것도 하지 않으면 어떻게 될까?"라는
      질문에 대한 대답(단락 9~11)

IV. 과거와 현재의 환경 변화(단락 12~14)

V. 세계의 기원에 관한 다양한 신화들(단락 15~18)

결론(단락 19~21)

단락의 덩어리들을 로마숫자 형식으로 배열한 만큼, 이제는 필자가 각 부문에서 무엇을 하고 있는지 자세히 살펴보도록 하자.

토마스 생턴은 서론의 첫 단락에서 성경의 전도서에 나온 격언과 의견을 달리한다고 진술한다. 그는 "땅은 영원히 있다"는 주장에 반박하면서 자기 에세이의 논지를 선언한다. 지구가 얼마나 길게 존속할지는, 물리학 법칙들뿐 아니라 이 행성 주민의 행위에도 달려있을 것이다. 둘째 단락에서는 인간들이 이 행성에서 너무 잘 번성했다고 지적한다. 아이러니하게도, 1800년 이래 인간 주민들의 굉장한 증가는 그 자체로 우리 행성을 파멸에 빠뜨릴 수 있다. 서론의 셋째 단락에서는 우리 행성을 파멸에 빠뜨리는 것이, 주민의 증가뿐 아니라 주민들이 자신들을 거주자로 맞이해준 우리 행성을 취급하는 무모한 방식이기도 하다고 지적한다. 지난 2백 년 간의 테크놀로지 진보만 해도 위험할 정도로 대기를 오염시켰다.

이 세 단락은 이 에세이와 이어지는 에세이들이 무엇에 관한 글인지 일깨워주고, 이 〈타임〉 특별호의 논지를 진술한다. 그리고 단락 4에서 시작해 단락 7에 이르기까지 에세이의 본론에 진입한다. 이 네 단락에서 그는 우리 행성의 불길한 손상의 증거를 열거한다.

단락 4에서는 1988년 미국에서 발생한 손상, 즉 가뭄, 화재, 지진, 허리케인 같은 자연재해와 쓰레기 및 다른 폐기물의 처분으로 인한 손상에 관해 얘기한다. 다음 단락에서 필자는 같은 해에 다른 나라들에서 발생한 비슷한 재난들을 지적한다. 여섯째 단락에서는 최근의 인위적인 환경오염 몇 가지를 지적한다. 연방 무기 공장에서 버린 방사능 폐기물로 인한 오염, 지속적인 오존층의 감소, 열대림의 무자비한 파괴 등. 이 에세이의 첫 부문의 마지막 단락(7)은 요약용 단락이다.

이 에세이의 둘째 부문은 단 하나의 단락, 단락 8로 구성되어 있다. 여기서 필자는

〈타임〉지가, 앞 부문에 묘사된 파괴적 진전에서 초래되는 위험에 대한 경각심을 불러일으키려고 행한 일을 들려준다. 〈타임〉지는 보통 올해의 남자(또는 여자)를 다루던 지면에, 1989년 1월호에서는 지구를 위기에 처한 행성으로 지명하려는 계획을 세웠고, 이와 관련해 1988년 11월에는 콜로라도의 볼더에서 3일간의 대회를 개최하려고 10개국 33명의 과학자와 행정가와 정치 지도자들을 불러 모았다. 그 대회의 결과가 그 집회에서 다룬 중요한 환경 문제 각각에 관한 일련의 기사들로 발표되었다.

토마스 생턴의 에세이의 셋째 부문은 "만일 지구의 위험한 상태에 대해 아무런 조치도 취하지 않는다면 어떻게 될까?"란 질문에 대해 네 가지 대답을 제공한다. 첫째 대답은 지구 온도의 상당한 상승이 초래하는 결과와 관련이 있다. 상승하는 온도는 대양의 수면을 높이고, 바다가 연안 지역에 흘러넘쳐 농지를 망가뜨리고, 변하는 기후 패턴이 많은 지역을 '불모지'로 만들 것이다. 둘째 대답은 유독성 폐기물의 결과와 관련이 있다. 필수적인 식수 공급이 크게 줄어들 것이다. 셋째 대답은 우리 행성 인구의 현격한 증가가 낳는 결과와 관련이 있다. 세계 전역에서 대규모 아사가 발생할 가능성이 많다. 넷째 대답은 우리 행성의 손상이 가져오는 전반적인 결과를 가리킨다. 온 지구가 모든 종류의 생명체에 비우호적인 장소가 될 것이다.

그러나 이 셋째 부문의 마지막 단락인 단락 11에서는, 필자가 많은 훌륭한 과학자들이 이 부문의 두 단락에 표현된 경고주의자들의 견해에 동의하지 않는다고 말하고, 그 가운데 E. F. 와트와 프레드 싱어의 이견을 인용한다.

이 에세이의 넷째 부문은 단락 12, 13, 14로 구성되어 있으며, 지구 환경에 일어난 과거와 현재의 변화를 다룬다. 서두에서는 필자가 앞 부문(단락 9~11)에 묘사된 상충되는 견해들에 대한 반응으로 "이런 이론이나 저런 이론의 타당성이 어떠하든 간에 지구는 현재와 같은 상태로 남지 않을 것이다"라고 말한다. 그는 우리 환경의 상태에 발생했고 또 발생하고 있는 지각 변동을 지적함으로써 그와 비슷한, 어쩌면 더 치명적인 변동이 지구에 일어날 것임을 깨닫게 하고 싶어 한다. 이런 변동의 전반적 결과는 인간과 동물과 식물 생명의 광범위한 멸종이 될 것이다.

이 에세이의 마지막 부문은 단락 15~18로 구성되어 있고, 역사적으로 전해져 내려오는 세계의 기원에 관한 신화들을 다룬다. 이 부문은 독자가, 이 논의가 전체적인 주제와 논지에 어떻게 연관되는지 알기가 무척 어려운 대목이다. 필자가 지구의 기원에 관한 몇 가지 신화에 대해 개관한 것을 독자가 이해하더라도, 이 개관이 에세이의 전반적인 토픽에 적실한지를 알아내기가 어려울 것이다. 필자가 이 마지막 부문과 앞의 내용 간의 관계를 어떻게 보는지는 단락 15의 첫 문장에 암시되어 있는 듯하다. "인류가 자연을 약탈하는 현행 관계는 오랜 세월에 걸쳐 진화한 사람 중심의 세계관을 반영한다." 생턴은 고대 중국, 그리스, 유대-기독교 문화가 말하는 세계 기원에 관한 신화들을 개관하고, 이어서 계몽주의 시대의 기계론적 우주관의 발전을 추적함으로써 우리에게 현재의 '사람중심적인 세계관이 어떻게… 오랜 세월 동안 진화했는지'를 보여주고 싶어 하는 듯하다.

어쨌든 본론의 마지막 단락(18)이 어떻게 에세이의 나머지 부분과 연관되는지 아는 것은 더 어렵다. 그 단락의 첫 문장은 논지를 알려주는 문장인 것 같다. "그러나 테크놀로지의 진보는 지구의 아름다움에 대한 사람의 경이와 경외를 파괴한 적이 없다." 그런데 그 논지는 필자가 나머지 부분에서 얘기해온 내용과 어떤 관련이 있는가?

단락 19, 20, 21은 이 에세이의 결론에 해당한다. 이 마지막 부문의 주제는 다음과 같이 진술할 수 있을 것이다. 지구 환경의 대대적 악화를 중단시키거나 역전시키려면, 모든 국가의 정치적 리더십을 동원할 필요가 있다. 토마스 생턴의 주장은, 만일 우리가 집합적인 정치적 의지를 동원하는 데 성공하지 못한다면 우리에게 남은 내일이 별로 없을 거라는 것이다. 시계의 초침 소리가 불길하다.

우리는 필자가 이 에세이를 어떻게 구성했는지 살펴보았고, 필자가 에세이에서 연달아 말한 내용을 개관했다. 우리가 이 주제에 관해 에세이를 썼다면 다르게 구성했을지 모르지만, 대체로 이 필자가 채택한 특정한 순서에 대한 그럴듯한 이유를 간파할 수 있다. 솔직히 말해, 본론의 마지막 부문(단락 15~18)이 앞의 부분들과 어떻게 연관되는지는 파악하기 어렵지만, 이 부문이 전혀 상관없는 대목은 아니었다. 본론의 다섯 부문에 나온 정보와 주장들이 축적되어 우리에게 미친 영향은, 필자가 결론에서 말하는 내용에 동의하기 쉽게, 심지어는 동의하지 않을 수 없게 만든 것이다. 세계의 모든 국가가 우리 환경의 광범위한 악화를 저지하고 역전시키려는 노력에 협력하는 것이 반드시 필요하다. 필자의 결론을 수용한다면, 그것이 얼마만큼 그의 주장의 설득력에 기인하는지, 또 얼마만큼 그의 구성의 효과성에 기인하는지는 우리 나름대로 판단할 수 있다.

마르틴 루터 킹: 〈버밍햄 감옥에서 보낸 편지〉●

1950년대 후반과 1960년대 대부분의 기간 동안 민권운동에서, 특히 그 운동의 수동적인 저항과 비폭력의 측면에서 가장 카리스마적인 인물은 단연코 마르틴 루터 킹 목사였다. 그는 1929년 1월 15일 조지아주 애틀랜타에서 태어났고 애틀랜타의 모어하우스 칼리지에서 학사학위를, 1955년 보스턴 대학교에서 박사학위를 받았다. 루터 킹이 처음 공적으로 유명해진 계기는 로사 팍스 부인의 체포 직후, 앨라배마의 몽고메리에서 버스 보이콧을 성공적으로 이끈 것이었다. 로사 팍스 부인은 흑인 재봉사로서 1955년 12월 1일 일터에서 귀가하던 중, 버스 앞쪽의 자리를 양보하길 거부했던 여성이었다. 1957년 그는 남부기독교연합회의(SCLC)의 의장으로 선출되었는데, 이는 마하트마 간디로부터, 그리고 궁극적으로는 헨리 데이비드 소로로부터 물려받은 시민 불복종의 전략으로 국가의 양심을 건드리고 사회입법의 길을 열기 위한 기관이었다. 1964년 킹 박사는 노벨평화상을 수상했는데, 역대 가장 어린 나이에 그 상을 받은 인물이었다. 그리고 1968년 4월 4일 테네시 주 멤피스에서 암살되었다. 킹 박사는 주로 유창한 연설을 통해, 그리고 행진 및 연좌데모와 같은 신체적 시위에 참여함으로써 영향을 미쳤다. 하지만 다음에 나오는 글에서 우리는 킹 박사가 문자 매체를 통해 그의 수사적 재능을 발휘하는 모습

● 앨라배마의 동료 성직자 여덟 명[카펜터(C. C. J. Carpenter) 주교, 조셉 듀릭(Joseph A. Durick) 주교, 힐턴 그래프맨 (Hilton L. Grafman) 랍비, 폴 하르딘(Paul Hardin) 주교, 홀란 하르몬(Holan B. Harmon) 주교, 조지 머리(George M. Murray) 목사, 에드워드 라마즈(Edward V. Ramage) 목사, 얼 스탈링스(Earl Stallings) 목사]이 발표한 공개 성명에 대한 이 대응은, 약간 답답한 환경에서 작성되었다. 이 편지는 내가 감옥에 있을 동안 신문의 여백에 쓰기 시작했고, 어느 우호적인 흑인 모범수가 제공한 종잇조각에 계속 기록했다가, 내 변호사들이 마침내 허락을 받아 남겨준 종이철에 마감할 수 있었다. 이 텍스트는 본질적으로 변함이 없지만 출판을 위해 내가 다듬는 특권을 누렸다.

을 보게 된다. 물론 그 이유는 당시에 버밍햄 감옥에 갇혀 있었기 때문이다(그 편지에서 "예전에는 내가 그토록 긴 편지를 쓴 적이 없다"고 말한다). 이 편지를 쓰게 된 계기는 1963년 4월 12일, 필자의 주에 지명된 여덟 명의 성직자가 발표한 공개 성명이었다. 그 성명은 거리 시위의 사용을 한탄하고, 앨라배마의 백인과 흑인 시민들에게 '법과 질서와 상식의 원칙들을 준수하도록' 촉구하는 내용이었다. '공개편지'의 형식을 띤 이 사법적 수사의 한 편은, 이중적 청중을 갖고 있다. 당장은 그 공개 성명에 서명한 여덟 명의 성직자이고, 궁극적으로는 미국 국민들과 온 세상 사람들이다. ●

1963년 4월 16일

친애하는 동료 성직자들에게

1. 내가 이곳 버밍햄 시 감옥에 갇혀있는 동안 나의 현행 활동을 '지혜롭지 못하고 제때가 아니라'고 부른 여러분의 최근 성명을 접하게 되었습니다. 내 일과 아이디어에 대한 비판에 내가 답변하는 경우는 드문 편입니다. 만일 내가 내 책상에 올라오는 모든 비판에 답변하려고 한다면, 내 비서들은 온종일 그런 소통 이외에 다른 일을 할 시간이 거의 없을 테고, 나는 건설적인 일을 할 시간이 없을 것입니다. 그러나 여러분은 진정한 선의를 지닌 사람들이고, 또 여러분의 비판이 성실하게 제기된 것으로 생각하기 때문에, 나는 인내심을 담은 타당한 글로 여러분의 성명에 대답하려고 애쓰고 싶습니다.

2. 여러분이 '외부인들이 들어오는' 것을 반대하는 견해에 영향을 받았기 때문에, 내가 왜 이곳 버밍햄에 있는지 그 이유를 진술해야겠다고 생각합니다. 나는 남부기독교연합회의 의장으로 섬기는 영예를 누리고 있습니다. 이 기관은 조지아주 애틀랜타에 본부를 두고 모든 남부 주에서 활동하는 조직입니다. 우리는 남부 전역

에 85개의 가입 기관들을 갖고 있고, 그 중에 하나는 '인권을 위한 앨라배마 기독교 운동'입니다. 우리는 자주 가입 기관들과 간사와 교육적 및 재정적 자원을 공유합니다. 몇 달 전 이곳 버밍햄에 있는 가입 기관이 우리에게, 필요하다고 생각한다면, 비폭력 직접 행동 프로그램에 참여할 준비를 갖추라고 요청했습니다. 우리는 곧 동의했고, 그 순간이 왔을 때 약속을 지켰습니다. 그래서 내가 여러 간사들과 함께 여기에 있는 것은, 이곳으로 초대받았기 때문입니다. 내가 여기에 있는 것은, 이곳에 조직적인 유대가 있기 때문입니다.

3. 그러나 좀 더 근본적으로 말하면, 내가 버밍햄에 있는 것은 불의가 이곳에 있기 때문입니다. 마치 주전 8세기의 선지자들이 그들의 마을을 떠나 "여호와께서 말씀하시되"라는 메시지를 고향의 경계를 훨씬 너머 들고 나갔던 것처럼, 그리고 마치 사도 바울이 다소의 마을을 떠나 예수 그리스도의 복음을 그리스-로마 세계의 먼 구석까지 들고 갔던 것처럼, 나는 내 고향 너머로 자유의 복음을 들고 가지 않을 수 없었습니다. 바울처럼 나는 도움을 달라는 마케도니아의 부름에 늘 응답해야 했습니다.

4. 더구나, 나는 모든 공동체와 주들의 상호연관성을 인식하고 있어서, 애틀랜타에 게으르게 앉아 버밍햄에서 일어나는 일에 무관심할 수 없습니다. 어디서든 불의가 일어나면 그것은 모든 곳의 정의를 위협하는 것입니다. 우리는 불가피한 상호성의 그물망에 사로잡혀 있고 단일한 운명의 옷으로 묶여 있습니다. 한 사람에게 직접 영향을 주는 것은 무엇이든 모두에게 간접적인 영향을 미칩니다. 우리가 다시는 편협한 '외부 선동가'의 개념과 함께 결코 살아갈 수 없습니다. 미국 내에 살고 있는 사람은 누구나 그 경계 속 어디에 있든 외부인으로 간주될 수 없습니다.

5. 여러분은 버밍햄에서 일어나는 시위를 한탄합니다. 그러나 이렇게 말해서 미안합니다만, 여러분의 성명은 그 시위들을 초래한 조건에 대한 비슷한 염려를 표현하지 못하고 있습니다. 나는 여러분 중에 누구도 단지 결과만 다루고 저변의 원인과 싸우지 않는 피상적인 사회분석에 만족하길 원하는 사람은 없다고 확신합니다. 시위가 버밍햄에서 일어나고 있는 것은 유감스럽지만, 이 도시의 백인 권

력 구조가 니그로 공동체에게 다른 대안을 남기지 않은 것은 더더욱 유감스럽습니다.

6. 비폭력 운동은 모두 네 가지 기본 단계를 갖고 있습니다. 불의가 존재하는지 여부를 결정하기 위한 사실들의 수집, 협상, 자기 정화, 그리고 직접 행동입니다. 우리는 버밍햄에서 이 단계들을 다 거쳤습니다. 인종적 불의가 이 공동체를 삼키고 있다는 사실은 도무지 부인할 수 없습니다. 버밍햄은 아마 미국에서 가장 철저히 인종이 분리된 도시일 것입니다. 이 도시의 꼴사나운 잔인성의 기록은 널리 알려져 있습니다. 니그로들은 법정에서 심히 불의한 대우를 받아왔습니다. 버밍햄은 미국의 다른 어느 도시보다 니그로의 집과 교회에 폭탄을 던지는 미결된 문제를 더 많이 안고 있습니다. 이런 것은 어렵고 잔인한 사실들입니다. 이런 상황에 기초해 니그로 지도자들이 도시 행정 담당자들과 협상을 하려고 했습니다. 그러나 후자는 성의 있는 협상에 참여하길 줄곧 거부했습니다.

7. 이후 지난 9월 버밍햄 경제 공동체의 지도자들과 얘기할 기회가 왔습니다. 협상 과정에서 상인들이 특정한 약속들을 했습니다. 예컨대, 상점에 붙인 모욕적인 인종차별 표지를 제거하겠다는 것입니다. 이런 약속들에 근거해 프레드 슈틀워스(Fred Shuttlesworth)목사와 '인권을 위한 앨라배마 기독교 운동'의 리더들은 모든 시위를 일시 중지하기로 동의했습니다. 몇 주가 흐르고 몇 달이 지나자 우리는 우리가 깨어진 약속의 피해자란 사실을 알았습니다. 소수의 표지가 잠시 제거되었다가 되돌아왔습니다. 다른 것들은 그대로 있었습니다.

8. 과거의 많은 경험이 그랬듯이, 우리의 희망은 꺾어졌고, 깊은 실망의 그림자가 우리를 드리웠습니다. 우리로서는 직접 행동을 준비하는 수밖에 없었습니다. 그것은 그 지역 공동체와 전국 공동체의 양심 앞에 우리의 몸을 우리 입장을 제시하는 도구로 내어놓는 것입니다. 그와 관련된 어려움을 유념하면서 우리는 자기 정화의 과정을 밟기로 결정했습니다. 우리는 비폭력에 관한 일련의 워크숍을 시작했고, 반복해서 이렇게 자문했습니다. "당신은 보복하지 않으면서 구타를 받아들일 수 있는가?" "당신은 감옥의 고된 시련을 견딜 수 있는가?" 우리는 부활절 시

즌을 위한 직접 행동 프로그램을 계획하기로 했는데, 크리스마스를 제외하고 그 때가 연중 최대의 쇼핑 기간임을 알았기 때문입니다. 강력한 경제적 퇴각 프로그램이 직접 행동의 부산물이 될 것임을 알았고, 그때가 필요한 변화를 일으키기 위해 상인들에게 압력을 가할 최상의 시기일 것으로 생각했습니다.

9. 당시에 버밍햄 시장 선거가 3월에 있다는 생각이 떠올라서 우리는 재빨리 행동 시기를 선거일 이후로 연기하기로 결정했습니다. 우리는 공공안전국 국장, 유진 '황소' 코너(Eugene 'Bull' Connor)가 결선 투표에 나갈 만큼 득표했다는 사실을 알고는, 행동을 다시 결선 투표 이후로 연기해 시위가 쟁점을 가리는데 이용되지 못하게 하기로 결정했습니다. 많은 이들처럼 우리도 코너 씨가 패배하는 모습을 보고 싶었고, 이 때문에 연기에 연기를 거듭했습니다. 이런 공동체의 필요를 도와준 만큼, 우리는 직접 행동을 더 이상 연기할 수 없다고 느꼈습니다.

10. 여러분은 "왜 직접 행동인가? 왜 연좌데모, 행진과 같은 것들인가? 협상이 더 나은 길이 아닌가?"라고 물을 것입니다. 여러분이 협상을 요청하는 것은 옳습니다. 실은 이것이 직접 행동의 목적입니다. 비폭력 직접 행동은 그런 위기를 창조하고 그런 긴장을 조장해서, 줄곧 협상을 거부해온 공동체가 그 쟁점을 직면하지 않을 수 없도록 만들려고 합니다. 비폭력 저항자가 하는 일의 일부가 긴장을 창조하는 것이란 말이 충격적으로 들릴지 모릅니다. 그런데 나는 '긴장'이란 단어를 두려워하지 않는다고 털어놓아야 하겠습니다. 나는 난폭한 긴장은 열심히 반대했지만, 성장에 필요한 건설적이고 비폭력적인 긴장의 유형도 있습니다. 마치 소크라테스가 마음속에 긴장을 창조해 개개인이 신화와 반쪽 진리의 속박에서 창조적 분석과 객관적 평가의 영역으로 일어서는 것이 필요하다고 생각했던 것처럼, 우리 역시 사회에서 긴장을 창조해 사람들이 어두운 편견과 인종차별에서 장엄한 깨달음과 형제애로 일어서도록 하기 위해 비폭력적인 등에가 필요하다고 생각합니다.

11. 우리의 직접 행동 프로그램의 목적은 위기로 가득한 상황을 창조해 어쩔 수 없이 협상의 문이 열리게 되는 것입니다. 그러므로 나는 협상을 요청하는 여러분

의 입장에 동의합니다. 우리의 사랑하는 남부지방은 너무나 오랫동안 대화가 아닌 독백으로 살아가려고 노력하다 보니 난항에 빠지고 말았습니다.

12. 여러분의 진술에 담긴 기본 논점 중의 하나는 나와 내 동료들이 버밍햄에서 부적절한 시기에 행동을 취했다는 것입니다. 일부 사람은 "당신은 왜 새로운 도시 행정부에 행동할 시간을 주지 않았습니까?"라고 물었습니다. 이 질문에 대한 나의 유일한 답변은 새로운 버밍햄 행정부는 이전 행정부만큼 자극을 받아야 행동할 것이라는 것입니다. 만일 앨버크 바웃웰(Albert Boutwell)을 시장으로 선출한 것이 버밍햄에 천년왕국을 초래할 것으로 생각한다면, 그것은 큰 착각입니다. 바웃웰 씨는 코너 씨보다 훨씬 온유한 사람이지만 둘 다 인종 분리주의자들이고 현상 유지에 헌신한 자들입니다. 나는 바웃웰 씨가 인종차별 철폐에 대한 대규모 저항이 헛수고임을 볼 정도로 합리적인 사람이길 바랍니다. 그러나 그는 민권운동가들의 압력이 없이는 이 점을 보지 못할 것입니다. 내 친구들이여, 우리는 결연한 합법적이고 비폭력적인 압력이 없이는 민권에서 단 하나의 소득도 얻지 못했다고 여러분에게 말하지 않을 수 없습니다. 슬픈 역사적 사실은, 특권을 가진 집단들이 자발적으로 그들의 특권을 포기한 경우가 거의 없었다는 것입니다. 개인들은 도덕적 빛을 보고 자발적으로 그들의 불의한 태도를 포기할지 모릅니다만, 라인홀드 니버(Reinhold Niebuhr)가 우리에게 상기시켰듯이, 집단들은 개인보다 더 부도덕한 경향이 있습니다.

13. 우리는 고통스러운 경험을 통해 알게 된 것이 있습니다. 자유는 결코 억압자에 의해 저절로 주어지지 않으며, 피억압자가 요구해야 한다는 사실입니다. 솔직히 말하면, 나는 인종 분리라는 질병 때문에 부당하게 고통을 당하지 않은 사람들의 눈에 '적절한 때'로 비치는 직접 행동 캠페인을 아직 전개하지 않았습니다. 수년 동안 나는 "기다리라!"는 말을 들어왔습니다. 모든 니그로의 귀에 너무도 낯익은 소리입니다. "기다리라!"는 말은 거의 언제나 "결코 하지 말라"는 뜻이었습니다. 우리는 뛰어난 배심원 중의 한 사람의 말대로, "너무 오래 연기된 정의는 거부된 정의"임을 알아야 합니다.

14. 우리는 하나님이 주신 헌법상의 권리를 위해 340년 이상을 기다려왔습니다. 아시아와 아프리카 국가들은 정치적 독립을 얻기 위해 제트기처럼 빠르게 움직이고 있는데, 우리는 아직도 점심 식탁에서 커피 한 잔을 얻기 위해 마차처럼 기어가고 있습니다. 아마도 인종 분리의 날카로운 침을 맞은 적이 없는 사람들은 "기다리라"고 말하기가 쉬울 것입니다. 그러나 사악한 폭도들이 당신의 어머니와 아버지에게 마음대로 린치를 가하고, 당신의 자매와 형제들을 멋대로 익사시키는 모습을 봤을 때, 증오에 찬 경찰들이 당신의 흑인 형제들과 자매들을 저주하고 차고, 심지어 죽이기까지 하는 모습을 봤을 때, 2천 만 니그로 형제들의 절대다수가 풍요로운 사회의 한복판에서 밀폐된 가난의 우리 안에서 질식되는 모습을 볼 때, 여섯 살 된 딸에게 왜 TV에 방금 광고된 공립 오락 공원에 갈 수 없는지 설명하려는 순간 갑자기 당신의 혀가 꼬이고 말을 더듬거리게 되고, 펀타운이 유색 아이들에게는 닫혀 있다는 말을 듣자 딸의 눈에 눈물이 고이고 그의 자그마한 정신적 하늘에 불길한 열등감의 구름이 생기기 시작하는 모습을 보고, 딸이 백인에 대한 무의식적인 원한을 품음으로써 그녀의 성격이 왜곡되기 시작하는 모습을 보고, "아빠, 왜 백인이 유색인을 그토록 비열하게 대하죠?"라는 다섯 살 된 아들의 질문에 답변을 꾸며내야 할 때, 자동차로 국토횡단을 하다가 어느 모텔도 당신을 받아주지 않아서 밤마다 자동차의 불편한 구석에서 잠을 자야 할 때, 당신이 '백인'과 '유색인'이란 성가신 표지판을 날이면 날마다 보며 모욕을 당할 때, 당신의 첫 이름이 '검둥이'(nigger)가 되고 중간 이름이 '보이'(boy)(아무리 나이가 많아도)가 되고 마지막 이름이 '존'(John)이 되며, 당신의 아내와 어머니가 결코 존경받는 호칭인 '부인'(Mrs.)을 얻지 못할 때, 당신이 흑인이라는 사실로 인해 낮에는 괴로움을 당하고 밤에는 유령에 홀리고, 늘 살금살금 걸어야 하고 다음에 무슨 일이 닥칠지 알지 못한 채 내면의 두려움과 외부의 분노에 시달릴 때, 당신이 영원히 '무명씨'(nobodiness)라는 의식과 싸우고 있을 때, 여러분은 우리가 기다리는 것이 왜 어려운지 이해할 것입니다. 인내의 잔이 흘러넘치고 사람들이 더 이상 절망의 나락에 뛰어들길 원치 않을 때가 오게 됩니다. 여러분

이 우리가 더 이상 참을 수 없는 정당한 상태에 있음을 이해할 수 있기를 바랍니다.

15. 여러분은 법률을 위반하려는 우리의 자세에 대해 많은 우려를 표명했습니다. 이것은 확실히 정당한 염려입니다. 우리가 사람들에게 공립학교에서의 인종 분리를 금지한 1954년 대법원의 판결에 복종하라고 부지런히 촉구하고 있기 때문에, 처음에는 우리가 의식적으로 법을 위반하는 모습이 역설적으로 보일 것입니다. 그래서 혹자는 "어떻게 어떤 법들은 복종할 것을 요구하고, 또 어떤 법들은 위반하는 것을 옹호할 수 있습니까?"라고 물을 것입니다. 답변은 두 가지 유형의 법 —정의로운 법과 불의한 법—이 있다는 사실에 있습니다. 나는 정의로운 법에 복종하는 것을 옹호하는 첫 번째 사람이 되고 싶습니다. 우리는 정의로운 법에 복종할 법적인 책임뿐 아니라 도덕적 책임도 있습니다. 이와 반대로, 우리는 불의한 법에 불복종할 도덕적 책임이 있습니다. 나는 "불의한 법은 전혀 법이 아니다"라는 어거스틴(St. Augustine)의 말에 동의합니다.

16. 그러면 이 둘 사이의 차이점은 무엇입니까? 어떤 법이 정의로운지, 아니면 불의한지를 어떻게 판단하게 됩니까? 정의로운 법은 도덕법이나 하나님의 법과 조화를 이루는, 사람이 만든 규약입니다. 불의한 법은 도덕법과 조화를 이루지 못하는 규약입니다. 토마스 아퀴나스(St. Thomas Aquinas)의 말로 표현하면, 불의한 법은 영원한 법과 자연법에 뿌리를 두지 않은 인간 법입니다. 인간성을 향상시키는 법은 모두 정의롭습니다. 인간성을 떨어뜨리는 법은 모두 불의합니다. 모든 인종 분리 법규가 불의한 것은, 인종 분리가 영혼을 왜곡시키고 인간성을 손상시키기 때문입니다. 이는 인종 분리주의자에게 거짓된 우월감을 주고, 분리를 당하는 자에게 거짓된 열등감을 줍니다. 인종 분리는, 유대인 철학자 마르틴 부버(Martin Buber)의 용어를 사용하자면, '나—그대'의 관계를 '나—그것'의 관계로 대체하고, 결국 사람들을 사물의 신분으로 전락시키고 맙니다. 그런즉 인종 분리는 정치적, 경제적, 사회학적으로 불건전할 뿐 아니라 도덕적으로도 틀리고 죄악된 것입니다. 폴 틸리히가 죄는 곧 분리라고 말했습니다. 인종 분리야말로

사람의 비극적 분리, 끔찍한 소외, 무서운 죄악됨의 실존적 표출이 아닙니까? 그러므로 내가 사람들에게 대법원의 1954년 판결에 복종하라고 촉구할 수 있는 것은, 그것이 도덕적으로 옳기 때문이고, 내가 그들에게 인종 분리 법령에 불복종하라고 촉구할 수 있는 것은 그것이 도덕적으로 틀리기 때문입니다.

17. 이제 정의로운 법과 불의한 법의 구체적인 예를 생각해봅시다. 불의한 법은 숫자나 권력에서의 다수 집단이 소수 집단에게 강제로 복종케 하지만, 그 자체에는 구속력을 행사하지 않는 규약입니다. 이것은 차별성을 합법적으로 만든 경우입니다. 마찬가지로, 정의로운 법은 다수가 소수에게 강제로 따르도록 하고, 또 그 자체도 기꺼이 따르는 규약입니다. 이것은 동일성을 합법적으로 만든 경우입니다.

18. 다르게 설명해보겠습니다. 만일 어떤 법이, 소수파에게 투표권이 거부된 결과로 법을 제정하거나 안출하는데 참여할 수 없다고 선고한다면, 그 법은 불의합니다. 앨라배마주의 인종 분리 법률을 제출한 그 주의 입법부가 민주적으로 선출되었다고 누가 말할 수 있겠습니까? 앨라배마 전역에서 니그로가 등록된 투표자가 되지 못하도록 막는 온갖 교활한 방법이 사용되었고, 어떤 카운티들에서는 니그로가 대다수를 이루는 데도 단 한 명도 등록되지 못했습니다. 그런 상황에서 제정된 법을 과연 민주적으로 구성된 것으로 간주할 수 있습니까?

19. 때때로 어떤 법은 표면적으로는 정의롭고 적용에서는 불의합니다. 예컨대, 나는 허가 없이 행진을 했다는 혐의로 체포되었습니다. 행진에 대한 허가를 요구하는 법률을 갖는 것은 아무런 문제가 없습니다. 그러나 그런 법률이 인종 분리를 유지하고 평화로운 집회와 항의의 특권을 보호하는 수정헌법 제1조를 금지시킬 때는, 불의하게 됩니다.

20. 나는 여러분이 내가 지적하려는 차별성을 볼 수 있기를 바랍니다. 어느 의미에서든 나는 철저한 인종 분리주의자처럼 법을 회피하거나 도전하는 것을 옹호하지 않습니다. 그렇게 하면 무정부 상태를 초래할 것입니다. 불의한 법을 위반하는 사람은 공개적으로, 사랑의 자세로, 그리고 처벌을 기꺼이 받을 태도로 그렇

게 행해야 합니다. 양심이 불의하다고 일러주는 법을 위반하는 사람, 공동체의 양심을 일깨우기 위해 감금의 형벌을 기꺼이 받아들이는 사람은, 사실상 법에 대한 최고의 존경을 표현하고 있습니다.

21. 물론 이런 종류의 시민 불복종은 새로운 것이 아닙니다. 가장 숭고한 사례는 사드락과 메삭과 아벳느고가 더 높은 도덕법이 걸려있다는 이유로, 느부갓네살의 법에 복종하길 거부한 데서 찾을 수 있습니다(구약성경 다니엘서 3장). 뛰어난 예는 로마제국의 불의한 법에 순복하느니 굶주린 사자와 심히 고통스러운 위기를 직면하겠다고 결심한 초대교회 그리스도인들입니다. 어느 정도는, 학문의 자유가 오늘날 현실이 된 것은 소크라테스가 시민 불복종을 실천했기 때문입니다. 우리나라에서는 보스턴 차 사건(Boston Tea Party, 식민지 시절이던 1773년 12월 16일 밤, 미국 보스턴주 사람들이 영국에서 차 수입하는 것을 막기 위해 집단행동을 벌인 사건-역자주)이 대규모 시민 불복종 행동을 대변했습니다.

22. 우리가 꼭 기억해야 할 사실은, 아돌프 히틀러(Adolf Hitler)가 독일에서 행했던 모든 것은 '합법적'이었고, 헝가리의 자유 투사들이 헝가리에서 행했던 모든 것은 '불법적'이었다는 것입니다. 히틀러의 독일에서 유대인을 돕고 위로하는 일은 '불법'이었습니다. 그럼에도 만일 내가 당시 독일에서 살았더라면, 나는 나의 유대인 형제들을 돕고 위로했을 것이라고 확신합니다. 오늘 만일 내가 중요한 기독교 원리들이 탄압받는 공산주의 국가에 산다면, 나는 그 국가의 반종교적인 법률에 불복종하는 것을 공개적으로 옹호할 것입니다.

23. 나는 그리스도인 형제들과 유대교 형제들인 여러분에게 정직하게 두 가지를 고백해야겠습니다. 첫째, 나는 지난 몇 년에 걸쳐 백인 온건파에게 심히 실망했다는 것을 고백해야겠습니다. 나는 다음과 같은 유감스러운 결론에 거의 도달했습니다. 니그로가 자유를 향해 전진하는 데 큰 걸림돌이 되는 것은, 백인 위원회(WCC)나 KKK단이 아니라 백인 온건파라는 결론입니다. 백인 온건파는 정의보다 '질서'에 더 헌신되어 있고, 정의가 있는 긍정적 평화보다 긴장이 없는 부정적 평화를 선호하고, "나는 당신이 추구하는 목표에는 동의하지만, 직접 행동

이라는 당신의 방법에는 동의할 수 없다"고 늘 말하고, 온정주의적으로 자신이 다른 사람의 자유를 위한 시간표를 짤 수 있다고 믿고, 신화적인 시간 개념으로 살고 늘 니그로에게 '더 편리한 계절'을 기다리라고 충고하는 사람들입니다. 선의를 품은 사람들의 얄팍한 이해가, 악의를 품은 사람들의 철저한 오해보다 더욱 좌절감을 안겨줍니다. 미지근한 수용이 노골적인 배척보다 더 당혹감을 줍니다.

24. 나는 백인 온건파가, 법과 질서는 정의를 세울 목적으로 존재한다는 것과, 이 목적을 실패할 때는 양자가 사회적 진보의 흐름을 막는 위험한 댐이 된다는 것을 이해하길 바랐었습니다. 그리고 남부에 존재하는 긴장은, 니그로가 수동적으로 불의한 곤경을 수용했던 불쾌한 부정적 평화에서, 모든 사람이 인간성의 존엄과 가치를 존중할 실질적인 긍정적 평화로 전환되는데 필요한 단계임을 이해하길 바랐었습니다. 사실 비폭력적인 직접 행동에 참여하는 우리는 긴장을 조성한 자들이 아닙니다. 우리는 이미 살아있는 감춰진 긴장을 표면에 떠올릴 뿐입니다. 마치 종기는—덮어놓는 한 결코 치료될 수 없어서—반드시 그 꼴사나운 모습을 공기와 빛이라는 자연적인 약에 노출시켜야 하는 것처럼, 불의 역시—비록 노출될 때 많은 긴장이 생기지만—치유되려면 인간의 양심이라는 빛과 국민적 견해라는 공기에 반드시 노출되어야 합니다.

25. 여러분의 성명에서 여러분은 우리의 행동이 비록 평화롭지만 폭력을 초래하기 때문에 정죄되어야 한다고 주장합니다. 그런데 이것은 과연 논리적인 주장입니까? 이것은 마치 강도당한 사람에게, 그가 돈을 소유한 것이 강도짓이라는 악한 행위를 초래했다고 그를 정죄하는 것과 다름이 없지 않습니까? 이것은 마치 소크라테스가 진리에 대한 확고한 헌신과 철학적 탐구심을 품었기 때문에 오도된 민중이 그에게 독약을 마시게 한 행위를 초래했다고 소크라테스를 정죄하는 것과 다름이 없지 않습니까? 이것은 마치 예수가 독특하게 하나님을 의식하고 끊임없이 하나님의 뜻에 헌신했기 때문에 십자가 처형이란 악한 행위를 초래했다고 예수를 정죄하는 것과 다름이 없지 않습니까? 연방 법원이 늘 인정했듯이, 우

리는 기본적인 헌법적 권리를 얻으려는 한 개인의 노력이, 폭력을 초래할 수 있다는 이유로 중지할 것을 촉구받는 것은 잘못임을 알아야 합니다.

26. 나는 또한 백인 온건파가 자유를 위한 투쟁과 관련해 시간에 관한 신화를 배격할 것으로 바랐었습니다. 나는 방금 텍사스에 사는 한 백인 형제로부터 편지를 받았습니다. 그는 이렇게 썼습니다. "모든 그리스도인은 유색인들이 결국에는 동등한 권리를 받을 것임을 아는데, 당신은 종교적으로 너무 성급하다고 할 수 있습니다. 기독교가 현재 확보한 것을 성취하는데 거의 2천 년의 세월이 걸렸습니다. 예수 그리스도의 가르침이 이 땅에 임하는 데는 시간이 걸립니다." 그런 태도는 비극적인 잘못된 시간 개념, 즉 시간의 흐름 속에 모든 질병을 치유할 그 무엇이 있다는 불합리한 개념에서 나옵니다. 사실 시간 자체는 중립적입니다. 파괴적으로 이용되거나 건설적으로 이용될 수 있습니다. 악의를 품은 사람들이 선의를 품은 사람들보다 시간을 훨씬 더 효과적으로 이용했다는 느낌이, 갈수록 더 듭니다. 우리는 이 세대에 나쁜 사람들의 증오에 찬 말과 행동뿐 아니라, 좋은 사람들의 무서운 침묵에 대해서도 회개해야 할 것입니다. 인간의 진보는 결코 불가피성의 바퀴를 타고 굴러가지 않습니다. 그 진보는 기꺼이 하나님과 동역자가 되려는 사람들의 지칠 줄 모르는 노력을 통해 이뤄지고, 이런 고된 노력이 없으면 시간은 사회적 정체 세력의 동맹이 되고 맙니다. 우리는 시간이 항상 옳은 일을 하기에 무르익었다는 것을 알면서 창조적으로 시간을 사용해야 합니다. 지금은 민주주의의 약속을 현실로 만들고, 국가의 임박한 애가를 창조적인 형제애의 시편으로 변화시킬 때입니다. 지금은 국가의 정책을 인종적 불의의 유사(流砂)에서 인간 존엄성의 든든한 반석 위에 올려놓을 때입니다.

27. 여러분은 버밍햄에서 벌이는 우리의 활동을 극단적이라고 말합니다. 동료 성직자들이 나의 비폭력적 활동을 극단주의자의 활동으로 간주해서, 처음엔 내가 실망했습니다. 내가 니그로 공동체의 상반된 두 세력들의 중간에 서 있다는 사실에 대해 생각하기 시작했습니다. 한편에는 안일한 세력이 있습니다. 거기에는 오랫동안 억압을 받은 결과, 자존감과 '어엿한 사람'이라는 의식이 고갈되어 인

종 분리에 적응한 니그로들과, 어느 정도의 학문적 및 경제적 안정 때문에—그리고 어느 면에서는 인종 분리로—이익을 얻은 나머지, 대중의 문제에 둔감해진 소수의 중산층 니그로들이 있습니다. 다른 한편에는 원한과 증오를 품은 세력이 있고, 폭력을 옹호하다시피 하는 입장을 취합니다. 현재 전국에서 우후죽순처럼 생기고 있는 다양한 흑인 민족주의 집단들로 표출되고 있고, 그중에 가장 크고 잘 알려진 단체는 '엘리야 무하마드 무슬림 운동'(Elijah Muhammad's Muslim movement)입니다. 이 운동은 지속적인 인종차별에 대한 니그로의 욕구불만에 의해 육성되었고, 미국에 대한 믿음을 잃은 자들, 기독교를 철저히 거부한 자들, 백인은 구제 불능의 '마귀'라고 결론을 내린 자들로 구성되어 있습니다.

28. 나는 이 두 세력 사이에 서려고 노력했고, 우리가 안일한 자의 '무위'(無爲)와 흑인 민족주의자의 증오와 절망 모두 닮을 필요가 없다고 말했습니다. 왜냐하면 더 뛰어난 사랑과 비폭력적 항의의 길이 있기 때문입니다. 니그로 교회의 영향을 받아 비폭력의 길이 우리 싸움의 불가결한 일부가 된 것에 대해, 나는 하나님께 감사드립니다.

29. 만일 이 철학이 출현하지 않았더라면, 지금쯤 남부의 많은 거리에는 피가 흐르고 있을 것이라고 나는 확신합니다. 그리고 만일 우리의 백인 형제들이 비폭력적 직접 행동을 사용하는 우리를 소위 '대중 선동가'와 '외부의 선동가'로 치부한다면, 만일 그들이 우리의 비폭력적 노력을 지지하길 거부한다면, 수백만의 니그로들이 좌절감과 절망에 빠져 흑인 민족주의 이데올로기에서 위안과 안전을 찾을 것입니다. 이런 양상은 어쩔 수 없이 무서운 인종적 악몽으로 이어질 것입니다.

30. 억압받는 사람들은 영원히 억압된 상태로 있을 수 없습니다. 자유를 향한 열망은 결국 그 모습을 드러내고, 이것이 미국의 니그로에게 일어난 일입니다. 내부의 그 무엇이 그에게 자유의 생득권을 상기시켜주었고, 외부의 그 무엇이 그에게 자유를 얻을 수 있다고 상기시켜주었습니다. 의식적으로, 또는 무의식적으로 그는 시대정신(Zeitgeist)에 사로잡혔고, 미국의 니그로는 아프리카의 흑인 형제들, 그

리고 아시아와 남아메리카와 카리브 해안의 황색인 형제들과 함께 절박감을 품고 인종적 정의란 약속의 땅을 향해 움직이고 있습니다. 만일 누구든 니그로 공동체를 삼켜버린 이 살아있는 충동을 인식한다면, 어째서 공공 시위가 일어나고 있는지 쉽게 이해할 것입니다. 니그로는 많은 답답한 분노와 잠재적 욕구불만을 품고 있어서, 그것들을 배출해야 합니다. 그런즉 그가 행진하도록, 그가 시청까지 기도 순례길을 걷도록, (남부 지방으로의) 버스와 기차 여행을 하도록 허용하고, 왜 그가 그렇게 해야 하는지 이해하려고 애쓰십시오. 만일 그의 억압된 감정이 비폭력적인 방법으로 배출되지 않으면, 그것은 폭력을 통해 표출되려고 할 것입니다. 이는 하나의 위협이 아니라 역사적 사실입니다. 그래서 나는 나의 사람들에게 "여러분의 불만을 없애라"고 말하지 않았습니다. 오히려 나는 비폭력적 직접 행동의 창조적 출구를 갖고 있습니다. 그리고 이제 이 접근을 통해 정상적이고 건전한 불만이 극단주의자의 것이 될 수 있는지 시험을 받고 있습니다.

31. 그러나 내가 처음에는 극단주의자로 분류된 것에 실망했지만, 그 문제를 계속 생각하면서 점차 그 딱지에서 약간의 만족을 얻게 되었습니다. 예수님도 사랑을 위한 극단주의자가 아니었습니까? "너희 원수를 사랑하며 너희를 미워하는 자를 선대하며 너희를 저주하는 자를 위하여 축복하며 너희를 모욕하는 자를 위하여 기도하라"(신약성경 누가복음 6:27~28 중에서). 아모스는 정의를 위한 극단주의자가 아니었습니까? "오직 정의를 물 같이, 공의를 마르지 않는 강 같이 흐르게 할지어다"(구약성경 아모스 5:24). 바울은 기독교 복음을 위한 극단주의자가 아니었습니까? "내가 내 몸에 예수의 흔적을 지니고 있노라"(신약성경 갈라디아서 6:17). 마르틴 루터(Martin Luther)도 극단주의자가 아니었습니까? "여기에 내가 섰습니다. 나는 달리 할 수 없사오니, 하나님이여, 나를 도우소서." 그리고 존 번연(John Bunyan)도 그랬습니다. "내 양심을 엉망으로 만들기 전에, 나는 생애 끝날까지 감방에 있겠다." 그리고 아브라함 링컨(Abraham Lincoln)도 마찬가지였습니다. "이 나라는 노예 반쪽과 자유인 반쪽으로 생존할 수 없다." 그리고 토마스 제퍼슨(Thomas Jefferson)도 있습니다. "우리는 이런 진리들이 자명하다고 믿는

다. 모든 사람이 평등하게 창조되었고…." 그런즉 문제는 우리가 극단주의자가 될 것인지 여부가 아니라, 어떤 종류의 극단주의자가 될 것인가 하는 것입니다. 증오를 위한 극단주의자가 될 것인가, 아니면 사랑을 위한 극단주의자가 될 것인가? 불의를 보존하기 위한 극단주의자가 될 것인가, 아니면 정의를 확장하기 위한 극단주의자가 될 것인가? 갈보리 언덕 위의 극적인 장면에서 세 사람이 십자가에 처형당했습니다. 셋 모두 동일한 범죄로 처형당했다는 것을 우리는 결코 잊으면 안 됩니다. 바로 극단주의란 범죄였습니다. 둘은 부도덕을 위한 극단주의자들이어서 그들의 환경 아래로 넘어졌습니다. 다른 한 명, 곧 예수 그리스도는 사랑과 진리와 선을 위한 극단주의자라서 그의 환경 위로 일어섰습니다. 남부, 국가, 그리고 세계는 창조적인 극단주의자들이 절박하게 필요한 것 같습니다.

32. 나는 백인 온건파가 이런 필요를 보게 되기를 바랐습니다. 아마 내가 너무 낙관적이었고, 너무 많이 기대했던 것 같습니다. 억압하는 인종 가운데 억압받는 인종의 깊은 신음과 뜨거운 열망을 이해할 수 있는 사람은 소수이고, 불의가 강하고 끈질기고 결연한 행동으로 뿌리 뽑혀야 한다는 것을 볼 수 있는 안목을 가진 자는 더 소수라는 사실을 내가 깨달았어야 했습니다. 하지만 남부에 사는 백인 형제들 중 일부가 이런 사회혁명의 뜻을 파악해서 그 혁명에 헌신한 것에 감사하는 바입니다. 그들은 아직도 양적으로는 너무 적지만 질적으로는 대단합니다. 일부 사람―랄프 맥길(Ralph McGill), 릴리안 스미스(Lillian Smith), 해리 골든(Harry Golden), 제임스 맥브라이드 댑스(James McBride Dabbs), 앤 브래든(Ann Braden), 사라 패턴 보일(Sarah Patton Boyle)―은 유려하고 예언자적인 필치로 우리의 싸움에 관한 글을 썼습니다. 또 어떤 이들은 우리와 함께 남부의 이름 없는 거리들을 따라 행진했습니다. 그들은 바퀴벌레가 우글거리는 더러운 감방에서 괴로운 생활을 했고, 그들을 '더러운 니그로를 사랑하는 자'로 보는 경찰의 학대와 잔인함에 시달렸습니다. 너무도 많은 온건파 형제와 자매들과는 달리, 그들은 지금이 긴급한 때임을 알아차리고 인종 분리의 질병을 퇴치하기 위해 강력한

'행동' 해독제가 필요하다는 것을 감지했습니다.

33. 이제 내가 실망한 다른 점도 이야기하겠습니다. 나는 백인 교회와 그 지도자들에게 너무나 크게 실망했습니다. 물론 주목할 만한 예외도 약간 있습니다. 여러분이 제각기 이 쟁점에 대해 중요한 입장을 취한 사실을 유념하지 않는 것은 아닙니다. 스탈링스 목사여, 당신이 지난 주일에 니그로들을 당신 교회의 예배에 환영함으로써 기독교적 입장을 취한 것을 칭찬하는 바입니다. 나는 그 주의 가톨릭 지도자들이 수년 전 스프링 힐 칼리지에 인종차별을 폐지한 것도 칭찬하고 싶습니다.

34. 이런 주목할 만한 예외에도 불구하고, 나는 교회에 실망했다는 것을 솔직하게 되풀이해야겠습니다. 하지만 항상 교회의 문제점을 찾을 수 있는 부정적인 비판자들의 하나로서 이 말을 하는 것은 아닙니다. 교회를 사랑하고, 그 가슴에서 양육을 받고, 그 영적인 복으로 지탱해오고, 생명이 지속되는 한 교회에 충실할 복음의 사역자로서 이 말을 합니다.

35. 내가 몇 년 전 앨라배마의 몽고메리에서 갑자기 '버스 항의'의 지도자 역할을 떠맡았을 때, 우리는 백인 교회의 지지를 받을 것으로 생각했습니다. 남부의 백인 목사들과 사제들과 랍비들이 우리의 강력한 동맹이 될 것으로 기대했습니다. 그 대신, 일부는 자유를 위한 운동을 이해하길 거부하고 그 지도자들을 잘못 묘사하는, 노골적인 반대자였습니다. 너무도 많은 이들이 용기를 내기보다 매우 조심스러웠고 스테인드글라스 창문 뒤에서 침묵을 지켰습니다.

36. 꿈이 깨어졌음에도 버밍햄에 올 때 나는, 이 공동체의 백인 종교 지도자들이 우리 목적의 정당함을 보고 깊은 도덕적 관심을 품은 채, 우리의 정당한 불만이 권력 구조에 닿게 하는 채널의 역할을 할 것으로 바랐습니다. 나는 여러분이 모두 이해할 것이라는 희망을 품었습니다. 그러나 다시금 나는 실망했습니다.

37. 남부의 수많은 종교 지도자가 예배자들에게 인종 분리 폐지가 법이기 때문에 그 결정을 따르도록 권면했다는 말을 들었습니다. 그러나 나는 백인 사역자들이 "인종 분리의 폐지가 도덕적으로 옳기 때문에, 그리고 니그로가 우리의 형제이기

때문에 이 명령을 따르라"고 선언하는 소리를 듣고 싶었습니다. 니그로에게 노골적인 불의가 행해지는 와중에, 나는 백인 성직자들이 안전지대에서 경건한 목소리만 높이는 모습을 지켜보았습니다. 우리나라에서 인종적 및 경제적 불의를 없애기 위해 강력한 투쟁을 벌이는 와중에, 나는 많은 사역자가 "그런 것은 사회적 이슈들이고 복음과 아무런 상관이 없다"고 말하는 소리를 들었습니다. 그리고 많은 교회가 완전히 내세중심적인 종교, 즉 몸과 영혼, 성스러운 것과 세속적인 것을 비성경적으로 구별하는 그런 종교에 헌신하는 모습을 관찰했습니다.

38. 나는 앨라배마와 미시시피를 비롯한 남부의 모든 주를 샅샅이 여행했습니다. 찌는 듯한 여름의 낮과 상쾌한 가을 아침에 나는 하늘을 향한 뾰족탑이 달린 남부의 아름다운 교회들을 쳐다보았습니다. 그 교회들의 대형 교육관들의 멋진 외관을 목격했습니다. 그리고 거듭해서 스스로 이런 질문들을 던지곤 했습니다. "여기서 예배드리는 사람들은 어떤 부류일까? 그들의 하나님은 누구인가? 주지사 바르넷(Barnett)의 입술이 주권(州權) 우위설과 주의 연방법 효력의 거부를 발할 때, 그들의 목소리는 어디에 있었는가? 주지사 월리스(Wallace)가 도전과 증오를 부추기는 소리를 외칠 때, 그들은 어디에 있었는가? 상처 입고 지친 니그로 남녀들이 캄캄한 안일함의 구덩이에서 창조적 항의의 밝은 언덕으로 올라가기로 결심했을 때, 이를 지지하는 그들의 목소리는 어디에 있었는가?"

39. 그렇습니다. 이런 질문들은 여전히 내 마음에 있습니다. 깊이 실망한 나는 교회의 소홀한 모습을 놓고 울고 말았습니다. 그러나 내 눈물은 사랑의 눈물이었으니 안심하십시오. 깊은 사랑이 없는 곳에는 깊은 실망도 있을 수 없습니다. 그렇습니다. 나는 교회를 사랑합니다. 어찌 그렇지 않을 수 있겠습니까? 나는 설교자의 아들이요 손자요 증손자란 독특한 입장에 있습니다. 그렇습니다. 나는 교회를 그리스도의 몸으로 봅니다. 아, 그런데 우리는 사회문제에 소홀하고 비순응주의자가 되는 것이 두려워서 그 몸을 더럽히고 상처를 냈습니다.

40. 과거에는 교회가 매우 강력한 힘을 발휘했던 때가 있었습니다. 초기 그리스도인들이, 자기네가 믿는 것 때문에 고난당하기에 합당한 존재인 것을 기뻐했던 때

말입니다. 당시에는 교회가 여론의 생각과 원칙을 기록한 온도계였을 뿐 아니라, 사회의 관습을 변화시킨 온도 조절 장치이기도 했습니다. 초기 그리스도인들이 어느 도시에 들어갈 때마다 권력자는 불안한 나머지, 즉시 그리스도인들은 '평화를 깨뜨리는 자'이자 '외부 선동가'라는 판결을 내리려고 했습니다. 그러나 그리스도인들은 자기네가 '하늘의 식민지'이고 사람이 아니라 하나님께 순종하도록 부름 받았다고 확신하면서 그냥 밀고 나갔습니다. 그들은 숫자가 적었으나 헌신은 대단했습니다. 그들은 너무 하나님께 취해 있어서 '전 우주적인 위기 앞에서도 두려워하지' 않았습니다. 그들의 노력과 본보기는 영아 살해와 검투사 경기 같은 고대의 악한 행습에 종말을 초래했습니다.

41. 오늘날의 상황은 다릅니다. 오늘날의 교회는 불확실한 음성을 지녔고, 약하고 비효과적인 목소리를 낼 경우가 너무 잦습니다. 현상 유지를 변호할 때도 너무 많습니다. 일반 공동체의 권력 구조는 교회의 존재 때문에 불안하기는커녕, 현상에 대한 교회의 침묵의—그리고 종종 구두적인—재가로 인해 위안을 받습니다.

42. 그러나 하나님의 심판은 전례가 없을 정도로 교회 위에 머물러 있습니다. 오늘의 교회가 만일 초대교회의 희생정신을 되찾지 못한다면, 그 진정성을 잃게 되고, 수백만의 충성을 저버리고, 20세기에 무의미하고 부적실한 사회적 클럽으로 치부되고 말 것입니다. 날마다 나는 교회에 대한 실망이 노골적인 역겨움으로 변한 젊은이들을 만납니다.

43. 나는 다시 한번 낙관적이었던 것 같습니다. 조직화된 종교는, 현 상태에 뗄 수 없을 만큼 너무 묶여있어서 우리나라와 세계를 구할 수 없는 것일까요? 어쩌면 내 신앙을 안쪽의 영적 교회, 즉 참된 에클레시아이자 세상의 희망인 교회 속의 교회로 돌려야 할 것 같습니다. 그러나 다시금 하나님께 감사할 제목이 있습니다. 조직화된 종교 출신의 일부 고상한 인물들이, 우리를 마비시키는 순응의 사슬을 깨뜨리고 자유를 위한 투쟁의 적극적인 파트너로 우리에게 합류한 사실입니다. 그들은 안전한 회중을 떠나 우리와 함께 조지아의 알바니 거리를 걸었습니다. 그들은 (인종차별 철폐를 위한) 여행에 합류하여 남부의 고속도로로 내려왔

습니다. 그렇습니다. 그들은 우리와 함께 감옥에 갔습니다. 일부는 그들의 교회에서 제적당했고, 주교들과 동료 목사들의 지지를 잃어버렸습니다. 그러나 그들은 패배한 정의가 승리한 악보다 더 강하다는 믿음으로 행동했습니다. 그들의 증언은 이 난세에 복음의 참된 뜻을 보존한 영적인 소금이었습니다. 그들은 어두운 실망의 산을 뚫고 희망의 터널을 파냈습니다.

44. 나는 교회가 이 결정적인 시기의 도전에 잘 대처하길 바랍니다. 그러나 교회가 비록 정의의 도우미로 나서지 못할지라도, 나는 장래에 대해 절망하지 않습니다. 우리의 동기가 비록 현재 오해를 받을지라도, 나는 버밍햄에서 벌이는 우리 투쟁의 결과에 대해 우려하지 않습니다. 우리는 버밍햄과 전국 모든 곳에서 자유의 목표를 달성할 것입니다. 미국의 목표가 자유이기 때문입니다. 학대와 조롱을 당할지라도, 우리의 운명은 미국의 운명과 묶여 있습니다. 순례자들이 플리머스(Plymouth)에 상륙하기 전에, 우리가 여기에 있었습니다. 제퍼슨의 펜이 역사의 페이지에 독립선언문의 장엄한 글을 써넣기 전에, 우리가 여기에 있었습니다. 두 세기도 넘게 우리 조상들은 이 나라에서 임금도 없이 노동했습니다. 그들은 목화를 왕으로 만들었고, 심한 불의와 부끄러운 모욕에 시달리는 동안 주인들의 집을 지었습니다. 하지만 헤아릴 수 없는 생명력으로 그들은 계속 번성하고 발전했습니다. 말할 수 없이 잔인한 노예제가 우리를 중단시킬 수 없다면, 우리가 현재 직면하는 반대는 확실히 패배할 것입니다. 우리가 자유를 획득할 것은, 우리나라의 신성한 유산과 하나님의 영원한 뜻이 우리의 요구에 구현되어 있기 때문입니다.

45. 끝내기 전에 여러분의 성명에서 나를 매우 괴롭힌 또 다른 점을 언급하지 않을 수 없습니다. 여러분은 버밍햄 경찰이 '질서'를 유지하고 '폭력을 예방했다'고 따뜻하게 칭찬했습니다. 경찰견이 달려들어 비무장의 비폭력적인 니그로를 무는 모습을 여러분이 보았다면, 과연 경찰을 그토록 따뜻하게 칭찬했을지 모르겠습니다. 경찰이 이 도시의 감옥에서 니그로를 비인간적으로 취급하는 모습을 여러분이 목격했다면, 과연 그토록 재빨리 경찰을 칭찬할지 모르겠습니다. 만일 그

들이 늙은 니그로 남자와 어린 소년들을 때리고 차는 모습을 보았다면, 우리가 다 함께 찬송을 부르고 싶어 한다고 우리에게 음식 주기를 두 차례 거부했던 그들의 모습을 보았다면, 과연 여러분이 그들을 칭찬했을지 모르겠습니다. 나는 버밍햄 경찰국을 칭송하는 여러분의 목소리에 합류할 수 없습니다.

46. 물론 경찰이 시위자들을 다룰 때, 어느 정도 절제한 것은 사실입니다. 이런 의미에서 그들은 공공연하게 '비폭력적으로' 행동했다고 말할 수 있습니다. 그런데 무슨 목적을 위해 그랬습니까? 인종 분리라는 악한 제도를 보존하기 위해. 지난 몇 년 동안 나는 우리가 이용하는 수단이 우리가 추구하는 목적만큼 순수해야 할 것을 비폭력이 요구한다고 늘 설파했습니다. 나는 도덕적 목표를 달성하기 위해 비도덕적 수단을 이용하는 것은 잘못임을 분명히 하려고 애썼습니다. 이제 나는 비도덕적 목적을 보존하기 위해 도덕적 수단을 이용하는 것도 그만큼, 아니 어쩌면 그 이상으로, 잘못이라고 천명해야겠습니다. 아마 코너 씨와 그의 경찰은, 조지아의 알바니에서 프리쳇(Pritchett) 경찰국장이 그랬듯이, 공공연하게 비폭력적이었던 것 같습니다만, 인종적 불의라는 비도덕적 목적을 유지하기 위해 비폭력이란 도덕적 수단을 사용했던 것입니다. T. S. 엘리엇(T. S. Eliot)이 말했듯이, "최후의 유혹은 최대의 반역, 곧 그릇된 이유로 올바른 행동을 하는 것"입니다.

47. 나는 여러분이 차라리 버밍햄의 니그로 연좌 항의자들과 시위자들, 즉 숭고한 용기를 품고, 기꺼이 고난을 당하고, 굉장한 도발을 당해도 놀라운 절제력을 보여준 그들을 칭찬했더라면 좋았겠다고 생각합니다. 언젠가 남부는 진정한 영웅들을 알아차릴 것입니다. 그들은 제임스 메러디스(James Merediths)와 같은 사람들, 그들로 조롱하는 적대적인 폭도를 직면케 해주는 고상한 목적의식을 지니고, 개척자의 삶을 특징짓는 고뇌에 찬 외로움을 지닌 그런 인물들일 것입니다. 그들은 억압과 학대를 당한 늙은 니그로 여인들, 즉 앨라배마의 몽고메리에서 자존심을 품고 분연히 일어서서 자신의 동족과 함께 인종 분리 버스를 타지 않기로 결심한 72세의 여인, 그녀의 피곤함에 대한 질문을 받고는—문법에 안 맞

는 심오한 생각으로—"내 발은 피곤하지만 내 영혼은 편안하다"고 대답했던 그 여인과 같은 이들일 것입니다. 그들은 용감하게, 또 비폭력적으로 점심 판매대에 앉았다가 양심을 위해 기꺼이 감옥에 간 젊은 고등학생과 대학생들, 젊은 복음 사역자들과 장로들일 것입니다. 언젠가 남부는, 상속권을 박탈당한 이 하나님의 자녀들이 점심 판매대에 앉았을 때, 그들이 실은 아메리칸 드림에서 최상의 것을 위해, 유대–기독교 유산에서 가장 신성한 가치들을 위해 일어섰고, 그럼으로써 국부들이 헌법과 독립선언문을 만들 때 깊이 파놓은 그 위대한 민주주의의 샘으로 우리나라를 되돌려놓고 있었다는 사실을 알게 될 것입니다.

48. 나는 이처럼 긴 편지를 쓴 적이 없습니다. 너무 길어서 여러분의 귀한 시간을 빼앗지 않을까 싶어 우려됩니다. 만일 내가 편안한 책상에서 썼더라면 편지가 훨씬 짧았을 것입니다. 그런데 그 사람이 좁은 감방에 홀로 있다면, 긴 편지를 쓰고 긴 생각을 하고 긴 기도를 하는 것 말고 도대체 무엇을 할 수 있겠습니까?

49. 만일 내가 이 편지에 진실을 과장하고, 또 부당한 성급함을 가리키는 어떤 것이라도 말했다면, 나를 용서해주길 간청합니다. 만일 내가 진실을 줄잡아 말하고, 또 형제애에 못 미치는 것을 그냥 수용하게 하는 인내심을 가리키는 어떤 것이라도 말했다면, 하나님께서 나를 용서해주시길 간청합니다.

50. 이 편지를 받는 여러분이 믿음 안에서 강건하기를 바랍니다. 또한 상황이 곧 변해서, 내가 여러분 각각을 인종차별 폐지론자나 민권 지도자가 아니라 동료 성직자이자 그리스도인 형제로 만나게 되길 바랍니다. 우리 모두 인종적 편견의 어둔 구름이 곧 사라지고 오해의 짙은 안개가 두려움에 빠진 공동체들로부터 걷혀서, 머지않은 장래에 사랑과 형제애의 찬란한 별들이 그 반짝이는 아름다움으로 우리의 위대한 나라를 두루 비추게 되기를 바랍시다.

_평화와 형제애의 대의를 추구하는 마르틴 루터 킹

〈버밍햄 감옥에서 보낸 편지〉의 배열에 대한 분석

마르틴 루터 킹의 〈버밍햄 감옥에서 보낸 편지〉는 '공개 편지'로는 특이하게 긴 편이다. 모두 50개 단락이고 약 7천 단어에 달한다. 공공 매체에 발표할 의도로 쓰는 공개편지는 보통 이보다 상당히 짧을 터이고, 킹 목사가 만일 강연으로 전달할 답변의 글을 썼더라면, 그 길이가 이 편지의 절반쯤 되었을 것이다(이 텍스트를 구두로 전달한다면, 적어도 한 시간은 걸릴 것이다). 그러나 시민 불복종 행위로 감옥에 갇힌 상황인지라, 킹 목사는 여덟 명의 성직자로부터 받은 편지에 긴 답장을 쓸 수 있을 만큼 넉넉한 여유—편하지는 않지만—가 있었다. 그래서 킹은 편지의 끝부분(단락 48)에 이르러, 이것이 그 자신이 이제까지 쓴 편지 중에서 가장 긴 것이라고 털어놓는다. "만일 내가 편안한 책상에서 썼더라면 편지가 훨씬 짧았을 것입니다. 그런데 그 사람이 좁은 감방에 홀로 있다면, 긴 편지를 쓰고 긴 생각을 하고 긴 기도를 하는 것 말고 도대체 무엇을 할 수 있겠습니까?"

이제 우리가 〈버밍햄 감옥에서 보낸 편지〉의 배열을 분석한다는 것은, 과거에 이미 쓰였던 한 편을 조사하면서 전체에 얼마나 많은 부분이 있는지, 각 부분이 어디서 시작해서 어디서 끝나는지, 그 부분들이 어떤 상호관계가 있는지를 판단한 후, 왜 필자가 그런 식으로 구성하기로 했는지에 대해 추측하는 것을 뜻한다. 문서를 작성할 때는, 물론 이 과정을 거꾸로 밟는다. 착상의 과정을 통해 우리는 특정한 토픽에 관해 말할 수 있는 많은 것을 발견하고, 말할 것들의 목록에서 선정하고, 이후에 그 부분들을 어떤 순서로 배열할지 결정하게 된다. 때때로 그 부분들의 순서를 구상하는 일은 공식적이거나 비공식적인 개요의 형태를 취한다. 담론의 구성에 관한 결정은 주제, 계기, 청중, 목적과 같은 고려사항들에 의해 좌우된다. 우리가 내리는 결정은 우리의 의사전달이 미치는 궁극적 효과에 매우 중요할 수 있다.

〈버밍햄 감옥에서 보낸 편지〉는 사법적 수사의 한 사례로서 본인의 행동을 정당화하는 경우이다. 필자의 주(註)로부터 알게 되듯이, 그 편지는 앨라배마의 성직자 여덟 명이 발표한 성명에 대한 반응으로 쓰인 것이고, 그 편지의 첫 문장에 나오듯이 마르틴 루터 킹은 "내가 이곳 버밍햄 시 감옥에 갇혀있는 동안 나의 현행 활동을 '지혜롭지 못하고 제때가 아니라'고 부른 여러분의 최근 성명을 접하게 되었습니다"라고 말하고, 첫 단락의 마지막 문장에서는 "나는 인내심을 담은 타당한 글로 여러분의 성명에 대답하려고 애쓰고 싶습니다"라고 일러준다. 그러므로 이 담론은 소크라테스의 《변명》과 존 헨리 뉴먼의 《자기 생애의 변론》과 같은 저명한 '변증'의 전통에 속해 있다.

마르틴 루터 킹의 답변의 주제는 대체로 성직자들의 공개 성명에 의해 결정되었다. 필자는 그의 '지혜롭지 못하고 제때가 아닌' 행동에 관한 성직자들의 고발의 일부, 또는 전부에 대해 차례로 대응할 것이다. 그 편지의 여러 부분은 성직자들의 공개 성명에 의해 결정되었지만, 필자는 답변의 여러 부분을 어떻게 구성할지에 대해 결정을 내려야 한다. 우리는 물론 필자가 특정한 결정을 내린 동기에 대해 추측만 할 수 있지만, 이 편지를 조사함으로써 그가 실제로 내린 결정을 적어도 확인할 수는 있다. 그가 어떤 의도로 그런 결정을 내렸는지는, 저자 자신의 증언이 없는 만큼, 추측만 할 수 있는 또 다른 문제다(그리고 이제는 그 증언을 결코 얻을 수 없다). 우리가 할 수 있는 바는 그 부분들이 무엇인지, 그 부분들이 어디서 시작하고 어디서 끝나는지 지적한 후, 이런 순서로 그 부분들이 배열된 개연성 있는 이유들을 제공하는 일이다.

이 작업을 시작하는 최선의 방법은 그 편지의 중요한 경계선을 찾는 것이다. 그것은 형식적인 개요에 로마숫자로 표시될 부분들을 나누는 경계선들이다. 만일 전체를 구분한다면 적어도 두 부분은 있어야 한다(다시 세분하려고 해도 적어도 두 부분은 있어야 한다). 그런데 결국 네댓 개 이상으로 나누게 된다면, 우리의 구분에 대해 의심해야 마땅하다. 만일 우리가 이만큼 긴 문서를 다섯 부분 이상으로 구분한다면, 그 구조를 제대로 분석하지 못하고 있을 가능성이 많다. 우리는 이 담론을 주요 부분들로 나누게 해주는 최대한 넓은 범주들을 찾아야 한다.

이 담론의 구조를 조망할 수 있는 넓은 관점 중 하나는 전통적인 서론과 본론과 결론이고, 아리스토텔레스의 용어를 사용하자면 시작과 중간과 끝이다. 그래서 우리는 그 담론이 서론 내지는 시작이 있는지 여부를 살펴보고, 서론이나 시작이 어디까지 이어지는지 판단하는 일로 개시할 수 있다. 이후에 그 담론에 결론 내지는 끝이 있는지 여부를 살펴보고, 결론이나 끝이 어디서 시작되는지 파악하는 일을 수행할 수 있다. 그 담론이 서론과 결론을 갖고 있음을 알아내고 그 두 부분이 어디서 시작해서 어디서 끝나는지를 판단한다면, 추정컨대 서론과 결론 사이의 모든 것은 본론 내지는 중간을 구성할 것이다. 이후의 큰 과제는 본론 내지는 중간에 얼마나 많은 부문이 있고, 그것들이 어디서 시작해서 어디서 끝나는지 결정하는 일이다. 한 에세이의 이음매들을 판단하는 일이 항상 쉬운 것은 아니며—특히 이 담론처럼 긴 에세이의 경우—독자에 따라 담론의 천에 속한 이음매들●을 제각기 다르게 파악하는 경우도 있다. 다음의 내용은 내가 파악한 마르틴 루터 킹의 편지에 속한 이음매들이다.

 첫째 단락이 서론을 구성한다. 문서 전체의 길이를 고려하면, 네 개의 문장으로 된 이 단일한 단락은 유별나게 간단한 서론으로 보일 것이다. 그러나 단일한 단락이 흔히 편지의 서론 역할을 하고, 더 나아가 필자의 주(註)—이 편지의 모든 판에 나온다—도 서론의 일부로 간주되어도 무방하다. 네 개의 문장으로 된 단락과 필자의 주가 당시의 상황에서는 필요한 역할을 다 수행하는 듯하다. 즉, 그 편지를 쓰게 된 계기를 알려주고, 그 편지가 쓰인 상황에 관해 말해주고, 필자가 나머지 부분에서 수행하려는 일을 가리키고, 필자의 에토스를 암시한다. 필자가 그의 신빙성을 입증할 것을 예상할 수도 있겠지만, 당시에 필자는 너무도 잘 알려져 있어서 그 편지에서 다루는 주제를 거론할 만한 자격을 내보일 필요가 없다.

 그런데 그 편지에 49개의 단락이 더 나온다. 다음 단계는 그 편지에 결론이 있는지 여부를 판단하는 일이다.

 결론부는 마지막 세 단락(48, 49, 50)으로 구성되어 있다. 이 세 단락에서 필자는 그의 논의를 서서히 끝내고 있다. 이 마지막 단락들에는 미묘한 감정이 실려 있고 그의 에토스를 더욱 입증하거나 강화하려는 시도가 명백히 드러난다. 선의의 제스처, 겸손, 환심을 사는 것 등이다. 필자가 자기 입장을 열렬히 개진한 후, 마지막 단락들은 평화롭고 희망에 찬 분위기를 풍긴다.

● 양식에 관한 장에서 나는 다음 글에 나오는 킹의 편지에 대한 양식적 분석을 그대로 옮겨놓았다. Richard Fulkerson, "The Public Letter as a Rhetorical Form: Structure, Logic, and Style in 'King's Letter from Birmingham Jail'", *Quarterly Journal of Speech*, 65 (1970), 121-36. 퍼커슨은 킹의 편지의 구조를 다루는 부문(이 책에 옮겨놓지 않은 내용)에서 그 편지를 고전적 연설의 전통적 부분들의 견지에서 개관하고 있다. 서론(exordium), 진술(narratio), 명제(propositio), 구분(partitio), 증명(confirmatio), 논박(refutatio), 그리고 결론(peroratio)이다.

서론과 결론이 어디서 시작하고 끝나는지 판단한 만큼, 양자의 사이에 위치한 단락들은 본론 내지는 중간부를 구성한다고 추정할 수 있다. 이제는 정말로 중요한 과제가 남는다. 본론에 얼마나 많은 부문과 일차적 세분들이 있는지 결정하고 어디서 그런 부분들이 시작하고 끝나는지를 판단하는 일이다.

본론은 두 부분으로 이뤄져 있는 듯하다. 성직자들이 공개 성명에서 제기한 구체적인 질문들에 필자가 답변하는 부분(단락 2~22)과, 필자가 그의 행동을 변호하려고 보다 일반적인 논리를 제시하는 부분(단락 23~47)이다. 이런 구성의 수사적 효과를 고려하기에 앞서, 일차적 세분과 함께 그 편지의 완전한 개요를 살펴보는 것이 있다.

서론: 필자는 편지를 쓰게 된 계기와 목적을 말한다(단락 1과 필자의 주).

　Ⅰ. 성직자들이 공개 성명에서 제기한 구체적인 질문들에 답변하기(단락 2~22)

　　A. 첫째 질문: 당신은 왜 버밍햄에 왔는가?(단락 2~4)

　　B. 둘째 질문: 당신은 왜 협상 대신에 시위를 의지했는가?(단락 5~11)

　　C. 셋째 질문: 당신의 행동은 제때가 아니지 않은가?(단락 12~14)

　　D. 넷째 질문: 당신은 어떻게 법의 위반을 정당화할 수 있는가?(단락 15~22)

　Ⅱ. 그의 행동을 변호하려고 보다 일반적인 논리를 제시하기(단락 23~47)

　　A. 백인 온건파에 대한 큰 실망(단락 23~32)

　　B. 백인 교회와 그 지도자들에 대한 큰 실망(단락 33~44)

　　C. 성직자 여덟 명이 시위자들의 자제보다 버밍햄 경찰의 자제를 칭찬한 것에 대한 큰 실망(단락 45~47)

　결론: 필자는 직접적인 청중을 향해 회유의 몸짓을 취하고 그 논의의 맥락을 넓혀준다(단락 48~50).

이 개요는 담론의 구조를 말끔하게 구분해준다. 어떤 독자들은 그 담론에서 다른 이음매들을 간파할지 모르고, 이음매들이 다른 곳에 있다고 생각할지 모르지만, 본질적으로 이 개요는 그 담론의 주요 부분들과 그 배열을 잘 지적하고 있다. 그렇다고 해서 마르틴 루터 킹이 편지를 쓰기 시작하기 전에 그런 형식적 개요를 그렸다고 추정할 필요는 없다. 사실 그 편지가 작성된 상황을 감안하면, 필자가 쓰기 시작할 때 구성 계획에 대해 대략적인 생각만 품고 있었을 것이다. 우리가 완성작에서 보게 되는 것은 그 담론이 궁극적으로 취한 구조이다.

우리는 마르틴 루터 킹이 앞의 개요에 담긴 세부사항의 구성을 미리 계획했다고 추정할 수는 없지만, 그가 의식적으로나 무의식적으로 어떤 배열의 전략을 선택했을 것으로 추정할 수는 있다. 기본적으로, 그것은 먼저 논박한 후 증명하는 구조이다. 그는 정반대의 순서를 선택할 수도 있었다. 먼저 그의 행동을 변호하려고 보다 일반적이고 긍정적인 논리를 제시한 후에, 성직자들의 고발을 조목조목 논박할 수도 있었다는 뜻이다. 하지만 더욱 효과적이고 자연스런 절차는, 당시의 혼란한 사건들이 제기한 직접적인 질문들에 대해 정지작업을 한 후에, 보다 세계적인 원칙들에 근거한 그의 행동을 정당화하는 것이라고 판단했다. 특정한 도시에서 특정한 날에 취한 시위자들의 행동이 지혜로운지, 또 제때인지 묻는 독자들의 의문을 그가 만족시켜줄 수 있다면, 청중은 어느 때 어디서나 벌어질 민권 운동을 정당화하는 논리에 귀를 기울이게 될 것이다.

각 큰 부문 안에서도 세분된 부문들의 순서에 대해 나름의 결정을 내릴 필요가 있다. 예컨대, 첫 번째 큰 부문에서, 질문이 제기되고 답변이 주어지는 순서가 성직자들의 공개 성명에 나온 질문들의 순서에 좌우되었을 수도 있다. 그러나 마르틴 루터 킹이 성직자들이 제기한 질문들의 순서에 따라 대답했든 그렇지 않든 간에, 사실은 질문들이 제기되고 답변되는 순서에 자연스런 흐름이 있음을 간파할 수 있다. 먼저 당신은 외부인으로 버밍햄에서 무슨 행동을 하고 있는가? 좋다. 당신은 이 시점에 버밍햄에 있을 권리와 필요가 있었다고 우리를 설득하는 데 성공했다. 그러나 당신은 어째서 시위를 일으키는 대신에 도시 당국과의 협상을 의지하지 않았는가? 좋다. 당신은 시위가 이 시점에 당신에게 열려 있는 유일한 조처라고 우리를 설득하는 데 성공했다. 그러나 도시가 행정상의 변화를 겪고 있고, 어쩌면 마음의 변화도 일어나고 있는 시점인 만큼, 시위에 의지하기에는 불길한 때가 아니었는가? 좋다. 당신은 당신이 이 시점에 비폭력적 시민 불복종의 행동에 관여하지 않을 수 없었다고 우리를 설득하는 데 성공했다. 그러나 당신은 당신의 목적을 이루기 위해 공동체의 법을 위반하는 일을 정당화할 수 있는가? 좋다. 킹 목사가 여기서 채택한 순서는 질문과 답변을 제시하기에 자연스러운 순서인 듯이 보인다.

둘째로 큰 부문 속의 하부구조를 살펴봐도, 그 부문들에 충분히 간파할 수 있고 설명할 수 있는 순서가 있다. 거기서 채택된 순서는—유일하게 가능한 순서는 아니지만—정당화될 수 있는 순서이다. 필자는 먼저 백인 온건파, 즉 흑인들이 그들의 대의에 대한 약간의 지지를 기대했을 법한 집단에 대한 실망에 대해 얘기한다. 이어서 그의 선의의 고발자들이 속한 직업을 유념하는 가운데, 백인 온건파 교회와 그 지도자들에 대한 실망에 관해 얘기한다. 셋째 부분에서는 논의를 더욱 좁혀 백인 온건파 교회의 대표 여덟 명이 취한 실망스러운 행동을 거론한다. 바로 버밍햄 경찰의 자제를 칭송한 행동이다. 이런 순서는 모든 밀권 우동이, 그 세 백인에서 나부 ……… ……… 느시, 수미일관하다는 것을 보여준다.

우리는 더욱 세분된 차원(형식적 개요에서 보통 아라비아숫자로 표시되는 차원)으로 내려가서 특정한 논리의 순서를 더 면밀히 살펴볼 수도 있다. 그러나 그 구조의 주요 대들보들만 조사해도, 어려운 환경에서 며칠 동안 작성된 이 긴 편지가 간파할 수 있고 정당화될 수 있는 순서를 갖고 있다는 것을 충분히 알 수 있다. 하지만 그 구성은 개요가 보여주는 만큼 말끔하게 구분되지는 않는다. 그 부분들 속에 약간의 탈선도 있고 약간의 후퇴와 채움도 있으며, 이따금 그 부분들 간의 경계선이 흐릿하기도 하다.

그러나 대체로, 마르틴 루터 킹의 고전적인 변명은 작성된 환경을 감안하면 산만해질 수도 있었지만, 결코 산만한 담론이 아니다. 오히려 혼란스럽게 소용돌이치는 대신에 앞으로 꾸준히 움직이는, 칭찬할 만큼 질서정연한 편지이다. 마르틴 루터 킹이 직접적인 청중과 더 큰 청중에게 전달했던 메시지를 우리도 분명히 파악한다면, 그 전달행위가 성공한 것은 그 논리의 견실함과 양식의 유려함에 못지않게 그 메시지가 구성된 방식 덕분이라는 것을 깨닫게 된다. 이 편지의 작성 이전에 발생한 사건들이 버밍햄 시에 어느 정도의 혼란을 야기했을지 모르지만, 마르틴 루터 킹이 자신이 이중의 청중에게 전달하고 싶었던 그 메시지의 잠재적 혼란에 질서를 부과한 것은 확실한 사실이다.

헨리 데이비드 소로: 《시민 불복종》

1960년대 세계무대의 상당 부분을 차지했던 '몸의 수사학'—행진, 연좌데모, 농성, 대결 등—이 시위로 나타나도록 영감을 준 궁극적 요인은, 대체로 헨리 데이비드 소로의 에세이 《시민 불복종》인 것으로 알려져 있다. 마하트마 간디(Mahatma Gandhi)는 젊은 시절에 그의 수동적 저항운동의 이름과 전술을 소로의 에세이에서 취했다고 고백했다. '시민 불복종'이라는 용어는 사티아그라하(Satyagraha)라는 인도어 단어의 가장 적합한 동의어라고 말했다.

처음에는 '시민 정부에 대한 저항'(*Resistance to Civil Government*)이라는 제목의 강연으로 전달되었던 텍스트가 1849년 〈미학〉(*Aesthetic Papers*)에 실리게 되었다. 소로는 '인생이 본질성이 사실들만 식빈하기 위해' 경험했던 그 유명한 월든 폰드에서의 체류(1845~1847)에서 막 돌아와, 당시의 멕시코 전쟁과 임박한 노수노네밥의 밀에 대하하도록 동료 시민들을 일깨우기 위해 이 글을 쓰지 않을 수 없다고 느꼈다. 소로는 하버드에서 수사학과 연설의 세 번째 보일스턴(Boylston) 교수였던 에드워드 차닝(Edward T. Channing)에게 수사학을 배웠다. 그는 언젠가 "작문의 큰 규칙 하나는—그리고 내가 수사학 교수라면 이 점을 주장해야 한다—진실을 말하는 것"이라고 말한 바 있다. 그러나 소로가 설득하는 자로서 발휘한 효과에는 '진실을 말하는 것' 이상의 요소가 있다. 우선 한 가지만 들자면, 그는 활발하고, 경구적이고, 역설적인 양식으로 유명하다. 그 인물의 '윤리적 호소' 또한 강한 영향력을 발휘한다. 그리고 그의 산문이 연상적 순서를 명백히 보이지만, 그의 주장들의 배열에도 식별 가능한 순서가 있다.

1. 나는 "최소한으로 다스리는 정부가 최선의 정부이다"라는 모토를 진심으로 받아들인다. 그리고 그 모토가 좀 더 빨리, 또 체계적으로 실행되는 모습을 보고 싶다. 그 모토를 끝까지 수행하면 이렇게 되는데, 이 역시 내가 믿는 바이다. "전혀 다스리지 않는 정부가 최선의 정부이다." 그리고 사람들이 그런 정부를 맞을 준비가 된다면 그들이 갖게 될 정부가 그런 종류일 것이다. 정부는 기껏해야 편리

기는, 작은 움직이는 요새와 잡지들인가? 해군 공창을 방문해서 미국 정부가 만들 수 있는 사람인 해병을 보라. 또는 미국 정부가 그 마법으로 사람을 어떻게 만들 수 있는지 보라. 인간을 상기시키는 단순한 그림자, 산 채로 고주망태가 된 사람, 이미 장례식 반주와 함께 무기 아래 묻힌 사람이다. 어쩌면 이렇게 될 수도 있지만….

"우리가 서둘러 그의 시체를 요새로 운반할 때
 북소리도, 장례 통보도 없었고
 우리가 묻은 우리 영웅의 무덤 너머
 어떤 군인도 작별의 조총을 쏘지 않았다."

5. 그리하여 수많은 사람이 주로 사람이 아니라 기계처럼 자신의 몸으로 국가를 섬긴다. 그들은 현행 군대이고, 국민군, 교도관, 치안관, 민병대 등이다. 대다수의 경우에는 자유로운 판단력이나 도덕의식을 행사하지 않는다. 반면에 스스로를 나무와 흙과 돌과 같은 수준에 놓는다. 그리고 어쩌면 그 목적을 섬길 나무 인간들도 제조할 수 있을지 모른다. 그런 인간은 허수아비나 흙덩이처럼 존경을 받지 못한다. 그들은 말과 개와 같은 가치를 지닐 뿐이다. 그런데도 이런 사람들조차 대부분 좋은 시민들로 존경을 받는다. 다른 이들—대다수의 입법자, 정치인, 법조인, 목사, 공무원들—은 주로 그들의 머리로 국가를 섬긴다. 그리고 그들은 거의 도덕적 구별을 하지 않는 만큼, 의도하지 않은 채로 마귀를 하나님으로 섬길 가능성이 있다. 극소수가 영웅, 애국자, 순교자, 개혁가, 그리고 사람들로서 그들의 양심으로 국가를 섬기고, 그래서 필연적으로 대체로 국가에 저항한다. 그리고 그들은 흔히 국가에 의해 적으로 취급받는다. 지혜로운 사람은 사람으로서만 유용할 뿐이고, '진흙'이 되어 '바람을 멀리 하려고 구멍을 메우는' 역할에 순응하지 않을 것이고, 최소한 그의 직책을 떠날 것이다.

"나는 명문가 출신이라 재산 취급을 받을 수 없고,

2차적 통제 대상이 될 수 없고,

또는 유용한 일꾼과 도구가 될 수 없다네.

전 세계의 어느 국가에게도."

6. 동료 인간들을 위해 전적으로 헌신하는 사람은 그들에게 무용하고 이기적인 인물로 보이는 반면, 부분적으로 헌신하는 사람은 기부자와 자선가라는 소리를 듣는다.

7. 오늘 이런 미국 정부에 대해 어떻게 행동해야 좋을까? 불명예를 당하지 않고는 이 정부와 관계를 맺을 수 없다는 게 나의 대답이다. 나는 단 한 순간도 나의 정부인 그 정치조직이, 또한 노예의 정부이기도 하다는 것을 인식하지 않을 수 없다.

8. 모든 사람은 혁명의 권리를 인정한다. 즉, 정부의 횡포나 비효율성이 너무 커서 도무지 견딜 수 없을 때, 그 정부에 대한 충성을 거부하고 저항할 권리를 말한다. 그러나 거의 모든 사람이 지금은 그런 경우가 아니라고 말한다. 그런데 75년도의 혁명은 그런 경우였다고 생각한다. 만일 누군가 이 정부는 그 항구에 도착한 특정 외국 상품에 세금을 매겼으니 나쁜 정부였다고 나에게 말한다면, 나는 그 상품 없이는 살 수 없으므로 야단법석을 떨면 안 된다고 말할 가능성이 높다. 모든 기계는 마찰이 있다. 그리고 이것이 악을 충분히 상쇄시킬 만큼 선을 행한다고 할 수 있다. 어쨌든 마찰에 대해 문제를 일으키는 것은 큰 악이다. 그러나 마찰이 그 기계를 차지하게 되고 억압과 강도짓을 조직하게 되면, 더 이상 그런 기계를 갖지 말자는 것이다. 달리 말해, 자유의 피난처가 되기로 한 국가의 인구 중 6분의 1이 노예이고, 온 나라가 외국 군대에게 부당하게 정복되어 군대의 법에 종속되었을 때는 정직한 사람들이 반역하고 혁명을 일으키기에 너무 이르지 않다고 나는 생각한다. 이 의무를 더욱 긴급하게 만드는 것은, 이 나라를 유린하는 것이 우리의 군대가 아니고, 우리의 군대는 침략하는 군대라는 사실이다.

9. 도덕적 문제에 관한 권위자인 팔리(Paley)는 〈시민 정부에 복종할 의무〉(*Duty of*

Submission to Civil Government)라는 장(章)에서 모든 시민의 의무를 편의의 사안으로 환원시킨다. 이어서 "모든 사회의 이익이 그것을 요구하는 한, 말하자면 기존 정부가 공적인 불편함이 없이는 저항을 받거나 변경될 수 없는 한, 기존 정부를 복종하는 것이 하나님의 뜻이고, 더 이상…이 원칙을 인정한다면, 저항하는 모든 경우의 정당성은 한편의 위험과 불만의 양과 다른 편이 그 문제를 시정할 확률과 비용의 양을 계산하는 것으로 환원된다." 이에 대해 각 사람이 스스로 판단할 것이라고 그는 말한다. 그런데 팔리는 이 편의성의 원칙이 적용되지 않는 경우들은 한 번도 생각한 적이 없는 듯하다. 즉, 개인은 물론 한 국민이 무슨 대가를 치르더라도 정의를 실행해야 하는 경우를 말한다. 만일 내가 익사하는 사람에게서 판자를 부당하게 빼앗았다면, 내가 익사할지라도 그것을 되돌려줘야 한다. 팔리에 따르면, 이런 행동은 불편할 것이다. 그러나 그런 경우에, 자기 생명을 구하려는 사람은 생명을 잃게 되리라. 이 국민은 노예를 보유하는 일과 멕시코에 전쟁을 벌이는 일을 그만둬야 한다. 그렇게 하면 설사 국민으로 생존할 수 없을지라도.

10. 많은 나라가 그 행습에서는 팔리와 동의한다. 그런데 매사추세츠가 현재의 위기에서 옳은 일을 하고 있다고 생각하는 사람이 하나라도 있는가?

"창녀 같은 주(州), 음란을 걸친 매춘부,

그 열차에 짐을 가득 싣고 그 영혼은 흙길을 걷는다."

실질적으로 말하자면, 매사추세츠의 개혁에 반대하는 자들은 남부의 정치인 10만 명이 아니라 이곳의 상인과 농부 10만 명, 즉 박애보다는 상업과 농업에 더 관심이 있고, 어떤 대가를 치르더라도 노예와 멕시코를 공정하게 다룰 준비가 안 된 그런 상인들과 농부들이다. 나는 멀리 있는 적들과 말다툼을 벌이는 게 아니라, 가까이 있으면서 멀리 있는 자들과 협력하고 그들의 명령을 따르는 자들, 즉 후자가 없으면 해롭지 않을 그런 자들과 말다툼을 벌인다. 우리는 수많은 사람이 준비되어 있지 않다고 말하는 데 익숙하다. 그러나 개선이 느린 것은 소수가 다수보다 현저하게 덜 지혜롭거나 낫지 않기 때문이다. 다수가 당신만큼 선해야 한다는 것은 어딘가에 절대적 선이 있다는 것만큼 중요하지 않다. 왜냐하면 그것이 온 덩어리를 발효시키기 때문이다. 노예제와 전쟁에 반대하는 의견을 지닌 사람은 수천 명이나 되지만, 그들은 그런 것을 끝장내는데 필요한 일은 전혀 행하지 않고 있다. 이들은 스스로를 워싱턴과 프랭클린의 후손으로 자부하고, 손을 주머니에 넣은 채 앉아 있고, 무슨 일을 할지 모른다고 말하면서 아무 일도 하지 않는다. 심지어는 자유의 문제를 자유무역의 문제 뒤로 미루고, 저녁 식사 후에 조용히 멕시코발(發) 최근 충고와 더불어 시세표를 읽고, 아마 둘 다 제쳐놓고 잠들고 말 것이다. 오늘 정직한 사람과 애국가의 시세는 얼마인가? 그들은 망설이고, 후회하고, 때때로 간청한다. 그러나 진지하게, 또 효과적으로 행하는 일은 하나도 없다. 그들은 더는 후회할 일이 없게 하려고, 남들이 악을 치료하도록 그냥 호의를 품은 채 기다릴 것이다. 기껏해야 그들은 옳은 편이 지나갈 때 값싼 표와 나약한 후원과 성공의 기원만 줄 뿐이다. 덕스러운 사람 한 명당(當) 덕을 지지하는 999명의 후원자들이 있다. 그러나 한시적인 덕의 수호자보다 덕을 소유한 사람을 다루는 편이 더 쉽다.

11. 모든 투표는 약간의 도덕적 색채를 띤, 장기 또는 주사위 놀이와 같은 일종의 게임이고, 옳고 그름의 도덕적 문제를 지닌 하나의 놀이다. 그래서 내기가 자연스레 투표에 수반된다. 투표자들의 성품이 내기에 걸리는 것은 아니다. 나는 아마 내가 옳다고 생각하는 편에 표를 던질 것이다. 그러나 그 옳은 편이 이기는 것에는 큰 관심이 없다. 나는 그것을 다수파에 기꺼이 내어맡긴다. 그러므로 투표의 의무는 결코 편리함의 이득을 상회하지 못한다. 그래서 옳은 편을 위해 투표해도 그 편을 위해 아무것도 하지 않는 셈이다. 그 투표행위는 그 편이 이기길 바란다는 마음을 약하게 표출하는 것일 뿐이다. 현명한 사람은 옳은 편을 우연에 맡기지 않을 테고, 그 편이 다수파의 힘을 통해 이기길 바라지도 않을 것이다. 그런데 대규모 사람들의 행동은 거의 효력이 없다. 다수파가 마침내 노예제의 폐지를 찬성하는 표를 던진다면, 그것은 그들이 노예제에 무관심하거나 투표로

폐지할 노예제가 별로 남지 않았기 때문일 것이다. 그러면 그들이 유일하게 남은 노예가 될 것이다. 오직 자기 표로 자신의 자유를 주장하는 사람의 표만이 노예제의 폐지를 앞당길 수 있다.

12. 나는 볼티모어인가 어딘가에서 대통령 후보를 뽑는 전당대회가 열린다는 소식을 들었다. 그 대회에는 주로 편집인들과 직업 정치인들이 참석한다고 한다. 그런데 그들이 무슨 결정을 내리든지, 그것이 독립적이고, 지성적이고, 존경할 만한 사람과 무슨 상관이 있을까 하고 생각한다. 그럼에도 우리는 그의 지혜와 정직이 주는 유익을 얻지 못할 것인가? 우리가 일부 독립적인 표들에 의존할 수 없을까? 이 나라에서 전당대회에 참석하지 않는 사람들이 많지 않은가? 그런데, 아니다. 그의 나라가 그 사람을 단념할 만한 이유가 있을 때, 이른바 그 존경할 만한 사람은 즉시 그의 위치에서 떠밀리고 그의 나라를 단념했다는 것을 발견한다. 그는 당장 그렇게 선출된 후보를 유일하게 쓸모 있는 사람으로 받아들이고, 따라서 그 자신이 어떤 선동의 목적을 위해서든 쓸모 있는 사람임을 입증한다. 그의 표는 아무런 원칙도 없는 외국인의 표나, 돈으로 산 원주민의 표만큼 가치가 없다. 내 이웃이 말하듯이, 사람다운 사람은 그의 등에 당신이 손으로 관통할 수 없는 뼈를 갖고 있다! 우리의 통계가 틀렸다. 인구가 너무 크게 집계된 것이다. 이 나라에서 160만 제곱미터에 얼마나 많은 사람이 있는가? 거의 한 명도 없다. 미국은 사람들이 여기에 정착하도록 어떤 유인책이든 쓰지 않는가? 미국인은 이상한 회원(Odd Fellow: 18세기 영국에 창립된 비밀공제조합 회원—역자 주)으로 전락했다. 군거성(gregariousness) 기관의 발달로 알려지고 지능 및 쾌활한 자립심이 부족한 사람, 세상에 온 주된 목적이 사설 구빈원을 좋은 상태로 유지시키는 것인 사람, 사내다운 옷을 합법적으로 걸치기 전에 과부와 고아를 후원하기 위해 기금을 모으는 사람. 요컨대 본인을 버젓하게 묻어주기로 약속한 상호보험 회사의 도움으로만 살아가는 사람이다.

13. 어떤 악이든, 심지어 가장 엄청난 악이라도, 근절하는데 몰두하는 것은 당연히 사람의 의무가 아니다. 그는 여전히 그 자신이 몰두할 다른 관심사를 가질 수 있

다. 반면에 악에서 손을 떼는 것이 그의 의무이고, 만일 악을 더는 생각하지 않는다면 실질적으로 악을 지지하지 않는 것이 그의 의무이다. 만일 내가 다른 일과 계획을 수행하는 데 전념한다면, 나는 적어도 먼저 다른 사람의 어깨 위에 앉는 일과 계획을 수행하지 않는다. 나는 먼저 그를 해방시켜 그 사람이 자신의 계획도 수행할 수 있게 해야 한다. 엄청난 모순을 관용하고 있는 모습을 보라. 나는 우리 시민 중 일부가 이렇게 말하는 것을 들었다. "나는 그들이 내게 노예의 반란을 진압하는 일, 또는 멕시코로 행진하는 일을 도우라고 지시해주길 바란다. 내가 갈 것인지 확인해보라." 그런데 바로 이 사람들이 제각기 직접적으로는 그들의 충성심으로, 간접적으로는 그들의 돈으로 대리인을 제공했다. 불의한 전쟁에 나가길 거부하는 군인은, 그 전쟁을 벌이는 불의한 정부를 유지하길 거부하지 않는 사람들에게 박수를 받으며, 그 행동과 권위를 무시하고 깔보는 이들에게 칭송을 받는다. 마치 국가가 죄를 짓는 동안 스스로를 괴롭힐 자를 고용할 만큼은 참회하지만, 한순간이라도 죄 짓는 일을 그만둘 정도로까지는 참회하지 않는 것과 같다. 그리하여 질서와 시민 정부의 이름 아래, 우리 모두는 마침내 자신의 비열함을 지지하고 경의를 표하도록 만들어진 것이다. 먼저 죄로 인해 얼굴이 붉어진 후에는 죄에 대해 무관심해진다. 그리고 부도덕한(immoral) 상태에서, 말하자면 도덕에 무관심한(unmoral) 상태로 바뀐다. 이는 우리가 만든 그런 삶에 불필요하지 않은 상태이다.

14. 가장 널리 퍼져있는 오류가 지탱되려면 가장 무관심한 미덕이 필요하다. 애국심의 미덕이 흔히 받을 수 있는 작은 비난은, 귀족이 초래할 가능성이 가장 많다. 정부의 성격과 조처를 불승인하면서도 정부에 충성과 지지를 보내는 이들은 분명히 가장 양심적인 지지자들이고, 가장 심각한 개혁의 걸림돌인 경우가 많다. 어떤 이들은 국가에 남북연합(the Union)을 해체하고, 대통령의 요구를 무시하라고 청원하고 있다. 그들은 왜 스스로 그것—그들 자신과 국가의 연합—을 해체하고 그들의 몫을 재무부에 지불하는 것을 거부하지 않는가? 그들은, 국가가 남북연합과 맺는 관계와 똑같은 관계를 국가와 맺고 있지 않은가? 그리고 그들로

국가에 저항하지 못하게 막은 그 이유들이, 국가로 하여금 남북연합에 저항하지 못하게 막지 않았는가?

15. 한 사람이 어떻게 특정 의견을 품는 것에 만족한 채, 그것을 즐길 수 있을까? 만일 그의 의견이 자기가 학대당한 것이라면, 그 속에 즐길만한 것이 있을까? 만일 당신이 이웃에게 1달러를 사기 당했다면, 당신은 당신이 사기를 당했다는 사실을 아는 것으로, 또는 당신이 사기를 당했다고 말함으로써, 또는 그에게 당신의 돈을 돌려달라고 요청하는 것으로 결코 만족하지 못할 것이다. 오히려 총액을 받기 위해 당장 효과적인 절차를 밟고, 다시는 사기를 당하지 않으려고 주의한다. 원칙, 권리의 인식과 수행에 근거한 행동은 사태와 인간관계를 바꾸기 마련이다. 그것은 본질상 혁명적이고 과거에 존재했던 어떤 것과도 양립하지 않는다. 그것은 주(州)들과 교회들을 분열시킬 뿐 아니라 가족들도 분열시킨다. 그렇다. 개인까지도 그 속의 신적인 것과 마귀적인 것을 나눠놓는다.

16. 불의한 법률들이 존재한다. 우리는 그런 법률들에 복종하는 것으로 만족할 것인가? 또는 그런 법률들을 수정하려고 노력하되, 성공할 때까지 복종할 것인가? 또는 당장 그런 법률들을 어길 것인가? 이같이 정부 아래 있는 사람들은 대체로 다수파를 설득해서 그런 법률들을 고칠 때까지 마땅히 기다려야 한다고 생각한다. 만일 그들이 저항한다면 그 개선책이 해악보다 더 나쁠 것으로 생각한다. 그러나 개선책이 해악보다 더 나쁘다는 것은 정부 자체의 잘못이다. 정부가 그것을 더 나쁘게 만든다. 어째서 개혁을 기대하고 제공하는 일이 더 쉽지 않은가? 왜 정부는 국가의 현명한 소수파를 소중히 여기지 않는가? 왜 정부는 상처를 받기 전에 부르짖고 저지하는가? 왜 정부는 시민들에게 정부의 잘못을 지적할 만큼 깨어있도록 격려하고 일을 더 잘 수행하지 않는가? 왜 정부는 언제나 그리스도를 십자가에 못 박고, 코페르니쿠스와 루터를 출교하고, 워싱턴과 프랭클린을 반역자로 선포하는가?

17. 혹자는 정부의 권위에 대한 고의적이고 실질적인 부정이야말로, 정부가 생각해 본 적 없는 유일한 범죄라고 생각할지 모른다. 그렇지 않다면, 왜 정부가 확실하

고 적절한 형벌을 지정하지 않았을까? 만일 재산이 없는 사람이 국가를 위해 9 실링 버는 것을 단 한 번 거절한다면, 그는 내가 아는 어떤 법으로도 무한정 감옥에 간히게 되고 그를 거기에 넣은 자들의 재량에 의해 형기가 결정된다. 그러나 설사 그 사람이 국가로부터 9실링을 90번 훔쳤다고 해도, 그는 대체로 다시 행하도록 곧 허용된다.

18. 만일 불의가 정부라는 기계가 굴러가는데 필요한 마찰의 일부라면, 그냥 내버려두라. 그냥 내버려두라. 아마 그것이 부드럽게 닳을 것이다. 그 기계는 확실히 닳아 없어질 것이다. 만일 불의가 오직 그 자체를 위한 어떤 샘이나 도르래, 밧줄이나 크랭크를 갖고 있다면, 개선책이 해악보다 더 나쁘지 않을지 모른다고 생각해도 좋다. 그런데 만일 어떤 법이 당신으로 하여금 다른 사람에게 불의를 행하도록 요구하는 그런 성격을 갖고 있다면, 나는 그 법을 위반하라고 말하는 바이다. 당신의 삶이 그 기계를 멈추게 하는 반대마찰이 되게 하라. 내가 할 일은, 어쨌든 내가 비난하는 그 해악에 개입하지 않도록 주의하는 것이다.

19. 국가가 해악을 치료하기 위해 제공한 방법들을 채택하는 일에 관해 말하자면, 나는 그런 방법에 대해 모른다. 그런 방법들은 너무 많은 시간이 걸려서 한 사람의 인생이 끝나고 말 것이다. 나는 주의를 기울일 다른 문제들도 있다. 내가 이 세상에 온 것은, 주로 살기 좋은 장소로 만들기 위해서가 아니라 좋든 나쁘든 그 속에 살기 위해서다. 한 사람은 모든 일을 갖고 있지 않고 특정한 일을 갖고 있다. 그는 모든 일을 할 수 없기 때문에 잘못된 일을 하는 것이 불필요하다. 주지사나 입법부에 청원하는 것이 내 업무가 아닌 것은, 그들이 나에게 요청하는 것이 그들의 업무가 아닌 것과 같다. 만일 그들이 내 청원을 듣지 않는다면 나는 어떻게 해야 할까? 그런데 이 경우에는 국가가 아무런 방법도 제공하지 않았다. 그 헌법 자체가 해악이다. 이 말은 가혹하고 완고하고 비타협적으로 들릴지 모른다. 그러나 그 문제를 이해하거나 마땅히 들을 수 있는 유일한 정신을 지극히 친절하게, 또 배려해서 다루는 것이다. 몸에 경련을 일으키는 출생과 죽음처럼, 더 나은 것을 위한 모든 변화는 그런 법이다.

20. 나는 주저 없이 이렇게 말하고 싶다. 스스로를 노예제 폐지론자로 부르는 이들은 당장 개인적으로, 그리고 재산의 면에서 매사추세츠주 정부에 대한 지원을 실질적으로 거둬야 하고, 그들이 다수파가 될 때까지, 즉 그들이 자신들을 통해 이길 권리를 얻을 때까지 기다려서는 안 된다고. 그들이 다수파를 구성할 때까지 기다리지 말고 하나님을 그들 편에 모신다면 그것으로 충분하다고 나는 생각한다. 더구나, 자기 이웃들보다 더 옳은 사람은 누구나 이미 다수파를 구성하는 셈이다.

21. 나는 이 미국 정부를, 또는 그 대변자인 주 정부를 일 년에 한 번 그 세무 관리를 통해 얼굴을 맞대고 만난다. 이것은 나와 같은 상황에 처한 사람이 반드시 이 정부를 만나는 유일한 방식이다. 그때 정부는 "나를 인정하라"고 말한다. 정부를 거꾸로 뒤집는 가장 간단하고 효과적인, 그리고 현 상황에서 가장 필수 불가결한 방법, 당신의 불만족과 아쉬움을 표현하는 방법은 그때 정부를 부인하는 것이다. 나의 이웃, 세무 관리가 바로 내가 다뤄야 할 사람이고—어쨌든 내가 다룰 대상은 문서가 아니라 사람이기 때문에—그는 자진해서 정부의 일꾼이 되기로 선택한 사람이다. 그는, 자신이 존경하는 이웃인 나를, 이웃과 호의적인 사람으로 다룰지, 미치광이와 평화를 깨뜨리는 자로 다룰지 따져보기 전까지는, 정부 관리로서 또는 한 인간으로서 자신이 누구이며 무엇을 하는 사람인지 잘 알 수 없을 것이다. 또한 그는 자신이, 자신의 행동에 부합하는 몹시 무례하고 충동적인 생각이나 말을 하지 않고도, 자신을 이웃답게 처신하지 못하게 하는 장애물을 극복할 수 있는지 알지 못할 것이다. 나는 이 점을 잘 알고 있다. 만일 천 명이, 만일 백 명이, 만일 내가 이름을 댈 수 있는 열 명이 아니, 단열 명의 정직한 사람이, 만일 이 매사추세츠 주에서 한 명의 정직한 사람이 노예를 보유하길 그만두고, 이 협동 관계에서 실제로 물러나고, 그래서 그 때문에 감방에 갇힌다면, 그것은 미국에서의 노예제의 폐지가 될 것이다. 왜냐하면 그 시작이 얼마나 작게 보이는지가 중요하지 않고, 한 번 잘 이뤄진 일은 영원히 이뤄진 일이기 때문이다. 그런데 우리는 그에 관해 얘기하길 더 좋아한다. 우리가

말하는 바가 우리의 사명이라고. 개혁은 다수의 신문들을 그 종으로 보유하고 있으나 거느리는 사람은 단 한 명도 없다. 만일 나의 존경하는 이웃인 그 주의 대사, 곧 캐롤라이나의 감옥에 위협을 느끼는 대신 의회 회의실에서 인권의 문제를 해결하는데 시간을 몰입할 그 사람이 매사추세츠, 즉 노예제의 죄를 그 자매에게 떠넘기고 싶어 하는 그 주의 죄수에게 관심을 기울이려면—현재로서는 그 자매와 말다툼을 할 이유로 푸대접의 행위만 발견할 수 있을 뿐이지만—입법부는 그 주제를 다음 겨울로 완전히 보류하지 않을 것이다.

22. 아무나 부당하게 감금하는 정부 아래서는 정의로운 사람을 위한 진정한 장소 역시 감옥이다. 오늘날 매사추세츠가 더 자유롭고 덜 낙담한 영혼들에게 제공한 적당한 장소, 유일한 장소는 감옥 안에 있고, 그들이 스스로 이미 그들의 원칙에서 벗어난 만큼 그 주의 행동으로 그 주에서 감금되어버린 것이다. 바로 거기서 도망친 노예와 가석방된 멕시코인 죄수와 인도인이 그의 인종의 해악이 그들을 찾아야 한다고 탄원하게 된다. 그 주가 자기와 함께하지 않고 자기에게 반대하는 자들을 배치하는 그 별도의, 그러나 더 자유롭고 영예로운 땅에서 그렇게 한다. 그 노예 주(州)에서 자유인이 명예롭게 묵을 수 있는 유일한 집이다. 누구든지 그들의 영향력이 거기서 사라지고 그들의 목소리가 더 이상 그 주의 귀를 괴롭히지 못할 것이고, 그들이 그 벽 안에서 적으로 존재하지 않을 것으로 생각한다면, 그들은 진실이 오류보다 얼마나 더 강한지를 모르고, 직접적인 불의를 별로 경험하지 못한 사람이 얼마나 더 유창하게, 또 효과적으로 불의와 싸울 수 있는지 모르고 있다. 당신의 표 전체를, 단지 종잇조각만 아니라 당신의 모든 영향력을 던져라. 소수파는 다수파를 따르는 동안에는 무력하다. 그러면 소수파조차 될 수 없다. 반면에 온 무게로 막아버리면 저항할 수 없는 존재가 된다. 만일 유일한 대안이 모든 정의로운 사람들을 감옥에 가둬놓거나 전쟁과 노예제를 포기하는 것이라면, 국가는 어느 편을 선택할지를 놓고 주저하지 않을 것이다. 만일 1,000명이 금년에 세금을 납부하지 않는다면, 그것은 세금을 납부하는 만큼 난폭하고 살벌한 조치라서 국가로 하여금 폭력을 자행하고

무고한 피를 흘리게 만들 수 없을 것이다. 그런 일이 가능하다면, 그것은 사실 평화로운 혁명의 정의이다. 세무 관리 또는 다른 어떤 공무원이라도 내게 "그러면 나는 어떻게 해야 하는가?"라고 묻는다면, 나는 "당신이 정말로 무언가를 하고 싶다면 당신의 직책을 사임하라"고 대답한다. 신하가 충성을 거부했을 때, 그리고 관리가 그 직책을 사임했을 때, 비로소 혁명이 완수되는 것이다. 그런데 피가 흘러야 한다고 가정해보라. 양심이 상처를 받을 때 일종의 피가 흐르는 것이 아닐까? 이 상처를 통해 한 사람의 진정한 사람됨과 불멸성이 흘러나오고, 그는 피를 흘려 영원한 죽음에 이르게 된다. 나는 이 피가 지금 흐르고 있는 장면을 보고 있다.

23. 나는 범죄자의 재산을 압류하는 것보다 그를 투옥하는 것─물론 둘 다 똑같은 목적을 이루겠지만─에 대해 생각했다. 왜냐하면 가장 순수한 정의를 주장하다가, 부패한 정부에 대해 가장 위험인물이 된 사람들은, 일반적으로 재산을 모으는데 많은 시간을 사용하지 않기 때문이다. 정부는 그런 이들에게 비교적 작은 서비스를 제공하며, 특히 그들은 자신들이 직접 특별한 노동을 통해 그것을 벌어야 한다면, 약간의 세금도 과도하게 느낄 것이다. 만약 돈을 사용하지 않은 채 온전하게 산 사람이 있다면, 국가는 그에게 돈을 요구하길 주저할 것이다. 그러나 부유한 사람은─불공평한 비교를 하지 않기 위해─늘 그를 부유하게 만들어주는 기관에 팔려간다. 절대적으로 말하자면, 돈이 많을수록 미덕이 더 적다. 왜냐하면 돈이 사람과 그의 물건 사이에 오고, 그를 위해 그것들을 획득하기 때문이다. 그리고 돈을 획득하는 것은 분명히 큰 미덕이 아니다. 돈은 그가 대답하지 않으면 안 될 많은 의문을 잠재워버린다. 반면에 돈이 제기하는 유일한 새 질문은 어렵되 불필요한 질문, 곧 "돈을 어떻게 사용하는가?"이다. 그래서 그의 도덕적 근거가 그의 발 아래로부터 제거된다. 삶의 기회는, '수단'이라 불리는 것이 증가하는 것에 비례해서 감소하게 된다. 한 사람이 부유할 때 그의 문화를 위해 할 수 있는 최선의 일은, 그가 가난했을 때 품었던 계획들을 수행하려고 노력하는 것이다. 예수 그리스도는 헤롯당에게 그들의 신분에 맞게 응답하셨다. "나에게 세

금으로 바치는 돈을 보여 달라"고 그분이 말씀하셨다. 한 사람이 주머니에서 동전 한 개를 끄집어냈다. "너희가 그 위에 시저의 형상이 새겨진 돈, 시저가 가치 있는 것으로 만든 돈을 이용한다면, 즉 만일 너희가 그 국가의 사람들이라면, 그리고 시저 정부의 이점을 기쁘게 즐기고 있다면, 시저가 일부를 요구할 때 그것을 돌려주어라. 그러므로 시저의 것은 시저에게, 그리고 하나님의 것은 하나님께 바치라"(신약성경 마태복음 22:19~21). 어느 것이 어느 것인지에 관해서는, 그들이 이전보다 더 지혜롭지 못하도록 내버려두었다. 그들이 알고 싶어 하지 않았기 때문이다.

24. 내가 가장 자유로운 이웃들과 얘기해본즉, 그들이 그 문제의 규모와 심각성, 그리고 공공의 평안의 존중에 관해 무슨 말을 하든, 요약해 말하면, 그들은 기존 정부의 보호를 사양할 수 없고 정부에 대한 불복종이 그들의 재산과 가족에 미칠 영향을 두려워한다는 것이다. 내 편에서는 내가 국가의 보호에 의지한 적이 있었다고 생각하고 싶지 않다. 그런데 그 국가가 세금고지서를 제시할 때 내가 국가의 권위를 부인한다면, 국가는 곧 내 모든 재산을 취하고 낭비할 것이며 나와 내 자녀들을 끝없이 괴롭힐 것이다. 이는 어려운 문제다. 이는 한 사람이 정직하게 살고 동시에 외적으로 편안하게 사는 것을 불가능하게 만든다. 다시 잃어버릴 것이 뻔한 재산이라면 그것을 축적할 만한 보람이 없을 것이다. 당신은 어딘가를 빌리거나 무단으로 정주해서 작은 곡물을 재배하며 먹고 살아야 한다. 당신은 당신 일에만 몰두하고, 항상 스스로에게 의존하며 소매를 걷어 올린 채 시작할 준비를 갖추고, 많은 관계를 맺으면 안 된다. 한 사람이 만일 모든 면에서 터키 정부의 좋은 신하가 된다면 터키에서도 부유하게 될 수 있다. 공자는 이렇게 말했다. "만일 국가가 이성의 원리들로 다스려진다면, 가난과 불행은 부끄러운 일이다. 하지만 국가가 이성의 원리들로 다스려지지 않는다면, 부와 명예가 부끄러운 일이다." 아니다. 내가 먼 남부 항구에서 자유가 위태롭게 되어 매사추세츠의 보호가 내게 베풀어지길 원할 때까지, 또는 내가 평화로운 기업으로 오로지 집을 차곡차곡 쌓아가기로 결심할 때까지, 나는 매사추세츠에 대

한 충성을 거부하고 내 재산과 생명에 대한 매사추세츠의 권리를 거부할 수 있다. 모든 의미에서 주 정부에 복종하는 것보다 불복종해서 벌금을 내는 편이 금전적으로 유리하다. 그런 경우에는 마치 내가 덜 가치 있는 사람인 듯이 느껴야 한다.

25. 몇 년 전에 매사추세츠주가 교회를 대신해 나를 만나 어느 성직자, 그 설교를 내 아버지는 들었으나 나는 들은 적이 없는 그 성직자를 후원하기 위해 일정한 금액을 내라고 명령했다. "지불하라. 그렇지 않으면 감옥에 갇힐 것이다." 나는 거절했다. 그런데 안타깝게도 또 다른 사람은 그 금액을 지불하는 것이 좋다고 생각했다. 나는 왜 교장이 사제를 후원하려고 세금을 내야 하는지, 그리고 왜 사제가 교장을 후원하려고 세금을 내야 하는지 납득할 수 없었다. 나는 국가의 교장이 아니었으나 자발적인 불입금으로 나 자신을 후원했기 때문이다. 나는 왜 문화단체가 세금고지서를 제출해서 국가로 하여금 교회뿐 아니라 그 요구도 지원하게 해서는 안 되는지 그 이유를 모르겠다. 하지만 도시 행정 위원들의 부탁을 받아 나는 다음과 같은 진술을 글로 쓰기로 했다. "모든 사람은 이 증서로 알지니, 나 헨리 소로는 내가 가입하지 않은 어떤 협회의 회원으로도 간주되길 원치 않는다." 이 증서를 나는 시청 서기에게 줘서 그가 갖고 있다. 이렇게 해서 국가는 내가 그 교회의 회원으로 간주되길 원치 않는다는 사실을 알고, 그 후로 내게 그런 요구를 한 적이 없다. 비록 국가가 당시에 본래의 신념을 지켜야 한다고 말하긴 했지만. 만일 내가 모든 협회를 고발하는 법을 알았더라면, 나는 내가 서약한 적이 없는 모든 협회로부터 탈퇴 사인을 했을 것이다. 그런데 나는 그 목록을 어디서 찾을지 알지 못했다.

26. 나는 인두세를 6년 동안 내지 않았다. 이 때문에 감옥에 하룻밤 갇힌 적이 있다. 내가 서서 2~3피트 두께의 단단한 돌벽, 1피트 두께의 나무와 철로 된 문, 그리고 빛을 방해하는 쇠창살에 대해 생각해보니, 나를 마치 살과 피와 뼈에 불과한 것처럼 취급해 가둬놓은 그 기관의 어리석음에 놀라지 않을 수 없었다. 그 기관이 이것이 나를 이용하는 최선의 방법이라고 마침내 결론을 내렸고, 다른 방식

으로 나의 봉사를 쓸모 있게 만들 생각을 한 적이 없었을 것이란 생각이 들어 무척 의아했다. 만일 나와 나의 도시민들 사이에 벽이 있다면, 그들이 나만큼 자유롭게 될 수 있기 전에 올라가거나 무너뜨리기가 더 어려운 벽이 있음을 나는 알았다. 나는 한순간도 갇혀 있다고 느끼지 않았고, 벽들은 돌과 회반죽을 크게 낭비한 것으로 보였다. 마치 모든 도시민 중에 나 홀로 내 세금을 낸 것처럼 느꼈다. 그들은 분명히 나를 어떻게 다룰지 알지 못했고 버릇없는 인간들처럼 행동했다. 그들이 위협할 때마다, 칭찬할 때마다 큰 실수를 범했다. 그들은 나의 일차적 소원이 그 돌벽의 다른 편에 서는 것이라고 생각했기 때문이다. 그들이 나가자마자 아무런 방해 없이 내가 묵상을 할 때, 그들이 얼마나 부지런히 문을 잠그는지를 보며 나는 미소를 짓지 않을 수 없었고, 그들이야말로 정말로 위험한 자들이었다. 나에게 다가올 수 없게 되자 그들은 내 몸을 벌하기로 결심했다. 마치 소년들이 앙심을 품은 어떤 사람에게 손을 뻗칠 수 없어서, 그의 개를 학대하는 것처럼 말이다. 나는 국가가 얼빠진 상태라서 은 숟가락을 든 외로운 여인처럼 겁이 많고, 친구와 적을 구별하지 못하는 모습을 보았고, 그래서 국가에 대한 남은 존경을 모두 잃어버리고 국가를 불쌍히 여기게 되었다.

27. 그래서 국가는 결코 의도적으로 한 사람의 지적인 의식이나 도덕의식에 맞서지 않고 단지 그의 몸, 그의 감각들에만 맞서는 것이다. 국가는 우월한 정신이나 정직함으로 무장하지 않고 우월한 물리적 힘으로 무장할 뿐이다. 나는 강요받기 위해 태어나지 않았다. 나는 나의 고유한 방식을 좇아 숨을 쉴 것이다. 이제 누가 가장 강한지를 보자. 어느 힘이 대중을 보유하는가? 그들이 나보다 더 높은 법에 순종할 때에만 나를 강요할 수 있을 뿐이다. 그들은 나에게 그들 자신과 같이 되라고 강요한다. 나는 대중에 의해 이런 식이나 저런 식으로 살라고 강요받는 사람들에 대해선 들은 적이 없다. 그렇게 사는 것은 도대체 어떤 종류의 삶인가? 내가 나에게 '당신의 돈이나 당신의 삶'이라고 말하는 정부를 만날 때, 왜 내가 그 정부에게 돈을 주려고 서둘러야 하는가? 그 정부가 큰 곤경에 빠진 채 무엇을 할지 모를 수 있다. 나로서는 그 정부를 도울 수 없다. 그 정부는 스스로를

도와야 한다. 내가 행하는 대로 하면 된다. 그런 정부는 우리가 슬퍼할 만한 가치가 없다. 나는 사회 기구의 성공적인 작동에 대한 책임이 없다. 나는 그 엔지니어의 아들이 아니다. 도토리와 밤이 나란히 떨어질 때, 전자는 후자를 위해 길을 열어주기 위해 가만히 있지 않지만, 둘 다 자신의 법을 따르고, 어느 하나가 다른 것을 가려서 파괴할 때까지는 최선을 다해 솟아나서 자라고 번성하는 모습을 보게 된다. 만일 어느 식물이 그 본성에 따라 살 수 없다면 죽고 만다. 사람도 마찬가지다.

28. 감옥에서 보낸 하룻밤은 충분히 새롭고 흥미로웠다. 내가 들어갔을 때 상의를 입지 않은 죄수들은 출입구에서 담화와 저녁 공기를 즐기고 있었다. 그런데 간수가 "어이, 친구들, 이제 문을 잠글 시간이라네"라고 말했다. 그래서 그들이 흩어졌고, 나는 그들이 텅 빈 감방으로 되돌아가는 발걸음 소리를 들었다. 간수가 나에게 방 친구를 '일등급 동료이자 영리한 사람'이라고 소개했다. 문이 잠기자 그는 내게 모자를 걸 곳을 보여주고 거기서 어떻게 생활하는지를 알려주었다. 감방은 매달 1회씩 흰 도료를 칠했다. 이 방은 적어도 가장 하얗고 단순하게 장식되어 있었으며, 아마 그 소도시에서 가장 말끔한 방이었을 것이다. 그는 자연스럽게 내가 어디서 왔는지, 그리고 무엇 때문에 거기에 왔는지를 알고 싶어 했다. 내가 그에게 얘기한 후 이번에는 내가 그에게 어떻게 거기에 오게 되었는지 물었는데, 물론 정직한 사람일 것으로 추정하며 그렇게 물었다. 그리고 지금으로서는 그렇게 믿는다. "그들은 나에게 헛간을 태운 죄를 덮어씌웠는데, 나는 그런 적이 없습니다." 그의 말이었다. 아마도 그는 술 취한 상태로 헛간 속 침대로 가서 파이프를 피우다가 헛간을 불태운 것으로 보였다. 그는 영리한 사람으로 평판이 났고, 재판을 기다리느라 3개월을 보냈으며 그만큼 더 기다려야 할 것 같았다. 그러나 그는 그 생활에 익숙해져서 무척 만족하고 있었다. 무료로 숙식을 제공받고 잘 대우받고 있다고 생각했기 때문이었다.

29. 그는 한 창문을, 나는 다른 창문을 차지했다. 그리고 누군가 거기에 오래 머무르면 주로 하는 일이 창문을 내다보는 것임을 알았다. 나는 곧 거기에 남겨진 모

든 소책자를 읽었고, 이전의 죄수가 어디로 탈주했는지, 그리고 어느 쇠창살을 잘라냈는지 조사했고, 그 방에 머물렀던 다양한 죄수들의 내력에 대해 들었다. 이런 곳에도 감방의 벽 밖으로 유통된 적이 없는 하나의 역사와 소문이 있다는 사실을 알았기 때문이다. 어쩌면 이곳이 이 소도시에서 시(詩)들이 지어져서 나중에 유통용으로 인쇄는 되되 정식 출판은 되지 않는 유일한 집일 것이다. 나는 일부 젊은이들, 곧 도망치다 잡혀서 그들 자신에게 복수할 마음으로 노래로 만든 시의 긴 목록을 보게 되었다.

30. 나는 동료 죄수를 다시는 보지 못할까 봐, 그에게 최대한 건조하게 질문 공세를 퍼부었다. 그런데 결국 그가 나에게 내 침대를 보여주고 떠나는 바람에 내가 램프를 껐다.

31. 거기에서 하룻밤을 지낸 것은 내가 결코 기대하지 않았던 먼 나라로 여행하는 듯한 느낌이었다. 나는 예전에 소도시의 괘종이 치는 것을 들은 적이 없고, 또 마을의 저녁 소리를 들은 적이 없는 것 같았다. 우리는 쇠창살 안쪽에 있는 창문을 열어놓고 잤기 때문이다. 그것은 중세에 비추어 내 고향 마을을 바라보는 경험이었고, 우리의 콩코드 마을이 라인 강으로 변했고 기사들과 성들의 모습이 내 앞을 지나갔다. 그들은 내가 길거리에서 들었던 옛 시민들의 목소리였다. 나는 어쩔 수 없이 인접한 마을 여인숙의 부엌에서 일어나는 일과 주고받는 말을 구경하고 듣는 사람이었다. 나에게는 실로 완전히 새롭고 드문 경험이었다. 내 고향 마을을 더 가까이 들여다보게 된 것이다. 나는 그 마을 속에 있었다. 나는 이전에 그 기관들을 목격한 적이 없었다. 이곳은 군청 소재지였기 때문에 감옥은 특이한 기관들 중의 하나였다. 나는 그 주민들이 무엇을 하고 있는지 파악하기 시작했다.

32. 아침에 우리 음식이 작은 직사각형 양철 접시에 담겨 문의 구멍으로 주어졌는데, 그 접시는 1파인트 초콜릿과 갈색 빵과 쇠숟가락을 담고 있었다. 그들이 그릇을 다시 달라고 했을 때, 나는 남긴 빵조각을 되돌려줄 정도로 미숙했다. 그런데 내 동료가 그 조각을 잡아채더니 나에게 점심이나 저녁용으로 남겨둬야 한다

고 말해주었다. 직후에 그 동료가 이웃 들판에서 건초작업을 하려고—매일 나갔는지 모르지만—불려나갔는데, 정오까지 돌아오지 않을 것을 알고 나는 작별인사를 하면서 다시 볼 수 없을 것 같다고 말했다.

33. 감옥에서 나왔을 때—누군가 개입해서 그 세금을 지불한 덕분에—나는 대체로 큰 변화가 일어난 것을 인식하지 못했다. 그러니까 그 사람이 목격했듯이 젊은 시절에 들어갔다가 비틀거리는 백발의 노인으로 나타난 것과 같은 변화 말이다. 하지만 내 눈에 소도시와 주와 국가에 시간에 따른 변화보다 더 큰 변화가 일어난 장면이 들어왔다. 그런데 나는 내가 몸담은 그 주를 더욱 다르게 보았다. 나를 둘러싼 그 사람들이 좋은 이웃과 친구로 어느 정도 신뢰될 수 있는지를 보았다. 그리고 그들의 우정은 단지 여름 기후만을 위한 것이란 사실, 그들이 옳은 일을 하려고 크게 꾀하지 않았다는 것, 그들은 편견과 미신으로 인해 중국인과 말레이인이 그렇듯이 나와 다른 별종이란 것, 그들은 인류에 제사를 드릴 때 아무런 위험도, 심지어 그들의 재산조차 감수하지 않았다는 것, 결국 그들은 그리 고상하지 않고 도둑이 그들을 취급했듯이 그들도 도둑을 취급했다는 것, 그리고 그들은 어떤 외적인 준수와 몇 마디 기도로, 그리고 때때로 쓸모없는 길인데도 특정한 똑바른 길을 걸음으로써 그들의 영혼을 구원하길 바랐다는 것을 알았다. 이는 내가 이웃을 가혹하게 판단하는 것일지 모른다. 그들 중 다수는 그 마을에 감옥과 같은 기관이 있다는 사실을 인식하지 못하고 있다고 믿기 때문이다.

34. 예전에 우리 마을의 관습은 이랬다. 가난한 채무자가 감옥에서 나왔을 때, 그의 지인들이 감방 창문의 쇠창살을 보여주듯 교차된 손가락을 통해 그를 바라보면서 "안녕하세요?"라고 인사하는 것이었다. 내 이웃은 그런 식으로 내게 인사하진 않았으나, 마치 내가 긴 여행에서 돌아온 것처럼 먼저 나를 쳐다본 다음 서로를 쳐다보았다. 나는 수선된 구두를 찾으러 구두 수선공에게 가려고 했을 때 감옥에 갇혔다. 이튿날 내가 풀려났을 때 나는 내 심부름을 처리했고, 수선된 구두를 신고 행동으로 자기를 낮추는 것을 못 견디는 사람들의 허클베리 파티(월귤나

무 열매를 따는 모임-역자 주)에 참석했다. 그리고 반 시간 후에는—말에 마구가 달렸기 때문에—2마일 떨어진, 가장 높은 언덕 중의 하나에 있는 허클베리 들판 한 복판에 있게 되었는데, 그러자 그 주의 어느 곳도 보이지 않았다.

35. 이것이 '내 감옥 생활'의 모든 내력이다.

36. 나는 나쁜 신하가 되길 원하는 만큼 좋은 이웃이 되길 원하기 때문에 고속도로 세금을 내길 거부한 적은 없다. 그리고 학교들을 후원하는 면에서는 현재 동향 인들을 교육하기 위해 내 몫을 다하고 있는 중이다. 내가 세금을 내길 거부하는 것은 특정한 항목 때문이 아니다. 나는 단지 주에 대한 충성을 거부하고, 주로부터 완전히 물러나고 동떨어지길 바랄 뿐이다. 나는 내 돈이 한 사람이나 소총을 살 때까지—그 돈은 무죄이다—그 돈의 흐름을 추적할 생각이 없지만, 나는 내 충성심의 결과를 추적할 마음은 있다. 사실, 나는, 그런 경우에 흔히 그렇듯이, 여전히 국가를 어떻게든 활용하고 그 혜택을 얻겠지만 조용히 국가와의 전쟁을 선포하는 바이다.

37. 만일 타인들이 국가에 대한 연민에 이끌려 내게 부과된 세금을 지불한다면, 그들은 그들 자신의 경우에 이미 행한 일을 행하는 것이거나 국가가 요구하는 것보다 더 큰 정도로 불의를 부추기는 것이다. 만일 그들이 어떤 개인의 재산을 절약하거나 감옥에 가는 것을 방지하기 위해 세금이 부과된 그 개인에 대한 그릇된 관심에 근거해 세금을 지불한다면, 그것은 그들이 자신의 사적인 느낌이 공공선에 얼마만큼이나 간섭하는지 지혜롭게 생각하지 않았기 때문이다.

38. 이것이 현재 나의 입장이다. 그러나 혹자는 그의 행동이 고집이나 사람들의 여론에 대한 지나친 존중에 의해 편향되지 않게 하려고, 그런 경우에 아무리 경계해도 지나치지 않다. 이제 그 사람이 그 자신과 그 시기에 속한 것만 행하는 것에 신경 쓰도록 하자.

39. 나는 때때로 이런 생각을 한다. 이 사람들은 의도는 좋은데 왜 그렇게 무지할까? 그들이 어떻게 행할지 안다면 더 나을 텐데. 왜 당신의 이웃에게 그들이 원치 않는 방식으로 당신을 취급하게 하는 이런 고통을 안겨주는가? 그런데 나는

다시 생각한다. 이것은 내가 그들이 행하듯이 행해야 할 이유가 되지 않고, 다른 이들이 다른 종류의 더 큰 고통에 시달리도록 허용할 이유가 되지 않는다. 수백만 명이 열을 내지 않고, 악의가 없이, 어떤 개인적 감정도 없이, 당신에게 몇 실링만 요구할 때, 그들의 체질 때문에 현재의 요구를 철회하거나 바꿀 가능성이 없고 당신 편에서도 다른 수백만 명에게 호소할 가능성이 없다면, 왜 당신 자신을 이 압도적인 투박한 힘에 노출하는가? 당신은 추위와 굶주림, 바람과 파도에 그처럼 완고하게 저항하지 않는다. 오히려 그와 비슷한 천 개의 필수 불가결한 것들에 조용히 순복한다. 당신은 머리를 불 속에 넣지 않는다. 하지만 그것을 전적으로 폭력으로만 보지 않고 일부는 인간적인 힘으로 보게 되면서, 그리고 나 자신이 그 수백만 명과 관련되어 있다는 것을 '또 다른 수백만의 사람들과 관련되어 있고 그저 폭력적이거나 생명력 없는 것들과는 관련되어 있지 않다'는 것으로 여기게 되면서, 나는 먼저, 그리고 즉시 그들이 그들의 창조주께 호소할 수 있으며, 그 다음으로는 그들이 스스로에게 호소할 수 있다고 본다. 반면에 내가 만일 머리를 일부러 불 속에 넣는다면, 불이나 불을 만든 자에게 호소할 수 없고 오직 나 자신만 비난할 수 있다. 만일, 내가 사람들을 대할 때 있는 그대로의 모습에 만족하고 그에 따라 그들을 대우할 권리가 있고, '그들과 나는 이런 모습이어야 한다'는 나의 요구와 기대에 따라 대우하면 안 된다는 것을 확신할 수 있다면, 선한 회교도와 운명론자처럼 나는 사물을 있는 그대로 만족하려고 애쓰고 그것이 하나님의 뜻이라고 말해야 한다. 그리고 무엇보다, 이것에 저항하는 것과 순전히 투박한 또는 자연적인 힘에 저항하는 것은 차이가 있으므로, 나는 이것을 약간 효과적으로 저항할 수 있다. 그러나 나는 오르페우스처럼 바위와 나무와 짐승들의 본성을 바꾸길 기대할 수는 없다.

40. 나는 어느 사람 또는 국가와 말다툼하고 싶지 않다. 나는 사소한 것에 구애되거나, 세세한 구별을 하거나, 나 자신을 이웃보다 더 나은 자로 내세우고 싶지 않다. 오히려 이 땅의 법에 순응하는데 필요한 변명거리를 찾고 싶다. 그런데 나는 그런 법에 순응할 준비가 너무 많이 되어 있다. 사실 나는 이 문제에 대해 나 자

신을 의심할 만한 이유가 있다. 매년 세무 관리가 돌아올 때, 나는 순응할 구실을 찾기 위해 일반 정부와 주 정부의 활동과 입장, 그리고 사람들의 정신을 검토하는 경향이 있다.

"우리는 우리나라를 부모처럼 사랑해야 하나니,
언제든 국가를 존경하지 않고
우리의 사랑이나 근면을 따돌린다면
우리는 그 재화를 존중하고
우리 영혼에 지배나 이익의 욕망이 아니라
양심과 종교의 문제를 가르쳐야 하네."

국가는 곧 이런 유의 일을 내 손에서 빼앗을 수 있을 것이며, 따라서 나는 동향인들보다 더 나은 애국자가 될 수 없을 것으로 믿는다. 낮은 관점에서 보면, 헌법은 그 모든 결함에도 불구하고 매우 좋다. 법과 법정도 매우 존경할 만하다. 이 주(州)와 미국 정부조차 여러 면에서, 수많은 이가 묘사한 것처럼 매우 훌륭하고, 우리가 마땅히 감사할 만한 드문 것들이다. 그러나 좀 더 높은 관점에서 보면, 양자는 내가 묘사한 바와 같다. 그보다 더 높은 관점에서 보면, 그리고 가장 높은 관점에서 보면, 도대체 누가 그것들이 무엇이라고 말할 수 있을까? 그것들이 과연 바라볼 만한, 또는 아예 생각할 만한 가치가 있다고 말할 수 있을까?

41. 그런데 정부는 나의 큰 관심사가 아니고, 나는 정부에 대해 최소한으로 생각하려고 한다. 나는 이 세상에서조차 어느 정부 아래서도 오랜 기간 살지 않는다. 한 사람이 만일 자유로운 생각과 공상과 상상을 품고 있다면, 그 자신에게 결코 긴 시간으로 보이지 않는 동안 그렇다면, 지혜롭지 못한 통치자나 개혁가들은 치명적으로 그를 방해할 수 없다.

42. 나는 대다수 사람이 나 자신과 다르게 생각한다는 것을 안다. 그러나 직업상 이

런 주제를 공부하는데 전념하는 이들은 여느 사람처럼 나를 거의 만족시켜주지 못한다. 정치인과 입법자들은 제도 내에 완전히 서 있는 입장이라 그것을 결코 있는 그대로 보지 못한다. 그들은 사회 이동에 대해 말하지만, 사회가 없으면 안식처도 없다. 그들은 일정한 경험과 분별을 겸비한 사람들일 수 있고, 우리가 진실로 감사하는 기발하고 심지어 유용한 시스템들을 발명한 것이 틀림없다. 그러나 그들의 모든 재치와 유용성은 그리 넓지 않은 한계 내에 있다. 그들은 세계가 정책과 편의성에 의해 좌우되지 않는다는 사실을 잊어버리곤 한다. 웹스터(Webster, 미국의 정치가이자 웅변가-역자 주)는 절대로 정부의 배후를 조사하지 않기 때문에 정부에 대해 권위 있게 말할 수 없다. 그의 말은 기존 정부의 필수적인 개혁을 생각하지 않는 입법자들에게는 지혜이다. 그러나 모든 시대를 생각하는 사람들과 입법자들을 위해서는 그가 그 주제에 단 한 번의 눈길도 주지 않는다. 이 주제에 관해 차분하고 지혜로운 생각을 품고 있는 일부 지인들은, 곧 자기 생각의 범위와 환대의 한계를 드러낼 것이다. 하지만 대다수 개혁가들의 값싼 고백을 일반적인 정치인들의 더 값싼 지혜와 유창함과 비교해보면, 그의 말은 거의 유일하게 현명하고 귀중하며, 우리는 그로 인해 하늘에 감사드린다. 비교적 그는 항상 강하고 독창적이고, 무엇보다 실제적이다. 그래도 그의 특성은 지혜가 아니라 신중함에 있다. 법률가의 진실은 진리(Truth)가 아니라 일관성 내지는 일관된 편의성이다. 진리는 항상 그 자신과 조화를 이루고, 그 주 관심사는 악행과 양립할지 모르는 정의를 드러내는 것이 아니다. 그는 이제껏 불러왔던 대로 헌법의 수호자로 불릴 자격이 있다. 그가 행할 타격은 정말로 없고 방어적인 타격만 있을 뿐이다. 그는 지도자가 아니라 추종자이다. 그의 리더들은 87년의 사람들이다. 그는 이렇게 말한다. "나는 노력한 적이 없고, 노력한다고 주장한 적도 없다. 나는 다양한 주들을 연합국으로 만든 본래의 제도를 방해하기 위해 어떤 노력을 지지한 적이 없고 지지하려고 한 적도 없다." 그런데 그는 헌법이 노예제에 주는 재가에 대해 생각하면서 "그것이 본래 계약의 일부였기 때문에 그대로 두라"고 말한다. 그는 특별한 명민함과 능력에도 그 단순한 정치적 관계로부터 어떤 사실을 끌어낼 수 없고, 그것이 지식인에 의해 처분되는 처지에 있는 것을 바라본다. 예컨대, 오늘날 미국에서 한 사람이 노예제와 관련하여 수행해야 할 의무는 무엇인가? 절대적으로 말한다고 고백하는 가운데, 담대하게 다음과 같은 절박한 대답을 해서 그로부터 새롭고 뛰어난 사회의무의 규약이 추론되게 하는 것이 아닌가? 그는 이렇게 말한다. "노예제가 존재하는 주들의 정부들이 그 제도를 규제하는 방법은 그들의 헌법에 대한, 타당성과 인간애와 정의에 대한, 그리고 하나님께 대한 그들의 책임 아래서 그들 스스로 고려할 사항이다. 다른 곳에서 인간애 또는 다른 명분으로부터 생긴 협회들은 그것과 아무런 관계도 없다. 그들은 나로부터 어떤 격려도 받은 적이 없고 앞으로도 받지 못할 것이다."

43. 성경과 헌법보다 더 순수한 진리의 근원을 모르는 이들, 그보다 더 높은 곳을 추구하지 않는 이들은 경외하고 겸손한 마음으로 거기서 진리를 마실 것이다. 반면에 어디서 이 호수나 저 연못으로 졸졸 흘러오는지를 목격하는 이들은 다시한 번 마음을 다잡고 그 원천을 향해 순례를 계속한다.

44. 비범한 입법 재능을 갖고 미국에 등장한 사람은 하나도 없다. 그런 사람은 세계 역사에 드문 편이다. 웅변가와 정치인과 유창한 사람은 수천 명이나 되지만, 오늘의 골치 아픈 문제들을 해결할 능력을 지닌 연사는 아직 입을 열지 않았다. 우리는 웅변을 그 자체로 좋아하는 것이지, 그것이 발설할지 모르는 진실 때문에, 또는 그것이 불어넣을지 모르는 영웅심 때문에 좋아하는 게 아니다. 우리의 입법자들은 자유무역, 자유, 노조, 청렴 등의 국가에 대한 상대적 가치를 아직 배우지 못했다. 그들은 과세와 재정, 상업과 제조업체와 농업과 같은 비교적 시시한 문제들을 풀 수 있는 재능이 없다. 만일 우리가 오로지 의회에서 입법자들의 수다스러운 위트에만 맡겨지고, 국민의 적절한 경험과 실질적인 불평에 의해 고쳐지지 않는다면, 미국은 열방 가운데 그 지위를 오랫동안 유지하지 못할 것이다. 어쩌면 나에게 말한 권리가 없을지 모르지만, 신약성경은 1800년 동안 기록되었다. 그런데 신약성경이 입법의 과학에 비추는 빛을 이용할 만한 지혜와 실

제적인 재능을 가진 입법자가 어디에 있는가?

45. 내가 기꺼이 순종할 만한 그런 정부의 권위는 아직도 불순한 것이다. 나는 나보다 더 잘 알고 행할 수 있는 자들에게 즐겁게 순종할 터인데, 심지어 많은 점에서 그만큼 알지 못하고 행할 수도 없는 이들에게까지 순종하겠다. 정부가 엄밀하게 정의로워지려면 피지배자의 재가와 동의를 얻어야 한다. 정부는 나의 인격과 재산에 대한 순수한 권리를 가질 수 없고, 오직 내가 용인하는 것에 대해서만 가질 뿐이다. 절대 군주제에서 제한 군주제로의 진보, 제한 군주제에서 민주주의로의 진보는 곧 개인에 대한 참된 존경을 향한 진보이다. 심지어 중국인 철학자조차 개인을 제국의 기초로 간주할 만큼 현명했다. 우리가 알고 있는 민주주의는 과연 정체에 있어서 진보의 최후 단계인가? 사람의 권리를 인정하고 조직하는 일을 향해 한걸음 더 내딛는 것이 가능하지 않은가? 국가가 개인을 더 높고 독립적인 권세로 인정하고, 국가의 모든 권력과 권위가 그로부터 나오고 개인을 그렇게 대우하기까지는 결코 자유롭고 계몽된 국가가 되지 못할 것이다. 나는 마침내 다음과 같은 국가가 될 것을 상상하며 스스로 기뻐한다. 모든 사람에게 정의로울 수 있는 국가, 개인을 이웃으로 존경하면서 대할 수 있는 국가, 소수가 이웃과 동료 인간의 모든 의무를 다한 뒤에 그로부터 멀리 떨어져 살며, 국가에 간섭하지 않고, 또 국가에 포용되지 않더라도 국가의 평안과 모순되는 것으로 생각하지 않을 국가이다. 이런 열매를 맺고 열매가 익자마자 그것을 떨어뜨리는 것을 감수한 국가는, 더 완전하고 영광스러운 국가로 가는 길을 준비하겠지만, 그런 국가도 상상은 해 보았으나 아직 어디서도 본 적이 없다.

4. 양식
Style

고전 수사학의 세 번째 부분은 양식(style)과 관계가 있었다. 일단 논증을 발견하고 선정하고 배열하고 나면, 언어로 옮겨야 했다. 언어—소리 상징이든 그림 상징이든—는 화자나 필자와 그들의 청중 간 의사소통의 매체 역할을 한다. 양식에 해당하는 라틴어 엘로쿠티오(elocutio)는 '공개적으로 말하기'라는 개념을 지녔다. 양식에 해당하는 그리스어 렉시스(lexis)는 '생각'과 '말'[이 두 개념은 그리스어 로고스(logos)에 담겨있다]과 '말하기'[그리스어 레게인(legein)] 등 삼중의 개념을 지녔다. lexis의 삼중적인 의미는, 그리스 수사학자들이 양식을 수사학의 일부로 생각하되, 우리가 착상으로 모은 생각을 글로 표현해서 공개적인 말로 전달하는 부분으로 생각했다는 것을 가리킨다. 뉴먼 추기경이 내린 양식의 정의도 이와 비슷한 개념을 지녔다. "양식은 생각을 언어로 옮기는 것이다."

이 '생각을 언어로 옮기는 일'은 많은 학생에게 작문상의 가장 어려운 문제로 다가온다. 텅 빈 종이만 봐도 학생들은 마비되고 만다. 하지만 종이에 글을 옮겨 쓰는 일이 전문 필자들에게도 어려운 일일 수 있다는 것을 알면, 학생들이 약간은 위안을 받을 수 있을 것이다. 글쓰기가 쉬울 때는 없다. 단지 이전보다 조금 더 쉬워질 뿐이다. 알프레드 노스 화이드헤드는 언젠가 이렇게 말했다. "최상의 의미의 양식은 교육받은 지성이 습득할 마지막 기술이다. 그것은 또한 가장 유용한 것이기도 하다." 정도는 달라도 누구나 생각을 언어로 옮길 때 겪는 어려움은, 부분적으로는 무슨 일이든 시작할 때 극복해야 할 관성에서 나오고, 부분적으로는 말할 것이 없기 때문이고, 부분적으로는 맨 먼저 할 말에 대해 우유부단하기 때문이고, 부분적으로는 어떤 것을 말할 수 있는 방식이 다양하기 때문이다.

관성은 오직 의지력으로만 극복할 수 있는 문제이다. 필자는 그냥 앉아서 종이에 무언가를 쓰겠다고 결단해야 한다. 할 말이 없는 문제는 논증의 발견에 관한 장(章)에서 논의된 절차를 밟으면 해결할 수 있을 것이다. 여러 부문의 순서에 관한 우유부단함은 배열에 관한 장(章)에 제시된 제안들에 주목함으로써 해결할 수 있을 것이다. 생각과 느낌이 다양한 방식으로 표현될 수 있다는 사실로 인한 문제가 이번 장의 주 관심사가 될 것이다.

처음부터 지울 필요가 있는 양식의 개념 한 가지는, 양식이 단지 '생각의 옷차림'에 불과하다는 것이다. 양식은 크리스마스트리의 가지에 걸친 반짝이는 장식처럼, 하나의 장식품이란 개념이 어느 학파에서 나왔는지 알기는 어렵지만, 유명한 고전 수사학자들 ―이소크라테스, 아리스토텔레스, 데메트리우스(Demetrius), 롱기누스(Longinus), 키케로, 퀸틸리안 등― 중에는 그런 교리를 설파한 사람이 하나도 없다는 것이 확실하다. 이 모든 수사학자는 질료(matter)와 형상(form) 사이에 불가결하고 상호적인 관계가 있다고 가르쳤다. "생각과 말은 서로 불가분의 관계가 있다." 존 헨리 뉴먼의 이 말은, 모든 최상급 수사학자가 견지했던, 양식에 대한 견해를 표현해준다. 이 견해에 따르면, 질료는 형상에, 형상은 질료에 어울려야 한다.

질료와 형상 간의 불가결한 관계라는 이 개념은, 양식의 수사적 기능을 이해하는데 필요한 기반이다. 이는 양식이 단지 생각의 장식이란 견해, 또는 양식이 단지 생각을 표현하기 위한 수레에 불과하다는 견해를 미리 배제한다. 물론 양식은 생각에 수레를 제공하고, 또 장식일 수도 있지만 그 이상의 무엇이다. 양식은 또 하나의 '가용한 설득 수단'이고, 청중에게 적절한 감정적 반응을 불러일으키는 또 하나의 수단이며, 적당한 윤리적 이미지를 세우는 또 다른 수단이다.

만일 학생들이 기능적인 양식 개념을 받아들인다면, 그들은 글쓰기 문제를 해결하느데 가까워진 셈이다. 그들은 스탕달(Stendhal)이 양식을 생각했던 방식으로 그것을 간주하기 시작할 것이다. "양식은 바로 이것이다. 주어진 생각에 그 생각이 낳고자 하는 모든 효과를 생산하기에 적합한 모든 상황을 더하는 것이다." 학생들이 '모든 효과를 생산하기에 적합한 상황들'을 선택할 때는 그들의 주제, 경우, 목적, 성격, 청중을 고려하면서 그렇게 하도록 지도를 받을 것이다. 조나단 스위프트의 정의—'적당한 장소에 있는 적당한 말'—는 학생들이 무엇이 적당한지를 결정하는 기준을 갖기 전에는 별로 도움이 되지 않는다. 무엇이 적당한지에 대한 판단은, 오직 상기한 고려사항들과 관련해서만 내려질 수 있다.

'적당한'이란 말은 상대적인 용어인즉, 절대적인 '최상의 양식'과 같은 것은 있을 수 없다. 필자는 처한 상황에 가장 적절한 양식을 이용하기 위해 다양한 양식들을 구사할 수 있어야 한다. 그렇다고 이 여러 양식들이 서로 근본적으로 다를 것이란 말은 아니다. 마치 사람들이 언어에서 구사하는 폭넓은 말투들 가운데 흔한 말투가 있는 것처럼, 글쓰기에도 가장 공식적인 산문에서 가장 느슨한 산문에 이르기까지 계속 지속되는 일정한 논조가 있을 것이다. 달리 말하면, 각 사람은 관용구를 갖고 있다. 그의 모든 말투와 양식 가운데 쉽게 인식할 수 있는 관용구 말이다. 다양한 양식들은 필자나 화자가 이 흔한 논조에 가하는 변종으로부터 초래될 것이다.

그러면 필자들은 그들이 접하는 다양한 주제와 경우와 청중에 필요한 다양한 양식을 어떻게 습득하는가? 고전 수사학자들은 한 사람이 다음 세 가지 방식으로 자유자재의 양식을 습득했다고 가르쳤다: (1) 법칙이나 원칙(ars)을 공부함으로써, (2) 글쓰기 연습을 통해서(exercitatio), (3) 타인의 행습을 모방함으로써(imitatio). 수사학 교재들의 주 관심사는 학생이 효과적인 양식들을 습득하도록 안내할 원칙들을 설정하는 일이다. 행습과 모방은 학생이 보통 교실 밖에서 수행하는 연습이다. 숙제로는 학생에게 어떤 주제에 관한 글을 쓰게 하거나, '훌륭한 저자들'의 글을 읽도록 하거나, 어떤 저자의 양식을 분석하게 하거나 훌륭한 글의 대목들을 모방하게 한다.

이번 장은 주로 효과적인 글쓰기의 원칙들을 다루겠지만, 산문의 견본들은 관찰과 분석과 모방을 위해 나중에 제시될 것이다. 글쓰기 연습은 강사가 준 글쓰기 숙제를 통해 하게 되겠지만, 이 지점에서 학생에게 글쓰기 연습이 세 가지 수단 중에 가장 유익하다는 점을 상기시키는 게 중요하다. 원칙과 모방은 학생에게 글을 쓰는 법을 가르칠 수 있으나, 학생이 쓰는 법을 배우려면 실제로 글을 쓰는 수밖에 없다. 글쓰기를 통해 글쓰기를 배우는 셈이다. 자명한 이치는 한 번 말해도 충분하지만, 이 진리는 아무리 자주 반복해도 지나치지 않다. 이제까지 양식에 대한 일반적인 진술을 한 만큼, 우리는 양식에 관한 원칙을 다룰 준비가 되었다.

문법의 실력

양식을 공부할 때는 문법과 수사학의 영역들을 분명히 해야 한다. 문법(grammar)과 용법(usage)을 혼동하는 바람에 불필요한 논쟁이 많이 벌어졌듯이, 문법과 수사를 혼동하면 언어의 효과적 사용에 대한 현명한 논의에 방해가 될 수 있다. 물론 어떤 경우에는 문법에 대한 고려가 수사에 대한 고려를 무색케 할 수 있다. 그러나 효과적인 양식을 개발하기 전에 문법 실력을 갖춰야 한다는 것은 대체로 옳지만, '좋은 문법'이 반드시 '좋은 수사'를 낳는 것은 아니다. 그리고 '나쁜 문법'이 반드시 '나쁜 수사'를 낳는 것도 아니다. 1927년 4월 감옥에서 처형을 기다리던 바르톨로메오 반제티(Bartolomeo Vanzetti)가 기자에게 이런 진술을 했다.

> 만일 이런 것이 없었다면 나는 길모퉁이에서 조롱하는 사람들에게 얘기하면서 내 인생을 끝까지 살았을 것이다. 나는 아마 눈에 띄지 않은, 알려지지 않은 실패자로 죽었을 것이다. 이제 우리는 실패자가 아니다. 이것이 우리의 경력이요 우리의 승리이다. 우리의 완전한 인생에서는, 현재 우리가 우발적으로 행하듯이, 우리가 관용을 위해, 정의를 위해, 사람의 사람에 대한 이해를 위해 그런 일을 행할 것을 결코 바랄 수 없다.

이 발언에는 문법과 관용구에 여러 오류가 있지만, 이 대목은 매우 감동적인 웅변을 담고 있어서 그 유명한 사코-반제티(Sacco-Vanzetti) 사례에서 나온 가장 기억할 만한 진술이 되었다(1920년대 미국에서 체제 수호라는 명분으로 소수자의 인권을 부당하게 짓밟아, 당시 전 세계를 들끓게 한 사건. 무정부주의자인 이탈리아 노동자 사코와 반제티는, 1920년 강도 살인 용의자로 붙잡혀 사형선고를 받게 된다. 그들의 죽음을 앞두고 미국과 전 세계의 지식인들과 노동자들이 사형 반대 운동을 펼쳤지만, 1927년 두 사람은 끝내 전기의자에서 생을 마감하고 말았다-역자 주). 이 발언을 흠 없는 영어로 옮기면 그 수사적 효과를 많이 잃게 된다.

수사의 영역에 속하는 가장 작은 단위는 단어이다. 문법과 달리 수사는 단어들의 부분들—형태소(morpheme, 뜻을 나타내는 최소의 언어 부문)와 음소(phoneme, 원어민이 다른 말을 '듣게' 해주는 대조적인 소리 부문)와 같은 것—에는 관심이 없다. 이 지점에서 문법의 영역과 수사의 영역을 나란히 두는 것이 좋을 듯하다.

문법: 음소-음절-단어-문구-절(節)

수사: 　　　　　단어-문구-절-단락-부(部)-작문 전체

이 도식에서 분명히 볼 수 있는 바는 문법과 수사가 단어, 문구, 절의 영역에서 서로 겹친다는 점이다. 그런데 문법과 수사가 이런 공통된 요소들을 다루고 있지만, 엄밀히 말해 이런 요소들에 대한 관심은 동일하지 않다. 보통 우리는 문법은 '정확성'에 관심이 있고, 수사는 '효과'에 관심이 있다고 생각한다. 문법이 '정확성'에 관심이 있다고 말할 때는, 특정한 언어가 어떻게 작동하는지에 몰두한다는 뜻이다. 즉, 단어들이 어떻게 형성되고, 어떻게 문구와 절로 다 함께 조립될 수 있는지에 집중한다는 것이다. 수사가 '효과'에 관심이 있다고 말할 때는, 어느 언어에서 여러 가능한 표현들로부터 '최상'을 선택하는 것을 다룬다는 뜻이다.

다음 문장을 고찰함으로써 그 차이점을 보여줄 수 있다.

He already has forgive them for leaving, before the curtain fell, the theater.

(그는 그들이, 공연이 막을 내리기 전에, 극장을 떠난 것을 이미 용서한다)

문법가가 여기서 달려들 것은 '용서하다'란 단어일 테다. 그는 현대 영어가 3인칭 단수 동사의 완료 시제를 조동사 has와 주동사의 과거분사와 함께 형성한다고 지적할 것이다. 일단 문법가는 이 문장에서 동사를 has forgiven으로 바꾸면, 더는 고칠 문법적 오류가 없을 것이다. 말하자면, 단어순서, 어형 변화, 또는 기능어에서 더 이상의 변화를 도모하지 않을 것이다. 반면에 만일 문법가가 수사학자의 역할까지 겸한다면, 문장을 더 많이 바꾸도록 권유할 것이다. already라는 단어와 "before the curtain fell"이란 절을 현재의 위치에 두는 것이 문법적으로 가능하지만, 그 단어 순서를 바꾸는 것이 수사학적으로는 바람직할 것이다. 수사학자는 정상적인 상황에서는 그 문장을 이런 식으로 쓰는 것이 좋다고 권유할 것이다.

He has already forgiven them for leaving the theater before the curtain fell.

수사학자는 단어 순서를 이렇게 고치면 문장이 더 자연스럽게, 더 듣기 좋게 읽힌다는 이유로 그것을 정당화할 것이다. 어쩌면 부사절을 본래의 위치에 두는 것을 정당화할 수사적 상황이 있을 수 있지만, 그런 상황을 상상하기는 어렵다. 다른 한편, already를 문장 맨 앞에 두는 것을 정당화할 상황을 상상하기는 쉽다. 예컨대, 우리가 시기를 강조하고 싶다면 "이미 그는 그들을 용서했다…"고 말해도 좋다.

문법이 특정 단어나 절의 배치에 관심을 갖는 경우는, 그 위치가 불가능할 때나 문장의 뜻을 바꾸게 될 때에 국한된다. 영어 문법은 예컨대 다음과 같은 단어의 배열을 허용하지 않을 것이다. "He has forgiven already them." 그리고 우리가 만일 "He had forgiven them before the curtain fell for leaving"이라고 말한다면, 문법가는 "부사절의 어색한 위치를 묵살하고 그런 배치로 문장의 뜻을 바꿔버렸다"고 지적하지 않을 수 없을 것이다. 즉, 본래 문장에서는 부사적인 동명사 leaving을 수식했는데 지금은 had forgiven을 수식한다는 것이다.

수사학과 문법은, 물론 문장에서의 단어, 문구, 절의 위치에만 관심이 있는 것은 아니지만, 위치에 대한 논의는 문법과 수사학의 관심사가 어떻게 다른지를 잘 보여준다.

어법(diction)의 선택

적합한 어휘

고전 수사학자들은 흔히 두 가지 표제 아래 양식을 고찰했다. 하나는 어법의 선택이고, 다른 하나는 단어들의 구성이다. 먼저 어법의 선택에 대해 생각해보자.

학생이 좋은 양식을 개발하려면 문법 실력과 더불어 풍부한 어휘를 갖고 있어야 한다. 그들은 좋은 양식을 개발하는데 필요한 다양한 어휘를 어떻게 습득하는가? 마법은 분명히 없다. 학생들에게 줄 수 있는 최상의 충고는 기회가 있을 때마다 글을 읽으라고 권면하는 것이다. 끈질긴 독서가 측량할 수 없을 만큼 그들의 어휘를 늘려준다는 것은 틀림없는 사실이다. 모든 영어 선생은 '최상급의 글쓰기는 보통 닥치는 대로 읽는 학생들의 차지'란 것을 이구동성으로 증언한다. 그런 학생들은 어떤 주제가 주어지든 할 말이 더 많을뿐더러, 그 내용을 표현하는데 필요한 어휘를 잘 구사하기도 한다. 우리는 독서에서 반복적으로 만나는 단어들을 더 쉽게 기억하게 된다. 우리가 어떻게 단어들을 기억하고 적절한 때에 생각해내는지는 아직 풀리지 않은 문제다. 그러나 누구나 자기에게 없는 것은 줄 수 없다는 사실만은 분명히 안다. 많은 독서를 하는 사람은 귓전에 맴도는 소리에만 귀를 열어놓는 사람보다 새로운 단어를 더 많이 접한다. 이유인즉 즉흥적인 얘기와 대화에 필요한 어휘는 산문에 필요한 어휘보다 상당히 적기 때문이다.

어휘가 필요할 때 그것을 가진 필자는 실로 행복한 사람이다. 적당한 단어가 금방 떠오른다는 것은 그가 단어 구사력을 습득했다는 것을 의미한다. 그들은 신약성경에 나오는 백부장의 확신과 같은 것을 품고 있다. "내가 이 사람더러 가라고 하면 가고, 저 사람더러 오라고 하면 옵니다"(신약성경 마태복음 8:9 중에서). 그런 어휘 능력이 다행스러운 것은 쉽게 떠오르는 단어들이 '적재적소의 안성맞춤'일 가능성이 많기 때문이다. 매우 적절한 단어를 짜내야 한다면, 그렇게 선택한 단어는 약간 틀릴 위험이 항상 존재한다.

그런즉 적합한 어휘를 습득하고픈 학생들은 읽고, 읽고, 또 읽으라는 충고에 유념해야 한다. 하지만 그들이 오로지 무의식적인 습득만 의지하게 하지는 말라. 그들은 새로운 단어들을 자주 만나기만 해도 다수를 흡수하겠지만, 그럴 때마다 낯선 단어들의 뜻을 찾아보는 수고를 한다면 더 빨리 흡수하게 될 것이다. 헨리 제임스(Henry James)의 말대로 "아무것도 잃지 않는 사람들 중에 하나가 되려고 노력하라." 학생들은 새로운 단어를 접할 때마다 사전을 찾아보면 어휘력이 얼마나 빨리, 그리고 탄탄하게 자라는지 깜짝 놀라게 되리라.

새로운 단어를 만날 때마다 그 뜻을 찾아보는 것이 어휘력을 늘리는 최상의 의식적인 방법이다. 이 방법은 기능적이기 때문에 최상이다. 즉, 본인이 읽고 있는 내용을 이해하기 위해 알 필요가 있는 단어의 뜻을 알아보는 것이다.

풍부한 어휘를 습득하는 일을 가속화시키는 다른 의식적 방법들도 있다. 그 가운데 하나는 '새로운', '특이한', 또는 '유용한' 단어들의 목록을 공부하는 것이다. 우리는 단어 목록에 대한 체계적인 공부로 빠르게 어휘력을 늘일 수 있고, 어휘가 부족하다고 느끼는 이들은 추천된 단어 목록을 배우고 늘 복습함으로써 신속히 따라잡을 수 있다. 현행 단어에 대한 지식을 재빨리 늘리고 싶은 학생들이 참고할 어휘 연습 자료는 상당히 많다.

하지만 학생들에게 이것은 어휘 공부 방법 중에 가장 덜 만족스러운 방법이라고 경고할 필요가 있다. 한 가지 이유는 그들이 단어를 문맥 안에서가 아니라 따로 공부하기 때문이다. 문맥을 벗어난 단어 공부는 불리한 결과를 여럿 낳을 수 있다. 첫째, 단어에 대한 지식은 수단이 되지 않고 그 자체가 목적이 되는 경향이 있다. 또 다른 이유는, 문맥과 상관없이 공부한 단어의 뜻은, 학생이 읽는 글의 문맥에서 본 단어만큼 쉽사리 그에게 '붙어있지' 않기 때문이다. 학생들로 선정된 단어 목록을 공부하게 한 교사는, 그 단어들이 그 학생의 글쓰기에 거의 나타나지 않는 것을 보고 자주 실망한 경험이 있을 것이다. 문맥을 벗어난 단어 공부가 낳는 세 번째 결과는, 학생들이 이런 단어들을 부적절하게, 또는 관용구법에 어긋나게 자주 사용하는 모습이다.

어떤 학생이 "조지는 쾌락주의적 즐거움으로 닭고기를 먹었다"라고 쓴다고 가정해보자. 그는 '쾌락주의적'(hedonistic)이란 단어가 감각적인 즐거움과 약간의 관계가 있음을 인식하는 듯이 보이면서도, 언제 단어가 '안성맞춤'인지는 아직 제대로 습득하지 못했음을 드러낸다. 아울러 학생들에게 금방 찾아본 단어를 이용해 문장을 만들라고 주장하는 것은 별로 도움이 안 된다. 왜냐하면 그들이 그 단어가 적절하게 사용되는 것을 보거나 듣지 못했다면, 그 용법에 대한 지침이 없기 때문이다. 그렇다고 물론 학생들에게 추천된 목록에서 발견하는 단어의 뜻을 조사하지 말도록 만류해서는 안 된다. 왜냐하면 그런 노력은 항상 약간의 유익이 있으나, 그런 접근이 지닌 한계를 인식하는 것이 필요하기 때문이다.

필자들에게 아무런 참고 도구가 없더라도 아마 사전 하나와 유의어 사전 하나쯤은 있을 것이다. 필자들은 종종 사전에서 철자, 단어의 음절 구분, 단어의 뜻을 찾아본다. 유의어 사전은 일반 사전만큼 자주 사용하진 않지만, 때때로 유의어 사전을 참고할 필요를 느끼지 않는 필자는 드물다. 필요한 단어가 금방 떠오르지 않을 때는, 유의어 사전이 무척 유용한 도우미다. 유의어들은 그 뜻이 동일한 경우가 드물기 때문에, 학생들은 유의어 사전을 현명하게 이용하려면 상당한 단어 지식과 정교한 분별력이 필요하다.

유의어 사전을 이용할 때 겪는 한 가지 어려움은 어느 표제어를 찾아야 할지 알아야 한다는 것이다. 만일 어느 단어의 대체어를 원한다면 유의어 사전에서 그 단어의 표제어만 찾으면 된다. 그러나 때로는 본인이 전달하고 싶은 아이디어는 있는데 그 아이디어를 표현하는 단어가 스스로 나타나지 않는다. 그런 경우에는 본인이 전달하고픈 아이디어에 가까운 어떤 단어나 어떤 개념을 떠올려야 한다(여기서 로젯이 애초에 만든 주제별 범주들이 유익했다). 거리가 먼 단어라도 필자에게는 하나의 출발점이 될 수 있다.

'적당한 장소에 적당한 단어'가 금방 떠오르지 않을 때 유의어 사전은 귀중한 도우미가 될 수 있다. 그러나 학생들은 그런 보고가 내놓는 유혹에 대해 늘 경계해야 한다. 한동안 자기 양식을 개선하려고 심각한 노력을 기울여본 사람은 누구나 이런 유혹을 받았을 것이다. 즉, 모든 단조롭고 평범한 단어들을 유의어 사전에 나오는 눈부신 다음절(多音節) 단어들로 바꾸고 싶은 유혹 말이다. 그리고 이런 유혹을 이기는 것이 얼마나 어려운지도 알 것이다.

다행스럽게도, 자기 양식을 끈질기게 개선하려고 애쓰는 학생들은 마침내 성장해서 그런 굴곡이 많은 다음절의 글을 좋아하는 성향에서 벗어난다. 어쩌면 풍부한 어휘를 위해 치를 대가가 바로 한동안 '거창한' 단어들에 중독되는 것일지 모른다. 만일 학생들이 초기에 '그 습관을 차버릴' 수만 있다면 호된 시련이 영원한 손상을 가하지는 않을 것이다.

어법의 순수성, 적절성, 정확성

이제까지 우리는 어법을 논의하면서 학생들이 자기 양식을 개선하려면 반드시 갖춰야 할 두 가지 자격에 대해 다루었다. 하나는 언어의 문법을 알아야 한다는 것이고, 다른 하나는 적합한 어휘를 갖고 있어야 한다는 것이다. 지금부터 우리의 관심사는 학생들이 현명한 단어 선택을 위해 갖춰야 할 수사적 실력이 될 것이다. 조지 캠벨(George Campbell)은 문법 실력과 수사 실력의 차이점을 이렇게 부각시켰다. "문법적 기술과 수사적 기술의 관계는 석공의 기술과 건축가의 기술의 관계와 같다."

산문 양식의 가장 중요한 특성은 명료함이다. 격조 높은 라틴어를 쓰자면 퍼스피큐이티(perspicuity)이다. 수사적 산문의 목적은 설득에 있는 만큼, 그런 산문은 설득당할 이들에게 의사를 전달해야 한다. 그리고 수사적 산문이 의사전달을 하려면 무엇보다도 명료해야 한다. 아리스토텔레스는 수사를 언제나 청중을 포함한 활동으로 본 인물답게 "명료한 뜻을 전달하지 않는 언어는 언어의 기능 자체를 수행하지 못한다"라고 주장했다. 명쾌한 산문 양식의 대가인 매콜리 경은 이렇게 표현했다. "모든 글쓰기의 첫째 규칙—다른 모든 규칙은 그 규칙에 종속된다—은 필자가 사용한 단어들이 그의 뜻을 많은 독자에게 가장 완전하고 정확하게 전달하는 것이어야 한다는 것이다."

명료함은 단어를 신중하게 선택해서 잘 배열하는 데서 온다. 배열의 문제는 잠깐 제쳐놓고, 필자는 어떻게 적당한 단어를 선택하는 것을 배울 수 있을까? 다음 세 가지 기준을 염두에 두면 선택하는 데 도움이 될 것이다. 순수성, 적절성, 그리고 정확성이다. 물론 언어가 순수하고 적절하고 정확한지 여부에 대한 판단은, 필자가 문장 안에서 단어들을 볼 때, 그리고 그들이 자신들의 주제와 목적과 청중과 관련시켜 단어들을 볼 때에만 내릴 수 있지만, 개별적인 단어의 순수성과 적절성과 정확성에 대해 무언가를 말하는 것은 여전히 가능하다.

어법의 순수성에 대해 논의하려면, 좋든 싫든, 조지 캠벨이 18세기에 '좋은 용법'을 판단하기 위해 제시한, 많이 비방을 받은 기준을 고려하지 않을 수 없다. 캠벨에 따르면, 승인 도장을 받으려면 단어가 평판 좋은 용도, 전국적 용도, 현재적 용도의 조건을 갖춰야 한다. 이런 기준들은 상대적임에도 불구하고, 우리의 어법이 '순수한'지, 그래서 명료한지를 판단하기 위해 이 가운데 적어도 두 가지 기준—전국적 용도와 현재적 용도—을 사용하는 것은 별로 문제가 없는 듯하다. 우리가 오늘날의 청중과 소통하려면 현재 통용되는 단어와 관용구—즉, 아무리 '오래' 되었어도 오늘날의 사람들이 이해하는—를 사용해야 한다는 것은 합리적이다. 마찬가지로, 우리는 전국에서 통용되는 단어를 사용해야 한다. 이 기준은 우리에게 방언, 기술적인 단어, 신조어, 외국어를 피할 것을 요구한다. 그러나 이 둘째 기준은 즉시 몇 가지 조건을 필요로 한다. 예컨대, 말을 청중과 관련시켜 본다면, 방언과 기술적 용어와 신조어와 심지어 외국어까지 요구하는 상황이 있을 수 있다.

셋째 기준인 평판 좋은 용도를 시험할 때는 더 많은 어려움에 봉착하게 된다. 캠벨은 이 기준을 평판 좋은 어법을 판단하기 위해 제안했다. "만일 대다수의 유명한 저자들이 좋은 표현 양식으로 인정한 것이 아니라면, 아주 많은 사람의 글에 그렇게 인정받은 것이면 무엇이든." 그런데 현대 다원주의 사회에서 과연 누가 '유명한 저자들'인지에 대해 어떤 합의에든 도달하는 것이 가능할까? 더구나, 만일 두 명의 '유명한 저자들'이 용법의 사안에 대해 의견이 갈린다면, 우리는 어느 저자를 따를까? 더 유명한 저자? 그리고 평범한 교육받은 사람이 모든 경우에, 아니 많은 경우에라도, 특정 어법이 '아주 많은' 사람이나 '대다수'의 유명 저자들의 재가를 받았는지 여부를 판단하는 것이 과연 가능할까?

하지만 굳이 용법에 대해 신경과민증에 걸릴 필요는 없다. 만일 미국 학교들이 이제껏 '좋은 용법'에 관심을 두었던 만큼 문법과 논리와 수사에 관심이 있었더라면, 오늘날의 글쓰기의 질이 현재보다 더 나아졌을 것이다.

어법의 순수성에 관해 우선적으로 강조할 점은, 본인의 언어가 청중에게 이해될 수 있고 수용될 수 있는 것이어야 한다는 것이다. 청중이 아무리 미숙하고 못 배웠어도 화자나 필자가 그 밑으로 미끄러지면 안 될 어법의 수준이 늘 있기 마련이다. 어떤 청중이든 항상 이해할 수 있고 수용할 수 있는 큰 단어군(群), '기본 영어'의 축적이 있는 법이다. 이런 일반적인 단어군(群)에서의 일탈은 주로 청중의 성격에 의해 좌우될 것이다.

적절성은 최소한 별도로 판단될 수 있는 어법의 속성이다. 이는 항상 다른 무언가와 관련해 내려진 판단을 의미한다. 우리가 개별 단어들을 쳐다보면서 그것들이 현행의 것인지, 전국적인 것인지, 평판 좋은 것인지 여부에 대해 어떤 판단을 내릴 수 있지만, 개별 단어들의 적절성을 판단하는 것은 불가능하다.

어법은 우리의 주제, 목적, 상황, 청중에 잘 어울릴 때 적절하다고 할 수 있다. 안타깝게도, 어법의 적절성에 대해 당신이 판단을 내리도록 도울 핸드북은 존재하지 않는다. 누구나 적절성에 대한 최소한의 감각은 갖고 있는 듯하다. 이는 사회에서 살아가는 경험에서 얻은 감각을 말한다. 본능적으로, 우리는 동료들과 친구들에게 말하는 상황에서, 예컨대, 학장에게 말하는 상황으로 바뀔 때는 일상적인 언어를 '격상시키게' 된다. 우리의 주제, 상황, 목적이 변하면 어법 역시 그에 따라 조정되기 마련이다.

적절성에 대한 이 최소한의 감각을 다듬는 일은, 우리의 경험이 깊어지고 교육이 진보하면서 자연스럽게 진행될 것이고, 우리의 타고난 지능과 의식적인 노력에 비례해 발전할 것이다. 마치 어떤 사람들은 타인과 잘 지내는 우월한 능력을 물려받아 개발하는 것처럼, 그들의 일부는 언어의 적절성에 대해 타인보다 더 예민한 감각을 개발한다는 뜻이다.

적절성의 문제에 포함되어 있는 것은 단어의 내포적 의미이다. 우리가 어법의 순수성 내지는 정확성에 관심이 있을 때는, 주로 단어의 외연적 의미, 즉 구두적 상징의 사전적 의미에 관심이 있는 것이다. 그러나 적절한 어법을 선택할 때는 단어의 내포적 의미도 고려해야 마땅하다. 이는 단어가 연상시키는 정서적 및 음조의 속성을 말한다. 우리는 어떤 단어에 응집되어 있는 내포적 의미를 통제할 수 없다. 다만 그런 의미를 알고 이용할 수 있을 뿐이다. 우리가 어떤 사람을 '정치꾼'이나 '외교관' 중 어느 것으로 부르는지는 큰 차이가 있다. 이 단어들에 수반되는 내포적 의미 때문에 첫째 단어는 그 사람을 수치스럽게 여기게 하고, 둘째 단어는 그 사람을 존경하게 할 것이다.

단어의 내포적 의미는 큰 수사적 가치를 갖고 있다. 예컨대, 담론의 정서적 호소력을 증진시키는 일이다. 로버트 툴레스(Robert H. Thouless)는 존 키츠(John Keats)가 쓴 두 시구의 어법 분석에서 내포적 의미의 정서적 가치를 잘 증명했다.

키츠는 《성 아그네스 전야》(*The Eve of St. Agnes*)에서 이렇게 썼다.

Full on this casement shone the wintry moon,
And threw warm gules on Madeline's fair breast.
(이 창 위에 겨울 달이 충만하게 비쳤고,
마델린의 하얀 가슴 위에 따스한 붉은 빛을 쏟아냈다)

이는 아름다운 행들이다. 이제 우리는 그 아름다움이 얼마만큼 정서적으로 채색된 단어들의 적당한 선택에 따라오는지, 그리고 이 단어들이 중립적 단어들로 대체되면 그 아름다움이 얼마나 완벽하게 사라지는지 주목해보자. 놀랍도록 정서적인 뜻을 지닌 단어들은 '창문, 붉은 빛, 마델린, 하얀' 그리고 '가슴'이다. '창'(casement)은 정서적이고 낭만적인 연상을 지닌, 일종의 창문을 의미한다. '붉은 빛'(guiles)은 모든 문장(紋章)에 수반되는 로맨스를 연상시키는, '붉음'을 가리키는 문장의 이름이다. 마델린(Madeline)은 소녀의 이름일 뿐이지만, 비교적 밋밋하고 똑바른 이름에는 결여된 호의적 감정을 불러일으키는 이름이다. '하얀'(fair)은 객관적으로 그녀의 피부가 희다는—창문의 색채가 드러나기에 필요한 조건—뜻이지만, 아울러 '하얀'은 노란색이나 보라색이나 검은색 또는 다른 어떤 색보다 채색되지 않은 피부를 선호한다는 따스한 정서를 의미한다. '가슴'(breast) 역시 비슷한 정서적인 뜻을 갖고 있는데, 만일 이 단어가 중립적 단어인 chest로 대체되었다면 과학적 묘사라는 목표가 잘 달성되었을 것이다.

이제 이 두 행을 운문 형식으로 그냥 두고 정서적으로 채색된 단어들을 중립적 단어들로 대체하는 한편, 가능한 다른 몇 가지 변화만 가하는 실험을 해보자. 그러면 이렇게 쓸 수 있다.

Full in this window shone the wintry moon,

Making red marks on Jane's uncolored chest.

(이 창문 위에 겨울 달이 충만하게 비쳤고,

제인의 채색 안 된 가슴 위에 붉은 표시를 했다)

이런 변화로 말미암아 모든 시적 가치가 이 대목에서 제거되었다는 것을 아무도 의심하지 않을 것이다. 하지만 이 행들이 가리키는 외적인 사실은 똑같다. 여전히 똑같은 객관적 의미를 갖고 있는 것이다. 단 파괴된 것은 정서적인 의미일 뿐이다.

_로버트 토우리스(Robert. H. Thouless),

《논리적으로 사고하는 법》(*How to Think Straight*).

지금쯤 시인들이 단어의 정서적 가치를 이용한다는 점은 잘 알고 있겠지만, 산문 텍스트에 담긴 내포적 의미가 발휘하는 미묘한 정서적 영향에 항상 깨어있지는 않을 것이다. 당신이 멘켄(H. L. Mencken)의 미국 영어에 관한 세 권짜리 학문서의 증거를 접하면, 그에게 모국어에 대한 심오한 지식이 있다는 점은 인정해야겠지만, 수사적 목적을 위해 그가 단어의 내포적 의미를 얼마나 조작했는지는 잘 모를 것이다. 멘켄이 우리의 태도에 영향을 미쳐 특정한 종류의 선생을 만들고자 하는 다음의 예를 살펴보라.

그런 바보들은 '과학적' 교육학의 발흥에도 세상에서 사멸되지 않았다. 우리 학교들은 바지를 입은 자들과 치마를 입은 자들을 막론하고 그런 바보들로 가득하다고 나는 믿는다. 수고양이가 개박하를 좋아하고 공경하듯이, 철자를 좋아하고 공경하는 마니아들이 있다. 문법 마니아들도 있다. 먹기보다는 분석하길 좋아하는 고루한 여교사들이 있다. 영어에 존재하지도 않는 목적격의 전문가들도 있다. 평소에는 정신이 말짱하고 영리하고 말쑥하지만, 당신이나 내가 위장염으로 고생하듯, 분리 부정사로 고생하는 그런 사람들이 있다. 메소포타미아와 발루치스탄(파키스탄 남서부의 주—역자 주)을 껑충 뛸 수 있는 지리의 괴짜들도 있다. 장제법(최소한 두 자릿수 이상의 숫자로 나눗셈 계산을 하고 그 나머지를 구하는 기본 산수—역자 주)을 좋아하는 열심당원, 곱셈표의 전문가들, 이항정리를 좋아하는 미친 예배자들이 있다. 그러나 시스템이 그들을 그 손아귀에 장악한다. 이는 그들의 선천적 열광과 부지런하게, 또 무자비하게 싸운다. 그 시스템은 그들을 단순한 기술자, 서투른 기계로 바꾸려고 애쓴다.

_H. L. 멘켄(H. L. Mencken), 〈교육학〉(*Pedagogy*),

《멘켄 명문집》(*A Mencken Chrestomathy*)

우리는 멘켄이 이 풍자적인 글에서 사용하는 모든 테크닉을 조사할 수는 없지만, 그의 단어 선택으로 우리의 반응에 영향을 주는 미묘한 방법에 주목할 수는 있다. 이 대목이 주는 상당한 영향은 그의 '욕설'이 낳는 것이다. 멘켄이 여기서 사용하는 '이름들'은 정서적 의미가 많이 함축되어 있다. 바보, 매니아, 고루한 여교사(멘켄이 좋아하는 모멸적인 호칭), 괴짜, 열심당원, 미친 예배자들 등이다. 이 모든 단어는 특정 대의에 대한 극단적이고 비이성적인 헌신이란 불명예스러운 의미를 싣고 있다. 많은 비평가가 18세기와 19세기 잉글랜드의 복음주의적 분파들에게 돌리는 '열광'의 오점이다. 멘켄이 그의 목적에 걸맞는 정서적 호칭을 찾지 못할 때는 직접 창안하기도 한다. 예컨대, 문법 마니아(grammatomaniacs)이다. 대다수 독자들은 gastro-enteritis(위장염)이 무엇인지 모른다. 하지만 군이 알아야 할 필요가 없다. 그 발음 자체가 끔찍하게 들리기 때문이다. 그리고 멘켄이 둘째 문장에서 남자 교사들과 여자 교사들 모두에 관해 얘기하고 있음을 어떻게 가리키고 있는지 주목해보라. '바지를 입은 자들과 치마를 입은 자들.' Pantaloons(바지)는 특별히 영리한 선택이었다. 우리 대부분이 치마(skirts)의 상대역으로 선택했을 단어는 pants였을 것이다. 그러나 멘켄은 현대 청중에게 고풍스럽고 약간 여성적 뉘앙스를 지닌 pantaloons의 내포적 가치를 간파했다. 아울러 멘켄이 셋째 문장에서 '정확한 철자의 신봉자'를 '뒷골목의 비천한 수고양이'에 비유함으로써, 그의 풍자 대상을 비하하려고 직유법을 사용하는 것도 주목하라. 영어에서 가장 치명적인 단어 중 하나는 '단순한'(mere)이다. 멘켄은 이 대목의 끝에 이 단어를 치명적일 정도로 효과적으로 사용하고 있다. 거기서 그의 공격의 근거를 바꾸기 시작하면서 이런 '열광적인' 교육자들이 이제 '교사 대학'

의 부질없는 이야기에 노출된 결과, 냉담한 기계로 변질될 위험이 있다고 우리에게 경고한다. '단순한 기술자'로 불리는 것보다 더 섬뜩한 일이 있겠는가?

이제 우리는 어법의 적절성에 대해 판단할 때, 반드시 단어의 내포적 의미를 고려해야 한다는 것을 알게 되었다. 그리고 단어의 내포적 의미에 대한 민감성은 가르칠 수 있는 게 아니라 배워야 하는 것이다. 학생이 그보다 더 습득하기 어려운 것은, 내포적 의미의 정서적인 힘을 얼마만큼 이용할지 아는 감각이다. 멘켄은 우리가 방금 고려한 대목에서 어쩌면 너무 멀리 나갔을지 모른다. 그는 대다수의 풍자적인 글에서 과장되고 지극히 단순한 어법에서 나오는 충격 요법에 지나치게 의존했다. 많은 사람은 그의 과도한 언어에 설득당하기보다 오히려 소외감을 느낀다. 영리한 필자들이 때로는 너무 영리해서 그들에게 해로울 수도 있다. 못을 박는데 굳이 망치가 필요한 것은 아니다.

이제 세 번째 속성인 정확성을 다룰 차례이다. 정확성(precision)이란 단어는 그 어원이 라틴어 동사 프레키데레(precidere, 자르다)이다. 정확한 단어는 불필요하고 부적절한 개념들을 모두 잘라낸 단어, 우리가 말하려는 바를 넘지도 않고 못 미치지도 않는 단어이다. 다음과 같은 경우에 해당하는 단어들은 '부정확하다'고 불린다: (1) 우리가 말하려는 바를 정확히 표현하지 않는 단어들, (2) 우리의 생각을 충분히 표현하지 못하는 단어들, (3) 우리의 생각을 표현하되 우리의 의도보다 더 많은 것을 지닌 단어들.

만일 우리가 "나는 그의 역겨운(fulsome) 칭찬을 듣고 기뻤다"라고 쓴다면, 말하려고 했던 바를 말하지 않은 것이다. 사전에서 fulsome의 뜻(주로 과도함이나 불성실함으로 인해 역겹거나 거슬리는)을 찾아보면, 우리가 얼마나 빗나갔는지 알 것이다. 만일 "나는 그것이 굉장한 공연이라고 생각했다"라고 쓴다면, 그 공연을 인정한다는 일반적 개념은 전달하지만, 이 공연이 어떤 면에서 '굉장했는지'에 대한 정확한 개념은 전달하지 않는다. 만일 "그는 그 상황에서 기본적 결함들을 조사한 결과 그 문제에 대한 근본적인(radical) 해결책을 제안했다"고 쓴다면, 우리는 radical(문제의 뿌리에 닿는 해결책)이란 적합한 단어를 선택하지만 부지중에 의도하지 않은 추가적인 뜻(과격하거나 전복적인 해결책)을 시사하게 된다. 따라서 어떤 단어가 만일 너무 적거나 너무 많은 것을 표현한다면, 또는 너무 일반적이라면, 그것은 부정확할 것이다.

어쩌면 그릇된 관용구를 순수한 어법의 표제 아래보다 여기서 논의하는 편이 더 나을 것이다. 왜냐하면 앞의 대목에서 인용한 어법과 같이 그릇된 관용구는 '빗나가기' 때문이다. 관용구를 잘못 쓰는 것이 학생의 작문에서 가장 흔한 잘못의 하나인 이유는, 관용구가 내포적 의미처럼 언어의 까다로운 측면에 속하기 때문이다. 사전들과 참고 자료들은 내포적 의미의 문제보다 관용구의 문제에서 당신에게 더 유익하겠지만, 정확한 관용구에 대한 가장 믿음직한 안내자는 당신의 모국어가 사용되는 방식을 아는 것이다. 많은 글을 읽지 않은 사람들이나 표현 방식을 귀담아 듣지 않은 사람들이 관용구를 위반할 가능성이 가장 높다.

앞의 문장에 나온 '표현 방식'은 관용구에 관해 중요한 견해를 피력한다. 한 단어를 따로 놓고 고려하면 어느 것도 관용 어법에 어긋난다고 말할 수 없다. 어떤 단어에 대해 "그 언어의 원어민들은 그 단어를 사용하지 않는다"라고 말한다면, 그런 단어가 영어에 존재하지 않는다고 말하는 셈이다. 한 단어를 관용 어법에 어긋나는 것으로 분류하려면, 그것은 오직 다른 단어(들)와 관련시켜야만 가능하다. 아무도 for(때문에)라는 단어에 대해 그것이 관용 어법에 어긋난다고 말할 수 없다. 이것은 영어 단어이거나 아니거나 둘 중 하나다. for라는 단어는 또 다른 단어와 관련해서 사용될 때에만 관용 어법에서 어긋날 수 있다. 마치 '불공정한'(unequal)이라는 단어가 다음과 같은 문장, 즉 "판사는 그 일에 대해 불공정한 것으로(unequal for the task) 입증되었다"에서만 그럴 수 있는 것처럼 말이다. 그러면 원어민은 여기서 '불공정한'과 함께 전치사 for를 사용하지 않고 to를 사용한다고 지적해줄 수 있다. "그 일에 불공정한 것으로"(unequal to the task).

어려움을 가중시키는 것은 학생이 관용구의 문제를 결정하는데 문법이 전혀 도움이 안 된다는 사실이다. 'unequal for the task'라는 표현이 문법에 어긋나는 점은 전혀 없다. 관용구는 문법의 문제이기보다는 용법의 문제이다. 원어민은 그냥 'unequal for'라고 말하지 않을 뿐이다. 논리 또한 관용구와 관련해서 학생에게 별로 도움이 안 된다. 이를테면, "그는 사전에서 그 단어를 찾아봤다"(looked up)라고 말할 때, 우리는 어떤 의미에선 논리를 위반하고 있다. 왜냐하면 사전에서 한 단어를 찾아볼 때, 그 단어를 찾기 위해 페이지를 올려다보지(look up) 않고 내려다볼(look down) 가능성이 더 많기 때문이다. 그러나 "한 단어를 올려다보다"라는 표현이 정확한 관용구인 것은, 사람들이 그런 식으로 말하기 때문이다.

　문법과 논리 모두 올바른 관용구에 대한 믿을만한 안내자가 아닌즉, 우리는 원어민이 어떤 것을 말하는 방식에 대한 인식능력을 키워야 한다. 외국어를 배울 때 습득하는 최후의 실력은 아마 그 언어의 관용구에 대한 센스일 것이다. 관용구에 익숙해지는 최선의 방법은 그 언어를 사용하는 공동체에서 한동안 사는 것이다. 그래서 우리 언어의 관용구를 배우려면 우리 주변에서 사용되는 말을 경청하지 않으면 안 되고, 우리가 읽는 동시대의 산문에 나오는 표현방식에 주의를 기울여야 한다. 물론 교사들이 당신의 작문에 잘못 사용된 관용구를 지적하고 그것을 고쳐줄 수 있지만, 관용구에 관한 어떤 '규칙'도 없기 때문에 또한 특이한 표현에 대한 감각을 개발하지 않으면 안 된다. 올바른 관용구를 알아야 할 뿐 아니라 관용구의 영향을 받는 미묘한 의미 및 어조의 변화도 인식해야 한다.

　어법에 관해 많은 말을 더할 수 있다. 이를테면, 어법은 '자연스럽고', '힘차고', '구체적이고', '우아하고', '조화로워야' 한다는 것이다. 그러나 이런 형용 어구들은 단순히 어법이 순수하고, 적절하고, 정확해야 한다는 말을 달리 표현한 것일 뿐이다. 그뿐만 아니라, 우리가 어법의 자연스러움, 힘참, 구체성, 우아함, 조화에 관해 최상의 판단을 내리려면 어법을 한 문장의 맥락에서, 그리고 우리의 수사적 목적에 관련해서 봐야 한다. 예컨대, 어색하거나, 밋밋하거나, 추상적이거나, 꼴사납거나, 귀에 거슬린 어법이 우리의 목적에 맞을 때도 있을 것이다.

　이제 요약해보자. 단어들은 우리 문장의 건축용 블록들이므로, 우리가 계획한 건축물을 세우려면 적합한 단어 공급이 있어야 한다는 게 자명하다. 단어 공급이 저조할 때는 우리의 저장소에 단어를 더하기 위해 노력해야 할 것이다. 어휘는 경험과 교육이 확대됨에 따라 자연스럽게 확장될 테지만, 많은 글을 잃고 사전과 유의어 사전을 참고함으로써 더욱 확장시킬 수 있다. 우리가 타인과 소통하길 원하기 때문에, 우리의 어법은 무엇보다 이해할 수 있는 것, 즉 특정한 청중이 이해할 수 있는 것이어야 한다. 유식한 단어나 전문적인 용어나 외국어나 속어를 사용할 수 있는지 여부는 주로 청중에 의해 좌우될 것이다. 청중, 주제, 경우, 그리고 우리의 목적이 어법의 적절성을 판단하는 기준들을 구성한다. 우리는 이해할 수 있는 어법과 적절한 어법을 선택하는 것과 더불어, 상황이 허락하고 요구하는 대로 정확한 어법을 선택해야 한다. 사전들과 참고 자료들이 용법과 관용구와 내포적 의미 등의 문제를 해결하는 데 도움이 되겠지만, 우리는 주로 언어의 이런 측면들에 대한 감수성 개발에 의존해야 할 것이다.

문장의 구성(composition)

단어들은 개념의 상징인데, 우리가 단어들을 다 함께 묶을 때까지는 아무것도 '말하기' 시작하지 않는 셈이다. 단어들로 구성된 구문론적 단위인 문장은 부분적으로 단어들의 사전적 내용(의미) 때문에, 부분적으로 패턴에 따라 다 함께 묶이는 단어들을 지배하는 문법적 형태 때문에 무언가를 '말하게' 된다. 이제까지 우리는 주로 단어들의 사전적 측면을 거론했다. 이제 문장의 구성에 관한 논의할 때는 구문론을 다루기 시작해야 한다. 결국에는 언어의 또 다른 측면에 관한 논의로 진입하게 될 것이다. 즉, 문장의 수사적 형태, 그 구조가 어떻게 의미의 세 번째 운반체를 구성하느냐 하는 것이다.

어법의 선택에 관한 부문에서 지적했듯이, 언어의 문법에 대한 기본 실력이 없으면 누구도 양식을 개발하는 일을 시작할 수 없다. 우리는 학생이 이런 기본 실력을 보유하고 있어서 효과적인 문장을 작성하는데 필요한 수사적 능력을 개발할 준비가 되어 있다고 가정한다.

수사적 능력은, 두 가지 이상의 문법적 가능성 가운데 선택을 내릴 수 있을 때 작문 과정에서 본연의 역할을 감당하게 된다. 구문에서 양식을 바꾼다고 해서 언어의 문법을 무시하면 안 된다. 어떤 변화를 시도하든지 문법에 맞아야 한다.

문장의 수사에 관한 논의의 출발점으로서 이런 간소한 문장을 예로 들어보자.

The boy loves the girl(그 소년은 그 소녀를 사랑한다).

원어민은 이것이 한 진술을 만드는 단어들의 패턴임을 안다. 그들은 단어들의 뜻을 알고, 이 문장의 문법에 익숙하다. 즉, the라는 단어의 기능, 주어와 술어의 굴절상의 일치, 단어순서 등이다. 누군가 한 젊은 남성이 한 젊은 여성에 대한 특정한 감정적 태도를 지니고 있음에 대해 영어로 진술하고 싶다면, 그 사람이 이 개념을 표현하기 위해 선택할 수 있는 단어들이 제한될 것이고, 그 의도를 말하기 위해 단어들을 다 함께 묶을 방식은 더더욱 제한될 것이다. 수사에 관한 한, 우리가 이 문장에 대해 할 수 있는 일은 거의 없다. 우리는 그 문장을 수사적으로 더 효과적으로 만들기 위해 단어 선택에 약간의 변화—소년과 소녀 대신에 고유명사로 시작하거나, '사랑하다'를 비슷한 동사로 대체하는 것—를 줄 수 있다. 그러나 이 문장의 문법을 바꾸기 위해 할 수 있는 일은 거의 없다. 이를테면, "Boy love girl" 또는 "Loves the boy the girl"이라고 말할 수는 없다. 아니다. 어떤 단어들을 선택하든지 일반적인 진술 패턴—'주어-동사-목적어'—에 따라 배치해야 하고, 올바른 굴절 형태를 사용해야 한다.

이 간소한 문장 패턴을 확대하기 시작할 때에야 수사와 관련이 있게 된다. 이 문장을 확대할 방법은 많이 있고, 각 방법 안에도 종종 여러 대안이 존재한다. 일단 여러 대안이 존재하면 선택의 여지가 있다. 그리고 선택을 하게 될 경우에 수사가 등장한다.

우리가 이 간소한 문장을 확대할 수 있는 방법들 중 하나는, 주어나 동사나 목적어에 있는 표제어에 단어, 문구, 또는 절(節)의 수식어를 더하는 것이다. 예컨대:

The tall, handsome boy sincerely loves the short, homely girl.
(크고 잘 생긴 그 소년은 작고 수수한 그 소녀를 진심으로 사랑한다)

이 수식어들 중 어느 것이든 그 순서를 바꿀 수 있을까? 그렇다. 약간의 변화를 줄 수 있다. 즉, 문법적으로 또 관용적으로 가능하되 항상 양식으로는 바람직하지 않은 변화는 줄 수 있다. 예컨대, 이런 변화는 가능하다.

The boy, tall and handsome, loves sincerely the short, homely girl.

다음과 같이 한 단어 형용사적 수식어들이 목적어의 표제어 뒤에 배치되는 경우는 드물다. "… sincerely loves the girl, short and homely." 다음과 같은 순서 역시 영어에서는 가능하다.

Tall and handsome, the boy loves the short, homely girl sincerely.

이 순서를 선택하는 경우는 그 소년의 큰 키와 잘 생긴 모습, 그리고 그 소녀에 대한 사랑의 진실성을 강조하고 싶을 때이다.

그 간소한 문장을 확대하는 또 다른 방법은 '주어—동사—목적어' 패턴에서 전치사 절을 표제어들 중 어느 하나 또는 모두의 수식어로 사용하는 것이다.

The boy from Montana loves, with uncommon fervor, the girl from Missouri.
(몬태나 출신 소년이 미주리 출신 소녀를 대단히 열렬하게 사랑한다)

형용사적 수식어로 사용되는 전치사 절은, 거의 항상 그것이 수식하는 명사나 고유 명사 뒤에 배치된다. 하지만 어떤 경우에는 전치사 절이 형용사로 사용될 때 그것이 수식하는 명사 앞에 배치될 것이다. 예를 들면,

About this development, he had been given no advance warning.
(여기서 'about this development'는 warning을 수식한다; 그는 이 개발에 관한 사전 경고를 받지 못했다)

전치사 절이 부사로 사용되는 경우는 전치사 절이 형용사로 사용되는 경우보다 이동의 자유가 더 많다. 위의 문장에서 'with uncommon fervor'라는 문구는 다른 세 장소에 배치할 수 있다.

With uncommon fervor, the boy from Montana loves the girl from Missouri.

The boy from Montana loves the girl from Missouri with uncommon fervor.

The boy from Montana with uncommon fervor loves the girl from Missouri.

문장을 확대시키는 이런 방법들을 더 많이 들고 각 방법의 단어 순서를 바꾸는 대안들을 조사할 수 있으나, 현재 가용한 구조적 및 변혁적 문법에서 이 문제들을 계속 다룰 수 있다. 이처럼 영어의 구문을 간략하게 살펴봐도 문장의 수사학이란 개념을 대체로 알 수 있다.

여러 구문상의 대안들이 주어지면—물론 문법적으로와 관용적으로 가능한 것들—우리는 현재 목적에 가장 부합하는 대안을 선택할 것이다. 예컨대, 한 대안이 어떤 단어나 문구를 눈에 띄는 위치에 두도록 허용하고, 그 단어나 문구를 강조하는 것이 원하는 바라면, 그 가능성을 이용해야 한다. 특정 단어나 문구를 덜 강조하고 싶은 경우가 있다. 그런 경우에는 그 단어나 문구를 문장의 내부 어딘가에 묻어두게 해주는 대안을 선택해야 한다. 우리는 또 다른 문법적 가능성을 선택할 수도 있는데, 그런 단어 배치가 문장의 운율을 개선시켜준다는 이유로 그럴 수 있다. 때때로 특정한 문법적 가능성은 모호함으로 이끌기 때문에 배격하는 것도 가능하다[The bandmaster strutted along *boldly* twirling a baton(밴드마스터는 지휘봉을 휘두르며 *담대하게* 활보했다)라는 문장에서 '담대하게'(boldly)라는 모호하고 그릇된 수식어가 그런 예일 것이다]. 그리고 단지 문장 구조의 단조로움을 피하고 싶다는 이유로 어떤 문법적 가능성을 선택하기도 한다.

문장의 수사학에 관해 여기에서 다룰 또 다른 논점이 있다. 양식은 문법처럼 언어의 표현 시스템의 일부이다. 마치 단어순서와 굴절과 같은 문법적 장치들이 의미의 운반체인 것처럼, 문장의 양식—르네상스 수사학자들이 수법(scheme)이라 부른 것— 역시 의미를 표현한다. 예컨대, 병행법(parallelism)이란 수사적 장치를 생각해보자. 일련의 비슷한 또는 같은 '의미들'을 표현해야 할 때는 보통 복합이란 문법 장치에 의지하고, 복합된 요소들의 등위 가치를 병행법이란 수사적 장치로 강화시킨다.

우리는 병행법이 뚜렷한 특징을 이루는 한 문장을 고찰함으로써, 병행법이 어떻게 의미를 표현할 수 있는지 보여줄 수 있다.

> 그 사람[어느 큰 대학교의 총장]에게 거는 기대는 학생들의 친구, 교수진의 동료, 졸업
> 생들의 좋은 동무, 이사들이 신뢰할 수 있는 행정가, 훌륭한 대중 연설가, 재단 및 연
> 방 기관들을 잘 다루는 기민한 협상가, 주 입법부와 잘 관계하는 정치인, 산업과 노동
> 과 농업의 친구, 기부자들에게 설득력 있게 호소하는 섭외인, 교육 전반의 수호자, 전
> 문직(특히 법과 의료)의 지지자, 언론과 소통하는 대변인, 자력으로 된 학자, 주(州)와
> 국가 차원의 공직자, 오페라와 축구의 열성팬, 점잖은 인간, 좋은 남편과 아버지, 교회
> 의 헌신적인 교인이 되는 것이다.
>
> _클라크 커(Clark Kerr), 《대학의 용도》(*The Uses of the University*)

이것은 유별나게 긴 문장이지만 너무도 잘 표현되어서 그 뜻을 명백히 전달한다. 이 문장의 보어 부분에 모두 들어있는 확대는 일련의 병행 구조로 처리되었다. 이 주목할 만한 문장을 세밀히 연구하면 병행법의 기술을 배울 수 있다. 이 문장을 분석하면 여러 수준의 병행법과, 자칫 단조로울 수 있는 운율을 깨기 위한 기본 패턴 속의 변형을 볼 수 있다. 기본 패턴은 다음과 같다.

부정관사	명사	전치사절
a	friend	of the students
a	colleague	of the faculty

커 박사는 이 기본 패턴의 운율을 여러 방식으로 바꾼다: (1) 명사 앞에 형용사를 도입함으로써(동창과의 좋은 동무), (2) 부사를 집어넣음으로써[전반의 옹호자(a champion generally)], (3) 괄호를 삽입함으로써(특히 법과 의료), (4) 전치사의 목적어를 합성함으로써(산업과 노동과 농업의 친구) 또는 전치사의 목적어를 수식하는 형용사들을 합성함으로써[주(州)와 국가 차원의 공직자].

하지만 우리가 이 문장에 관해 펴고 싶은 주안점은 수사적 형식이 의미 운반체의 하나라는 것이다. 커 박사의 주제는 현대의 대학교가 너무 거대해지고 복잡해져서 이제는 uni-versity로 간주될 수 없고 multi-versity로 간주되어야 한다는 것이다. 그 글에서 위의 문장이 속한 부문의 논점은 그런 대학교의 총장은 여러 개의 모자를 쓰고, 다양한 사람에게 각각 필요한 존재가 되어야 한다는 것이다. 이 문장에서 그는 일련의 절을 이용해, 총장이 발휘하도록 기대되는 역량의 몇 가지를 열거하고 있다. 이 합성(대체로 접속사가 없는)은 총장이 수행해야 할 다양한 역할을 가리키기 위한 표현 장치 중 하나이다. 그런데 커 박사는 또한 총장이 이런 역할 각각을 똑같이 잘 수행할 것을 기대 받고 있음을 가리키기 원해서, 이런 여러 역량들의 등위적 가치를 강화하는 역할을 하는 병행법 장치를 사용하는 것이다. 커 박사는 독자가 이 모든 역할을 기억하길 기대하지 않는다. 단지 총장이 짊어지는 무거운 부담에 대한 일반적 인상을 전달하고 싶을 뿐이다. 아울러 이 문장의 길이 역시 수사적 기능을 갖고 있다. 그 직무가 총장에게 무겁고 버겁듯이, 긴 목록이 독자에게도 무겁고 버거운 것이다.

다음 문장에서(하나만 제외하고) 커 박사는 총장이 그의 인성 속에 붙잡아야 할 상반된 자질들의 개념을 전달하기 위해, 또 하나의 수사적 장치인 대조법(antithesis)을 사용한다. 바로 이 문장이다.

> 그는 단호하되 온유해야 하고, 남에게 민감하되 그 자신에게는 둔감해야 하고, 과거를 돌아보고 미래를 내다보되 현재에 깊이 뿌리박아야 하고, 비전을 품은 동시에 견실해야 하고, 상냥하면서도 성찰적이어야 하고, 돈의 가치를 알되 아이디어는 돈으로 살 수 없음을 인식해야 하고, 비전으로 영감을 주되 행동은 조심해야 하고, 원칙의 사람이되 협상 능력이 있어야 하고, 폭넓은 관점을 갖되 세부사항을 양심적으로 좇을 사람이어야 하고, 선량한 미국인이되 현상 유지를 대담하게 비판할 준비를 갖춰야 하고, 진실이 지나친 상처를 주지 않는다면 진실을 추구하는 사람이어야 하고, 그의 기관을 비난하지 않는 한 공개 선언의 출처가 되어야 한다.
>
> _클라크 커, 《대학의 용도》

이 문장에 나오는 다양한 수준의 병행법과 대조법을 도식으로 표현하면 이렇다.

그는 단호하되 / 온유해야

　　　민감하되　　/　　둔감해야

　　　남에게　　　　　그 자신에게는

　　보되　　　　　　/ 깊이 뿌리박아야

　　과거와 미래를　　　　　　　　　　　　　　　현재에

　　　　비전을 품은 동시에 / 견실해야

　　　　상냥하되 /　성찰적이어야

　　돈의 가치를 알되 / 아이디어는 돈으로 살 수 없음을 인식해야

　　영감을 주되　　　/　　조심해야

　　　　비전으로　　　　행동은

　　사람　　　　　/ 능력이 있는

　　　　원칙의(of principle)　　협상(to make a deal)

(대조법은 지속되지만 병행법은 깨진다: 명사 '사람'은 형용사 '능력이 있는'과 묶여 있고, '사람'
은 전치사절로 수식되지만 '능력이 있는'은 부정사절의 수식을 받는다)

　　사람

　　　폭넓은 관점을 가진

　　　세부사항을 양심적으로 좇을

　　　(다시금 대조법은 구조가 아니라 언어에서 발견된다—폭넓은 관점 / 세부사항)

　　선량한 미국인 / 그러나

　　　　　　현상유지를 대담하게 비판할 준비를 갖춰야

　　(다시금 병행법에서 떠난 대목)

　　추구하는 사람

　　　진실을

진실이 지나친 상처를 주지 않는다면

출처

공개 선언의

그의 기관을 비난하지 않는 한

비유적 표현을 다룰 때 분명해지겠지만, 수사학자들은 흔히 다양한 도식과 수사 어구를 로고스, 파토스, 에토스란 토픽들과 연관을 지었다. 예컨대, 대조법은 차이점이란 토픽이나 반대명사란 토픽과 묶여졌다. 아리스토텔레스는 《수사학》 제3권에서 담론에서의 대조법의 가치를 이렇게 지적했다. "그런 담화 형식이 만족스러운 것은 특히 상반된 개념들을 나란히 두면 그 중요성을 쉽게 느낄 수 있기 때문이다."

커 박사가 대조법의 이론을 알고 있었는지 여부는 중요하지 않다. 중요한 것은 그가 '상반된 개념들'을 병렬시킴으로써 자신이 전하려는 뜻을 잘 소통했다는 점이다.

이제까지는 우리가 소수의 양식적 특징들—단어 순서, 확대의 방법, 병행법, 대조법—에만 초점을 맞췄다. 이제는 더 폭넓은 양식적 특징을 숙고할 때인데, 우리가 이런 다양한 특징들을 알기 위해서, 그리고 나중에 다룰 모방의 연습으로부터 최대한의 유익을 끌어내어 이 가운데 일부를 우리 자신의 양식에 합병시키기 위해서다.

양식 연구

양식적 특징을 면밀히 관찰해서 유익을 얻기 전에, 먼저 산문 양식의 분석에 필요한 기술을 보유해야 한다. 하지만 양식 분석에 거의, 또는 전혀 시간을 투자하지 않았기 때문에 문장과 단락에서 무엇을 찾아야 할지 모를 것이다. 당신은 어떤 산문 작가들의 양식에 큰 감명을 받았겠지만, 누군가 그들 양식의 어떤 면에 감동을 받았는지 물으면 묵묵부답일 것이다. 최선의 응답은 다양한 양식의 특징을 그저 주관적인 형용사—'명료한', '뚜렷한', '세련된', '태깔스런', '변덕스러운', '무거운', '유려한', '단음적인'—로 묘사하는 것이다. 신비평(New Criticism)이 시 분석에 필요한 기술과 용어는 제공했으나, 대다수 학생은 산문 한 편의 양식을 분석하라는 요청을 받으면 어디서 시작해야 할지 모른다.

첫째, 산문 양식을 분석할 때 찾을 수 있는 특징들의 목록을 개관하면 다음과 같다.

A. 어법의 종류

   1. 일반적인 또는 특수한

   2. 추상적인 또는 구체적인

   3. 공식적인 또는 비공식적인

   4. 라틴풍의(보통은 다음절의) 또는 앵글로색슨 풍의((보통은 단음절의)

   5. 공용어 또는 특수어

   6. 참조적인(지시적) 또는 감정적인(내포적)

B. 문장의 길이(단어의 숫자로 측정된)

C. 문장의 종류

   1. 문법적: 단순한, 중문의, 복문의, 중복문의

   2. 수사적: 느슨한, 주기적, 균형 잡힌, 대조적인

   3. 기능적: 진술, 질문, 명령, 감탄

D. 문장 패턴의 다양성

   1. 도치

   2. 문장 개시

   3. 확대의 방법과 위치

F. 명료성 문장의 수단(정합성 장치)

G. 비유적 표현의 사용

H. 단락짓기

   1. 길이(단어의 수와 문장의 수로 측정되는)

   2. 단락 내에서의 움직임이나 전개의 종류

   3. 전환 장치의 사용

여기에 있는 대다수 항목들은 객관적 연구가 가능한 특징들이다. '어법의 종류'의 하부 항목 중 일부는 상대적이고, 그것들에 대한 의견은 다양할 수 있다. 그러나 대다수 특징들은 문법적 특징들(단어순서, 굴절, 기능어)과 마찬가지로 객관적 연구에 적합하다. 물론 결코 합의에 이를 수 없는 수많은 특징이 있지만, 산문 양식의 분석을 위한 특정 시스템을 개발하려면 객관적으로 관찰 가능한 특징들과 함께 시작해야 한다.

어법의 종류

한 필자가 습관적으로 사용하는 어법의 종류는, 그 필자의 지성과 양식의 질에 대해 많은 것을 말해줄 수 있다. 앞서 지적했듯이, 필자는 여러 양식을 구사할 수 있어야 자기 양식을 다양한 주제와 경우, 목적과 청중에 맞출 수 있다. 그런데 이런 양식의 범위 내에서도 그 작가와 연관된 일정한 양식 수준이 있을 것이다. 존슨(Johnson) 박사와 올리버 골드스미스(Oliver Goldsmith)는 여러 문학 장르에 손을 댐으로써 다재다능함을 과시했지만, 시나 희곡, 소설, 또는 친숙한 에세이나 비평 에세이 또는 비평 에세이 중 어느 것을 쓰든지 그들의 고유한 양식으로 볼 만한 일정한 특징을 갖고 있었다. 그 특징은 부분적으로 그들이 사용한 어법의 종류에 의해 이뤄졌다. 바로 존슨의 철학적, 다음절적, 라틴풍의 어법이고, 골드스미스의 구체적, 친숙한, 구어체 어법이다. 한 사람의 양식의 '무게'는 부분적으로 단어들의 음절 구성에 의해 측정될 수 있다. 한 사람의 양식의 '어조'는 부분적으로 단어들의 구성에 의해 측정될 수 있다. 그 음성 상의 가치, 상대적 추상성이나 구체성, 그 용법의 수준 등을 말한다. 한 사람의 양식의 공식성이나 비공식성에 관한 판단은 대체로 사용된 어법 수준의 기초에 따라 내려진다.

문장의 길이

문장의 평균 길이 또한 한 사람의 양식에 대한 타당한 일반화로 이어질 수 있다. 현대의 산문 양식은 이전 세기들의 문장보다 대체로 짧은 문장을 특징으로 삼는다(저널리스트의 산문에 부과된 짧은 칼럼들이 문장의 축소에 약간의 영향을 미쳤다). 그래도 우리는 여전히 현대 작가들 가운데 놀랍도록 다양한 문장 길이를 발견하게 된다. 한 작가 특유의 문장 길이에 관한 일반화에 도달할 수 있는 방법은, 가령 500문장 안에 포함된 단어의 수를 센 뒤에 단어의 합계를 문장의 수로 나누는 것이다. 이 평균 문장 길이를 확정한 뒤에는 더 중요한 고려사항을 다뤄야 할 것이다. 이 특유의 문장 길이는 수사적 상황과 무슨 관계가 있는가?

문장의 종류

사용된 문장의 종류와 다양한 종류가 사용된 비율을 연구하면 한 사람의 양식과 사유습관에 대해 매우 흥미로운 논평을 할 수 있다. 예컨대, 윔샛(W. K. Wimsatt)은 《사무엘 존슨의 산문 양식》(*The Prose Style of Samuel Johnson*)이라는 훌륭한 연구서에서, 존슨 박사가 병행절과 대조절을 끈질기게 사용한 것은 그의 지적 성향을 반영하고 있음을 보았다. "존슨의 산문 양식은 어떤 보완적 충동들의 쌍, 아이디어들을 흡수하고픈 충동, 그것들을 구별하고픈─모으기와 분리하기─ 충동으로 구성된 하나의 공식적인 과장─어떤 곳들에서는 풍자─이다." 그래서 존슨 박사는 아이디어들의 모음을 병행구조로 배치했던 것이다. 아울러 그 아이디어들을 대조적 구조로 병렬시킴으로써 그 차별성을 강화했던 것이다.

대다수 서양 언어의 산문 양식이 걸어온 역사를 보면, 병렬 양식─접속사 없이 일련의 등위 구조들을 다 함께 묶어놓은 것─에서 가장 세련된 패턴인 종속(subordination)으로 점차 진화한 것을 알게 된다. 예컨대, 앵글로색슨 영어에서는 관계대명사와 종속접속사, 즉 현대 영어가 절을 의존적으로 만들 때 사용하는 두 가지 문법 장치들이 결여된 것을 주목하게 된다. 현대의 전문적 산문에서 발견되는 그런 유의 문법적 문장들을 열거해 보면, 놀랄 만큼 적은 중문들(compound sentences)을 발견하게 된다. 현대 작가들은 문장을 확대할 때 복합의 방법보다는 종속과 병렬의 방법을 더 많이 사용한다. 누군가의 문장의 문법적 종류를 관찰하면 그 사람의 산문 양식에 관해 많이 알 수 있고, 우리 자신의 산문 양식의 부족한 점도 간파할 수 있다.

문장 패턴의 다양성

문장 패턴의 다양성을 연구해도 양식에 관한 귀중한 교훈을 배울 수 있다. 우선, 그런 연구는 산문 양식에 관한 많은 신화를 떨쳐버릴 수 있다. 물론 전문적인 필자들은 미숙한 필자들보다 사전적 자원들과 구문론적 자원들을 훨씬 다양하게 구사하는 게 사실이지만, 다양성 그 자체를 맹목적으로 숭배하는 것은 아니다.

문장의 음조(euphony)

산문 운율은 분석하기 가장 어려운 측면들 중 하나이다. 그리스인과 로마인이 그들의 언어를 위해 고안한 정교한 운율학에 가장 가까운 것은 조지 세인츠버리(George Saintsbury)가 《영어 산문 운율의 역사》(*A History of English Prose Rhythm*)에서 만든 영어 문장의 운율 조사를 위한 시스템일 것이다. 문장의 음조와 운율이 의사전달과 설득 과정에서 일정한 역할을 하는 것이 틀림없지만—특히 감정적 효과를 일으키는 면에서—학생들이 산문의 운율 조사를 위한 시스템을 배우는데 많은 시간을 쓰는 것은 바람직하지 못하다.

음조와 운율은 대체로 청각의 문제이고, 학생들은 그들의 산문을 큰 소리로 읽어서 거북한 운율, 즉 서로 충돌하는 모음과 자음의 조합(다섯 단어로 된 어구처럼)과 거슬리는 소리를 포착하는 것으로 충분하다. 예컨대, 다음 문장을 쓴 학생이 그것을 큰 소리로 읽으면 '-ect-' 소리가 반복되는 것을 포착할 수 있을 것이다. "I will show how the testimony affected some people indirectly connected with the selection of the jurors." 구두 전달을 위한 담론을 준비할 때 이 테스트를 적용하는 것이 더 중요하겠지만, 대다수 양질의 필자들은 독자가 조용히 읽게 될 그들의 산문에도 적용한다. 발음하기 어려운 문장은 종종 문법적으로 또는 수사적으로 결함이 있는 문장이다.

문장의 표현(articulation)

필자들이 문장을 표현하는 방식을 조사하는 일은, 자기 산문의 질을 향상시키고픈 학생들에게 가장 보람 있는 연습이 될 수 있다. 일관성이 대다수 학생에게 골치 아픈 문제이다. 그들은 보통 일관성을 섭렵하기 오래전에 통일성과 강조에 대한 감각을 개발한다. 질서정연하게, 논리적으로 생각하는 습관을 개발하는 것이 자기 생각을 일관되게 표현하는 법을 배우는 최선의 길이다. 그러나 노련한 필자들은 그들의 생각을 일관되게 표현하기 위해 여러 언어 장치들을 사용한다. 저명한 필자인 매튜 아놀드가 그의 산문을 어떻게 '잘 들어맞게' 만드는지 살펴보도록 하자. 일관성을 증진하려고 그가 사용하는 구두 장치의 일부는 강조체로 표기되어 있다. 다른 것들은 나중에 지적할 생각이다.

비평 능력은 창조 능력보다 하위에 속한다. 옳다. 그러나 이 명제에 동의할 때는 한두 가지를 염두에 둬야 한다. 창조 능력의 발휘, 자유로운 창조적 활동이 사람의 최고 기능임은 부인할 수 없다. 사람이 자신의 참된 행복을 발견하는 것으로 그렇다는 것을 알게 된다. 그러나 사람들이 위대한 문학 작품이나 예술품을 만드는 것과는 다른 방식으로 이 자유로운 창조적 활동을 발휘하는 감각을 갖고 있을 수 있다는 점 역시 부인할 수 없다. 만일 그렇지 않다면, 몇몇을 뺀 나머지는 전부 모든 사람의 참된 행복에서 제외되고 말 것이다. 그들은 선행에서 그것을 가질 수 있고, 배움에서 그것을 가질 수 있고, 심지어 비판하는 일에서 그것을 가질 수 있다. 이것이 염두에 둘 한 가지다. 다른 하나는 위대한 문학 작품이나 예술품을 만들 때 창조 능력을 발휘하는 것인데, 이런 발휘가 아무리 높이 평가되더라도 그것은 전혀 획기적인 사건이 아니고 모든 조건 아래서 가능한 일이다. 그러므로 수고를 그것을 준비하는 일에, 그것을 가능케 하는 일에 들이면 더 많은 열매를 볼 수 있을 텐데, 그것을 시도하는 일에 들이면 수포로 돌아갈 수 있다. 이 창조 능력은 원소들과 함께, 재료들과 함께 작동한다. 그런데 그 능력이 사용될 준비가 된 그런 재료들, 그런 원소들을 갖고 있지 못하면 어떻게 하나? 그런 경우에는 그것들이 준비될 때까지 기다려야 한다.

_매튜 아놀드, 〈오늘날 비평의 기능〉(*The Function of Criticism at the Present Time*),

《비평에 관한 에세이》(*Essays in Criticism*)

대다수 일관성 장치들(대명사, 지시형용사, 반복된 단어와 문구, 일부 접속사)은 방금 말한 내용을 돌아보게 해서, 방금 말한 내용을 곧 말할 내용과 연결시킨다. 매튜 아놀드의 산문에 나오는 가장 흔한 장치는—너무 흔해서 그의 양식의 특징적 표시가 되었다— 핵심 단어들과 문구들의 잦은 반복이다.

아놀드는 문구는 만드는데 대가였고, 일단 한 에세이의 주제를 담은 문구를 창안하면 그 문구를 자주 반복했다. 이런 방식이 너무나 두드러진 나머지, 그의 설명 테크닉의 으뜸 원리가 그 유명한 금언—"반복은 연구의 어머니다"—이었다고 믿고 싶을 정도다. 이 발췌문에서 가장 눈에 띄는 반복어는 '창조적'이란 단어이다. 이는 이 단락의 핵심 단어이자 에세이 전체에서 두 개의 핵심 단어들 중 하나이다. 따라서 실사(實辭)의 반복은 우리 문장들을 다 함께 묶어주는 언어 수단의 하나라고 할 수 있다.

아놀드는 또한 지시대명사와 지시형용사(이것, 저것, 이런, 저런)와 인칭대명사를 자주 사용한다. '지시하다'(demonstrate)라는 단어의 본래 의미는 '보여주다, 가리키다'이다. 지시대명사와 지시형용사는 보통 앞의 내용과 뒤의 내용을 묶어주기 위해 뒤를 돌아보게 한다. 모든 대명사('아무나'와 '누군가'와 같은 부정대명사를 제외하고)는 그 본성상 특정한 지시 대상을 가리킨다. 대명사와 그 지시 대상은 밀접한 관계가 있기 때문에, 그 지시 대상을 분명히 하는 것이 지극히 중요하다. 그것이 모호하거나 아예 지시 대상이 없을 때는 글의 일관성이 손상을 입을 수밖에 없다.

좋은 필자는 또한 문장들을 다 함께 묶기 위해 접속사와 접속부사를 자유롭게 사용한다. 등위접속사의 주된 문법적 기능은 단어들, 문구들, 절들을 다 함께 접합시키는 일이다. 그런데 등위접속사들이 문장의 시초에 놓일 때, 이런 접속사들은 문장 간의 논리적 다리를 제공하는 수사적 기능을 가정한다. 접속부사들—하지만, 그럼에도, 더구나, 또한, 진정, 그러므로—은 일관성을 도모하는 더 흔한 장치이다. 누구나 적절한 접속어를 삽입함으로써 문장들 간의 논리적 관계를 강조할 수 있다.

우리는 아놀드가 문장들을 연결하기 위해 사용하는 두 개의 추가적 장치들만 언급할 것이다. 단편적 문장들이 때로는 일관성을 강화시킬 수 있다. 이런 예를 아놀드의 단락의 둘째 문장에서 볼 수 있다. '옳다'라는 한 단어가 생략된 문장을 구성한다. 생략된 부분을 다 채우면 "그 명제는 옳다"가 될 것이다. 단 한 단어가 여기서 어떤 뜻을 전달하는 것은 앞선 문장과 나란히 놓여있기 때문이다. 이 단어가 의미를 지니기 위해서는 이전 문장을 돌아봐야 하기 때문에, 그것은 그 문장에 '묶여' 있다. 이 '의존적인 뜻'의 원리는 단편적인 문장으로 얘기하는 대화에서 압도적으로 드러난다("너는 오늘밤 어디에 가니?" "영화관." "누구랑?" "샬롯.").

여기서 아놀드가 사용하는 또 하나의 장치는 병행법이며, 이는 수구(首句) 반복(연속적인 절의 시초에 동일한 단어를 반복하는 것)에 의해 강화되고 있다. 세 개의 독립절들이 연이어 적혀있다(그들은 선행에서 그것을 가질 수 있고, 그들은 배움에서 그것을 가질 수 있고, 그들은 심지어 비판하는 일에서도 그것을 가질 수 있다). 비록 문법적으로 이 절들을 다 함께 묶어주는 접속사가 없어도(연사 생략) 그 절들이 병행 구조와 동일한 단어들에 의해 연결되어 있다. 병행법은 우리가 클락 커의 두 문장을 분석할 때 언급한 기능들에 더하여 일관성을 위해서도 사용될 수 있다.

여기서 인용한 매튜 아놀드의 대목은, 좋은 작가들이 문장을 표현하기 위해 사용하는 대다수 구두 장치의 좋은 본보기다. 좋은 필자들은 그런 장치들을 눈에 띄지 않게 사용해서 봉합선이 거의 보이지 않는다. 한 작가가 그런 장치들을 사용하는 방법에 대해 연구하면 그의 산문이 명료한지 여부를 판단할 수 있을 것이다.

비유적 표현(figures of speech)

비유적 표현의 논의에 이번 장의 긴 부분을 할애할 생각이라 여기서 상세히 논할 필요는 없다. 여기서는 비유적 표현이야말로 한 사람의 산문 양식의 가장 뚜렷한 특징의 하나에 해당한다는 말로 충분하다. 이런 표현들이 적절하고 참신하다면, 한 사람의 양식의 명료성과 생동감과 유익에 크게 기여할 수 있다. 그러나 비유적 표현을 그 자체를 위하여 개발하면 안 된다. 비유를 일부러 지나치게 사용하면, 16세기에 미사여구를 좋아하던 필자들이 열심히 추구했던 '우아함'에 해로운 것으로 드러났다.

조나단 스위프트가 그의 산문에서 모든 비유적 언어를 배제시켰다는 것은 사실이 아니지만, 그가 비유적 언어를 드물게 사용했다는 말은 옳다. 존슨 박사가 스위프트의 양식에 관한 유명한 논평을 했을 때, 은유적 언어의 희소성을 염두에 두었을 것이다.

"단지 교훈적인 목적을 위해 그[스위프트]가 예전에 알려지지 않았던 어떤 것을 말할 때, [그의 양식]은 최고로 적절하지만, 알려진 진실이 무시되게 만드는 그 부주의에 반대할 때는 그것이 어떤 준비도 갖춰주지 않는다. 그것은 가르치긴 해도 설득하진 않는다."

단락짓기

문장 구조의 양식과 더불어 단락짓기의 양식이란 것도 있다. 단락짓기는 구두점과 같이 문자 언어만의 특징이다. 사실상 우리는 단락짓기를, 단일한 문장이 전달하는 생각보다 더 큰 구두 단위의 생각을 위한 조판용 장치로 간주할 수 있다. 우리는 인쇄된 글에서 구획화된 생각의 들여쓰기를 보는데 너무 익숙해진 나머지, 단락짓기를 왼쪽에서 오른쪽으로 움직이는 인쇄된 글을 대하듯이 당연시하게 된다. 그리고 들여쓰기가 항상 인쇄된 페이지 위에 있기 때문에, 우리는 생각 단위를 구분하는 것이 얼마나 독서를 촉진시키는지 인식하지 못한다. 조판용 장치가 인쇄된 산문의 가독성에 얼마나 기여하는지 보여주는 최선의 방법은 구두점, 대문자, 또는 단락이 없는 산문의 한 대목을 재생하는 것이다.

예일의 영어 교수 콜럼비아의 영문학 교수 그리고 윌키 콜린스(Wilkie Collins)가 쿠퍼(Cooper)의 문학작품의 일부를 읽지도 않고 의견을 개진하는 것은 나에게 전혀 옳게 보이지 않다 차라리 침묵을 지키고 쿠퍼의 작품을 읽은 사람들이 얘기하도록 했더라면 훨씬 점잖게 보였을 것이다 쿠퍼의 기술은 사슴잡이 명인(*Deerslayer*)의 한 군데에서 몇몇 결함이 있고 한 페이지의 3분의 2에 해당하는 지면에서 문학예술에 위반될 수 있는 115개 중에서 114개를 범했다 그것은 기록을 깬다 낭만 소설의 영역에서 문학예술을 지배하는 규칙이 열아홉 가지가 있다 어떤 이들은 스물두 가지라고 한다 사슴잡이 명인에서 쿠퍼는 그 가운데 열여덟 가지를 위반했다 이 열여덟 가지는 요구한다 이야기는 무언가를 성취하고 어딘가에 도달할 것이다 그러나 사슴잡이 명인 이야기는 아무것도 성취하지 못하고 공중에 도달한다 그것들은 한 이야기의 에피소드들이 그 이야기의 필수 부분이고 그것을 개발하는 것을 도울 것을 요구한다 그러나 사슴잡이 명인 이야기는 이야기가 아니라서 아무것도 성취하지 않고 아무데도 도달하지 않고 에피소드들은 그 작품에서 정당한 자리를 갖고 있지 않은데 그것들이 개발할 것이 전혀 없기 때문이다 그것들은 시체의 경우만 제외하고 한 이야기 속의 등장인물들이 살아있을 것을 요구하고 항상 독자는 시체와 그렇지 않은 것을 구별할 수 있을 것이다 그러나 이런 세부사항이 종종 사슴잡이 명인에서 간과되곤 했다.

강물처럼 흐르는 글을 이해하기 어렵다면, 생각의 단위들을 구분하기 위해 조판용 장치를 발명한 인쇄업자와 문법가들에게 감사를 표해야 한다. 우리는 다양한 조합을 시도한 뒤에야, 마침내 이 단락의 의미를 파악할 수 있을 것이다. 특히 어떤 단어들이 서로 연관되는지 알려주는 문법적 신호들이 충분히 있는 부문들에서 그러하다. 우리가 그 단락을 큰 소리로 읽으며 그것을 더 빨리 해독할 수 있을 것이다. 목소리는 또 하나의 문법적 요소인 어조, 즉 구두 표시에 해당하는 어조를 더해주기 때문이다. 그러나 이 단락에는 모호하게 남을 지점들도 있을 것이다. 왜냐하면 그런 곳에서는 문법적으로 두 가지 이상의 단어 조합이 가능하기 때문이다.

이제 마크 트웨인이 글을 쓴 그대로, 즉 구두점과 대문자와 단락을 있는 그대로 옮겨보도록 하자.

예일의 영어 교수, 콜럼비아의 영문학 교수, 그리고 윌키 콜린스가 쿠퍼의 문학작품의 일부를 읽지도 않고 의견을 개진하는 것은 나에게 전혀 옳게 보이지 않는다. 차라리 침묵을 지키고 쿠퍼의 작품을 읽은 사람들이 얘기하도록 했더라면 훨씬 점잖게 보였을 것이다.

쿠퍼의 기술은 몇몇 결함이 있다. 《사슴잡이 명인》의 한 군데에서, 그리고 한 페이지의 3분의 2에 해당하는 지면에서, 쿠퍼는 문학예술에 위반될 수 있는 115개 중 114개를 범했다. 그것은 기록을 깬다.

낭만소설의 영역에서 문학예술을 지배하는 규칙이 열아홉 가지가 있다. 어떤 이들은 스물두 가지라고 한다. 《사슴잡이 명인》에서 쿠퍼는 그 가운데 열여덟 가지를 위반했다. 이 열여덟 가지는 요구한다:

1. 이야기는 무언가를 성취하고 어딘가에 도달할 것이다. 그러나 《사슴잡이 명인》이 야기는 아무것도 성취하지 못하고 공중에 도달한다.

2. 그것들은 한 이야기의 에피소드들이 그 이야기의 필수 부분이고 그것을 개발하는 것을 도울 것을 요구한다. 그러나 《사슴잡이 명인》 이야기는 이야기가 아니라서 아무것도 성취하지 않고 아무데도 도달하지 않고, 에피소드들은 그 작품에서 정당한 자리를 갖고 있지 않은데, 그것들이 개발할 것이 전혀 없기 때문이다.

3. 그것들은 시체의 경우만 제외하고 한 이야기 속의 등장인물들이 살아있을 것을 요구하고, 항상 독자는 시체와 그렇지 않은 것을 구별할 수 있을 것이다. 그러나 이런 세부사항이 종종 《사슴잡이 명인》 사슴잡이 명인에서 간과되곤 했다…. [트웨인은 이어서 나머지 '규칙' 열다섯 가지를 일련의 짧은 단락들에서 지명한다]

_마크 트웨인(Mark Twain),

《페니모어 쿠퍼의 문학적 공격》(*Fenimore Cooper's Literature Offense*)

물론 연속 단어들의 구문을 명료하게 하는데 가장 기여하는 조판용 장치는 문장들을 구분하기 위한 장치이다. 처음 대문자와 끝의 구두점(마침표, 물음표, 느낌표)이 그것이다. 우리는 다른 조판용 장치들—쉼표, 대문자, 이탤릭체, 하이픈, 인용 표시 등—이 명료성에 기여하는 정도를 과소평가하는 것 같다. 아울러 단락의 들여쓰기가 읽기 편하게 해주는 일을 간과해서도 안 된다. 단락짓기의 가치는 마크 트웨인의 단락에서 뚜렷이 보인다. 들여쓰기는 사고의 진전에서의 변화를 표시하고 부문들의 관계를 가리킨다. 마크 트웨인은 위반된 규칙들을 별도의 단락들로 구분하고 더 나아가 숫자를 매김으로써 일련의 부분들을 명시하고 있음을 명백히 한다.

한 저자의 단락의 밀도를 연구하면 그의 양식의 '무게'에 관해 많은 것을 알 수 있다. 물론 단락의 길이를 결정할 때는 주제, 상황, 청중 등 고려할 사항이 많다. 예컨대, 어떤 내러티브가 빠른 행동을 다루고 있을 때는, 종종 일련의 짧은 단락들을 따라 움직인다.

대화체에서도 화자가 바뀔 때마다 새로운 단락이 주어진다. 저자는 전환이나 강조를 위해 한두 문장짜리 단락을 삽입하기도 한다. 그리고 우리가 신문의 좁은 칼럼용 기사를 쓴다면 자의적으로 우리의 산문을 매우 짧은 단락들로 나눌 것이다.

그러나 그런 관행들과 다양한 수사적 상황을 모두 고려하더라도, 전문 필자들이 일반적으로 미숙한 필자들보다 더 긴 단락을 쓰는 것이 여전히 사실이다. 학생들이 쓰는 한 문장짜리 단락과 두 문장짜리 단락 중 다수는 결코 수사적으로 정당화될 수 없다. 그런 짧은 단락들은 학생들이 자기 생각을 적절하게 발전시키지 못했다는 것을 드러낼 뿐이다. 그들은 그 단락에 제시된 아이디어에 관해 더 할 말이 없거나, 더 할 말이 없다고 생각한다. 어쩌면 할 말을 찾기 위해 토픽에 의존하면, 그들 단락의 엉성한 뼈에 살을 어느 정도 붙일 수 있을 것이다.

양식 공부에 관한 어느 학생의 보고

우리는 객관적인 관찰이 가능한 양식의 특징을 논의하는 데 여러 페이지를 할애했다. 이런 상세한 분석을 통해 한 작가의 양식이 왜 그런 효과를 발휘하는지 배우고, 본인의 양식을 어떻게 개선할 수 있는지도 배우기 때문이다. 그런 상세한 공부로부터 얻게 되는 유익을 보여주기 위해 한 학생의 프로젝트가 낳은 결과를 제시하려고 한다.

1학년 학급의 두 그룹에게 비교 분석의 과제를 주었다. 루카스(F. L. Lucas)의 에세이 〈양식이란 무엇인가?〉에서 지정된 단락의 수에 나오는 문장과 단락의 길이, 그 설명용 주제 중 하나의 모든 단락에 나오는 문장과 단락의 길이를 비교 분석하는 것이었다. 이 연구의 목적상, 문장이란 '대문자로 시작하고 구두점으로 끝나는 단어들의 집단'이라고 정의했다. 학생들에게 루카스의 에세이에서 단락 여덟 개를 선택하되, 선택할 때, 짧은 전환용 단락과 인용문을 두 개 이상 담은 단락은 피하라고 했다. 학생들에게 다음 항목들이 담긴 등사된 종이를 나눠주었다.

평가	전문 필자	학생
A. 그 단편에 들어있는 단어의 합계	——————	——————
B. 그 단편에 들어있는 문장의 합계	——————	——————
C. 가장 긴 문장(단어의 수)	——————	——————
D. 가장 짧은 문장(단어의 수)	——————	——————
E. 평균 문장(단어의 수)	——————	——————
F. 평균 문장보다 열 개 이상의 단어를 담은 문장의 수	——————	——————
G. 평균보다 열 개 이상의 단어를 담은 문장의 비율	——————	——————
H. 평균보다 단어가 다섯 개 이상 적은 문장의 수	——————	——————
I. 평균보다 단어가 다섯 개 이상 적은 문장의 비율	——————	——————
J. 단락의 길이	——————	——————
가장 긴 단락(문장의 수)	——————	——————
가장 짧은 단락(문장의 수)	——————	——————

평균 단락(문장의 수)

　물론 학생들이 첫 칸에 적은 숫자는 선택한 단락들에 따라 달랐지만, 우리는 네 칸에 나오는 평균 수치를 제공할 수 있다.

　1. 루카스의 문장들의 평균 길이는 20.8개의 단어였다.

　2. 루카스의 문장들의 약 17퍼센트가 평균보다 열 개 이상의 단어를 담고 있었다.

　3. 루카스의 문장들의 약 40퍼센트가 평균보다 단어가 다섯 개 이상 적었다.

　4. 루카스는 단락당 평균 7.6개의 문장을 갖고 있었다.

　대다수 학생은 그들의 평균 문장이 루카스의 평균 문장의 길이와 비슷하다는 사실을 발견했다. 하지만 많은 학생은 그들에게 평균 이상의 문장들의 비율이 더 높고 평균 이하의 문장들의 비율이 현저히 낮다는 것을 알고 놀랐다. 학생들이 알아챈 가장 극적인 차이는 아마 단락 전개에 있었을 것이다. 적어도 학생들 절반은 자신의 단락에 평균 서너 문장이 있다는 것을 발견했다.

　학생들은 이 칸을 채우는 것과 더불어, 이 연습에서 양식에 관해 배운 것을 에세이로 써서 제출했다. 그 가운데 일부를 발췌해서 여기에 싣는다.

　먼저 문장 길이와 문장의 다양성에 관한 학생의 논평은 다음과 같다.

　루카스의 에세이에서 평균 문장보다 열 개 이상 단어가 많은 문장의 비율은 17퍼센트인데, 내 글은 3퍼센트에 불과했다. 반면에 평균보다 단어가 다섯 개 이상 적은 그의 문장들의 비율은 39퍼센트인데 비해 나는 16퍼센트였다. 이제는 내 글이 더 효과를 발휘하기 위해 문장 구조와 길이가 더 다양해져야 한다는 것을 알게 되었다.

　나의 평균 문장은 루카스 씨의 그것과 매우 비슷하다. 그런데 이 사실은 오도할 소지가 있다. 왜냐하면 내가 고등학교 시절 학교 신문사에서 일하면서 한 문장 속에 한 가지 생각 이상을 담는 습관을 길렀기 때문이다. 내가 쓴 문장의 길이는 좋은 편이지만,

그 내용은 개선될 수 있다. 분명히 드러난 또 다른 요인은 내가 전문 필자들보다 짧은 문장을 더 적게 쓴다는 점이다. 이 점은 내가 글로 쓰는 주제들을 감안해 설명할 수 있다고 생각한다. 과거에 나는 완전히 편하게 다룰 수 없는 주제에 관해 쓸 때는 더 긴 문장, 덜 명료한 문장을 쓰곤 했다는 것을 알게 되었다. 내가 분명히 아는 아이디어를 묘사할 때는 짧은 문장을 구사한다.

내가 발견한 한 가지는, 좋은 산문은 반드시 장황한 문장과 다음절어를 내포해야 하는 것이 아니라는 점이다.

내 문장은 그 길이나 패턴이 충분히 다양하지 않다. 더 긴 문장들조차 복문이나 중복문이기보다는 다양한 중문인 경향이 있다.

이제 단락짓기에 관한 학생들의 논평을 몇 가지 살펴보자.

이 단락 분석은 양식상의 몇 가지 극단적인 차이를 보여주었다. 놀랍게도, 내 단락들은 루카스의 단락들보다 상당히 긴 편이다. 내 글에서 단락당 평균 문장의 수는 열두 개인데 비해 루카스는 약 여덟 개이다. 내가 쓴 가장 긴 단락은 열여섯 개의 문장이니 전문 필자들의 평균의 두 배나 된다. 이는 내 편에서 엉성한 단락 계획과 구분을 했음을 시사한다. 내가 쓴 긴 단락들은 길게 끄는 문장들처럼 보여서 독자를 피곤하게 만들 수 있을 것이다.

내가 쓴 가장 긴 단락은 열일곱 개 문장으로 평균 단락보다 거의 열 개나 더 많다. 루카스의 가장 긴 단락은 열 개 문장으로 구성되어 있는데, 이는 그의 평균 단락보다 불과 세 개가 더 많을 뿐이다. 아울러 이 긴 단락에서 문장의 평균 길이는 열네 개의 단어로, 전체 글의 평균보다 문장당 단어가 일곱 개 더 적은 것이다. 그리고 나의 긴 단락에는 평균 문장보다 단어가 다섯 개 이상이 적은 열일곱 개 문장들 중에 열두 개가 들어 있다. 이 단락이 나의 평균 단락과 현저히 다른 이유는, 내가 다른 글쓰기 양식을 사용했기 때문이다. 나는 내 논증을 뒷받침하려고 짧은 질문들과 간결한 진술들을 이용하는 등 감정적 호소를 시도했다. 열렬한 언설의 효과를 얻기 위해 평소의 산문 양식에서 떠난 것이다. 그런즉 이 단락은 나의 평소의 단락짓기 양식을 대변하지 않는다.

루카스의 에세이에는 단락당 평균 단어가 126개인데 비해, 나의 글에는 70개에 불과하다. 나는 내 아이디어를 개진하는데 더 많은 단어를 써야 할 것 같은데, 장황하게 하기 위해서가 아니라 그 아이디어를 더 잘 이해시키기 위해서다. 나는 주제를 명료하게 하는데 꼭 필요한 예들과 설명을 생략한 셈이다.

내가 선택한 단락들에서 루카스 씨는 모두 56개의 문장을 사용했다. 나는 내 글에서 모두 54개의 문장을 사용했다. 두 에세이에서 평균적으로 단락당 약 일곱 개의 문장을 사용한 셈이다. 하지만 이 유사성은 가치가 별로 없다. 내가 루카스의 단락들을 선택할 때 '평균' 길이에 속한 것들만 신중하게 선택했고, 일부러 짧은 듯이 보이는 단락들을 건너뛰었기 때문이다. 내 글에서 한 단락은 세 문장밖에 없었으나, 나는 그것을 계산에 넣어야 했다. 따라서 단락당 평균 문장의 수가 낮춰졌고, 반면에 루카스 씨의 경우는 '평균' 단락들만 공부했기 때문에 그 평균이 약간 높아졌다.

내가 이 양식 공부를 하면서 알게 된 또 하나의 사실은, 전문 필자들의 저술에서는 단락들이 퍼즐의 조각들처럼 다 함께 잘 들어맞는다는 것이다. 각 단락은 별도의 생각을 개진하지만 전체의 불가결한 일부가 된다. 나는 내 아이디어들을 다 함께 묶는 것이 어렵다. 모든 아이디어가 토픽 주제와 관련이 있지만 논리적 패턴으로 따라오지 않는다는 것을 종종 발견한다.

여러 학생이 문장과 단락에 관한 논평과 더불어 이 공부를 통해 알게 된 다른 양식상의 특징들에 대해서도 언급했다. 그 가운데 일부를 발췌해서 여기에 실었다.

이제는 내 양식을 개선하기 위해 어휘력을 키우는 것이 필요하다는 것을 알겠다. 그렇다고 더 거창한 단어들을 쓰기 시작해야 한다는 뜻은 아니다. 오히려 특정한 단어들을 언제 사용해야 하는지 배워야 한다는 뜻이다. 거창한 단어들은 자연스럽게 딱 맞아떨어질 때와 예상 청중이 충분히 이해할 수 있을 때 사용하는 법을 배워야 한다. 전문 필자들은 항상 거창한 단어들을 사용하는 것은 아니지만, 단어들에 관한 지식이 있어서 적당한 때에 적당한 단어를 사용할 수 있다.

루카스의 양식 중에 내가 좋아하지 않고 피하고 싶은 한 가지 특징은, 괄호와 대시(−)를 지나치게 사용하는 것이다. 물론 괄호나 대시가 때때로 적절하다고 분명히 생각하고, 실은 나도 내 글에서 대시를 네 번이나 사용했다. 그러나 루카스 씨는 괄호와 대시를 과도하게 사용했다고 생각한다. 나는 글에 대시나 괄호가 많으면, 독자의 생각의 흐름이 끊어진다고 느낀다.

루카스는 비유적 표현으로 그의 글을 생동감 있게 만든다. 루카스가 "사람들은 종종 토끼처럼 귀가 솔깃해지곤 한다"라고 말할 때는 그의 글이 생생해지고 독특해진다. 루카스 씨의 비유적 표현의 또 다른 예—옥수수대가 폭풍 앞에 절하듯이 그 페이지를 획 가로지르는 사나운 조짐이 있다—는 그가 너무 많이 쓰는 진부한 비유를 피하고 있음을 보여준다. 그는 참신하고 새로운 표현을 찾고 있다. 그런데 내 글에는 단 하나의 직유, 은유, 또는 의인화도 없다는 사실을 알아챘다.

루카스가 쓴 가장 긴 문장이 나의 것보다 두 배나 길긴 하지만, 내 문장은 이해하기가 더 어렵다. 이 가독성의 차이는 부분적으로 음절의 수에 기인한다. 이 종이에 음절의 수는 포함되지 않았지만, 그것은 산문의 명료성과 밀접한 관련이 있다. 루카스의 문장들에 나오는 대다수 단어는 단음절이다. 단음절 어법 때문에 독자는 무거운 단어들로 인해 흥미를 잃는 일이 없다.

이 공부는, 또한 내가 이미 의심하고 있는 것을 확증해주었다. 나는 정말 긴 문장을 쓰지 않는다는 것이다. 이는 내가 긴 문장이 요구하는 구두점을 우려하고 있다는 사실 때문이라고 생각한다. 긴 한 문장을 정확히 쓰는 것보다 짧은 두 문장을 정확히 쓰는 편이 훨씬 더 간단하다. 고등학교에서는 양식보다 정확성에 기초해 성적을 매기기 때문에, 나는 긴 한 문장보다 짧은 두 문장을 쓰는 습관을 길렀다. 좋은 필자가 되고 싶으면 정확성과 더불어 양식에 대해 우려하기 시작해야 할 것이라고 생각한다.

나는 루카스 씨 에세이의 여러 부분이 잘 균형 잡혀 있지만, 내 글은 머리가 너무 무겁다는 것을 알아챘다. 상세히 살펴본즉 첫 부분을 과도하게 발달시키고 종종 중간부분은 약한 상태로 내버려둔 것을 알게 되었다.

때때로 내 문장들이 인위적이고 딱딱하다는 것을 알아챘는데, 그것은 부사절과 동사절을 자연스레 들어맞지 않는 곳에 두었기 때문이다…. 좋은 전문 필자들은 적절성의 기술을 통달한 사람들이다. 대다수 전문 필자들의 긴 문장들은 놀랍도록 이해하기가 쉬운 반면, 나의 긴 문장들은 종종 너무 복잡해서 이해하기 어렵다는 사실을 발견했다.

학생들이 이런 면밀한 공부의 가치에 대해 논평한 것을 몇 가지 발췌해서 여기에 신는다. 주목할 만한 점은 학생들이 자신의 관점을 잘 인식했다는 것이다. 그들은 어떤 양식의 특징이든 그 자체를 위해 개발할 필요가 없고, 양식의 장치는 그 본문의 효과에 기여할 때에만 가치 있다는 것을 알았다.

나는 문장과 단락의 길이에 관한 공부가 내게 유익했다는 것을 알지만, 전문 필자들이 사용한 단어의 선택과 배열을 고려하고 싶다. 내가 틀릴지 모르지만, 한 작가의 단어 선택과 단어 배열이 문장과 단락의 길이보다 더 중요하다는 생각이 든다.

그런데 내 산문과 루카스의 산문을 비교하는 작업이 양식상의 차이점을 보여주지만,

내가 나의 양식과 관련해 무엇을 해야 할지에 대해 확실한 결정을 내릴 수는 없다고 생각한다. 그런 결정을 내리려면, 내가 루카스 씨와 더불어 동일한 주제에 관한 글을 쓸 때, 나의 어휘와 문장 구조를 루카스 씨의 그것과 비교해야 할 것이다.

일반적으로 양식은 그 사람의 개성과 영어 문법에 관한 기본 지식에 달려 있다. 그것은 문장이 얼마나 길거나 짧은지에 달려 있지 않다. 루카스 씨는 좋은 산문을 만들기 위해 영어 문법과 개인적 필치를 성공적으로 결합시켰다. 나 자신의 양식은, 나의 영문법 지식이 나의 개성적인 표현을 도울 만큼 아직 충분히 발달하지 않았다는 사실 때문에 만족스럽지 못하다.

이 공부가 나의 양식이 좋은지 나쁜지를 확실히 말해줄 수는 없지만(완전히 좋은 양식이나 완전히 나쁜 양식은 없으므로), 나의 양식과 한 전형적인 현대적 양식 간의 중요한 유사점과 차이점은 보여줄 수 있다.

전문 필자의 양식―이 경우에는 루카스의 것―을 맹목적으로 모방해서는 안 된다. 왜냐하면 학생이 효과적인 필자가 되기 위해 언어 구사력을 충분히 습득하는 것은, 자기 양식의 진화를 통해서만 가능하기 때문이다.

여기서 다른 양식상의 특징을 담은 도표를 세 가지 더 제공하는 바이다. 학생들은 여기 포함되지 않은 양식상의 특징을 공부하기 위해 나름의 도표를 만들어도 무방하다.

양식 연구 II

(문장의 문법 유형들)

단순한 문장(단문)은 대문자로 시작해서 한 독립절을 담고 마침표로 끝나는 문장이다. 중문(compound sentence)은 둘 이상의 독립절을 담고 마침표로 끝나는 문장이다.

복문(complex sentence)은 한 독립절과 하나 이상의 종속절을 담고 마침표로 끝나는 문장이다.

중복문(compound-complex sentence)은 둘 이상의 독립절과 하나 이상의 종속절을 담고 마침표로 끝나는 문장이다.

전문 필자의 에세이 제목 _____

필자 _____

	전문 필자	학생
A. 문장의 합계	_____	_____
B. 단문의 합계	_____	_____
C. 단문의 비율	_____	_____
D. 중문의 합계	_____	_____
E. 중문의 비율	_____	_____
F. 복문의 합계	_____	_____
G. 복문의 비율	_____	_____
H. 중복문의 합계	_____	_____

I. 중복문의 비율 _____ _____

문법 유형의 순서

___단락과___단락에 나오는 문법 유형의 순서를 약자―단, 중, 복, 중복―를 사용해서 표기하라.

___단락: _____

___단락: _____

양식 연구 Ⅲ

[문장 개시자(sentence opener)]

전문 필자의 에세이 제목 _____

필자 _____

이 공부에는 평서문만 사용하라. 의문문이나 명령문은 제외하라.

평서문의 합계:	**전문 필자**	**학생**
문장의 서두	전문 필자	학생
	%	%
A. 주어(예시, 존이 창문을 깼다. 높은 생활비는⋯을 상쇄할 것이다)	_____	_____
B. 허사(虛辭)(예시, 이는 명백하다⋯거기에 열 명의 인디언이 있다.	_____	_____

감탄사: 아뿔싸, 아)

C. 등위 접속사(예시: 그리고, 그러나, 또는, 왜냐하면, 하지만, 그래서)   _____   _____

D. 부사(예시: 첫째, 그렇게, 더구나, 그럼에도, 말하자면)   _____   _____

E. 접속사구(예시: 다른 한편, 그 결과)   _____   _____

F. 전치사구(예시: 그 놀이 후에, 아침에)   _____   _____

G. 동사구(예시: 분사, 동명사, 또는 부정사구)   _____   _____

H. 형용사구(예시: 피곤하되 행복한 우리는…)   _____   _____

I. 독립분사구문(예시: 배가 안전하게 도착한 후, 우리는…)   _____   _____

J. 부사절(예시: 배가 안전하게 도착했을 때, 우리는…)   _____   _____

K. 서두 변경(예시: 도치된 단어 순서-우리가 감당할 수 없는 비용,   _____   _____
   사라진 바람, 살아서 행복했던 그들.)

양식 연구 IV

(어법)

전문 필자의 에세이 제목   _____

필자   _____

이 조사를 위해 단락의 범위를 이렇게 한정하라: ___단락부터___단락까지. 당신의 산문을 조사하기 위해 이에 비교할 만한 단락의 수로 한정하라.

아래 나온 도표에는 단지 실사(實辭)—명사, 대명사, 동사, 준(準)동사, 형용사, 부사—만 계산하라.

	전문 필자	학생
A. 실사의 합계	———	———
B. 단음절 실사의 합계	———	———
C. 단음절 실사의 비율	———	———
D. 명사와 대명사의 합계	———	———
E. 구상 명사와 대명사의 합계	———	———
F. 구상 명사와 대명사의 비율	———	———
G. 모든 종속절과 독립절에서의 정형 동사의 합계	———	———
H. G가 A를 대변하는 비율은?	———	———
I. 연결 동사의 합계	———	———
J. (A를 사용하는) 연결 동사의 비율	———	———

K. 능동사의 합계(연결 동사는 제외)   _____   _____

L. (A를 사용하는) 능동사의 비율   _____   _____

M. 피동사의 합계(연결 동사는 제외)   _____   _____

N. (A를 사용하는) 피동사의 비율   _____   _____

O. 형용사의 합계(분사나 관사는 제외)   _____   _____

P. 문장당 형용사의 평균 수치(문장의 합계로 나눈 것)   _____   _____

이제까지는 산문 양식을 분석할 때 찾아볼 것에 대해 논의했다. 이번 장의 뒤편에 나오는 모방 연습을 실천함으로써 당신의 양식을 개발하고 양식 분석의 테크닉을 개발하는데 더 많은 도움을 얻을 수 있다. 아울러 이번 장 끝에 나오는 애디슨(Addison)의 〈스펙테이터〉(*Spectator*)지 에세이와 케네디 대통령의 취임 연설의 양식 분석도 꼭 읽기 바란다.

비유적 표현

이제 비유적 표현을 고려할 차례가 되었다. 비유적 표현을 '우아한 언어'로, '생각의 드레싱'으로, '장식'으로 여기는 것은 무척 공정하다. 그런 표현은 실로 우리의 산문을 '장식하고' 산문에 '양식'을 제공하기 때문이다. 그러나 장식을 비유의 주된 기능이나 유일한 기능으로 간주하는 것은 잘못이다. 고전 수사학자들은 비유적 표현을 일차적으로 장식용 장치로 보지 않은 것이 확실하다. 아리스토텔레스에 따르면, 은유는 우리의 표현에 '매력과 독특성'을 주지 않았다. 더 나아가, 은유는 우리 생각의 표현에 '명료성'과 '생동감'을 부여하기 위한 또 하나의 방법이었다. 그래서 비유는 '자명한 것과 모호한 것'의 균형을 잡는 최상의 방법 중 하나를 제공해서, 청중이 우리 아이디어를 즉시 파악해서 우리의 논증을 수용하도록 하는 것이라고 한다.

"그러면 비유적 표현의 웅변적 효과는 무엇인가?"라고 롱기누스가 물었다. 그는 비유의 수사적 기능을 지적하는 점에서 아리스토텔레스보다 더 명시적이었다. "글쎄, 그것은 많은 방식으로 언설에 힘과 열정을 주입시킬 수 있는 한편, 보다 구체적으로 그것이 논증적 대목과 결합되면 청중을 설득할 뿐 아니라 실제로 청중을 그 노예로 삼을 수 있다."_《숭고함에 관해》(On the Sublime), XV, 9.

비유를 논증의 로고스, 파토스, 에토스와 가장 명시적으로 연관시킨 사람은 퀸틸리안이었다. 퀸틸리안은 비유를 '우리 논증에 신빙성'을 부여하고, '감정을 자극하고', '호소자로서 우리의 성품을 승인받는데' 필요한 또 다른 수단으로 간주한다《변론법 수업》, IX, I). 비유적 표현의 기능에 대한 이 견해는 이런 양식의 장치들을 향한 가장 믿을 만한 태도일 것이다. 비유는 우리의 생각을 생생하게 구체적으로 표현할 수 있기 때문에 우리의 청중과 분명하게 또 효과적으로 소통하도록 도와준다. 비유는 감정적 반응을 불러일으키기 때문에 워즈워스(Wordsworth)의 문구를 빌리자면, 진실을 '열정으로 마음속에 생생하게' 전달할 수 있다. 그리고 비유는 화자나 필자의 유창함을 동경하게 만들기 때문에 강력한 윤리적 호소를 발휘할 수 있다.

미리암 조셉 수녀(Sister Miriam Joseph)는 《셰익스피어의 언어 기술 사용》(Shakespeare's Use of the Arts of Language)이라는 책에서 튜더 수사학자들이 네 가지 범주—문법, 로고스, 파토스, 에토스—에 따라 구별한 200개가 넘는 비유를 재분류했다. 그녀는 이런 식으로 비유를 분류함으로써, 르네상스 시대의 수사학 '학파들'(라무스 학파, 전통 학파, 비유 학파)이 비유를 착상의 토픽들과 밀접한 관계가 있는 것으로 보았음을 꽤 설득력 있게 증명할 수 있었다. 예컨대, 비슷한 것들의 비교를 내포하는 은유는 유사점이란 토픽과 묶여 있고, 상반된 것들의 병렬을 내포하는 대조법은 차이점이나 반대 명사라는 토픽과 묶여 있다. 아포스트로피(apostrophe)와 같은 비유는 감정에 직접 영향을 미치려는 의도이고, 콤 프로바티오(comprobatio)와 같은 비유는 화자나 필자의 윤리적 이미지를 조성하려는 의도이다. 이제 우리는 비유와 문법의 관계, 또는 비유와 설득용 호소의 세 가지 양식의 관계를 자주 지적할 것이다.

앞에서 200개의 비유적 표현을 언급해서 당신을 놀라게 했을지 모르겠다. 당신을 밀어붙이면—정의를 내리거나 예시할 수는 없어도—대여섯 개의 비유적 표현은 지명할 수 있을 것이다. 그런데 그 다른 비유들은 어디서 왔는가? 또 그것들은 무엇인가? 르네상스의 휴머니스트들은 지식을 해부하고 범주화하는 열정이 커서 비유들을 분석하고, 또 하부 분석하는 것을 기뻐했다. 물론 그 수많은 비유를 구별하는데 지나치게 모호하기는 했다. 르네상스 학교들에서 가장 널리 사용된 고전 핸드북인 《헤렌니우스를 위한 수사학》은 학생들에게 단지 65개의 비유만 배우라고 했다. 수센브로투스(Susenbrotus)는 《*Epitome troporum ac schematum*》에서 132개의 비유를 분별했다. 그러나 헨리 피참(Henry Peacham)은 《웅변의 정원》(*The Garden of Eloquence*)의 1577년판에서 그 수를 184개로 늘렸다. 튜더 학교 아이들이 그 많은 비유를 정의하고 예시하고 그들의 작문에 사용해야 했다니 참으로 안쓰럽다.

긴 비유 목록으로 당신을 괴롭힐 생각은 없지만, 당신이 예전에 만난 비유보다 더 많은 비유를 소개하려고 한다. 이를 통해 적어도 당신이 의식하는 것보다 더 많은 자원이 있다는 사실을 알게 되길 바란다. 아울러 당신의 삶에서 비유적 표현을 많이 사용해 왔다는 사실을 발견할 수도 있다. 학자들이 비유적 표현을 분류하고 정의한 뒤에야 사람들이 그런 표현을 사용하기 시작한 것이 아니라, 오히려 비유적 표현들은 사람들이 오랜 세월 사용해온 뒤에 분류되고 정의되었기 때문이다. 문법, 시론, 수사학의 원칙들처럼 비유론도 귀납적으로 만든 것이다. 수사학자들이 인간의 구두 행습에 '이름'을 붙였을 뿐이다.

그러면 '비유적 표현'이란 무슨 뜻인가? 퀸틸리안이 이탈리아어 피구라(figura)라는 용어를 사용했을 때 가리켰던 뜻과 동일하다. "생각이나 표현에 있어서 일반적이고 단순한 어법에서 일탈한 것, 앉을 때, 누울 때, 또는 뒤돌아볼 때 우리 몸이 취하는 다른 자세들과 비슷한 변화…. 그러므로 비유를 일반적 용법과 달리 기술적으로 구사한 표현 형식이라고 정의하자.”_《변론법 수업》, IX, I, II.

우리는 '비유적 표현'을 일반적인 말하기 또는 글쓰기로부터 벗어난 기교적 일탈을 가리키는 총괄 용어로 사용할 것이다. 그러나 비유적 표현을 두 그룹—수법(scheme)과 전의(轉義, trope)—으로 나눌 것이다. 수법(그리스어 schēma, 형태, 모양)은 일반적인 단어 패턴이나 배열에서 벗어난 일탈을 포함한다. 전의(그리스어 tropein, 회전하다)는 한 단어의 일반적이고 주된 의미에서의 일탈을 포함한다.

이 두 유형은 모두 모종의 전이(transference)를 포함한다. 전의는 의미의 전이를, 수법은 순서의 전이를 포함한다는 말이다. 셰익스피어 작품에 나오는 마크 앤토니가 "브루투스는 명예로운 사람이다"라고 말할 때는 아이러니라고 불리는 전의를 사용하고 있었다. '명예로운'이란 단어의 일반적인 뜻을 '전이시켜' 청중에게 다른 뜻을 전달하게 했기 때문이다. 만일 마크 앤토니가 "명예롭도다. 자기 나라를 위해 자기 목숨을 주는 사람은"이라고 말했다면, 그는 평소의 단어 순서를 '변경하는' 것이기 때문에 일종의 도치법을 사용했다고 할 수 있다. 물론 어느 의미에서는 수법과 전의 둘 다 일반적인 표현방식과 다른 효과를 낳기 때문에 '의미'의 변화를 포함하는 셈이다. 하지만 실질적인 목적상 우리가 구별한 방식은 수법과 전의를 분명히 구별할 수 있게 해준다고 생각한다.

다양한 비유를 분류할 때 사용하는 용어들은 만만찮아 보인다. 대다수가 그리스어에서 음역한, 낯선 다음절 단어들이다. 그런데 어느 분야든지 전문 용어들은 첫 눈에 어렵게 보이기 마련이다. 무엇보다 낯설기 때문에 어려운 것이다. 새로운 분야를 공부할 때는 언제나 그 분야 특유의 것들의 '이름'을 배워야 한다. 물론 이 전문 용어들이 당혹스러울 수밖에 없겠지만, 그 기호를 그것이 나타내는 개념이나 사물과 연결시키는 법을 배울 때까지만 그럴 것이다. '나무'란 단어는, 어린이가 이 단어의 소리나 문자 표시를 그것이 지정하는 사물과 연결시키는 법을 배울 때까지만 그에게 어려울 뿐이다. 프로소포페이아(prosopopeia, 의인법)란 용어가 처음에는 당신을 겁먹게 할지 모르지만, 일단 당신이 그 용어를 그 의미와 즉시 연결시킬 수 있는 지점에 이르면, 은유와 직유 같은 낯익은 용어들처럼 더 이상 겁내지 않을 것이다. 르네상스 수사학자였던 조지 푸텐함(George

Puttenham)이 시도했듯이, 우리도 다양한 비유에 대한 용어들을 창안할 수 있지만, 그것들도 창안된 용어들인 만큼 고전 용어들보다 배우기가 반드시 더 쉬운 것은 아니다. 하지만 어떤 비유를 가리키는 낯익은 용어가 존재한다면 우리는 고전 용어 대신에 그 용어를 사용할 생각이다. 어쨌든 용어 자체를 목적으로 여기면 안 된다. 해당 부분의 이름을 몰라도 모국어를 말하고 사용할 수 있는 것처럼, 비유의 이름을 몰라도 비유적 언어를 사용하고 그런 언어에 반응할 수 있다. 명명법은 분류와 논의를 위해 편리한 도구이다. 그러나 다양한 비유적 표현을 알고 있으면 우리의 자원이 커질 수 있고, 비유적 표현을 배우려고 의식적으로 노력하면 그런 표현을 더 자주 사용할 가능성이 많다.

수법(scheme)

단어의 수법

단어의 수법에 관해서는 길게 논하지 않을 터인데, 시에는—특히 이전 세기들의 시—자주 나오지만 산문에는 드문 편이기 때문이다. 단어의 수법(단어의 철자나 소리의 변화를 내포하기 때문에, 때로는 철자상의 수법으로 불린다)은, (1) 한 단어의 처음이나 중간이나 끝에 한 글자나 한 음절을 더하거나 빼는 것, 또는 (2) 소리를 교환하는 것으로 만들게 된다. 다음과 같은 용어들은 수사학자보다 문법학자와 운율학자가 더 관심이 있는 것들이다.

어두음 첨가(prostheis)—단어 앞에 한 음절을 추가하기—예시, loved를 beloved로
삽입 문자(epenthesis)—단어 중간에 한 음절을 추가하기—예시, visiting을 visitating으로
어미음 첨가(proparalepsis)—단어의 끝에 한 음절을 추가하기—예시, climate를 climature로
어두 음절 탈락(aphaeresis)—단어의 앞부분에서 한 음절을 빼기—예시, beneath를 neath로
어중음 탈락(syncope)—단어의 중간에서 한 음절을 빼기—예시, prosperous를 prosprous로
어미음 탈락(apocope)—단어의 끝에서 한 음절을 빼기—예시, evening을 even으로
음운도치(metathesis)—단어에서 낱말을 전치하기—예시, clasp를 clapse로

음성변경(antisthecon)—소리의 변화—예시, wrong을 wrang으로

이 모든 것이 단어의 형태에 변화를 주는 것임을 쉽게 볼 수 있다. 시인들은 한 행의 운율을 조화시키기 위해 그런 수법을 사용하곤 했다. 그리고 그런 변화는 주로 시와 연관되어 있기 때문에 그처럼 변경된 단어를 '시적 어법'으로 간주하는 것이 보통이다. 현대 산문에서 단어의 수법을 가장 많이 사용하게 될 상황은 이야기 속에 나오는 대화일 것이다. 이야기 속 한 등장인물이 습관적으로 자신의 단어들에서 음절을 잘라내거나 특정 단어들을 잘못 발음한다면, 우리는 그런 습관을 철자 변경으로 가리키려고 애쓸 것이다. 《피네간의 경야》(*Finnegan's Wake*) 독자들은 제임스 조이스(James Joyce)가 매우 독창적인 그 산문에서 철자상의 수법을 활용한 수많은 예를 제공할 수 있다.

구성의 수법
1. 균형의 수법
병행법(parallesim): 한 쌍 또는 일련의 관련 단어들, 어구들, 또는 절들에서 볼 수 있는 구조의 유사성.

예시: 그는 그 법을 명료하고, 정확하고, 공정하게 만들려고 노력했다.
… 우리들은 이에 우리의 생명과 재산과 신성한 명예를 걸고, 신의 가호를 굳게 믿으면서 이 선언을 지지할 것을 서로 굳게 맹세하는 바이다.

_〈미국 독립 선언문〉(*The Declaration of Independence*)

우리는 이제 모이나한 씨가 다음 10년을, 그의 우유부단함과 불확실성을 내쫓고, 그의 불필요한 영향력을 제거하고, 언어와 풍경과 인물 묘사에 대한 그의 천부적 재능을 완성시킬 네댓 편의 소설에 투자할 것을 바라지 않을 수 없다.

_L. E. 시스먼(L. E. Sissman), 〈뉴요커〉

당신이 그 여성의 전모를 바라본다면 그녀의 용모에 존엄성이, 그녀의 동작에 침착함이, 그녀의 태도에 만족함이 있고, 그녀의 모습이 당신에게 희망을 준다면 그녀의 장점이 당신에게 두려움을 주는 것이 확실하다.

_리처드 스틸(Richard Steele), 〈스펙테이터〉, No. 113

나는, 당신이 나를 돕기 위해, 나를 변호하기 위해, 나에게 속력, 전기, 민족적 위신, 벌레로부터의 자유를 더 잘 제공하기 위해 행하는 모든 것에 의해 평안하게 살고, 혹 사해서 죽거나, 산소가 없어서 독살당하거나, 순식간에 맨정신과 집을 잃고 싶지 않은 순박한 시민이다.

_'Take of the Town', 〈뉴요커〉

여기서 우리가 우리 앞에 남은 위대한 과업에 헌신하는 일은 오히려 우리를 위한 것이다. 영예롭게 죽은 그들로부터 우리가 그들이 최후의 완전한 헌신을 바친 그 대의에 갈수록 더 헌신하는 것, 이 죽은 자들이 헛되이 죽지 않았을 것으로 우리가 굳게 결의하는 것, 이 나라가 하나님 아래서 자유의 새로운 탄생을 맛보게 될 것, 국민에 의한, 국민을 위한, 국민의 정부는 이 땅에서 망하지 않을 것임을.

_아브라함 링컨

병행법은 문법과 수사의 기본 원칙들 중 하나이다. 이 원칙은 동등한 것들을 등위적인 문법 구조에 펼쳐줄 것을 요구한다. 그래서 명사는 명사와, 전치사구는 전치사구와, 부사절은 부사절과 묶어야 한다. 이 원칙이 무시되면, 등위의 문법이 위반될 뿐 아니라 일관성의 수사도 왜곡되고 만다.

학생들은 병행법의 위반이 심각한 문제임을 배워야 하는데, 그것은 의사소통을 손상시킬 뿐 아니라 무질서한 사유를 반영하기 때문이다. 문장에서 등위 접속사를 사용하려 한다면, 언제나 접속사로 합쳐진 요소들이 동일한 문법적 종류에 속하는 것들인지 분명히 조사할 필요가 있다. 그렇게 하면 학생들의 리포트에서 발췌한 다음과 같은 문장을 피할 수 있을 것이다.

프루그를 추는 십대나 얼간이는 거칠거나 미성년 범죄자이거나 둘 다이다.

다른 흔한 불평들은 웹스터 3판이 백과사전적 사안을 포함하지 못한 점과 그 정의의 테크닉 때문이다.

이 행동은 합리적이고 계획적인 것이었는가, 아니면 비합리적이고 즉흥적인 것이었는가? 그의 말은 혁명으로 위협 받은 귀족처럼 들리고 대중의 해방을 두려워하는 사람처럼 들린다.

이 상황은 팬에게 문제일 뿐 아니라 선수들에게도 영향을 미친다(상관 접속사가 사용될 때 병행법이 위반된다).

병행하는 요소들이 구조뿐 아니라 길이로도 비슷할 때는 그 수법을 이소콜론(isocolon)이라 부른다. 예를 들면, 이런 것이다.

그의 목적은 무지한 자에게 감명을 주고, 미심쩍어하는 자에게 당혹감을 안기고, 빈틈 없는 자에게 혼동을 부여하는 것이었다.

길이의 대칭에 구조적 유사성이 더해지면 문장의 운율이 크게 증진된다. 물론 병행 구조를 만들 때마다 이소콜론을 사용하려 해서는 안 된다. 그런 운율의 규칙성은 재현되는 운문의 맥박에 가깝다. 병행법은 일련의 비슷한 것들을 명시하거나 열거할 때 의지하는 장치인즉, 이 장치와 유사점의 토픽이 밀접한 관계가 있음은 쉽게 볼 수 있다. 앞에서 다룬 클락 커의 문장에 나오는 병행법의 수사적 효과에 대한 분석을 보라.

대조법(antithesis): 종종 병행하는 구조 안에서 대조적인 아이디어들을 병렬시키는 것.

예시: 그는 신중하지만 대중적이었다. 그는 논쟁적이지만 겸손했다. 그는 강직하지만
솔직했다. 그는 형이상학적이지만 정통파였다.

_자카리아머지(Zacariah Mudge)에 대한 사무엘 존슨 박사의 평,
〈런던 크로니클〉(*London Chronicle*), 1769. 5. 2.

에섹스는 그 사람이 친구로서의 열정이 부족하다고 생각했다. 엘리자베스는 그 사람
이 신하로서의 책임감이 부족하다고 생각했다.

_토마스 바빙턴 매콜리, 《프랜시스 베이컨》

우리의 지식은 연합할 뿐 아니라 분리하기도 한다. 우리의 지시는 묶을 뿐 아니라 분
열하기도 한다. 우리의 예술은 우리를 다 함께 불러오고 우리를 따로 분리시킨다.

_J. 로버트 오펜하이머, 《열린 마음》(*The Open Mind*)

배제된 사람들은 끌어들이려고 노력할 것이다. 뒤쳐진 사람들은 따라잡도록 도울 것이다.

_리처드 닉슨의 취임 연설, 1969. 1. 20.

이것은 한 사람에게는 작은 발걸음이고, 인류에게는 거대한 도약이다.

_닐 암스트롱(Neil Armstrong), 그가 달에 첫발을 디딘 1969년 7월 20일에

인생은 텅 비게 될 즈음 충만해질 것이다.

_잡지에 실린 남자 화장품 광고문

지금은 최고의 시대이되 최악의 시대이다. 우리는 전례 없는 풍요 가운데 살되 기아의
문제를 안고 있다. 현대 과학은 목숨을 구하는 기적을 행할 수 있되 우리는 전쟁을 겪

고 있다. 우리는 달 위에서 미묘한 균형을 잡고 있되 지구의 미묘한 균형을 파괴하고 있다. 젊은이들은 인생의 의미를 찾되 헷갈리고 낙담하고 좌절하고 있다.

_제시 E. 홉슨(Jesse E. Hobson)과 마틴 E. 로빈스(Martin E. Robbins),

〈아메리카〉(*America*), 1969. 12. 27.

대조법에 나오는 반입 관계가 말이나 아이디어 또는 둘 다에 있을 수 있다고 가장 명쾌하게 지적한 사람은, 《알렉산더를 위한 수사학》(*Rhetorica ad Alexandrum*)을 쓴 미지의 필자였다.

대조법은 말과 의미 모두, 또는 둘 중 하나가 서로 상반될 때 생긴다. 다음은 말과 의미 모두 대조되는 예이다. "나의 대적이 내게 속한 것을 소유해서 부유하게 되는 한편, 내가 내 재산을 희생시켜 거지가 되는 것은 불공평하다."
다음 문장에서는 구두적인 대조법만 나타난다. "부유하고 풍족한 사람이 가난하고 궁핍한 사람에게 주도록 하라."
의미의 대조법만 나타나는 문장은 이런 것이다. "나는 그 사람이 아플 때 보살폈지만, 그는 나에게 큰 불행의 원인이 되어왔다."
여기에는 구두적인 대조법이 없지만 두 행동이 대조되어 있다. (말과 의미 모두의) 이중적인 대조법이 최상의 어법이지만, 다른 두 종류 역시 진정한 대조법이다.

_《알렉산더를 위한 수사학》, 26장

대조법을 잘 구사하면 말끔한 격언의 효과를 낼 수 있고, 저자는 위트가 많다는 평판을 얻을 수 있다. 대조법은 물론 차이점이란 토픽과 반대 명사란 토픽과 연관되어 있다(클락 커의 문장에 나오는 대조법에 대한 분석을 보라).

2. 도치된 단어순서의 수법(도치법)

도치(anastrophe): 자연스런, 또는 통상적인 어순의 도치.

예시: 문장이 흘러가네 거꾸로, 자아낼 때까지 정신이.

_〈타임〉지에 나오는 양식의 개작에서.

즉흥 연설과 문자 담론 간의 문제. 그것은 이 글의 영역 안에 해당되지 않고, 수사의 원리라 불리는 영역에 속한다.

_리처드 훼틀리, 《수사학의 요소들》

감정적 고립, 하나님과 그들 자신에 대한 몰입, 자유를 위한 투쟁 등 동년배의 많은 친구를 사로잡은 듯 했던 그런 문제들에 대해 나는 거의 몰랐다.

_C. P. 스노우, 《탐색》(*The Search*)

오만한 놈들이다. 아르칸겔리와 보티니는 틀림없이.

_리처드 알틱(Richard D. Altick)과 제임스 룩스(James F. Loucks),

《브라우닝의 로마 살인 이야기》(*Browning's Roman Murder Story*)

나는 떠났다. 즉각적인 순간에 관한 한.

_헨리 제임스, 《나사의 회전》(*The Turn of the Screw*)

부유하고 유명하고 자만한 독재자일지 몰라도 교황은―하지만 그는 중산층이었다!

_V. S. 프리쳇(V. S. Pritchett), 〈뉴욕 북리뷰〉(*New York Review of Books*))에 실린 서평

평생에 알았던 사람들을, 그는 정말로 알지 못했다.

_학생의 리포트

훌륭한 음악가 유형이다. 그들은. 외모가 깨끗하고 말끔하다. 그들은. 그들은 필요한 사람들이라고 우리는 말할 수 있다.

_학생의 리포트

한 광고는 만들지 못한다. 한 조사(survey)를.

_푸조(Peugeot) 자동차 광고문

도치는 수법의 정의―'말의 일반적인 패턴이나 배열로부터 벗어난 기교적인 일탈'―에 딱 들어맞는다. 그런 일탈은 예상을 벗어나기 때문에 주목을 끄는 효과적인 장치가 될 수 있다. 그러나 도치의 주된 기능은 강조점을 확보하는 것이다. 보통은 한 절의 서두와 말미가 가장 강조점을 두는 위치이다. 그런 위치에 둔 말은 특별한 주의를 끌기 마련이고, 맨 앞의 단어나 맨 뒤의 단어가 제자리에서 발견되지 않을 때는 더욱 특별한 강조를 확보하게 된다.

괄호(parenthesis): 문장의 정상적인 구문적 흐름을 방해하는 위치에 구두 단위를 삽입하는 것.

예시: 그러나 누가 무슨 일에 담대하면―어리석은 말이나마―나도 담대하리라… 그들이 그리스도의 일꾼이냐―정신 없는 말을 하거니와―나는 더욱 그러하도다.

_바울, 신약성경 고린도후서 11:21~23 중에서, 개역개정판

그러나 새비지가 자극을 받을 때, 그리고 아주 작은 행동이라도 그를 자극하기에 충분했는데, 그는 그의 감정이 가라앉을 때까지 지극히 표독스럽게 복수하곤 했다.

_사무엘 존슨, 《리처드 새비지의 인생》(*The Life of Richard Savage*)

당시에 남은 바는 내가 어느 대학원에 갈지 결정하는 게 전부였고, 그 문제는―'잘난

체하는 자들'이 옳았다—켈렛 장학금과 이어서 풀브라이트 장학금을 덤으로 받는 바람에 해결되었다.

_노먼 포드호레츠(Norman Podhoretz), 《*Making It*》

역사 이후의 사회에 관한 모든 이론은—우리가 '역사 속'에 있다는 의식은 대체로 정치적 및 사회적 갈등의 압박에 의해 결정된다—정의로운 도시에서 인간의 동기유발의 딜레마를 고려해야 할 것이다.

_조지 스타이너(George Steiner), 《언어와 침묵》(*Language and Silence*)

해석자들이 텍스트를 아무리 많이 바꾸더라도(또 하나의 악명 높은 예는 랍비와 기독교가 분명히 에로틱한 아가서를 '영적으로' 해석하는 것이다), 그들은 이미 거기에 있는 뜻을 읽어낸다고 주장해야 한다.

_수잔 손택(Susan Sontag), 《해석에 반대하다》(*Against Interpretation*)

그는, NBC의 영화를 비롯한 연예 프로그램의 90퍼센트를 승인하는, 그의 부서에 속한 열 명의 편집인들—또 다른 완곡어법—을 감독했다고 말했다.

_조안 바텔(Joan Barthel), 〈라이프〉, 1969. 8. 1.

거기에는 심지어, 이는 이 책의 업적인데, 그 단락들을 관통하는 신기한 행복감까지 존재한다.

_노먼 메일러(Norman Mailer),
《식인종과 그리스도인들》(*Cannibals and Christians*)에 실린 서평

괄호의 특징은 삽입된 어구가 그 문장의 나머지 구문에서 '절단되고' 만다는 것이다. 괄호는 느닷없이—그리고 보통은 짧게—생각을 옆길로 새게 한다. 괄호로 묶은 사항이 그 문장의 문법적 완성도에 필요한 것은 아니지만 뚜렷한 수사적 효과를 갖고 있다. 잠

간 동안 우리는 필자의 목소리, 코멘트, 의견을 듣게 되고, 이 때문에 그 문장은 그렇지 않으면 없었을 감정적 충전을 받게 된다.

예컨대, 바울의 첫 문장에 나오는 괄호 속의 요소가 구문적으로 나머지 부분과 통합되었다면 효과가 얼마나 달랐을지 주목해보라. "그러나 누가 무슨 일에 담대하면 나도 담대하리라… 그들이 그리스도의 일꾼이냐 나는 더욱 그러하도다."

병치(apposition): 동격의 두 요소를 나란히 놓는데, 후자가 전자를 설명하거나 수식하는 역할을 하는 경우.

예시: 존 모르간, 공화국의 대통령은 전화로 연락할 수 없었다.

이런 종류의 사람들—재산가, 당구장 단골, 난봉꾼, 부두 건달인 군인들—은 그들의 재능을 하찮은 것에 쓴다.

_학생의 리포트

라틴어가 기술로서의 수사와 연관이 있다는 점과 별개로, 마지막에 언급한 사실, 즉 라틴어가 말에 얼마나 많이 사용되었든 간에 글로 완전히 통제되었다는 사실은 학문 세계 내에 구술을 향한 다른 특별한 종류의 충동을 불러일으켰다.

_월터 J. 옹(Walter J. Ong), 〈PMLA〉, 1965. 6.

잡다한 목록, 이것, 그에 관한 모든 항목은 미국 권력의 본질에 대한 똑같은 오해와 그 릇된 생각을 그 특징으로 한다. 모두가 이것을 공유하고 있는데, 국가의 에너지와 자원이 베트남 전쟁에 의해 독점되는 한, 해결책을 허용하지 않는다는 것이다.

_헨리 스틸 코머저(Henry Steele Commager),
〈뉴욕 리뷰 오브 북스〉(*New York Review of Books*), 1968. 12. 15.

그래서 우리, 오소독스와 나는 다 함께 갈 뻔했다.

조지 스타이너, 〈Commentary〉, 1965. 2.

병치는 현대의 산문에서 너무나 흔한 방법이라서 우리가 내린 수법의 정의—'말의 일반적인 패턴으로부터 벗어난 기교적인 일탈'—를 따르는 것 같지 않다. 그러나 우리의 경험을 성찰해보면, 병치 구조가 즉흥적인 말에서는 거의 나오지 않는다는 점을 인정해야 할 것이다. 병치가 산문의 배타적 속성은 아닐지 모르지만, 그것이 산문에 가장 자주 나오는 것은 확실하다. 달리 말해, 단어의 배열을 의식적으로 선택할 시간이 있는 상황에서 나온다는 뜻이다. 그런즉 병치의 사용은 기교적인 면이 있다고 할 수 있다. 아울러 병치에는 일반적인 것에서 벗어나는 무언가가 있다. 병치는 괄호만큼 난폭하게 문장의 자연스런 흐름을 방해하지는 않지만(왜냐하면 병치는 문법적으로 이후의 단위와 동격이기 때문에), 그것이 문장의 흐름을 간섭하고 불필요한 정보나 설명을 제공하기 위해 흐름을 간섭하는 것은 사실이다.

3. 생략의 수법

생략(ellipsis): 문맥에 이미 함축되어 있는 단어(들)을 일부러 생략하는 것.

예시: 그리고 그는 당신과 나란히 영국으로 (갈) 것이다.

_《햄릿》(Hamlet), III, iii, 4

칸트는 흄이 철학적 확실성을 위해 모든 기반을 파괴한 것에 더욱 놀랐다고 추정할 수 있다. 라이드는 도덕과 신학에 대한 더 먼 결과에.

_레슬리 스티븐 경(Sir Leslie Stephen),
《18세기의 영국 사상의 역사》(History of English Thought in the Eighteenth Century)

물이 너무나 깨끗해서 깊이가 20~30피트에 불과할 때에도 바닥이 공중에 떠다니는 듯했다! 그렇다, 실은 깊이가 80피트나 되었다. 작은 조약돌 하나하나가 뚜렷했고, 얼룩덜룩한 송어 한 마리 한 마리, 손 넓이의 모래 한 톱 한 톱도.

_마크 트웨인, 《유랑》(*Roughing It*)

종교가 그렇듯이, 교육도 그러하다. 식민지 뉴잉글랜드에서 교육은 광범위했으나 엘리트주의, 그 기본 전제는 주지주의였다.

_데이비드 마퀀드(David Marquand), 〈인카운터〉(*Encounter*), 1964. 3.

강간은 폭도의 성적인 죄이고, 간음은 부르주아의, 그리고 근친상간은 귀족의.

_존 업다이크(John Updike), 〈뉴요커〉, 1969. 8. 2.

그런즉 학급이 그 자체의 숙제를 만들게 하라. 더 복잡한 것을 원한다 해도 좋다.

_피터 엘보우(Peter Elbow), 〈칼리지 잉글리시〉, 1968. 11.

석사 학위는 74개 학과에서 수여했고, 박사 학위는 60개.

_학생의 리포트

생략법은 표현을 절약하는 기교적이고 인상적인 수단이 될 수 있다. 하지만 우리는 충분히 이해된 단어가 문법적으로 양립 가능하도록 해야 한다. 만일 "The ringleader was hanged, and his accomplices imprisoned"(주모자는 교수형을 당했고, 그의 공범들은 수감)라고 쓴다면, 우리는 문법에 어긋나는 잘못을 범하게 된다. 왜냐하면 충분히 이해된 was(이 문장에서는 '-되었다'의 의미-역자 주)가 문법적으로 둘째 절의 복수형 주어(accomplices)와 양립할 수 없기 때문이다. 그리고 만일 우리가 "While in the fourth grade, my father took me to the zoo"(4학년에 몸담은 동안 아버지가 나를 동물원에 데려가셨다)라고 말한다면, '큰 실수'를 저지르는 것이다.

접속사 생략(asyndeton): 일련의 절들 사이에 일부러 접속사를 생략하는 것.

예시: 왔노라, 보았노라, 이겼노라.

그들은 그것을 선행에서 보유할 수 있다, 배움에서 보유할 수 있다, 심지어 비판에서도 보유할 수 있다.

_매튜 아놀드

보병이 앞으로 전진했고, 탱크부대가 전열을 정비했고, 언덕배기를 겨냥했고, 폭격기들은 덤불을 향해 총알을 난사했다.

튜더 수사학자들에게는 단어들이나 절들 사이의 접속사를 생략하는 것을 부르는 특별한 이름이 있었다. 그들은 다음과 같은 예들을 브라커로기아(Brachylogia)라고 부르곤 했다.

…그리고 국민에 의한, 국민을 위한, 국민의 정부는 땅에서 사라지지 않을 것이다.

_아브라함 링컨

…우리는 어떤 대가도 치를 것이고, 어떤 짐도 질 것이고, 어떤 역경도 만날 것이고, 어떤 친구도 지지할 것이고, 자유의 생존과 성공을 확보하기 위해 어떤 적도 대적할 것이다.

_존 F. 케네디

그러나 이 모든 접속사 생략의 예들에 대해 단 하나의 용어, asyndeton을 사용하지 못할 타당한 이유는 없는 것 같다. 접속사 생략의 주된 효과는 문장에서 서둘러 운율을 생성하는 것이다. 아리스토텔레스는 접속사 생략이 특히 담론의 결론 부분에 적절하다고 말했는데, 그 위치에서 무엇보다도 운율로 감정적 반응을 불러일으키고 싶기 때문이다. 그리고 아리스토텔레스는《수사학》의 끝부분을 접속사 생략의 예로 마무리했다. "나는 끝냈다. 당신은 내 말을 들었다. 사실들은 당신 앞에 있다. 나는 당신의 판단을 요청한다."

이와 정반대 수법은 접속사 중첩(polysyndeton, 일부러 여러 접속사를 사용함)이다. 다음 인용문에서 많은 접속사가 어떻게 산문의 운율을 느리게 하고 엄숙한 분위기를 조성하는지 주목해보라.

> 하나님이 이르시되, "땅은 생물을 그 종류대로 내되 가축과 기는 것과 땅의 짐승을 종류대로 내라" 하시니 그대로 되니라. 그리고 하나님이 땅의 짐승을 그 종류대로, 그리고 가축을 그 종류대로, 그리고 땅에 기는 모든 것을 그 종류대로 만드시니, 그리고 하나님이 보시기에 좋았더라.
>
> _구약성경 창세기 1:24~25

어니스트 헤밍웨이(Ernest Hemingway)는 또 다른 효과를 내기 위해 접속사 중첩을 사용한다. 다음 대목에서 반복된 '그리고'가 어떻게 경험의 흐름과 연속성을 보여주는지 주목해보라.

> 나는 "누가 그를 죽였지?"라고 말했다, 그리고 그는 "나는 누가 그를 죽였는지 모르지만 그는 잘 죽었다"라고 말했다, 그리고 밤은 어두웠고, 그리고 길에는 물이 고여 있었고, 그리고 가로등이 없었고, 그리고 창문은 부서졌고, 그리고 그곳의 모든 배가 정박했고, 그리고 나무들이 바람에 쓰러졌고, 그리고 모든 것이 날려버렸고, 나는 소형 보트를 타고 나가 망고 키 안에 둔 내 배를 찾았고, 그리고 그 배는 무사했으나 온통 물이 가득했다.
>
> _헤밍웨이, 《폭풍 후》(*After the Storm*)

접속사 중첩은 특별한 강조점을 두기 위해 사용될 수 있다. 다음 두 문장이 주는 효과가 어떻게 다른지 주목해보라.

> 이번 학기에 나는 영어, 역사, 생물학, 수학, 사회학, 그리고 체육을 수강한다.
> 이번 학기에 나는 영어와 역사와 생물학과 수학과 사회학과 체육을 수강한다.

4. 반복의 수법

두운(alliteration): 둘 이상의 인접 단어들에 있는 첫 자음이나 중간 자음의 반복.

앵글로 색슨 시에서는 각운이 아닌 두운법이 시구들을 다 함께 묶어주는 장치였다. 두운은 운문이나 산문의 쾌음조에 기여하기 때문에 미사여구식 산문과 낭만파 시의 두드러진 특징이 되었다. 두운법은 너무나 자명한 매너리즘이라서 현대 산문에서는 거의 사용되지 않는다. 하지만 특별한 효과를 내기 위해 때때로 사용되곤 한다. 슬로건을 기억하도록 돕는 장치로(Better Business Builds Bigger Bankrolls. 'B'의 반복), 그리고 광고용 선전문구로(Sparkling⋯ Flavorful⋯ Miller High Life⋯The Champagne of Bottle Beer⋯ Brewed only in Milwaukee. 'L'의 반복), 때로는 두운법이 유머의 효과를 내기 위해 일부러 사용된다(He was a preposterously pompous proponent of precious pedantry. 'P'의 반복).

> 유운(assonance): 인접한 단어들의 강조된 음절들에 있는 비슷한 모음 소리의 반복(앞
> 뒤에는 다른 자음들이 있다).

'A'의 반복: Had Gray written often thus, it had been <u>vain</u> to <u>blame</u> and useless to <u>praise</u> him.

_사무엘 존슨, 《토마스 그레이의 인생》(*Life of Thomas Gray*)

'A'의 반복: Under a juniper-tree the bones <u>sang</u>, <u>scattered</u> and shining We were glad to be <u>scattered</u>, we did little good to each other Under a tree in the cool of the day, with the shining <u>sand.</u>

_T. S. 엘리엇, 《재의 수요일》(*Ash Wednesday*)

유운은 소리의 장치로서 두운처럼 주로 시에서 사용된다. 산문 필자는 특정한 의성어 효과나 유머의 효과를 내기 위해 일부러 유운을 사용할 수 있다. 그러나 산문 필자는 다음과 같은 어색한 동음 반복을 내어 비슷한 자음의 부주의한 반복을 시도할 위험이 있다. "He tries to revise the evidence supplied by his eyes."

수구 반복(anaphora): 잇따른 절들의 서두에 동일한 단어 또는 단어군(群)을 반복하는 것.

예시: 여호와께서 홍수 때에 좌정하셨음이여. 여호와께서 영원하도록 왕으로 좌정하시도다. 여호와께서 자기 백성에게 힘을 주심이여. 여호와께서 자기 백성에게 평강의 복을 주시리로다.

_구약성경 시편 29:10~11.

우리는 바닷가에서 싸울 것이고, 우리는 비행장에서 싸울 것이고, 우리는 들판과 길거리에서 싸울 것이며, 우리는 언덕에서 싸울 것이다.

_윈스턴 처칠의 하원 연설(1940. 6. 4)

우리는 자유의 땅으로 이동하고 있다. 우리 모두 아메리칸 드림의 실현을 향해 행진하자. 우리 모두 인종 차별을 하는 학교를 향해 행진하자. 우리 모두 가난을 향해 행진하자. 우리 모두 투표소를 향해 행진하고, 인종 미끼를 단 자들이 정치 영역에서 사라질 때까지, 우리나라의 월리스들이 입을 닫고 떨며 물러갈 때까지 투표소를 향해 행진하자.

_마르틴 루터 킹, 1965년 앨라배마의 셀마에서 몽고메리까지 민권 행진을 하는 중에

그것들은, 도둑질, 속임수, 위증, 간음이 항상 흔했듯이 흔했다. 그것들은 흔했는데, 사람들이 옳은 것을 몰랐기 때문이 아니라 틀린 것을 행하고 싶었기 때문이다. 그것들

은 법으로 금지했는데도 흔했다. 그것들은 여론이 정죄했는데도 흔했다. 그것들이 흔했던 이유는, 그 시대에 법과 여론을 합쳐도 강력하고 방종한 행정관들의 탐욕을 억제할 힘이 없었기 때문이다.

_토마스 바빙턴 매콜리, 《프랜시스 베이컨》

어째서 백인들이 우리 동네의 모든 가게를 운영해야 하는가? 어째서 백인들이 우리 동네의 은행들을 운영해야 하는가? 어째서 우리 동네의 경제가 백인의 손아귀에 잡혀 있어야 하는가? 어째서?

_말콤 X(Malcolm X)의 연설

그것은 사치이고, 그것은 특권이며, 그것은 안락한 자들을 위한 방종이다.

_에드먼드 버크, 《각하에게 보내는 편지》

이미 1969년이고, 1965년은 어린 시절의 추억처럼 보인다. 당시에 우리는 세계의 정복자들이었다. 아무도 우리를 막을 수 없었다. 우리는 전쟁을 끝내려고 했다. 우리는 인종차별을 제거하려고 했다. 우리는 가난한 자를 동원하려고 했다. 우리는 대학교를 접수하려고 했다.

_제리 루빈(Jerry Rubin), 〈뉴욕 리뷰 오브 북〉, 1969. 2. 13.

수구 반복이 일어나면 필자가 일부러 그것을 사용했다고 확신해도 좋다. 단어의 반복은 연속되는 절들에서 뚜렷한 운율을 형성하도록 돕기 때문에 이 수법은 보통 필자가 강한 감정적 효과를 노리는 대목을 위해 확보한다.

라인홀드 니버(Karl Paul Reinhold Niebuhr)가 이 경구를 만들기 위해 어떻게 수구 반복을 말장난과 함께 묶는지 주목해보라. "정의를 이룰 수 있는 사람의 능력이 민주주의를 가능케 한다. 그러나 불의를 좋아하는 사람의 성향이 민주주의를 필요하게 만든다."

결구 반복(epistrophe): 잇따른 절들의 끝부분에 동일한 단어 또는 단어군(群)을 반복
하는 것.

예시: 샤일록: I'll have my bond! Speak not against my bond!

I have sworn an oath that I will have my bond!

(나는 내 담보를 가질 것이오! 내 담보에 대해 반대하지 마시오!

나는 내 담보를 가질 것이라고 맹세했소!)

_《베니스의 상인》(*The Merchant of Venice*),

선량한 미국인에게는 많은 실체들이 신성하다. 섹스는 신성하다, 여성은 신성하다, 자
녀들이 신성하다, 비즈니스가 신성하다, 미국이 신성하다. 메이슨 오두막과 대학 클럽
들이 신성하다.

_조지 산타야나(George Santayana),

《미국에서의 기질과 여론》(*Character and Opinion in the United States*)

그러나 약점의 유혹을 받을 모든 사람에게 우리가 필요한 동안 필요한 만큼 강할 것임
을 의심할 여지를 조금도 남기지 말자…. 우리는 서로에게 고함치는 것을 멈출 때까지
서로에게서 배울 수 없다.

_리처드 닉슨의 취임 연설, 1969. 1. 20.

어쩌면 이것이 내가 해변의 삶에서 되찾은 가장 중요한 것이다. 조수의 순환이 하나
같이 타당하다, 파도의 순환이 하나같이 타당하다, 관계의 순환이 하나같이 타당하다
는 추억.

_앤 린드버그(Ann Lindbergh), 《바다의 선물》(*Gift from the Sea*)

그 백인이 당신네를 한국에 보낸 동안, 당신네는 피를 흘렸소. 그 사람이 당신네를 독

일에 보냈고, 당신네는 피를 흘렸소. 그 사람이 일본인과 싸우도록 당신네를 남태평양에 보냈고, 당신네는 피를 흘렸소.

_말콤 X의 연설

케이크에서, 어느 것도 진짜 버터 같은 맛이 없고, 어느 것도 진짜 버터 같은 수분이 없고, 어느 것도 진짜 버터 같은 풍성함이 없고, 어느 것도 진짜 버터 같은 만족감이 없다.

_필스버리(Pillsbury, 미국의 유명한 제과 제빵 회사—역자 주) 광고문

He's learning fast. Are you earning fast?(그는 빠르게 배우는 중이다. 당신은 빠르게 벌고 있는가?)

_생명보험 회사의 광고문

결구 반복은 단어를 반복하고 또 문장의 끝부분에 그 단어를 배치함으로써 뚜렷한 운율을 설정할 뿐만 아니라 특별한 강조점을 확보하기도 한다.

시종 반복(epanalepsis): 절의 서두에 나온 단어를 절의 끝부분에 반복하는 것.

시종 반복은 산문에서는 드문 편이다. 아마 그런 수법이, 적절한 감정적 상황이 생길 때 시가 그 감정을 제대로 표현할 유일한 형식이기 때문인 듯하다.

한 아버지가 사랑하는 아들의 죽음에 대한 슬픔을 표현할 때는 이런 방식이 자연스러울 것이다. "그는 내 살 중의 살이요, 내 뼈 중의 뼈요, 내 피 중의 피였소."

그런데 그 아버지는 산문과 시 중 어느 것을 말하는 것일까? 우리가 내놓을 수 있는 유일한 답변은 그것이 모종의 고조된 언어, 즉 고안된 것처럼 보이지만 강렬한 감정에서 자발적으로 나오는 언어라는 것이다. 반복은 고도의 감정적 언어의 특징 중 하나이다. 그리고 이 경우에 아버지로서 아들과의 친밀한 관계를 표현하기 위해 연속적인 단어군(群)의 시작과 끝에 단어들을 반복하는 것보다 더 나은 방법이 있을까?

시종 반복—사실 특수한 상황에만 적절한 모든 수법들—의 사용에 관한 최상의 충

고는 "시종 반복을 사용하기로 의식적으로 결정하는 자신을 발견한다면 그것을 사용하지 말라"는 것이다. 적절한 때가 되면 그 수법이 저절로 나타날 것이다.

전사 반복(anadiplosis): 한 절의 마지막 단어를 다음 절의 서두에 반복하는 것.

예시: 노동과 배려를 보상하는 것은 성공이고, 성공이 낳는 것은 자신감이고, 자신감은 근면함을 완화시키고, 태만은 부지런함이 일으킨 평판을 망가뜨린다.

_존슨 박사, 〈램블러〉(*Rambler*), 21호

그들은 완전히 자명하지만 거의 인식하지 못하는 점을 지적한다. 당신이 많이 움직일 수 없는 많은 것을 갖고 있다면, 가구가 필요한 것은 청소이고, 청소도구가 필요한 것은 종들이고, 종들이 필요한 것은 보험 인지이며…, 그것[재산]이 낳은 것은 무게 있는 사람들이다. 무게 있는 사람들은 동쪽으로 서쪽으로 번쩍이는 번개처럼 움직일 수 없다.

_E. M. 포스터(E. M. Forster), 〈나의 숲〉(*My Wood*), 《아빙거의 추수》(*Abinger Harvest*)

범죄는 흔하고, 흔한 것은 고통이다.

_알렉산더 포프, 《엘로이자가 아벨라르에게》(*Eloisa to Abelard*)

웃음은 상스러웠거나 흐느낌으로 변할 것이고, 흐느낌은 깨달음으로, 깨달음은 절망으로 변할 것이다.

_존 하워드 그리핀(John Howard Griffin), 《블랙 라이크 미》(*Black like Me*)

권력 장악은 그것[전체주의 리더십]을 고립되게 만들고, 고립은 불안정을 낳고, 불안정은 의심과 두려움을 낳고, 의심과 두려움은 폭력을 낳는다.

_즈비그뉴 브레진스키(Zbigniew K. Brzezinski),

《영구적 제거》(*The Permanent Purge; Politics in Soviet Totalitarianism*)

퀘그 대위: "내 배를 타라, 탁월한 직무수행이 표준이다. 표준적 직무수행이 표준 이하이다. 표준 이하의 직무수행은 존재하도록 허락되지 않는다.

_허먼 워욱(Herman Wouk), 《케인 호의 반란》(*The Caine Mutiny*)

클라이맥스(climax): 점차 더 중요한 순서로 단어, 문구, 또는 절을 배열하는 것.

예시: 그뿐만 아니라, 우리는 환난을 자랑합니다. 우리가 알기로, 환난은 인내력을 낳고, 인내력은 단련된 인격을 낳고, 단련된 인격은 희망을 낳는 줄을 알고 있기 때문입니다. 이 희망은 우리를 실망시키지 않습니다. 하나님께서 우리에게 주신 성령을 통하여 그의 사랑을 우리 마음 속에 부어 주셨기 때문입니다.

_바울, 신약성경 로마서 5:3~5, 새번역 성경

사람이 그의 가족, 그의 나라, 그리고 그의 하나님께 대한 의무를 인정하게 하라.

_학생의 리포트

나의 사랑, 나의 생명, 나 자신—그리고 당신—을 단념하라.

_알렉산더 포프, 《엘로이자가 아벨라르에게》

우리가 우리의 국가뿐 아니라, 모든 인류뿐 아니라, 지구상의 생명을 위해서도 큰 결정의 지점에 도달했다고 나는 생각한다.

_조지 월드(George Wald), 1969년 3월 4일 MIT에서 한 연설
〈미래를 좇는 세대〉(*A Generation in Search of a Future*) 중에

소년이 한 소녀, 또 하나의 소녀, 그리고 또 다른 소녀를 위해 그의 물건, 그의 공깃돌, 그의 자전거를 제쳐놓을 때, 그는 청년이 된다. 그 청년이 그 소녀를 위해 첫째 소녀와 둘째 소녀를 버릴 때, 그는 미혼 남자가 된다. 그리고 그 미혼 남자가 더 이상 견딜 수

없을 때, 그는 남편으로 변한다.
_앨런 벡(Allen Beck), 〈멋진 살림살이〉(*Good Housekeeping*), 1957. 7.

그것은 신경을 찢어놓고, 그것은 정신을 해부하고— 그것은 심지어 연극을 좋아하는 여러 사람의 살아있는 의식을 내쫓을지도 모른다.
_〈타임〉, 1966. 1. 7.

클라이맥스가 반복 수법으로 간주될 수 있는 경우는, 위의 첫 번째 예와 같이 세 개 이상의 문구를 포함하는 전사 반복이 계속될 때에 국한된다. 그렇지 않으면 두 번째와 세 번째 예들처럼 점차 중요성이 커지는 순서로 일련의 표현들을 배열하는 수법일 뿐이다. 후자에 속한 다양한 클라이맥스는 정도의 토픽과 연관된 수법으로 간주될 수 있고, 이는 당신이 현대 산문에서 가장 자주 볼 수 있는 클라이맥스이고, 아마 당신의 산문에서도 사용할 수 있는 종류일 것이다.

반복 치환법(antimetabole): 잇따른 절들에서 역순으로 단어를 반복하는 것.

예시: 우리는 살기 위해 먹지, 먹기 위해 살지 않는다.
_몰리에르(Molière), 《수전노》(*L'Avare*)

필자가 기울일 첫 번째 노력은 자연과 관습을 구별하는 일, 또는 옳기 때문에 정착된 것과 정착되었기 때문에 옳은 것을 구별하는 일이어야 한다.
_사무엘 존슨, 〈램블러〉, 156호

이 사람[체스터필드 경]을 나는 현인들 중에 한 경(卿)으로 생각했는데, 그는 경들 중에 한 현인일 뿐임을 알게 되었다.
_사무엘 존슨, 제임스 보스웰(James Boswell)의 《사무엘 존슨의 생애》(*Life of Samuel Johnson*)에서 인용

인류는 전쟁을 끝내야 한다—그렇지 않으면 전쟁이 인류를 끝낼 것이다.

_존 F. 케네디의 취임 연설, 1961.

여러분의 국가가 여러분을 위해 무엇을 할 수 있는지 묻지 말고, 여러분이 여러분의 국가를 위해 무엇을 할 수 있는지 물으라.

_존 F. 케네디의 취임 연설, 1961.

니그로는 그의 두려움에서 그를 해방시켜줄 백인이 필요하다. 백인은 그의 죄책감에서 그를 해방시켜줄 니그로가 필요하다.

_마르틴 루터 킹의 연설, 1966.

당신은 나라에서 살렘을 끌어낼 수 있지만, 당신은 살렘에서 나라를 끌어낼 수는 없다.

_살렘(Salem) 담배 광고문

당신은 그것을 좋아하고, 그것은 당신을 좋아한다.

_세븐업(Seven-Up) 광고 문구

이 모든 예들은 '말끔하게 치환된 문구'의 모양을 갖고 있다. 즉, 가장 기억할 만한 경구에 나타나는 그런 문구들이다. 케네디 대통령의 취임 연설이 만일 다음과 같았다면 그토록 자주 인용되었을까? "미국이 여러분을 위해 무엇을 할 수 있는지 묻지 말라. 오히려 여러분의 국가에 여러분의 봉사가 필요한지 여부를 묻는 편이 낫다." 그 '마법'이 이제는 호소력을 잃고 말았다. 학생에게 여기에 제시된 여러 수법들을 취해 그것들을 평범한 산문으로 전환하게 하는 것도 유익한 연습일 것이다. 그런 연습은 그 수법들이 생각의 표현에 무엇을 더해주는지 틀림없이 보여줄 것이기 때문이다.

교차 대구법(chiasmus): 잇따른 문구나 절에서 문법 구조를 역전시키는 것.

예시: 낮에는 장난치기, 밤에는 춤추기.

_사무엘 존슨, 《인간 욕망의 공허》(*The Vanity of Human Wishes*)

그의 시간은 한 순간, 그리고 한 점은 그의 공간.

_알렉산더 포프, 《인간론》(*Essay on Man*), 첫 번째 서신

그의 적들을 높이고, 그의 친구들은 파괴한다.

_존 드라이든, 《압살롬과 아히도벨》(*Absalom and Achitoph*)

돈을 버는 것은 어렵지만, 그것을 쓰는 것은 쉽다.

_학생의 리포트

언어는 변한다. 당신의 사전도 그래야 한다.

_웹스터 뉴 콜리게이트 사전(*New Collegiate Dictionary*, 7th) 광고문

교차 대구법은 잇따른 문구나 절에서 문법 구조의 역전을 포함한다는 점에서는 반복 치환법과 비슷하지만, 단어의 반복을 포함하지 않는 점에서는 반복 치환법과 다르다. 교차 대구법과 반복 치환법 모두 대조법을 강화하기 위해 사용될 수 있다.

대위법(polyptoton): 어근이 같은 단어들을 반복하는 것.

예시: 그리스인들은 힘세고, 그들의 힘에 더해 노련하다.
 그들의 기술에 더해 맹렬하고, 그들의 맹렬함에 더해 용감하다.

_셰익스피어, 《트로일러스와 크레시다》(*Troilus and Cressida*),

그런데 아뿔싸…, 문은 좁고, 문지방은 높고, 소수만 선택을 받겠다고 선택해서 소수만 선택되었다.

_올더스 헉슬리(Aldous Huxley), 《에세이 모음집》(*Collected Essays*)

우리가 두려워할 유일한 것은 두려움 자체라는 나의 확고한 믿음을 주장하도록 해 달라.

_프랭클린 루스벨트의 첫 번째 취임 연설, 1933. 3.

그러나 이 황량한 고장에서 그들은 땅이 과도한 사용으로 쓸모없게 된 것을 보게 되리라.

_조셉 우드 크러치(Joseph Wood Krutch), 《사막의 목소리》(*The Voice of the Desert*)

우리는 유리잔에 담을 수 없는 형상을 담고 싶다.

_로렌 아이슬리(Loren Eiseley), 〈하퍼스 매거진〉(*Harper's*), 1964. 3.

우리가 비록 전쟁에 휘말려있지만 전쟁의 소집으로서가 아니라.

_존 F. 케네디의 취임 연설 중에서, 1961.

그들의 피(blood)는 나라에서 낙관적인 확신을 뺀다(bleed).

_학생의 리포트

제발, 제발 나를(Please, Please Me).

_비틀스(The Beatles)의 노래 제목

대위법은 비유에 관한 다음 섹션에서 조사할 말장난과 매우 비슷하다.

전의(tropes)

은유와 직유

은유(metaphor): 본질이 다르지만 공통된 것을 지닌 두 사물 간의 암묵적 비교.

직유(simile): 본질이 다르지만 공통된 것을 지닌 두 사물 간의 명시적 비교.

예시(학생들 리포트에서 발췌한 것):

그는 물음표와 같은 자세를 취했다. (직유)

기말고사에서 여러 학생이 불길에 쓰러졌다(went down in flames). (은유)

화살처럼, 검사는 곧장 정곡을 찔렀다. (직유)

지방 학교에 대한 연방정부의 지원 문제는 가시나무 조각이다. (은유)

침묵이 화강암 덩이처럼 청중 위에 내려앉았다. (직유)

버밍햄이 달리는 도화선에 불을 붙였고, 헤드라인이 그것을 기록하자마자 시위가 전국에서 폭발했다. (은유)

은유와 직유는 너무나 비슷해서 함께 다룰 것이다. 은유와 직유의 차이점은 주로 비교를 표현하는 방식에 있다. 은유는 "데이비드는 전투에서 사자였다"고 말하는데 비해, 직유는 "데이비드는 전투에서 사자와 같았다"라고 말한다. 이 두 비유는 본질이 다른 두 사물(데이비드와 사자)을 비교하지만 유사점의 토픽과 연관이 있는데, 어느 면에서는 그것들이 비슷하기 때문이다(예시, 그것들은 용감하거나 맹렬하게 싸우거나, 싸움에서 정복될 수 없다). 첫째 사물과 비교되는 그것은 '전이된 의미'로 이해할 필요가 있다. 데이비드는 문자적으로 사자가 아니지만, 그는 어떤 '다른 의미'에서 사자이다.

여기서 확장된 은유는 알레고리(allegory)로 알려져 있다. 우리는 좋은 예를 조나단 스위프트의 《책들의 전쟁》(*The Battle of the Books*)에서 볼 수 있는데, 스위프트는 고전 작가들을 자기 내장에서 밖으로 거미줄을 짜는 거미가 아니라, 광범위하게 활동하는 벌에 비유한다.

> 고대인인 우리는 우리의 날개와 우리의 목소리, 말하자면 우리의 비행과 우리의 언어 외에는 아무것도 우리의 것인 척하지 않는 벌로 만족한다. 우리가 갖게 된 나머지는 무엇이든 무한한 노동과 탐색으로 얻게 되었고 그것은 자연의 모든 구석을 망라한다. 차이점은 우리가 벌집을 흙과 독 대신에 꿀과 밀랍으로 채워서 인류를 가장 고상한 두 가지, 즉 달콤함과 빛으로 장식하기로 선택했다는 것이다.

이 확장된 은유와 밀접한 관계가 있는 것은 비유(parable), 즉 도덕적 교훈을 가르치기 위해 고안된 일화적 내러티브이다. 가장 유명한 예는 신약성경에 나오는 것들이다. 예컨대, 씨 뿌리는 자의 비유에서 우리의 관심사는 씨를 뿌리러 나간 사람의 이야기보다는 그 일화의 각 세부사항이 무엇을 '상징하는지', 그 세부사항들이 무엇을 '의미하는지'에 있다. 제자들이 특정한 비유의 뜻을 잘 모를 때는 언제나 그리스도께 그것을 해석해 달라고 부탁했다.

그리고 우리가 이런 유비적 비유들에 관해 얘기하는 동안, 우리는 필자들에게 비교의 조건을 놓칠 때 생기는 '혼합된 은유'를 사용하지 않도록 경고해야 한다. 조셉 애디슨이 "자만의 씨앗을 끄기에 충분하지 않은 인간 본성에 관한 견해는 단 하나도 없다"고 말했을 때, 그는 서로 다른 두 은유를 혼합하고 있는 것이 분명하다. "자만의 불길을 끄다" 또는 "자만의 씨앗에 물을 주다"라고 말할 수는 있어도 진화의 개념을 씨앗의 개념과 섞을 수는 없다. 수사학자들은 때때로 그런 '단어의 왜곡'을 비유의 남용(catachresis)이라 불렀다.

제유(提喩, synecdoche): 일부가 전체를 나타내는 비유적 표현.

예시: 속(屬)이 종(種)을 대체하는 경우:
선박이 배를, 무기가 칼을, 피조물이 사람을, 무기가 소총을, 운반체가 자전거를 대체할 때

종(種)이 속(屬)을 대체하는 경우:
빵이 식품을, 면도날이 자객을 대체할 때

부분이 전체를 대체하는 경우:
항해가 배를, 손이 조력자를, 지붕이 집을 대체할 때

물질이 그것으로 만든 것을 대체하는 경우:
은이 돈을, 범포가 항해를, 강철이 칼을 대체할 때

부분이나 속이나 부속물이 다른 어떤 것을 시사할 때는 제유의 예에 해당한다. 이는 간접화법이다. 다음에 나오는 것들은 이런 비유를 예시한다.
"오늘 우리에게 일용할 빵(bread)을 주세요." "모든 손(hands)이 후갑판에 소환되었다." "대리석(marble)도, 금 빛나는 왕들의 기념비도 강력한 운문(rhyme)보다 더 오래 가지 않을 것이다." "그들은 조국을 보호하기 위해 파도들(waves)에 용감히 맞섰다." "여러분, 그대들의 강철(steel)을 휘두르시오." "이 마을에는 영예로운 한 사람을 숨겨줄 만한 지붕들(roofs)이 없는가?" "수많은 지성(minds)의 잇따른 노동(labors)으로 이 최초의 비천한 주에서 제조업(manufacture)이 점차 일어나는 모습을 생각하면 참으로 기쁘다."_존슨, 〈램블러〉, 9호
"외과의사와 산파가 들어오자 즉시 문이 닫혔고, 로링 캠프(Roaring Camp)는 바깥에 앉아, 파이프 담배를 피우며, 자식을 기다렸다."_브렛 하트(Bret Harte), 《로링 캠프의 행운》

(*The Luck of Roaring Camp*)

환유(換喩, metonymy): 실제로 의미하는 바를 속성을 나타내는 단어로 대체하는 것.

예시: 왕권을 왕관으로, 주교를 주교관으로, 부자를 부(富)로, 장교를 놋쇠(brass)로, 포
    도주를 병(bottle)으로, 필자를 펜으로 대체하는 경우

환유와 제유는 거의 똑같은 비유라서, 18세기 수사학자 조지 캠벨은 우리가 양자를
구별하려고 큰 노력을 기울일 필요가 없다고 생각했다. 양자를 구별하려고 노력을 기울
인 수사학자들은 다음의 것들을 환유의 예로 들 것이다.

만일 최후의 필연성이 가까움에 따라 더 가까운 순응이 초래되었다면, 약간의 머리털
에도 행복이 있었고 반쪽 의식에도 불행이 없었다… 그리고 찰스 5세는 헥토르의 두
므두셀라 내에 살 것을 결코 바랄 수 없다.
                                    _토마스 브라운 경(Sir Thomas Browne), 《호장론(壺葬論)》(*Urn-Burial*)

나는 피와 노력과 눈물과 땀 밖에는 내놓을 것이 없다.
                                    _윈스턴 처칠의 하원 연설, 1940. 5. 13.

… 인류의 마음과 희망을 그 먼 날, 아무도 기병도를 끌지 않고 아무도 쇠사슬을 질질
끌지 않을 그날을 일으킬 이 땅 위의 정의와 자유와 평화에 대한 확고한 믿음과 함께.
                                    _애들레이 스티븐슨(Adlai Stevenson)의 수용(acceptance) 연설. 1952. 7. 21.

유럽에서 우리는 드골에게 차가운 어깨를 주었고, 이제 그는 모택동에게 따뜻한 손을
준다.
                                    _리처드 닉슨의 선거 유세, 1960.

내 친구들이여, 당신네가 무명의 여성들 수천 명의 위대한 이야기를 배우지 않고는 미국의 역사를 읽을 수 없다. 그리고 그 이야기가 똑바로 들려진다면, 그것은 이 나라를 정착시킨 것이 중절모가 아니라 차일 모자라는 것을 알게 될 것이다.

_에드나 퍼버(Edna Ferber), 《시머론 강》(*Cimarron*)

자본이 앉아서 노동과 이야기하는 법을 배웠다.

_조지 미니(George Meany)의 연설, 1966.

남부 사법부(Southern Justice)의 흰 벽(White Wall, 백인우월주의)을 깨뜨리는 것.

_〈타임〉, 1966. 4. 15.

밥 딜런이 작사하고 터틀즈가 부른 또 다른 노래에서 그는 오직 기댈 강한 어깨만 원하는 들러붙는 덩굴들을 나무란다.

_〈타임〉, 1966. 9. 17.

말장난(puns): 말장난을 하는 표현을 일컫는 일반적인 이름.

(1) 환의법(換意法, antanaclasis): 다른 의미들을 가진(동음이의) 단어의 반복.

그러나 내가 방종(license)을 소개한다는 비난을 받지 않으려고 인가(licensing)를 반대할 때

_존 밀턴(John Milton), 《아레오파지티카》(*Areopagitica*)

다 함께 붙어있지(hang) 않으면, 따로따로 매달릴(hang) 것이다.

_벤자민 프랭클린(Benjamin Franklin)

당신의 논리는 건전하다(sound), 오직 소리만 날(sound) 뿐이다.

_벤자민 프랭클린

(2) 유음중첩(paronomasia): 소리가 비슷하나 뜻이 다른 단어들의 사용.

The Bustle: A Deceitful Seatful.

_블라디미르 나보코프(Vladimir Nabokov), 《롤리타》(*Lolita*)

The end of the plain plane, explained.

_Brandiff International 광고 문구

(3) 중의법(重意法, syllepsis): 어느 단어가 수식하는 두 개 이상의 단어와 관련해 다르게 이해되는 단어의 사용.

액어법(zeugma)이란 비유는 중의법과 비슷하지만, 중의법에서는 단일한 단어가 문법적으로 또 관용적으로 다른 단어들 모두와 양립이 가능한데 비해, 액어법에서는 단일한 단어가 그 쌍의 한쪽과는 문법적으로 또는 관용적으로 들어맞지 않는다. 만일 우리가 "제인이 그녀의 아버지를 살해했고, 당신도 그럴 수 있다" 또는 "그는 번창하는 (flourishing) 사업과 경마 말을 유지했다"고 말한다면, 강조체 단어들이 문법적으로나 관용적으로 그 쌍의 한쪽(여기서는 두 번째 것)과 어울리지 않기 때문에 액어법의 예를 만들고 있는 셈이다. 포프의 《머리 타래의 겁탈》(*Rape of the Lock*)에 나오는 두 행—'또는 그녀의 영예 또는 그녀의 브로케이드를 더럽히는'(stain)과 '또는 무도회에서 그녀의 마음 또는 목걸이를 잃는다'(lose)—이 종종 액어법으로 분류되지만, 우리의 정의에 따르면 중의법의 예에 해당한다. 이 두 가지 비유 가운데 중의법만이 말장난의 한 형태로 간주될 수 있다. 액어법은 기술적으로 활용하면 위트만큼 인상적일 수 있지만, 종종 생략의 수법을 잘못 사용하는 경우에 불과하다.

안티메리아(anthimeria): 담화의 한 부분이 다른 부분으로 대체되는 것(예시, 명사가 동사로 사용되는 경우).

셰익스피어의 희곡들에는 안티메리아의 예들이 수십 개나 등장한다. 셰익스피어는 자기가 표현하고 싶은 것에 사용할 만한 단어가 없으면, 신조어를 만들거나 옛 단어를 새로운 방식으로 사용했다. 오늘날 필자들은 기존의 영어를 통달하지 못했다면 안티메리아를 매우 신중하게 사용하거나 거의 사용하지 말아야 한다. 다른 한편, 신조어를 잘 만들면 그것은 날카롭거나, 좋은 생각을 떠올리거나, 위트가 넘치거나, 기억에 남을 만하다. 오늘날 영어는 많은 단어를 빌리고, 바꾸고, 만들어왔기 때문에 풍부하고 유연한 언어가 되었다.

완곡법(periphrasis): 고유명사를 서술어로 대체하거나 어느 고유명사와 연관된 속성을 고유명사로 대체하는 것.

예시: 그 멋진 스플린터[테드 윌리엄스(Ted Williams)를 가리킴—역자 주]는 오늘 두 개의 라운드 트리퍼(round-tripper, 홈런)을 더 쳤다.

디즈니의 폴리애나(지나친 낙천주의자—역주)는 이제 늙어가는 롤리타(조숙한 소녀—역주)처럼 보이지만, 그건 전적으로 괜찮다.

_〈타임〉, 1966. 4. 1.

그녀가 페넬로페(정숙한 아내—역자 주)는 아니었을지언정, 뒷담화가 말하는 만큼 부정한 아내는 아니었다.

_학생의 리포트

현대 산문에서조차 이 비유를 자주 만나는 것은, 사람에게 낯익은 아이디어를 보기 드문 방식으로 표현하고픈 충동이 있다는 증거이다. 완곡한 표현과 꼬리표는 지겨운 상투어가 될 수 있지만(스포츠 면에서 자주 그렇듯이), 참신하고 단정한 창의력을 과시하면 우리의 글쓰기에 우아함을 더할 수 있다. 독자를 피곤하게 만드는 것은 진부한 표현이나 지나치게 기발한 간접화법이다.

의인화 또는 의인법(personification /prosopopoeia): 추상적 개념이나 무생물에 인간의 속성이나 능력을 부여하는 것.

예시: 땅은 비를 목말라한다.

_학생의 리포트

그는 이슬로 덮인 잔디를 바라보았고, 잔디는 그에게 윙크를 보냈다.

_학생의 리포트

땅의 달콤한 젖이 흐르는 가슴을 향해
굶주린 입을 준비한 나무.

_조이스 킬머(Joyce Kilmer), 〈나무들〉(Trees)

거리를 따라 미끄러지는 노란 연기가
그 등을 창유리에 문지르는
그때가 정말로 오리라.

_T. S. 엘리엇, 《J. 알프레드 프루폭의 연가》(The Love Song of J. Alfred Prufock)

모국어는 자립적인 여성이다.

_찰튼 레어드(Charlton Laird), 《언어의 기적》(The Miracle of Language)

대학으로 가는 길목에 있는 잘생긴 집들은 잠에서 완전히 깨진 않았지만 매우 우호적으로 보였다.

_라이오넬 트릴링(Lionel Trilling), 《이 시간의, 그곳의》(Of This Time, Of That Place)

의인화는 매우 낯익은 비유라서 많은 예를 들 필요가 없다. 이는 감정을 자극하려고 계획한 대목을 위해 준비해야 할 비유 중의 하나이다. 의인화와 밀접하게 붙어있는 또 다른 감정적 비유는 돈호법(apostrophe, 부재중인 사람이나 의인화된 관념을 부르는 것)이다. 월터 롤리 경(Sir Walter Raleigh)의 《세계사》(History of the World)에 나오는 돈호법의 예를 들어보자.

아, 유창하고 정의롭고 막강한 죽음이여! 아무도 충고할 수 없는 자를 그대가 설득했도다. 아무도 감히 행하지 못한 일을 그대가 행했도다. 온 세상이 아첨했던 자를 오직 그대가 세상 밖으로 쫓아내고 멸시했도다. 그대는 사람의 모든 과장된 위대함, 모든 자만, 잔인함, 그리고 야망을 다 함께 끌어내어 "여기 잠들다(Hic jacet)"란 짧은 두 단어로 덮어버렸도다.

과장법(hyperbole): 강조나 고조된 효과를 위해 과장된 용어를 사용하는 것.

예시: 그의 유창함은 바위를 가를 것이다.

그것은 정말 아이러니하다…. 나는 흰 머리칼이 있다. 정말 그렇다. 내 머리의 한쪽—오른쪽—은 흰 머리칼이 수백만 개나 된다.

_J. D. 샐린저(J. D. Salinger), 《호밀밭의 파수꾼》(The Catcher in the Rye)의

홀든 콜필드(Holden Caulfield)

내 왼쪽 다리는 무게가 3톤이다. 미라처럼 향신료로 방부 처리되었다. 나는 움직일 수 없다. 지난 5천 년 동안 움직이지 못했다. 나는 파라오 시대의 사람이다.

_토마스 베일리 올드리치(Thomas Bailey Aldrich), 《마조리 도》(Marjorie Daw)

그가 싫어하는 것은 언론이다. 그 자신을 90퍼센트나 잘못 전하기 때문이라고 한다. 이는 과장법이 너무나 잘 통하는 스포츠 세계(조 나마스가 터치다운을 하려고 2백 야드를 달렸다고 보도할 수 없는 스포츠 기자는 얼마나 괴로웠을까!)에서 이따금 우리가 그를 오해했다는 뜻으로 이해해야 한다.

_윌리엄 F. 버클리 주니어(William F. Buckley, Jr.), 〈에스콰이어〉(*Esquire*), 1969. 10.

정가의 3분의 1 가격으로 파는 물건은 무엇이든—무엇이든지—사겠다.

_진 커(Jean Kerr), 《뱀은 모든 선을 갖고 있다》(*The Snake has All the Lines*)

우리는 컴버랜드의 한 길을 따라 걸으며 몸을 굽혔다. 하늘이 너무 낮게 걸려있어서 그랬다.

_토마스 울프(Thomas Wolfe), 《천사여 고향을 보라》(*Look Homeward, Angel*)

과장법은 귀에 계속 들리는 바람에, 그것을 비유적 표현으로 생각하지 않게 되었다. 광고업자와 십 대는 과장된 말을 사용하지 않는 경우가 거의 없다. 우리의 인사말과 칭찬에 얼마나 많은 과장법이 실려 있는지를 생각해보면, "우리의 비참한 거처에 오신 가장 훌륭한 선생님을 환영하옵니다"라는 인사를 들어도 크게 기쁘지 않을 것이다.

과장법은, 절제하면서 적합한 효과를 위해 사용하는 법을 배울 수 있다면, 유용한 비유적 표현이 될 수 있다. 감정이 스트레스를 받으면 과장법이 무심코 튀어나오고 적절하게 보일 것이다. 참신한 과장법을 창안하는 법을 배울 수 있다면, 올바른 강조 어투(위의 첫 번째 예) 또는 유머(올드리치의 글)를 만들 수 있을 것이다.

정도의 토픽과 관련해서는 과장법이 비대(auxesis, 어떤 것을 어울리지 않는 이름으로 부름으로써 그것의 중대성을 증대시키는 것)라 불리는 비유와 비슷하다. 그래서 변호사는 배심원에게 강한 인상을 주기 위해 팔이 살짝 긁힌 것을 '상처'로 부르거나 자그마한 현금통에서 돈을 훔친 것을 '횡령'으로 부를 것이다. 마크 앤소니는 브루투스가 시저에게 입힌 상처를 '모든 상처 중에 가장 고약한 상처'라고 불렀는데, 이는 우리가 수용할 만하다.

반면에 상원의원 조셉 매카시(Joseph McCarthy)의 고전적 진술—'그것은 내가 이제껏 들은 것 가운데 가장 못 들어본 것'—은 그 근거가 희박한 것 같다.

곡언법(曲言法, litotes): 누군가를 속이기 위해서가 아니라, 말하는 내용에 깊은 인상을 남기기 위해 일부러 삼가서 말하는 것.

예시: 글 쓰는 일은 진정 재미없는 직업이 아니다.

_사무엘 존슨, 〈어드벤처러〉(*Adventurer*), 138호

지난주에 나는 가죽이 벗겨진 여성을 보았는데, 그로 인해 그녀의 외모가 얼마나 더 나빠졌는지 당신은 믿기 어려울 것이다.

_조나단 스위프트, 《통 이야기》(*A Tale of a Tub*)

그 회의는 돌풍 같은 연설과 함께 [의회 회의록]의 3만 3,250페이지 이상을 채웠는데, 이는 겨우 3백만 달러에 불과한 세금을 쓴 또 하나의 기록이었다.

_〈타임〉, 1965. 10. 29.

딕은 깨어 있었다. 그는 그 이상이었다. 딕과 이네츠는 사랑을 나누고 있었다.

_트루먼 커포티(Truman Capote), 《인 콜드 블러드》(*In Cold Blood*)

연예인 프랭크 시나트라는 서서히 분노를 내는 유형이 아니다.

_〈뉴스위크〉(*Newsweek*), 1965. 11. 15.

이는 아주 심각하지 않다. 나는 뇌에 아주 작은 종양이 있을 뿐이다.

_J. D. 샐린저, 《호밀밭의 파수꾼》

네 세대에 걸쳐 우리는 사람들의 목숨이 약품에 달려있는 것처럼 약품을 만들어왔다.

_미국의 유명 제약회사 일라이 릴리(Eli Lilly)의 광고 문구

곡언법은 일종의 감수분열(meiosis)이다. 우리가 앞에서 언급한 그 변호사는 또 다른 고객을 변호할 때, 만행 사건을 '십 대의 야단법석'으로 부를 가능성도 있다. 장미는 무슨 이름으로 부르든지 향기가 날 테지만, 어떤 범죄는 너무 어울리지 않는 이름으로 부르면 그 극악함을 잃어버릴지 모른다.

수사적 의문(erotema): 대답을 유도할 목적이 아니라, 어떤 것을 간접적으로 주장하거나 부인할 목적으로 의문을 제기하는 것.

예시: 뭐라고! 여러분, 내가 예견하지 못했다고요? 여러분을 이 모든 불행과 불명예로부터 구출하려고 노력하지 않았다고요?… 내가 우리의 자존심을 대담하게 지킨 그 날에 나는 아일랜드인이었습니까? 대영제국이 치욕을 당한 그날에 내가 고개를 떨어뜨린 채 부끄러워 울고 침묵을 지킨 것은? 나는 전자 때문에 잉글랜드에서, 후자 때문에 아일랜드에서 인기를 잃었습니다. 그러면 어떻게 되는 것입니까? 내가 인기를 얻으려면 어떻게 해야 합니까?

_에드먼드 버크, 〈브리스톨 선거인단에게 드리는 말씀〉(*Speech in the Electors of Bristol*)

제임스의 숭배는 무언가를 노출시키는 상징, 거짓 예술과 거짓 문화의 거짓 세계에서 그 사람처럼 살기 원하는 시대와 사회의 상징이 아니었던가?

_맥스웰 가이스마(Maxwell Geismar),

《헨리 제임스와 그의 컬트 집단》(*Henry James and His Cult*)

가난한 자들은 이런 시스템, 즉 부자는 합당한 절차를 밟을 수 있으나 가난한 자는 그럴 수 없다고 말하는 시스템에 어떻게 관심을 가질 수 있는가? 교육받지 못한 자들이,

가능한 모든 방법으로 그들을 이용하겠다고 말하는 시스템을 어떻게 믿을 수 있는가? 우리가 사람들에게 사법제도와 충돌하면 소구권이 없다고 말할 때, 그들이 어떻게 희망을 품을 수 있는가?

　　_에드워드 케네디(Edward Kennedy) 상원의원, '범죄 단속 및 길거리 치안 종합법'(The Omnibus Crime Control and Safe Streets)에 대한 상원에서의 토론 중에, 1968.

수사적 의문은 열렬한 연설에서 흔히 사용되는 장치이지만, 산문에서도 사용될 수 있다. 이는 화자가 청중에게서 얻고 싶은 반응에 은근히 영향을 미치는 효과적인 설득용 장치가 될 수 있다. 의문이 표현되는 방식이 부정적인 반응과 긍정적인 반응 중 어느 편인지를 결정할 수 있다. 만일 "이것이 과연 영웅적인 행위였는가?"라고 말한다면, 청중은 부정적인 대답으로 반응할 것이다. 수사적 의문은 청중이 적절한 반응을 하도록 유도함으로써 종종 직접적인 주장보다 더 효과적인 설득용 장치가 될 수 있다.

아이러니(irony): 단어의 문자적인 뜻과 상반되는 뜻을 전달하는 방식으로 단어를 사용하는 것.

예시: 브루투스가 영예로운 사람이기 때문에 그들 모두가 영예로운 사람들이다.

　　_셰익스피어, 《줄리어스 시저》, III, ii, 88~89

훨씬 덜 고용된 한 무리의 사람들이 다른 6일 동안 살아있는 모든 사람이 늘 실행하는, 위대함과 부와 쾌락을 추구하기 위해 이용하는 그 방법들의 합법성에 반대해 7일 중 하루를 달라고 외치기 위해 고통을 받아야 한다는 것을 매우 불합리하고 웃기는 관습으로 다시금 반대하고 있다. 그러나 이 반론은 우리와 같은 매우 세련된 시대에는 고려할 가치가 별로 없다고 나는 생각한다.

　　_스위프트, 《기독교 폐지 반대론》(*An Argument Against the Abolishing of Christianity*)

하나님이 선하다면, 봄이 될 즈음 참호 이, 독가스, 흩어진 뇌들, 찔린 폐들, 찢어진 창자들, 질식, 진흙, 그리고 괴저 등 이 모든 자랑스러운 특권들이 그의 것이 될지 모른다.

_토마스 울프, 《천사여 고향을 보라》

필더가 미소를 지으며 "나는 영국인을 좋아하오"하고 말했다. "그 말을 들으니 따스한 느낌이 드는 군요"하고 레마스가 응수했다.

_존 르 카레(John Le Carré), 《추운 나라에서 돌아온 스파이》(*The Spy Who Came in from the Cold*)

노동조합이든 그 누구든지 단 한 사람도 이 '모델 시설'로 이사하도록 설득할 수 없다.

_존 바론(John Barron), 〈리더스 다이제스트〉(*Reader's Digest*),

FHA에 관한 기사 중에서, 1966. 4.

내 친구를 떠나 기말고사를 치르기 위해 학교로 돌아가야 한다는 생각을 하자, 나는 너무나 기뻤다.

_학생의 리포트

아이러니는 '전이된 뜻'을 전달하는 비유로서, 반대 명사란 토픽과 모순 명제란 토픽과 관계가 있다. 아이러니는 고도로 복잡한 장치인 만큼 매우 조심스럽게 사용해야 한다. 만일 청중의 이해력을 잘못 판단하면, 그 청중이 당신의 말을 의도한 뜻이 아니라 표면상의 뜻으로 받아들일지도 모른다.

튜더 수사학자들은 어떤 사안을 그냥 지나가자고 제안하면서도 은근히 그 사안을 드러내는 종류의 아이러니에 특별한 이름을 붙였다. 그들은 이런 아이러니를 역언법(逆言法, paralipsis)이라고 불렀다. 유명한 예는 《줄리어스 시저》에 나오는 마크 안토니의 유명한 〈친구들, 로마인들, 동포들〉이란 연설에서 볼 수 있다.

하지만 평민들로 이 증언을 듣게 하라

(죄송하지만) 내가 그것을 읽을 생각은 없다

그리고 그들은 죽은 시저의 상처로 가서 입맞춤을 하리라….

친애하는 친구들이여, 인내심을 가져라. 내가 그것을 읽으면 안 된다.

시저가 여러분을 얼마나 사랑했는지를 여러분이 아는 것은 적당하지 않다….

여러분이 그의 상속자들인 것을 모른 것이 좋다.

 (III, ii, 136~51)

이 연설 전체를 살펴보면 안토니가 스스로 부인함에도 어떻게 군중에게 시저의 최후 유언의 내용을 알게 하는지를 볼 수 있다.

의성어(擬聲語, onomatopoeia): 사람이나 사물의 소리를 흉내 낸 말을 사용하는 것.

예시: 거슬리는 말이 성내게 하지 않는 것으로 충분치 않다

　소리가 그 뜻을 흉내 내는 듯 보여야 한다.

　산들바람이 솔솔 불어올 때

　부드러운 개울이 더 부드러운 수(數)로 흘러갈 때

　그 가락이 매끄럽다.

　그러나 큰 파도가 바닷가에 왕창 몰아칠 때

　거슬리는 거친 시구는 으르렁거리는 고함과 같다.

　아이아스가 바위의 광대한 무게를 던지려고 할 때

　행 역시 끙끙거리고 단어는 슬금슬금 움직인다.

　재빠른 카밀라가 평원을 쌩쌩 질주하고

　굽지 않은 옥수수 위로 훨훨 나르고, 본토를 스치듯 지나갈 때는

　그렇지 않다.

                          _포프, 《비평에 관한 에세이》(*Essay on Criticism*), II, 364~373

자갈 위로 그는 재잘거렸고 여관 안뜰에서 쩽그렁하는 소리가 났다.

_알프레드 노예스(Alfred Noyes), 《노상강도》(*The Highwayman*)

멀리서 꽝 하는 총소리가 나자 강한 징들이 신음을 한다.

_G. K. 체스터턴(G. K Chesterton), 《레판토》(*Lepanto*)

나의 날들이 딱딱 부서져서 연기가 되어 스르르 올라갔다.

_프랜시스 톰슨(Francis Thompson), 《천국의 사냥개》(*The Hound of Heaven*)

짹짹 지저귀는 새가 부르는 노래들.

_로버트 프로스트(Robert Frost), 〈우리의 노래하는 힘〉(*Our Singing Strength*)

새들이 멀리서 짹짹 지저귀었다. 프윗, 프윗, 부치-프윗.

_솔 벨로(Saul Bellow), '모스비의 회고록'(*Masby's Memoirs*), 〈뉴요커〉, 1968. 7. 20.

위에서 인용한 포프의 대목에서 의성어의 일부 효과는 단어의 소리뿐 아니라 행들의 운율에 의해서도 만들어진다. 의성어는 소리를 뜻에 맞추려고 하기 때문에, 이 비유가 흔히 유사점의 토픽과 연관이 있음을 쉽게 알 수 있다. 의성어는 시보다는 산문에 훨씬 덜 자주 사용될 테지만, 산문에서도 적절한 용도를 갖고 있다. 소리-효과가 한 대목의 감정적 또는 윤리적 어조를 설정하기 위해 사용될 수 있는 곳이면, 어디서나 의성어가 기여할 수 있다. 어떤 사람이나 행위를 불명예스럽게 만들고 싶을 때는 경멸어의 효과를 불쾌한 음조로 강화시킬 수 있다. '비열한 에피소드'와 같은 어구는 그 사건에 대한 우리의 태도를 '비열한'이란 단어의 불쾌한 의미로뿐 아니라, 그 단어의 혹독한 소리로도 드러내는 것이다.

모순 어법(oxymoron): 보통은 모순적인 두 용어를 묶어놓는 것.

예시: 달콤한 고통, 쾌활한 비관주의자, 그녀의 부재가 사람의 눈을 끈다. 잔인한 친절, 우레 같은 침묵, 사치스러운 가난, 비굴한 오만, 천천히 서두르라, 거대한 새우.

필자들은 모순된 단어들을 이렇게 묶음으로써 놀라게 하는 효과를 거두고, 그 어법이 참신하고 적절하다면 위트 있는 필자라는 평판을 얻게 된다. 이 비유는, 대다수 은유적 표현이 그렇듯이, 아리스토텔레스가 천재의 특징으로 생각한 것을 드러낸다. 그것은 유사점들을 볼 수 있는 능력이다. 여기에 몇 가지 예들이 있다.

이는 미움보다는 사랑과 더 많은 관계가 있다.

그러면 왜, 아, 다투는 사랑이여! 아, 사랑하는 미움이여!

아, 아무것도 없는 중에 어느 것이 처음 창조하나니!

아, 무거운 가벼움이여, 진지한 허영이여!

좋아 보이는 형태의 기형의 무질서여!

납의 깃털, 밝은 연기, 차가운 불, 아픈 건강이여!

아직 깨어있는 잠, 이것이 그것은 아니니!

이 사랑을 내가 느끼되, 이것 안에서 사랑을 느끼지 못하네

_셰익스피어, 《로미오와 줄리엣》(*Romeo and Juliet*)

아, 비참한 풍성함이여, 아, 거지같은 부유함이여!

_존 던(John Donne), 《뜻하지 않은 일들에 대한 묵상》(*Devotions upon Emergent Occasions*)

불멸의 영혼, 그녀의 모든 불을 소진하니

그녀의 힘을 강렬한 게으름으로 낭비하네.

_에드워드 영(Edward Young), 《불만, 또는 그저 밤 생각》(*The Complaint, or Night Thoughts*)

혹사당하는 사람들에게는 일종의 죽은–살아있는 모습이 있는데, 전통적인 소일거리에 종사할 때를 제외하면, 살아있음을 거의 의식하지 못하는 이들이다.

_로버트 루이스 스티븐슨(Robert Louis Stevenson),

《게으른 자를 위한 변명》(*An Apology for Idlers*)

현대예술 박물관에서 열린 새로운 쇼는 어떻게든 가시적인 소음을 피하려고 한다.

_알린 사리넨(Aline B. Saarinen), 1968년 1월 24일에 열린

헌틀리–브링클리 쇼(Huntley–Brinkley)에 관한 광고 포스터에 대한 보도

에드워드 케네디의 초안과… 그의 부재의 현존은 마이애미 비치에서 열린 얼리 쇼(Early Show, 미국 CBS의 아침 TV 뉴스 토크 프로그램–역자 주)를 본 이들에게는 친숙하지 않은 보기 드문 현상의 하나를 이루었다.

_리처드 로베르(Richard H. Rovere),

'시카고에서 온 편지'(*Letter from Chicago*), 〈뉴요커〉, 1968. 9. 7.

비틀스 음악의 느긋한 긴장감은 십대의 불안정함을 반영한다.

_학생의 리포트

이 장치들은 청중을 이성적인 히스테리로 몰아넣으려고 고안되었다.

_학생의 리포트

모순 어법과 밀접한 관련이 있는 것은 역설(paradox), 즉 어느 정도의 진실을 담고 있는 표면상의 모순적인 진술이다. 역설은 모순 어법과 더불어 모순 명제들에 기초해 있다는 점에서는 모순 어법과 비슷하지만, 역설은 병치된 단어들에 담긴 의미의 '전환'보다는 모든 진술에 담긴 의미의 '전환'을 내포하기 때문에 전혀 비유가 아닐 수 있다. 여기에 역설의 몇 가지 예들이 있다.

미술은 진실을 말하기 위한 일종의 거짓말이다.

_파블로 피카소(Pablo Picasso)

유명한 고대 인물들을 덜 본받을수록 우리는 그들을 더 닮아갈 것이다.

_에드워드 영, 《창작에 관한 추측들》(*Conjectures on Original Composition*)

《포트노이의 불평》(*Portnoy's Complaint*), 죄책감에 시달리는 총각이 뱉는 정신분석적 독백의 형태를 띠는 이 소설은 너무 웃겨서 진지하게 여기지 않을 수 없다.

_〈타임〉, 1969. 2. 21.

[해리(Harry)] 레빈(Levin)교수는, 어떤 의미에서 이 힘의 약함으로부터 늘 고통을 당해왔다.

_런던의 〈타임 리터러리 증보판〉(*Times Literary Supplement*)에 실린 서평, 1966. 9. 1.

그 사람[카프카(Kafka)]의 《심판》(*The Trial*)에 나오는 조셉 K]은 무죄하다는 죄가 있다.

_조시아 미첼 모르스(J. Mitchell Morse), 〈칼리지 잉글리시〉, 1969. 5. 1.

그러나 그 꼴사나움의 본질은 항상 그것을 아름답게 만들 그것이다.

_거트루드 스타인(Gertrude Stein), 《어떻게 글을 쓸 것인가》(*How Writing is written*)

우리는 많이 아는 사람으로서 너무 많이 알고 있다.

_J. 로버트 오펜하이머, 《열린 마음》

과거는 머리말이다.

_폴 뉴먼(Paul Newman), NBC 특집 프로그램
'이곳에서 70년대로'(*From Here to the Seventies*), 1969. 10. 7.

비유적 표현에 대한 결론

이번 장에 실린 비유들에 대한 지식이 있다고 해서, 당신이 반드시 자신의 비유를 창안할 수 있거나, 비유를 적절하고 효과적으로 사용할 수 있는 것은 아니다. 이런 탐구가 주는 유익은, 당신이 다양한 수법과 비유를 인식하고 있으면, 목적에 걸맞을 때 비유를 사용하려고 의식적 노력을 기울일 수 있다는 것이다. 무슨 기술을 습득하든지 처음에는 전문가들이 자동적으로 하는 일을 의식적으로 수행해야 한다. 존슨 박사는 "어떤 일을 쉽게 하고 싶다면, 처음에는 부지런히 행하는 법을 배워야 한다"고 말했다. 그리고 배우는 기간에는 전문가들이 수월하게 행하는 일을 우리가 어색하게 행할 것임을 예상해야 한다. 그러나 부지런히 연습하면 롱기너스가 《숭고함에 관해》에서 말한 그 자연스러운 상태에 도달할 것이다.

> 그러므로 비유는 그것이 비유라는 사실로 인해 주목을 받지 않을 때 최상의 것이 된다… 왜냐하면 기술은 천성처럼 보일 때가 완전하고, 천성은 그 속에 숨은 기술을 담고 있을 때 과녁을 명중하기 때문이다.

연습문제

지시사항: 20세기의 산문이나 시에서 다음 비유들의 예를 찾아보라.

수법들

병행법(parallelism): 한 쌍 또는 일련의 관련 단어들, 어구들, 또는 절들에서 볼 수 있는 구조의 유사성

이소콜론(isocolon): 구조뿐 아니라 길이도 비슷한 경우

대조법(antithesis): 종종 병행하는 구조 안에서 대조적인 아이디어들을 병렬시키는 것

도치(anastrophe): 자연스런 또는 통상적인 어순의 도치

괄호(parenthesis): 문장의 정상적인 구문적 흐름을 방해하는 위치에 구두 단위를 삽

입하는 것

병치(apposition): 동격의 두 요소를 나란히 놓는데, 후자가 전자를 설명하거나 수식
　　　　　하는 역할을 하는 경우

생략(ellipsis): 문맥에 이미 함축되어 있는 단어(들)을 일부러 생략하는 것

접속사 생략(asyndeton): 일련의 절들 사이에 일부러 접속사를 생략하는 것

접속사 중첩(polysyndeton): 일부러 여러 접속사를 사용하는 것

두운(alliteration): 둘 이상의 인접 단어들에 있는 첫 자음이나 중간 자음의 반복

유운(assonance): 인접한 단어들의 강조된 음절들에 있는 비슷한 모음 소리의 반복(앞
　　　　　뒤에는 다른 자음들이 있다) (p.??)

수구 반복(anaphora): 잇따른 절들의 서두에 동일한 단어 또는 단어군(群)을 반복하는 것

결구 반복(epistrophe): 잇따른 절들의 끝부분에 동일한 단어 또는 단어군(群)을 반복
　　　　　하는 것

시종 반복(epanalepsis): 절의 서두에 나온 단어를 절의 끝부분에 반복하는 것

전사 반복(anadiplosis): 한 절의 마지막 단어를 다음 절의 서두에 반복하는 것

클라이맥스(climax): 점차 더 중요한 순서로 단어, 문구, 또는 절을 배열하는 것

반복 치환법(antimetabole): 잇따른 절들에서 역순으로 단어를 반복하는 것

교차 대구법(chiasmus): 잇따른 문구나 절에서 문법 구조를 역전시키는 것

대위법(polyptoton): 어근이 같은 단어들을 반복하는 것

전의(tropes)

은유(metaphor): 본질이 다르지만 공통된 것을 지닌 두 사물 간의 암묵적 비교

직유(simile): 본질이 다르지만 공통된 것을 지닌 두 사물 간의 명시적 비교

제유(提喩, synecdoche): 일부가 전체를 나타내는 비유적 표현

환유(換喩, metonymy): 실제로 의미하는 바를 속성을 나타내는 단어로 대체하는 것

환의법(換意法, antanaclasis): 다른 의미들을 가진 (동음이의) 단어의 반복

유음중첩(paronomasia): 소리가 비슷하나 뜻이 다른 단어들의 사용

중의법(重意法, syllepsis): 특정한 단어가 수식하는 두 개 이상의 단어와 관련해 다르게 이해되는 단어의 사용

안티메리아(anthimeria): 담화의 한 부분이 다른 부분으로 대체되는 것

완곡법(periphrasis): 고유명사를 서술어로 대체하거나 어느 고유명사와 연관된 속성을 고유명사로 대체하는 것

의인화 또는 의인법(prosopopoeia): 추상적 개념이나 무생물에 인간의 속성이나 능력을 부여하는 것

과장법(hyperbole): 강조나 고조된 효과를 위해 과장된 용어를 사용하는 것

곡언법(曲言法, litotes): 누군가를 속이기 위해서가 아니라 우리가 말하는 내용이 깊은 인상을 남기기 위해 일부러 삼가서 말하는 것

수사적 의문(erotema): 대답을 유도할 목적이 아니라 어떤 것을 간접적으로 주장하거나 부인할 목적으로 의문을 제기하는 것

아이러니(irony): 단어의 문자적인 뜻과 상반되는 뜻을 전달하는 방식으로 단어를 사용하는 것

의성어(擬聲語, onomatopoeia): 사람이나 사물의 소리를 흉내 낸 말을 사용하는 것

모순 어법(oxymoron): 보통은 모순적인 두 용어를 묶어놓는 것

역설(paradox): 어느 정도의 진실을 담고 있는 표면상의 모순적인 진술

모방

이제까지 우리는 양식의 법칙들을 다뤘다. 이제는 글쓰기를 배우는 방법들 또는 글쓰기를 향상시키는 방법들 중 두 번째 것으로 넘어간다. 바로 모방(imitation)이다. 고전 수사학 책들은 효과적인 화술이나 글쓰기와 관련된, 많은 기술을 연마하기 위한 모방의 가치에 대한 증언으로 가득하다. 양식이야말로 효과적인 담론을 만드는 기술들 중에 가장 모방할 만한 것이다.

수사학자들은 의식적 모방을 부추기기 위해 다양한 연습을 추천했다. 예컨대, 로마 학교 어린이들은 정규적으로 그리스어 대목을 라틴어로, 그리고 거꾸로 번역하는 과제를 받곤 했다 르네상스 당시 잉글랜드 학교들은 학생들에게 그리스어와 라틴어와 영어 사이를 오가는 작업을 시켰다. 교장들은 이 세 언어들 사이의 문법적 차이점이, 한 언어에서 다른 언어로 번역할 때 양식상의 적응을 할 수밖에 없게 만든다는 것을 알았다. 하지만 이런 차이점에도 학생들은 이 연습에서 문장 구조에 관한 귀중한 교훈을 많이 배웠다.

또 하나의 연습은 시를 산문으로 바꿔 쓰는 것이었다. 여기서도 양식 면에서 많은 조정이 필요했다. 이 연습을 통해 학생들은 시적 매개와 산문적 매개 사이의 두드러진 차이점들을 배울 뿐 아니라, 정확하고 구체적인 어법, 강조형 단어 배치, 그리고 비유적 표현의 잠재력에 주의를 기울일 수 있게 되었다. 오늘날에도 본인의 산문 양식을 향상시키는 최선의 방법은 시를 공부하거나 쓰는 것이라고 주장하는 이들이 있다.

또 다른 행습은 학생들에게 특정한 것을 다양한 방법으로 말하는 과제를 주는 일이었다. 이 과정은 보통 모델 문장으로 시작하는데, 이 문장을 다양한 형식으로 전환하되 원문의 기본 생각은 보존해야 한다. 예컨대, 에라스무스는 널리 사용된 책, 《두 배로 풍성한 단어와 사물의 어휘에 관해》(*De Duplici Copia Verborum ac Rerum*) 33장에서 라틴어 문장, "Tuae literae me magnopere delectarunt"(당신의 편지는 나를 무척 기쁘게 했소)를 바꿔 쓰는 150가지 방식을 보여주었다. 이 다양성은 일부는 다른 단어들의 선택으로, 일부는 단어들의 다른 배열로 가능했다. 몇 가지 예시를 소개하면 이렇다.

당신의 서신은 나의 기운을 대단히 북돋워주었소.

당신의 문안은 나에게 보기 드문 즐거움의 계기가 되었소.

당신의 편지가 도착했을 때, 나는 특별한 즐거움에 사로잡혔소.

당신이 나에게 쓴 글은 매우 유쾌했소.

당신의 편지를 읽고 나는 기쁨이 충만했소.

당신의 편지는 내게 적지 않은 즐거움을 주었소.

당연히 150개의 문장이 모두 똑같이 만족스럽거나 적절한 것은 아니었다. 일부는 기형이었다. 그러나 학생들은 인위적으로 다양한 형식을 실험함으로써 그들이 작업하는 언어의 유연성을 인식하고 또 그들의 범위를 넓히는 법을 배우게 되었다. 결국 그들은 특정 대상에 대해 말하는 방법이 다양하지만, 특정한 주제, 상황, 또는 청중에 알맞은 '최선의 방법'이 존재한다는 것을 배웠다. 그리고 특정한 상황이나 청중에게 적합한 '최선의' 방법이 다른 상황이나 청중에게는 '최선'이 아니라는 것도 배웠다.

이 책은 여러분에게 두 종류의 모방을 연습할 기회를 줄 것이다. 산문의 대목들을 필사하는 것과 다양한 문장 패턴을 모방하는 것이다. 그러나 연습에 들어가기 전에 유명한 필자 몇 사람이 어떻게 글 쓰는 법을 배웠는지 그들의 증언을 들어보자. 이런 증언들을 읽어보면 모방이 양식 만들기의 기본이란 점을 알게 될 것이다.

모방의 가치에 관한 증언

말콤 X

내가 할 수 있는 최선은 사전을 붙잡는 것, 곧 공부하고 일부 단어들을 배우는 것임을 알았다. 나는 또한 글씨를 더 잘 쓰려고 애써야 한다는 것도 추론할 수 있을 만큼 행운아였다. 그런데 슬펐다. 글씨를 한 줄로 가지런히 쓸 수조차 없었다. 이 두 생각 때문에 나는 노포크 프리즌 콜로니 학교에서 사전과 더불어 서판과 연필 몇 개까지 부탁하게 되었다.

나는 사전을 그냥 되는 대로 뒤적거리며 이틀을 보냈다. 예전에는 그토록 많은 단어가 있는 줄 몰랐다! 어느 단어들을 배울 필요가 있는지도 몰랐다. 결국은 무엇이든 시작할 목적으로 필사하기 시작했다.

나는 느리고 어설픈 손글씨로 정성을 들여 첫 페이지에 인쇄된 모든 것—구두점까지—을 내 서책에 필사했다.

하루는 걸린 것 같다. 이후 내가 서판에 쓴 모든 것을 큰 소리로 나 자신에게 읽어주었다. 거듭해서 내가 쓴 손글씨를 나 자신에게 읽어준 것이다.

이튿날 아침 일어나서 그 단어들에 관해 생각해보니, 내가 그 많은 단어를 한꺼번에 썼을 뿐 아니라 세상에 존재하는지도 몰랐던 단어들을 썼다는 사실을 알고 너무나 뿌듯했다. 더군다나, 조금만 노력해도 그 가운데 많은 단어의 뜻을 기억할 수 있었다. 그 뜻을 기억하지 못했던 단어들은 복습했다. 지금도 사전의 첫 페이지에 나온 aardvark(땅돼지)라는 단어가 머리에 떠오르니 참 재미있다. 사전에는 그 그림까지 실렸는데, 꼬리와 귀가 길고 굴을 파는 아프리카 포유동물로서 개미핥기가 그러듯이 혀를 내밀어 잡은 흰개미를 먹고 산다.

나는 너무나 신나서 사전의 다음 페이지도 필사했다. 그리고 똑같은 경험을 했다. 페이지를 넘길 때마다 역사적인 사람들과 장소들과 사건들에 관해 배웠다. 사실 사전은 백과사전의 축소판과 같다. 마침내 사전의 A섹션이 한 서판을 가득 채웠고, 나는 B섹션으로 진입했다. 나는 이런 식으로 시작해서 결국은 사전 전체를 필사하기에 이른 것이다. 필사를 거듭할수록 글쓰기 속력이 빨라져서 진도가 훨씬 빨리 나갔다. 내가 서판에 쓴 것과 남은 생애 동안 감옥에서 쓴 편지를 다 합치면, 백만 단어는 썼을 것으로 짐작한다.

_알렉스 헤일리(Alex Haley)와 말콤 X, 《말콤 엑스》(*The Autobiography of Malcolm X*)

벤자민 프랭클린

이즈음 〈스펙테이터〉의 결질본을 만났다. 빠진 책은 세 번째였다. 이전에는 그 어느 것도 본 적이 없었다. 나는 그것을 사서 읽고 또 읽었다. 매우 즐겁게 읽었다. 글솜씨가 뛰어나서 가능하면 나도 모방하고 싶었다. 이런 생각을 품고 종이 몇 장을 꺼내어 각 문장에 소감을 짧게 기록한 후, 며칠 두었다가 책을 보지 않은 채 각 소감을 길게 표현함으로써 그 종이들을 다시 채우려고 노력했고, 손에 잡히는 적절한 글로 예전에 표현된 만큼 최대한 쓰려고 애썼다. 이후 나의 〈스펙테이터〉와 원본을 비교해서 몇 가지 잘못을 발견했고, 그것들을 바로잡았다. 그러나 나는 어휘를 비축하고 그것들을 기억해서 사용할 준비를 갖추고 싶었는데, 이는 내가 시를 지으려고 했다면 그 이전에 습득했어야 했다는 생각이 들었다.

분량을 맞추기 위해 의미는 같지만 길이가 다르거나 운율을 위해 다른 소리가 나는 단어들이 필요한 상황이 계속되기 때문에, 나는 다양성을 찾을 필요성을 늘 접했고 그 다양성을 해결해서 그것을 모두 통달하곤 했다. 그러므로 몇 가지 이야기를 취해 시로 바꾸었고, 시간이 조금 흐른 후에 그 산문을 웬만큼 잊어버린 때가 되면 다시 산문으로 돌아가곤 했다. 때로는 내 소감들을 헷갈리게 뒤섞었고, 몇 주가 흐른 후 완전한 문장을 만들어 그 종이를 완성하기 전에 그것들을 최선의 순서로 정리하려고 애썼다. 이는 나 자신에게 생각을 배열하는 방법을 가르치기 위함이었다. 나중에 내 작품을 원본과 비교한 결과, 많은 잘못을 발견해서 고쳤다. 그러나 때로는 별로 중요하지 않은 세부사항에서 그 방법이나 언어를 개선할 수 있을 만큼 진보해서, 어쩌면 장차 내가 그토록 열망했던 괜찮은 작가가 될 가능성이 있다고 상상하며 즐거워하기도 했다.

_《벤자민 프랭클린 자서전》(*The Autobiography of Benjamin Franklin*)

윈스턴 처칠

나는 거의 1년 동안 얌전한 상태에 계속 머물렀다. 하지만 [해로 공립학교에서] 최하급에 오랫동안 머무는 바람에 더 영리한 친구들보다 엄청난 이점을 얻게 되었다. 그들은 모두 진도를 나가서 라틴어와 그리스어와 그런 찬란한 것들을 배우기에 이르렀다. 그러나 나는 영어만 배웠다. 우리는 오직 영어만 배울 수 있는 열등생으로 간주되었다. 소머빌 씨—내가 큰 빚을 진 쾌활한 남자—는 가장 우둔한 소년들에게 가장 경시되는 것, 즉 영어로만 글쓰기를 가르치는 책임을 맡았다. 그는 그 방법을 알고 있었다. 그래서 다른 누구도 가르치지 않은 방법으로 가르쳤다. 우리는 영어 구문 분석을 철저히 배웠을 뿐만 아니라 영어 분석을 계속 연습하기도 했다.

소머빌 씨에게는 그 나름의 시스템이 있었다. 그는 꽤 긴 문장을 택해서 검은색, 빨간색, 파란색, 녹색 잉크를 이용해 그 구성요소들로 분해했다.

주어, 동사, 목적어: 관계사절, 조건절, 접속사 절과 이접 접속사 절 등! 각 요소는 색깔로 표시되고 괄호로 묶였다. 그것은 일종의 훈련이었다. 우리는 거의 매일 그런 연습을 했다. 나는 어느 누구보다도 세 배나 길게 3학년에 머물러 있었기 때문에 그만큼 많이 연습했다. 그래서 나는 일반적인 영국식 문장—이는 고상한 것이다—의 기본 구조를 뼛속까지 새기게 되었다. 그리고 훗날 아름다운 라틴어 시와 간결한 그리스어 경구를 써서 상을 받았던 내 친구들이 생계를 꾸리거나 출세하기 위해 다시금 평범한 영어로 내려와야 했을 때에도, 나는 불이익을 받았다고 전혀 느끼지 않았다. 자연스럽게 나는 영어를 배우는 소년들을 선호하는 쪽으로 기울어졌다. 나는 그들 모두 영어를 배우게 하고 싶다. 그리고 영리한 소년들은 하나의 영예로 라틴어를 배우게, 한턱으로 그리스어를 배우게 허용하고 싶다. 그러나 내가 채찍질하고 싶은 유일한 이유는, 영어를 알지 못해서가 아니라 영어를 알게 하기 위해서다.

_윈스턴 처칠, 《나의 초기 인생》(*My Early Life: A Roving Commission*)

서머셋 모옴(William Somerset Maugham)

IX

현 상황에서 나는 스스로를 가르쳐야 했다. 나의 타고난 적성, 나의 원초적 재고자산을 발견하기 위해 어린 시절에 쓴 이야기들을 살펴본 후에야 숙고해서 그것을 개발하게 되었다. 그 방법은 아마 내 연한이 너그럽게 봐준 거만함과 천성적인 결함인 성마름을 갖고 있었다. 그런데 나는 현재 나 자신을 표현한 방식에 대해서만 얘기하고 있다. 나에게는 쉬운 대화체를 집필하는 선천적인 명석함과 기교가 있었던 것 같다.

당시에 유명한 극작가였던 헨리 아더 존스(Henry Arthur Jones)가 나의 첫 소설을 읽은 후, 한 친구에게 내가 장차 당대의 가장 성공적인 극작가 중 하나가 될 것이라고 말했다. 그는 그 소설에서 연극에 대한 감각을 보여준 직설적이고 효과적인 표현방식을 간파했던 것 같다. 나의 언어는 평범했고, 나의 어휘는 한계가 있었고, 나의 문법은 부실했고, 나의 어구는 진부했다. 그러나 글쓰기는 나에게 숨쉬기만큼 자연스러운 본능이었고, 내가 글을 잘 썼는지 또는 엉성하게 썼는지를 생각하려고 멈추지 않았다. 몇 년이 흐른 후에야 글쓰기는 힘겹게 습득해야 할 섬세한 기술이라는 생각이 떠올랐다. 그 점을 발견하게 된 계기는 나의 취지를 종이에 표현할 때 경험한 어려움이었다.

나는 대화체를 거침없이 집필했으나 묘사하는 페이지에 이르면 온갖 곤경에 빠지곤 했다. 나는 두세 문장을 놓고 두어 시간 동안 고심했으나 그것을 해결할 방법을 찾을 수 없었다. 그래서 나 자신에게 글쓰는 법을 가르치기로 결심했다. 안타깝게도 나를 도와줄 사람이 없었다. 나는 많은 실수를 저질렀다. 나에게 앞에서 거론한 멋진 명사와 같은 지도자가 있었다면 많은 시간을 절약했을 것이다. 그런 사람은 나에게 나의 재능이 한 방향을 향해 있으므로 그 방향으로 개발되어야 한다고, 그리고 나의 적성에 맞지 않는 일은 노력해도 소용이 없을 것이라고 일러주었을 것이다. 그런데 당시에는 화려한 산문이 경탄을 받았다. 그래서 이색적인 경구들로 가득한 보석 같은 문구와 문장을 써서 풍부한 짜임새를 만들려고 시도하곤 했다. 그런 이상형은 황금으로 가득한 직물이라서 스스로 벌떡 일어설 정도였다. 지성적인 젊은이는 월터 페이터(Walter Pater)의 작품을 열광적으로 읽었다. 내 상식에는 그것이 무기력한 것으로 보였다. 그 정교하고 우아한 시대 배후에 지치고 창백한 인물이 있다는 사실을 나는 의식했다. 나는 젊고 원기 왕성하고 에너지가 넘쳤다.

나는 신선한 공기와 행동과 폭력을 원했기에, 죽음의 냄새가 나는 대기에서 숨을 쉬는 것과 속삭이는 소리가 아니면 무례하게 여기는 조용한 방에 앉아있는 것이 무척 힘들었다. 그러나 나는 내 상식을 경청하려고 하지 않았다. 나는 이것이 최고의 문화라고 스스로를 설득했고, 소리치고 욕하고 바보짓을 하고 술에 취하는 바깥 세계를 조롱하게 되었다. 나는 《의도들》(*Intentions*)과 《도리언 그레이의 초상》(*The Picture of Dorian Gray*)를 읽었다. 《살로메》(*Salome*)의 페이지에 짙게 산재해 있는 환상적인 언어의 색채와 희귀함에 완전히 취해버렸다. 나 자신의 빈약한 어휘력에 충격을 받은 나는, 연필과 종이를 갖고 대영박물관에 가서 신기한 보석의 이름들, 비잔틴 풍의 옛 에나멜들, 천의 감각적 느낌을 적었고, 그것들을 내포하는 정교한 문장들을 지었다. 다행스럽게도 나는 그것들을 이용할 기회를 찾을 수 없었고, 그것들은 난센스를 쓸 생각이 있는 사람을 위해 옛적의 노트에 아직도 들어있다.

당시에는 흠정역 성경이 영어가 배출한 가장 위대한 산문이라는 생각이 널리 퍼져 있었다. 나는 그 성경—특히 아가서—을 부지런히 읽으면서, 장래에 사용하기 위해 감명 깊은 표현방식을 적고 특이하거나 아름다운 단어들의 목록을 만들었다. 그리고 제레미 테일러(Jeremy Taylor)의 《거룩한 죽음》(Holy Dying)을 공부했다. 그의 양식을 흡수하기 위해 구절들을 필사한 후, 기억에 의존해 그것들을 써보려고 노력했다.

이 노력의 첫 열매는 안달루시아에 관한 작은 책인 《성모의 땅》(The Land of the Blessed Virgin)이었다. 어느 날 그 책의 일부를 읽을 기회가 있었다. 나는 안달루시아에 관해 당시에 알았던 것보다 현재 훨씬 더 많이 알고 있고, 내가 썼던 많은 것에 관한 내 생각을 바꾸게 되었다. 그 책은 미국에서 계속 조금씩 팔리고 있어서 그것을 개정해도 좋겠다는 생각이 들었다. 그러나 곧 그 작업이 불가능하다는 것을 알았다.

그 책은 내가 완전히 잊어버린 누군가가 쓴 것이었다. 나는 지겨워서 주의가 산만해졌다. 그러나 나의 관심사는 그 산문이었다. 양식을 연습하던 차에 쓰인 책이었기 때문이다. 무언가 동경하고, 암시적이며, 공들인 그런 산문이었다. 편하지도 않았고 자발적이지도 않았다. 베이스워터에 소재한 큰 집의 식당에 딸린 온실의 공기와 같이 온실 식물과 일요일 만찬의 냄새가 났다. 듣기 좋은 형용사들이 매우 많다. 어휘는 감상적이다. 풍부한 황금 양식을 지닌 이탈리아식 직물을 상기시키지는 않지만, 번 존스(Edward Burne-Jones)가 디자인하고 모리스(Morris)가 재생산한 그런 커튼 재료를 상기시킨다.

X

나는 그것이 이런 종류의 글쓰기가 나의 성향 내지는 선천적인 조직적 성격에 상반된다는 잠재의식적 느낌이었는지 여부는 모르겠으나. 후자는 나로 하여금 신고전주의 시대로 눈을 돌리게 했다. 스위프트의 산문이 나를 사로잡았다. 이것이 글을 쓰는 완벽한 방식이라고 판단하고, 제레미 테일러에 관해 연구한 방식 그대로 그에 관해 연구하기 시작했다. 나는 《통 이야기》를 선택했다. 스위프트가 노년에 그 작품을 다시 읽고는 "당시는 내가 얼마나 천재였던가!"하고 외쳤다고 한다. 내 생각에는 그의 천재성이 다른 작품들에 더 잘 나타난 것 같다. 그 작품은 지루한 알레고리이고, 그 아이러니는 너무 단순하다. 그러나 그 양식은 훌륭하다. 영어가 그보다 더 잘 쓰일 수 있는지는 상상하기 어렵다. 여기에는 화려한 시대, 환상적인 어구 전환, 또는 거창한 이미지가 전혀 없다. 오히려 자연스럽고 신중하고 예리하면서도 수준 높은 산문이다. 터무니없는 어휘로 의외의 효과를 노리는 부분도 없다. 마치 스위프트가 쉽게 다가온 첫 단어로 작업한 듯이 보이지만, 그는 날카롭고 논리적인 두뇌를 갖고 있어서 그것이 항상 적합한 단어였고 그것을 적합한 장소에 두었다. 그의 문장들의 힘과 균형은 고상한 취향 덕분이다. 예전에 했던 방식대로 구절들을 필사한 후, 나중에 기억에 의존해 그것들을 다시 쓰려고 노력했다. 나는 단어들이나 순서를 바꾸는 시도도 해봤다. 그 결과 유일하게 가능한 단어들이 바로 스위프트가 사용했던 것들이고, 그가 설정한 순서가 유일하게 가능한 순서임을 알게 되었다. 그것은 나무랄 데가 없는 산문이다.

그런데 완벽함에는 심각한 결함이 하나 있다. 지루해지기 쉽다는 것. 스위프트의 산문은 포플러나무에 접경한 채 우아하고 굽이치는 시골을 따라 흐르는 프랑스 수로와 같다. 고요한 매력은 당신을 만족시키지만 감정을 유발하지도, 상상력을 자극하지도 않는다. 당신은 계속 읽어가다가 약간 지루해진다. 그래서 당신이 스위프트의 멋진 명쾌함, 그의 간결함, 그의 자연스러움, 그의 애정의 결핍에 감탄하는 만큼, 그의 주제가 특별히 흥미롭지 않다면 한참 뒤에 주의가 산만해지는 경험을 한다. 나에게 다시 시간이 주어진다면, 스위프트를 상세히 공부한 것처럼 드라이든의 산문을 공부하고 싶다. 내가 그토록 많은 수고를 하는 성향을 잃어버리기 전에는 그런 생각이 떠오르지 않았다. 드라이든의 산문은 맛있다. 그 산문은 스위프트의 완벽함이나 애디슨의 편한 우아함이 없지만 봄날의 쾌활함, 대화체의 편안함, 즐거운 자발성이 있어서 무척 매혹적이다. 드라이든은 매우 좋은 시인이지만, 그가 서정적 속성을 갖고 있었다는 것은 일반적인 견해가 아니다. 그런데 바로 이것이 부드럽게 반짝이는 그의 산문에서 노래하는 것임은 참으로 이상하다. 잉글랜드에서 산문이 그렇게 쓰인 적이 예전에는 없었다. 드라이든은 행복한 순간에 꽃을 피웠던 것이다. 그는 그의 뼛속에 제임스 1세 시대 언어의 격조 높은 미문과 바로코식 육중함을 갖고 있었고, 프랑스어로부터 배운 재치 있고 점잖은 표현의 영향을 받아 그것을, 엄숙한 주제에 알맞을 뿐 아니라 스치는 순간의 가벼운 생각을 표현하기에 도 적합한 도구로 전환시켰다. 그는 최초의 로코코식 예술가였다. 스위프트가 프랑스 수로를 상기시킨다면, 드라이든은 영국의 강, 즉 조용하게 바쁜 도시들을 통과하고 갓 깨어난 마을들 곁을 흐르며, 고상한 유역에 잠깐 멈췄다가 삼림지대를 강력하게 관통하는 등, 언덕들 둘레를 쾌활하게 휘감는 그런 강을 생각나게 한다. 그것은 살아있고, 다채롭고, 바람에 노출되어 있다. 그리고 영국의 상쾌한 노천 냄새를 풍긴다.

나는 내가 한 작업들이 너무나 좋았다. 나는 더 잘 쓰기 시작했다. 하지만 잘 쓰지는 못했다. 나는 딱딱하게, 또 자의식을 품고 글을 썼다. 나는 내 문장들에 패턴을 도입하려고 애썼으나 이미 패턴이 뚜렷하다는 것을 보지 못했다. 나는 단어를 배치하는데 주의를 기울였으나, 18세기 초에 자연스러웠던 순서가 우리 시대의 초기에는 매우 부자연스럽다는 점을 미처 생각하지 못했다. 스위프트의 방식으로 쓰려고 시도했지만, 나로서는 내가 그토록 흠모했던 그 불가피한 안성맞춤의 효과를 내는 것이 불가능했다. 이후 나는 희곡을 많이 썼고 오직 대화체에만 몰두하는 것을 그만 두었다. 5년이 흐른 뒤에야 나는 다시 소설을 쓰기 시작했다. 당시에는 더는 문장가가 되고픈 야망을 품지 않았다. 미문에 대한 생각을 아예 제쳐놓았다.

나는 가능한 한 장식적인 언어가 없이, 꾸밈없는 방식으로 글을 쓰고 있었다. 나는 할 말이 너무 많아서 글을 낭비할 수 없었다. 그저 사실들을 적고 싶었다. 나는 형용사를 전혀 사용하지 않겠다는 불가능한 목표와 함께 시작했다. 만일 당신이 정확한 용어를 찾을 수 있다면, 수식하는 경구는 없어도 된다고 생각했다. 내가 내 마음의 눈으로 보았듯이, 내 책은 언어를 절약하기 위해 그 의미를 명확하게 하는데 필요하지 않은 모든 단어를 배제한, 엄청나게 긴 전보처럼 보였을 것이다. 나는 교정쇄를 수정한 이후에 그것을 읽지 않았기에, 내가 시도한 것에 얼마나 근접했는지는 지금도 모른다. 단, 그것이 적어도 내가 이전에 쓴 어떤 것보다 더 자연스럽게 집필되었다는 인상을 받았다. 그러나 거기에 종종 부주의한 표현이 있다고 확신하고, 아마도 문법적으로 많은 실수가 있을 것이다.

이후에 나는 많은 책을 썼다. 옛 대가들에 대한 조직적인 연구는 그만 두었지만(정신은 원하지만 몸이 약해서) 갈수록 더 열심히 더 나은 글을 쓰려고 노력했다. 나는 나의 한계를 발견했고, 유일하게 현명한 대책은 그 한계 내에서 최대한 탁월성을 추구하는 것인 듯이 보였다. 나에게는 시적인 자질이 없다는 것을 알았다. 어휘도 빈약했고, 어휘를 넓히려고 노력해도 별로 소용이 없었다. 나에게 은유의 재능은 조금 있었다. 독창적이고 인상적인 직유는 거의 떠오르지 않았다. 시적인 비상과 상상의 나래를 펴는 것에는 내 능력이 미치지 못했다. 나는 타인들이 그들의 생각에 입힌 부자연스러운 비유와 특이하되 암시적인 언어를 흠모할 수는 있었으나, 내가 창안한 것은 결코 그런 아름다운 장식을 덧입지 않았다. 그리고 나는 나에게 쉽게 다가오지 않는 것을 하려고 애쓰는데 지쳐버렸다. 다른 한편, 나에게는 날카로운 관찰력이 있었고, 다른 사람들이 놓치는 많은 것을 볼 수 있는 것 같았다. 나는 논리적 감각을 갖고 있었고, 설사 언어의 풍부함과 생경함에 대한 큰 감각은 아니라도, 어쨌든 그 소리에 대한 생생한 감상력은 보유하고 있었다. 나는 내가 원하는 만큼 잘 쓸 수는 없다는 것을 안다. 그러나 내가 노력하면 나의 선천적인 결함이 허용하는 만큼 잘 쓸 수 있다고 생각했다. 깊이 생각해본즉 나의 목표를 명쾌함, 단순함, 그리고 듣기 좋은 말로 삼아야 할 것 같았다. 나는 이 세 가지 특징을 내가 부여한 중요성의 순서로 놓았다.

_서머셋 모옴, 《서밍 업》(*The Summing Up*)

롤로 월터 브라운:

《프랑스 소년은 글 쓰는 법을 어떻게 배우는가》(*How the French Boy Learns to Write*)

미국인 교사가 프랑스의 교육 시스템을 직접 접촉하는 순간, 글쓰기가 학교와 일과에서 차지하는 큰 자리를 보고 깜짝 놀란다. 첫째, 작은 소년이 어느 교실에서 눈에 띄든지, 그는 항상 일반 노트를 갖고 다니면서 거기에 모든 과제, 모든 문제, 모든 실험, 배울 모든 인용문, 모든 지리와 역사 메모와 지도는 물론, 다수의 특별한 연습문제도 기록한다. 학생이 이 작업에서 사용하는 언어도 교사가 신중하게 학점을 매긴다. 둘째, 작문도 상당히 많다. 소년이 연속적으로 사유할 만큼 성숙했다고 간주되는 순간부터 그는 정규적으로 작문을 준비한다. 어느 교실에서는 3일이나 5일마다 두 개의 연습문제를 푼다. 초등학교와 심지어 열서너 살까지도 1주일에 1~2회 짧은 주제를 주면 학생들이 무척 좋아한다. 길이는 다양하지만 보통은 150단어에서 400단어 정도이다. 이는 미국인의 평균 주제보다 더 긴 편이다. 이보다 덜 자주 주어지는 긴 작문은 보통 600단어에서 1,500단어에 달한다. 이에 덧붙여 상급 학년에 올라가면 역사와 사회, 철학과 문학 과목에서 많은 리포트를 쓰게 된다. 사실 그는 언제나 글을 쓴다고 말해도 과언이 아니다. 어쨌든 학창 시절에 다른 노력을 하듯이, 지속적인 연습을 통해 조만간에 글쓰기는 완전히 정상적인 마음상태로 수행하기에 이른다.

하지만 글쓰기의 양은 그 질보다 덜 중요한 것으로 간주된다. 만일 한 소년이 엉성하게 생각하고 글을 쓴다면, 그는 연민이나 경멸을 받을 만한 불행한 존재로 여겨진다. 다른 한편, 그가 능숙하게 생각하고 글을 쓸 수 있다면, 교사들과 급우들에게 큰 존경을 받게 된다. 그리고 글 쓰는 능력에 대한 관심은 교실 밖에서도 뚜렷이 나타난다. 책과 기사를 쓰는 필자들은 순전한 모국어가 처한 위험에 대해, 마치 윤리 문제나 중대한 국가 정책을 다루듯이, 심각하게 논의한다. 나는 이 책을 쓸 목적으로 작문들을 확보했는데, 부모들이 보통은 자녀들의 저술을 보존하고 싶어 한다는 사실을 알게 되었다. 더군다나, 학생들이 시험에서 두각을 나타내면—이는 항상 작문에 달려 있다—그들은 마치 운동 경기에서 트로피를 탄 것처럼 상을 받고 공개적으로 발표된다. 그렇다고 해서 지적 경쟁이 운동 경기로 대체되었다고 성급한 추론을 하지 않기를 바란다. 프랑스 소년은 미국 소년만큼 야외 활동을 좋아하고, 야외 스포츠는 학교생활에서 꾸준히 중요한 자리를 차지하고 있다. 그러나 글을 잘 쓰는 것을 이상(理想)으로 삼는 전통이 그토록 오랫동안 자리 잡고 그토록 진지하게 여겨진 나머지, 학생들은 이런 능력에 평균적인 미국 소년이 현재 이해할 수 있는 정도보다 더 많은 중요성을 부여한다.

어디서나 글 쓰는 능력에 그토록 큰 중요성을 부여하는 것을 감안하면, 초등학교와 중등학교 시스템에서 모국어 코스가 체계적인 작문 훈련에 큰 자리를 제공하는 것은 놀랄 일이 아니다. 문법과 수사학과 문학 수업이 학생이 자기 생각을 온전히 지적으로 표현하는 능력에 기여하지 않는다면 대체로 낭비에 불과하다는 것이 교육부와 많은 교사의 확신이다. 더 나아가, 교수 이론들과 제안된 모든 교과 과정의 조정은 먼저 학생의 이런 능력에 미치는 영향과 관련해 고려되는 것 같다. 표현이 유일한 목표는 아니지만, 모든 하급 학교에서는 그것이 일차적인 목표이다. 그리고 다른 관점으로 보면, 학생의 표현 방식에 대한 주된 책임은 모국어를 가르치는 교사에게 주어진다. 나중에 살펴볼 것처럼, 소년이 역사와 기하학과 다른 과목들에서 수행하는 글쓰기는 그의 기술에 나름대로 기여하도록 짜여있지만, 모국어를 가르치는 교사에게 가장 큰 책임과 가장 큰 부담이 부여된다. 그는 자기 과업을 시간과 에너지 면에서 어렵고도, 무척 비싸되 지극히 중요한 것으로 받아들인다. 이제 매우 특별한 목적이나 개인적인 정교한 장치를 조사하는 일은 제쳐놓고, 모국어 교사가 무엇을 성취하려고 하고 또 어떻게 그의 길을 찾아가는지 살펴보도록 하자.

두 묶음의 연습문제들이 어디서나 독창적 작문 공부에 반드시 필요한 예비과정으로 간주된다. 첫째 그룹에 속한 문제들은 학생의 어휘를 확대하고 체계화하기 위한 것이다. 물론 따로 서서 어휘를 향상시키기 위해 고안된 연습문제를 보면, 매우 인위적이고 비효과적으로 느껴질 수 있다는 것을 알고 있다. 사실 그럴지도 모른다. 엉성하게 훈련받은 교사나 지극히 중요한 가르치는 능력이 부족한 교사의 손에 들리면, 그보다 더 헛된 연습문제를 상상하기 어려울 것이다. 그러나 이런 가능성은 프랑스 교육가들이 무시하는 듯이 보인다. 그들은 엉성한 교사가 가르칠 경우에는 수업이 무가치해지거나 심지어 해로울 수 있다는 것을 선뜻 시인한다. 그런데 어떤 수업인들 그렇게 되지 않겠는가? 하지만 그들은 그런 수업이 그런 이유로 제쳐져야 한다는 결론으로 도약하지는 않는다. 그들은 좋은 교사를 표준으로 생각했고, 그들 스스로 그런 위험을 피하는 과업과 의문의 여지가 없는 가치를 지닌 그런 교육의 이점을 개발하는 작업을 떠맡았다.

이 교육의 기초가 되는 이론은 임시 교사의 개인적 의견이 아니다. 이는 전국에서 받아들인 정설이다. 교육부가 중등학교 교사들에게 내린 [지침]에는 이렇게 요약되어 있다. "앞의 [문법] 연습문제들은 학생이 모국어를 이해하고 어휘력을 키우도록 도와준다. 그러나 후자의 목적을 위해서는 오로지 그 문제들에만 의존하면 안 되고, 심지어 대화, 받아쓰기, 읽기, 또는 텍스트 해설에만 의존해도 안 된다. 학생이 단어를 배워야 한다.

물론 절대로 사물과 동떨어진 채 배우면 안 된다. 그는 단어의 뜻과 그 의미의 정확한 차이를 파악할 수 있어야 하고, 필요할 때는 즉시 그 단어를 찾는 데 익숙해져야 한다. 그런즉 이 연습문제의 가치는 특히 어휘 공부에 맞춰져 있다."

내가 알게 된 어휘 수업은 세 부분으로 나눠진다: (1) 확대하기, (2) 연마하기, (3) 촉진하기. 물론 수업은 3개의 별도의 과정들로 분립되지는 않지만, 교사는 그의 방법을 결정하는 삼중적인 목표를 갖고 있다. 학생이 하나의 교실 수업 또는 여러 수업에서 그 방법의 모든 측면을 보지는 못할 것이다. 하지만 중등 교사들을 위한 [지침], 초등학교용 교과서, 초등학교와 중등학교 시스템에서의 모국어 수업 등에서 강조하는 원리들은, 수업의 다양한 세부사항들에 대한 개요를 제공한다.

어휘를 확대하려고 고안된 연습에서는 학생이 특정 단어를 그것이 묘사하는 대상이나 아이디어와 틀림없이 연결시키는 것을 필수로 여긴다. 단어를 모종의 아이디어와 연결시키지 않은 채 마음에 품는 것은 우리가 흔히 생각하는 것보다 훨씬 더 어렵지만, 프랑스 교사는 모험을 하지 않는 것 같다. 그는 학생에게 어떤 단어가 물리적으로나 정신적으로 실재하는 어떤 것의 상징이 아니라면, 그것을 쓸모없는 것으로 여기도록 지도한다. 둘째, 학생은 새로운 단어를 이미 그의 어휘력에 포함된 다른 단어들과 연관시킴으로써, 그 단어가 머릿속에 확고히 자리를 잡도록 해야 한다. 새로운 단어는 학생이 이미 알고 있는 유사어와 연결될 수 있고, 그에게 이미 알려진 단어와 대조될 수 있고, 또는 환경에 의해 그의 머리에 자주 떠오르는 일군의 아이디어와 연결될 수도 있다. 그러나 어떤 경우에는 새로운 단어를 잘 아는 단어들과 연관시키도록 지도를 받는다.

셋째, 단어를 일반적인 문맥에 투입시켜서—때로는 그 뜻이 설명되기 전에—학생이 관용적 용법에 대한 감각을 개발하도록 해준다. 끝으로, 특정 단어나 일군의 단어들에 필요한 정의나 설명을 할 때는 그 출발점을 일반적이 아닌 세부적인 것으로, 추상적이 아닌 구체적인 것으로 잡는다. 적어도 이론적으로는, 교사가 추상적인 속성인 '성실함'(sincerity)을 논의하기 전에 학생의 머릿속에 '성실한'(sincere)의 의미를 심어줄 것이다. 그는 소년에게 '풍부함'(richness)을 설명하기 전에 많은 것이 '풍부하다'(rich)는 것을 보여줄 것이다. 또는 '고상함'(nobility)을 설명하기 전에 '고상한'(noble)이란 단어의 뜻을 가르쳐줄 것이다. 더 나아가, 만일 어떤 단어가 여러 정의를 갖고 있다면, 주로 추상적이거나 비유적인 정의들보다 가장 단순한 정의, 가장 쉽게 이해할 수 있는 정의, 소년이 품고 있는 구체적인 아이디어와 이미지와 가장 쉽게 연결될 수 있는 정의를 먼저 설명할 것이다. 만일 어떤 단어가 한 소년에게 가장 소중한 것이 되려면, 그것이 그의 머릿속에 명확히 자리 잡은 아이디어를 상징하고 또 개별적인 맛을 지녀야 한다는 것이 당연시된다.

단어에 대한 감각을 연마하도록 고안된 연습에서는, 한 단어가 학생의 삶에 진입하게 하는 수단이 참으로 많다는 사실에 감명을 받지 않을 수 없다. 그는 그 단어를 정의하고, 용인된 용도의 예들을 찾고, 본래의 뜻을 배우게 된다. 그 단어가 주로 비유적인 경우에는 문자적인 뜻을 배운다. 그리고 그는 그 단어를 비슷한 뜻을 지닌 다른 단어들과 비교하고, 무엇보다 그것을 정반대의 뜻을 지닌 단어들과 대조하게 된다. 모든 단어-교수의 기초는 유사성이 아니라 대조성이라고 말해도 지나치지 않다. 만일 어떤 단어가 주로 명사로 사용된다면, 교사는 학생이 유사한 형용사들이 그 단어에 무차별적으로 붙여진다는 개념을 형성하게 하지 않고 오히려 어떤 형용사들이 그 단어와 적절하게 사용되는지 배우도록 돕는다. 만일 그 단어가 형용사나 동사라면, 그는 그것이 보통 어떤 부사들을 취하는지, 그리고 어떤 부사들은 그 단어와 밀접하게 연관되는 순간 어떻게 어색하고 관용어법에 어긋나는지를 보여준다. 이런 수많은 연습문제를 통해 학생은 단어들이 똑같은 가치를 지니지 않는다는 것, 단어 선택은 어떤 계기가 있을 때 단지 사전적 정의를 찾는 문제가 아니라 단어의 뜻을 소유하는 문제임을 알게 될 것이다.

단어가 금방 머릿속에 떠오르게 하는 연습에 관해서는 할 말이 별로 없다. 그 성격은 이미 시시한 바 있다. 그 연습문제들은 보통 그 단어 자체, 그 용도, 유사어와 반대어에 관한 연속적인 질문들, 그리고 그 단어를 떠올릴 주제에 관한 구술 연습이나 작문 연습으로 구성되어 있다. 나는 운문이 산문으로 전환되는 것은 보지 못했으나, 학생들로 한 종류의 산문을 다른 종류의 산문으로 바꾸게 하는 연습문제는 많이 보았다. 많은 경우에는 교사가 학급에게 어떤 이야기나 에세이를 읽어준 뒤에 학생들로 그것을 그들 나름의 언어로 반복하도록 했다. 이런 연습을 한동안 한 뒤에는 소년이 이미 잘 이해했으나 아직 운용 어휘로 만들지 못한 많은 단어를 무의식적으로 채택하게 된다. 그는 모방적인 글쓰기에서—적어도 순간적으로는—마땅히 해야 하는 대로 그의 개성을 포기하지는 않지만, 그 자신이 읽거나 듣는 것에 대해 뚜렷한 인상을 갖게 해주는 열린 마음 상태에 있게 된다.

어휘 수업의 범위는 무척 넓다. 열두 살이 되면, 소년은 단순한 물체들을 정확한 이름으로 부르는 연습을 했을 뿐 아니라, 주변 세계에 손을 뻗쳐서 매우 다양한 활동에 속한 단어들과 친숙해져 있다. 그는 전문직들, 노동자의 직업들, 농장, 사회생활, 정치 생활에 관해 현명하게 말할 수 있다. 그는 대기의 친숙한 현상들, 친구들의 신체적 특징, 그들의 도덕적 가치관과 도덕적 잘못에 관해 논의할 수 있다. 그리고 상업, 전쟁, 식민지화, 도시나 시골에서의 생활과 관련해서 생기는 단어들을 정확하게 사용할 수 있다. 아울러 선로, 증기선, 전차, 전보, 전화와 같은 전달수단에 관해 얘기하거나 글을 쓸 수 있다. 이 능력은 산발적인 또는 맹목적인 몰입으로 얻는 게 아니라 질서 정연하고 체계적인 공부로 얻는 것이다. 가르침은 지나치게 경직되지 않고 기계적이지도 않다. 교실을 몇 달 동안 방문해도 가르침이 체계화되어 있다고 느끼지 않을 수도 있다. 그러나 그런 광범위한 수업이 가능한 것은 신중한 체계 덕분이다. 그런 수업은 고립된 개별적 노력 때문이 아니라 잘 고안된 계획 때문에 가능하다.

모국어를 가르치는 프랑스 교사가 보편적으로 사용하는 예비 연습의 둘째는 받아쓰기이다. 미국에서는 무언가 새로운 것의 길을 터주기 위해 받아쓰기를 따로 제쳐놓은 것 같다. 하지만 프랑스 교사들은 어떤 것이 좋다고 믿으면 구식의 방법이나 장치를 사용하는 것을 주저하지 않는다. 그러므로 받아쓰기를 공부 프로그램에서 빠뜨리는 대신, 그것을 강조하고 발전시켜서 현재는 받아쓰기가 매우 중요하고 철저히 자리 잡은, 교육 절차의 일부가 되었다. 이는 어린이가 심오한 사고력을 개발하기 전에 기술을 습득할 수 있다는 신념에 기초해 있다. 그래서 그가 너무 어려서 자기 생각을 글로 쓰지 못하는 동안에 남의 생각을 쓰는 연습을 많이 한다. 교사들은 받아쓰기가 그 나름의 위험을 안고 있다고 시인한다. 그러나 그 위험은 받아쓰기가 지닐 가치와는 비교할 수 없다고 생각하기 때문에, 그들은 어휘 연습을 사용하듯이, 감수할 위험이 조금 있어도 더 큰 상식에 따른다는 확신으로 받아쓰기를 사용하는 것이다.

프랑스 교사들은 보통 받아쓰기의 네댓 가지 가치들에 대해 생각한다. 받아쓰기는 학생에게 문장을 다루는 연습을 많이 시킨다. 그의 주의를 문법적 구성으로 이끌어준다. 학생이 철자를 쓰는 법, 구두점을 찍는 법, 대문자를 쓰는 법을 배우도록 도와준다. 그의 어휘를 확대하고 그에게 이미 알고 있는 단어들을 사용하는 연습을 제공한다. 그의 머리를 표준적인 담화로 가득 채운다. 여기에 한 가지 가치를 더해야 하는데, 이는 사려 깊은 교사가 가장 큰 가치로 간주해야 마땅한 것이다. 내용인즉, 받아쓰기는 학생이 구어와 글쓰기를 분리시키지 못하게 막아준다는 것. 어린 학생이 독창적 작문 연습에 늘 제기하는 반론의 하나는, 글쓰기야말로 자신이 예전에 시도한 어떤 것과도 다른 인위적 과정으로 보인다는 것이다.

이 반론은 물론 단지 다음 두 가지 사실을 표현하는 것일 뿐이다. 먼저 언어는 자연스럽게 글쓰기보다는 말하기의 문제라는 사실이고, 또 하나는 그 자신이 입으로 말하는 것과 종이에 쓰는 것 사이의 밀접한 관계를 느끼지 못했다는 사실이다. 그렇다면 이제 작문을 시작하기에 앞서, 그리고 훗날 초보적인 작문을 연습하는 동안에 그 자신이 듣는 것을 받아쓰는 연습을 한다면, 말하기와 글쓰기의 관계가 약화될 가능성이 훨씬 적어진다. 주의 깊게 교사의 읽기를 경청하고, 단어들을 그 자연스러운 사유 집단 안에서 포착하고, 하나씩 그의 연습장에 기록하는 동안, 그는 작문의 역학에 관해 많이 배울 뿐 아니라, 주제 글쓰기를 정상적인 실존에서 멀리 떨어진 어떤 것으로 보는 오류에서 벗어날 수 있다.

교사는 받아쓰기를 시킬 때 굉장한 주의를 기울인다. 처음에는 단순한 문장들을 읽어줄 수밖에 없지만, 그 후에는 고립된 문장들이 아니라 흥미로운 완전한 단락을 읽어준다. 더구나, 학생에게 받아쓰도록 얘기하기 전에 항상 그 단락을 충분히 설명해준다. 이런 경계는 너무나 중요시되기 때문에 교사가 학생에게 무의미하거나 모호한 것을 받아쓰도록 하는 것이 금지되어 있다. 또한 그는 학생의 주의를 끌 만한 내용을 담은 단락을 읽는다. 말하자면, 그 내용을 표현하는 아이디어와 언어가 학생이 파악할 수 있는 것이어야 한다. 그리고 끝으로, 교사는 연습이 단조롭게 되지 않도록 경계한다. 단락은 길지 않고 보통은 짧으며 수정은 관심이 식지 않는 동안에 즉시 이뤄지고, 학생이 지나치게 부주의하지 않는 한 받아쓰기를 다시 시키지는 않는다. 10분 내지 15분 동안 즐거운 활동을 하기 때문에 시간이 금방 지나가고, 소년은 부주의한 교사 아래서는 지루한 벌이 될 수 있는 그런 연습을 하고 있다고는 꿈에도 생각하지 않는 것 같다.

요약

그러므로 프랑스 학교에서 실질적인 글쓰기가 받는 관심은, 적절한 가르침의 문제가 아니라 흥미로운 환경에서 수행되는 확실한 연습의 문제이다. 작문은 모국어 과정에서 매우 중요한, 아니 가장 중요한 부분으로 간주된다. 어휘 공부와 받아쓰기 연습은 하급 학교에서 끊임없이 수행되어 결국 소년이 자라서 체계적인 작문으로 할 말이 있을 때 아무런 장애 없이 그 자신을 표현할 수 있게 해준다. 과제물은 매우 중요한 것으로 간주된다. 과제물은 주의력과 관찰력, 상상력, 성찰의 습관을 차례로 개발시키기 위한 것이다. 더구나, 이 자료는 학생이 깨어나서 흥미를 가질 때까지 교실에서 늘 논의된다. 그리고 학생이 그에 관해 쓸 때는, 글의 체계와 전반적인 양식에 최대한 주의를 기울여야 한다. 주제를 비판할 때는 구두 토론이 중요한 자리를 차지한다. 더 나아가, 교사는 그의 비판적 제안을 특히 건설적으로 만든다. 즉, 그는 엉성한 작품과 좋은 작품의 차이점을 강조하고, 학생들로 하여금 그들의 단점보다 주제가 지닌 가능성에 대해 생각하도록 이끌어준다. 그리고 끝으로, 학생이 모국어 공부에서 받는 훈련은 다른 과목들에 대한 공부로부터 작지 않은 도움을 받는다.

_롤로 월터 브라운, 《프랑스 소년은 글 쓰는 법을 어떻게 배우는가》(*How the French Boy Learns to Write: A Study in the Teaching of the Mother Tongue*)

모방 연습

구절 필사

우리가 추천하는 첫 번째 모방 연습은 흠모하는 작가들의 글을 필사하는 것이다. 이는 멍청한 연습처럼 보일지 몰라도, 당신에게 고상한 양식에 대해 많은 것을 가르쳐줄 수 있다. 이번 장의 앞부분에서 우리는 양식을 상세히 공부할 때 찾게 되는 여러 특징을 지적한 바 있다. 글을 조심스럽게 필사하다 보면, 이런 특징들이 눈에 들어올 것이다.

이런 연습에서 유익을 얻고 싶다면 몇 가지 규칙을 지킬 필요가 있다.

1. 필사할 때 한 번에 15분 내지는 20분 이상을 쓰면 안 된다. 만일 한 자리에서 이 연습을 20분 이상 수행하면 주의력이 흐트러지고 당신 스스로 그냥 단어를 필사하는 모습만 보일 것이다.

2. 필사 작업을 연필이나 볼펜으로 수행해야 한다. 타이핑은 너무 빠르고 또 기계적이라서, 작가의 양식의 특징에 전혀 주의를 기울이지 않은 채 모든 글을 베낄 수 있다. 손으로 필사하면 단어의 선택과 배치, 문장의 패턴, 문장의 길이와 다양성을 관찰할 시간을 확보할 만한 속력으로 글을 베끼게 된다.

3. 한 작가에게 지나치게 많은 시간을 사용하면 안 된다. 단일한 작가의 양식에 집중한다면, 당신 스스로 수사학자들이 경고한 '추종적인 모방'에 빠지는 모습을 보일 것이다. 이 연습의 목표는 다른 누군가의 양식을 습득하는 것이 아니라, 다양한 양식들에 대한 '감각'을 키움으로써 당신 나름의 양식을 개발하는데 필요한 토대를 놓는 것이다.

4. 필사를 시작하기 전에 본문 전체를 읽어서 그 전반적인 생각과 방식을 포착할 수 있어야 한다. 필사할 때는 필사하기 전에 각 문장을 읽는 것이 바람직하다. 본문 필사를 다 마친 후에는 그 필사본을 읽어서 다시금 본문 전체에 대한 감각을 되찾는 것이 필요하다.

5. 글을 천천히 또 정확하게 필사해야 한다. 만일 이 연습을 급하게 해치운다면, 차라리 전혀 하지 않는 편이 나을 것이다. 정확성과 적절한 속력을 기계적으로 확보하는 방법은 손 글씨를 최대한 읽기 쉽게 만드는 것이다.

장기간에 걸쳐 필사 연습을 실행한다면 이로부터 최대의 유익을 얻게 될 것이다. 한 달 동안 매일 한 구절씩 이어서 필사하는 것이 한 주 동안 매일 여러 페이지를 필사하는 것보다 더 유익한 것으로 드러날 것이다. 이 연습을 할 때 당신이 관찰한 바를 흡수할 시간을 확보해야 한다. 만일 이 연습을 짧은 기간에 억지로 해치운다면 이로부터 배울 많은 교훈을 흡수할 시간이 없을 것이다.

문장 패턴의 모방

한동안 구절들을 필사한 뒤에는 또 다른 종류의 모방을 시도할 수도 있다. 개별 문장들을 패턴으로 삼아 당신 자신의 문장들을 고안해낼 수 있는 것이다. 이것은 축어적 필사보다 더 어려운 연습이지만, 공들여 수행하면 더 큰 유익을 얻게 된다.

그러면 그 모델을 얼마나 비슷하게 좇아가야 할까? 당신의 마음이 내키는 만큼 그래도 좋다. 그러나 적어도 절들과 문구들의 종류와 수와 순서를 똑같이 지킨다면 가장 많은 열매를 거두게 될 것이다. 만일 모델 문장이 분사구로 시작한다면, 당신도 분사구를 맨 앞에 놓아야 한다. 만일 모델 문장이 세 개의 명사절을 병행 구조로 두고 있다면, 당신도 세 개의 명사절을 지닌 문장을 비슷한 구조로 써야 한다.

이 연습의 목표는 한 단어씩 모델과 정확하게 맞추는 게 아니라, 다양한 문장구조를 인식하는 데 있다. 많은 학생이 미숙하고 단조로운 문장구조에서 벗어나는 모험을 감행한 적이 없는 이유는, 복잡한 문장 패턴을 시도한 적이 없기 때문이다. 모델들을 좇아 그런 패턴으로 글을 써보면 구문론적 자원이 늘어날 것이다. 그리고 학생들이 더 많은 자원을 구사할 수 있다면 글쓰기 능력에 더 많은 자신감을 갖게 되리라.

물론 아무도 글을 쓰는 동안 이런 식으로 말하진 않을 것이다. "나는 방금 동명사구들이 산재한 복합문을 썼다. 이번에는 문장을 부사절로 시작해서 일련의 명사절들을 주동사의 목적어로 사용하겠다." 이런 자의식적 접근은 틀림없이 괴물 같은 산문을 낳게 될 것이다.

아니다. 우리의 산문은—키츠(Keats)의 글을 빌리자면—'나무에 잎이 나오듯이' 자연스럽게 나와야 한다. 우리가 쓰는 산문의 종류는 자의적일 수 없다. 주제, 경우, 목적, 청중, 그리고 필자의 성격에 좌우되기 때문이다. 만일 내용과 형식이 밀접한 관계가 있는 게 사실이라면, 주어진 청중과 목적을 위해 특정한 것을 말하는 최선의 방식이 있는 것이 틀림없다. 그러나 실제적으로, 대부분의 경우 우리가 이루게 된 것은 무언가를 말하는 더 나은 방식들 하나이다. 콜리지(Coleridge)는 언젠가 이렇게 말했다. 완전한 양식에 대한 무오한 테스트는 '그 뜻을 손상시키지 않고 똑같은 언어의 표현으로 환언하는 일이 불가능하다는 점'이라고. 아마 이런 '불가피한 산문'을 쓰는 일은 드물 것이다. 우리가 대체로 이루는 것은 기껏해야 적절한 산문일 뿐이다.

당신이 장차 수행할 상당히 많은 글쓰기는 즉흥적인 글쓰기일 것이다. 학교에 다니는 동안에는 에세이 유형의 답안을 써야 할 것인즉, 반추할 시간이 별로 없고 수정할 시간도 거의 없을 것이다. 나중에 직업을 갖게 되면 급하게 메모, 지시사항, 편지 등을 써야 할 것이다. 시민의 입장에서는 자녀들 편으로 학교에 보낼 메모를 갈겨쓰고, 부모에게 보낼 급한 편지를 쓰고, 지역 신문의 편집인에게 보낼 편지를 작성하게 될 것이다. 글쓰기 연습을 더 많이 할수록 이런 짧은 산문도 더 나아질 것이다.

그러나 당신은 또한 이따금 많은 성찰과 연구조사, 구성과 개정을 수반하는 그런 글쓰기도 요청받을 수 있다. 이사회에 제출할 보고문을 쓸 수도 있고, 상공회의소에서 행할 연설을 준비하게 될 수도 있다. 바로 이런 글쓰기를 할 때 당신이 구사할 수 있는 착상과 양식을 마음껏 활용하게 되리라. 이는 필연코 느린 글쓰기가 되겠지만, 그렇다고 굳이 힘겨운 글쓰기가 될 필요는 없다. 누군가 "힘든 글쓰기는 쉬운 읽기에 도움이 된다"고 말한 적이 있다. 그리고 퀸틸리안은 이렇게 말했다. "빨리 글을 쓰면 결코 잘 쓰지 못할 것이다. 잘 쓰면 곧 빨리 쓰게 될 것이다."

그러므로 이런 주의사항과 목적을 염두에 두고 이제 숙련된 필자들의 문장 패턴을 모방하는 연습을 해보라. 어쩌면 당신은 이 연습에서 기계적으로 모방한 문장들의 일부는 평생 쓸 기회가 없을지 모르지만, 그런 패턴을 배워서 손해될 것은 하나도 없다.

이 모든 모방 연습—구절을 필사하기, 본래 문장을 패턴에 따라 쓰기, 모델 문장의 패턴을 변형하기, 동일한 생각을 담은 다른 표현을 고안하기—은 당신에게 많은 귀중한 교훈을 가르칠 수 있다: (1) 당신의 언어가 제공하는 사전적 및 구문론적 자원이 다양함을 인식시킬 수 있다. (2) 적합한 단어들을 선택해서 다양한 방식으로 배치하는 연습을 제공할 수 있다. (3) 모든 변형이 똑같이 명료하거나 우아하거나 적절한 것은 아님을 가르칠 수 있다. (4) 문장 패턴의 변형은 종종 다른 효과를 낳고, 다른 표현은 종종 다른 의미를 낳는다는 것을 가르칠 수 있다. 그러나 모든 모방 연습의 궁극적 목표는, 결국 당신을 자신의 모델에서 풀어줘서 나름의 방식을 구사하도록 능력과 자원을 구비시키는 것이다.

존 F. 케네디: 취임 연설(1961. 1. 20)

1. 우리는 오늘 정당의 승리가 아닌 자유의 축제를, 시작과 더불어 끝을 상징하고, 변화와 더불어 갱신을 표시하는 행사를 거행합니다. 왜냐하면 나는 여러분과 전능하신 하나님 앞에서, 우리 조상들이 거의 한 세기하고도 75년 전에 규정한 바로 그 엄숙한 선서를 했기 때문입니다.

2. 세계는 이제 매우 달라졌습니다. 유한한 사람이 자기 손에 모든 형태의 인간 빈곤과 모든 형태의 인간 생명을 없앨 힘을 갖고 있기 때문입니다. 하지만 우리 조상들이 얻기 위해 싸웠던 그 혁명적인 신념, 즉 사람의 권리가 국가의 관대함이 아니라 하나님의 손에서 나온다는 신념이 여전히 지구촌 전체의 이슈가 되고 있습니다.

3. 우리는 오늘 우리가 그 첫 혁명의 상속자들임을 결코 잊어서는 안 됩니다. 이 시간과 장소로부터, 친구와 적에게 똑같이, 그 횃불이 미국의 새로운 세대에게 넘겨졌다는 소식이 전파되게 하십시오. 이 세대는 금세기에 태어났고, 전쟁으로 단련되었고, 힘겹고 혹독한 평화로 훈육을 받았고, 우리 조상의 유산을 자랑스럽게 여기고, 이 국가가 항상 헌신해온 그 인권, 우리가 오늘 국내와 전 세계적으로 헌신한 그 인권이 서서히 파멸되는 것을 목격하거나 허용하기를 꺼려하는 세대입니다.

4. 우리는 자유의 생존과 성공을 보장하기 위해 어떤 값도 치르고, 어떤 짐도 지고, 어떤 역경도 직면하고, 어떤 친구도 지지하고, 어떤 적도 대적할 것임을 ―우리가

잘 되길 바라거나 못 되길 바라는— 모든 국가로 알게 하십시오.

5. 이만큼 우리가 서약합니다—그리고 더 이상을.

6. 우리와 문화적 및 영적인 기원을 공유하는 옛 동맹들에게는, 신실한 친구의 의리를 약속합니다. 연합하면, 많은 협력적인 사업으로 할 수 없는 일이 별로 없습니다. 분열하면, 우리가 할 수 있는 일이 별로 없습니다. 불화하고 흩어지면 강력한 도전에 대처할 수 없기 때문입니다.

7. 우리가 자유 국가의 반열로 환영하는 새로운 국가들에게는, 식민 지배의 한 형태가 단지 훨씬 더 철통같은 전제로 대치되었다고 해서 사라지지 않을 것임을 보증합니다. 우리는 그들이 우리의 견해를 항상 지지할 것으로 기대하지 않을 것입니다. 그러나 우리는 그들이 그들 자신의 자유를 강하게 지지하기를 항상 바라고, 과거에 호랑이의 등을 타고 어리석게 권력을 추구했던 이들이 내부에 갇히고 말았다는 것을 기억하기를 바라겠습니다.

8. 지구촌 반쪽에서 대규모 불행의 속박을 끊으려고 씨름하는 오두막과 시골에 몸담은 이들에게는, 얼마 동안의 기간이 필요하든지 그들이 스스로를 도울 수 있도록 최선을 다할 것임을 약속합니다. 공산주의자들이 그런 일을 하기 때문이 아니고, 우리가 그들의 투표를 구하기 때문도 아니고, 그것이 옳기 때문입니다. 만일 자유로운 사회가 가난한 다수를 도울 수 없다면, 부유한 소수를 구할 수 없습니다.

9. 우리의 국경 남쪽에 있는 자매 관계의 공화국들에게는, 특별한 약속을 제공합니다. 진보를 위한 새로운 동맹 관계에서 우리의 선한 말을 선한 행위로 바꾸고, 자유로운 사람들과 정부들이 가난의 사슬을 벗어버리도록 돕겠습니다. 그러나 이 평화로운 희망의 혁명이 적대적인 권력들의 먹이가 될 수는 없습니다. 우리의 모든 이웃으로 하여금 우리가 아메리카의 어디에서든 공격이나 전복에 반대하기 위해 그들과 손잡을 것임을 알게 하십시오. 그리고 모든 다른 권력에게 이 반구(半球)는 그 자체의 집의 주인으로 남을 생각임을 알게 하십시오.

10. 주권 국가들의 세계적 회합, 전쟁의 수단이 평화의 수단을 한참 앞지른 시대에

마지막 최상의 희망인 국제연합에게는, 우리가 지지할 것을 새롭게 약속합니다. UN이 단지 독설의 포럼이 되는 것을 방지하고, 새롭고 약한 국가의 방패가 되도록 힘을 실어주고, 그 영장이 통하는 지역이 더 넓어지도록 지지하겠습니다.

11. 끝으로, 스스로 우리의 대적이 되려는 국가들에게는 약속을 주지 않고 요청을 하는 바입니다. 과학이 풀어놓은 어둔 파괴의 권세들이 계획되거나 우발적인 자기 파괴로 온 인류를 삼켜버리기 전에, 양측 모두 평화를 위한 탐색을 새로 시작하자는 것입니다.

12. 우리는 감히 연약한 모습으로 그들을 시험하지 않습니다. 왜냐하면 우리의 무기가 틀림없이 충분할 때에만, 그것들이 결코 사용되지 않을 것임을 틀림없이 확신할 수 있기 때문입니다.

13. 그런데 두 개의 크고 강력한 국가 집단들 어느 쪽도 우리의 현재 방향에서 위안을 찾을 수 없습니다. 양측 모두 현대식 무기의 비용으로 과부하가 걸려있고, 양측 모두 치명적 원자탄의 꾸준한 확대로 깜짝 놀라고, 하지만 인류 최후의 전쟁의 손을 막아내는 불확실한 공포의 균형을 바꾸려고 경쟁하는 중이기 때문입니다.

14. 그래서 양측 모두 공손함은 연약함의 표시가 아니고, 성실함은 항상 증명되어야 한다는 것을 기억하면서, 우리 새로 시작합시다. 절대로 두려움 때문에 협상하지 맙시다. 그러나 협상하는 것을 결코 두려워하지 맙시다.

15. 양측 모두 우리를 분열시키는 문제들을 장황하게 말하는 대신에, 무슨 문제들이 우리를 연합시키는지 탐색합시다.

16. 양측 모두 처음으로 무기의 검열과 통제를 위한 진지하고 자세한 계획을 만들고, 타국들을 파괴하는 절대 권력을 모든 국가의 절대 통제 아래 두도록 합시다.

17. 양측 모두 과학의 공포 대신에 경이로움을 불러일으키도록 노력합시다. 다 함께 별을 탐구하고, 사막을 정복하고, 질병을 퇴치하고, 심해를 개발하고, 예술과 상업을 격려합시다.

18. 양측 모두 세계 방방곡곡에서 '무거운 짐을 벗기고… 억압받는 자를 해방시키

라'는 이사야(기독교 구약시대의 선지자—역자 주)의 명령에 귀를 기울이도록 연합합시다.

19. 그리고 만일 협력의 교두보가 의심의 정글을 밀어낸다면, 양측 모두 새로운 시도를 하되 새로운 세력 균형이 아니라 새로운 법의 세계, 즉 강자는 정의롭고, 약자는 안전하며, 평화가 보존되는 그런 세계를 창조하는 일에 합류합시다.

20. 이 모든 일은 처음 100일 만에 끝나지 않을 것입니다. 처음 1,000일 만에도, 이 행정부의 수명 안에, 심지어는 이 지구상에서의 우리 평생에도 끝나지 않을 것입니다. 그래도 우리 시작합시다.

21. 나의 동료 시민들이여, 나보다도 여러분의 손에 우리 방향의 최종 성공이나 실패가 달려있을 것입니다. 이 나라가 건립된 이래 각 세대는 국가에 대한 충성을 증언하도록 소환되어 왔습니다. 섬김의 부름에 응답한 젊은 미국인들의 무덤이 온 세계를 둘러싸고 있습니다.

22. 이제 트럼펫이 다시 우리를 부릅니다. 무기를 휴대하라는 부름이 아니고—비록 우리에게 무기가 필요하지만—싸우라는 부름이 아니라—비록 우리가 싸울 준비를 갖추고 있지만—해마다 '희망 가운데 기뻐하고, 환난 가운데 인내하면서' 황혼에 접어든 긴 싸움, 곧 인류 공동의 적들—전제, 가난, 질병, 전쟁—에 대한 싸움의 짐을 짊어지라는 부름입니다.

23. 우리는 과연 이런 적들에 대항해 남과 북, 동과 서를 아우르는 거대한 지구촌 연맹을 만들어 온 인류를 위해 좀 더 풍성한 삶을 확보할 수 있습니까? 여러분은 이 역사적인 노력에 동참하겠습니까?

24. 기나긴 세계 역사 가운데 소수의 세대만이 최대로 위험한 시기에 자유를 변호하는 역할을 부여받았습니다. 나는 이 책임에서 위축되지 않고 오히려 그것을 환영합니다. 우리 중 누구도 우리의 자리를 다른 민족이나 다른 세대와 바꾸고 싶어 하지 않는다고 믿습니다. 우리가 이 노력에 기울이는 에너지, 믿음, 헌신은 우리나라와 조국을 섬기는 모든 사람을 밝혀주고, 그 불에서 나오는 빛은 참으로 세계를 밝혀줄 수 있습니다.

25. 그러므로 동료 미국인들이여, 여러분의 나라가 여러분을 위해 무엇을 해줄 수 있는지 묻지 말고, 여러분이 여러분의 나라를 위해 무엇을 할 수 있는지 물으십시오.

26. 세계의 동료 시민들이여, 미국이 여러분을 위해 무엇을 해줄 수 있는지 묻지 말고, 우리가 인간의 자유를 위해 다 함께 무엇을 할 수 있는지 물으십시오.

27. 끝으로, 여러분이 미국 시민이든 세계 시민이든 간에, 여기서 우리가 여러분에게 요구하는 힘과 희생의 높은 기준을 똑같이 우리에게 요구하십시오. 우리의 유일하게 확실한 보상인 선한 양심과 함께, 우리 행실의 최후 심판자인 역사와 함께, 우리 모두 하나님의 축복과 도움을 구하되 지구상에서 하나님의 일이 참으로 우리의 것이 되어야 한다는 것을 알면서, 우리가 사랑하는 이 땅을 이끌기 위해 전진합시다.

〈뉴요커〉의 편집진: 존 F. 케네디의 취임 연설●

수사학이 갈수록 '없어도 좋은 교양 과목'이 된 나머지, 사람들은 웅변이 정치에 필수 불가결하다는, 고대 그리스인과 로마인이 그토록 굳게 품었던 아이디어를 버리고 말았다. 아마도 케네디 대통령이 두 영역 모두에서 이룬 업적이 훌륭한 연설에 대한 취향을 부활시킬 것이다. 그동안 이 취향은 불명료한 말에 의해 좌절되고, 과장된 말에 의해 무디어져 왔다. 우리 시대에 주목할 만한 연설가들이 몇 명 있었지만—가장 최근에는 애들레이 스티븐슨(Adlai Stevenson)—그들은 예외였고, 케네디 씨가 정치인으로 성공한 사례는 '말을 통해 영혼들을 매혹하는'(소크라테스) 능력이 곧 다시 한 번 유행할 것임을 시사한다. 취임 연설이 현대의 신 개척자들에게 어떤 영향을 미쳤든지 간에, 아테네인이나 로마 시민이 그것을 듣고 감동을 받지 않았을 것이라고 믿기가 어렵고, 키케로가 아무리 그 자신의 평판에 대해 질투심이 많았더라도 그것에 반대할 이유를 찾았을 것이라고 믿기 어렵다.

● "Notes and Comment", *New Yorker*, 1961. 2. 4

우리는 이제 그 대통령이 최초의 연설 때문에 받은 높은 칭송에 익숙하지만, 최후의 심판에 대한 책임이 〈타임〉지로 넘겨지기 전에 두어 명의 참된 전문가들의 의견을 구하지 않는 것은 부끄러운 일이리라. 아리스토텔레스와 키케로, 이론가인 전자와 이론적 연설가인 후자 모두 수사학은 예술이 될 수 있다고—즉 연설가는 먼저 논리학자이고, 그 다음으로 말에 대한 이해력을 지닌 심리학자라고 생각할 만큼—믿었다. 키케로는 더 나아가, 이상적인 연설가는 철저히 교육받은 사람이라고 생각했다. [그가 국사(國事)를 무척 강조하는 케네디 씨의 배경을 알았다면 기뻐했을 것이다: 철학자—연설가—정치인.] 고대인이 규정한 세 가지 연설 유형—정치적, 사법적, 과시적(청중의 참여가 양식 판단에 국한되는 것)—가운데 정치적 연설이 가장 높이 평가된 것은, 가장 고상한 이슈들을 다루었기 때문이다. 말하자면, 개개인의 운명이 아니라 백성들의 운명을 다뤘기 때문이다(이제 트럼펫이 다시 우리를 부릅니다…. 인류 공동의 적들—전제, 가난, 질병, 전쟁—에 대한…). 이상적인 연설은 화자가 세 종류의 설득을 모두 사용하는 것으로 생각되었다. 그 사례에 관한 사실들을 제시하고 그에 기초한 논증을 구성하기 위한 논리적 설득, 청중에게 심리적으로 다가가기 위한 감정적 설득, 본인의 정직함과 성실함을 입증해서 청중에게 호소하기 위한 '윤리적' 설득 등이다. 취임 연설은 '사람의 권리와 의무'라는 단일한 주제의 변종인 만큼, 비논리는 포함하고 있지 않지만, 일차적으로 논리적인 것은 아니다. 이는 사람들의 지성보다 그들의 영혼에 대한 호소이다. 케네디 씨는 대통령 선거운동 기간 동안 미국인의 심리에 대해 시험한 결과, 취임 연설에 필요한 것이 감정적 호소임을 깨달았다. "그러므로 동료 미국인들이여, 여러분의 나라가 여러분을 위해 무엇을 해줄 수 있는지 묻지 말고, 여러분이 여러분의 나라를 위해 무엇을 할 수 있는지 물으십시오." 그의 윤리적 설득, 또는 이 개인적 성실성의 표시는 그 호소의 연장으로 구성되어 있었다. "…우리가 여러분에게 요구하는 힘과 희생의 높은 기준을 똑같이 우리에게 요구하십시오."

아리스토텔레스는 단 하나의 (좋은) 양식을 인정한 한편, 키케로는 세 가지 양식—평이한, 중간, 화려한—이 있다고 생각했다. 아리스토텔레스는 양식이 과도한 높임(호언장담)과 지나친 낮춤을 피하고 명료하고 적절한 것으로 충분하다고 생각했으므로, 케네디 씨가 중용(Golden Mean)을 이룬 것으로 보았을 것이다. 취임 연설의 형식(주권 국가들의 세계적 회합, 전쟁의 수단이 평화의 수단을 한참 앞지른 시대에 마지막 최상의 희망인 국제연합에게는…)은 그 주제에 적합하다. 언어(나의 동료 시민들이여, 나보다도 여러분의 손에 우리 코스의 최종 성공이나 실패가 달려있을 것입니다) 역시 명료하고 직접적이다. 키케로의 이상적 연설가는 그의 주제가 요구하는 바에 걸맞게 세 가지 양식 모두로 말할 수 있어야 했는데, 이런 면에서 케네디 씨는 다음 세 가지 방식으로 그 임무를 다했다. 첫째, 실제적인 측면을 명백하게 말했다는 것(이 모든 일은 처음 100일 만에 끝나지 않을 것입니다), 둘째, 국가 방어의 목적에 대해 공식적이되 직접적으로 말했다는 것(우리의 무기가 틀림없이 충분할 때에만 그것들이 결코 사용되지 않을 것임을 우리가 틀림없이 확신할 수 있기 때문입니다), 셋째, 신(新)개척을 향한 운동의 잠재적 성취에 관해 웅대하게 말했다는 것(우리가 이 노력에 기울이는 에너지, 믿음, 헌신은 우리나라와 조국을 섬기는 모든 사람을 밝혀주고, 그 불에서 나오는 빛은 참으로 세계를 밝혀줄 수 있습니다)이다.

하지만 이 연설은 대체로 웅대한 양식으로 구성되었는데, 이는 키케로가 감정적 설득의 궁극적 원천으로 특징지은 양식으로서 비유적 표현과 —약강격이 아닌—어느 정도 위엄 있는 주기적 리듬을 통해 이뤄졌다(세계는 이제 매우 다릅니다. 유한한 사람이 자기 손에 모든 형태의 인간 빈곤과 모든 형태의 인간 생명을 없앨 힘을 갖고 있기 때문입니다). 이 연설은 비유적 표현—횃불, 교두보, 정글, 트럼펫, 호랑이를 포함한 많은 은유—이 너무나 풍부해서 장차 학생들이 대조법(만일 자유로운 사회가 가난한 다수를 도울 수 없다면 부유한 소수를 구할 수 없습니다), 의인화(…인류 최후의 전쟁의 손을), 수구 반복[무기를 휴대하라는 부름이 아니고—비록 우리에게 무기가 필요하지만—싸우라는 부름이 아니라—비록 우리가 싸울 준비를 갖추고 있지만— …(원문 참고)]의 본보기로 공부할 모습을 상상할 수 있다. '싸움'(battle)과 '싸울 준비를 갖추다'(embattled)는 유음중첩의 뛰어난 본보기다.

그러므로 우리는 케네디 씨를 위해 아리스토텔레스와 키케로의 축복을 빌었고, 우리 자신을 위해 그가 정치적 웅변의 전통을 재정립했다는 희망을 불러일으킨 만큼 이 연설을 수사학을 공부하는 학생들에게 남기는 바이다.

존 F. 케네디 취임 연설의 양식에 대한 분석

"만일 효과적인 언어 사용에서, 양식이 그 사람이라면 양식은 그 나라이기도 하다. 사람들, 국가들, 그리고 모든 문명은 그들의 문학적 어조에 의해 시험되고 평가되어 왔다."

_존 F. 케네디

연설의 전반적인 상황

취임 연설의 양식을 그 내용과 연관시키려면 화자의 주제, 행사, 청중, 그리고 에토스를 고려해야 한다. 취임은 특정한 전통들과 의례들을 수반하는 엄숙한 의식 행사이다. 그런 경우에 전달되는 연설은, 의도적인 요소들이 있을 수 있지만, 다양한 성격을 지닌다. 사람들이 기대하게 되는 것은, 구체적인 프로그램을 내놓는 연설보다 분위기를 조성하는 연설이다. 화자는 다음 행정부의 본질을 언급하는 가운데, 선거운동 기간 동안 입혔을 법한 상처를 치유하고, 청중에게 공동의 유산과 목적을 상기시키고, 새로운 행정부의 정책들과 목적들을 전반적으로 제시하고, 국제사회에 그 나라의 연속성과 결단에 대해 안심시키려고 노력할 것이다.

이같은 의식용 연설은 세부적인 내용보다 일반적인 내용을 다루기 때문에 진부한 말과 위선적인 말로 쉽게 미끄러질 수 있다. 화자가 '안전한' 연설로 모든 사람을 기쁘게 하려다 보면 아무도 기쁘게 하지 못할 위험을 감수하게 된다. 일반적인 내용과 구체적인 내용 사이에서, 진부한 내용과 유별난 내용 사이에서, 무례한 내용과 역겨운 내용 사이에서 중용을 지키려고 애쓰다 보면, 청중을 지겹게 만들지 않고 그들에게 감명을 줄 내용과 형식을 떠올릴 모든 재능을 활용하지 않으면 안 될 것이다.

취임 때 보통 전달하는 연설의 종류의 특징을 묘사한 만큼, 이제는 케네디 대통령이 1961년 1월 20일 아침에 직면했던 특수한 상황에 대해 생각해도 좋겠다. 존 피츠제럴드 케네디는 미국에서 최고위직에 선출된 가장 젊은 사람이자 최초의 가톨릭 신자였고, 적은 표 차이로 당선되었다. 젊은 나이, 종교, 선거에서의 아슬아슬한 승리 등 이 모든 것은 미국국민은 물론이고 다른 국민들의 마음에도 그에 관해 약간의 의심을 품게 했다. 이 신 개척의 지도자는 선거운동 기간에 엄청난 활력과 상당한 정치적 수완을 지닌 이미지를 창조한 만큼 나라를 전진시키겠다는 약속을 성취해야만 했다. 바로 이런 경우가 국민의 신뢰와 주도권을 불러일으키려면 강력한 윤리적 호소력을 행사해야 할 때였다.

이 연설의 청중은 어떤가? 현장에 나온 청중이 있을 것이다. 연단에 앉은 고위 관료들과 국회의사당 앞에 모인 수천 명의 사람들이다. 그리고 TV를 통해 화자를 보고 듣는 수백 만 명이 있었다. 아울러 외국에서 이튿날 신문을 통해 연설문을 읽게 될 수백 만 명이 있을 것이었다. 이 모두를 합하면, 화자에게 특별한 문제를 제기하는 거대한 이질적인 청중이 있었던 것이다. 앞에서 언급한 것처럼, 청중이 더 크고 이질적일수록 청중에 맞춰 담론을 조정하는 일이 더 어려워진다. 대통령은 내용과 양식 면에서 특정한 공통분모를 찔러야 하는데, 단 그것은 그 행사가 요구하는 존엄성 아래로 떨어지지 않는 공통분모라야 한다.

그 연설을 둘러싼 전반적인 상황을 고찰한 만큼, 이제는 대통령이 어떻게 그의 수단을 그의 목적에 맞췄는지 살펴보자. 이 분석에서는 물론 대통령이 그의 양식을 주제, 행사, 청중, 그의 성격에 맞춘 방식만 조사하게 될 것이다.

연설 전체

독자의 눈에 띄는 첫 번째 특징들 중 하나는 연설의 상대적인 간결함이다. 모두 1,343개의 단어들. 일반적인 속도로 연설하면 9~10분 정도 걸릴 것이다. 대통령이 이 연설문을 작성할 때는 현장 청중이 취임 전날 워싱턴 지역을 덮친 강한 눈보라에 따른 강추위 속에 서 있게 될 것을 알 수 없었을 것이다. 그래서 대통령이 연설을 짧게 만든 것은 추위에 떨 청중을 위한 배려가 아니었다. 하지만 연설을 준비하면서 그 연설이 상당히 긴 서론적 연설의 끝에 전달될 것임을 고려했을 가능성은 있다. 그러나 간결한 연설로 결정하게 된 연유는 아마도 취임 연설의 전통적 성격이었을 것이다. 우리가 말했듯이, 취임 연설은 보통 폭넓고 미발달된 일반적인 내용이다. 원칙들, 정책들, 그리고 약속들이 세부적 내용 없이 발표된다.

단락들

연설의 상대적 간결함은 단락과 문장 구조에 반영되어 있다. 인쇄된 연설문을 훑어보면 짧은 단락들이 연이어 등장한다. 27개의 단락들 가운데 10개는 단 한 문장만 있다. 7개는 두 문장으로, 또 다른 7개는 세 문장으로 구성되어 있다. 가장 긴 단락들(9와 24)도 불과 네 문장밖에 되지 않는다. 평균적으로 각 단락당 49.3개의 단어가 있고, 각 단락당 1.92개의 문장이 있다(영어 원문에 해당되는 통계임–역자 주).

대통령은 이 짧은 연설에서 많은 분야를 다루려고 애쓰고 있다. 이렇게 하기 위해 그는 줄줄이 이어지는 캡슐 형태의 단락들 안에 그의 원칙들, 약속들, 그리고 정책들을 선언한다. 만일 대통령이 그의 뛰어난 양식으로 이런 단락들을 기억할 만하게 만들지 않았더라면, 이런 정교하지 않은 단락들의 효과는 미미했을 것이다.

문장들: 길이

다음으로 작은 담론 단위인 문장으로 내려가면, 문장의 길이와 종류에 관해 흥미로운 사실을 보게 된다. 길이의 양극단은 80개 단어로 된 문장(단락 3의 둘째 문장)과 4개 단어로 된 문장(단락 20의 셋째 문장)이다. 대통령이 사용한 문장들의 평균 길이는 단어 25.8개이다. 그런데 대통령의 양식에 관해 더 잘 보여주는 것은, 이 평균보다 많고 적음의 편차이다. 52개 문장들 중에 14개(27퍼센트)는 평균보다 단어가 열 개 이상 많지만, 23개 문장(44퍼센트)은 평균보다 단어가 다섯 개 이상 적다. 유별나게 긴 문장들이 여럿 있지만—66개 단어(단락 10), 64개 단어(단락 22), 54개 단어(단락 8과 13)—유별나게 높은 비율이 20개 단어 이하로 구성되어 있다(영어 원문에 해당되는 통계임–역자 주). 현대 저널리즘의 기준으로 봐도 20개 단어 문장은 짧은 편이다. 짧은 문장의 높은 비율은 전반적인 간결함과 짧은 단락들과 잘 어울린다. 대통령이 문장 길이를 다양하게 구사하긴 하지만, 짧은 문장을 많이 사용한 것은 연설을 작성할 때 경청하는 청중을 유념했음을 보여준다. 대통령이 짧은 문장을 사용하게 만든 또 다른 고려사항은, 짧은 문장들은 의식용 연설에 적절한 격언의 효과를 내기 때문일 수도 있다.

문장들: 문법 유형

짧은 문장이 높은 비율을 차지하고 있어서, 대다수 문장이 단문이나 중문 유형으로 구성되어 있을 것으로 예상한다. 그러나 문법 유형을 면밀히 조사해보면, 그렇지 않다는 것을 알게 된다. 20개 문장(38.4퍼센트)이 단문이고, 단지 여섯 개 문장(11.6퍼센트)만 중문이다. 둘을 합치면 단문과 중문이 50퍼센트를 차지하고, 우세한 문법 유형은 복문이다(영어 원문에 해당되는 통계임-역자 주). 이는 대통령이 주로 종속관계의 정교한 힘을 통해 문장의 확대를 운용하고 있다는 것을 보여준다. 하지만 문장의 순서를 연구해보면, 대통령이 단조로운 구조를 피하기 위해 문법 유형들을 얼마나 잘 섞어놓았는지 볼 수 있다. 단지 여섯 군데 정도에서만 동일한 문법 유형에 속한 문장을 두 개 이상 묶어놓는다(영어 원문에 해당되는 통계임-역자 주).

문장들: 수사적 유형

이 연설의 수사적 패턴을 연구하면 케네디 대통령의 양식이 지닌 또 다른 흥미로운 특징을 보게 된다. 지배적인 수사적 구조는 대조법이다. 반복되는 이 구조는 아마 그 연설이 주로 정반대의 것들(끝-시작, 옛-새로운, 부유한-가난한, 친구-적)을 비교하기 때문에 형성되었을 것이다. 그는 첫 문장에서 연설의 주제와 대조적 요지를 밝힌다. "우리는 오늘 정당의 승리가 아닌 자유의 축제를, 시작과 더불어 끝을 상징하고, 변화와 더불어 갱신을 표시하는 행사를 거행합니다."

이밖에도 여러 대조법의 예들이 등장한다.

친구와 적에게 똑같이 (단락 3)

연합하면… 분열하면 (단락 6)

옛 동맹들에게는… 새로운 국가들에게는 (단락 6, 7)

만일 자유로운 사회가 가난한 다수를 도울 수 없다면, 부유한 소수를 구할 수 없습니다. (단락 8)

우리를 분열시키는 문제들… 무슨 문제들이 우리를 연합시키는지… (단락 15)

그리고 가장 기억할 만한 행(行)도 대조법의 형태로 되어 있다.

… 여러분의 나라가 여러분을 위해 무엇을 해줄 수 있는지 묻지 말고, 여러분이 여러
분의 나라를 위해 무엇을 할 수 있는지 물으십시오.

이런 대조법의 대부분은 병행적인 문법 구조로 배치되어 있다. 여기서 반복되는 병
행법이 적절한 이유는, 대통령이 비록 대조법으로 정반대의 것들을 부각시키지만, 이런
정반대 것들이 조화될 수 있다고 시사하길 원하기 때문이다. 상반된 것들은 단지 대등할
경우에만 조화될 수 있고, 상반된 것들의 대등한 가치를 강조하는 한 가지 방법은 그것
들을 병행적인 문법 구조로 병치하는 것이다.
　　대통령이 병행법을 활용하는 다른 용도는, 다음 세 가지 예처럼 상술 내지는 열거하
기 위해서다.

금세기에 태어났고, 전쟁으로 단련되었고, 힘겹고 혹독한 평화로 훈육을 받았고, 우리
조상의 유산을 자랑스럽게 여기고 (단락 3)

어떤 값도 치르고, 어떤 짐도 지고, 어떤 역경도 직면하고, 어떤 친구도 지지하고, 어
떤 적도 대적할 것임을 (단락 4)

다 함께 별을 탐구하고, 사막을 정복하고, 질병을 퇴치하고, 심해를 개발하고, 예술과
상업을 격려합시다. (단락 17)

비유적 표현을 공부할 때 보게 되겠지만, 이런 병행적인 패턴들과 대조적 패턴들의
다수에는 다른 수법들도 뒤얽혀있다.
　　수사적 패턴에 관한 이 부분을 끝내기 전에 양식의 다른 몇 가지 특징을 지적할까
한다. 학생들이 만일 문장의 첫 부분에 등위 접속사를 사용하는 것을 정당화할 증거가

필요하다면 이 연설을 인용해도 좋다. 대통령은 열네 개의 문장(25퍼센트 이상)을 등위 접속사로 시작한다(영어 원문에 해당되는 통계임-역자 주). 이런 용법의 전례는 물론 현대의 산문과 앞 세기들의 산문에 상당히 많다. 그런데 이 도구가 대통령의 연설에서 수사적으로 얼마나 효과적인지 주목하면 무척 흥미롭다. 그 가운데 하나의 예만 살펴보자.

우리는 감히 연약한 모습으로 그들을 시험하지 않습니다. 왜냐하면 우리의 무기가 틀림없이 충분할 때에만, 그것들이 결코 사용되지 않을 것임을 틀림없이 확신할 수 있기 때문입니다. (단락 12)

이 도구의 효과를 다음 문장과 대조해보라.

우리가 감히 연약한 모습으로 그들을 시험하지 않는 것은, 우리의 무기가 틀림없이 충분할 때에만 그것들이 결코 사용되지 않을 것임을, 틀림없이 확신할 수 있기 때문입니다.

두 문장의 내용과 수사적 수법은 똑같고, 만일 둘째 문장을 소리 내어 읽는다면 아마 첫째 문장과 같은 효과를 낼 수 있을 것이다. 그러나 인쇄된 상태로 보면, 두 번째 절을 '왜냐하면'(for)이라는 접속사로 두 절들의 삼단논법적인 관계를 표시함으로써 독립시키면 특별한 강조가 이뤄진다. 서두에 나오는 등위 접속사의 다른 용도를 분석해보면, 거기에 모종의 수사적 목적이 있다는 것을 알게 되리라.

문장: 기능적 유형들

문장들의 압도적 다수가 선언적이다. 이런 비중은 새로운 행정부의 목적을 세계에 알려주고 그들을 확신시키기 위해 계획된 연설에 적절하다. 하지만 이따금 대통령은 다른 기능적 유형들도 사용한다. 단락 23에서는 두 개의 수사적 질문을 사용한다(우리는 과연 이런 적들에 대항해 남과 북, 동과 서를 아우르는 거대한 지구촌 연맹을 만들어 온 인류를 위해 좀 더 풍성한 삶을 확보할 수 있습니까? 여러분은 이 역사적인 노력에 동참하겠습니까?). 이 질문들은 대통령이 결론에 접어드는 시점에 등장한다. 이 지점까지는 대통령이 무엇을 할 것인지, 미국 국민이 무엇을 할 것인지를 선언해왔다. 이제 그는 국제 사회가 평화와 번영을 위한 그의 프로그램을 지원할 방법을 제안하기 원한다. 그러나 다른 국가들이 할 일은 그가 제안—그는 지시하거나 예측할 수 없다—만 할 수 있을 뿐이다. 하지만 이 수사적 질문들은 그 자연스런 대답이 분명한 "예"가 되도록 엮어져 있다.

대통령은 다른 두 가지 유형의 기능적 문장들을 함께 묶어놓는다. 명령형과 권고형이다. 단락 25, 26, 27(연설의 결론부)에서 우리는 ask('묻다' 또는 '요구하다'라는 동사를 사용하는 세 개의 명확한 명령을 보게 되는데, 이는 시민들이 행동하도록 촉구한다. 이 지점까지는 청중이 이 의식용 담론을 듣는 청취자에 불과했다. 이제는 청중이 행동으로 참여해야 한다. 이 명령들은 그들이 취해야 할 전반적인 행동노선을 가리키고 있다.

단락 14부터 20까지 나오는 일련의 권고용 문장들(우리… 하자… 양측 모두… 하자) 역시 행동 강령을 내놓고 있지만, 이 지시들은 권고 형태로 주어져서 완화되어 있다(라틴어와 그리스어는 이런 효과를 내기 위해 동사의 가정법을 사용했을 것이다). 여기서 대통령은 행동을 명령하지 않고 행동을 유도하려 한다. 달리 말해, 그는 강요하기보다 설득하길 원한다.

어법

연설의 어법은 주제넘지 않게, 하지만 틀림없이 연설의 효과에 영향을 미치고 있다. 어법의 단순성은 금방 눈에 띄지 않아도, 공부해보면 웬만한 고등학교 졸업생은 사전을 찾아봐야 할 단어가 거의 없다는 것을 알게 된다. 더 자세히 살펴보면 단음절 단어가 높은 비중을 차지하고 있다. 951개 단어들(71퍼센트)이 단음절이다. 단락 19와 20에서는 단음절 단어의 비율이 80퍼센트나 된다(영어 원문에 해당되는 통계임-역자 주). 보통은 연설자가 다음절 어법으로 가능한 격조 높은 억양을 활용할 것으로 기대되는 결론부에서도 단음절 단어가 높은 비율을 차지하고 있다. 단음절의 큰 비중으로 말미암아 매우 단순하다는 인상을 줄 뿐 아니라 연설의 강점이 두드러지게 나타난다. 사람들은 이를 젊음이 넘치는 이 공적 인물과 연관시키게 되었다. 대통령은 연설 초안을 다듬을 때 의식적으로 단순한 앵글로 색슨 단어들을 찾으려고 했음이 틀림없다.

단음절 단어들의 높은 비율을 주목한 만큼, 구체적인 단어들의 높은 비율도 발견할 것으로 기대할지 모른다. 그러나 그렇지 않다. 명사들을 조사해보면 추상적인 단어들이 많다는 것을 알게 된다. 자유, 가난, 전제, 충성, 헌신, 책임, 공격, 전복과 같은 단어들이다. 그리고 대다수의 추상적 어법은 라틴어 계통의 다음절이다. 비유적 표현—이는 나중에 조사할 예정이다—을 제쳐놓으면 구체적인 단어들이 의외로 적다. 오두막, 마을, 별, 사막, 무덤 등이다. 이 연설이 구체성의 분위기를 갖고 있다면, 이는 비유적 표현 덕분이다. 추상적 단어의 높은 비율은, 아마 간결하고 정교하지 않은 특성이 낳은 자연스런 결과일 것이다. 일단 대통령이 그의 행정부의 폭넓은 정책만 발표하기로 결정한 만큼, 실명사의 대다수를 추상적인 단어로 쓰는 것이 거의 불가피했을 것이다. 이 짧은 연설에 담긴 것은 실제로 일련의 미발달된 토픽 문장들이다.

이 의식용 연설의 형식적 특징을 설명하는 또 하나의 요소는 고풍의 어법을 이따금 사용한다는 점이다. 대통령은 forebears(조상들, 2회), host(많은), anew(새로), asunder(흩어져), foe(적), adversary(대적), writ(영장)과 같은 단어들을 사용한다(영어 원문에 해당되는 분석임-역자 주). 이 예스런 어법은 링컨의 게티즈버그 연설(한 세기 하고도 75년 전, 우리 조상들, 최후의 안식처, 신성한)의 어투를 반영할 뿐만 아니라, 성경을 연상시키고 '과거의 것에서 새로운 것을 찾아내는' 식의 주제에 적합한 것이 확실하다. 대통령은 이런 어법의 효과를 구약성경 인용문 두 개와 호랑이의 등을 타는 것에 관한 속담으로 더욱 강화시켰다. 서약, 시민들, 평화와 같은 경어(敬語)의 반복 또한 경외하는 어조를 강화시키고 있다.

비유적 표현: 수법

무엇보다 먼저, 몇 가지 수법을 살펴보자. 일반적인 말하기로부터 결별하는 그런 패턴을 고찰하자. 이미 병행법과 대조법이 만연되어 있다고 언급했으므로 여기서는 다른 수법들에 집중할까 한다.

반복의 수법이 많이 눈에 띤다. 가장 주목할 만한 것은 수구반복이다. 연속적인 절들의 서두에 똑같은 단어들이 반복되는 현상이다. 특히 두드러지는 곳은 중요한 두 대목이다. 대통령이 일련의 서약을 맺는 부분(단락 6~11)과 행동 노선을 제안하는 부분(단락 15~18)이다. 앞에서 이 두 부분이 병행법을 활용한다고 말한 적이 있다. 이 대목들에 수구반복이 추가된 것은 두 가지 기능을 수행한다. 먼저 병행법과 함께 반복된 것의 대등함을 표시하고 강조한다. 그리고 그 대목의 운율을 설정해준다. 이 연설은 정반대 수법인 결구반복(연속적인 절들의 끝에 똑같은 단어를 반복하는 것)의 예는 없지만, 중간 위치에 비슷한 단어를 반복하는 예는 두 개가 있다[어떤 값도 치르고, 어떤 짐도 지고, 어떤 역경도 직면하고, 어떤 친구도 지지하고, 어떤 적도 대적할 것임(단락 4); 틀림없이 충분할 때에만⋯ 우리가 틀림없이 확신할 수 있기(단락 12)].

가장 많이 기억되는 문장—"여러분의 나라가 여러분을 위해 무엇을 해줄 수 있는지 묻지 말고, 여러분이 여러분의 나라를 위해 무엇을 할 수 있는지 물으십시오"—은 반복 치환법(단어들이 역순으로 반복되는 것)으로 알려진 반복의 형태를 갖고 있다. 또 하나의 기억할 만한 발언—"우리 절대로 두려움 때문에 협상하지 맙시다. 그러나 협상하는 것을 결코 두려워하지 맙시다"—은 또 다른 반복 치환법의 예처럼 보이나, 보다 정확하게 분류하면 대위법(polyptoton, 동일한 뿌리에서 유래된 단어들의 반복)이다. 여기에는 두려움(fear)이란 단어의 다른 동근어들이 있다. 첫째 절에서는 명사 역할을 하고 둘째 절에서는 부정사 역할을 하는 단어이다. 대위법의 또 다른 예는 단락 22에 나온다(싸우라는 부름이 아니라—비록 우리가 싸울 준비를 갖추고 있지만—). 〈뉴요커〉의 편집진이 말했듯이, 비록 여기에 유음중첩이란 비유도 있지만 말이다.

케네디 대통령은 도치법(anastrophe)이라 불리는 수법은 별로 사용하지 않는다. 연설 전체에서 도치된 구조는 한 군데밖에 없다. "연합하면(united), 많은 협력적인 사업으로 할 수 없는 일이 별로 없습니다. 분열하면(divided), 우리가 할 수 있는 일이 별로 없습니다"(단락 6). 대통령이 여기서 과거분사를 맨 앞에 두어 특별히 강조하고 있음을 쉽게 볼 수 있다. 보통 이런 분사들이 그 위치에 있을 때는 주절의 주어를 수식하지 않는데도 그렇다. 하지만 우리는 이 구조를 도치법이 아니라 생략(ellipsis)으로 간주할 수 있다. 클라이맥스(climax)로 알려진 비유에 가장 가까운 것은, 단락 25, 26, 27에 나온다. 그러나 여기 반복되는 것에서 점증하는 중요성의 요소를 찾으려면 약간의 억지 해석이 필요하다.

비유적 표현: 전의(tropes)

대통령이 비록 수법들은 노련하게 사용하지만 전의의 사용에서는 덜 만족스럽다. 이 연설에는 많은 은유가 나오는데, 앞서 언급했듯이, 이런 은유들은 연설에 구체성을 도입하는 주된 방법이다. 그런데 다수의 은유들—'햇불', '대규모 불행의 속박', '가난의 사슬', '세계 방방곡곡', '트럼펫', '그 불에서 나오는 빛'—은 진부하다. 좀 더 미묘한 은유들—'철통같은 전제', '풀어놓은 파괴', '황혼에 접어든 긴 싸움', '전진하다'—은 약간 더 참신하다고 할 수 있다. 가장 성공적인 은유는 단락 19에 나오는 다음 어구라고 생각한다. '그리고 만일 협력의 교두보가 의심의 정글을 밀어낸다면.' 교두보와 정글 자체는 진부한 은유들이지만, 이처럼 복합적인 은유로 묶어놓으면 어느 정도의 신선함을 얻게 된다.

'손'(전체의 일부)과 '팔'(종을 가리키는 속)을 여러 번 사용한 것은 제유(synecdoche)의 예로 간주될 수 있으나, 이런 전의들 역시 흔해빠진 것이다. 단락 13에 나오는 '손'의 사용—'인류 최후의 전쟁의 손을 막아내는 불확실한 공포의 균형'—은 제유라기보다 의인화의 예로 분류되어야 한다. 이 연설에서 의인화의 예로 읽을 수 있는 유일한 다른 표현은 마지막 단락에 나오는 다음 어구일 것이다. "우리 행실의 최후 심판자인 역사와 함께."

전달 방식

틀림없이, 이 연설의 효과 중 상당부분은 전달의 '방식'이 낳은 것이었다. 취임식을 TV로 시청한 사람들은 대통령의 명료하고 맑은 목소리, 독특한 보스턴 어조, 손가락으로 찌르는 버릇, 멈춤, 억양, 강조 등을 기억할 것이다. 목소리와 몸짓 등 이 모든 특징이 그 연설을 성공적으로 해내는 데 도움을 주었다. 이런 것들이 신중하게 다듬은 양식과 함께 대통령의 메시지를 유권자들과 세계에 전달하는 일을 도왔던 것이다. 그리고 그 양식에 대한 이 상세한 분석을 읽은 학생들은, 대통령의 암살 직후에 나온 기념용 녹음을 경청해서 다시금 그 연설을 종합하는 것이 좋을 듯하다. 연설이 녹음된 것을 들으면

이 연설이 구두 전달을 위해 고안된 담론이었다는 것을 알게 되고, 일단 학생이 여기서 지적된 양식의 장치들을 갖고 있으면, 고도로 세련된 연설 방식이 얼마만큼 학생에게 다가오는지 주목하는 것도 흥미로울 것이다.

결론

우리가 말한 다양한 양식용 장치들을, 어떤 사람들은 연설의 장식으로 간주할지 모른다. 이런 장치들이 연설에 '멋진 옷을 입히는' 것은 사실이지만, 만일 그런 장치들이 단지 장식으로만 간주된다면 수사학자들이 전통적으로 그것들에 부여했던 기능을 수행하지 못한 것이다. 이런 형식적 장치들은 의미 전달자의 하나가 되어야 한다. 만일 어법, 작문, 비유적 표현이 생각을 명료하게 하고 활기차게 하고 강조하는 기능을 수행하지 않는다면, 만일 그런 것들이 윤리적, 감정적, 또는 논리적 호소력을 발휘하지 않는다면, 한 작품의 양식은 시끄러운 꽹과리, 의미 없는 소음에 불과하다.

그 연설의 양식이 '케네디 양식'으로 인식될 수 있는지는 그리 중요하지 않고, 그 양식이 주제, 행사, 목적, 청중에 적합하다고 간주되는 것이 더 중요하다. 링컨의 〈게티즈버그 연설〉이 1863년 11월 19일 국립묘지에서 그것을 들었던 청중에게 특별한 인상을 주지 않았던 것처럼, 케네디의 취임 연설 역시—우리가 그 연설이 전달되는 동안 받았던 절제된 박수로부터 판단한다면—1961년 1월 20일 눈 쌓인 국회의사당 광장에서 그것을 들었던 청중에게 두드러진 인상을 주지는 않았다. 우리가 링컨과 케네디의 연설들을 읽고 또 읽는 기회를 얻을 때에만, 그것들이 얼마나 훌륭한 행사였는지 알게 된다. 우리가 시도한 것과 같은 상세한 분석을 해본 후에야, 케네디 대통령이 그의 연설의 '표현'에 얼마나 큰 공을 들였는지 알 수 있다. 그처럼 뛰어난 웅변은 우연히 생긴 것이 아니다. 이는 많은 가능성 사이에서 계산된 선택을 내려야만 가능한 일이다.

우리는 이제 대통령의 선택들이 과연 현명했는지 여부를 판단하기에 더 나은 입장에 있다. 그리고 우리는 장래 세대들이 과연 이 취임 연설을 미국 정치인의 입술에서 나온 가장 고상한 선언의 하나로 판단할 것인지 여부를 예측하기에 더 나은 입장에 있다.

〈버밍햄 감옥에서 보낸 편지〉에 나타난
설득으로서의 양식에 대한 분석 _리처드 펄커슨(Richard P. Fulkerson)●

앞장에서 우리는 마르틴 루터 킹의 〈버밍햄 감옥에서 보낸 편지〉의 배열에 관해 살펴보았다. 여기서는 리처드 펄커슨이 그 편지의 양식을 분석한다. 이 발췌문이 담긴 글의 앞부분에서는 펄커슨이 그 편지의 구조와 논증들을 분석했다. 이 부분에서는 그 양식의 몇 가지 특징을 지적하고 그 양식이 킹의 설득력에 어떻게 기여했는지 보여준다. 이 편지는 본서의 앞부분에 실려 있다.

하지만 긍정적인 윤리적 이미지는 위에서 논의한 선택된 청중 개념화와 반증 전략으로부터만 생기는 것이 아니다. 그런 이미지는 에세이의 양식으로부터도 생긴다. 여기서 내가 〈버밍햄 감옥에서 보낸 편지〉에 나타난 킹의 양식상의 융통성을 완전히 분석할 수는 없지만 좀 더 두드러진 몇 가지 특징을 부각시키고, 그 특징들이 전체적인 설득력을 강화시키는 방식에 대해 생각하고 싶다. 그 에세이의 양식은 유연하고 세련되어 있지만 읽기가 쉽다. 청중은 압도당하지 않은 채 좋은 인상을 갖게 될 것이다. 양식을 잘 다루면 유능하고 성실하다는 인상을 만들고 또한 독자의 감정에도 영향을 미친다.

모든 수사적 선택이 그렇듯이 양식의 결정도 여러 효과가 있다. 그러나 양식의 선택과 설득 간의 관계를 분명히 하려면, 효과적인 양식의 선택은 다음 셋 중 하나 또는 그 이상의 방식으로 작동할 것이라고 주장하는 게 필요하다. 그 선택은 보다 정교한 유사어 대신에 더 단순한 유사어를 사용하겠다는 결정과 같이, 웅변가가 각색한 대로 의미를 청중에게 더 효과적으로 전달하기 위해 양식을 적응시킬 수 있다. 이는 양식의 적응의 차원이다. 또는 그 선택이 두운이 가능한 단어들을 사용하겠다는 결정과 같이, 덜 자명한 방식으로 독자의 감정에 영향을 미칠 수 있다. 이는 양식의 감정적 차원이다. 끝으로, 양식의 선택은 일차적으로 웅변가의 이미지와 신빙성을 향상시켜주기 때문에

● Richard P. Fulkerson, "The Public Letter as a Rhetorical Form: Structure, Logic, and Style in King's 'Letter from Birmingham Jail.'" *Quarterly Journal of Speech* 65 (1979. 4): 121-136.

효과를 발휘할 수 있다. 이는 양식의 윤리적 차원이다. 양식이 미치는 세 가지 영향은 설득의 세 가지 고전적 방식에 잘 부합한다. 즉, 적응적 선택은 합리적 테크닉(로고스)이고, 감정적 선택은 감정(파토스)에 작용하고, 윤리적 선택은 에토스를 향상시키기 위한 테크닉이다.

킹의 양식이 지닌 이 세 가지 설득 차원들의 예를 들자면 그 에세이의 자명하고 비교적 단순한 특징으로 시작하는 것이 좋겠다. 독자는 킹이 독자들이 인정하길 기대하는 다른 유명한 인물들을 얼마나 자주 언급하는지 주목하지 않을 수 없다. 이런 언급들은 제한된 청중과 폭넓은 청중 모두에게 적응형 호소와 감정적 호소의 측면에서 직접적인 효과가 있고, 그 자신의 이미지를 만드는 데는 간접적인 효과가 있다.

킹은 태연하게 그 자신을 위대한 저항의 전통에 끼워 넣는데, 세 번 언급한 소크라테스로부터 시작해 초기 선지자들에서 예수 그리스도를 거쳐 바울과 아퀴나스, 아우구스티누스와 마르틴 루터, 그리고 번연에 이르는, 주로 기독교 역사를 거슬러 내려간다. 그런 역사적인 인용에 덧붙여, 킹은 또한 라인홀드 니버, 마르틴 부버, 폴 틸리히(Paul Tillich) 등 기독교와 유대교 모두에서 나온 대표적인 현대의 대변인들의 말을 인용하거나 바꿔 써서 자신의 주장을 보강하는데, 이는 킹의 모든 폭넓은 청중은 물론 여덟 명의 성직자 모두에 대한 적응 전략에 해당한다. 그는 심지어 미국 대법원의 미확인된 재판과 T. S. 엘리엇까지 인용한다. 외부인, 대중 선동가, 심지어 범죄자의 혐의를 받고 있는 이 사람은 스스로를 교육받고, 지혜롭고, 폭넓게 독서한 인물로 드러낸다. 적어도 이것이 그런 인용이 담론에서 만드는 인상이다. 듣는 사람은 그런 인용들이 훨씬 더 큰 정보 창고에서 신중하게 끌어낸 샘플이라고 생각하기 때문에, 그것들은 상당한 윤리적 영향력을 발휘한다.

킹의 양식은 또한 현대 테크놀로지로부터 끌어낸 은유들을 폭넓게 사용하고 있다. 두 개의 전형적인 패턴, 즉 '깊이 대 높이, 어둠 대 빛'의 패턴이 지배적이다. 현재의 시스템과 인종 분리는 거듭해서 아래편과 어둠으로 특징지어지는 한편, 장래에 대한 희망은 일어나서 빛으로 들어가는 것을 포함한다. 니그로는 '어두운 그늘' 속에 살고 있어서 '어두운 심연에서 일어나야' 한다. 그들은 '마음을 좀먹는 절망의 황량함을 경험하는 불의의 심연 속으로 던져졌다.' 정책은 '유사'에서 '반석'으로 끌어올려져야 하고, '우리는 우리의 환경 아래로 떨어졌다.' 니그로들은 '캄캄한 지하 감옥'에 있다. 필자가 강조하는 낙관적인 마지막 단락에서, 미국은 현재 오해의 짙은 안개 속 '인종적 편견의 어둔 구름' 아래서 고통받고 있으나, '머지않은 장래에 사랑과 형제애의 찬란한 별들이 반짝이게' 될 것이다.

오스본(Osborn)이 주장했듯이, "그런 은유들은 생존과 발달 동인에 대한 강한 긍정적 및 부정적 연상 작용 때문에 강렬한 가치 판단을 표현하고, 따라서 중요한 가치 반응을 유도해낼 수 있다." 그런 '원형에 의한 논증'은 또한 내장된 두개의 가치 지향을 통해 단순화를 원하는 청중의 욕구에 호소하기도 한다.

다른 은유들은 현대의 테크놀로지로부터 온다. 아프리카 국가들은 '제트기처럼 빠르게' 움직이는데 우리는 '마차처럼' 가고 있다. 그리고 교회는 '사람들을 더 높은 정의의 차원으로 인도하는 헤드라이트이기보다 다른 공동체 기관들의 배후에 있는 꼬리등'으로 서 있다. 교회는 현재 여론을 기록하는 '온도계'에 불과하지, 더는 예전처럼 '사회의 관습을 변화시켰던 온도 조절 장치'가 아니다.

구체적으로 의학적 은유들은 테크놀로지의 이미지를 질병과 건강이란 원형적 은유와 연합시킨다. 인종 분리는 하나의 질병이고 나중에는 치유의 햇볕에 노출되어야 할 종기이다. '기다리라'는 자유주의 주장은 '잠시 동안 감정적 스트레스를 덜어주고 부적격한 좌절의 영아를 탄생시키기만 하는 안정제의 역할'을 해왔다. 일부 백인들은 인종 분리에 대한 '해독제'의 필요성을 느꼈지만, 다른 이들은 '스테인드글라스 창문 뒤에서' 침묵을 지켰다. 명시적 형태와 억압된 형태를 모두 합하면 72개의 은유가 등장한다. 그 가운데 상투어(흔한 구두적 형식)로 표현된 것은 거의 없다. 그 은유들은 여러 양식의 기능들을 수행한다. 적응의 차원에서는 그 기발함으로 인해 기억할 만하고 추상적인 철학적 논증을 생생하게 구체적으로 만들어준다. 감정적 차원에서는, 원형적 은유들이 우리 속의 근본적 충동에 호소해서 그 메시지를 간접적으로 개진한다. 끝으로, 모든 수사적 선택이 그렇듯이, 은유를 사용하겠다는 결정은 또한 킹의 이미지에도 영향을 준다. 원형적 언급들은 깊은 감성을 지닌 성실한 사람의 이미지, 즉 근본적으로 자신의 도덕적 판단과 더 나은 내일의 불가피함에 대한 믿음을 가진, 독자와 같은 사람이란 이미지를 만들어준다. 테크놀로지의 이미지는 킹과 독자들이 동일시되도록 도와준다. 화자와 청중 모두 제트기, 온도계, 특효약이 존재하는 세계, 빠르게 변하지만 단 하나—흑인의 지위—가 부족한 세계에 몸담고 있음을 인식하게 해주는 것이다.

웅변가와 독자의 동일시는 또한 일련의 양식적 선택들, 즉 다 함께 묶으면 이 에세이를 특징짓고, 또 다양한 다른 어조들을 묶어주는 회유적 어조를 구성하는 그런 선택들에 의해 증진된다. 킹은 인사 이후 줄곧 진실의 빛을 (아직) 보지 못하는 이들을 곧바로 비판하거나 비하하지 않고, 인내하면서 슬픈 어조로 그들에게 설명만 한다. 이 에세이 전체에 걸쳐 킹은 의롭고, 상처받고, 실망하고, 아이러니하고, 유감스러워서 비판적인 말을 하지 않을 수 없는 처지라도, 분노하거나 절망하지 않는다. "나는 다음과 같은 유감스러운 결론에 거의 도달했습니다. 니그로가 자유를 향해 전진하는 데 큰 걸림돌이 되는 것은, 백인 위원회(WCC)나 KKK단이 아니라 백인 온건파라는 결론입니다." 거의 도달했으나 확실히 그랬던 것은 아니다. 그리고 그는 성직자 청중에게 그들이 견해를 주의 깊게 경청한 것에 대해 칭찬을 아끼지 않았다. 그래서 그의 에세이는 칼 로저스(Carl Rogers)의 요구, 즉 전정한 의사소통이 일어나기 전에 우리가 먼저 어떤 입장을 듣고 이해력과 함께 그것을 반복하고 분명히 할 수 있어야 한다는 요구에 부응한다. 에세이 전체에 걸쳐 킹은 그의 독자에 대한 존경을 보여준다. 성직자 청중이 성실하게 독실한 사람들, 그의 기본적인 종교적 가치관을 공유하고, 그가 '나의 친애하는 동료 성직자들'과 '나의 크리스천 형제들'이라 부를 수 있는 사람들로 구성되어 있음을 그는 알고 있다. 킹은 심지어 인종통합을 위해 (제한된) 노력을 기울인 몇 사람의 이름을 불러가며 그들을 칭송하기까지 한다. 그는 유감스러운 마음으로만 그런 사람들을 비판할 수 있을 뿐이다. 이 에세이에 줄곧 등장하는 어구는 "나는 말해야겠다"와 "나는 언급하지 않을 수 없다고 느낀다"와 같은 표현이다. 그런 양식적 입장은 그의 청중뿐 아니라 그 자신도 돋보이게 한다. 킹이 원하는 긍정적 이미지를 만들어준다. 즉 이 필자는 큰 소리를 치는 호전적인 말썽꾼이 아니라, 그들의 그릇된 입장들에 대한 염려 때문에 할 수 없이 생긴 견해를 지닌 성실하고 이해심이 많은 인간의 이미지를 심어주는 것이다.

청중과의 동일시와 회유적인 어조는 또한 이 '편지'의 가장 미묘한 요소들 중 하나인 인칭대명사의 사용에 의해 만들어지기도 한다. 이 편지는 개인적 변명의 성격을 지니기 때문에, '나'란 인칭대명사가 자주 나오는 것은 놀랄 일이 아니다. 정확히 139번 나오고, 100번은 주절의 주어로 나온다. 이와 비슷하게, 킹은 종종 표면상의 청중에게 직접 말한다. 그들의 주장을 다시 표현하고(여러분이 말했습니다), 이해를 부탁하고(나는 여러분이 …을 볼 수 있기를 바랍니다), 직접 말하고(여러분 각자가 중요한 입장을 취했습니다), 개인적인 호소를 한다(여러분이 나를 용서해주길 간청합니다. 이 편지를 받는 여러분이 믿음 안에서 강건하기를 바랍니다). 성직자를 가리키는 '여러분'이란 단어는 40번 나온다. 여기에는 그 역시 개인적인 의미를 전달하는 일반적인 용도로 사용된 '여러분'은 포함시키지 않았다. 그 효과는 '나'의 편에서 표명하는 개인적 헌신과 더불어 비공식적이란 인상을 주는 것이다.

이보다 더 미묘한 것은 킹이 모호한 일인칭 복수대명사를 사용한다는 점이다. 종종 '우리는'과 '우리의'와 '우리'(목적어)는 명백히 버밍햄 시위자들의 일부나 전부를 가리킨다. "몇 달 전 이곳 버밍햄에 있는 가입 기관이 우리에게, 필요하다고 생각한다면, 비폭력 직접 행동 프로그램에 참여할 준비를 갖추라고 요청했습니다. 우리는 곧 동의했고…." 다른 곳들에 나오는 '우리'는 좀 더 일반적이다. "우리가 다시는 편협한 '외부 선동가'의 개념과 함께 결코 살아갈 수 없습니다." 하지만 자주 '우리', '우리의', 또는 '우리(목적어)'는 시위자들을 가리키지만 청중을 포함할 수도 있고, 실제로 킹과 그의 대적들을 동일한 관점을 공유하는 한 단위로 묶어줌으로써 직접 화법을 강화시켜준다. 이 문장을 생각해보라. "나는 이 두 세력 사이에 서려고 노력했고, 우리가 안일한 자의 '무위'(無爲)와 흑인 민족주의자의 증오와 절망 모두 닮을 필요가 없다고 말했습니다." 여기서 '우리'는 먼저 '우리 온건한 시위자들'을 의미하는 듯 보이지만, 그에 못지않게 '그 문제를 인식하고 그것이 해결되는 것을 보기 원하는 우리'도 의미할 수 있다. 우리, 우리 모두, 나의 추종자들뿐 아니라 성직자 여러분도 이 중용의 길을 취할 수 있다. 이 연합은 미묘하지만, 킹이 선택한 대명사들을 통해 적어도 잠재의식적으로 독자에게 강하게 부각된다.

'나─여러분'에서 '우리'로의 움직임도 마지막 단락에서 확장된 원형적 이미지와 함께 작동하고 있다.

[나는] 이 편지를 받는 여러분이 믿음 안에서 강건하기를 바랍니다. [나는] 또한 상황이 곧 변해서, 내가 여러분 각각을 인종차별 폐지론자나 민권 지도자가 아니라 동료 성직자이자 그리스도인 형제로 만나게 되길 바랍니다. 우리 모두 인종적 편견의 어둔 구름이 곧 사라지고 오해의 짙은 안개가 [우리의] 두려움에 빠진 공동체들로부터 걷혀서, 머지않은 장래에 사랑과 형제애의 찬란한 별들이 그 반짝이는 아름다움으로 우리의 위대한 나라를 두루 비추게 되기를 바랍시다.

[대괄호는 추가한 것: 한국어와 영어의 차이로 인해 번역할 때 괄호 속의 주어나 소유격을 생략했음—역자 주]

처음 두 문장에서는 '나'와 '여러분'이 분리된 것이 대명사들에 의해 강조되었지만, 두 번째 문장에 나오는 회유적인 '동료 성직자' 이후에는 두 그룹이 높고 밝은 별들의 반짝이는 아름다움 아래 '우리의 공동체'와 '우리의 위대한 나라' 안에서 장래의 연합의 비전으로 융합된다.

라슨(Larson)이 지적했듯이, 이 '편지'에 나타난 킹의 양식은 일차적으로 다양성을 그 특징으로 한다. 이 특징은 이미 논의한 인용과 은유들과 지배적인 회유적 입장으로 연합된 어조의 범위에서 나타나지만, 이 에세이의 구문적 구조보다 더 분명하게 나타나는 곳은 없다.

맨 처음 출판된 이 '편지'의 텍스트는 48개 단락, 325개 문장, 7,110개 단어로 구성되어 있고, 문장의 평균 단어 수는 22개이며 단락의 평균은 대략 149개 단어의 일곱 개 문장이다(영어 원문의 경우임—역자 주). 일반적인 미국 지식인의 산문의 길이에 못 미치는 평균 문장은 결과적으로 킹의 폭넓은 청중에게 적합하다. 그러나 그런 통계는 킹의 구문이 지닌 다양성을 가린다. 325개 문장들 가운데 다수는 짧은 편이다. 62개 문장은 단어가 열 개 이하이다(영어 원문의 경우임—역자 주). 일부는 다음 문장과 같은 격언체이다. "우리는 불가피한 상호성의 그물망에 사로잡혀 있고 단일한 운명의 옷으로 묶여 있습니다." 그래서 이 에세이의 일부는 읽기가 쉽고 인용하기 좋다. 다른 한편, 열여덟 개 문장은 50단어 이상이고 두 문장은 100단어를 능가한다(영어 원문의 경우임—역자 주). 내가 아는 현대의 공적인 산문 가운데 그만큼 긴 문장을 포함하는 것은 없다. 일부 독자는 비록 그런 문장에 걸려 넘어질 수 있지만, 내가 받은 인상은 전반적으로 그 양식이 명료하고 생생하며 비교적 읽기 쉽고 생색을 내는 듯한 태도가 없다는 것이다. 문장 길이의 극도의 다양성, 절의 구성상의 다양성, 그리고 형식의 수준들은 일차적으로 윤리적 차원을 겨냥한 것 같다. 말하자면, 이런 요소들은 독자들에게 언어의 대가인 웅변가를 극화(劇化)시킨다는 뜻이다.

그 다양성 안에서 흔히 나타나는 구문상의 한 특징은 정교한 병행법이다. 은유처럼 병행법을 통해 복음주의자의 억양을 쉽게 들을 수 있는데, 이는 킹이 양식을 통해 구현한 자기극화의 또 다른 차원이다. 때때로 킹의 병행법은 다음 문장들과 같이 치밀하고 격언적이다. "선의를 품은 사람들의 얄팍한 이해가, 악의를 품은 사람들의 철저한 오해보다 더욱 좌절감을 안겨줍니다." "한 사람에게 직접 영향을 주는 것은 무엇이든 모두에게 간접적인 영향을 미칩니다." 하지만 이 병행법이 널리 퍼져있고 운율적인 경우가 더 자주 등장한다. "교회를 사랑하고, 그 가슴에서 양육을 받고, 그 영적인 복으로 지탱해오고, 생명이 지속되는 한 교회에 충실할 복음의 사역자로서 이 말을 합니다."

다음 문장들도 그러하다.

나는 다음과 같은 유감스러운 결론에 거의 도달했습니다. 니그로가 자유를 향해 전진하는 데 큰 걸림돌이 되는 것은, 백인 위원회(WCC)나 KKK단이 아니라 백인 온건파라는 결론입니다. 백인 온건파는 정의보다 '질서'에 더 헌신되어 있고, 정의가 있는 긍정적 평화보다 긴장이 없는 부정적 평화를 선호하고, "나는 당신이 추구하는 목표에는 동의하지만, 직접 행동이라는 당신의 방법에는 동의할 수 없다"고 늘 말하고, 온정주의적으로 자신이 다른 사람의 자유를 위한 시간표를 짤 수 있다고 믿고, 신화적인 시간 개념으로 살고 늘 니그로에게 "더 편리한 계절"을 기다리라고 충고하는 사람들입니다.

이 확장된 병행법이 여러 문장에 걸쳐 계속 이어지는 경우도 잦은 편이다.

그들은 안전한 회중을 떠나 우리와 함께 조지아의 알바니 거리를 걸었습니다. 그들은 (인종차별 철폐를 위한) 여행에 합류하여 남부의 고속도로로 내려왔습니다. 그렇습니다. 그들은 우리와 함께 감옥에 갔습니다. 일부는 그들의 교회에서 제적당했고, 주교들과 동료 목사들의 지지를 잃어버렸습니다. 그러나 그들은 패배한 정의가 승리한 악보다 더 강하다는 믿음으로 행동했습니다.

내가 계산한 바로는 지속된 병행법이 나오는 경우가 열다섯 군데이고, 여섯 개의 문장이나 되는 경우가 많고, 한 경우에는 한 문장이 300개 이상의 단어로 구성되어 있다(영어 원문의 경우—역자 주).

그런 병행법은 대체로 추측의 효과를 거두고 있으나, 그 효과가 입양된 영역에 머물러 있다고 생각하기는 어렵다. 말하자면, 병행 구문이 다른 구문적 구조들보다 더 명료하거나 더 쉽다고 생각할 이유는 없다는 뜻이다. 다른 한편, 병행법이 창조한 운율과 균형은, 특히 일련의 병행 구문들이 클라이맥스를 향해 올라가는 경우에, 아마 구두적 담론의 경우처럼—하지만 더 적은 정도로—감정적 영향을 줄 것이다. 병행법은 주로 윤리적 효과를 내는데, 그것은 웅변가를 다양한 견해들을 가늠할 수 있고 자기 생각을 완전히 통제하는 인물로 묘사하는 것이다.

이 '편지'의 가장 인상적인 솜씨는 가장 긴 도미문(掉尾文)이다. 독특한 형식이 독특한 내용을 강조하는 역할을 하는 이유는, 이 문장이 시위의 필요성보다 인종 분리의 악이 묘사된 유일한 곳이기 때문이다. 이 문장은 이 에세이의 구문적 및 은유적 특징을 담고 있는 축소판이기 때문에 모두 인용하는 바이다. 이는 지금은 시위할 적시가 아니라는 주장에 대한 반론 안에 나온다. 그 문장은 다른 많은 문장들처럼 접속 전환과 함께 시작한다.

그러나 사악한 폭도들이 당신의 어머니와 아버지에게 마음대로 린치를 가하고, 당신의 자매와 형제들을 멋대로 익사시키는 모습을 봤을 때, 증오에 찬 경찰들이 당신의 흑인 형제들과 자매들을 저주하고 차고, 심지어 죽이기까지 하는 모습을 봤을 때… [이

긴 문장이 이어지는 내용을 보려면 앞에 인용한 킹의 '편지' 전문을 참고하라]… 여러분은 우리가 기다리는 것이 왜 어려운지 이해할 것입니다.

331개 단어로 된 이 가장 인상적인 도미문은 열아홉 개 단어로 된 앞 문장과 각각 서른세 개, 열한 개, 열세 개, 여섯 개 단어로 된 이어지는 문장들과 대조되기 때문에 크게 부각된다(영어 원문의 경우임–역자 주) 이 문장의 종속절 아홉 개는 각각 "여러분이… 할 때"와 함께 청중에게 직접 전달된 것이고, 그것들은 미국에서 날마다 니그로가 겪는—자주 은유와 함께—불의의 정교한 목록을 포함한다. 이 문장은 세부적인 사항이 계속 쌓여서 클라이맥스로 향하고 마침내 청중이 이해하는 직접적인 담화가 담긴 주요한 절로 마감된다. "여러분은 우리가 기다리는 것이 왜 어려운지 이해할 것입니다." 여기서는 대명사들이 연합을 만들지 않는다. '여러분'은 분명히 '우리'가 아니다. 미국의 인종차별을 고발하는 단 하나의 대목, 이 에세이에서 파토스가 설득용 양식으로 사용된 유일한 지점이 가장 긴 문장이어야 한다는 것은 매우 적절하다. 그러나 그 문장이 지배적이 되지 않는다는 점도 적절하다. 왜냐하면 이 에세이의 주제는 인종적 불의가 아니기 때문이다. 그것은 여기만 제외하고 하나의 기정사실이다.

5. 수사학 연습

    고전 수사학에서 가장 영향력 있는 교수법 중 하나는 프로김나스마타(progymnasmata) 였다. 이 용어는 학생들이 점점 더 성숙하고 훈련됨에 따라 그들에게 주어졌던 수사학 과제의 단계별 순서를 의미했다. 그런 과제의 순서는 4세기 이후 수사학 훈련의 일부였던 것으로 보이지만, 가장 유명한 두 묶음의 연습은 주후 2세기부터 시행된 다소의 허모게네(Hermogenes)의 연습과 주후 400년경부터 시행된 안디옥의 아프토니우스(Aphthonius)의 연습이었다. 이 순서들(라틴 번역본)은 교부 시대부터 르네상스에 이르는 초창기 수사학 훈련의 기초가 되었다. 고전 수사학의 연습은 복잡성의 정도, 인지적 요구의 수준, 문화적 지식의 범위에 따라 등급이 매겨진 14개의 과제를 포함했다. 아프토니우스의 목록은 다음 사항들을 포함한다.

1. 동화, 또는 민속 이야기를 다시 들려주기.

2. 내러티브, 픽션 또는 논픽션.

3. 크레이아(chreia, 역사속 특정 인물의 일화 속 행동과 말—역자 주), 또는 일화: 유명한 진술이나 행동의 설명에 기반을 둔 이야기.

4. 격언: 특정 금언을 지지하거나 반대하는 논증을 펼치는 것.

5. 논박: 특정 내러티브의 설득력 있는 사항을 반증하는 것.

6. 확증: 특정 내러티브의 설득력 있는 사항을 증명하는 것.

7. 상투어: 종종 흔한 조언에 예시되는 특정 미덕이나 악덕의 도덕적 속성을 상세히 설명하는 것.

8. 찬사: 특정 인물이나 사물의 미덕에 대해 상술하는 것.

9. 악담: 특정한 나쁜 사람이나 사물을 비난하는 것.

10. 비교: 두 사람이나 사물을 비교하면서 그들의 상대적 장점과 단점을 탐구하는 것.

11. 의인화: 특정 허구적 인물의 특징을 적절한 언어로 묘사하는 것.

12. 묘사: 특정 주제를 열정적으로 생생하게 그리는 것.

13. 논증: "도시 생활은 농촌 생활보다 우월한가?"와 같은 일반적인 질문에 대한 논지를 만들어 지지하는 것.

14. 입법: 특정 법의 선함을 지지하거나 반대하는 논증을 펼치는 것.

이 목록에 나오는 연습은 고전 교과과정을 구성한 (수년에 걸친) 문법 교육과 수사학 교육에 기초를 두고 있다. 전반부의 과제는 어린이들에게 기본 언어 기술을 가르치는 선생이 주관했고, 후반부의 과제는 좀 더 앞선 수사학 교사가 감독했다. 학생들이 언어 기술과 수사학 기술을 익히는 데는 수년이 걸리는 것으로 생각했다.

하지만 오늘날의 글쓰기 코스는 훨씬 짧은 기간에 끝내야 하므로, 여기에 제공된 과제들의 순서는 애초의 고전적 순서에서 몇 가지를 선택해서 만든 것이다.

과제의 순서

내러티브(narrative)

아프토니우스(Aphthonius)에 따르면, 내러티브는 허구적이거나 역사적이거나 정치적이다. 모든 내러티브는 다음 요소들에 대한 묘사를 담고 있다. 행동한 사람(들), 취해진 행동, 시간, 장소, 방식, 원인 등. 좋은 내러티브는 명료성, 간결함, 설득력, 순전한 언어 등의 미덕을 보여준다. 당신이 선택할 만한 다양한 내러티브 과제들을 열거하면 다음과 같다.

    a. 중요한 우정이나 관계의 시초.

    b. 특정 경력에 대한 관심을 갖게 하는 사건들.

    c. 중요한 여정에 관한 이야기.

    d. 당신을 변화시킨 사건.

    e. 전시에 일어난 아이러니한 사건.

    f. 당신의 부모 중 한 분이 겪은 이상한 체험.

    g. 요절한 유명한 인물이 보낸 최후의 시간.

    h. 최근 정치 역사에서의 극적인 순간.

논박(refutation) 또는 확증(confirmation)

논박은 특정 주장을 반증하는 것이지만, 필자는 사실적인 것을 도전하거나 명백히 불가능한 것에 신경 쓰면 안 된다는 것을 확실히 해야 한다고 아프토니우스가 말한다. 논박의 구조는 먼저 그릇된 주장을 진술하고, 이어서 왜 그것이 그릇되었는지를 증명하되 불명료하거나, 개연성이 없거나, 불가능하거나, 비논리적이거나, 부적합하거나, 비실제적이라고 언급해야 한다.

확증은 특정한 내러티브의 설득력 있는 사항을 입증한다. 필자는 먼저 그 입장을 명백히 진술하고, 이어서 그 입장을 견지하는 이들의 좋은 성품과 평판을 보여줘야 한다. 그리고 그 입장은 명료하고, 개연성이 있고, 가능하고, 논리적이고, 적합하고, 실제적인 것으로 입증되어야 지지를 받을 수 있다. 여기에 논박하거나 지지할 만한 여러 주장이 있다.

    a. 대학에 가기 전에 휴학을 하는 것이 좋은 생각이다.

b. 여성이 남성보다 더 도덕적이다.

c. 걸프 전쟁은 부도덕한 외교 정책에 기반을 두었다.

d. 이 대학의 학비는 너무 비싸다.

e. 글쓰기 기술은 좋은 직업을 얻는 데 필요하다.

f. 청소년에게는 고등학교를 마칠 때까지 운전면허를 허가해주면 안 된다.

g. 담배는 불법화되어야 한다.

h. 마리화나 처방은 의사가 건강상의 이유로 내릴 수 있어야 한다.

상투어(commonplace)

이는 종종 흔한 조언에 예시되는 특정한 미덕이나 악덕의 도덕적 속성을 상세히 설명하는 연습이다. 필자는 자기의 지식과 독서를 통해 상투어의 정서에 관한 예들을 찾아야 하는데, 그것을 증명하거나 지지하거나, 행동으로 나타난 그 교훈을 보여줘야 한다. 이는 그리스와 로마 세계로부터 나온 매우 전형적인 과제이며, 상당한 문화 지식을 그 전제로 삼고 있다. 여기에 상세히 설명할 몇 가지 상투어가 있다.

a. 백문이 불여일견이다(백 번 듣는 것이 한 번 보는 것만 못하다).

b. 당신은 정말로 이해하지 못하는 것을 항상 동경한다.

c. 한 번의 냉정한 판단이 천 번의 황급한 조언만큼 가치가 있다.

d. 야망은 고상한 정신이 걸리는 최후의 질병이다.

e. 그 방어자들을 잊는 나라는 그 자체가 잊힐 것이다.

f. 권력은 타락한다. 절대 권력은 절대로 타락한다.

g. 세 살 버릇 여든까지 간다.

h. 펜은 칼보다 강하다.

찬사(praise) 또는 비난(blame)

이 과제는 특정 인물이나 사물의 장점이나 단점에 관해 상세히 말한다. 칭찬은 누군가 또는 어떤 것의 고유한 탁월성을 묘사하고 기뻐하는 반면, 악담은 고유한 악을 폭로한다. 아프토니우스에 따르면, 칭찬과 비난 모두 사람, 사물, 시기, 장소, 심지어 식물과 같은 다양한 주제를 망라할 수 있지만, 대다수의 찬사나 악담은 사람들과 그들의 행실을 중심으로 한다. 칭찬이나 비난은 서론에 이어 역사적 배경을 제공한 다음, 그 주체의 행실이 영혼과 몸과 운명을 나타내는 만큼 그와 관련된 칭찬거리나 비난거리를 상세히 기술한다. 다음은 칭찬이나 비난에 쉽게 사용될 수 있는 다양한 주제들이다.

a. 인종 문제에 관한 말콤 X 또는 부커 T. 워싱턴(Booker T. Washington)의 공공연한 입장.

b. 베네딕트 아놀드(Benedict Arnold) 또는 어윈 롬멜(Erwin Rommel)의 리더십.

c. 필리스 슐래플리(Phyllis Schlafly) 또는 마돈나의 사회적 영향력.

d. 힐러리 클린턴(Hillary Clinton)의의 윤리.

e. 로버트 보크(Robert Bork)의 법관 경력.

f. 캐서린 맥키넌(Catherine MacKinnon)의 법이론.

g. 사코(Sacco)와 반제티(Vanzetti) 또는 로젠버그(Rosenberg) 부부의 처형.

h. 당신이 속한 대학의 이사회 또는 학생회의 최근 행동.

i. 당신의 어머니나 아버지의 부모 역할.

j. 당신 지역의 국회의원의 정치적 활동.

비교

이 과제는 두 사람이나 사물들을 비교하고 대조하면서 그들의 장점과 단점을 탐구한다. 동등하거나 동등하지 않은 두 주제를 나란히 놓으면 그것들에 대해 많은 것을 보여줄 수 있다. 아프토니우스에 따르면, 비교는 보통 이중의 칭찬이나 단일한 칭찬을 악담과 함께 묶어놓는 것인데, 이렇게 합쳐놓으면 두 요소가 특별한 힘을 얻게 된다. 한 덩어리를 한 덩어리 다음에 두지 않는 것이 중요하고, 비교사항을 나눠서 주제의 각 부분에 해당하는 비슷한 요소들을 나란히 두는 것이 필요하다. 예컨대, 어린 시절과 어린 시절을, 외모와 외모를 나란히 두라는 뜻이다. 이렇게 비교하면 두 주제에 대해 더 잘 이해하게 될 것이고, 독자 또한 어느 편을 다른 편보다 더 동경하거나 싫어하게 될 것이다. 다음은 비교할 만한 주제들이다.

   a. 빌 클린턴(Bill Clinton)과 뉴트 깅리치(Newt Gingrich).

   b. 데이비드 레터맨(David Letterman)과 제이 레노(Jay Leno).

   c. 대법관 샌드라 데이 오코너(Sandra Day O'connor)와 대법관 로스 베이더 긴즈버(Ruth
      Bader Ginsberg).

   d. 아니 디프랑코(Ani di Franco)와 바브라 스트라이샌드(Barbra Streisand).

   e. MTV와 VH1(미국의 케이블 방송사, 뉴욕에 본사가 있다―역자 주).

   f. 일본 차와 미국 차.

   g. 글쓰기와 말하기.

   h. 직업으로서 법률가와 사업가.

묘사

   이 과제는 특정한 주제를 열정적으로 생생하게 묘사해서 눈에 확 들어오게 만들기 위한 것이다. 묘사하는 방법은 공간적 방법(꼭대기에서 밑바닥까지, 머리에서 발까지, 옆으로 나란히)과 연대기적 방법(처음부터 끝까지, 첫째부터 말째까지, 역사에서 미래까지)이 있고, 맥락과 내부 구조를 묘사하는 것도 가능하다. 아프토니우스는 묘사되는 사물을 충실하게 그려주는 느긋하고 자연스러운 양식을 추천한다. 여기에 묘사의 주제가 될 만한 몇 가지를 소개한다.

   a. 치사 주사로 곧 처형될 죄수.

   b. 포트 로더데일 바에 모인 화난 학생들.

   c. 쇼핑 카트를 밀고 있는 노숙자 여인.

   d. 자동차 사고.

   e. 청소년 오케스트라의 지휘자.

f. 대학 신입생을 다른 도시에 데려다주는 부모.

g. 고정관념의 틀에 딱 맞는 사람.

h. 중병을 앓고 있는 사람.

논증(argument)

고전 수사학에서 논증 과제는 특정한 주제가 아니라 일반적인 삶과 관련된 것이었다. 논증은 정치적이거나 이론적인 보편적 문제에 관한 특정 논지를 만들고 지지한다. 앞에 나온 논지 관련 과제와 비슷한 점은 합법성, 정의, 편의성, 실행 가능성의 여부에 기초를 둔다는 것이고, 전자와 다른 점은 상대편의 반대를 고려해야 하고 그것을 진지하게 여기는 해결책과 함께 그 반론에 구체적으로 응답해야 한다는 것이다. 여기에 논증 과제에 적합한 고전적 주제들과 현대적 주제들을 제시하는 바이다.

a. 도시 생활은 농촌 생활보다 우월한가?

b. 결혼해야 할까, 동거해야 할까?

c. 커닝하는 친구를 목격하면 교사에게 알려줘야 할까?

d. 미국 기업체에서 CEO의 봉급이 너무 많은가?

e. 인간 복제는 자연법칙에 반(反)하는가?

f. 신용카드는 유익한가, 해로운가?

g. 미국인은 모두 두 가지 언어를 알아야 할까?

h. UFO가 인간들을 유괴하는가?

입법(legislation)

이는 수사학 연습의 마지막 과제로서 앞의 모든 과제에서 배운 수사학 기술을 이용하는 과제이다. 이 과제에서 학생은 특정 법률의 통과를 지지하거나 반대하는 주장을 편다. 이 주제들은 논증의 주제보다 더 구체적이고 실용적이다. 입법 과정은 항상 실질적인 문제들이나 사회적 및 정치적 행동을 포함하므로, 이 과제는 반론을 단지 고려할 뿐 아니라 논박하고 무너뜨려야 한다. 해당하는 법률을 지지하거나 반대하는 논증을 펼 수 있고, 아프토니우스는 다시금 사실, 행동, 합헌성, 정의, 편의성, 실행 가능성을 사용하라고 조언한다.

a. 구호 대상용 식량 카드는 중지되어야 하는가?

b. 오토바이 헬멧 착용법은 통과되어야 하는가?

c. 남녀평등 헌법 수정안은 아직도 필요한가?

d. 담배는 마약으로 선언되어 규제되어야 하는가?

e. 여성도 전투병으로 징집되어야 하는가?

f. 국회의원에게 임기 제한이 있어야 하는가?

g. 연방 정부는 균형 예산을 짜야 하는가?

h. 마리화나는 합법화되어야 하는가?

6. 수사학 개관

고전 수사학의 역사는 주전 5세기부터 1825년까지 2000년도 넘는다. 그 기간의 대다수에 걸쳐 수사학은 학교에서 두드러지고 지배적인 분야였으며, 역사상 가장 유명했던 인물 중 일부는 수사학을 가르치거나 실행하는 일에 관여했다. 이 길고도 훌륭한 전통에 비춰보면, 누구든지 불과 수십 페이지에 수사학을 제대로 개관할 수 있다고 생각하는 것은 주제넘은 태도가 아닐 수 없다. R. C. 젭(Jebb)이 《브리태니커 백과사전》(제9판)에 쓴 기사는 거의 모두 아리스토텔레스만 다룬 것이었다. 이 과업은 워낙 방대해서 대다수 수사학 역사가들이 수사학자 개개인이나 제한된 기간에 국한해서 다룬 것은 현명한 일이다. 이 개관에 첨부된 참고문헌은 그런 자료들 중 최고의 것을 담고 있다. 현재까지 다음 두 권의 책과 같은 규모로 수사학의 역사를 쓴 저자는 없다. 조지 세인츠버리(George Saintsbury)의 《유럽 비평의 역사와 문학적 기호》(*History of Criticism and Literary Taste in Europe*), 르네 웰렉(Rene Wellek)의 《현대 비평사》(*A History of Modern Criticism*).

짧은 지면에 수사학을 제대로 개관하는 것은 불가능하지만, 여기서 적어도 몇 명의 주요 인물들과 몇 가지 중요한 발달과정을 소개하려고 한다. 이따금 저자들과 수사학 교재들을 언급할 텐데, 이들이 영원한 가치나 영향력이 있어서가 아니라 역사적으로 중요하거나(예컨대, 최초의 인물이나 교재), 특히 중요한 유형을 대표하기 때문이다.

고전 수사학

어떤 분야든지 그 '기술' 또는 '과학'은 그 분야의 긴 행습에 관한 연구에서 귀납적으로 형성되는 법이다. 이는 모든 말의 기술—문법, 논리학, 시학, 수사학—에 분명히 해당된다. 이런 언어 기술의 경우, 원칙의 성문화(成文化)는 그 행습이 민족 문화의 두드러진 특징이 된 이후 여러 세기가 흐른 다음에야 이뤄졌다. 현존하는 그리스 문헌에는 설득용 연설로 간주된 수사학이, 최초의 수사학 핸드북이 편찬되기 수백 년 전에 이미 헬레니즘 사회에서 두각을 나타냈다는 증거가 많다. 호머의 서사시들, 그리스 극작가들의 희곡들, 헤로도토스(Herodotus)와 투키디데스의 역사, 그리고 헤시오드(Hesiod)의 철학적 논문 등에 두드러지게 나타난 연설과 논쟁만 봐도, 설득용 담론이 거의 문명의 초창기부터 고대 그리스인에게 지속적인 영향력을 발휘했다는 것을 확신할 수 있다.

특정 기술의 실행은 그 성문화보다 앞서긴 하지만, 사람들이 용인된 행습의 연구로부터 한 묶음의 '규칙들'을 이끌어내고픈 충동을 느끼는 때가 온다. 수사학 기술은 주전 5세기의 2사분기 동안 시칠리아에서 처음 공식화되었다. 시라큐스의 코락스(Corax)가 보통은 수사학 기술을 최초로 공식화한 인물로 거론된다. 당시에 발생했던 정치적 및 사회적 변동으로 인해 그는 특정 수사학 시스템을 세우게 되었다. 시라큐스의 폭군이었던 트라시불루스(Thrasybulus)가 쫓겨나고 일종의 민주주의가 세워지자, 새로 해방된 시민들은 폭군의 통치 기간에 압류되었던 재산을 되찾기 위한 소송을 제기하려고 법정으로 몰려들었다. 코락스가 만든 '기술'은 일반 시민들이 법정에서 자기 권리를 주장하도록 돕기 위해 고안된 것이다. 당시는 자기네 권리를 증명할 문헌적 증거가 없었기 때문에, 그들은 자신의 소유권을 입증하기 위해 추정적 추론과 개연성(probability)이란 일반 토픽에 의지하지 않을 수 없었다. 코락스가 수사학 기술에 기여한 주된 항목은 사법용 연설의 일부로 제안한 형식—서문, 서술, 논증(확증과 논박), 결론—이었던 듯하고, 이 배열은 훗날의 모든 수사학 이론의 주요소가 된다.

플라톤, 아리스토텔레스, 키케로, 퀸틸리안이 수사학 이론을 만들 때 코락스와 그의 학생 티시아스(Tisias)가 맡은 역할에 대한 언급은 있지만, 그들의 핸드북은 하나도 살아남지 못했다. 티시아스에 관한 언급들로부터 알 수 있는 바는 그의 이론이 오직 법정의 수사학만 다뤘다는 점, 그가 다른 이들을 위해 몇몇 사법용 연설을 썼다는 점, 그리고 그가 적어도 두 명의 아테네식 연설가들—리시아스(Lysias)와 이소크라테스—을 가르친 선생들 중 하나였을 것이란 점이 전부다.

현대 학생들이 고르기아스(Gorgias)의 이름을 들어본 적이 있다면 아마 그의 이름이 거론되는 플라톤의 대화와 관련이 있을 것이다. 수사학 역사에서 레온티니의 고르기아스가 유명한 이유는 무엇보다도 아테네 시민들 가운데 웅변의 이론과 실천에 대한 흥미를 불러일으켰기 때문이다. 그는 주전 427년 시칠리아에서 아테네로 온 대사로서 뛰어난 연설로 아테네 시민들을 감동시켰다. 이후 여러 해 동안 아테네에서 가장 성공적인 웅변 선생과 실천가로서 명성을 누렸다. 그는 비록 감정적 호소의 설득력을 인정한 최초의 수사학자 중 하나이긴 했지만, 화려한 양식의 개발에 주목한 일로 유명한 인물이 되었다. 그는 비유적 표현의 가치에 큰 강조점을 두었으며, 특히 대조법과 병행법을 강조했다. 훗날 고도의 문학적 양식의 개발에 초점을 두었던 모든 수사학자가 편의상 고르기아스 학파에 편입될 수 있지만, 그런 수사학자들이 내용보다 화려한 양식에 지나친 관심을 보인 것을 고르기아스 탓으로 돌리는 것은 불공평하다. 만일 고르기아스의 연설이 좀 더 살아남았더라면, 르네상스 잉글랜드에서 '미사여구'(Euphuism)로 알려진 지나치게 꾸민 양식이 얼마나 고르기아스의 영향을 받은 것인지 더 잘 판단할 수 있었을 것이다.

고르기아스는 아테네에서 성공적인 소피스트들 중 첫 번째 인물이라 주장해도 무방하지만, 그리스 수사학자들 중 가장 영향력이 컸던 인물로는 이소크라테스가 아리스토텔레스와 경쟁할 만하다. 저명한 수사학 선생으로 군림한 기간(그는 98세까지 살았다)과 그의 학교에서 배출된 노련한 웅변가들의 수로 판단해보면, 이소크라테스가 그의 동시대인들 가운데 가장 영향력이 컸던 그리스 수사학자였다고 말해도 괜찮을 것이다. 아리스토텔레스는 좀 더 철학적인 수사학 논문을 썼기 때문에 장기적인 영향을 가장 크게 미친 인물로 손색이 없다.

여기서 소피스트(Sophist)란 용어에 대해 한 마디 할 필요가 있다. 이 용어는 고르기아스와 이소크라테스 같은 인물들에게 적용되고, 또한 플라톤과 아리스토텔레스가 수사학 기술에 대해 품었던 견해에 나타나기 때문이다. 주전 5세기의 아테네 시민들 가운데서는 소피스트란 용어가 부정적인 의미를 지니지 않았다. 오히려 문학, 과학, 철학, 특히 웅변술 등의 분야에서 '새로운 학문'에 관해 강의했던 교수들에게 적용된 중립적인 용어였다. 소피스트들은 작은 사립학교를 세워 학생들에게, 많은 경우 개인교습에 해당하는 일에 대해 수업료를 부과했다. 이런 학교들이 결국 무척 수지맞는 곳이 되어 많은 엉터리들을 그곳으로 끌어들였고, 이런 사람들 때문에 마침내 소피스트는 고약한 평판을 얻게 되었고 sophistry(궤변)가 속임수 추론의 동의어가 되기에 이른 것이다.

그러나 이소크라테스 같은 인물들은 고상한 이상(理想)과 나무랄 데 없는 지적 정직성의 기준을 겸비했던 매우 윤리적인 사람들이었다. 이미 언급했듯이, 그는 티시아스에게 배웠던 듯하고, 초기 수사학 역사에는 고르기아스와 소크라테스에게 배웠다는 암시도 있다. 그는 전문직 경력을 로고그라포스(logographos)로 시작했는데, 이는 법정용 연설문 작성자로 고용된 사람을 일컫는 용어이다. 하지만 훗날 그가 잊고 싶어 했던 초기 직업이었다. 392년경에 그는 연설 학교를 설립했고, 비록 유별나게 높은 수업료를 부과했으나 곧 다른 어떤 소피스트보다 많은 학생을 확보했다. 그리고 평생 가르치는 직업을 통해 상당한 부를 축적했다.

이소크라테스의 담론 스물한 개와 편지 아홉 편이 잔존했지만, 그가 편찬한 것으로 알려진 《수사학 기술》(Art of Rhetoric)은 실종되고 말았다. 그래서 우리는 《안티도시스》(Antidosis)와 같은 자서전적인 저술들, 또는 《소피스트에 반하여》(Against the Sophists)와 같은 교육적인 저서들로부터 그의 수사학 이론을 추출하지 않을 수 없다. 이소크라테스가 수사학에 기여한 공헌 중 하나는 예술적인 산문 양식의 개발이었다. 그는 고르기아스의 인위적인 양식을 취해 그것을 부드럽게 하고, 다듬고, 문어 담론과 구어 담론을 위한 우아한 도구로 만들었다. 고르기아스가 가장 관심이 있었던 구조적 단위들은 대조법과 병행법이었는데 비해, 이소크라테스는 산문의 운율에 큰 관심을 품은 채 도미문(periodic sentence, 병렬 구성의 구를 나열하고 끝에 주어와 동사를 두어 마치는 형식의 문장—역자 주)의 공명에 가장 주목했다. 이는 분명히 키케로가 그에게 빚진 것 중에 하나이다. 이상적인 연설가를 위한 적당한 훈련의 개념 역시 이소크라테스가 키케로와 퀸틸리안에게 미친 중요한 영향이었다. 그는 온전한 사람은 설득의 과정에 힘을 쏟아야 한다고 설파했고, 따라서 장차 연설가가 되려는 사람은 폭넓은 교양 교육을 받고 좋은 도덕적 습관을 기반으로 삼는 것이 필수적인 의무가 되었다. 그는 모든 담론에서 자유와 자율성과 같은 그리스 이상을 강조했고, 다른 어떤 고대의 휴머니스트 못지않게 최고의 미덕인 소프로시네(sophrosyne, '자기절제'로 번역해도 무방함)를 설파했다.

　　이소크라테스가 학생들을 위해 세운 높은 이상과 그의 담론이 지닌 모범적인 유창함에도 불구하고, 그는 수사학에 대한 플라톤의 의심을 누그러뜨리는 데는 성공하지 못했다. 우리는 플라톤(소크라테스를 대변한 그의 글을 통해)이 수사학에 관해 한 말을 간략하게 살펴봐야 하는데, 수많은 세월에 걸쳐 사람들이 이 기술에 관해 말한 모든 경멸적인 사항은 그 뿌리를 플라톤의 혹평에 두고 있기 때문이다.

　　수사학에 관한 진술은 플라톤의 대화록 여러 편에 흩어져 있는데, 그의 공격이 집중되어 있는 두 편은 《고르기아스》와 《파이드로스》(Phaedrus)이다. 아이러니한 점은 플라톤이 수사학을 깎아내리는 바로 그 행위로 그 자신이 능숙한 수사학자임을 보여준다는 것이다. 또 다른 아이러니는 플라톤이 소피스트에 대해 공격한 몇 가지 사항(예컨대, 그들이 젊은이들을 타락시켰고 그들의 가르침에 대해 수업료를 받았다는 것)이 훗날—《변명》에서 볼 수 있듯이—소크라테스에 대해 제기된 고발이었다는 사실이다. 《공화국》(The Republic)을 읽는 학생들은 플라톤이 그의 이상적인 국가에서 시인들을 배제시킬 것임을 보고 충격을 받곤 한다. 기본적으로, 시인에 대한 플라톤의 반론은 수사학 선생들에 대한 반론과 똑같다. 먼저, 수사학이 진정한 기술로 간주될 수 없는 것은 그것이 보편적 원리에 기초해 있지 않기 때문이라고 한다. 더구나, 수사학자는 시인처럼, 철학자가 추구하는 초월적인 진리보다 의견, 외모, 심지어 거짓말에 더 관심이 있다고 한다. 그들은 '더 나쁜 것을 더 나은 이성으로 보이게' 만든다. 그들은 영혼을 매혹시키는 자들, 청중을 교육하기보다 그들을 현혹하는데 더 관심이 있는 자들이라는 것이다. 수사학은—가장 낮은 용어로 표현하자면—화장품처럼 일종의 아첨이다.

《파이드로스》의 끝부분에 이르면, 플라톤은 수사학이 진정한 기술일 수도 있다고 인정한다. 그러나 다음 조건들이 충족될 때에만 진정한 기술이 될 수 있다. 단지 화자가 자신이 거론할 주제에 관한 진리를 배우려고 노력을 기울인다면, 그의 담론에서 핵심 용어들의 본질적인 정의를 찾으려고 한다면, 그의 주제를 적당하게 나누는 법을 배운다면, 그리고 그의 연설을 청중의 성격에 맞추려고 노력을 기울인다면 그럴 수 있다는 것이다. 여기에 많은 조건이 있다. 그러므로 플라톤에게는 무지한 대중을 기쁘게 하려는 대단한 열정을 품은 수사학자들이 과연 그런 수사학을 고안하고 가르칠 것인지에 대해 믿음이 별로 없는 것이 분명하다.

아리스토텔레스가 《수사학》을 집필한 목적 중 하나는, 그의 이전 선생이 그 설득용 기술에 대해 낮게 평가한 것에 반발하려는 것이었다. 그는 심지어 플라톤 아카데미의 학생으로 있는 동안에 이소크라테스와 경쟁하여 수사학 학교를 열었을 정도이다. 아리스토텔레스가 언제 《수사학》을 쓰기 시작했는지는 정확히 몰라도, 그의 글은 그가 아테네에 거주한 두 번째 시기인 주전 333년경이 될 때까지 출판하지 않은 것으로 알려져 있다. 내부 증거만 참고하면, 그는 《수사학》 제3권을 쓰기 전에 《시학》(*Poetics*)을 완성했던 것이 분명하다. 주로 양식과 배열을 다루는 제3권을 나중에 집필한 것은, 이 책의 계기가 다른 수사학 학교들이 양식에 관심을 가졌던 사실에 있었음을 시사한다. 그러나 그가 《시학》의 여러 장을 언어와 양식에 관한 논의에 할애했음을 기억할 필요가 있고, 실종된 저술 중에 하나인 《테오덱테아》(*Theodectea*)가 《수사학》 제3권의 주제를 매우 상세하게 다룬 것으로 추정된다. 그럼에도 아리스토텔레스가 논증의 착상만큼 양식에 관심을 두지 않았던 것은 사실이다. 그리고 착상에 대한 주된 관심은 그가 많은 동시대인이 수사학에 대해 품은 나쁜 견해에 어떻게 반발하려고 했는지를 보여준다.

아리스토텔레스는 《수사학》의 첫 두 권을 논증의 발견에 집중함으로써 수사학자들이 내용보다 언어에 더 관심이 있다고 비난한 사람들에게 답변을 하려고 했다. 그리고 웅변의 실천으로부터 첫 번째 원리들을 추출함으로써 플라톤의 비난처럼 수사학이 '교묘한 솜씨'에 불과하지 않고 진정한 기술이라는 것, 수단을 목적에 걸맞게 하도록 사람들을 지도할 수 있는 체계적인 훈련이라는 것을 보여주기를 바랐다. 아리스토텔레스는 그의 철학적 논문으로 후대의 모든 수사학 이론의 원천이 되었다. 레인 쿠퍼(Lane Cooper)가 말했듯이, " …키케로와 퀸틸리안의 수사학뿐만 아니라 중세와 르네상스, 현대의 수사학도 그 최상의 요소들은 본질적으로 아리스토텔레스식이다."

아리스토텔레스의 접근을 이해하는 열쇠는, 아마 개연성(probability)이 설득용 기술의 기초임을 인식한 점일 것이다. 연설가들은 종종 그들 논증의 기초를, 증명될 수 있는 보편적으로 옳은 것에 두기보다는 의견, 곧 사람들이 옳다고 믿는 바에 두었다. 그런데 플라톤은 이런 의존성을 수사학의 결함으로 본 반면, 아리스토텔레스는 꼭 필요한 것으로 보았다. 발견될 수 있고 검증이 가능한 진리는 과학이나 논리학의 영역에 속했다. 반면에 우발적인 인간사를 다룰 때는 보편적인 진리를 항상 발견할 수 있거나 검증할 수 있는 것이 아님을 사람들이 배우게 되었다. 바로 이 영역에서 논증학과 수사학이 수행할 역할이 있었던 것이다. "수사학은 논증학의 상대역이다"라고 아리스토텔레스는 《수사학》의 첫 문장에서 말했다. 아리스토텔레스가 수사학적 증명에 대해 피스테이스(pisteis), 즉 '믿음'(pistis)에 어원을 둔 용어를 사용했다는 점은 무척 의미심장하다. 믿음이야말로 일상적인 인간사를 다룰 때 도달할 최고도의 확실성임을 아리스토텔레스가 인지했던 것이다.

이처럼 개연성을 설득용 기술의 본질로 인식한 것은 아리스토텔레스가 수사학 이론에 기여한 대다수 공헌의 배후에 놓여있다. 세 가지—이성에의 호소(로고스), 감정에의 호소(파토스), 윤리적 호소(에토스)—증명 방식, 삼단논법에 상당하는 것이 수사학에서는 생략삼단논법이고 완전한 귀납에 상당하는 것이 예(example)라는 것, 토픽을 가용한 논증을 발견하는 시스템으로 본 것, 청중을 설득용 담론에 필요한 주된 원리로 강조한 것 등이다. 또 다른 공헌은 수사학에 나쁜 평판을 초래한, 무조건 성공해야 한다는 입장을 제거한 점이다. 그는 '주어진 경우에 가용한 설득 수단'의 개념을 강조함으로써 성공적인 결과보다 덕스러운 노력을 역설했다. 그런 입장은 또한 수사학을 도덕에 무관심한 활동으로 만들곤 했었다. 또 하나의 독특한 공헌은 제2권에서 좀 더 흔한 감정이나 열정을 분석한 일이다. 아리스토텔레스가 탐구하는 세 가지 호소 방식의 하나는 감정적 호소이고, 그는 학생들에게 적절한 감정적 반응을 불러일으키는 방법을 보여주려고 노력한다. 이 방식은 심리학의 시발점이고, 어쩌면 원시적일지 몰라도 놀랍도록 통찰력이 뛰어나다.

여기서 아리스토텔레스의 수사학 이론의 모든 분파를 철저히 규명하고픈 유혹이 있으나, 이 간략한 개관은 그런 흥미로운 일탈을 허용할 수 없다. 사실 이 교재는 아리스토텔레스의 이론에 빚진 바가 너무 많아 《수사학》의 수정증보판으로 간주되어도 좋을 정도다. 아리스토텔레스의 글은 너무나 탁월해서—확실히 서구 세계의 위대한 책들 중 하나이다—앞서 언급한 《테오덱테아》와 크세노폰의 아들 이름을 딴 《그릴루스》(Gryllus)란 수사학 역사책의 실종을 유감스럽게 여길 뿐이다. 오랫동안 익명의 《알렉산더를 위한 수사학》(Rhetorica ad Alexander)은 아리스토텔레스가 쓴 또 다른 수사학 저술로 간주되어 왔다. 그러나 오늘날 학자들은 아리스토텔레스가 그 산만한 책의 저자가 아니라고 확신하고, 오히려 아리스토텔레스의 동시대인 람프사쿠스의 아낙시메네스(Anaximenes)의 작품으로 여기는 편이다. 이 책이 수사학 역사에서 영향력 있는 작품이 된 적은 없었다.

여기서 언급할 만한 또 다른 그리스 수사학 논문은 《양식에 관하여》(On Style)라는 텍스트이다. 이 저술의 집필 시기와 저자는 불확실하다. 오랫동안 데메트리우스 팔레레우스(Demetrius Phalereus)의 작품으로 간주되었는데, 그는 주전 317년에서 307년까지 아테네를 다스린 인물이며 톨레미 소테르(Ptolemy Soter)의 초대를 받아 알렉산드리아의 큰 도서관에 비치할 책을 수집하는 일을 도운 사람이다. 하지만 케임브리지 대학교 출판부를 위해 그 책을 영어로 번역한 W. 라이즈 로버츠(W. Rhys Roberts)는 내부 및 외부 증거를 바탕으로 데메트리우스 팔레레우스가 이 텍스트를 쓰지 않았다고, 이 책은 주전 1세기 또는 주후 1세기 언젠가 쓰인 것이라고 결론을 내렸다. 오직 수사학의 엘로쿠티오(elocutio, 양식) 구분만 다루는 이 텍스트는 양식의 '종류들'을 분석한 최초의 책 중 하나로 유명하다. 대다수 후대의 수사학은 세 가지 양식(높은 양식, 중간 양식, 낮은 양식)만 논의하는데 비해, 이 텍스트의 저자는 네 번째 양식, 곧 힘찬 양식에 대해 논의한다. 저자는 양식에 관한 논의 전체에 걸쳐 단어의 선택과 배열에 특별한 관심을 보인다.

15세기 말까지만 해도 《헤레니우스를 위한 수사학》(Rhetorica Ad Herennium)은 키케로가 쓴 책으로 간주되었다. 일부 현대 학자들이 주장하듯 코르니피시우스(Cornificius)가 이 책의 저자인지 여부는 여전히 논쟁거리지만, 주전 86년과 82년 사이에 쓰인 것으로 보이는 본서는 현존하는 가장 초창기의 라틴어 저서이고 라틴어로 산문 양식을 다룬 초창기의 작품이기도 하다. 더 나아가, 이 책을 로엡 고전 도서관(Loeb Classical Library)을 위해 번역한 해리 카플란(Harry Caplan)이 지적하듯이, 《헤레니우스를 위한 수사학》은 "양식의 종류를 셋으로 나누는 현존하는 최고(最古)의 저술이고 비유를 공식적으로 연구한 현존하는 최고의 저술이다." 아울러 이 글은 잔존하는 고전 수사학 자료를 통틀어 전달과 기억을 가장 완전하게 다룬 책이라는 것도 지적해야겠다. 고대 세계에서는 사실상 알려지지 않았던 이 책이 중세와 르네상스 시대에는 크게 유행했다. T. W. 볼드윈(T. W. Baldwin) 교수에 따르면, 수사학이 튜더 시대에 대부흥을 경험했을 때 이 책은 잉글랜드 문법학교 교과의 기본 교재로 사용되었다.

키케로는 《헤레니우스를 위한 수사학》의 저자는 아닐지언정, 수사학 역사에서 그의 자리를 충분히 확보하게 해주는 여러 저술의 저자이다. 수사학과 관련된 그의 저서 중에서 가벼운 책으로는 《발견》(De Inventione), 《최고 종류의 연설자》(De Optimo Genere Oratorum), 《토피카》(Topica), 그리고 《연설의 범주》(De Partitione Oratoria) 등이 있고, 주요한 책으로는 《웅변가에 대하여》(De Oratore)와 《저명한 변론가에 관해서》(Brutus), 《웅변가》(Orator)가 있다.

여기에는 이런 저술을 해설할 지면이 없지만, 키케로가 수사학에 끼친 공헌에 대해서는 몇 마디 할 수 있다. 키케로는 존경받는 수사학 선생이면서 노련한 연설가였다. 일부 문학사학자들은 키케로가 그의 이론적 논문들(rhetorica decens)보다 그의 연설과 편지(rhetorica utens)를 통해 더 효과적인 가르침을 베풀었다고 주장한다. 그의 저술들은 '아시아풍 지지자들'(Asiatics: 화려하고, 높은 격식을 차린 양식의 옹호자들)과 '아틱풍 지지자들'(Atticists: 평이하고, 말끔하고, 꾸밈없는 양식의 옹호자들) 간의 논쟁을 중재하는 데 큰 역할을 했다. 하지만 키케로의 주된 공헌은 수사학의 범위를 확장시킨 일일 것이다. 아리스토텔레스는 수사학이 고유한 주제가 없다고 주장한 반면, 키케로는 완전한 연설가는 많은 주제에 대해 정통해야 한다고 생각했다. 완전한 연설가는 논증을 착상하기 위해 폭넓은 지식을 구사할 수 있어야 한다. 따라서 키케로의 시스템 아래서는 수사학 공부가 실제로 교양 과정이 되었다. 이처럼 수사학의 범위가 넓어진 것을 감안하면, 르네상스 시대에 수사학 공부가 부활되었을 때, 왜 키케로가 영국과 대륙의 휴머니스트들에게 호소력을 발휘했는지 이해할 수 있다.

키케로의 이름과 항상 같이 등장하는 훗날의 수사학자는 퀸틸리안이다. 주후 35년경 스페인에서 태어난 퀸틸리안은 마침내 로마로 가서 교육을 마친 후 성공적인 법정 변호인이 되었다. 세월이 흘러 그는 대단한 평판을 얻어서, 베스파시우스 교황이 로마에 그를 위해 수사학 교수직을 만들기까지 했다. 이 최고의 명성은 주후 96년경에 일어난 그의 죽음 이후에도 그를 수사학 분야의 지고의 권위로 만들어주었다. 88년경 그는 연설가 훈련에 관한 위대한 작품, 《변론법 수업》을 쓰기 위해 가르치는 직책에서 은퇴했다. 이 저술의 단편들이 중세 내내 이용 가능했던 것 같으나, 1416년 성 골 수도원에서 완성본이 발견된 이후 《변론법 수업》은 꾸준히 인기를 얻었고 유럽 교육계에 탄탄하게 자리를 잡았다. 그래서 1475년경부터 1600년 사이에 100판 이상이 출판되었다.

12권짜리 《변론법 수업》은 다음과 같이 나눠진다. 제1권은 수사학 공부에 필요한 예비 교육을 다룬다. 제2권은 수사학의 본질, 목적, 범위를 규정한다. 제3~7권은 재료의 발견(inventio)과 배열(dispositio)에 강조점을 두면서 연설 자체를 다룬다. 제8~10권은 양식(elocutio)을 다룬다. 제11권은 기억(memoria)과 전달(pronuntiatio)을 취급한다. 제12권은 완전한 연설가를 위한 필요조건을 다루고 있다.

제1권의 주제가 시사하듯이, 퀸틸리안은 키케로처럼 폭넓은 교육을 받은 사람을 수사학 과정에 가장 적합한 후보자로 간주했다. 더 나아가, 퀸틸리안은 이전의 수사학자들이 암시는 했으나 애써 설명하지 않은 자격을 강조했다. 퀸틸리안은 완전한 연설가에 대한 마르쿠스 카토의 정의—'말하는 기술이 있는 선한 사람'—를 수용한 만큼, 그 직책에 필요한 지적인 강인함에 더하여 연설가는 강한 도덕적 성품을 지닌 사람으로 훈련되어야 한다고 주장했다. 키케로와 퀸틸리안은 연설가 지망생의 지적 훈련과 도덕적 훈련을 주장했기 때문에, 영국과 미국의 수사학 교육에 가장 강한 영향력을 행사한 인물들이 된 것이다. 도덕적 성품이 특히 중요했던 것은, 17~19세기 대부분의 기간까지 영국과 미국의 학교 시스템이 대체로 성직자들의 지배를 받았기 때문이다.

주전 1세기에 이르면 로마 수사학자들의 영향이 지배적이 되지만, 소수의 그리스 저술들이 수사학 발달에 중요한 영향력을 발휘했다. 할리카르나수스의 디오니시우스 (Dionysius)—호레이스와 동시대에 살았던 그리스인—는 주전 30년부터 8년까지 로마에서 수사학을 가르쳤다. 그는 기념비적인 역사책 한 권과 위대한 아틱 연설가들에 대한 비판을 썼고, 대체로 플라톤, 투키디데스, 헤로도토스, 크세노폰(Xenophon)과 같은 그리스 유명인들의 양식에 대한 연구를 다루는 가벼운 수사학 저서들을 집필했다. 그러나 남학생들에게 영향을 미친 그의 저서는 《단어의 배열에 관하여》(On the Arrangement of Words) 라는 책이었다. 디오니시우스는 수사적 양식의 한 측면에 불과한 단어의 순서를 다루었다. 그는 비록 유창한 표현이 단어의 배열과 선택에 대한 합당한 관심을 포함한다는 것을 알고 있었지만, 스스로를 배열에 대한 연구로 국한시키기로 결심한 것은 다른 수사학자들이 이미 단어의 선택을 적절하게 다뤘다고 생각했기 때문이다. 디오니시우스의 특별한 기여는 남학생들로 하여금 단어의 고유한 아름다움을 인식하게 한 것과, 단어들을 노련하게 배열하면 평범한 단어들로도 즐겁게 하는 효과를 창출할 수 있음을 알게 한 것이다.

헤로모게네스(Hermogenes)와 아프토니우스(Aphthonius)는 훗날 15세기와 16세기의 유럽 남학생들에게 영향을 미친 만큼 그들의 동시대인에게는 영향을 발휘하지 못했다. 둘이 함께 출판한 수사학 텍스트는 《프로김나스마타》(progymnasmata)라는 책이었다. 프로김나스마타는 최초의 글쓰기 연습이었고, 남학생들이 초보 수사학 교육을 받은 후 시도했던 '주제들'이었다. 이 텍스트들은 작은 작문 형식의 구성에 필요한 전문적인 규칙을 제공할 뿐 아니라 열두어 개의 흔한 형식들을 실례로 제공했다. 이 텍스트들은 분명히 '공식적인 수사학'의 전통에 속했다. 이는 모델로 가르친 그런 수사학을 일컫는다. 헤로모게네스와 아프토니우스가 쓴 프로김나스마타는 그리스어본과 라틴어본 모두 놀랄 만큼 많은 판(版)을 거듭했다.

이제 그리스 텍스트 하나만 더 언급하면 고전 수사학의 개관은 일단락될 것이다. 이 텍스트는 롱기누스가 쓴 유명한 《숭고함에 관해》이다. 오늘날 《숭고함에 관해》는 대다수 학생들에게 중요한 문학 비평 문헌의 하나이다. 그러나 우리는 이 저술이 수사학자에 의해 쓰였고[이보다 앞서 주후 260년경에 그는 현재 실종되고 없는 《수사학 기술》(Art of Rhetoric) 을 썼다.] 문학 비평뿐 아니라 수사학에도 기여했다는 점을 잊으면 안 된다. "저자의 목적 은 오히려 고상하고 인상적인 양식의 필수요소를 폭넓게 가리키는 것"이라고 현대 영어 번역판의 하나를 만든 W. 라이즈 로버츠가 말한다. 롱기누스가 논의한 숭고함의 출처 다섯 개 중 세 가지는 양식과 관련이 있다. 비유적 표현의 적절한 사용(16~29장), 어법 의 고상함(30~38장), 그리고 단어순서의 위엄과 고귀함(39~40장)이다. 롱기누스는 열정 을 훌륭한 자원으로 삼음으로써 설득과정에서 감정적 호소의 이용을 격려했고, 숭고함 을 '위대한 영혼의 메아리'라고 주장함으로써 훗날 수사학 교육에 나타난 도덕주의적 경 향을 부추겼다.

중세의 수사학

하드리아누스(Hadrian)와 안토니네(The Antonines) 황제들(주후 117~180)의 후원으 로 수사학 선생들은 다시는 누리지 못할 명성과 특권을 획득했다. 2세기 소피스트들 (Sophists, 주전 5~4세기 경 그리스를 거점으로 활동한 철학사상가 겸 교사들. 설득을 위한 논변술을 주장하고 가르쳤으며, 상대적 기준으로 진리와 정의를 판단했다–역자 주)은 결국 그들의 특권을 남용하고 그 분야를 변질시켰기 때문에 불미스러운 평판을 얻고 말았다. 소피스트들의 목적은 청중을 설득하기보다 그들을 놀라게 하는 것이었다. 이 목적을 성취하기 위해 양 식과 전달의 온갖 번지르르한 책략을 쓰도록 부추겼다. 이 기간 동안의 수사학 학교들은 2가지 교과과정을 갖고 있었다. 하나는 수사학의 학문적 연구를 하나의 기술로 불렀던 '소피스트적인' 과정이고, 다른 하나는 그 기술의 실제적 적용과 관련이 있던 '정치적인' 과정이었다. 그런데 '소피스트적인' 학교가 더 큰 명성과 더 높은 이득을 누렸기 때문에 수사학은 그 가치가 떨어지는 방향으로 선회했다.

2세기 소피스트의 영향을 받은 중세의 수사학은 실제적인 기술로 추구되는 분야가 아니라 오히려 카시오도루스(Cassiodorus), 카펠라(Capella), 이시도레(Isidore) 같은 중세 수사학자들의 《개요서》(*compendia*)의 지도를 받는 학구적인 연습이 되었다. 문법, 논리학, 그리고 수사학은 '3학 또는 3과'(trivium)를 구성했고, 이는 문학사 학위를 받게 하는 4년제 학부 과정이 되었다. 음악, 산술, 기하, 그리고 천문학은 '4학 또는 4과'(quadrivium)를 이루었고, 이는 석사 학위로 이끄는 3년제 대학원 과정이 되었다. 학구적인 논리학은 3학에서 단연코 우월한 지위를 차지했다. 수사학의 영역은 일차적으로 편지 쓰기의 기술 (ars dictaminis)과 설교의 준비 및 전달의 기술(artes pracdicandi)을 공부하는 것이 되었다. 사실상 학생들은 두 가지 형태의 학구적 연설을 연습했다. 하나는 특정한 역사적 또는 전설적 주제에 관한 진술(suasoriae)이고, 다른 하나는 특정한 고전적인 법적 질문에 관한 진술(controversiae)이었다. 그러나 이런 연설들은 허식적 또는 의식적 과시의 정신으로 수행되었기 때문에 그런 훈련의 산물은 보통 모든 설득 수단을 구사할 줄 아는 연설가보다는 유창하고 영리한 '연예인'이었다. 따라서 수사학 기술은 교과과정에서 두드러진 지위를 갖고 있었음에도 불구하고, 후퇴하지 않는다면 제자리걸음을 했다. 리처드 맥키언 (Richard McKeon)이 '중세의 수사학'[*Rhetoric in the Middle Ages*, 〈스페킬럼〉(*Speculum*)]에서 말했듯이, "그렇다. 만일 수사학이 단일한 주제—양식 또는 문학 또는 담론과 같은—의 견지에서 규정된다면, 중세 동안에 역사란 없다."

성 아우구스티누스(주후 353~430)가 연대적으로 중세에 속하진 않지만, 그는 중세 수사학 발달의 대표적 인물로 고찰해도 무방한 인물이다. 《고백록》(*The Confessions*)을 읽은 사람은 아우구스티누스가 '불타는 젊은이' 시절에 로마의 제2기 소피스트에서 유래한 '이방' 수사학의 학생이었다가 나중에 선생이 되었다는 사실을 알고 있다. 회심 이후 아우구스티누스는 《그리스도교 교양》(*De Doctrina Christiana*) 제4권에서 수사학에 중요한 기여를 했다. 아우구스티누스는 수사학을 그리스도인이 거룩한 삶을 영위하도록 설득하는 수단으로 활용하는 데 관심이 있었다. 이런 배타적인 관심으로 그는 수사학의 영역을 좁혔다고 말할 수 있다. 반면에 양식과 다른 과시적 요소들에 대한 소피스트의 몰입을 배척하고 좀 더 포괄적인 키케로의 수사학으로 되돌아감으로써, 그는 다시 한번 수사학의 영역을 넓혔다. 그는 성경 텍스트에 집중했고 특히 수사학의 대가인 바울의 편지들에 초점을 맞췄다. 하지만 이 텍스트들에 대한 아우구스티누스의 분석은 그 '메시지'보다 오히려 수사학적 기교에 관심이 있었다. 그런데 뜻밖의 사실은 수사학자는 도덕적으로 선한 사람이어야 한다는 퀸틸리안의 견해를 아우구스티누스가 배척했다는 점이다. 그는 덕스러운 삶을 산다는 설교자의 평판이 청중에게 설득력을 발휘한다는 점을 부인하진 않았지만, 악한 설교자조차 설득용 자료를 잘 활용하기만 하면 청중이 그리스도를 좇도록 유도할 수 있음을 인정했다.

아우구스티누스의 수사학은 설교의 수사학, 즉 오늘날 설교학(homiletics)으로 알려진 분야의 토대를 놓았다. 이는 르네상스와 종교개혁의 기간과 이후 상당 기간에 걸쳐 굉장한 주목을 받게 되었던 학문이었다. 물론 고전 수사학자들 중에 설교의 기술에 관해 논한 사람은 하나도 없었으나, 그런 기술의 토대는 수사학의 과시적 성격에 있었다고 할 수 있다.

케네스 버크는 《동기의 수사학》(A Rhetoric of Motives)에서 아우구스티누스를 논하면서 그가 수사학의 교육적 기능에 주목했었다고 지적했다. "일단 교육을 수사학의 목표로 취급하면 당신은 수사학의 범위를 설득 이상으로 넓힐 수 있는 원리를 소개하는 것이다. 이는 강해, 묘사, 전반적인 의사소통의 이론과 실천에 관한 저술들까지 포함시키는 길에 접어들게 된다." 따라서 도널드 브라이언트(Donald C. Bryant) 같은 현대의 수사학 학생들은 고전 수사학을 개조해서 네 가지 형태의 담론 중 적어도 두 가지—논쟁과 강해—를 섭렵할 수 있는 가능성을 보았다. 사실 우리가 묘사의 수사학과 서술의 수사학을 개발하지 못할 이유는 없는 듯하다. 예컨대, 웨인 부스(Wayne C. Booth)의 《소설의 수사학》(The Rhetoric of Fiction)은 비(非)교훈적 픽션의 수사학 기교에 대한 훌륭한 연구이다.

대륙의 수사학자들

중세 이후 유럽 대륙에서의 수사학 역사에 대해서는 소수의 대륙 수사학자를 언급하면서 영국에서 수사학 발달에 뚜렷한 영향을 미친 네댓 명에 국한할 생각이다.

가장 영향력 있는 수사학자는 에라스무스였다. 이 뛰어난 학자는 영국에서 5년밖에 보내지 않았지만(1509~1514) 영국의 고전문법 학교 교과과정과 학교에서의 수사학 훈련을 위한 패턴을 만들었다. 그는 콜렛(Colet) 학장이 세인트 폴 스쿨(St. Paul's School)을 설립할 때 영국에 있게 되었고, 콜렛의 요청으로 많은 교과서를 준비했다. 이 가운데는 《이성에 대한 연구》(De Ratione Studii)와 《두 배로 풍성한 단어와 사물의 어휘에 관해》(De Duplici Copia Verborum ac Rerum)가 포함되어 있다. 초판이 1512년에 출간된 이 두 권은 이후에 놀랄 만큼 많은 판을 거듭했다(예컨대, 《풍성한 어휘》(De Copia)는 적어도 150판이 출간되었고, 그 가운데 소수만 영국의 출판사에서 출간되었다는 점을 지적해야겠다). 《이성에 대한 연구》는 수사학보다 교육학에 관한 글에 더 가깝지만 수사학 학생들의 관심을 끄는 것은 언어의 기술에 대해 우발적으로 언급하기 때문이다. 학생들이 잘 읽고 말하는 법을 배우는 것은 끝없는 규칙 공부가 아니라 읽는 내용을 분별하는 것과 많은 연습을 통해서 가능하다고 에라스무스는 주장했다. 에라스무스는 글쓰기에 관해 가장 건전한 교훈을 선언한 초창기 인물 중 하나이다. "쓰라, 쓰라, 그리고 다시 쓰라." 그는 또한 비망록을 쓰는 연습, 시를 산문으로 풀어쓰는 연습과 산문을 시로 바꾸는 연습, 동일한 주제를 두 가지 이상의 양식으로 표현하는 연습, 한 명제를 여러 다른 논증 노선을 따라 증명하는 연습, 그리고 라틴어를 그리스어로 번역하는 연습 등을 권유한다.

튜더 학교들에서 수사학 교재로 널리 사용되었던 《풍성한 어휘》(De Copia)는 고전문법 학교의 학생들이 라틴어 작문에서 표현의 우아함과 다양성을 습득하도록 돕기 위해 고안된 책이었다. 이 텍스트는 전통적인 '실체'(res)–'말'(verba)의 구별(문자적으로, 사물과 말; 보다 넓게는 물질과 형상)에 기초해 있다. 《풍성한 어휘》 제1권은 학생에게 변화를 도모할 목적으로 수법과 전의(elocutio)를 사용하는 법을 보여주었고, 제2권은 동일한 목적으로 착상(inventio)의 사용에 대해 가르쳤다.

이 책의 내용은 튜더 교육의 중요한 관심사 중의 하나가 되었다. 라틴어 Copia는 문자적으로 '많음, 풍부함'을 의미했다. 좀 더 구체적으로, copia dicendi 또는 copia orationis는 '표현의 풍부함'이라는 뜻이었다. 표현의 풍부함을 이루는 한 가지 방법은 한 주제에 관해 할 말을 많이 모으는 것이고, 동일한 것을 다양한 방식으로 말하는 능력을 개발하는 것이다. 그런즉 copia는 부분적으로 풍부한 착상의 문제이고 부분적으로 풍부한 양식의 문제이다. copia의 예를 들기 위해 에라스무스는 제1권 33장에서 "Tuae literae me magnopere delectarunt"(당신의 편지가 나를 매우 기쁘게 했소)라는 문장의 150가지 변형과 "Semper dum vivam tui meminero"(살아있는 동안 늘 그대를 기억하겠소)라는 문장의 200가지 변형을 제시한다.

우리가 언급할 에라스무스의 마지막 저서는 편지 쓰기에 관한 텍스트인《편지 쓰는 법》(*Modus Conscribendi Epistolas*)(1522)이다. 이미 살펴보았듯이, 편지 쓰기는 중세에 인기 있는 수사학 연습 중의 하나였다. 르네상스 시대에는 편지 쓰기가 교과과정에서 열등한 위상으로 떨어졌지만 하찮은 등급이 된 것은 아니다. 에라스무스의 경우, 편지는 학생이 기본적인 수사학 규칙을 통달한 뒤에 쓰는 최초의 확장된 형식의 작문이 되었다. 오늘날과 같은 빠른 의사소통과 수송수단이 없던 시대에는 외교 업무와 사업이 주로 편지를 통해 진전되었다. 따라서 편지 쓰기에 노련한 사람은 연설을 잘하는 사람만큼 수요가 많았다. 그리고 라틴어와 토착어로 쓰인 편지 쓰기 매뉴얼의 수만 봐도, 16~17세기에 이런 훈련의 수요가 얼마나 컸는지 알 수 있다. 오늘날에도 이런 문자 담론에 대한 공식적 훈련을 도무지 무시할 수 없다. 편지들—우호적인 편지, 사업상의 편지, 홍보용 편지, 편집자에게 보낸 편지—은 학교를 떠난 후에도 종종 작성하지 않으면 안 되는 대표적 형식의 문자 담론이다. 특정한 종류의 편지(예컨대, '애걸하는 편지')에는 가장 정교한 캠페인 연설에 못지않은 수사가 포함되어 있다.

에라스무스와 견줄만한 후안 비베스(Juan Luis Vives, 1492~1540)는 대륙 학자들의 선두에 서 있는 인물로, 그 역시 영국에서 수년밖에 보내지 않았으나 한 세기도 넘게 영국의 고전문법 학교에 영향을 미친 사람이었다. 스페인에서 태어나서(그래서 때로는 '제2의 퀸틸리안'이라 불린다) 파리와 플랜더스에서 교육을 받은 그는 1523년 월씨(Wolsey) 추기경에 의해 옥스퍼드의 수사학 강사직에 임명을 받았다. 헨리 8세는 자기 딸 메리의 교육을 비베스와 토마스 리너커(Thomas Linacre)에게 맡겼다. 헨리 8세가 비베스의 동포인 아라곤의 케서린과 이혼하려고 했을 때, 비베스는 달갑지 않은 인물이 되어 1528년에 영국을 떠나 다시는 돌아가지 않았다.

비베스가 영국의 수사학에 영향을 미친 것은 그의 교과서들보다 교육에 관한 글을 통해서였다. 이로써 그는 수사학 교과과정의 패턴을 세우는데 도움을 주었다. 에라스무스와 달리, 비베스는 영국에 머무는 동안에는 수사학 저서를 일체 출판하지 않았고, 훗날 출판한 수사학 교재 중 어느 것도 학교에서 널리 사용되지 않았다. 비베스는 1531년 벨기에의 앤트워프에서 교육에 관한 주저서인 《훈련에 대해》(*De Disciplinis*)를 출판했고, 그로부터 3년 후 영국을 떠났다. 직후에 세 권의 수사학 책이 연이어 출판되었다. 《수사학, 또는 웅변, 세 권의 책》(*Rhetoricae, sive De Ratione Dicendi, Libri Tres*), 그가 옥스퍼드에서 가르치는 동안 집필한 수사학에 관한 짧은 글인 《질의에 대해》(*De Consultaione*), 글쓰기 수사학에 기여한 책인《편지 쓰기에 대해》(*De Conscribendis Epistolas*)이다.

《웅변》(*De Ratione Dicendi*)과 그 동반자 《질의에 대해》는 벤 존슨(Ben Jonson)이 수사학 저서인 《숲 또는 발견》(*Timer or Discoveries*)을 집필할 때 풍부한 재료를 제공했고, 셰익스피어 역시 고전문법 학교에서 이런 저술에 노출되었을 가능성이 많다. 그러나 당시의 다양한 고전문법 학교들의 정관을 조사해보면, 에라스무스의 교재들은 교과과정에 자주 추천되는데 비해 비베스의 교재들은 거의 언급되지 않는다. T. W 볼드윈은 튜더 학교들에 관한 기념비적인 연구서 《윌리엄 셰익스피어의 빈약한 라틴어 실력, 그리고 그보다 더 부족한 그리스어 실력》(*William Shakespere's Small Latine & Lesse Greeke*)에서 에라스무스가 탁월한 지위를 누린 것은, 그가 진정한 르네상스 옹호인인 데 비해, 비베스와 콜벳 같은 인물들은 르네상스보다 가톨릭 종교개혁에 속했기 때문이라고 설명한다. 볼드윈의 주장에 따르면, 비베스와 콜벳은 문학적 품위보다 도덕적 개혁에 더 관심이 있었다고 한다.

영국의 수사학에 눈에 띄는 영향을 미친 세 명의 다른 대륙 수사학자들도 간략하게 언급할 필요가 있다. 첫째 인물은 라이프치히 대학교에서 그리스어 교수로 일했던 독일인 페트루스 모셀라누스(Petrus Mosellanus, 가족명으로는 Pierre Schade, 1493~1524)이다. 그는 《페트루스 모셀라누스의 함축과 비유에 대한 보고서》(*Tabulae de Schematibus et Tropis Petri Mosellani*)라는 제목의 수사학 교재를 출판했다. 일찍이 1530년에 이튼의 소년들은 모셀라누스의 교재(6판)를 사용하고 있었고, 16세기 전반부에 모셀라누스는 영국의 고

전문법 학교들에서 양식에 관한 표준 저자가 되었다.

　필리프 멜란히톤(Philippus Melanchthon 또는 Philip Schwartzerd, 1497~1560)은 비텐베르크의 고전 담당 교수이자 마르틴 루터의 가까운 동료로서 세 권의 수사학 교재를 출판했다. 《수사학에 관한 세 권의 책》(*De Rhetorica Libri Tres*), 《수사학의 원리들》(*Institutiones Rhetoricae*), 그리고 《수사학의 요소들에 대한 두 권의 책》(*Elementorum Rhetorices Libri Duo*). 모셀라누스는 양식에 집중했던데 비해, 멜란히톤은 수법과 전의를 최소한으로 다루면서 독자들에게 더 온전한 논법을 보려면 키케로, 퀸틸리안, 에라스무스, 모셀라누스와 같은 수사학자들을 참고하라고 했다. 그는 주로 착상과 배열에 관심을 쏟았다. 멜란히톤은 착상과 배열을 논리학의 영역에 넣었고, 그렇게 함으로써 장차 라무스(Ramus)와 탈라에우스(Talaeus)가 16세기에 초래할 혁명을 위한 토대를 놓았다.

　요하네스 수센브로투스(Joannes Susenbrotus)가 쓴 《함축성에 있어서 비유들의 개요》(*Epitome Troporum ac Schematum*)은 모셀라누스와 멜란히톤의 혼합체였다. 132개의 수법과 전의를 모아놓은 이 책은 1562년 영국에서 출판되었고, 이후 16세기의 나머지 기간 동안 비유에 대한 문법학교의 표준 교과서로서 모셀라누스를 대체했고, 훗날 이런 양식적 장치를 토착어로 취급하는 것의 모델 역할을 했다.

16세기의 토착 영어 수사학

　이제까지 언급된 모든 수사학은 그리스어나 라틴어로 기록된 것이고, 영국의 소년들이 1520년까지 수행한 대다수의 작문은 라틴어로 된 것이었다. 이탈리아에서 시작해서 프랑스로 퍼져갔고, 마침내 로저 애스컴(Roger Ascham), 존 체크 경(Sir John Cheke), 토머스 엘리엇 경과 같은 휴머니스트들을 통해 영국까지 영향을 미친 르네상스와 함께, 고전 작가들이 만든 이방 문학에 대한 관심이 부활했다. 앨더스가 1503년에 대표적인 그리스 수사학자들의 저술을 출판했을 때, 고전 수사학은 그 새로운 관심을 받는 대열에 합류했다. 우리가 살펴보았듯이, 에라스무스와 비베스가 영국 학교의 교과과정을 지도함으로써 수사학은 더욱 각광을 받게 되었다. 얼마 지나지 않아 수사학은 튜더 고전문법 학교들과 대학교들에서 지배적인 학문이 되기에 이르렀다.

학교들에서 가르친 수사학은 기본적으로 아리스토텔레스의 것이었지만, 아리스토 텔레스의 《수사학》은 두드러진 교과서가 된 적이 없었다. 영국 학교들에서 수사학을 가르치기 시작한 초기에 교과과정을 지배한 이들은 라틴 수사학자들, 특히 키케로, 퀸틸리안, 그리고 《헤레니우스를 위한 수사학》을 쓴 무명의 저자였다. 영국인의 위상이 올라가고 국가의 업적이 커지면서 토착어에 대한 자부심도 자람에 따라, 교장들이 토착어로 된 교과서를 만들고 학생들로 토착어로 연설하고 글을 쓰게 하려는 움직임이 일어나기 시작했다.

보통은 영국의 르네상스 동안 만들어진 토착어 수사학을 세 가지 주요 그룹으로 분류한다: (1) 전통주의자—착상, 배열, 양식, 기억, 전달 등 다섯 부분에 관심을 기울이며 완전히 성장한 수사학을 가르친 사람들. (2) 라무스 학파—착상과 배열은 논리학의 영역에 넘기고 단지 양식과 전달만 수사학에 배치시키는 사람들. (3) 비유주의자—배타적이진 않아도 주된 관심을 수법과 전의의 연구에 집중하는 사람들. 사실상 이 세 그룹은 수사학의 기술에 대한 근본적인 개념보다 교육학적 접근에서 더 차이가 난다. 예컨대, 라무스 학파는 전통주의자만큼 착상과 배열의 중요성을 강하게 믿었으나, 이런 주제들은 논리학 아래서 더 잘 연구될 수 있다고 믿었다. 라무스 학파는 비유주의자만큼 많은 수법과 전의에 대해 생각하지 않았을지 모르지만, 비유주의자가 양식의 측면 아래서 연구한 많은 비유를 착상의 토픽들과 연관시켜 연구했다. 이어지는 토착어 교재들에 대한 간략한 해설만 봐도, 독자는 그 책들이 어느 그룹에 속하는지 판단할 수 있을 것이다.

레딩(Reading)의 교장이었던 레너드 콕스(Leonard Cox)는 영어로 된 최초의 수사학 교과서, 《수사학의 기술과 기법》(*Arte or Crafte of Rhetoryke*)을 쓴 인물로 유명하다. 이 최초의 영어 수사학은 전통주의 학파에 소속시키는 것이 적절할 것이다. F. I 카펜터(F. I Carpenter)는 콕스 교재의 현대판에서 그 책이 멜란히톤의 《수사학의 원리들》(*Institutiones Rhetoricae*)에 기초해 있고 심지어 부분적으로 번역한 것임을 설득력 있게 증명했다. 콕스는 멜란히톤처럼 주로 착상(inventio)에 관심이 있었다.

1550년 막달렌 칼리지 학교의 교장이었던 리처드 셰리(Richard Sherry)는 J. 데이즈 출판사를 통해《수법과 전의에 대한 논문》(A Treatise of Schemes and Tropes)을 출판했는데, 이는 때때로 '영어로 된 두 번째 수사학 책'이라 불리곤 한다. 이 책은 수법과 전의에 관한 최초의 영어 교재라고 충분히 주장할 만하다. 5년 후 셰리는 앞선 교재의 라틴어−영어 개정판을 출판하면서 제목을《문법과 수사의 중요성에 관한 논문》(A Treatise of the Figures of Grammar and Rhetorike)으로 바꾸고 약 120가지 비유를 다루었다. 셰리는 고전문법 학교 업계를 석권하려고 그 교재를 만들었으나 수포로 돌아가고 말았다. 당시에 모셀라누스와 수센브로투스(Susenbrotus)가 교과과정에 너무나 확고한 자리를 잡고 있어서 도무지 쫓아낼 수 없었기 때문이다. 그래서《수법과 전의에 대한 논문》은 초판밖에 찍지 못했다.

널리 유행했던 최초의 토착어 수사학은 토마스 윌슨(Thomas Wilson)의《수사학 기법》(The Arte of Rhetorique)이었다. 이 수사학의 말끔한 현대판을 출판한 G. H 메어(G. H. Mair)는 윌슨에 대해, 그는 '교육학의 측면에서 영국에서의 르네상스의 흐름을 만드는데 많이 기여했고, 영국식 산문의 발달에 적지 않은 영향을 미쳤던' 케임브리지 맨의 한 명이었다고 말한다. 윌슨의 교재는 다섯 부분을 다룬다는 점에서 '키케로식' 수사학이지만,《수사학》의 대표적인 현대 권위자인 러셀 바그너(Russell H. Wagner)가 지적했듯이, 윌슨은 에라스무스, 콕스, 셰리로부터 그의 수사학 학설의 일부를 전유했다.

《수사학 기법》은 최고의 고전 교재들과 중세 교재들을 특징지었던 신중한 구성과 수법의 형식을 갖고 있다. 제1권은 수사학의 다섯 요소들과 같은 주제들(착상, 배열, 웅변, 기억, 발화), 연설의 일곱 부분들(진입, 서술, 명제, 구분, 확증, 논박, 결론), 세 종류의 연설(과시용, 심의용, 법정용)에 대해 생각하고, 이 세 종류의 연설과 관련해 착상의 문제를 다루고 있다. 제2권은 배열과 확충의 비유에 대해 다룬다. 제3권은 주로 연설(양식)에 대해 다루지만 기억과 전달에 대한 요약판을 제공하기도 한다. 이 책의 매력은 윌슨이 굉장히 많은, 건전한 고전 학설을 수집하여 매력적인 영어 산문 양식으로 그 자신의 관찰과 해설과 예들과 함께 묶었다는 사실에 있다. 영국 토착민에게는 윌슨이 '이상한 현학적인 용어들'이라 부른 것에 대한 그의 혹평도 매력을 풍겼다.

이후에 많은 토착어 수사학이 영국에 출현했으나, 가장 대중적인 것이 반드시 가장 건전한 수사학이나 가장 모험적인 수사학은 아니었다. 우리는 18세기 말경에 이르기까지 영국 학교들(그리고 훗날의 미국 학교들)에서의 수사학 전통의 활기와 다양성을 보여주기 위해 여러 종류의 대표적인 텍스트들을 언급할 것이다.

중세에 시작되어 에라스무스와 비베스의 대중적인 글을 통해 계속 이어진 편지 쓰기의 수사학은 16세기 후기에 엔젤 데이(Angel Day)의 《잉글리시 시크리토리》(*The English Secretorie*)의 출판과 함께 또 다른 동력을 받았다. 데이는 네 가지 표제—과시용, 심의용, 법정용, 친숙용— 아래 서른 종류의 편지들에 관해 논의한다. 데이는 비유적 표현에 관한 섹션을 더했고, 예로 든 편지들에 나오는 다양한 전의와 비유를 밝히는 이차적인 어휘를 제공했다.

영문학과 학생들은 조지 푸튼햄(George Puttenham)의 《영어 시의 기법》(*The Arte of English Poesie*)를 시를 변호하려고 쓴 일단의 엘리자베스식 논문의 하나로 기억한다. 그러나 이 책 역시 수사학 이론에 기여한 것이 있다. 비유에 대한 정교한 논술을 담은 《영어 시의 기법》의 제3권은 수센브로투스, 모셀라누스, 에라스무스, 그리고 셰리의 전통 안에서 움직인다. 푸튼햄이 영어 수사학에 기여한 점은 두 가지다. 첫째, 그는 그리스어 비유들과 라틴어 비유들에 대한 토착어 이름들을 창안했다. 둘째, 비유들의 분류에 대한 좀 더 합리적 근거를 찾기 위해 비유들을 그 매력의 성격에 따라 분류하기로 결정했다. 그래서 청각적(auricular) 비유들은 그 효과가 '소리, 악센트, 시간'의 변화에 달려 있으므로 주로 귀에 호소한다. 의식적(sensable) 비유들은 의식의 변화에 달려 있으므로 주로 지성에 호소한다. 그리고 훈계용(sententious) 비유들은 지성과 귀에 모두 호소한다. 전체적으로 푸튼햄은 107가지 비유를 취급한다. 조지 세인츠버리는 《영어 시의 기법》이야말로 "영문학에서 그때까지 가장 정교한 수사학적 비유를 다룬 책"이고 말했는데, 헨리 피챔(Henry Peacham)이 《연설의 뜰》(*The Garden of Eloquence*)에서 184가지 비유를 구별한 만큼 그 말이 완전히 옳다고 할 수 없다.

리처드 라이놀드(Richard Rainolde)의 《수사학의 기초》(*The Foundacion of Rhetorike*)는 튜더 학교들에서 너무나 인기가 좋았던 헤르모게네스와 아프토니우스의 프로김나스마타 연습의 영어 개조판이었다. 사실 라이놀드는 아프토니우스가 다룬 것과 똑같은 초보 작문의 14가지 유형을 다루되, 예들은 본인이 직접 제공했다. 라이놀드는 아프토니우스를 대체하길 바랐으나 수포로 돌아가고 말았다. 그의 교재는 초판밖에 찍지 못했고 오늘까지 초판의 다섯 권밖에 남지 않았으니 거의 잊힌 것이나 다름없다.

그즈음 수사학 연구에 하나의 혁명이 일어났는데, 그 혁명을 초래한 인물은 프랑스 학자 피터 라무스(Peter Ramus)였다. 라무스는 3학 과목들의 가르침을 지배했던 반복성과 모호성이 불만족스러워 전통적인 수사학의 부분들을 논리학과 수사학으로 배분했다. 착상(inventio)과 배열(dispositio)은 논리학의 영역에 넣었다. 수사학은 양식(elocutio)과 전달(pronuntiatio)에 대해서만 관할권이 있었다. 수사학의 다섯째 역할인 기억(memoria)—연설의 암기—은 완전히 무시되었다. 양식은 스스로를 수법과 전의의 공부에 국한시키고 어원론과 구문론은 문법에 넘겨버렸다. 라무스가 지식의 엄밀한 세분화를 도모했던 이유는, 그 분야에서 많은 오류와 혼동이 발행한 것이 학자들이 각 분야의 합당한 주제를 잘못 생각한 결과라고 생각했기 때문이었다. 논리학과 수사학의 가르침이 비록 별개로 유지되긴 하겠지만, 실제로는 협력하고 또 함께 일할 것이었다. 칼 월레스(Karl Wallace)는 라무스의 이분법이 이런 결과를 낳았다고 지적했다. 즉, 이후에는 발견, 배열, 판단 같은 과정들이 지적 영역에만 속하게 된 데 비해, 양식이 부여한 '치장' 내지는 '장식'은 상상의 영역에 속하게 되었다는 것이다. 우리는 나중에 프랜시스 베이컨이 이성과 상상 간의 분업을 어떻게 이해했는지 살펴볼 예정이다.

라무스는 수사학 텍스트를 출간한 적이 없었지만, 그의 철학에 기초한 많은 영감을 수사학에 불어넣었다. 가장 열렬한 제자이자 선전자는 아우도마루스 탈레우스[Audomarus Talaeus, '오메르 탈론'(Omer Talon)이라고도 불렀다]였다. 탈레우스는 라무스가 쓴 논리학 텍스트 《변증에 관한 두 권의 책》(*Dailecticae Libri Duo*)의 자매편인 《웅변학교》(*Institutiones Oratoriae*)[이는 《레토리카; 수사학》(*Rhetorica*)로 더 잘 알려져 있다]를 1544년에 출판했다. 존 브린슬리(John Brinsley)가 쓴 《문학 학교》(*Ludus Literarius*) 혹은 《문법학교》(*The Grammar Schoole*)—16세기 말과 17세기 초 영국 학교들에 관한 정보를 제공하는 가장 중요한 출처 중 하나—에 따르면, 탈레우스의 《레토리카; 수사학》은 곧 '최상급 학교들에서 가장 많이 사용하는' 수사학 교재가 되었다고 한다. 탈레우스의 교재가 교장들에게 인기를 끈 이유는, 그 간결성과 단순성 때문이었던 것 같다.

윌버 사무엘 호웰(Wilbur Samuel Howell)은 라무스 혁명에 대해 폭넓게 다루면서[《영국의 논리학과 수사학》(*Logic and Rhetoric in England*)], 라무스의 수사학을 영국인에게 처음 소개한 사람이 1574년 봄 케임브리지의 크라이스트 칼리지에서 수사학 강사로 임명된 가브리엘 하비(Gabriel Harvey)였다고 지적했는데, 당시는 롤랜드 매킬메인(Roland MacIlmaine)이 런던에서 라무스의 《변증에 관한 두 권의 책》의 라틴어판을 출판하고 있을 때였다. 그때부터 탈레스와 라무스는 더들리 펜너[Dudley Fenner, 《논리학과 수사학의 기술》(*The Artes of Logike and Rethorike*)], 아브라함 프라운스[Abraham Fraunce, 《변호인의 논리학과 아르카디아의 수사학》(*The Lawiers Logike and The Arcadian Rhetorike*)], 찰스 버틀러[Charles Buttler, 《두 권의 수사학 책》(*Rameae Rhetiricae Libri Duo*)], 그리고 토마스 파르나비[Thomas Farnaby, 《수사학 색인》(*Index Rhetoricus*)]의 수사학 교재들과 논리학 교재들의 모델 역할을 했다. 이런 교재들이 출현하고 성공한 것을 감안하면, 볼드윈 교수의 주장, 즉 16세기 말에 이르면 라무스와 탈레스의 프랑스—칼빈주의 학교가 멜란히톤과 스텀(Sturm)의 독일—루터교 학교를 누르고 완전히 승리했다는 주장은 충분히 근거가 있다고 할 수 있다.

17세기 영국의 수사학

17세기가 흐르는 동안 영국의 비평론은 점차 폭넓은 이탈리아의 휴머니즘적 이상으로부터 프랑스 비평가들의 보다 합리주의적이고 설득력 있는 태도로 움직이고 있었다. 르네상스 비평가들은 고전 이론, 중세의 이론, 그리고 당대의 이론으로부터 탄력적으로 끌어냈다. 어떤 권위나 시스템도 최종적인 것으로 받아들여지지 않았다. 영국인이 단일한, 고정된 규칙의 잣대로 글을 쓰고 판단하도록 유도한 인물은 17세기 후반의 프랑스 비평가들이었다. 17세기의 프랑스 비평론은 대부분 서사시와 드라마에 관심이 있었기 때문에[대체로 스칼리체르(Scaliger), 카스텔베트로(Castelvetro), 로보르텔로(Robortello)와 같은

16세기 이탈리아 비평가들의 신(新)아리스토텔레스주의를 수입한 결과로] 시학(詩學)이 수사학보다 더 큰 주목을 받았다. 더구나, 시학과 수사학 간의 경계선이 희미해지기 시작했다. 따라서 때로는 어떤 17세기 교재를 가리키며 "이것은 수사학 책이다" 또는 "이것은 시학에 관한 글이다"라고 단언하기가 어렵다. 그래서 그 제목이 명시적으로 수사학 책이라고 밝힌 어떤 교재에 못지않게, 스핀간(Spingarn)의 19세기 비평론 모음집에서도 수사학 이론을 발견할 가능성이 많다. 강조점의 변화가 낳은 또 다른 결과는 그 이전 시기보다 17세기에 수사학 책이 덜 출판된 것이고, 그 가운데 어느 것도 일부 르네상스 교재들이 누렸던 인기를 누리지 못했다.

17세기는 갈수록 더 규칙에 몰두했을 뿐 아니라 단순하고 공리주의적인 양식의 발달에도 어느 정도 관심을 보였다. 초기의 과학에 대한 관심─대체로 프랜시스 베이컨이 창출했다가 청교도의 반(反)과학적 정권이 끝난 후 왕립 협회 회원들이 촉진시킨─이 '과학적' 양식의 발달을 고무시켰다. 과학적 정신의 성장과 함께한 것은 '키케로주의', 즉 키케로를 모방할 주요 모델─유일한 모델은 아니라도─로 제시함으로써 화려한 양식의 발달을 부추겼던 운동에 대한 반발이었다. 모리스 크롤(Morris Croll)과 조지 윌리엄슨(George Williamson)은 그에 반한 이른바 '세네카 양식'의 발달을 추적했는데, 후자의 특징은 비교적 간결한 문장, 느슨한 구조, 간결하고 함축적인 문구, 변덕스러운 운율 등이었다. 너무도 많은 18세기 저술에 풍미했던 구어체적인 쉬운 양식의 발달을 예비했던 것이 바로 이 운동이었다. 충분히 예상할 수 있듯이, "평이한 양식"에 대한 관심의 증가는 수법과 전의에 대한 관심의 감소로 인해 초래된 것이었다. 그러나 적당한 설명적 양식의 발달을 위한 왕립 협회의 제안을 논의할 때 살펴보겠지만, 존 드라이든이 개발한 인상적인 '중간 양식'은 수학적 상징처럼 심히 메마르고 외연적인 형태를 지닐 산문 양식의 발달을 방지했다.

17세기 수사학에 관한 논의는 프랜시스 베이컨(1561~1626)으로 시작하는 게 좋겠다. 베이컨은 수사학에 관한 체계적인 저서를 쓴 적이 없지만, 그의 저술 곳곳에 흩어져 있는 진술과 담론은 그 자신의 문학적 행습뿐만 아니라 수사학 이론이 17세기에 취할 방향에 관해서도 많은 빛을 비춰준다. 베이컨의 수사학 이론을 주로 담고 있는 책은

《학문의 진보》(*The Advancement of Leaning*)와 이 책의 라틴어 확대번역판이다. 이를 보충하는 재료는 그의《선한 색채와 악한 색채》(*Colours of Good and Evil*)와《옛 격언과 새 격언》(*Apophthegms, New and Old*)에서 찾을 수 있다. 베이컨의 수사학 이론에 대한 최고 안내서는 칼 월레스(Karl R. Wallace)의《프랜시스 베이컨의 의사소통과 수사학에 관하여》(*Francis Bacon on Communication and Rhetoric*)라는 책이다. 여기서는 두세 가지 사항만 다루려고 한다.

베이컨은《학문의 진보》에서 "수사학의 의무와 직분은 의지(Will)를 더 잘 움직이기 위해 이성(Reason)을 상상력(Imagination)에 적용하는 것이다"라고 말한다. 훗날의 저서에서는 "논리학이 지식에 종속되는 것처럼 수사학은 상상에 종속된다. 그리고 깊이 들여다보면, 수사학의 의무와 직분은 욕구와 의지를 자극하기 위해 이성의 명령을 상상력에 적용하고 권유하는 것에 다름 아니다"라고 말한다. 상상력과 이성을 별개의 기능으로 봄으로써 베이컨은 이 기능들의 별개의 영역과 개발에 관한 후대의 논의를 위해 토대를 쌓아놓는다. 그리고 물론 그는 이로써 논리학과 수사학을 나눈 라무스의 이분법을 촉진시키고 있는 것이다.

상상력과 이성은 별개이되 함께 일해야 한다는 관점은 양식에 관한 베이컨의 견해의 기초를 이룬다. 그는 상상력이 이성에 종속된다고 생각했기 때문에 '말'(verba)보다 '실체'(res)의 우선성을 옹호했다. 그는 사물보다 말에 더 관심이 있었던 르네상스 수사학 학교—특히 키케로 학파—에 이의를 제기했다. 이처럼 양식에 몰두한 결과,

> 사람들은 내용보다 말을 더 좇기 시작했다. 그리하여 내용의 무게, 주제의 가치, 논증의 건전함, 착상의 생명, 또는 판단의 깊이보다 문구의 고급스러움, 원만하고 깔끔한 작문, 절의 향기로운 하락, 다양한 전의와 비유의 예증 등을 더 좇기 시작한 것이다.
>
> _프랜시스 베이컨,《학문의 진보》

베이컨은 실체를 말보다 선호하긴 했지만 양식의 문제를 완전히 무시한 것은 아니다. 베이컨이 집중하는 세 가지 양식적 특징은 양식의 주제에 대한 부합, 단순한 언어의

사용, '유쾌함'의 개발이다. 베이컨이 양식과 내용 간의 불가결한 관계를 주장한 것은 온갖 형태의 연설에 풍부한 양식을 사용하는 키케로 학파에 대한 일종의 반란이다. 양식을 내용에 맞추는 관념과 밀접한 관련이 있는 것은 양식을 청중에게 맞춰야 한다는 베이컨의 권고이다. "어떤 사람이 여러 사람에게 똑같은 것에 관해 말해야 한다면, 각 사람에게 다른 말을 사용해야 한다."

베이컨 학설에 분명히 영향을 받은 17세기 수사학자의 한 명은 로마 가톨릭 법률가인 토마스 블라운트(Thomas Blount, 1618~1679)였다. 블라운트는 1654년《웅변의 아카데미》(*The Academie of Eloquence*)를 출판했다. 호잇 허드슨(Hoyt Hudson) 교수가 증명한 것처럼, 이 232페이지짜리 책의 첫 48페이지는 출처를 밝히지 않은 채《연설과 양식 가이드》(*Directions for Speech and Style*)에서 발췌한 것이었다. 후자는 블라운트의 책 이전에 또 다른 법률가인 존 호스킨스(John Hoskins)가 출판했던 작은 책으로서 훗날 1930년대에 이르러야 그의 이름으로 출판된 것이다. 블라운트는, 그의 설명 자료를 당대의 영국 작가들인 필립 시드니 경(Sir Philip Sidney), 벤 존슨, 에드먼드 스펜서(Edmund spencer)같은 인물로부터 끌어온 최초의 영국 수사학자들의 하나였다.

블라운트에게 양식의 네 가지 장점은 간결함, 명료함, '생기' 또는 위트, '존중' 내지는 예절이다. 블라운트가 (다른 수사학자들이 간명함이라 부른) 간결함에 붙인 프리미엄을 주목하라. 이 강조점과 '간단한 양식'과 연관된 경구를 비롯한 비유들에 관한 논의는 세네카 양식이 약간의 주목을 받기 시작했음을 시사한다. 블라운트가 상투어를 다루는 부문에서 다음과 같이 말하는 것은 틀림없이 '예리한 양식'을 가리키고 있었다. "웅변은 우리가 압도하려고 계획한 사람들을 압도하는 일종의 연설이다. 짧게 또는 간결하게 표현한다면, 그것은 우리의 개념을 증류시켜 진수를 만드는 것, 또는 우리의 모든 생각을 하나의 원뿔꼴로 만들고 그 꼭짓점으로 때리는 것이다." 블라운트는 단지 25개의 비유(대부분은 탈레우스가《레토리카; 수사학》에서 다룬 것들)만 다루고, 그 책의 약 30페이지를 확충에 할애한다.

블라운트의 텍스트는 양식에 초점을 맞추지만 그것은 이성의 치밀한 견제를 받는 양식이었다. 이 책은 초판 이후 30년 동안 제5판까지 찍었다. 조지 윌리엄슨(George

Williamson)은 《세네카의 측대보》(Senecan Amble)를 통해 17세기 수사학에 관한 가장 뛰어난 연구를 제공한 인물로서 "다른 어떤 수사학도 그만큼 인기가 좋았던 것 같지 않다"고 인증한다.

여러 수사학은 성경을 활용했다. 그 가운데 가장 대중적인 책은 수사학적 비유들을 성경과 관련시켜 정의했던 존 스미스(John Smith)의 《수사학의 비밀을 밝히다》(The Mysteries of Rhetorique Unvail'd)라는 책이었다. 1709년에 이르면 그 저서의 제9판이 찍힐 정도였다. 17세기에 청교도들이 우세하게 되면서 수사학은 점점 더 설교문을 쓰는 자와 성경 강해자의 도구 역할을 하게 되었다. 청교도 성직자이자 킹즈 노튼의 교장이었던 토마스 홀(Thomas Hall)이 쓴 《거룩한 백년》(Centuria Sacra)의 부제는 영연방 기간 동안 수사학이 어떻게 활용되었는지 보여준다.

성경을 강해하고 더 명료하게 이해하기 위한 100가지 규칙에 관하여. 여기에 성경에 담긴 거의 모든 실질적인 전의와 비유의 개요 내지는 일람표가 더해지다.

옥스퍼드 대학교 엑서터 칼리지 학장, 옥스퍼드의 신학대 명예교수를 거쳐 로체스터의 주교를 역임했던 존 프리도(John Prideaux)는 1650년에 《거룩한 웅변》(Sacred Eloquence) 또는 《성경에 담겨있는 대로의 수사학 기술》(The Art of Rhetoric as It Is Laid Down in the Scripture)이란 제목의 수사학 책을 출판했다. 존 스미스, 존 프리도, 그리고 토마스 홀이란 이름들은 거의 잊히고 말았고, 이 가운데 유독 존 스미스의 책이 한때 성공했지만, 이런 성경적 수사학의 인기와 영향력이 널리 퍼지거나 오래 살아남은 적은 없었다.

토마스 홉스(Thomas Hobbes)가 쓴 《대버넌트의 곤티버트 서문에 대한 답변》(Answer to Davenant's Preface to Gondibert)의 한 부문은 '자연스러운' 양식을 다루고 있는데, 이는 수사학과, 즉 이후에 드라이든이 '창시하게' 될 쉬운 구어체 양식과 약간의 관련이 있다. 홉스에 따르면, 참되고 자연스러운 표현은 '잘 아는 것'과 '많이 아는 것' 등 두 가지에 바탕을 두고 있다. 그는 이어서 이 두 가지 속성의 심리적 영향을 조사한다.

첫째 것의 특징은 명료성, 고유성, 품위이고, 이는 무지한 자를 가르치거나 유식한 자를 위로함으로써 온갖 사람을 기쁘게 한다. 후자의 특징은 표현의 고상함이고 지성을 자극함으로써 즐거움을 준다. 고상함은 동경을 유발하고, 동경은 호기심을 유발하며, 호기심은 즐거운 지식욕이기 때문이다.

'많이 아는 것'은 말할 것을 찾는 일과 관계가 있는 수사학의 일부인 착상(inventio)에 의해 좌우되었다. 하지만 내용의 착상은 확충에 큰 관심이 생길 때 마침내 양식에 영향을 미쳤다. '풍부함, 부'를 뜻하는 라틴어 copia는 그 고상함과 창의력 때문에 즐거움을 주었던, 다양한 표현을 낳았다. '잘 아는 것'은 본래 수사학보다 논리학의 관심사였다. 그러나 여기서도 본인의 지식의 질이 양식에 영향을 주는 것으로 여겨졌다. 홉스의 이전과 이후를 막론하고, 많은 수사학자가 특정 개념을 명확히 이해하지 못하면 명료하게 표현할 수 없다고 주장했다.

자연스러운 양식은 또한 거창하되 텅 빈 말(허풍)을 피해야 하고, '완전히 이해한 것 이상'의 어구 또는 '필요한 것보다 더 적은 말로 완전한 개념'을 표현하는 일을 피해야 마땅하다. 홉스의 한결같은 목표는 유행을 탄 산문의 무성함을 억제하는 일이기 때문에, 그가 비유와 전의에 별로 관심을 안 두는 것은 놀랄 일이 아니다. 대체로, 비유적 표현이 글쓰기에 일정한 우아함을 더해주긴 하지만, 그것은 드물게 또 신중하게 사용해야 한다는 것이 그의 생각이었다.

홉스는 고전 전통을 약화시키는 듯 보일지 몰라도 실은 철저히 고전에 빠져 있었다. 그는 여러 책을 라틴어로 썼고, 투키디데스와 호머를 번역했으며, 아리스토텔레스의 《수사학》의 유익한 축약판을 출판하기도 했다. 그는 만연하는 장식을 억제시키려고 노력한 만큼, 중용이란 위대한 고전 원리 아래 활동했다고 할 수 있다. 그는 합리주의적 미학과 함께 신(新)고전주의 시기의 '온건한' 산문과 18세기 수사학과 비평에 나타날 심리학적 접근을 위해 토대를 쌓고 있었던 것이다.

절제된 산문의 발달을 촉진시킨 또 다른 요인은 왕립 협회의 활동이었다. 1664년 12월, 왕립 협회는 창설된 지 2년 만에 영어의 개선을 위한 위원회를 발족시켰다. 위원회에 임명된 사람들 중에는 존 드라이든, 존 애벌린(John Evelyn)과 토마스 스프랏(Thomas Sprat), 에드먼드 왈러(Edmund Waller) 등이 있었다. 그들은 왕립 협회의 권위가 영어를 품위 있게 하고, 보강하고, 손질하는데 도움을 주기를 바랐다. 이 프로젝트가 기획 단계를 넘어 크게 진전된 적은 없으나 왕립 협회는 이후 신(新)고전주의 시기에 쓰인 산문의 종류에 어느 정도 영향을 미치게 되었다. 베이컨이 '과학적' 산문의 형성을 격려했는데, 이는 왕립 협회의 지지를 받아 새로운 추동력을 얻었다. 토마스 스프랏이 쓴《왕립 협회의 역사》(History of the Royal Society)의 한 부문은 이 개혁의 선언문을 담고 있다.

'말의 과잉'은 그 전문 분야에 파괴적인 영향을 미쳤기에, "웅변이 평화와 좋은 예절에 치명적인 것으로 모든 시민 사회에서 추방되어야 마땅하다"고 결론짓지 않을 수 없었다고 스프랏이 말했다. '근사한 말'이란 질병의 유일한 치료책은 '확충, 여담, 그리고 과장된 양식을 일체 거부하고', 사람들이 너무도 많은 것을 거의 동등한 수의 단어로 전달할 때 본원적인 순전함과 간략함으로 되돌아가는 것이다. 스프랏은《아브라함 카울리 씨의 생애와 글쓰기에 대한 이야기》에서 카울리를 이런 '합당한 양식'의 본보기로 제시했다. 카울리는 적절한 글로 '그 시대의 관행을 앞서거나 뒤처지지 않았고, 대화체를 버렸고, 도시와 궁정의 언어를 버린 적이 없었다.' 스프랏에 따르면, 카울리는 '훌륭한 글쓰기의 가장 어려운 비결을 터득했고, 글을 충분히 쓴 시점을 알았다.' 카울리는 그의 표현에 있어서 '새로운 단정함'에 도달했음에도 불구하고 예법(decorum)을 잃지 않았다. "그러나 모든 것이 주제의 본질에서 나오는 듯 하고, 그가 거론하는 주제에 딱 맞는 것 같다."

카울리가 자신의 프로젝트로 삼은 '양식에 관한 담론'을 집필할 수 있을 만큼 살지 못했던 것은 참으로 유감스럽다. 그는 존 드라이든이 자신의 모델로 삼은 훌륭한 산문-양식주의자였기 때문에 평이한 양식에 관해 많은 현명한 말을 했을 것임은 의심의 여지가 없다. 이 '형이상학적인' 시인이 형이상학을 불신했던 것은, 교장들이 철학을 단순한 말의 문제로 축소시켰다고 생각했기 때문이다. 그의 시들을 살펴보면 양식에 관한 담론에 나타났을 법한 여러 코멘트가 흩어져 있는 것을 간파할 수 있다.

스프랏이 개진한, 평이한 양식에 관한 많은 아이디어들이 존 윌킨스(John Wilkins,

1614~1672)—왕립 협회의 기둥 중 하나이자 훗날 체스터의 주교가 된 인물—가 쓴 《전도서》(*Ecclesiastes*)와 《진정한 성품과 철학적 언어에 관한 에세이》(*An Essay towards a Real Character and a Philosophical Language*)에도 등장했다. 전자에서는 양식은 "평이하고 자연스러워야지, 스콜라주의적인 거슬리는 꾸밈이나 수사학적 화려함으로 어두워져서는 안 된다"고 주장한다. 윌킨스는 세네카(Seneca)의 《서신들》(*Epistles*)에 나오는 양식론의 영향을 받아 행복한 매체를 따르는 양식을 추천한다. 그는 이렇게 말한다. "양식은 텅 비지 않고 불필요한 동어반복이 없이 가득 차야 한다." 우리의 표현은 "너무나 가까워야 하고, 모호하면 안 된다. 그리고 너무나 평이해야 하고, 공허하고 지루하면 안 된다."

평이하고 공리적인 양식을 옹호하는 왕립 협회의 입장을 극단적으로 밀어붙이면 윌킨스의 입장이 나오는데, 그는 《에세이》(*Essay*)에서 '언어를 가리키지 않고 사물과 개념을 가리키는 진정한 보편적 기호'를 제안한다. 달리 말해, 일련의 기호들이 정립되되 각 기호는 명료하고 보편적이며 일정한 뜻을 갖게 될 것이다. 그리하여 문학적 기호들은 수학적 기호들의 정확성과 안정성에 가까워질 것이다. 다행히도 문학에서는 이 프로젝트가 구체화된 적이 없었다. 우리의 문학적 어휘가 풍부한 연상과 다차원적 의미를 지닌 단어가 아니라, 자칫 '유용한' 보편적인 표의문자로 구성될 뻔했다.

영어가 그런 방향으로 바뀌는 것을 막았던 인물은 누구보다도 존 드라이든이었던 것 같다. 드라이든은 그의 글 전체에 흩어진 수사학적 발언에 못지않게 그의 행습으로 영어가 이런 수학적 성격을 덧입는 것을 방지했다. 그는 적절성(propriety)을 자신의 양식관의 핵심으로 삼았다. 드라이든이 요구한 적절성은 삼중적이다. 영어와 양식은 '경우, 주제, 사람들'에 맞아야 한다는 것. 적절성에 대한 관심과 밀접한 관련이 있는 것은 우리 언어에 담긴 '외국어' 선망을 만류하는 그의 입장이다. 드라이든은 "벤 존슨이 우리 언어를 조금 지나치게 로마자로 고쳤다"고 그를 비난했다. 드라이든은 당대의 '영어식' 산문으로 이동했기 때문에 '현대 영어 산문 양식의 아버지'라는 평판을 얻게 되었던 것이다. 모국어의 옹호, 라틴어보다 토착어 사용을 격려하기, 구문 등이 언어를 품위 있게 만들고 좀 더 자연스럽고, 좀 더 쉽고, 좀 더 자발적인 글쓰기를 지향하는 그의 프로그램이 일부이다. 그리고 그는 글쓰기의 '아름다움'과 '정신'을 인정함으로써, 롱기누스가 18세기 수사학적 비평으로 승리에 찬 재진입을 하는 길을 준비하고 있다.

우리가 앞의 몇 페이지에 걸쳐 생각한 문헌들은, 엄밀히 말하면, 전혀 수사학 텍스트들이 아니었다. 그 문헌들은 18세기 수사학 전통의 발달과 종국적인 퇴락에 기여했던 지적 흐름을 반영한다. 이 텍스트들이 양식에 몰두한 것을 보면 라무스 프로그램이 얼마나 유행했는지를 알 수 있다. 수사학의 영역은 갈수록 더 양식에만 국한되는 듯이 보였다. 그러나 이런 문헌들은 또한 오늘날 유행하는 쉽고, 자연스럽고, 구어체적인 산문 양식의 발달을 위해 어떻게 토대작업이 이뤄졌는지를 보여준다. 오늘날 가장 칭송받는 산문 양식은 르네상스의 미사여구식 산문도 아니고 19세기의 키케로식 산문도 아니며, 오히려 〈뉴요커〉와 〈하퍼스〉 같은 잡지에 나오고 E. B. 화이트, 제임스 터버(James Thurber), 조지 오웰과 같은 작가들에서 예시되는 그런 평이하되 우아한 산문이다. 그리고 이런 유의 글쓰기는 그 기원을 드라이든, 번연, 템플과 같은 작가들이 활동한 왕정복고 시대에 두고 있고, 그 발달은 앤 여왕 시대에 드포(Defoe), 스위프트, 애디슨과 같은 작가들을 통해 이뤄졌다.

18세기 영국의 수사학

18세기는 수사학이 그 고전적인 성격으로 학교의 학문적 프로그램에서 두드러진 자리를 차지했던 마지막 세기였다. 18세기의 전반기 동안에는 프랑스 비평가들—특히 부알로(Boileau), 라팽(Rapin), 르 보쉬(Le Bossu)—이 오히려 17세기 후반기보다 더 지배적인 힘을 발휘했다. 고전적인 가르침에 대한 과찬이 지닌 슬픈 특징은 그 가르침이 절대적인 불가침의 법으로 무비판적으로 수용되었다는 점이다.

아리스토텔레스와 호라티우스의 규범들에 대한 의문은 롱기누스의 여러 판(版)과 번역본과 함께 도래했다. 18세기에 롱기누스의 《숭고함에 관해》가 서서히 출현함에 따라 판단은 규칙의 문제이기보다 취향의 문제가 되기에 이르렀다. 다음과 같은 저서들에 새로운 추세가 나타났다: 레너드 웰스테드(Leonard Welsted)의 《시국과 영어의 완벽함에 관한 논문》(*Dissertation Concerning the Perfection of the English Tongue and the State of Poetry*), 로버트 로트(Robert Lowth)의 《히브리인의 거룩한 시》(*De Sacra Poesi Hebraeorum*), 에드워드 영(Edward Young)의 《창작에 관한 추측》(*Conjectures on Original Composition*). 더 자유롭고 더 주관적인 유형의 비평이 점점 더 지지자들을 확보함에 따라 '낭만파' 작가들의 출현을 위한 무대가 만들어지고 있었다.

비평에 대한 관점의 변화는 당시의 수사학 책에 반영되었다. 18세기 수사학자들은 여전히 고전적인 가르침에 충성을 다했지만, 그와 동시에 학생들에게 독자적인 노선을 걷도록, 그들 자신에게 자연스러운 양식을 발견하도록, 열정(enthusiasm)의 역동적인 힘에 순복하도록 권유했다. 그들은 더는 허다한 비유와 전의를 분류하고 정의하고 예증하는 일이 필요하다고 느끼지 않았다. 학교들에서 그토록 오랫동안 무시되었던 수사학의 측면인 전달이 다시 주목을 받기 시작한 것은, 대체로 쉐리단(Sheridan)과 워커(Walker)와 같은 멘토들의 연설 프로그램 덕분이었다. 설교는 틸롯슨(Tillotson), 바로우(Barrow), 애터버리(Atterbury) 같은 유명한 영국 설교자들과 보쉬에(Bossuet), 부르달루(Bourdaloue), 마실론(Massillon)과 같은 더 유명한 프랑스 설교자들의 우아한 행습에 감동을 받아 계속 열심히 개발되었다. 18세기 말에 이르면 설교 모음집이 오늘날의 대중 소설만큼 판매되었다.

18세기의 스승들 덕분에 그들은 수사학을 사변적인 기술이기보다 아리스토텔레스의 생각처럼 실제적인 기술로 간주하게 되었다. 17세기처럼 시학과 수사학의 경계선을 알아보는 것이 어려웠다. 비평가들과 수사학자들은 그들의 실례를 토착적인 순수문학에서 끌어왔다. 조지 세인츠버리는 "사실, 웅변이란 새로운 별명으로 불리는 수사학은 문예, 또는 달리 말해 비평이 된다"고 말한다. 이처럼 시학과 수사학이 합병되는 바람에 18세기는 고전 수사학에 대한 진지한 학문적 관심이 있었던 최후의 시대였다고 할 수 있다.

18세기 동안 출판된 수사학 텍스트 가운데 언급할 만큼 중요한 것은 적어도 50권은 되지만 여기서는 예닐곱 권을 살펴보는 것으로 만족해야겠다. 최근에 16세기와 17세기 영국의 수사학에 관한 책은 많이 출판되었으나, 18세기 영국 수사학을 개관한 책은 소수에 불과하다. 18세기 후반부만 다루지만 꽤 포괄적인 개관은 헤럴드 하딩(Harold F. Harding)이 1937년 코넬대학교에서 쓴 미출간 박사학위 논문인 〈영어 수사학 이론〉(*English Rhetorical Theory*)이다. 그러나 1971년에 윌버 사무엘 호웰(Wilbur Samuel Howell)이 출판한 《18세기 영국의 논리학과 수사학》(*Eighteenth-Century British Logic and Rhetoric*)은 최소한 영국의 수사학을 다룬 결정판이라 할 수 있다.

존 스털링(John Stirling)이 쓴 매우 대중적인 수사학인 《수사학 체계》(*A System of Rhetoric*)는 30페이지에 불과하고, 첫째 부분에 97개의 비유와 전의 목록을 싣고 있다. 비유와 전의를 표현하는 그리스어 또는 라틴어 용어들은 영어의 상당 어구로 번역되어 있고, 모두 간단한 정의와 간략한 예가 붙어있다. '수사의 기법'(*Ars Rhetorica*)이라는 제목이 달린 둘째 부분은, 다름 아닌 첫째 부분의 라틴어 번역판이다(이는 교실에서 토착어 수사학을 사용하길 거부한 교장들에 대한 양보인 듯하다).

《수사학 체계》는 97개의 비유와 전의 목록을 담고 있는 만큼, 18세기의 다른 어떤 수사학 책보다 많은 카탈로그를 제공한다는 데 그 특징이 있다. 더욱이 18세기는 수사학자들이 갈수록 더 적은 비유를 정의하고 예시하고 있었던 시대였음을 유념할 필요가 있다. 18세기의 수사학 가운데는 존 홀름(John Holme)의 《수사학 기술》(*The Art of Rhetoric*)이 83개의 비유와 전의를 담고 있어서, 그 책에 버금가는 유일한 저서이다.

《연설에 관한 강좌》(*Lectures Concerning Oratory*)는 존 로슨(John Lawson, 1712~1759)이 1758년에 출판한 책이며, 저자는 더블린의 트리니티 칼리지에서 문학 석사 학위를 받은 그 대학 도서관의 최초의 사서였다. 로슨의 책은 아리스토텔레스의 《수사학》에 바탕을 두고 주로 키케로와 퀸틸리안의 책들에 나온 예들을 덧붙인 저서이다. 처음 여섯 강좌는 고전 수사학과 근대 수사학의 역사를 짧게 다룬다. 제7강좌는 '모방에 관한 몇 가지 생각'을 진술한다. 나머지 강좌는 웅변을 이성(8~9장)과, 열정(10~11장)과, 그리고 감각(12~18장)과 관련시켜 다룬다. 로슨이 '양식이 장식, 작문, 비유를 포함하는 만큼' 양식에 관해 다루는 곳은 웅변과 감각에 할애한 일곱 강좌들에서다.

로슨은 그 마음을 현재의 탁월성과 미래의 약속에 닫아놓지 않으면서도 과거의 학문을 상당히 많이 받아들인 현명한, 때로는 독창적인 학자이다. 그는 아리스토텔레스를 좇았기 때문에 비평과 수사학이 18세기에 취하고 있었던 롱기누스의 방향에서 벗어나고 있었다. 로슨이 특수용어가 없는 단순한 산문의 개발을 격려한 것은 조나단 스위프트의 《젊은 성직자에게 보내는 편지》(*A Letter to a Young Clergyman*)에 나오는 양식론과 놀랄만큼 비슷하다.

존 워드(John Ward)는 런던의 그레셤 칼리지(Gresham College)에서 1720년부터 1758년의 임종 때까지 수사학 교수로 일했다. 그의 죽음 이후에 《연설 체계》(*A System of Oratory*)라는 두 권짜리 강의 모음집이 출판되었는데, 이를 헤럴드 하딩은 18세기 수사학 개관에서 "영어로 출판된 책들 가운데 그리스와 로마 수사학 이론을 가장 정교하고 상세하게 종합한 책"이라 불렀다. 워드는 퀸틸리안에게 가장 큰 빚을 지고 있지만, 제1권의 초반부에서 "아리스토텔레스, 키케로, 퀸틸리안, 롱기누스 등 유명한 저자들의 최상의 가르침을 빌려왔고, 가장 순전한 최상급 고대 자료에서 적절한 예들을 가져왔다"고 인정했다. 모두 54편의 강의를 담은 863페이지나 되는 방대한 책이다. 이는 그 저술이 얼마나 철저한지 보여주며, 또 어째서 널리 사용되는 교재가 되지 못했는지 이해시켜준다. 하지만 워드의 텍스트는 이제 논의할 텍스트인 휴 블레어(Hugh Blair)의 《수사학 강좌》(*Lectures on Rhetoric*)가 지닌 포괄성에 근접하는 유일한 18세기 영어 수사학 저서이다.

워드의 주관심사는 양식이다. 그 강의의 절반이 양식(elocutio)에 할애되어 있다. 수사학의 다른 부분들은 적합한 취급을 받지만 덜 철저하게 다뤄진다. 배열은 여덟 강의에 배당되고, 여섯 강의는 착상을 다루며, 네 강의는 전달에 할애되고, 기억은 단 한 강의의 주제이다. 마지막 여덟 강의는 모방, 열정의 본질, 연설가의 성품, 그리고 간략한 연설의 역사를 다루고 있다. 이 강의 모음집은 18세기 중반까지만 해도 수사학이 매우 진지하게, 포괄적으로 가르쳐졌다는 사실을 보여준다.

우리는 이제 18세기에 전달의 측면에 관심을 불러일으키는 데 가장 큰 역할을 한 두 사람을 생각하려고 한다. 가장 성공했던 연설 선생['18세기의 데일 카네기(Dale Carnegie)'라 불러도 무방하다]은 토마스 쉐리단(Thomas Sheridan), 곧 극작가 리처드 브린슬리 쉐리단(Richard Brinsley Sheridan)의 아버지였다. 쉐리단의 저술은 세 가지 범주로 나눌 수 있다: (1) 읽기와 말하기, (2)발음, 그리고 (3) 교육.

가장 대중적이고 아마 가장 대표적인 쉐리단의 저서는 《웅변에 관한 강좌》(*Lectures on Elocution*)였다. 일곱 번의 공개강좌를 편찬한 이 책은 오로지 전달의 문제들—표현, 발음, 악센트, 강조, 어조, 멈춤, 음률의 높이, 목소리 통제, 그리고 제스처—만 다루고 있다. 그의 《독서에 관한 강좌》(*Lectures on Reading*)는 산문 독서와 운문 독서에 대한 지침을 제공한다. 대주교 훼틀리(Whately)는 19세기에 출판한 수사학 책에서 소리 내어 읽을 구절을 표시한 쉐리단의 시스템을 칭찬하고 또 추천했다. 쉐리단은 배우로 성공해서 전달의 문제에 관한 그의 발음이 크게 중요시되었다. 그는 18세기 후기 웅변 운동의 대표적 인물이고, 이 운동은 elocution의 뜻을 '양식'에서 '전달'로 바꿔놓았고 훗날 학교들을 중심으로 한 '웅변대회'를 유행시키기도 했다.

존 워커(John Walker, 1732~1807)는 전달의 기술을 홍보한 또 다른 18세기 인물로서 쉐리단처럼 아일랜드의 배우였다. 1769년 그는 연극 무대를 포기했고, 켄싱턴 그래블−피츠 학교(Kensington Gravel-Pits School)에서 한동안 가르친 후 강사의 경력을 시작해서 이후 35년 동안 놀라운 성공을 거두었다.

워커의 첫 번째 책은 1777년에 출판한 《웅변술의 진보를 위한 연습》(*The Exercises for Improvement in Elocution*)이었다. 이는 독서의 기술이나 공개 연설의 기술을 습득하려는 이들을 위해 엄선된 저자들의 글을 모아놓은 모음집에 불과했다. 워커의 저술 중 최상의 것이자 가장 대중적인 책은 《웅변의 요소들》(*Elements of Elocution*)이었다. 이 두 권짜리 저서는 수사적 구두점, 억양, 제스처, 악센트, 강조, 발음 등과 같은 주제들을 다루었다. 따라서 이 책은 쉐리단의 《웅변에 관한 강좌》와 비슷하다.

전달에 대한 공부를 촉진시켰던 인물들이 전문 배우들이었다는 사실은 놀랄 일이 아니다. 역사상 청중을 매혹시켰던 모든 연설가[데모스테네스, 처칠, 윌리엄 제닝스 브라이언 (William Jennings Bryan), 비숍 쉰(Bishop Sheen), 빌리 그래함(Billy Graham) 등]은 어느 의미에서 위대한 배우들이었기 때문이다. 워커는 연기 기술이 있어서 전달의 선생이 될 자격은 갖췄으나, 쉐리단에게 있었던 고전에 대한 지식은 부족해서 협력적인 자료나 실례를 들 때에는 밑천이 딸렸다.

18세기 후반 영국 수사학의 역사는 3인의 스코틀랜드 수사학자가 지배했다. 스코틀랜드가 잉글랜드와 합병된 이후 큰 문화적 르네상스가 일어났고, 에든버러는 곧 '북부의 아테네'로 알려지게 되었다. 이 기간에는 철학, 미학, 심리학, 역사학, 경제학 등의 분야에 잉글랜드보다 스코틀랜드에 저명한 인물들이 더 많았다. 그리고 수사학 분야에서 케임스, 캠벨, 블레어와 같은 인물들은 경쟁자가 없었다.

헨리 홈(Henry Home), 즉 케임스 경(Lord Kames, 1696~1782)은 스코틀랜드 법학자이자 심리학자로서 1762년 세 권짜리 《비평의 요소들》(Elements of Criticism)을 출판했는데, 이 책은 자주 재판되었고 또 훗날의 시론과 수사학 이론에 두드러진 영향을 미쳤다. 《비평의 요소들》의 범위는 여기서 다루는 대다수의 텍스트보다 훨씬 더 넓다. 케임스의 책은 사실상 미학에 큰 기여를 한다. 이런 면에서 그것은 다른 세 권의 스코틀랜드 저서들과 한 편을 이룬다. 그 셋은 프랜시스 허치슨(Francis Hutcheson)의 《미와 덕의 개념의 기원》(Original of Our Ideas of Beauty and Virtue), 데이비드 흄(David Humes)의 《취향의 표준에 관하여》(Of The Standard of Taste), 그리고 알렉산더 제라드(Alexander Gerard)의 《취향에 관한 에세이》(Essay on Taste)이다. 케임스의 책에서 전통적인 의미의 수사학을 다루는 부분은 소량에 불과하다. 그는 그 목적을 이렇게 말한다. "인간 본성의 예민한 부문을 조사하는 것, 자연스럽게 동의할 수 없는 대상뿐 아니라 자연스럽게 동의할 수 있는 대상을 추적하는 것, 그리고 가능하면 이런 수단으로 진정한 순수 예술의 원리를 발견하는 것." 케임스는 인간 심리학을 탐구함으로써 모든 예술 작품을 평가하는 불변하는 취향의 표준을 찾을 수 있기를 바랐다.

케임스의 《비평의 요소들》이 문학에 영향을 미친 것은 부인할 수 없지만, 학교에서 널리 사용된 적은 없었다. 그의 책은 부피가 크고 복잡하며 지루한 양식으로 쓰였다. 케임스의 영향력은 오히려 그의 도움을 받은 더 대중적인 스코틀랜드 수사학자들을 통해 간접적으로 발휘되었다. 그래서 케임스의 비평론에 대한 표준적인 연구서를 집필한 헬렌 랜달(Helen Randall)은 이렇게 말한다. "우리가 블레어의 직접적인 영향을 케임스의 이차적인 영향으로 간주한다면, 약 100년 동안 이 주제에 관한 교과서들은 그 주요 개관과 많은 규칙을 《비평의 요소들》에게 빚졌다고 말해도 거의 무방할 것이다."

두 번째로 고려할 저명한 스코틀랜드 수사학자는 조지 캠벨(1709~1796)이다. 비평가로 유명한 조지 세인츠버리가 캠벨의 《수사학의 철학》(*The Philosophy of Rhetoric*)을 "18세기가 산출한 새로운 수사학에 관한 가장 중요한 글"이라고 불렀다. 캠벨의 글은 케임스 경보다 더 읽기 쉽고 휴 블레어 박사보다 더 심오했다.

캠벨이 수사의 기술에 더한 특별한 공헌은 무엇이었는가? 하나는 수사학이 설득하는 것 이외의 목적을 가질 수 있다는 생각을 과감하게 피력한 점이다. 그의 책의 처음 두 단락은 웅변(eloquence, 그는 이 단어를 rhetoric보다 선호한다)을 '담론이 그 목적에 맞춰지게 하는 기술 내지는 재능'으로 정의하고, 연설은 다음 네 가지 목적 중 하나를 가질 수 있다고 말한다. "이해력을 일깨우는 것, 상상을 즐거워하는 것, 열정을 움직이는 것, 또는 의지에 영향을 미치는 것"이다. 이것은 키케로가 말한 수사학의 세 가지 기능을 상기시켜준다. 가르치는 것(docere), 설득하는 것(movere), 기쁘게 하는 것(delectare) 등이다. 캠벨은 아리스토텔레스와 그의 추종자들이 개진한 개념, 즉 수사학은 논리학의 파생물에 불과하다는 개념을 거꾸로 뒤집어서 논리학이 수사학의 도구로 간주되어야 한다고 주장했다. 아마 영어권의 학생들은 캠벨을 좋은 용법의 기준으로 훌륭하고 국민적이고 현존하는 어법을 제시했던 인물로 기억할 것이다.

수사학의 '철학'에 대한 캠벨의 탐구는 너무도 모험적이고 독창적이라서, 그의 책은 초판 이후 상당한 기간에 걸쳐 수사학을 공부하는 학생들을 매료시켰다. 《수사학의 철학》은 18세기와 19세기에 20판도 넘게 찍혔고, 1870년경까지 미국의 대학들에서도 사용되었다. 만일 역사상 가장 많이 증쇄된 책 중 하나인 휴 블레어의 《수사학과 순수 문학에 대한 강의》(*Lectures on Rhetoric and Belles-Lettres*)에게 받은 만만찮은 경쟁이 없었더라면, 그의 책은 더 많은 인기를 누렸을 것이다.

블레어가 그의 책을 출판한 1783년은 에든버러 대학교에서 24년 동안 학생들을 가르쳐오던 시점이었다. 1759년 블레어는 케임스 경의 권유로 봉급 없이 일련의 수사학 강의를 개최하기로 동의했다. 이 시리즈는 열정적인 반응을 얻어서 일단의 친구들이 조지 3세에게 에든버러 대학교에 수사학 강좌를 개설해서 블레어를 최초의 교수로 임명하자고 제안했다. 블레어는 에든버러의 성 자일스 성당의 유명한 설교자로 평판이 높았기 때문에, 영국의 군주는 주저하지 않고 1762년에 그를 최초의 수사학 흠정교수로 임명했다. 강의 필사본이 수년 동안 학생들 사이에 자유로이 유통되고 서점들에서도 판매하자는 요청이 있었기 때문에, 블레어는 마침내 그 내용을 정식으로 출판하게 되었다.

블레어의 《강의》(*Lectures*)가 얼마나 많은 재판과 증쇄를 거듭했는지 정확히 알 수 없겠지만 1835년까지 적어도 50판은 찍혔다. 훗날 이 텍스트는 프랑스어, 이탈리아어, 러시아어 등 다른 언어들로도 번역되었다. 그리고 거의 19세기 말까지 영국과 미국의 학교들에서 계속 사용되었다. 미국 비평사상사를 연구하는 윌리엄 차르밧(William Charvat)에 따르면, 블레어의 《강의》가 한 때는 '교육받은 영어권 세계의 절반이 공부한' 텍스트였다고 한다.

블레어의 교과서는 왜 그토록 인기가 좋았을까? 하나의 이유는 두 권짜리 텍스트에 담긴 47편의 강의가 놀랄 만큼 포괄적이라는 점에 있다. 순수 문학에 할애된 13편의 강의에 덧붙여 다양한 내용—취향, 아름다움, 숭고함(18세기 비평의 핵심 용어들)에 대한 논의, 언어학 개관과 고전 문법 및 영어 문법에 대한 비평, 중요한 비유적 표현에 특별한 관심을 둔 채 양식의 원리들에 대한 상세한 해설, 연설의 역사, 다양한 종류의 연설 작성에 대한 가르침, 시에 관한 담론, 최상의 고전 및 당대의 수사학 학설 편찬 등—을 담고 있다. 《강의》의 뚜렷한 종교적 어조 또한 블레어의 텍스트를 교장들에게 추천하는데 한 몫을 담당했다. 유창한 사람은 반드시 덕스러운 사람이어야 한다는 블레어의 주장은 그의 강의들이 짜인 날실이 되었다. 수행의 방식과 양식 또한 《강의》의 대중성에 기여했다. 그 강의들은 명료하고 체계적으로 구성되었을 뿐만 아니라 초보적인 수준으로 수행되었다. 블레어는 학생들에게 사전의 수사학 훈련이 없었다고 가정하면서 그의 용어를 정의하고, 우리에겐 상투어로 들릴 만한 것을 설명하고, 논의되는 주제의 이해에 필요한 배경을 제공하는 일에 굉장한 노력을 기울였다. 그 결과 블레어의 《강의》는 교과과정의 여러 수준에 사용될 수 있었다.

영국 수사학의 역사는 18세기 말로 끝날 수도 있지만 보통은 한 걸음 더 나아가 리처드 훼틀리(Richard Whately)의 《수사학의 요소들》(1828)을 포함시키는 것이 관례이다. 훼틀리는 1820년대에 오리엘 칼리지로 몰려들었던 뛰어난 옥스퍼드 개혁자들 그룹의 일원이었다. 마침내 그는 더블린의 대주교로 임명되었다. 1826년 존 헨리 뉴먼의 도움을 받아 《논리학의 요소들》(*Elements of Logic*)을 출판했는데, 이 책은 〈메트로폴리타나 백과사전〉(*Encyclopaedia Metropolitana*)에 기고했던 글을 발전시킨 것이었다.

훼틀리의 수사학은 아리스토텔레스의 색채가 짙다. 그는 수사학을 '논리학의 파생물'로 보는 아리스토텔레스의 견해에 동의하면서, 수사학을 '논쟁적인 작문'의 기술로 취급했다. 그의 책은 네 개의 표제로 구성되어 있다: (1) 이성 또는 이해에 대한 호소(이는 아리스토텔레스의 논리적 증명에 상당하는 것이었다), (2) 의지에 대한 호소(아리스토텔레스의 윤리적 및 감성적 호소), (3) 양식, (4) 전달. 훼틀리의 《수사학의 요소들》이 지닌 주목할 만한 특징들로는 아리스토텔레스의 여러 개념—표징, 예, 개연성—을 설명한 것, 논쟁적 오류들에 대한 뛰어난 분석, 논증의 전개에서 가정의 기능과 증명의 부담을 발전시킨 것 등이 있다.

19세기의 첫 75년 내내 캠벨과 블레어와 훼틀리는, 수사학이 가르쳐지는 곳이면 어디서나 영국과 미국 학교에서 가장 자주 회자되었던 근대 수사학자들이었다. 블레어가 이 삼총사 가운데 가장 인기가 좋았지만, 근대의 수사학 선생들은 캠벨과 훼틀리에게 가장 큰 존경을 표했다. 아주 독창적인 사상가는 아니었지만, 양자 모두 그들 수사학의 바탕을 논리학과 심리학의 건전한 원리들에 두었다. 그들의 교재가 좀 더 일찍 출판되었더라면, 학교들에서의 수사학의 수명은 몇 년 더 연장되었을 것이다.

19세기와 20세기의 수사학

훼틀리 이후 영국과 대륙의 수사학 전통은 정체기에 접어들었다. 영국의 수사학 교육은 점점 더 고전 교과과정의 일환으로서 역사와 고대에 대한 오리엔테이션으로 바뀌었다. 특히 옥스퍼드가 그랬다. 실질적인 수사학 교육은 영국에서 대체로 과외에서—논쟁 클럽과 웅변 동아리—이뤄졌고, 그래서 수사학 이론이 1830년 이후에는 별로 발전되지 않았다. 독일에서는 18세기에 풍미했던 수사학 연구의 신고전파 전통과 설교학 전통이, 관념론 철학과 엄밀한 경험주의 과학의 공격을 받아 삐걱거리다가 사라지고 말았다. 1800년 이후에 출간된 소수의 독일어 저술은 미미하고 후진적이며, 1870년대까지 최후의 주목할 만한 독일 수사학 저서인 《웅변은 미덕이다》(*Eloquence a Virtue*)을 썼던 하인리히 쇼트(Heinrich Schott)와 프란츠 테레민(Franz Theremin)의 저술들도 마찬가지였다. 프랑스 수사학은 16세기와 17세기에 전성기를 누렸지만, 버나드 라미(Bernard Lamy)의 《수사학, 또는 웅변의 규칙》(*La Rhetorique, ou L'Art de Parler*)과 길버트 발사자르의 《수사학, 또는 웅변의 규칙》(*La Rhetorique, ou Les Regles de L'eloquence*) 이후에는 거의 순수 문학만 다루었다.

19세기의 가장 중요한 수사학 사상이 잉태되어 발달한 곳은 바로 신생국인 미국이었다. 이 사상들은 전통적 수사학의 일부 요소는 채용하고 확장시켰지만, 어떤 요소들과는 결별을 고했는데, 이유인즉 19세기 미국 수사학 이론은 일차적으로 글쓰기의 수사학이었기 때문이다. 구두적 수사학 전통이 일차적인 교육적 및 문화적 관행으로 지속되긴 했으나, 이론적 발전을 이룬 대다수는 작문의 수사학 분야였다.

글쓰기 수사학은 고전 수사학에 많은 뿌리를 두고 있다. 그러나 받아쓰기를 제외하고 중세의 편지 쓰기 기술, 즉 18세기 이전의 작문은 구두 연설의 창조에서 단 한 단계 빠른 기술이었다. 18세기 동안 문해(literacy)의 발달, 순수 문학과 일반 문학에 대한 관심의 증가, 미국의 민주적 문화는 다 함께 혁명전쟁 이후의 미국에서 새로운 교육 체계를 만들었고, 이는 거의 모든 아이가 읽기와 글쓰기에 접근하게 해주었다. 모든 소도시의 고전문법 학교와 일반 학교는 아이들에게 기본적인 언어 사용법을 가르쳤고, 다수는 중등학교로 진학했다. 그런 문화는 금방 대학을 설립하기 시작하는 게 불가피했고, 1776년에는 대학이 일곱 개밖에 없는 신생국이었지만, 1850년에 이르러서는 사백 개가 넘는 대학이 세워졌다. 이 새로운 교육기관들은 작문의 수사학이 자랄 온상이었다.

작문-수사학은 진술의 다양한 목적을 강조한다는 점에서 휘틀리의 논쟁적 수사학과 다른 차별성이 있고, 교수법과 실용성을 강조한다는 점에서 캠벨의 이론적인 인식론적 수사학과 다른 차별성이 있다. 최상의 작문-수사학은 문자 담론이 어떻게 작동하고 창조되는지 이해하는데 사용할 미지의 수사학 영토를 개척하고 지도와 용어를 정립하려는 용감한 시도였다. 최악의 작문-수사학은 글쓰기에서 형식적인 정확성을 지나치게 요구하는, 무의미한 오류 색출이 되고 말았다. 양자 모두 그 기원은 1800~1830년 사이에 진화한 일단의 수사학 사상에 있다.

우리는 1750년과 1820년 사이에 수사학적 다양성을 위한 세 개의 구체적인 토대를 추적할 수 있다. 스미스와 캠벨이 개발한 새로운 능력 중심적 목적 이론들, 블레어와 그의 추종자들의 장르 중심적 순수문학 이론들, 그리고 실질적인 차원에서는 존 워커(John Walker)와 그의 추종자들의 이중 목적 주제 교수법들 등이다. 미국의 초기 작문–수사학 과정은 보통 블레어의 《수사학과 순수 문학에 대한 강의》(*Lectures on Rhetoric and Belles-Letters*)의 순수문학–양식적인 수사학 이론들과 워커의 공립학교 교재,《영작에서 교사의 도우미》(*The Teacher's Assistant in English Composition*)가 개척한 새로운 글쓰기 지향적 교수법의 조합으로 이뤄졌다. 캠벨은 목적을 논의했고, 블레어의《강의》는 문학 장르에 초점을 두었으나, 워커는 장차 19세기 수사학의 큰 기여가 될 수사학의 다양성에 실제적인 강조점을 찍은 최초의 인물이었다.

《교사의 도우미》(*The Teacher's Assistant*)는 1801년 런던에서 처음 출판되었다. 워커는 영국의 웅변가, 배우, 사전 편찬자이자 사무엘 존슨의 친구로서 69세였을 때 "이 주제에 관한 책이 부족하다"고 불평하면서 그 책을 썼다. 워커는 일단의 원리들을 개발했는데, 일부는 독창적이고 일부는 고전 수사학에 기초한 것이었고, 그 원리들이 초기 작문 교수법의 지침이 되었다. 워커는 작문을 두 종류로 나눴는데, 하나는 '테마'(themes, 이는 번역이 아니라 토착어 작문에서 처음 사용된 용어인 듯하다)이고 다른 하나는 '정규적 주제'이다. '테마'는 논증적인 것—어떤 진리를 증명하는 것—이었고, 고전적인 배열의 수정판을 이용하여 "용기가 이긴다"와 같은 주장이나 금언을 중심으로 정립되었다. 논증적인 것이 아니면 모두 '정규적 주제'의 범주에 속했고, 정규적 주제의 과제는 보통 단 하나의 단어—교육, 정부, 평화, 전쟁 등—뿐이었다. 워커는 정규적 주제들을 배열할 때 테마와 똑같은 엄밀성을 부여해야 한다고 제안하면서 유일하게 배열의 형태만 달라야 한다고 주장했다. 정규적 주제들에는 다섯 분과가 있었다. 정의, 원인, 옛 것 또는 새 것, 보편성과 지역성, 그리고 결과 등. 이 구조는 거의 모든 이전의 수사학 이론과 달리 설득을 수사학의 중심 목적으로 가정하지 않았다.

워커의 다양성의 줄기는 메인 주 보우든 대학의 교수였던 사무엘 뉴먼(Samuel P. Newman)이 물려받아 확대시켰는데, 뉴먼은 대학 수준의 작문—수사학이 실제적 의미에서 어떤 모습일지를 묘사하는 데 초점을 맞췄던 최초의 미국 교재를 쓴 저자이기도 했다. 그 책은 바로 1827년에 출판된 《수사학의 실제적 체계》(A Practical System of Rhetoric)인데, 이는 1820년대와 1860년 사이에 미국에서 가장 널리 사용된 수사학 교재로서 초판부터 1856년 사이에 적어도 60'판' 내지는 증쇄가 거듭되었다. 뉴먼은 블레어에게 큰 빚을, 그리고 캠벨에게 어느 정도의 빚을 졌지만 《실제적 체계》는 집단화 개념을 선호하고, 훗날 19세기의 엄밀하게 형식화된 수사학의 특징 중 하나가 될 범주들에 매료된 점에서 두 책과 달랐다. 뉴먼의 수사학은 능력 중심적 목적이란 캠벨의 개념들과 문어 장르와 순수문학 장르에 관한 블레어의 개념들을 내러티브용, 묘사용, 설명용, 논쟁용 담론의 양상적 형식의 원형과 연결시켜주는 다리와 같다.

그래서 뉴먼은 알렉산더 베인(Alexander Bain)이 1866년에 대중화시킨 '담론의 양상들'(modes of discourse)이란 형식을 '창안한' 인물이라고 누구 못지않게 주장할 수 있다. 그는 설명용 수사학의 내부구조에 주목하여 설명을 세분화할 방법들을 제안한 최초의 수사학 이론가였다. 뉴먼은 이 이슈를 확대에 대한 논의에서 다뤘는데, 이는 '개진된 입장들과 견해들을 확대하는 능력'이었다. 이를 위해 그가 제공하는 학습법은 여러 방법—정의, 관점, 예, 예증—을 추천하는 등 비교적 단순하다. 이런 '확대의 일반 원리들'은 초기의 '설명의 방법들'의 특징을 보이지만, 뉴먼은 더는 탐구하지 않았다.

뉴먼에게 수사학은 말하기 기술이 아니라 글쓰기 기술이었다. '웅변'에 관한 한 페이지를 제외하고, 그는 암묵적으로 또 명시적으로 글쓰기에 관심이 있었다. 책의 첫 장에는 '훌륭한 글쓰기의 기초로서의 사유에 관하여'라는 제목이 붙어있고, 그의 모든 논의는 블레어의 영향을 받아 문학적 예들에 기반을 두고 있다. 거의 모든 내용은 문학적 탁월성과 양식의 질에 관한 질문들을 다루고 있다. 그가 나눈 주요 부분은 '취향에 관해', '언어 사용의 기술에 관해', 그리고 '양식에 관해' 등이다. 뉴먼은 추상적인 양식의 분류와 '좋은 양식 구성을 위한 일반 지침들'에 관한 짧은 교육학적 논의를 뚜렷이 분리했다. 블레어에게서 가져온 전자는 무척 길고 신중하게 묘사된 부분으로 다양한 양식들—관용적이고 쉬운, 공들인, 거친, 간결한, 산만한, 메마른, 현란한, 힘찬, 격렬한, 미약한, 활기 없는, 쾌활한, 가장된, 현학적인 또는 화려한, 말끔한, 우아한―과 더불어 정확함, 명료함, 발랄함, 쾌활함, 자연스러움 등을 다루고 있다. 하지만 이 부분과 글쓰기의 장르에 관한 다른 부분에 이어 뉴먼 자신의 양식 교수법이 나오는데, 이 부분 역시 블레어를 상기시킨다. 그는 '좋은 양식 구성을 위한 일반 지침들'을 제시한다. "1. 최상의 양식에 익숙해지라." 그리고 "2. 자주 또 주의 깊게 작문하라." 이 지침들은 단순하고 분별력이 돋보이며, 블레어의 복잡한 제안들을 효과적인 양식의 두 가지 선제조건으로 축약했다는 점에서 무척 놀랍다.

양식을 다룰 때 블레어에게 의존하긴 했지만, 뉴먼은 미국에서 블레어의 수사학이 너무 단순화되고 있다고 염려했다. 1830년 이후에는 블레어 책의 여러 판이 축소된 질문과 답변으로 구성되어 있었고, 그는 미국 대학에 좀 더 사유지향적인 교수법이 필요하다고 호소하면서 수사학이 좀 더 복잡해져야 한다고 생각했다. "무엇보다도, 수사학 철학과 관련된 가르침에서 정해진 질문과 답변을 조롱하는 행습을 허용하지 말라." 뉴먼은 수사학을 공부하는 학생들이 최소한 '정확성'의 필요성을 섭렵하게끔 되어 있다고 생각했고, 이는 "구문의 규칙과 원칙들로부터 배워야 한다"고 말했다. 뉴먼은 자신의 수사학 교수법을 신(新)고전주의자들과 18세기 수사학자들로부터 끌어왔다. 하지만 휘틀리의 영향은 크게 받지 않았던 것 같다. 그는 소규모 수사학 강의를 할 때 종종 글쓰기와 말하기 양쪽에 전념했고, 보우든 대학에서 강의하면서 학생들을 개별적으로 지도하기도 했다. 나다니엘 호손(Nathaniel Hawthorne)은 훗날 대학 시절에 일 년 동안 뉴먼의 집에서 하숙하면서 격주에 한 번씩 그에게 글쓰기 교습을 받았던 것을 얘기한 적이 있다.

많은 사람이 뉴먼과 워커를 따랐고, 그중에는 대중적인 교재 필자들인 리처드 그린 파커(Richard Green Parker)와 조지 쾌큰보스(George P. Quackenbos)도 있었다. 파커는 초기의 많은 교재 필자들처럼 지리와 역사 같은 분야에 대중적 교재를 출판했던 박식가였지만, 일차적인 저술 분야는 수사학이었다. 수사학은 1840년 이후 갈수록 더 작문으로 알려지게 된다. 파커의 고전문법 학교의 교재인 《영작의 점진적 연습》(*Progressive Exercises in English Composition*)은 1832년에 출판되었고, 그 간단한 연습 중심의 체제가 당시에 흥왕하던 교육 시장에서 매우 잘 팔렸다. 대성공에 고무를 받은 파커는 대학 수준의 교재를 조사한 결과, 《점진적 연습》이 초보적 수준에서 유명하게 된, 대중적 연습 중심의 교수법에 입각한 글쓰기 교재가 없다는 것을 알게 되었다. 그래서 그는 이 방법의 대학용 판(版)을 만들어, 1844년 '학교와 대학 수준의 연습의 견본과 예'(*Specimens and Examples of School and College Exercises*)라는 부제가 붙은 《영작의 도우미》(*Aids to English Composition*)를 출판했다. 파커의 교재는 수사학이 정확성과 형식적 예절에 대한 관심으로 전락하기 시작한 계기가 되었다. 왜냐하면 《영작의 도우미》는 지극히 무지한 선생들이 사용하도록 만든 교재의 '표준명칭'이 되었기 때문이다. 파커는 서문에서 공공연하게 "정보의 다른 출처와 더 깊은 출처를 위해 폭넓은 문학 분야들을 연구할 시간과 마음이 없는 이들을 위한 책"이라고 말한다.

《영작의 도우미》는 이전의 어떤 교재와도 달리 초급용 교재에 나온 레슨에 기초한, 일련의 짧은 레슨을 통해 귀납적으로 또 원자론적으로 진도를 나가는 대학 교재였다. 이 책은 간단한 문법적 및 논리적 재료들—사건, 대상, 이름, 단어, 문구, 절—로 시작해서 양식, 개정, 다양한 문학 장르의 문제들까지 발전시킨다. 각 장은 추상적인 용어로 설명된 '레슨', 레슨의 실례, 주어진 재료를 사용해 그 레슨을 연습하게 하는 연습문제를 포함하고 있다. 이것은 글쓰기 분야에서도 결코 새로운 교수법이 아니지만, 예전에는 이런 간단한 교수법이 대학 수준에서 제공된 적이 없었다. 흥왕하던 미국에서 설립된 많은 대학은 훈련된 선생들을 찾는데 어려움이 있었고, 이런 조건 아래서 파커의 책은 큰 성공을 거두었다. 교훈을 금방 터득한 다른 저자들이 곧 비슷한 책들을 출판했는데, 제임스 보이드(James R. Boyd)의 《수사학의 요소들과 문학 비평》(*Elements of Rhetoric and Literary Criticism*), 조지 쾌큰보스의 《고급 수사학 코스와 영작》(*Advanced Course of Rhetoric and English Composition*) 등이며, 이 책들도 레슨-예증-연습문제의 접근을 취했다. 당시에 대학이 우후죽순처럼 증가하는 바람에 일종의 교육학적 공백이 생겼고, 파커와 쾌큰보스 같은 전문 교재 필자들이 더 간단하고 새로운 교재들로 그 공백을 메웠다.

파커는 글쓰기 과제를 위해 매우 다양한 토픽들을 열거한 최초의 저자들 중 하나였다. 이는 착상의 중요성을 약화시키고, 착상을 구체적인 토픽들 중 간단한 선택으로 대체한 교육학적 접근이었다. 1844년에《영작의 도우미》는 적어도 6백 개의 주제들을 포함시켰고, 일부를 인용하면 '성품 묘사에 있어서 흄(Hume)과 살루스트(Sallust)의 비교', '개인적 아름다움의 부족이 행복에 미치는 영향', '사자와 짝짓고 싶은 암사슴은 사랑을 위해 죽어야 한다.' '독재 권력의 수단으로서의 공공 오락시설, 화려한 종교 의식, 전쟁 같은 준비, 그리고 엄격한 경찰의 과시' 등이다. 파커는 학생들의 기존 지식에 대한 기대는 높았으나, 수사학적 착상을 전개하는 그들의 능력에 대한 기대는 매우 낮았다.

조지 쾌큰보스는 리처드 파커처럼 다양한 주제를 다룬 교재 필자였다. 초급용 교재인《영작의 초급 레슨》(First Lessons in English Composition)이 인기를 끌자《고급용 수사학과 영작 코스》(Advanced Course of Rhetoric and English Composition)를 펴냈고, 후자 역시 초급용 교재의 레슨-예증-연습문제 접근을 취했다. 1850년대와 1860년대에 이르러 학생들에게 글쓰기를 시킨 선생들은 블레어의 옛 이론적 수사학이 학생들의 글쓰기 능력에 별로 효과가 없음을 분명히 알게 되었고, 쾌큰보스는《고급용 수사학과 영작 코스》를 통해 새로운 '문장 만들기' 문법과 수사학적 레슨들을 혼합한 최초의 대학 수준 저자들 중에 하나임을 보여주었다. 10년 전의 파커처럼 쾌큰보스는 구두점과 정확한 용법에 대해 상세히 다루었다. 이는 첫 작품이 대학 수준의 교재인 저자들에게 당연히 기대할 만한 특징이었다.

다른 수사학적 이슈들에 대해서는 쾌큰보스가 일부는 블레어를, 다른 일부는 사무엘 뉴맨을 모방했고, 낯익은 '글쓰기 종류들'을 묘사, 서술, 논증, 설명, 추측 등으로 열거했다. 우리는 쾌큰보스에게서 교재에 흔히 나타나는 현상을 보게 된다. 블레어의 폭넓고 잘 예증된 논의들이 가장 일반적이고 빈약한 묘사로 귀결되는 현상이다. 적어도 쾌큰보스는 블레어를 언급하긴 했다. 그러나 1850년 이후에는 좀 더 복잡한 블레어의 수사학이 사라지기 시작했다. 쾌큰보스의《고급용 수사학과 영작 코스》는 블레어가 시도했던 양식의 모든 다양한 특징을 다루는 마지막 수사학 교재였다. 파커와 달리 쾌큰보스는 착상을 강조했고, 구체적으로 추상적 주제들을 다루기 위해 발견적 지도법을 사용할 필요성을 역설했다. "그것은[착상은] 작문의 재료를 공급한다. 그리고 작문의 가치는 그것에 많이 의존한다. 더구나 여기에 청소년이 글쓰기에서 겪는 대다수의 어려움이 있다."

쾌큰보스는 토픽 중심의 체계의 방법을 설명하는데 두 장을 완전히 할애했다. 그의 착상 체계는 학생의 개인적 경험과 관찰, 그리고 많은 독서에 어느 정도 의존했다. 쾌큰보스는 파커처럼 수백 개의 구체적인 과제들을 제공했고, 적어도 독자들에게 활용할 만한 착상의 테크닉을 제공했다. 쾌큰보스의 체계를 이용하면 학생들은 어떤 추상적 주제에 관해서도 글을 쓸 수 있을 것이다. 물론 반드시 잘 쓴다고 보장할 수는 없지만.

  "리처드 훼틀리의 수사학 견해는 오직 설득용"이라고 강하게 도전하며, 19세기 중반의 가장 복잡한 다양성 모드의 수사학을 정립한 인물은 헨리 노블 데이(Henry Noble Day)였다. 데이는 그 복잡한 시스템 때문에 비록 지지자들을 확보하는 데 실패했지만, 19세기 중반의 가장 사려 깊고 독창적인 수사학 사상가였다고 말해도 무방하다. 만일 그의 모든 시간을 오로지 수사학에만 투입했다면, 1850~1890년 기간에 지배적인 목소리로 등장했을 법한 인물이다. 만일 그랬다면, 알렉산더 베인이 아니라 데이가 '작문의 아버지'가 되었을 테고, 20세기의 수사학과 글쓰기 교수법의 역사가 매우 달라졌을 것이다. 오늘날 데이의 저술을 조사해보면 그의 수사학이 전대미답의 이론을 전개한다는 느낌을 지울 수 없다.
  데이는 뉴 헤이븐에서 태어나 예일 대학교에서 교육을 받았고, 거기서 목회사역을 위해 공부하고 촌시 구드리히에게 문법과 수사학을 배웠으며, 수사학뿐 아니라 설교학과 강단 연설도 공부했다. 훼틀리의 책은 데이의 대학 재학 중에 출판되었고, 이후로 데이는 훼틀리의 사상에 적대적인 자세를 계속 유지했으며, 18세기 스코틀랜드 수사학자들의 관용으로 되돌아갔다. 그의 저술에는 조지 캠벨과 프란츠 테레민(Franz Theremin)의 영향이 뚜렷이 드러난다. 데이는 1850년에 《수사학 기술의 요소들》(*Elements of the Art of Rhetoric*)을 출판했는데, 이는 캠벨의 개혁과 혁명적 경종으로 돌아가자는 강력한 목소리였다. 데이는 서문에서 그 책이 다른 수사학과 세 가지 면에서 다르다고 설명했다. (1) 이 책은 양식이 아니라 착상을 강조한다. 양식에 집중하는 경향은[19세기 초의 단문 연습 교수법의 본보기인 보이드(Boyd), 뉴먼, 파커의 교재들을 일컫는 듯하다] 작문을 '역겹고 무익한 일'로 변질시켜버렸다. (2) 이 책은 논쟁뿐 아니라 수사학의 모든 형태를 체계화하려고 한다. (3) 《요소들》(*Elements*) 수사학을 하나의 기술로 취급하고, 단지 텅 빈 이론화 작업만이 아니라 실제적인 가르침을 제공하자고 제안한다. 처음 두 가지 의도에는 성공했으나 세 번째 의도에는 실패했기 때문에 데이의 저서가 큰 영향력을 미치지 못했다. 그럼에도 우리는 데이가 기여한 바를 검토할 필요가 있다.

데이는 19세기의 '다양성 모드'(multimodal) 수사학에서 가장 선구적인 이론가였다. 그는 폭넓은 담론의 수사학 이론을 지지하는 입장을 이렇게 표현한다. "그것[수사학]은 또 다른 지성에 전달되는 순전한 담론의 모든 분야를 다룸으로써, 그것을 단순한 논증용 작문 또는 신념을 만드는 기술에 국한시키는 견해의 족쇄와 당혹스러움에서 구출한다. 훼틀리 박사를 좇아 브리태니커 백과사전에 담긴 기사의 필자가 따르는 이 견해를 일관되게 추종하면 모든 설명용 진술이 배제되고 만다." 이처럼 데이는 훼틀리를 직접 공격했고, 수사학 이론 분야에서 가장 존경받던 그 '근대' 이론가에 반박하면서 수사학의 다양한 목적을 추구하자고 주장한다.

헨리 데이의 다양성 모드의 수사학은 그가 '담론의 목적들'—설명, 확신, 자극, 설득—이라 부른 것을 중심으로 조직되어 있었다. 이것은 캠벨이 주창한 능력 심리학의 수정판이었다. "새로운 개념을 산출하는 과정은 설명에 의해서다. 새로운 판단을 산출하는 과정은 확신에 의해서다. 감수성의 변화는 자극의 과정에 의해 초래된다. 그리고 의지의 변화는 설득의 과정에 의해 초래된다."

훼틀리는 착상을 제쳐놓은 데 비해 데이가 착상을 변호하는 것도 동일한 맥락에서다. "생각을 표현하고, 그 과정에서 대상에 의해 생기를 얻는 지성은, 그런 표현을 지도하는 원리들을 공급받으면 스스로에게 지성적으로, 쉽게, 그리고 만족스럽게 행한다." 데이는 착상의 중요성을 인식하고 있었다. 선생의 입장에서, 학생들이 '평화', '기쁨', '허브의 즐거움'과 같은 구식의 수사학 토픽들에 반응해 제출한 에세이들이 매우 빈약한 글쓰기의 본보기임을 보았기 때문이다. 데이는 이런 불평을 늘어놓았다. "낯익은 동시에 폭넓고 포괄적인 주제가 선택될 때마다… 오직 일반적인, 낯익은 견해들만 취해질 수 있고, 착상의 삶이 없다. 그것은 죽은 생각을 상기하는, 기억의 차갑고 생기 없는 작업이다. 영감도 없고 만족도 없다. 따라서 무언가 독창적인 새로운 견해를 취해야 한다. 그렇지 않으면 착상의 작업은 반드시 힘들고 무거울 수밖에 없다." 데이는 대다수 학생이 특정 시스템의 도움이 없으면 '교황제의 발생'이나 '노예제의 부정적 영향'에 관해 글을 쓸 수 없다는 것을 알았기 때문에, 고전적 방법에 기초한 시스템을 제공했다. 데이의 방법은 복잡했고 지나치게 체계화되었다.

데이의 진정한 의도는 수사학 분야에서 양식이 점차 더 지배하는 현상에 반발하려는 것이었다. "문체가 주된 고려사항이 되면, 자연스레 예상하게 되듯이, 그 결과 작문의 연습이 지극히 역겹고 무익한 일이 되고 만다." 데이에 따르면, 수사학은 착상과 양식으로 구성되고, 전자가 후자보다 훨씬 더 중요하다. 데이의 수사학은 미국 작문 코스의 이전의 형태와 이후의 형태를 이어주는 다리와 같다. 그 수사학은 목록과 규칙과 법칙에 대한 사랑으로 인해 전후(戰後) 시기에 나타난 도식적인 구조적 수사학의 전조가 된다. 데이의 교재는 20세기의 현대적 작문–수사학에서 너무도 중요하게 될 '설명의 방법들'을 최초로 열거했을 뿐 아니라, 그가 '담론의 법칙들'이라 부른 원형적인 정적 추상 개념을 묘사한다. 데이는 19세기 중반 지적 탐구의 독일식 과학적 경향의 영향을 크게 받아 모든 설명용 글쓰기에 작동했던 네 가지 법칙을 가정했다. 바로 '통일성의 법칙, 선택의 법칙, 방법의 법칙, 그리고 완성의 법칙'이다. 학생들은 글쓰기에서 각 '법칙'을 지키도록 되어 있었다. 우리는 각 법칙을 상세하게 살펴보지 않아도 데이의 진술에 주목할 수 있다. 그 법칙들은 분명히 순수성, 적절성, 정확성 같은 양식적인 묘사가 아니다. 그것들은 일차적으로 묘사적이 아니라 규범적이다. 귀납적이 아니라 필연적이다. 데이의 법칙들 안에는 참으로 새로운 감수성, 묘사적인 순수문학적–양식적인 수사학에서 철저히 떠나는 그런 수사학의 가르침에 대한 접근이 있다. 데이는 정적인 정의와 포괄적 규칙들(또는 법칙들)의 도입을 통해 수사학을 '합리적'이고 '과학적'으로 만들려고 시도한 최초의 중요한 수사학자이다.

데이의 진정한 문제점은 그의 수사학을 충분히 실제적으로 만들 수 없었다는 점이다. 그의 책들은 장황했고 《요소들》은 잘 팔리지 않았다. 데이는 이후에 여러 수사학 교재들을 출판해 그의 이론을 홍보했다. 1860년에는 《수사학의 원칙들》(*Rhetorical Praxis*)를, 1867년에는 《요소들》을 '재구성한' 《담론의 기법》(*The Art of Discourse*)과 《문법적 통합: 영작문의 기법》(*Grammatical Synthesis: The Art of English Composition*)을 각각 출판했다. 마지막 책은 문법과 수사학과 논리학이 모두 '사유의 바탕에 근거를 두고 있기' 때문에 그 셋을 하나로 묶으려는 시도였으나, 결코 대중성을 확보하지 못했다. 그의 대다수 저술과 같이 이 책도 너무 독창적이고 과장된 저서였다. 설명뿐 아니라 착상과 담론의 목적을 강조한 그의 접근은 오랫동안 번창하지 못했다. 데이의 이론들은 또 다른 흐름에 부딪혔는데, 후자는 좀 더 단순하고, 엄격하고, 기계적이며, 양식주의적이라 결국 이전의 모든 접근을 휩쓸게 되었다. 바로 알렉산더 베인의 좀 더 축소적이고 교육학적인 수사학으로서, 한동안 수사학을 겨우 네 가지 양상의 시스템에 불과한 것으로 전락시켰다.

미국 남북전쟁 이후에는 수사학 이론이 크게 성행했다가 공고히 되었는데, 그 기간에 서로 경쟁하던 많은 이론적 관념이 정리되어 실질적 차원에서 가장 잘 작동하는 것들만 남았다. 그 기간에 가장 중요했던 네 권의 책은 다음과 같다: 알렉산더 베인의 《영작과 수사학》(*English Composition and Rhetoric*), A. S. 힐(A. S. Hill)의 《수사학의 원리들》(*Principles of Rhetoric*), 존 게눙(John Genung)의 《수사학의 실제적인 요소들》(*Practical Elements of Rhetoric*), 바렛 웬델(Barrett Wendell)의 《영작》(*English Composition*). 이 책들은 '단순히' 교재들이 아니라, 모두 기본적인 연습용 재료를 피하고 저자들의 관찰에 기초한 연역적 레슨들에 초점을 맞추었다. 이 책들은 문법적 및 기계적 고려사항은 거의 다루지 않고, 수사학을 주의 깊게 배운 추상적 원리들을 의식적으로 적용하는 분야로 생각한 듯하다. 이네 명의 수사학자는 여러 이유로 미국에서의 작문 발달에 매우 중요하다. 첫째는 그 책들이 매우 대중적이었다는 사실이다. 베인의 책은 1866년부터 1910년까지, 힐의 책은 1878년부터 1923년까지, 게눙의 책은 1886년부터 1914년까지, 웬델의 책은 1891년부터 1918년까지 지속적으로 출판되었다. 이 네 저자는 전후 작문—수사학의 가장 대중적인 형태들을 창조했다. 이는 미국의 글쓰기 교수법을 20세기까지 끌고 간 수사학 이론이었다.

이들은 또한 구어 담론이 문어 담론으로 전환되어 생긴 이론적 문제들을 완전히 다루게 된 최초의 진정한 수사학자들이었다. 블레어 이래 수사학자들이 그런 시도를 했지만 대다수 이론은 순수문학의 분석, 엉성하게 개조된 구두 수사학, 또는 성가신 분류 시스템으로 전락하고 말았다. 베인이 개조작업을 시작했으나 그의 책들은 가르치기가 어려웠다. 베인의 영향력 있는 아이디어들을 이용하되 그보다 더 성공적으로 이용한 힐과 게눙과 웬델이야말로 현대적 문어 수사학을 최초로 시도한 인물들이고, 그것이 구어 중심의 앞선 수사학 이론들을 넘어선 19세기 최초의 수사학이었다. 이 작문 이론의 상당 부분은 순전히 개인적 관찰, 가설, 선택된 착상, 파생으로부터 창안되어야 했고, 그리하여 전후 작문–수사학의 요소들이 탄생된 것이다: 담론의 양식들, 설명의 패턴들, 통일성, 정합성, 강조, 또는 명료성과 같은 정적인 추상 개념들, 힘, 에너지, 유기적 단락, 문장–유형 이론, 양식 이론, 교재 수사학의 다른 고전적 요소들 등. 우리가 이 이론에 대해 어떻게 생각하든 상관없이, 그것은 이후 60년 동안 수사학 교수법의 핵심으로 남았다.

19세기 후반의 가장 중요한 수사학 이론가는 스코틀랜드 논리학자 알렉산더 베인으로 추정된다. 베인이 개발한 다양성 모드 수사학과 단락의 이론은 굉장한 영향력을 미쳤다. 미국의 일부 교재 저자들과 달리, 베인은 당대의 심리학 사상과 사회사상에 상당히 친숙한 매우 유식한 인물이었다. 19세기 중반은 진지한 학자들이 면밀한 연구를 통해 모든 현상의 저변에 있는 규칙과 원리들이 결국 드러날 것으로 기대했던 시대였다. 학문이 크게 부상하고 있었다. 데이의 《요소들》과 D. J 힐(D. J. Hill)의 《수사학》(Science of Rhetoric)과 같은 사려 깊은 책들이 그런 규칙들을 제시하려고 시도했고, 그런 작업에 베인보다 더 잘 구비된 사람은 별로 없었다. 베인이 영향력 있는 저서, 《영작과 수사학》(English Composition and Rhetoric)의 서문에서 말했듯이, 연습이나 실행이 아니라 이론적 견해가 그런 책의 합당한 내용이었고, 그는 스스로를 근대 수사학의 위대한 전통에 속한 자로 보았다. "나는 이 분야에서 도움이나 방향을 제공할 수 있다고 보이는 작문의 모든 원리들과 규칙들을 종합하려고 시도했다…. 이런 계획이 성취된 결과는 영작에 관한 최근의 대다수 저술보다 캠벨의 수사학 철학, 블레어의 강좌들, 또는 훼틀리의 수사학에 더 밀접하게 연관된 저서이다." 베인의 가장 중요한 기여는 담론의 양상들에 관한 그의 아이디어를 통해 수사학의 다양한 모드를 체계화시킨 것이었다. 여기에 《영작과 수사학》의 초판에 나온 '다양한 종류의 작문'이 있다. "지식을 알려주는 것을 목적으로 삼는 담론들은 세 가지 항목으로 나눌 수 있다. 묘사, 서술, 그리고 설명이다. 의지에 영향을 미치는 수단들은 한 항목, 즉 설득에 속한다. 즐거운 감정을 불러일으키기 위해 언어를 사용하는 것은 시(詩)의 주된 특징들 중 하나이다." 여기서 시에 대한 언급(베인은 나중에 무관한 것이었다고 시인했다)만 빼면, 이는 훗날 미국 대학들의 작문-수사학에 강력한 영향력을 미친 것으로 드러난 양상의 공식화이다. 즉, 서술, 묘사, 설명, 그리고 설득(훗날에는 흔히 논증으로 불렸다)이다. 이보다 앞선 뉴먼의 수사학과 데이의 수사학이 전반적으로 수용되지 않았던 것과는 달리, 베인의 공식은 20년도 안 되어 폭넓은 지지를 받았다. 그렇게 된 한 가지 이유는 베인이 《영작과 수사학》에서 그 양상들을 하나의 조직 원리로 사용했기 때문이었다. 양상의 용어들이 그의 논의의 많은 부분을 차지하고 있어서, 베인의 책을 읽으면 양상의 중요성에 대한 생생한 인상이 반드시 남게 된다. 그 결과, 양상은 단지 담론의 분류법뿐 아니라 다양성 모드 수사학을 가르치는 개념화 전략으로 받아들여지게 된다.

베인의 다른 중요한 기여는 단락(paragraph)의 수사학을 만든 것이었다. 가동 활자의 발명 이래, 단락을 점점 더 실용적으로 사용할 수 있게 되었음에도 베인 이전에는 단락에 관한 고전 이론이나 근대 이론이 아예 없었다. 17세기의 신(新)키케로파 수사학자나 라무스파 수사학자 중에도 단락을 언급한 인물은 없었다. 아담 스미스(Adam Smith), 조지 캠벨, 그리고 휴 블레어 역시 단락에 거의 관심을 두지 않았다. 그런데 1866년에 베인이 《영작과 수사학》에서 정확한 단락의 생산을 위한 규칙들을 만들었다. 그는 "단락은 통일된 목적과 함께 문장들을 모아놓은 것이다"라고 말했다. 단락은 여섯 개의 규칙들의 지배를 받았다. 각 부분이 전체에 기여한, 단락의 '유기적 모델'은 특히 미국에서 20년 내에 굉장한 영향력을 발휘했다. 모든 교재는 그 모델(어떤 변형이든)을 사용했고, 그 모델은 전통적인 단락 이론의 모퉁이돌이 되었다. 베인의 추종자인 A. S. 힐과 존 게능의 노력 덕분에 베인의 체계적인 공식은 우리의 전통적인 단락 구조가 되었다. 그 단락의 주요 아이디어를 말하는 토픽 문장(a topic sentence)에 이어 그 주요 아이디어를 발전시키거나 예증하는 보조 문장들이 따라온다는 것. 토픽 문장에 담긴 아이디어의 발전은 통일성, 정합성, 발달을 그 특징으로 삼는다. 통일성(unity)이란, 그 단락에 나오는 재료가 주요 아이디어에서 이탈하지 않는다는 뜻이다. 정합성(coherence)이란, 그 단락에 나오는 각 문장이 그 주변의 문장들 및 토픽 문장과 연관되어 있다는 뜻이다. 발달(development)이란, 주요 아이디어의 요소들이 독자의 기대에 부응하기 위해 충분한 길이로 또 충분한 구조와 함께 취급된다는 뜻이다.

베인은 뛰어난 작가는 아니었기 때문에 그의 중요성은 그 자신의 저술보다 그의 영향력에 있다. 베인의 책들은 메마르고 논문 같은 문체이며, 그 저서들은 수사학 선생들이 가르치기 어려운 책들이었다. 수사학의 다른 영역들에서는 그의 영향력이 그리 크지 않았다. 그는 착상에 관해 할 말이 별로 없었다. 베인이 제의한 양식 이론은 블레어의 이론 일부와 훼틀리의 용어 일부를 '감정'(Feeling)과 '멜로디'(Melody) 같은, 순전히 주관적인 베인의 용어들과 합병시킨 것으로 전혀 영향을 미치지 못했다. 《영작과 수사학》은 '목록-감수성'을 더욱 확장시켰고, 이는 훗날 양식의 속성들에 관한 다른 수사학자들의 목록들을 개발시키는 풍요로운 토양을 제공했다. 그러나 수사학 분야의 윤곽을 변경시키는 독창적인 아이디어를 하나 이상 제안하는 수사학자는 드문 편인데, 베인은 담론의 양상들과 유기적 단락으로 그런 아이디어를 두 가지나 제공했던 인물이다.

1870년과 1890년 사이의 수사학은 1870년대와 1880년대에 대학교들에 도착한, 박사학위가 없는 호기심 어린 전환기 세대의 손에 맡겨졌고, 특히 당대의 하버드 영문학과와 연관을 짓게 되었다. 이들은 저널리스트, 문법가, 목사, 교재 저자, 천재와 괴짜, 아마추어 애호가와 연예인이었다. 독일식으로 훈련받은 학자는 드물었다. 존 하트(John S. Hart), 에라스투스 헤이븐(Erastus Haven), 에드윈 홉킨스(Edwin M. Hopkins), A. S. 힐, 바렛 웬델, 르 베이런 브릭(Le Baron Briggs), G. P. 베이커(G. P. Baker), 찰스 바르딘(Charles Bardeen), 헨리 프링크(Henry Frink), 히람 코르슨(Hiram Corson)과 같은 인물들은 모두 1880~1910년 기간에 문어 소통의 새로운 수사학을 만드는 일에 깊이 관여했다. 하버드 대학이 대학 수사학에서 중요한 것을 결정하는 결정권자로 부상한 것이 이때부터였고, 미국에서 착상이 좌천되고 수사학의 양식 이론이 좁아진 현상을 이해하려면, 제5대 보일스턴 수사학 교수를 역임했던 아담스 셔만 힐(Adams Sherman Hill)을 주목해야 한다. 1878년에 출판된 힐의 교재, 《수사학의 원리들》(*Principles of Rhetoric*)은 하버드의 명성을 등에 업은 만큼, 19세기의 가장 영향력 있는 교재들 중의 하나였다. 《원리들》은 한참 후에 대중적인 작문-수사학을 창조했고, 1923년에 이르기까지 인쇄가 계속되었다. 이 교재는 착상이 거의 완전히 사라지고 관례와 용법의 이슈들로 대체된 최초의 중요한 책이었고, 양식에 관한 논의는 정확성에 주목하라는 교훈으로 채색되어 있었다.

힐은 구어 담론이 문어 담론으로 바뀜에 따라 생긴 실제적인 문제들을 완전히 다룬 최초의 진정한 수사학자들 중 하나였다. 베인도 그런 작업을 시도했으나, 이론적 발달에도 대다수의 자연스런 청중인 미국 대학의 선생들에게 호소할 길을 찾을 수 없었다. 힐은 그 세계를 샅샅이 알고 있었다. 힐은 베인의 많은 아이디어를 개조했고, 그의 저서는 최초로 널리 사용된 현대식 문어 수사학, 구두 이론에 기반한 앞선 수사학을 뛰어넘는 최초의 19세기 수사학이었다. 이 작문 이론의 상당 부분은 개인적 관찰, 가설, 선택된 착상, 파생으로부터 창안되어야 했고, 힐은 그렇게 할 만한 자신감과 제도적 위상을 갖고 있었다.

1833년에 태어난 아담스 힐(Adams Hill)은 훼틀리의 논쟁 수사학, 그리고 1860년과 1875년 사이의 언어-정확성 논쟁의 영향을 크게 받았다. 그는 착상을 경시하고, 좋은 글쓰기는 명료성, 힘, 우아함을 그 특징으로 삼는다고 주장하는 등, 데이와 정반대였다. 힐은 이 세 용어를 명시적으로 양식과 연결시키지는 않았다. 힐과 그의 추종자들에게 이 세 용어는 양식 자체를 반영하지 않고 좋은 글쓰기의 전반적 속성을 반영했기 때문이다. 옛 수사학이 양식을 다뤘던 자리에 힐은 '단어의 선택과 사용'에 관한 섹션을 두었다. 이는 옛 의미의 양식이 축소되고 있음을 보여준 최초의 중요한 징표—양식이 독특한 잣대에서 단어와 문장을 강조하는 낮은 수준으로 좌천된 것—였고, 이후 '단어'와 '문장 구조'에 관한 장(章)들이 교재에 더 자주 나타나게 되었다. 하지만 《수사학의 원리들》은 단순한 교실용 텍스트가 아니었다. 그 책은 기본적인 연습용 재료를 피하고 저자의 관찰에 기초한 연역적 교훈들에 초점을 맞추었다. 또한 문법적이고 기계적인 고려사항은 거의 다루지 않고, 수사학을 신중하게 배운 추상적 원리들의 의식적 적용으로 생각했던 것 같다.

힐이 품은 양식의 개념은 나이가 들수록 점점 더 형식화되고 말았다. 젊은 학생들을 겨냥한 훗날의 책들은 수사학보다 형식적 정확성의 방향으로 훨씬 더 나아갔다. 또한 점차 다른 필자들의 아이디어를 채용하는 바람에 독창적인 성격이 더욱 약화되었다. 그는 1878년의 《수사학의 원리들》에서는 대중적인 '담론의 네 가지 양상'을 배척했고 그 범위에서 설명을 빠뜨렸으나, 그 책이 1895년에 '확대개정판'으로 재등장했을 때는 네 가지 양상을 완벽한 중창으로 낭송했다. 힐이 은퇴한 1904년에 이르면, 그의 수사학 아이디어들이 다른 교재들 전반에 흩어져 있었으나 정확성과 형식성이란 그의 개념들이 작문-수사학에 미친 최장기적인 기여였다.

　힐은 대학 1년생의 글쓰기 요건을 창안한 인물로, 수사학이 형식적 정확성 연습으로 변화된 것과 연관된 제도적 명령의 주창자로 가장 잘 알려져 있는 듯하다. 하버드 대학은 입학시험에 문어체 영어를 1874년 처음 도입했고, 그 시험을 치른 316명의 학생들 중에 157명이 실격하는 바람에, 교수들과 부모들과 전반적인 지식인 문화에 충격을 안겨주었다. 하버드 시험과 지속적인 학생들의 문제는 (그리고 모든 면에서 하버드를 모델로 삼는 많은 대학이 금방 실시한 그와 비슷한 글쓰기 시험들과 함께) 최초로 미국 대학의 문해(文解, literacy) 위기를 초래했다. 1876년 처음 고용되었을 때 하버드 시험을 주관하게 된 힐은, 1879년 그 문제를 다음과 같이 표현했다. "시험 교실─고전문법 학교든, 고등학교든, 대학이든─에서 글로 쓴 원고를 읽을 운명에 처한 우리는 훌륭한 학자들의 작업조차 엉성한 철자, 헷갈리는 마침표, 비문법적이고 모호하거나 우아하지 않은 표현으로 얼룩졌다는 사실을 알게 되었다. 최고 대학들의 졸업반과 많은 관계가 있는 사람은 누구나, 열두 살짜리 소년조차 부끄럽게 만들 큰 실수 없이는 자신의 졸업을 묘사하는 편지 한 편조차 쓸 수 없는 남학생들을 알아왔다." 하버드 시험관들은 즉시 고등학교 수준에서 더 나은 훈련과 대학 수준에서 보다 효과적인 글쓰기 교육을 하도록 자극하기 시작했다. 힐도 친히 하버드에서 영어를 1학년의 필수과목으로 만들어야 한다고 끊임없이 주장했다. "[글쓰기] 공부가 대학 생활의 문지방에서 시작될 수만 있다면, (하급) 학교들은 이 방향으로 쏟은 그들의 노고가 대학에서 학생의 위상을 말해줄 것이라고 느끼게 될 것이다…." 하지만 1885년에 이르러서야 그런 1학년생의 기본 코스가 제공되었다. 그럼에도 그 필요성이 금방 뚜렷해져서, 1896년에 이르면 여덟 명의 교수와 강사들이 '영어 A

코스'를 가르치게 되었다.

　박사학위를 가졌던 존 게눙은 아마 19세기 말의 가장 진지한 수사학 사상가였을 것이다. 게눙의 《수사학의 실제적인 요소들》(*Practical Elements of Rhetoric*)은 아름답게 쓰였고, 수사학의 전반적 전통에 대한 깊은 지식과 작문의 새로운 시대가 수사학에서 요구하는 바에 대한 인식을 겸비한, 학문적 종합을 이룬 걸작이다. 게눙은 독일로 가기 전에 미국의 연설 전통에 대해 훈련을 받았던 목사였다. 그는 1881년 라이프치히에서 언어학 박사학위를 받고 미국으로 돌아와서 1882년에 엠허스트 대학의 언어학 강사로, 1884년에는 수사학, 연설, 영문학 부교수로, 1889년에는 수사학과 영문학 정교수로, 1906년에는 문학과 성경해석학 교수로 각각 일했다(계속 승진된 과정을 주목하라). 게눙의 책들이 중요한 이유는 구두 수사학 이론의 핵심적인 공식적 특징을 전달하기 때문이다. 그 책들은 원자론적 관점을 갖고 주제를 많은 등급, 수준, 비유, 기술, 행위, 규칙들로 나누고 또 세분화한다. 게눙은 문어 수사학이 기억할 만한 몇 가지 개념들을 숙지하고 있어야 한다는 것을 알았고, 이런 개념들을 공표하는 그의 재능은 베인이 고안한 유기적 단락에 관한 새로운 이론을 대중화시키는 데 중요한 역할을 했다. 게눙은 단락의 세 가지 '근본 속성들', 곧 베인의 규칙들에서 끌어오되 더 단순한 발견적 형태를 제공한 그 속성들을 제의했다. 그는 단락이 통일성에 의해, 연속성에 의해, 균형에 의해 구별되어야 한다고 말했다. 이 세 개의 용어가 《실제적인 요소들》에 나오는 단락에 관한 장(章)을 조직하고 또 조명했다. 게눙에 따르면, 문장도 그와 비슷하게 두 개의 일반적 속성을 갖고 있다. 바로 통일성과 강조이다. 그 책의 큰 부분이 이런 속성들에 할애되었고, 기억할 만한 추상적 개념들의 창조는 큰 인기를 누렸다.

　《실제적인 요소들》에서 게눙은 데이가 36년 전에 제안했던 두 개의 표제, 곧 '착상'과 '양식'은 받아들였으나, 힐을 좇아 그 순서를 뒤집어버렸다. 게눙은 양식 공부가 착상보다 앞서야 한다고 주장하면서 그 이유를 이렇게 말했다. "왜냐하면 이것이 담론의 기술뿐 아니라 모든 기술이 지켜야 하는 논리적 순서에 부합하기 때문이다. 모든 기술에서 첫 번째 관심은 전문적인 세부사항, 상세한 논법에 기울여지는데, 후자의 현존 또는 부재가 기술과 투박함 사이의 모든 차이를 만들어낸다." 게눙은 처음 200페이지를 양식에 대한 복잡한 논의에 할애했고, 그 결과 그렇게 시도한 최후의 대중적인 저자로 남았다. 게눙 이후에는 양식 교육학이 점차 단락과 문장과 단어의 분류 속의 단순한 지침으로 전락하는 현상이 나타났다. 대체로 그런 현상은 특히 양식과 비유의 여러 등급에 관한 학설과 같은 옛 학설들을 지지했던 수사학적 이원론의 약화에 의해 유발되었다. 양식적 일원론의 발흥이 실제로 낳은 결과는, 더 나은 양식을 얻는 방법으로서의 온갖 '규칙들'에 대한 불신과 경시였다. 게눙은 1888년 《수사학적 분석의 핸드북》(*Handbook of Rhetorical Analysis*)에서 양식에 대한 이론적 접근을 변호하지 않을 수 없다고 느꼈다. "교재가 너무나 자주 실패작으로 드러나는 이유는 이론이 나빠서가 아니라 이론을 실제에, 또는 구체적으로 적용하지 않고 이론만 있는 경우는 부적합하기 때문이다." 게눙은 그 자신이 수사학이 일차적으로 이론적 학문으로 존재하는 시대의 끝 무렵에 살고 있다는 사실을 인식했다.

게눙이 양식을 중요시했으나 본인이 선호했던 더 정교한 논법을 구출할 수 없었다면, 착상을 다룬 방법은 그 표준을 더욱 약화시키는 결과를 초래했다. 게눙의 경우, 착상은 베인의 분류법—서술, 묘사, 설명, 논증—아래서 완전히 다뤄졌다. 베인에 못지않게(게눙은 80년대 말과 90년대 내내 베인의 책 판매를 적극적으로 도왔다) 게눙은 미국 전역에서 양상들을 대중화시켰다. 그는 각 양상마다 한 장씩을 넉넉하게 할애했다. 베인과 게눙은 80년대와 90년대에 수사학 교육의 이론적 및 실제적 세계에 큰 영향을 미쳤고, 그들의 책이 인기를 얻자 아담 스미스와 휴 블레어로부터 진전되던 순수 문학적 분류법은 사형선고를 받은 듯했다. 게눙은 또한 당시에 착상 교육학을 주관하던, 타인의 재료를 토픽별로 축적하던 전통적인 방법보다 관찰과 선택을 지향하는 낭만적 충동의 옹호자이기도 했다. 관찰은 먼저 '착상을 증진하는 정신적 습관'이라는 항목 아래 놓여졌다. "관찰은 독창적인 생산을 위한 가장 유력한 자극제이자 도우미이고… 어느 의미에서, 모든 저작 활동은 이것으로 환원될 수 있다." 그는 옛 수사학 연습의 큰 주제들을 좀 더 구체적인 범위로 좁히자고 제안했다. "일반적인 주제들은 다루기에 너무 포괄적이고, 너무 일반적이다. 그것들은 또 다른 종류의 논법보다 한 종류의 논법에 대한 암시, 장소, 공중, 또는 진술의 형태에 어울린다는 암시, 한계나 방향에 대한 암시를 담고 있지 않다. 그것들은 아직 실용적 아이디어로서 필자를 안내할 모습이 아니다." 그런 주제들은 "지향성의 한계에 의해, 단일한 이슈에 집중하는 테마로 좁혀져야 한다"고 게눙이 주장했다. '산들'은 '산들로의 하이킹'이 되고, '질병'은 '우리 마을에서의 탄저병'이 된다. 게눙이 《실제적인 요소들》에는 어떤 연습문제나 글쓰기 과제도 포함하지 않았으나, 1893년판 《개요》 (Outlines)에는 다음과 같은 '정서 또는 느낌에 관한 주제들'을 위한 제안을 포함시켰다: '학교 우정', '공상을 위한 장소', '앞을 내다보며' 등.

게눙은 전문인 세계에서 상당한 명망을 얻었고, 그의 《수사학 개요》의 출판과 함께 대학 수준에서 글쓰기의 기본 논법이 중요시되었다. 《수사학 개요》는 미처 준비가 덜 된 학생들을 위한 최초의 작문 교재들 중 하나였고, 그 책은 작문-수사학이란 대중적인 개념에 발을 들여놓는 사람이 교정과 정확성에 관심을 갖도록 도왔다. 게눙은 반쯤 후회하는 듯, 그 책이 "알면 영예가 되기보다 모르면 책망을 받게 되는 요소들을 다뤘다"고 시인하기까지 했다. 게눙보다 덜 교육받은 많은 글쓰기 교재 저자들이 《개요》에 나오는 게눙의 선도를 따라갔다.

하버드의 문학 교수이자 저명한 "영어 A코스" 강사였던 바렛 웬델은 1891년 《영작》 (English Composition)을 출판했는데, 1890년에 로웰 연구소에서 행한 여덟 차례의 강좌에 기초한 교재였다. 《영작》은 혼란한 남북전쟁 이후의 수사학 전통의 복잡한 원리들을 뛰어난 솜씨로 쉽게 기억되고 보편적으로 적용될 수 있는 소수의 용어로 축소했기 때문에 즉시 인기를 끌었다. 웬델은 당대의 수사학 책들에서 발견한 문제들을 이렇게 설명한다. "이 책들은 주로 글쓰기를 하려는 사람이 어떻게 작문을 시작해야 하는지에 관한 지시들로 이뤄져 있다. 이 제안들 중에 다수는 지극히 현명하고, 다수는 시사하는 바가 많다. 그러나 각 경우에 지시사항들이 끔찍하게 많다. 이제까지 나의 주의를 끈 모든 원리를 다음 세 가지 항목 중 하나로 묶을 수 있다는 것을 아는데 수년이 걸렸다." 이것들이 웬델의 유명한 세 가지 원리가 되었다. "요컨대, 나는 이 세 가지 작문 원리들을 다음과 같이 표현하겠다: (1) 각 작문은 한 핵심 아이디어를 중심으로 묶여야 한다. (2) 각 작문의 주요 부분들은 금방 눈길을 끄는 위치에 배치되어야 한다. (3) 끝으로, 작문의 각 부분과 그 이웃 부분들의 관계는 명백해야 한다. 이 원리들의 첫째는 편의상 통일성의 원리로,

둘째는 배치의 원리로, 셋째는 정합성의 원리로 불러도 좋다." 웬델의 확실한 양식이야 말로 현대 작문-수사학의 뛰어난 추상 개념의 원형이라 할 수 있다.

웬델은 《영작》에서 기계적인 부분이나 마침표는 아예 다루지 않았다. 그 대신 우아한 필체로 쓴, 지극히 영향력 있는 그 책에 통일성, 배치, 정합성의 원리들을 담론의 세 가지 '수준들'에 적용했고, 다른 교재들도 1880년 이후에는 갈수록 더 문장, 단락, 그리고 전체 주제로 구분했다. 웬델은 수사학적 작업의 다른 부분들을 다루는데 '수준별' 접근을 대중화했다. 《영작》의 구조는 '양식의 요소들과 속성들'에 관한 첫 장에 이어 '단어', '문장', '단락', 그리고 '전체 작문'에 관한 장들이 뒤따르는 것으로 되어 있다. 웬델의 구조는 90년대 후반에 시작된 중등학교 교재들에서 즉시 인기를 끌었다. 힐과 게눙은 그들의 책들을 양식이나 '어법' 섹션으로 시작하는 양식주의 수사학의 전통을 따랐는데, 이 전통이 웬델의 시대에 이르면 크게 약화된다. 웬델은 즉시 통일성과 배치와 정합성에 대한 논의에 뛰어들었고, 이 셋은 작문의 담론 수준들 전체에서 작동했다.

웬델이 이룬 업적을 돌아보는 것은 어렵지 않다. 그의 아이디어는 별로 새롭지 않고, 그의 책이 놀라운 인기를 누린 것에(90년대 작문 책들 중에 두 가지 판으로 오늘날에도 가용한 유일한 책이다) 그 자신조차 놀랐음이 틀림없다. 그가 이 개념적 성공을 이룬 것은 게눙이 베인의 여섯 가지 단락 규칙을 세 가지 용어로 적용한 것—통일성, 연속성, 균형 중에서 '연속성'을 '정합성'으로, '균형'을 '배치'로 살짝 바꿨다—을 취했고, 그에 따른 삼중적인 평가기준을 글쓰기의 모든 수준에 적용하자고 제안했기 때문이었다. 당시는 더 단순하고 가르치기 쉬운 개념들을 찾고 있던 교육적 분위기였기 때문에, 그런 축소의 시도는 실로 안성맞춤이었다고 할 수 있다. 《영작》은 정적인 추상 개념의 사용을 이후에 따라왔던 모든 교재의 중심 교의로 정착시켰다. 이는 모든 교재의 90퍼센트에 달했다.

웬델에게 양식은 그의 세 가지 중심 용어들을 의미했다. 옛 양식 이론들은 완전히 없어졌다. 비유적 표현은 뿔뿔이 나타나는 경우만 제외하면 1890년에 이르러 죽은 이슈가 되었는데, 이는 블레어가 다룬 양식의 '등급들'이 1860년에 이르러 죽은 것과 비슷하다. 웬델의 수사학에서 비유는 단순화되고, 축소되고, 짜여서 다른 논의에 흡수되었다. 웬델은 이렇게 말했다. "구식의 수사학 책들에서는 《비유에 관한 학설》(*The Doctrine of*

Figures)이 다른 무엇보다 더 많은 공간을 차지했다. 그것은 대체로 그리스어에서 유래한 긴 단어들에 의해 분류되고 세분화되고 상세한 이름이 붙여졌고, 이는 끔찍한 텍스트를 이해하려고 시도한 모든 사람의 이성에 영향을 주었던 것 같다. 그러나 이 모든 생명 없는 작업의 목적이 바로 이날 저녁 우리 앞에 놓인 목적이었다. 말하자면, 설득력 있게 글 쓰는 법을 발견하는 것이다." 웬델은 좀 더 흔한 비유들—은유, 직유, 제유—에 단 몇 페이지만 할애하고, 굉장히 축소된 그의 논법은 훗날 저자들이 따라올 표준이 되었다.

웬델은 하버드에서 '일상의 작문'을 창안한 가르침의 대가로 전국에 알려지게 되었다. 1892년에 바렛 웬델은 170명의 학생들이 쓴 매일의 작문과 격주의 작문을 읽었다. 매년 24,000편이 넘는 에세이를 읽은 셈이다. 이 일상의 작문들은 하버드에서 작문 선생들의 업무에 엄청난 짐을 더했고, 좀 더 표준적인 주간 작문들조차 선생들에게 끔찍한 과부하를 실어주었다. 바렛 웬델의 학생들조차 그의 운명이 처량하다고 느껴서 이렇게 썼다. "한 사람이 매주, 날마다, 약 200편의 이상한 설교를 읽어야 하고 하데스의 그늘처럼 죽는 것이 허락되지 않는 것은 얼마나 가련한 운명인지 모른다." 바렛 웬델은 경력의 끝 무렵에 이르러 그의 수사학 아이디어가 이뤄놓은 것을 보고 소름이 끼쳤다. 오스카 캠벨(Oscar Campbell)은 1909년에 "그는 그의 분야에서 다른 누구보다 더 미국의 대학 교육에 해로운 영향을 미쳤다고 외치곤 했다"고 한다. 캠벨에 따르면, 웬델이 절망한 이유는 "그의 희망과, 더 나쁘게는, 교육적 진보를 위한 그의 구체적인 계획들이 파괴되었기 때문이다. 그의 독창적인 정신이 만든 것들이 그 분야의 일반 구성원들을 형성한 기계적 정신을 가진 이들에 의해 형편없이 왜곡되었다." 여기서 웬델이 언급하는 것은 거의 확실히 작문을 위한 가장 대중적인 착상, 곧 통일성과 배치와 정합성에 관한 그의 아이디어지만, 그 자신의 영향에 대한 그의 의심은 1910년 이후의 작문–수사학의 전반적 추세에 비춰보면 너무도 정확했다.

힐, 게눙, 그리고 웬델은 모두 동부의 오랜 대학교들과 연계되어 있었으나, 1885년과 1925년 사이 수사학의 개혁에서 가장 위대한 인물은 미시간 주립대학교의 프레드 뉴턴 스콧(Fred Newton Scott)이었다. 스콧은 거의 단독으로 미시간에서 일종의 자기 재생적이고 진지한 학문적인 수사학 조직을 만들려고 애썼는데, 다른 곳에서는 문학과 언어학 분야에서 만들어졌던 그런 조직이었다. 약 25년 동안 그는 다른 모든 곳을 문어 수사학으로 범람하게 하는 데 성공했다. 미시간 주립대학교의 영어와 수사학 과(科)에서 박사학위를 받은 스콧은, 수사학 분야에서 진지한 학문과 학자들을 배출할 수 있는 학과 구조를 세우기 시작했다. 그 자신이 책과 논문을 많이 출판했다. 그리고 먼저는 MLA와 나중에는 NCTE와 같은 전문인 조직에서 열심히 활동했다. 그의 캠퍼스에서는 점차 커지는 영향력(1901에 정교수가 되었다)을 이용해 전국적인 추세에 완강하게 저항하려고 했다. 수사학을 영문과에서 따로 떼어내 동등한 학과의 위상을 만들었다. 1903년에 출범한 수사학과가, 1927년 질병으로 인한 스콧의 은퇴 후에 오래 지속되진 못했지만, 1898년부터 1930년에 이르는 32년 동안 스콧은 미시간의 수사학 분야에서 149명의 석사들과 23명의 박사들을 배출했다. 그는 박사 수준의 수사학 교과과정을 만들어서 1898년에 최초의 미국 수사학 박사—게르트루드 버크—를 배출했다. 그의 학생들은 훗날 작문과 수사학 학자들뿐 아니라 유명한 저널리스트, 에세이 작가, 소설가, 시인 등이 되었고, 그들의 영향력은 20세기 전반기 내내 느낄 수 있었다.

스콧은 수사학에서 기계적인 강조점을 배격했고, 캠벨이 시작한 인식론적 혁명이 현대의 심리학적 통찰들을 활용하면서 계속 이어질 것을 요구했다. 윌리엄 제임스와 교신하고 존 듀이의 친구였던 스콧은 오류–사냥을 뛰어넘는 문어 수사학을 위해 열심히 싸웠다. "이런 문제들은 부차적이고… 그것들은 특정한 목적을 위한 수단들이다. 그것들 자체를 목적으로 삼는 것은 이 과목의 교육을 거꾸로 뒤집는 것이다." 그러나 스콧은 글쓰기에서 형식적인 이슈들에 대한 강조의 저변에 무엇이 있는지 알았다. 바로 선생들의 야만적인 과로였다. 1895년에 스콧은 이렇게 썼다. 그는 "금년에 3,000편도 넘는 에세이를 읽고 또 읽었는데, 대다수는 216명의 학생들이 쓴 것이었다…. 강사가 어떻게든 학생을 한 개인으로 붙잡아야 한다는 것은 작문 작업을 위해서는 필수불가결하다…. 그러나 큰 대학교들에서는 작고 아담한 학급의 시절이 지나간 지 오래다. 지금은 배고픈 세대들이 우리를 밟고 있다." 스콧은 수사학이 양자 사이에 끼여 흔들리는 것을 보았다. 하나는 정확성을 엄격하게 요구하는, 하버드에 기반을 둔 대학 입학시험의 압력이고, 다른 하나는 대학이 수사학을 신입생의 필수과목 정도로만 생각하는 경향이었다. 이 두 가지 영향은 모두 해로웠다.

스콧은 당대 수사학의 기계적 경향을 비판한 중요한 인물이었고, 입학시험과 그로 인한 경직된 교수법, 그리고 작문의 질에 대한 기계적 평가척도를 모두 반대하는 입장이었다. 그는 1911년에 조직된 전국 영어교사 협의회(NCTE, National Council of Teachers of English)의 창립자들 중 하나였고, 이 조직은 대학 시험, 정확성만 표준으로 삼는 행습, 문법적 순수주의, 규범주의 등에 대한 공격을 주도했다. 스콧은 그 특유의 총명함으로 일찍이 작문–수사학의 기계주의적인 성향을 간파했고, 1912년에는 "과학적 기구 한 편이 가르침의 자리를 차지하도록 허용할 때마다—이는 본질상 학생에게 그의 삶의 통합 원리를 드러내는 시도이다—그 결과는 가르침의 과정을 인위적으로 만드는 일이다"라고 말했다. 스콧은 행정적 목적으로 작문을 채점하는 시스템과, 작문을 학생의 진보의 한 단계로 평가하는 시스템을 뚜렷이 구별했다. 1890년대에는 많은 과학 분야에서 교육적 실험의 사용을 지향하는 움직임이 있었는데, 일부 사람은 수사학을 실험실에 적합한 작업이라고 불렀다. 그러나 스콧은 1895년에 만일 작문이 진정 실험실용 작업이라면, "인력공급과 설비와 관련해서도 왜 작문에 다른 실험실용 작업과 똑같은 자격을 부여하지 않는가?"라고 물었다.

스콧은 또한 많은 수사학 책을 쓴 저자이기도 했고, 보통은 오하이오 주립대학교의 조셉 데니(Joseph V. Denney)와 함께 집필하곤 했다. 스콧과 데니의 공저 중에 가장 영향력 있는 저서는 《단락–쓰기》(*Paragraph-Writing*)로서 알렉산더 베인이 1866년에 창안했던 단락 모델의 진화판(版)을 이용해 단락을 다룬 책이다. 이 책을 통해 스콧과 데니는 수사학 이론에 여러 두드러진 기여를 했다. 첫째, 그들은 베인과 게눙의 복잡하고 헷갈리는 설명 시스템을 단순화했다. 둘째, 단락과 관련해 쉽게 가르칠 수 있고 일관된 분류 시스템을 발표했다. 이는 훗날 설명 교수법에 중요한 영향을 미치게 된 시스템이다. 《단락–쓰기》는 스콧과 데니의 가장 대중적인 교재이며 '단락 개발의 도구들'을 최초로 성문화한 책으로서 훗날 1900~1950년 기간의 작문–수사학의 중요한 아이디어가 되었다. 고전적인 토픽들을 개조한 이 '도구들'은 대비, 설명, 정의, 예증, 상술, 증명 등을 포함했다. 이와 비슷한 용어들도 '설명의 방법'에 재등장하곤 했으며, 이는 베인의 담론 양상 분류법을 대치하게 되었다. 스콧과 데니의 단락 이론은 내적 일관성이 있고 정교하게 만든 것으로서 단락을 에세이의 축소판으로 봤으며, 그것은 약간 변화된 형태로 오늘까지 살아남았다(이론은 아닐지언정 교수법에). 1900년과 1930년 사이에 출현한 교재의 90퍼센트 이상이 본래 《단락-쓰기》에 소개되었던 단락 개발의 도구들을 그대로 사용했다.

스콧과 데니는 또한 수사학 과제를 덜 제한적으로 만든 선구자들이었다. 《단락-쓰기》는 더 개인적이고 새로운 종류의 과제들을 허용했는데, 거기에는 매우 구체적인 주제들, 즉 '비극으로 취급받는 욥기'(The Book of Job treated as a tragedy)에서 '내가 익사할 때 기억한 것'(What I remembered when I was drowning)과 '나의 퀴어 친구들 몇 명'(Some of my queer friends)에 이르기까지 다양한 표제 아래 31페이지에 달하는 주제들이 포함되어 있다. 1909년의 개정판은 과제 부분에 많은 그림과 사진을 포함했고, 그 가운데 일부는 "호쿠사이(Hokusai)의 《파도》(The Wave)와 아이바조브스키(Aivazowski)의 《폭풍》(The Storm)에 나오는 대양 파도의 두 가지 상징을 비교하라"와 같이 놀랄 만큼 현대적이다. 35년 동안 스콧은 미국 대학들에서 수사학의 영향을 받은 작문 교육을 지지하는 강한 목소리로 남아있었다. 그러나 질병 때문에 1927년에 은퇴하자 그의 수사학과는 2년 내에 해체되고 선생들과 학생들은 강력하고 안전한 영어영문과로 복귀했다. 이렇게 해서 연설 학과 바깥에 수사학 박사과정을 개설하려 했던 유일한 시도가 막을 내리고 말았다. 훗날 작문-수사학은 영문과 안에 그 모습을 드러냈고 너무 오랫동안 멸시를 받았다.

1860~1910년에 걸쳐 웅변술과 논쟁의 형태로 전락했던 구어 수사학은 1914년 NCTE로부터 전국 공개연설 교사협의회(SCA)가 떨어져 나오면서 르네상스를 맞이하게 되었다. 그러나 문어 수사학 교육은 1910년 이후 그 상태가 좋지 않아 긴 정체기에 접어들었다. 현대의 작문-수사학 시기의 도래는 1907년에 등장한 기계적 정확성을 다룬 최초의 현대식 핸드북이 알렸다고 할 수 있다. 바로 에드윈 울리(Edwin Woolley)의 《작문 핸드북》(Handbook of Composition: A Compendium of Rules)이다. 울리의 《핸드북》은 한 마디의 변명도 없이 기계적 정확성의 모든 측면을 다룬 최초의 대학 교재였다. 그 책은 수사학 교육인 체 하지 않았고, 예전에는 대학 작문 책에 허용되지 않았던 많은 영역을 다룬 350개의 규칙으로 구성되어 있다. 철자, 마침표로부터 문장 구조와 생략 등 가장 기본적인

수준까지 망라했다. 울리는 그의 독자들이 문법적 또는 형식적 관례에 대해 아무것도 모른다고 솔직히 가정했다는 점에서 획기적인 저자였다. 이 책에서 문법은 추상적인 시스템이 아니었다. 울리는 그의 목적이 "과학적이지 않고 실제적이다"라고 말했다. "그 목적은 많은 사람이 실수하는 것과 관련해 규칙을 분명히 하는 것이다. 형식적인 완전함을 위해 그 책에 투입한 재료는 없다." 이것이 울리의 신조였고, 선생들은 이 새로운 책에 압도적인 지지를 보냈다. 1909년에 나온 코블렌츠(H. E. Coblentz) 서평은 당시 대다수 대학 선생들의 의견을 대변했다. "이 작은 책은 최고의 찬사를 받을 만하다…. 모든 영어 선생은 이것이 이런 부류 가운데 가장 간편한 책임을 알게 될 것이다."

울리는 《작문 핸드북》과 함께 핸드북 시대를 열었고, 곧 대다수 대학 글쓰기 코스의 중심이 될 새로운 종류의 글쓰기 교재를 주도했다. 울리의 《핸드북》이 출판된 시기부터 작문 교수법은 수사학적 성격에서 형식적 성격으로 변화되었다. 실질적인 필요가 교재에 영향을 주었고, 이제는 교재가 글쓰기 코스를 좌우했다. 이는 특히 핸드북에 해당하는 점이었고, 핸드북들은 항상 훈련받지 못한 글쓰기 선생들이 좋아하는 책이었기에 큰 영향력을 발휘했다. 울리의 《핸드북》 이후 20년은 최초의 큰 핸드북 붐이었다고 불러도 무방하다. 1907년부터 1927년 사이에 적어도 15권의 핸드북이 출판되었다. 1927년에 실시된 조사는 중서부의 대표적인 27개 대학 중에 85퍼센트가 글쓰기 코스에서 핸드북을 사용하는 것으로 밝혔다. 더 중요한 사실은 41퍼센트가 교재가 없이 핸드북만 사용했다는 것이다. 1930년대에 이르면 핸드북이 작문의 핵심적인 자료가 되었다는 것이 출판사들에게 분명해졌다. 대다수 강의실에서 지배적인 텍스트가 된 것이다. 그래서 일부 사람들은 1930년대에 글쓰기 코스에서 수사학의 역할이 최저점을 찍었다고 말한다. 미국 대학 글쓰기 교육의 암흑기였다는 것이다.

스콧의 죽음 이후 스털링 레너드(Stirling A. Leonard)와 포터 페린(Porter Perrin)과 같은 소수의 젊은 동료들이 이 암흑기 동안 수사학적 전통의 희망을 계속 살려놓았다. 아직도 재치 있는 비방의 고전으로 남아있는 《낡은 허섭스레기 순수주의자》(Old Purist Junk)의 필자인 젊은 스털링 레너드는 규범적 예법에 집중하던 반(反)수사학적 시기에 반기를 들었던 또 하나의 인물이었다. 그 에세이는 이렇게 시작된다. "순수주의자는 분명 하나님의 가장 이상한 피조물 중 하나이다." 그리고 오늘날에도 현대식으로 들리는 이런 불평을 늘어놓는다. "우리는 백 가지 하찮은 단어와 관용구의 관습에 몰두한 나머지, 더욱 풍성한 토픽들을 거의 손대지 않은 채 그냥 내버려두었다…. 내 주장인즉 영어 교육의 실질적인 난점의 상당 부분과 유감스런 잘못된 성공에 대해―나는 적어도 나의 경우에 그렇다는 것을 안다― 순수주의자들의 맹목적인 지도가 책임져야 한다는 것이다." 레너드는 사후에 출판된 《현행 영어 용법》(*Current English Usage*)과 함께 훗날 '용법의 교리'라 불리게 될 경험적 실체를 세우는 데 가장 중요한 인물 중 하나였다. 이는 만일 특정한 단어나 표현이 교육받은 사람들에 의해 널리 사용된다면 그것은 순수주의자들에 의해 "부정확하다"고 선언될 수 없다는 생각이다. 그는 일찍이 1917년에 이미, 미시간에서 스콧의 학생으로서 배웠던 개방적이고 개혁적인 아이디어를 선호한다고 강력히 선언했는데, 《현행 영어 용법》과 함께 그 아이디어가 널리 인정을 받았다. 언어적 순수성이란 이상형보다 당대의 글쓰기에서 실제로 사용되는 용법이 용납의 표준이 되어야 한다는 것이다.

포터 페린은 워싱턴 주립대학교의 영어 교수이자 《영어 색인》(*An Index to English*)의 저자인데, 이 책은 그 구조가 독특하고 많은 수사학 용어를 정의한 유식한 저술이다. 영어권 교재 시장이 급성장하던 언어학에서 완전히 분리된 기간에 언어학의 통찰들을 적용하려 했던 책은 손가락에 꼽을 정도밖에 되지 않았고, 약간의 영향력이라도 미친 책은 《영어 색인》뿐이었다. 이 책은 페린의 모든 저서처럼 엄밀한 학문성을 지니고 있었고 당대의 경건을 입에 담는데 만족하지 않았다.

페린은 대학 수사학에서 형식적 정확성을 중시하는 축소지향적 전통을 지칠 줄 모르고 비판한 인물로 가장 잘 알려져 있다. 1930년에 이르면, 많은 대학 부서와 교정 부서들이 거의 대부분 핸드북과 워크북을 사용해서 가르쳤고, 그런 과정의 방향은 거의 전부 기계적이고 규칙 중심적인 성격을 띠었다. 페린의 고전인 《보충 작업》(*The Remedial Racket*)은 핸드북과 워크북은 그 성격상 '교정'의 문제에 대한 틀린 답변이라고 주장했다. 하지만 페린은 광야에서 외치는 소리였고, 핸드북과 문장 관련 책들과 워크북은 계속 글쓰기 교육을 지배했다. 페린의 목소리는 워크북 접근에 반대하는 소수의 목소리 중 하나였다. "이런 연습은 분명히 현재의 작문 선생들이 2500년 된 수사학 분야에서 건진 유일한 원리, 즉 말하기와 글쓰기에 의해 말하고 글 쓰는 법을 배운다는 원리를 위반한다…." 페린은 선생들을 연습용 책자로 눈을 돌리게 하는 약점을 이해할 수 있었지만, 그것을 용납할 수는 없었다.

수사학의 참호에서 20년 이상 싸워온 페린은 1951년에 1900~1935년을 "수사학 연구를 위대하게 만들었던 폭넓은 목표들이 세세한 용법에 대한 집중에 항복했던 교수법이 유별나게 좁았던 시대였다"고 묘사했다. 1936년에 이르면 수사학 연구가 우리의 학교들에서 너무나 낮은 지위로 전락한 나머지, 리처드는 《수사학의 철학》에서 "불행한 학생이 신입생 영어 과목에서 통과해야 할 가장 따분하고 가장 무익한 낭비였다"고 말했고, 페리쉬(W. M. Parrish)는 1947년에 그 상황을 검토한 후 연설 선생들을 대상으로 한 글에서 "영어 선생들은… 수사학이란 이름 자체를 버리다시피 했고, 그 고전 전통은 이제 완전히 우리 손 안에 있다"고 말했다.

우리 시대에 고전 수사학을 소생시킨 곳은 코넬 대학교의 연설학과였다. 1920~1921년 가을 학기에 알렉산더 드러몬드(Alexander Drummond)와 에브렛 헌트(Everett Hunt)는 코넬 대학교에서 세미나를 열어 학생들로 아리스토텔레스의 《수사학》과 키케로의 《변론가론》과 퀸틸리안의 《변론법 수업》을 읽고 토론하게 만들었다. 이 고전 지향적 프로그램의 효과는 코넬의 연설학과 졸업생들이 전국의 다양한 대학교에서 자리를 잡게 되면서 나타나기 시작했다. 1930년대와 1940년대의 고전 수사학에 관한 글을 찾으려면 영어 선생들을 겨냥한 저널들이 아니라 〈Quarterly Journal of Speech and Speech Monographs〉를 살펴봐야 한다. 영어 선생들은 위대한 영어 저자들의 일부가 수사학 훈련을 받았다는 연구—볼드윈의 《윌리엄 셰익스피어의 빈약한 라틴어 실력, 그리고 그보다 더 부족한 그리스어 실력》, 도날드 클라크(Donald L. Clark)의 《사도 바울에 대한 존 밀턴의 견해》(John Milton at St. Paul's School), 칼 월레스의 《소통과 수사학에 대한 프랜시스 베이컨의 견해》(Francis Bacon on Communication and Rhetoric)등—가 발표되자 주목하기 시작했다. 고전 수사학에 대한 관심을 불러일으킨 또 다른 요인은 모티머 애들러의 《독서의 기술》(How to Read a Book)과 전후 신(新)비평의 인기였다. 양자 모두 수사학 테크닉을 독서 과정에 적용하고 있었기 때문이다. 최근에는 문학의 걸작들을 수사학적으로 분석한 책과 글이 상당수 출판되었다.

지난 30여 년 동안 '새로운 수사학'(new rhetoric)에 관한 얘기가 간헐적으로 진행되어 왔다. 이 '새로운 수사학'은 심리학, 의미론, 동기 연구 등 행동 과학에서의 진보로부터 상당한 유익을 얻었다고 한다. '새로운 수사학'과 관련해 자주 언급되는 이름은 I. A. 리처드(I. A. Richards)와 케네스 버크이다. 리처드가 수사학에 관심을 갖게 된 계기는 C. K. 오그덴(C. K. Ogden)과 함께 1923년에 쓴 의미론에 관한 책, 《의미의 의미》(*The Meaning of Meaning*)에 들어있다. 그는 1936년에 《수사학의 철학》(*The Philosophy of Rhetoric*)을 출판했다. 이 책을 쓴 목적 중 하나는 고대인들이 가르친 설득의 수사학이 지닌 한계를 강조하는 일이었다. 그는 본인을 언어의 설득의 측면에 국한시키면 스스로를 언어의 다른 용도들로부터 단절시키게 된다고 주장했다. 비숍 훼틀리가 1828년에 《수사학의 요소들》에서 그의 연구를 "전반적으로 또 배타적으로 논쟁적 작문에만 국한시킬 것"이라 선언했었기 때문에, 리처드는 훼틀리를 옛 수사학에 대한 공격의 대상으로 선정했다. 조지 캠벨은 《수사학의 철학》을 통해 청중의 심리에 관심을 품고, 수사학의 기능을 이해력을 일깨우는 것, 상상을 즐거워하는 것, 열정을 움직이는 것, 그리고 의지에 영향을 미치는 것을 포함하도록 넓혔기 때문에, 리처드가 지향하는 20세기 수사학의 바람직한 모델이 되었다. 리처드의 접근을 요약하자면, 그는 주로 모든 종류의 담론에서 언어가 어떻게 청중의 이해(또는 오해)를 도모하는지에 관심이 있었다고 할 수 있다. 이런 관심의 일부는 인간 언설에 대한 그의 연구에서 사용하는 네 가지 용어―감각, 느낌, 어조, 의도―에 나타난다.

케네스 버크는 리처드보다 고전 수사학자들을 더 존경했으나 리처드처럼 수사학의 범위를 넓힐 가능성을 바라보았다. 버크는 《동기의 수사학》(*Rhetoric of Motives*)을 출판한 지 일 년 후(1951년), 〈일반 교육 저널〉(*Journal of General Education*)에 기고한 글에서 이렇게 썼다. "내가 '옛' 수사학과 '새로운' 수사학('새로운 학문'이 기여한 참신한 통찰들에 의해 소생된 수사학)의 차이점을 한 마디로 요약해야 한다면, 나는 그것을 이렇게 축소하겠다. 옛 수사학의 핵심 용어는 '설득'이었고 그 강조점은 의도적인 계획에 두어졌다. 새로운 수사학의 핵심 용어는 '동일시'(identification)이고 이는 호소에서 부분적으로 '무의식적인' 요소를 포함할 수 있다는 것이다." '호소'가 버크에게는 의사소통의 본질이다. 사람들이 다른 인간들에게서 협력을 유도하기 위해 상징을 사용할 때는 그들 자신을 청중과 동일시해야 한다. 버크는 이를 동일 본질(consubstantial)이 되어야 한다고 표현했다. 버크는 수사학을 동일시를 이루는 다양한 방식들에 대한 연구로 보았다. 구조(structure)는 어떤 종류이든 동일시의 한 방식이다. 예컨대, 우리의 담론을 구조화하거나 배열하는 방식은, 청중의 필요에 맞춰 우리 담론을 조정하는 방식들 중의 하나가 될 수 있다. 양식 또한 동일시의 한 방식일 수 있는데, 그것은 우리 편에서 우리의 언어를 청중의 수준에 맞추려는 의식적 또는 무의식적 시도일 수 있기 때문이다. 버크의 '드라마의 다섯 요소'(dramatistic pentad)—행동, 행위자, 수단, 장면(배경), 목적—는 인간 행위의 동기를 분석하는데 필요한 비평적 기구이다.

'새로운 수사학'에 기여한 또 다른 중요한 인물은 벨기에 철학자 차임 페렐만(Chaim Perelman)이었다.● 페렐만은 30년 이상 유럽 대륙에서 여러 책과 글을 출판했으나, 미국에서 주목받게 된 것은 훗날 주로 〈철학과 수사학〉(*Philosophy and Rhetoric*)이라는 저널을 통해서였다. 이 저널은 1968년 헨리 존스턴(Henry W. Johnstone, Jr.)과 캐롤 아놀드(Carroll C. Arnold)를 편집인으로 임명한 펜실베이니아 주립대학교가 창간한 것이었다. 이제 영어권 학생들은 페렐만의 주저서인 《새로운 수사학: 논증에 관한 논문》(*A New Rhetoric: A Treatise on Argument*)을 직접 접할 수 있게 되었다. 이는 페렐만과 그의 동료 루시 올브레츠-티테카(Lucie Olbrechts-Tyteca)가 1958년에 프랑스어로 출판한 책이었다.

영국 철학자 스티븐 툴민(Stephen Toulmin)처럼, 페렐만도 형식 논리가 인간사의 의사 결정의 문제에 적용될 수 있다는 점에 불만족을 품어왔다. 그는 공적인 삶의 실제적 심의와 결정에 적합한 논증 이론의 개발이 서구 세계에서 데카르트의 이성과 추론에 대한 경직된 충성으로 인해 방해를 받아왔다고 주장한다. 그는 서론에서 이렇게 말한다. "이성의 특징을 자명한 것으로 만들고, 명석하고 판명한 생각에서 시작해 필연적인 증명에

● 페렐만의 《새로운 수사학》을 요약한 글을 보려면 다음을 참고하라. Ray D. Dearin, "The Philosophical Basis of Chaim Perelman's Theory of Rhetoric," *Quarterly Journal of Speech*, LV (October 1969), 213–24.)

의해 확장되고 자명한 공리를 통해 유래된 일반원리임을 증명한 것만 합리적인 것으로 생각했던 인물이 바로 이 철학자였다." 그러나 사람들이 주장하는 대다수의 것은 불확정성, 개연성의 영역에 속하고, 이 영역에서는 자명한 전제에 기반한 절대적인, '과학적인' 증명이 항상 가능하거나 유효한 것은 아니다. 페렐만은, 아리스토텔레스가 《변증론》에서 다루고 《수사학》에서 활용한 '변증법적' 증명이 '동의를 위해 제시된 논지에 대한 지성의 지지를 유도하거나 증가시킬' 수 있는 비형식 논리의 방식을 제공했다는 것을 알았다.

법학 학위도 갖고 있었던 펠레만은 법학 분야에서도 이 비형식적인 추론 방식을 위한 효과적인 모델을 발견했다. 그의 책 《정의의 개념과 논증의 문제》(*The Idea of Justice and the Problem of Argument*)에서 페렐만은 "다른 어떤 연구보다 법에서의 증명, 그 다양한 변종과 진화를 철저히 조사해보면, 우리는 사고와 행동 간에 존재하는 관계에 더 친숙해질 수 있다"고 말한다. 그는, 예컨대, 법정에서 선례의 재판을 사용하는 것, 즉 "비슷한 상황을 동등하게 취급할 것을 요구하는 정의의 지배를 지키는 일과 연관되는 그 합리성"을 가리킨다. 이어서 "이제, 정의의 지배를 적용하는 것은 선례의 존재가 우리에게 가르친다고, 즉 우리가 현재 직면하는 상황과 비슷한 상황이 과거에 어떻게 다뤄졌느냐를 가르친다"고 가정한다. 달리 말해, 선례들은 결정적 증거에 못 미치는 것을 내놓지만 중요한 결정을 내리는데 필요한 합리적인 근거를 구성한다. 다른 많은 심리적, 사회적, 문화적 조건들도 마찬가지고, 《새로운 수사학》의 많은 부분이 그런 작동 조건들을 다루고 있다.

차임 페렐만의 주장은 다음과 같다. "강제적이지도 자의적이지도 않은 논증의 존재만이 인간 자유에 의미를 부여할 수 있고, 이는 합리적 선택이 행사될 수 있는 상태이다…. 논증 이론은 가치판단의 논리가 실패한 것, 즉 행동의 영역에서 인간 공동체의 가능성을 정당화하는 것—이 정당화가 객관적 진리의 실재에 기반을 둘 수 없을 때—을 개발하도록 도울 것이다."

'새로운 수사학'에는 다른 발전양상들도 있다. 우리는 최근에 양식과 문체론(언어학을 문학에 적용하는 것)의 분야에서 이뤄진 흥미로운 작업을 살펴볼 수 있는데, 이에 참여한 인물은 영국의 로저 파울러(Roger Fowler), 지오프리 리치(Geoffrey Leech), M. A. K. 할리데

이(M. A. K. Halliday) 등이고 미국의 로만 제콥슨(Roman Jakobson), 세이머 체트맨(Seymour Chatman), 리처드 오만(Richard Ohmann), 루이스 밀리치(Louis Milic), 프랜시스 크리스텐센(Francis Christensen) 등이다. 노옴 촘스키(Noam Chomsky)의 변혁적 문법과 B. F. 스키너(B. F. Skinner)의 심리언어학 또한 '새로운 수사학'과 관련이 있다. 최근에 늘어나는 커뮤니케이션 이론 관련 문헌은 수사학적 행위를 좀 더 과학적인 기반 위에 놓았다. 아울러 전자 매체가 어떻게 우리의 경험을 인지하고 구조화하고 소통하는 방식을 바꾸고 있는지에 관한 마샬 맥루한(Marshall McLuhan)의 견해가 지닌 수사학적 차원도 무시할 수 없다. 더 나아가, 우리는 프랭클린 헤이먼(Franklyn Haiman)이 말하는 비언어적 수사 또는 '몸의 수사'—정치 영역에서의 행진, 시위, 연좌 항의, 문화 영역에서의 음악, 영화, 빛을 사용한 쇼—의 모든 양상도 탐구해야 한다. 우리는 이제 설득용 담론의 새로운 양식으로서 젠더화된 수사와 인종의 수사에 관해 얘기하기 시작하고 있다. 그리고 우리의 삶에 큰 영향을 미치고 있는 광고의 수사에는 아직 충분한 주의를 기울이지 않았다. 그러나 이런 '활발한 움직임'을 언급하기만 해도 수사—비록 우리가 이 책에서 공부한 것과는 다른 줄기인지는 몰라도—가 여전히 생생하게 살아있다는 것을 알 수 있다.

　　1977년에 취리히에서 국제수사학사(史)협회가 창설된 이래 북미의 수사학 학생들은 이 책이 다룬 수사학의 시발점이었던 유럽에서 진행되고 있는 연구를 주시해왔다. 그리고 유럽의 수사학 학생들은 서구 수사학이 18세기에 이주한 북미에서 진행되고 있는 연구를 주목해왔다. 대서양 양측의 학자들은 각각 수사학 연구가 건너편에서 죽지는 않았더라도 잠자고 있다고 생각했었다. 그런데 20세기 동안 미국에서 수사학에 대한 관심이 폭등하자—먼저는 1920년대에 코넬 대학교의 연설과 드라마 학과에서, 나중에는 1960년대에 여러 영어학과에서— 유럽의 다양한 국가의 학자들이 1950년대부터 수사학에 대한 탐구를 재개해왔다.

　　처음에는 수사학에 관심을 품은 유럽인과 미국인들이 일차적으로 수사학자가 아닌 철학자, 언어학자, 심리학자, 시집 편집자, 문학비평가인 학자들을 살펴보기 시작해서, 그 학자들로부터 수사학에 새로운 빛을 던지는 인간 의사소통에 관한 통찰들을 전용했다. 그래서 유럽과 북미에서 출판된 수사학 관련 문헌에서 레프 비코츠키(Lev Vygotsky),

A. R. 루리아(A. R. Luria), 한스-게오르그 가다머(Hans-Georg Gadamer), 폴 리꾀르 (Paul Ricoeur), 로만 제콥슨(Roman Jakobson), 폴 드 맨(Paul De Man), 쟈크 데리다(Jacques Derrida), 미카일 바크틴(Mikhail Bahktin)과 같은 이름들을 접하게 되는 것이다. 브라이언 비커스(Brian Vickers)는 포괄적인 수사학 역사를 다룬 책, 《수사학을 변호하며》(*In Defense of Rhetoric*)의 마지막 장에서 이런 현대 저자들이 수사학에 미친 영향과 그들의 아이디어 를 논의하고 평가한다.

그러나 최근에 몇 권이 영어로 번역된 덕분에, 북미에 사는 우리는 수사학자로 간 주될 수 있는 유럽 저자들의 저서들을 알게 되었다. 우리의 전문 저널과 학술 서적에 두 드러지게 논의된 세 명의 유럽 수사학자들은 이탈리아인 휴머니스트 에르네스토 그라 시(Ernesto Grassi), 프랑스인 철학자 미셸 푸코(Michael Foucault), 독일인 마르크스주의 비 평가 위르겐 하버마스(Jürgen Habermas)이다. 장차 수사학 역사의 다음 장을 쓸 때는 다 음과 같은 책들이 거론되어야 할 것이다. 미셸 푸코의 《지식의 고고학》(*The Archaeology of Knowledge*), 에르네스토 그라시의 《철학으로서의 수사학》(*Rhetoric as Philosophy*), 위르겐 하 버마스의 《의사소통과 사회 이론》(*Communication and the Evolution of Society*) 등이다. 이 세 명의 유럽 수사학자들의 저술과 다른 다섯 명의 현대 수사학자들(I. A 리처드, 리처드 위버, 스티븐 툴민, 차임 페렐만, 케네스 버크)을 개관한 책으로는, 소냐 K. 포스(Sonja K. Foss)와 캐 런 A. 포스(Karen A. Foss), 로버트 트랩(Robert Trapp)이 공저한 《수사학에 대한 동시대적 관점들》(*Contemporary Perspectives on Rhetoric*)이 있다.

이 개관을 읽는 많은 독자에게 매우 눈에 띠는 점은, 아마 여성의 이름이 없다는 사 실일 것이다. 사실 여성의 부재는 수사학 역사 전체의 유별한 특징이었다. 예컨대, 《새 로운 수사학: 논증에 관한 논문》(*The New Rhetoric: A Treatise on Argumentation*)의 프랑스어판 (1958)과 영어판(1969) 모두 차임 페렐만과 나란히 루시 올브레츠-티테카를 이 중요한 20세기 수사학 책의 공저자로 표기하고 있다. 만일 올브레츠-티테카의 첫째 이름인 '루 시'(Lucie)가 이 책의 표지에 표기되었다면, 우리는 올브레츠-티테카가 여성이었음을 알 게 되었을 것이다. 그러나 페렐만의 수사학 저술이 저널과 책에 논의될 때마다 마담 올 브레츠-티테카에 대한 논의는 없고 거의 언급조차 하지 않는다. 그녀는 페렐만의 동료

였고, 다양한 분야의 필자들이 그들의 담론에서 논증을 사용한 방식을 연구하는 일에 10년 동안 페렐만과 협력했다. 그리고 아직도 수사학의 역사에 관한 한, 그녀는 참고문헌에 표기되는 이름에 불과하다.

수사학 역사에서 여성의 이름이 없는 이유들 중 하나는, 서양에서 2500년 역사의 대다수에 걸쳐 이론가와 실천가를 막론하고, 수사학자로 불릴 만한 여성이 극소수에 불과했기 때문이다. 그리고 여성 수사학자가 없는 이유는 2500년의 대다수 기간 동안 여성은 공식 교육과 공적 광장에 접근하는 길이 막혀있었기 때문이다. 수사학은 모든 학문 분야 중에 가장 가부장적 분야의 하나이다.

그러나 활발한 페미니즘 운동 덕분에 지금은 수사학자라고 주장할 수 있는 여성의 이름이 나타나기 시작하는 중이다. 셰릴 글렌(Cheryl Glenn)이 《다시 말하는 수사학》(Rhetoric Retold)이라는 중요한 책을 썼다. 그녀가 조사한 기간과 문화—아테네의 그리스에서 유럽의 르네상스에 이르기까지—에서도 스스로를 수사학의 실천가나 이론가로 밝힌 여성을 많이 찾지 못했다. 그녀는 마가렛 무어 로퍼(Margaret More Roper, 토마스 무어의 딸)와 엘로이즈[Héloïse, 그 이름이 항상 중세 논리학자 아벨라르(Abelard)와 연결되어 있는 프랑스 대수녀원장] 등 공식 교육에는 접근할 수 없었음에도 독학의 길을 택한, 명석하고 학식 있고 유능한 여성을 많이 발굴했으나, 스스로 전통적 의미에서 수사학자라는 주장을 정당화하는 일에는 어려움을 겪었다. 그래도 이론가이자 수사학 선생으로 간주할 만하다고 생각한 여성은, 소크라테스의 선생으로 알려져 있던 아스파시아 밀레투스(Aspasia Miletus)이다. 글렌이 공적 영역에서 연설가로 간주할 만하다고 생각한 여성은, 호르텐시아(Hortensia)이다. 호르텐시아는 주전 42년경 로마 원로원이 부유한 로마 시민의 1,400명 미망인에게 부과한 엄청난 세금에 반대해 포럼(Forum)에서 강경하게 저항했으나, 모두 수포로 돌아가고 말았던 귀족 여성이었다.

그러나 셰릴 글렌이 그녀의 의도대로 19세기와 20세기의 여성을 조사하면 중요하고 유능한 수사학자로 정당하게 분류할 수 있는 여성을 많이 발견하게 될 것이다. 칼린 캠벨(Karlyn Kohrs Campbell)은 〈계간 스피치 저널〉(The Quarterly Journal of Speech, 1989. 5.)에 '여성 목소리의 울림'(The Sound of Women's Voices)을 발표했는데, 19세기와 20세기 동안 수사학 분야에서 출판된 여성에 관한 책 열한 권을 옴니버스식으로 비평한 글이다. 이 가운데 일부는 19세기와 20세기의 여성들이 쓴 연설 텍스트와 문어 담론을 소개하고, 또 다른 일부는 수사학자로 활동하던 여성들에 관한 역사적 또는 비평적 연구를 담고 있다. 장차 누군가 20세기 후반을 다루게 될 때는 다양한 여성 수사학자들을 발견하게 되리라. 지난 25년 동안의 수사학에 관한 글과 학술서와 교재를 정규적으로 읽는 독자는, 연설 분야나 영어 분야에서 수사학에 중요한 기여를 한 인물 20명 가량을 찾는다면, 남성보다 여성을 찾게 될 확률이 더 높다.

이 간추린 수사학 개관이 수많은 이름과 제목과 연대로 인해 독자들로 고개를 젓게 만들었을지도 모르겠다. 하지만 이 모든 세부사항을 기억하는 것은 그리 중요하지 않고, 전반적으로 고전 수사학이 누린 길고 영화로운 전통을 인식하는 것이 중요하다. 그 기나긴 역사에 걸쳐 수사학은 정치 영역과 학문 영역 둘 다에서 주기적으로 그 공적인 명망이 올랐다 떨어졌다 했다. 그런데 수사학은 오랜 기간 잠들어 있었다가도 항상 무대로 복귀한다. 한때 그토록 활발했던 것이 세월이 흐르고 새로운 세계가 창조되어도 그 적실성과 효능을 완전히 잃어버릴 수는 없다. 인간이 말을 하거나 글을 쓰는 한 수사적으로 행하는 것을 멈출 수 없을 것이다.

주요 개념 찾아보기

1. 논증의 발견 Discovery of Arguments

일반적인 토픽들(Common Topics)

정의(定義, Definition) 136

　└속(屬, Genus) 138

　└분과(Division) 140

비교(Comparision) 142

　└유사점(Similarity) 143

　└차이점(Difference) 147

　└정도(Degree) 149

관계(Relationship) 154

　└원인과 결과(Cause and Effect) 154

　└전건과 후건(Antecedent and Consequence) 158

　└반대 명사(Contraries) 160

　└모순 명제(Contradictions) 162

환경(Circumstances) 163

　└가능한 것과 불가능한 것

　　(Possible and Impossible) 163

　└과거의 사실과 미래의 사실

　　(Past Fact and Futire Fact) 167

증언(Testimony) 170

　└권위(Authority) 171

　└보증의 말(Testimonial) 172

　└통계(Statistics) 173

　└금언(Maxims) 176

　└법(Law) 177

　└전건(예)[Precedent(Example)] 179

토픽의 사용(Use of the Topics)에 관한 에세이 194

토픽 관련 질문(Topical Questions) 목록 203

특수한 토픽들(Special Topics)

심의용(Deliberative) 181

  ㄴ선한 것(The Good)

  ㄴ무가치한 것(The Unworthy)

  ㄴ유리한 것(The advantageous)

  ㄴ불리한 것(The Disadvantageous)

사법용(Judical) 184

  ㄴ정의(옳은 것)[Justice(Right)]

  ㄴ불의(그른 것)[Injustice(Wrong)]

의식용(Ceremonial) 188

  ㄴ미덕(고상한 것)[Virtue(The Noble)]

  ㄴ악덕(비천한 것)[Vice(The Base)]

삼단논법(Syllogism)

대당사각형(Square of Opposition) 66

사각형으로부터의 추론

(Deductions from the Square) 69

~의 형태(Form of ~) 71

~을 위한 규칙(Rules for ~)

  ㄴ범주적(Categorical) 76

  ㄴ가설적(Hypothetical) 81

연습문제(Exercise) 84

생략삼단논법(Enthymeme)

~의 형태(Form of ~) 87

연습문제(Exercise) 95

호소의 종류(Kinds of Apeal)

논리적(Logical) 58

윤리적(Ethical) 113

감정적(Emotional) 121

오류(Fallacies)

연역적(Deductive)

  ㄴ애매모호함(Equivocation) 104

  ㄴ주연되지 않은 중명사(Undistributed Middle) 104

불법적인 과정(Illicit Process) 105

두 개의 부정적 전제들(2 Negative2) 105

부정적 전제에서 나온 긍정적 결론

(Affirmative from Negative) 105

양자택일(Eithor/or) 106

후건을 긍정하는 것(Affirming Consequent) 107

전건을 부인하는 것(Denying Antecedent) 107

귀납적 오류(Inductive)

그릇된 일반화(Faulty Generalization) 108

그릇된 인과관계(Faulty Causal) 108

그릇된 유추(Faulty Analogy) 109

잡다한 오류(Miscellaneous)

선결문제 요구(Begging Question) 110

그 사람에게(Ad Hominem) 111

대중에게(Ad Populum) 111

관심을 딴 데로 돌리기(Red Herring) 112

복합적인 질문(Complex Question) 113

논지의 구성(Formulating a Thesis) 51

2. 재료의 배열 Arrangement of Material

서론(Introduction) 317

탐구적(Inquisitive) 318

역설적(Paradoxical) 319

교정적(Corrective) 320

예비적(Preparatory) 321

설화체(Narrative) 322

사실의 진술(Statement of Fact) 331

확증(Confirmation) 339

논박(Refutation) 341

논리적 호소에 의한(By Logical Appeal) 343

감정적 호소에 의한(By Emotional Appeal) 343

윤리적 호소에 의한(By Ethical Appeal) 344

위트에 의한(By Wit) 345

결론에서 해야 할 네 가지

(4 Things Done in Conclusion) 348

3. 양식 Style

양식 연구(Study of Style)

어법의 종류(Kind of Diction) 453

문장의 길이(Length of Sentences) 453

문장의 종류(Kinds of Sentences) 454

패턴의 다양성(Variety of Patterns) 455

문장 음조(Sentence Euphony) 455

문장의 표현(Articulation of Sentences) 455

비유적 표현(Figures of Speech) 458

단락 짓기(Paragraphing) 459

양식 연구 도표(Stylistic Study Charts) 463, 470~474

모방 연습(Exercise in Imitation)

구절 필사(Copying Passages) 541

문장 패턴의 모방(Imitating Sentence Patterns) 543

수법(Scemes)

교차 대구법(Chiasmus) 501

결구 반복(Epistrophe) 495

괄호(Parenthesis) 485

도치(Anastrophe) 484

두운(Alliteration) 492

대위법(Polyptoton) 501

대조법(Antithesis) 482

반복 치환법(Antimetabole) 499

병치(Apposition) 487

병행법(Parallesim) 479

수구 반복(Anaphora) 493

시종 반복(Epanalepsis) 496

생략(Ellipsis) 488

유운(Assonance) 492

이소콜론(Isocolon) 481

전사 반복(Anadiplosis) 497

접속사 생략(Asyndeton) 490

접속사 중첩(Polysyndeton) 491

클라이맥스(Climax) 498

전의(Tropes)

감수분열(Meiosis) 514

곡언법(曲言法, Litotes) 513

과장법(Hyperbole) 511

말장난(Puns) 507

모순 어법(Oxymoron) 519

비대(Auxesis) 512

비유(Parable) 504

수사적 의문(Erotema) 514

아이러니(Irony) 515

아포스트로피(Apostrophe) 475

안티메리아(Anthimeria) 509

알레고리(Allegory) 504

역설(Paradox) 520

역언법(逆言法, Paralipsis) 516

유음중첩(Paronomasia) 508

은유(Metaphor) 503

액어법(Zeugma) 508

완곡법(Periphrasis) 509

의인화 또는 의인법(Personification/Prosopopoeia) 510

의성어(擬聲語, Onomatopoeia) 517

중의법(重意法, Syllepsis) 508

직유(Simile) 503

제유(提喻, Synecdoche) 505

환유(換喻, Metonymy) 506

환의법(換意法, Antanaclasis) 507

4. 수록된 에세이 및 에세이 분석

리처드 펄커슨의 〈버밍햄 감옥에서 보낸 편지〉에 나타난 설득 양식 분석 563

레이첼 카슨의 〈인내할 의무〉 212

   ㄴ,레이첼 카슨의 작품 분석 220

마르틴 루터 킹의 〈버밍햄 감옥에서 보낸 편지〉 373

   ㄴ,마르틴 루터 킹의 작품 분석 393

매튜 아놀드의 〈문학과 과학〉 297

소크라테스의 《변명》 225

   ㄴ,소크라테스의 작품 분석 241

에드먼드 버크의 《각하에게 보내는 편지》 276

존 F. 케네디의 취임 연설 545

   ㄴ,존 F. 케네디의 연설 분석 552

제임스 매디슨의 〈연방주의자 논문 제 10호〉 254

   ㄴ,제임스 매디슨의 작품 분석 263

캐서린 서전트 화이트의 사망기사 248

   ㄴ,캐서린 서전트 화이트의 사망기사 분석 251

토마스 생턴의 〈올해의 행성〉 360

   ㄴ,토마스 생턴의 작품 분석 368

토마스 헨리 헉슬리의 〈과학과 문화〉 286

호머의 〈사절단이 아킬레스에게 호소하다〉 22

   ㄴ,호머의 작품 분석 28

휴렛패커드 광고 분석 18

헨리 데이비드 소로의 《시민 불복종》 400

한 권으로 배우는 **수사학**

초판 1쇄 발행 2020년 3월 27일
개정판 1쇄 발행 2021년 8월 9일
개정2판 1쇄 발행 2024년 9월 9일

지은이 에드워드 P. J. 코벳
　　　　　로버트 J. 코너스
옮긴이 홍병룡

펴낸곳 ㈜디씨티와이북스
출판등록 제16-3821호
주소 (06258) 서울시 강남구 도곡로 110
전화 02-529-7722
팩스 02-571-5353
홈페이지 www.dctybooks.co.kr
전자우편 dcty@dctybooks.co.kr
ISBN 978-89-6804-072-6 03170